D0231295

ROBERT
LUDLUM

De ICARUS INTRIGE

UITGEVERIJ LUITINGH

Veertiende druk

Oorspronkelijke titel: *The Icarus Agenda*
Vertaling: Frans & Joyce Bruning
Omslagontwerp: Rob van Middendorp
Omslagfotografie: Image Store

ISBN 978 90 245 3028 1

www.boekenwereld.com

Voor *James Robert Ludlum*
Welkom, jongen
Ik wens je een fantastisch leven

Voorwoord

De gedaante die zich even aftekende tegen het vage licht van de deuropening rende de donkere kamer zonder ramen in. Hij sloot de deur en zocht zich werktuiglijk en snel een weg over de smetteloze, zwarte vinylvloer naar een koperen lamp op een tafel links van hem. Hij knipte de zwakke lamp aan die schaduwen wierp door het ingebouwde, gelambrizeerde studeervertrek. De ruimte was klein en benauwd, maar niet zonder ornamenten. Het waren echter geen antieke kunstvoorwerpen en ze vertegenwoordigden evenmin perioden uit de kunstgeschiedenis. Het was de modernste apparatuur van een geavanceerd computertijdperk.
Licht reflecteerde op het roestvrije staal van de rechtermuur en het zachte zoemen van een airconditioner garandeerde een absoluut stofvrije ruimte. De eigenaar, die alleen in de kamer was, liep naar een stoel voor een met de computer verbonden tekstverwerker en ging zitten. Hij zette een schakelaar om; het scherm gloeide op en hij typte een code in. De helder groene letters reageerden onmiddellijk.

Uiterst maximale geheimhouding

Geen aftap mogelijk

Ga uw gang

De gedaante zat gebogen over het toetsenbord, tot het uiterste gespannen, en begon zijn data in te voeren.

Ik begin thans aan dit journaal omdat volgens mij wat nu gaat gebeuren het lot van een heel volk zal veranderen. Een man is schijnbaar uit het niets te voorschijn gekomen, als een argeloze messias zonder enige notie van zijn

roeping of zijn bestemming. Hij is voorbestemd voor zaken die hij niet kan begrijpen en als mijn verwachtingen uitkomen zal dit een verslag worden van zijn reis. Hoewel ik me slechts een voorstelling kan maken van hoe het begon, weet ik dat het begonnen is in chaos.

Deel een

I

Masqat, Oman. Zuidwest-Azië
Dinsdag 10 augustus, 18.30 uur

Het wilde water van de Golf van Oman vormde een voorspel op de storm die door de Straat van Hormuz kwam aanrazen, op weg naar de Arabische Zee. Het was zonsondergang, zoals bleek uit de schrille neusklanken van de gebaarde muezzins die hun oproepen tot gebed opdreunden vanaf de moskeeminaretten van de havenstad. De lucht betrok steeds meer onder de zware donderkoppen die dreigend over het schemerlicht van de avond zwalkten als voorwereldlijke monsters. Flakkerend weerlicht zette de oostelijke horizon nu en dan in vlammen boven het Makrangebergte van Turbat, ruim driehonderd kilometer verder in Pakistan, aan de overkant van de zee. In het noorden, voorbij de grens met Afghanistan, duurde een zinloze, wrede oorlog voort. In het westen woedde een nog zinlozer oorlog, gevoerd door kinderen die de dood in werden gedreven door de zieke waanzinnige in Iran, erop gebrand zijn kwaadaardige kwaal te verspreiden. In het zuiden lag Libanon, waar mannen doodden zonder scrupules, waar elke factie in haar religieuze fanatisme de anderen terroristen noemde, terwijl allen – zonder uitzondering – zich te buiten gingen aan een barbaarse terreur.
Het Midden-Oosten en Zuidwest-Azië stonden in brand, en waar het vuur eerder was gedoofd was het weer opgelaaid. Terwijl de wateren van de Golf van Oman woedend kolkten op deze vroege avond en de hemel een verwoestende storm voorspelde, weerspiegelde de hoofdstad van het sultanaat van Oman het naderende noodweer. Toen de gebeden voorbij waren kwamen de mensenmassa's opnieuw bijeen met vlammende toortsen. Ze kwamen aanstromen uit zijstraten en stegen, één lange hysterisch protesterende kolonne, met als doel de door

schijnwerpers verlichte ijzeren poort van de Amerikaanse ambassade. De voorgevel van roze stucwerk daarachter werd bewaakt door haveloze, langharige jongens die onhandig hun automatische wapens vasthielden. Het overhalen van de trekker stond gelijk met de dood, maar in hun ongeremde fanatisme konden ze het verband met die onherroepelijkheid niet leggen, want men had hun verteld dat de dood niet bestond, hoe anders de werkelijkheid ook was. De beloning voor martelaarschap duurde eeuwig, hoe pijnlijker het offer, hoe roemrijker de martelaar – de pijn van hun vijanden zei hun niets. Blindheid! *Waanzin!*

Het was de tweeëntwintigste dag van deze waanzin, eenentwintig dagen sinds de beschaafde wereld voor de zoveelste maal was gedwongen de realiteit van ongegronde woede te accepteren. De vloedgolf van fanatisme in Masqat was uit het niets komen opzetten en bedekte nu ineens alles en niemand wist waarom. Met uitzondering van de analysten van het duistere bedrijf van plotseling opkomende revoluties, die mannen en vrouwen die hun dagen en nachten doorbrachten met onderzoeken en ontleden – en zo ten slotte op de wortels stootten van een op touw gezette opstand. Want het sleutelwoord was 'op touw gezet'. Wie? Waarom? Wat willen ze werkelijk en hoe kunnen we hen tegenhouden?

Feiten: Tweehonderdzevenenveertig Amerikanen waren onder bedreiging met wapens samengedreven en gegijzeld. Elf waren er gedood, hun lijken waren uit de ramen van de ambassade gesmeten, elk lijk gepaard gaand met het geluid van stukgesmeten glas, elke dode door een ander raam. Iemand had die jongens bijgebracht hoe ze van elke executie een schokkende verrassing konden maken. Voor de ijzeren poort werden opgewonden weddenschappen afgesloten door gillende, maniakale gokkers, gebiologeerd door bloed. Welk zou het volgende raam zijn? Zou het het lijk zijn van een man of een vrouw? Hoeveel is je oordeel waard? *Hoeveel? Gok dan!*

Boven op het platte dak lag het luxueuze ambassadezwembad achter een Arabisch houten latwerk, niet bestemd om kogels tegen te houden. Rond dat zwembad knielden de gegijzelden in rijen terwijl ronddolende groepen moordenaars machinepistolen richtten op hun hoofd. Tweehonderdzesendertig uitgeputte Amerikanen in doodsangst, die wachtten op hun terechtstelling.

Waanzin!
Besluiten: Houd de Israëli's erbuiten, ondanks hun goedbedoelde aanbiedingen. Dit was geen Entebbe en ondanks al hun kennis op dit gebied zou het bloed dat Israël had vergoten in Libanon in de ogen van de Arabieren elke poging tot een gruwel maken: de Verenigde Staten hadden terroristen gefinancierd om tegen terroristen te vechten. Onaanvaardbaar. Een commandogroep voor terroristenbestrijding? Wie zou er tegen een muur van vier verdiepingen hoog opklimmen, of zich uit helikopters op het dak laten vallen en een einde maken aan de executies, als de beulen maar al te bereid waren als martelaren te sterven? Een zeeblokkade met een bataljon mariniers, klaar voor een invasie van Oman? Het zou een overweldigend machtsvertoon zijn, maar verder niets. De sultan en zijn regerende ministers waren de laatste mensen op aarde die het geweld in de ambassade wilden. De vredelievende Koninklijke Politie probeerde de hysterie te bedwingen, maar ze konden niet op tegen de rondzwervende benden opruiers. Jarenlange rust in de stad had hen niet voorbereid op zulke uitbarstingen; en het terugroepen van het Koninklijke Leger van de grenzen met Jemen kon leiden tot onvoorstelbare problemen. De gewapende macht die langs dat broeinest van een toevluchtsoord voor internationale moordenaars patrouilleerde was al even wreed als hun vijanden. Los van het onontkoombare feit dat de grenzen één bloedig strijdperk zouden worden als zij terugkeerden naar de hoofdstad, zou er zeker bloed vloeien door de straten van Masqat tot de straatgoten verstopt waren met onschuldigen en schuldigen.
Schaakmat.
Oplossingen: Voldoen aan de gestelde eisen? Onmogelijk, en dat was kennelijk bekend bij degenen die verantwoordelijk waren, alleen niet bij hun marionetten, de kinderen die geloofden in wat ze gillend uitzongen. Het was volkomen uitgesloten dat regeringen in geheel Europa en het Midden-Oosten meer dan 8000 terroristen zouden vrijlaten van organisaties als de Brigatti Rossi en de PLO, de Baader-Meinhofgroep en de IRA en tientallen van hun ruziemakende, verachtelijke soortgenoten.
Doorgaan de eindeloze televisie-uitzendingen te tolereren, de indringende camera's en de massale krantenverslagen die de aandacht van de wereld gefixeerd hielden op de naar publiciteit hunkerende fanatici? Waarom niet? Die voortdurende aan-

dacht voorkwam ongetwijfeld dat er nog meer gegijzelden gedood zouden worden, aangezien de executies 'tijdelijk waren uitgesteld', zodat de 'onderdrukkende naties' konden nadenken over wat hen te doen stond. Een einde maken aan de verslaggeving van de media zou alleen maar de woede opwekken van de hysterische bende die hunkerde naar het martelaarschap, want minachting was als liefde – ze smachtten naar een overvloed van beide, zolang iedereen dat overal maar wist. Stilte zou hen naar het schokeffect doen grijpen. Een schokeffect had nieuwswaarde en niets schokte zozeer als moord.
Wie?
Wat?
Waar?
Wie...? Dat was de kernvraag en het antwoord daarop zou leiden naar een oplossing – een oplossing die binnen vijf dagen moest worden gevonden. De executies waren een week opgeschort en er waren al twee dagen voorbij, opgeslokt in een koorts van bedrijvigheid, terwijl de inlichtingendiensten van zes landen in Londen bijeen waren gekomen. Allen waren ze er met supersonische vliegtuigen gearriveerd, binnen enkele uren nadat het besluit was gevallen samen te gaan werken, want ieder wist dat zijn ambassade de volgende op de lijst kon zijn. Ergens op de wereld. Resultaat: Oman bleef een raadsel. Het was altijd beschouwd als een rots in de branding van het woelige Zuidwest-Azië, een sultanaat met beschaafde, verlichte leiders, bijna een volksvertegenwoordiging, al kon een goddelijke familie in de islamitische wereld dat natuurlijk nooit helemaal toestaan. De leiders kwamen uit een bevoorrechte familie die kennelijk respecteerde wat ze van Allah hadden gekregen – niet alleen als een geboorterecht, maar ook als een verantwoordelijkheid in de tweede helft van de twintigste eeuw.
Conclusies: De opstand was van buitenaf geprogrammeerd. Niet meer dan twintig van de ruim tweehonderd haveloze, gillende jongeren waren met zekerheid geïdentificeerd als Omani's. Daarom gingen medewerkers van de geheime diensten die hun verklikkers hadden in de extremistische facties in heel het Arabische deel van de Middellandse Zee direct aan het werk; ze lieten hun contactmensen opdraven, kochten hen om, bedreigden hen.
'Wie *zijn* het, Aziz? Er zijn er maar een paar uit Oman bij, en de meesten van hen worden voor achterlijk gehouden. Schiet

op, Aziz. Je kunt een leven krijgen als een sultan. Noem maar een schandalig hoge prijs. Stel mijn geduld niet langer op de proef!'
'Zés tellen, Mahmed! Zes tellen en dan ligt je hand op de grond zónder pols! Daarna gaat je linker er af. We zijn aan het aftellen, díef! Geef me die informatie!' *Zes, vijf, vier... Bloed.* Niets. Helemaal niets. *Waanzin.*
En dan een meevaller. Die kwam van een stokoude muezzin, een heilige man wiens woorden en geheugen even beverig waren als zijn uitgemergelde gestalte nu zou zijn in de stormwind die kwam aangieren uit Hormuz.
'Zoek niet waar u logisch zou verwachten te moeten zoeken. Zoek ergens anders.'
'Waar?'
'Waar wrok niet voortkomt uit armoede of verwaarlozing. Waar Allah in deze wereld gunsten heeft verleend, alleen misschien niet in de wereld hierna.'
'Wilt u wat duidelijker zijn, hoogvereerde muezzin?'
'Allah wil die duidelijkheid niet – Zijn wil geschiedde. Misschien kiest Hij geen partij – het zij zo.'
'Maar u hebt toch wel een reden om zoiets te zeggen?'
'Omdat Allah mij die reden heeft gegeven – Zijn wil geschiede.'
'Wat bedoelt u daarmee?'
'Gefluisterde geruchten, opgevangen in de hoeken van de moskee. Zacht gesproken woorden, niet bestemd voor deze oude oren. Ik hoor zo slecht dat ik ze niet zou hebben opgevangen als Allah het niet zo had gewild.'
'Er moet meer zijn!'
'Men fluistert over hen die zullen profiteren van het bloedbad.'
'Wie?'
'Er worden geen namen genoemd, geen belangrijke mannen.'
'Een of andere groep of organisatie? *Alstublieft!* Een sekte, een land, een vólk? De Shi'ieten, de Saudi's... Irakezen, Iraniërs... de *Sovjets?*'
'Nee. Er wordt noch over gelovigen, noch over ongelovigen gesproken, alleen over het woord "zij".'
'Zij?'
'Dat hoor ik fluisteren in de duistere hoeken van de moskee, wat Allah wil dat ik hoor – moge Zijn wil geschieden. Alleen het woord "zij".'

‘Kent u iemand van de mensen die u hebt gehoord?’
‘Ik ben bijna blind en er is altijd heel weinig licht wanneer die paar mensen tussen zovele gelovigen spreken. Ik ken er niemand van. Ik weet alleen dat ik moet overbrengen wat ik hoor, want dat is de wil van Allah.’
‘Waarom, *muezzin murderriss?* Waarom is het Allah’s wil?’
‘Het bloedbad moet ophouden. De Koran zegt, wanneer er bloed wordt vergoten, gerechtvaardigd door jeugd die in vervoering is, dat de vervoering dan moet worden onderzocht, want de jeugd…’
‘Vergeet het maar! We sturen wel een paar mannetjes met u de moskee in. Geeft u maar een teken wanneer u iets hoort!’
‘Over een maand, *ya sjaikh.* Ik sta op het punt mijn laatste pelgrimage naar Mekka te beginnen. U bent slechts een deel van mijn reis. Het is de wil van…’
‘Godverdómme!’
‘Het is uw God, *ya, sjaikh.* Niet de mijne. Niet die van ons.’

2

Washington D.C.
Woensdag, 11 augustus, 11.50 uur

De zon, op haar hoogste stand, brandde genadeloos op het asfalt van de hoofdstad; geen blad bewoog onder de drukkende midzomerhitte. Voetgangers bewogen zich voort met een verbeten ongemak, mannen met losgeknoopte boorden, omlaaggetrokken stropdassen. Aktentassen en handtassen leken loodzwaar terwijl de eigenaars gedwee op kruisingen stonden te wachten op het verspringen van de verkeerslichten. Ofschoon tientallen mannen en vrouwen – voornamelijk ambtenaren – misschien wel dringende zaken te doen hadden, was het moeilijk op straat die dringende haast op te roepen. Er lag een verstikkende deken over de stad, die verlammend werkte op al degenen die zich buiten de luchtgekoelde ruimten van hun kamers, kantoren en auto’s waagden.
Er was een verkeersongeluk gebeurd op de hoek van 23rd Street en Virginia Avenue. Alleen wat blikschade; niemand was gewond, maar het had een paar fikse driftbuien veroorzaakt. Een taxi was in botsing gekomen met een regeringsauto die uit de

ondergrondse garage van het ministerie van Buitenlandse Zaken kwam rijden. Beide chauffeurs – ieder in hun gelijk, heetgebakerd en bang voor hun bazen – stonden naast hun voertuigen elkaar schreeuwend te beschuldigen in de verstikkende hitte, terwijl ze wachtten op de politie die was gebeld door een voorbijkomende ambtenaar. Binnen enkele tellen zat het verkeer vast; claxons blèrden en uit de met tegenzin opengedraaide raampjes klonk woedend geschreeuw.

De passagier in de taxi stapte ongeduldig uit. Hij was een lange, slanke man van vóór in de veertig, en hij leek niet te passen in een omgeving waar zomerpakken, katoenen jurkjes en diplomatenkoffertjes de boventoon voerden. Hij droeg een gekreukte kakibroek, laarzen en een smerig safari-jack in plaats van een overhemd. Alles wees erop dat deze man niet in de stad thuishoorde, een beroepsgids misschien, uit de hogere en woestere bergen, die hier verdwaald was. Toch paste zijn gezicht niet bij zijn kleren. Hij was goed geschoren, de gelaatstrekken waren scherp gesneden en opvallend, zijn lichtblauwe ogen namen alles op terwijl ze naar links en rechts dwaalden, de situatie beoordeelden en hij een besluit nam. Hij legde zijn hand op de schouder van de ruziemakende bestuurder; de man draaide zich met een ruk om en de passagier gaf hem twee biljetten van twintig dollar.

'Ik moet weg,' zei de passagier.

'Hé, dat kunt u niet maken, meneer! U hebt het gezien! Die rotzak kwam de garage uit zonder zijn claxon te gebruiken, zonder wàt dan ook!'

'Het spijt me. Ik zou u toch niet kunnen helpen. Ik heb niets gezien of gehoord totdat we botsten.'

'Daar heb je hèm ook! De drie aapies! Horen, zien en zwijgen! Hij wil er niet bij betrokken raken, hè?'

'Ik ben er wel bij betrokken,' antwoordde de passagier rustig. Hij pakte een derde biljet van twintig dollar en schoof het in de borstzak van de chauffeur. 'Maar niet hier.'

De ongewoon geklede man wrong zich door de menigte die zich aan het verzamelen was heen en begon de straat af te lopen naar de imposante glazen deuren van het ministerie van Buitenlandse Zaken. Hij was de enige man op het trottoir die hard liep.

Het crisiscentrum, ingericht in het souterrain van Buitenlandse Zaken, was *OHIO-Vier-Nul* genoemd. In gewone taal betekende dat 'Oman, hoogste alarmtoestand'. Achter de metalen deur weerklonk het onophoudelijke getik van hele rijen computers, en nu en dan klonk er uit een apparaat – dat een bliksemsnelle cross-check had uitgevoerd met de centrale databank – een kort hoog gepiep, ten teken dat er nieuwe, of voorheen nog niet gerapporteerde informatie was. Gespannen mannen en vrouwen bestudeerden de uitdraaien en probeerden zich een oordeel te vormen over wat ze lazen.

Niets. Helemaal niets. *Waanzin!*

Binnen die grote ruimte waar de spanning te snijden was, bevond zich nog een metalen deur, kleiner dan de toegangsdeur en zonder verbinding met de gang. Het was het kantoor van de hoogste functionaris die de leiding had over de Masqat-crisis; binnen handbereik stond een telefoonpaneel met verbindingen naar elk machts- en informatiecentrum in Washington. De man die er nu zat was een adjunct-directeur van middelbare leeftijd van Consulaire Operaties, de weinig bekende afdeling van Buitenlandse Zaken die zich bezighield met geheime opdrachten. Hij heette Frank Swann, en op dit moment – twaalf uur in de middag, maar voor hem zonder zonlicht – rustte zijn hoofd met zijn vroeg grijze haren op zijn gekruiste armen op het bureau. Hij had in bijna een week niet één nacht geslapen, had alleen maar van zulke hazedutjes kunnen doen. Het doordringende zoemen van het schakelbord rukte hem uit zijn slaap; zijn rechterhand schoot erop af. Hij drukte de verlichte knop in en pakte de hoorn op. 'Já? Wat is er?' Swann schudde zijn hoofd en gaapte, maar gedeeltelijk opgelucht dat het zijn secretaresse was aan de telefoon, bellend van vijf verdiepingen boven hem. Hij luisterde en zei toen vermoeid: 'Wíe? Congreslid... Een *congreslid?* Een congreslid is wel het laatste waarop ik zit te wachten. Hoe kwam hij, verdomme, aan mijn naam? Laat maar, spaar me de details. Zeg hem maar dat ik in vergadering ben – met God voor mijn part – of maak het nog wat sterker, zeg maar met de minister.'

'Zoiets heb ik hem al verteld. Daarom bel ik vanuit je kantoor. Ik zei hem dat ik je alleen maar via dit toestel kon bereiken.'

Swann knipperde met zijn ogen. 'Dat is nogal wat voor mijn persoonlijke lijfwacht, Ivy de Verschrikkelijke. Waarom moest dat, Ivy?'

'Het komt door wat hij zei, Frank. En ook door wat ik moest opschrijven omdat ik hem niet kon verstaan.'
'Laat maar eens horen.'
'Hij zei dat hij met je wil spreken over het probleem waarmee je bezig bent...'
'Niemand hoort te wéten waarmee ik... vergeet het maar. Wat nog meer?'
'Ik heb het fonetisch opgeschreven. Hij vroeg me je het volgende te zeggen: *Ma efham zain.* Snap jij daar iets van, Frank?'
Stomverbaasd schudde de adjunct-directeur opnieuw zijn hoofd, in een poging zijn gedachten verder op een rijtje te krijgen, maar hij had verder geen fiat meer nodig voor de bezoeker vijf verdiepingen hoger. Het onbekende congreslid had zojuist in het Arabisch laten weten dat hij misschien kon helpen.
'Roep een bewaker en stuur hem naar beneden,' zei Swann.
Zeven minuten later werd de deur van het kantoor in het souterrain geopend door een sergeant van de mariniers. De bezoeker liep naar binnen en knikte tegen zijn begeleider toen die de deur sloot. Swann stond vanachter zijn bureau aarzelend op. Het 'congreslid' voldeed nauwelijks aan het beeld van welk lid van het Huis van Afgevaardigden ook dat hij ooit had gezien – tenminste niet in Washington. Hij had laarzen aan en droeg een kakibroek en een zomers safari-jack dat vol vetspatten zat van braadpannen die op het kampvuur hadden gestaan. Wat voor misplaatste grapjas was dit in hemelsnaam?
'Congreslid...?' zei de adjunct-directeur; zijn stem stierf weg omdat hij de naam niet kende en hij stak zijn hand uit.
'Evan Kendrick, meneer Swann,' antwoordde de bezoeker. Hij liep naar het bureau en gaf de andere man een hand. 'Ik ben het jongste lid uit het Negende district van Colorado.'
'Ja, natuurlijk, het Negende van Colorado. Het spijt me dat ik niet...'
'Verontschuldigingen zijn niet aan de orde, alleen misschien van mijn kant voor de manier waarop ik eruit zie. Er is geen enkele reden waarom u zou moeten weten wie ik ben...'
'Daar wil ik nog iets aan toevoegen,' interrumpeerde Swann nadrukkelijk. 'Er is ook geen enkele reden waarom ú zou moeten weten wie ík ben, afgevaardigde.'
'Dat begrijp ik, maar het was niet zo moeilijk. Zelfs groentjes van afgevaardigden hebben toegang... in elk geval is het de secretaresse gelukt die ik heb overgenomen. Ik wist waar ik hier

moest zoeken, ik moest alleen even de juiste man weten. Iemand bij Consulaire Operaties van BZ...'
'Dat is geen algemeen bekende naam, meneer Kendrick,' interrumpeerde Swann opnieuw, en weer nadrukkelijk.
'Ik heb die vroeger wel gekend... heel even. Hoe dan ook, ik was niet op zoek naar iemand die het Midden-Oosten kent, maar naar een expert in de zaken van Zuidwest-Arabië, iemand die de taal en een dozijn dialecten vloeiend kende. Zo iemand zou het *moeten* zijn... U bent daar geweest, meneer Swann.'
'U hebt uw huiswerk goed gemaakt.'
'U ook,' zei het congreslid en hij knikte naar de deur en het enorme kantoor daarachter met de rijen computers. 'Ik neem aan dat u mijn boodschap begrepen hebt, anders had ik hier niet gestaan.'
'Ja,' antwoordde de adjunct-directeur. 'U zei dat u misschien zou kunnen helpen. Is dat waar?'
'Ik weet het niet. Ik wist alleen dat ik mijn diensten moest aanbieden.'
'Aanbieden? Op grond waarvan?'
'Mag ik gaan zitten?'
'Alstublieft. Ik probeer niet onbeleefd te zijn, ik ben gewoon moe.' Kendrick ging zitten; Swann deed dat ook, met een vreemde blik op het pasgekozen congreslid. 'Ga uw gang, afgevaardigde. De tijd is waardevol, elke minuut, en we zijn met dit "probleem", zoals u het mijn secretaresse beschreef, een paar lange, hachelijke weken bezig geweest. Nu weet ik niet wat u te zeggen hebt en of dat er iets mee heeft te maken of niet, maar als dat het geval is zou ik wel eens willen weten waarom het zo lang heeft geduurd voordat u hier kwam opdagen.'
'Ik had helemaal niks gehoord over de gebeurtenissen in Oman. Over wat er gebeurd is... nu nog gebeurt.'
'Zoiets is bijna niet te geloven. Brengt het congreslid van het Negende district van Colorado misschien zijn zomerreces door in een retraitehuis van de benedictijnen?'
'Dat niet precies.'
'Of is het misschien mogelijk dat een vers en ambitieus congreslid die wat Arabisch spreekt,' vervolgde Swann, snel en zacht sprekend, op onplezierige toon, 'die zijn conclusies trekt uit wat wilde geruchten over een bepaalde sectie hier, besluit hier binnen te dringen om er wat politieke munt uit te slaan?'

Het zou niet de eerste keer zijn.'
Kendrick bleef roerloos in zijn stoel zitten, met een strak gezicht, maar met ogen die verre van strak keken. Ze waren tegelijkertijd alert en kwaad. 'Dat is een belediging,' zei hij.
'Onder de gegeven omstandigheden ben ik snel beledigend. Er zijn elf van onze mensen *vermoord,* meneer, waaronder drie *vrouwen.* Tweehonderdzesendertig anderen zitten te wachten tot ze voor hun raap worden geschoten! En ik vraag u of u echt kunt hèlpen, en u zegt me dat u dat niet wéét, maar dat u zich moet *aanbieden!* Voor mij klinkt dat als het gesis van een slang, daarom ben ik voorzichtig. U komt hier binnenlopen met een taal die u waarschijnlijk hebt opgepikt terwijl u een dik salaris verdiende bij een of andere oliemaatschappij en u denkt dat u daarom met speciale égards behandeld moet worden... misschien bent u wel een "consulent"; dat klinkt zo aardig. Een kersvers politicus is ineens consulent voor Buitenlandse Zaken tijdens een nationale crisis. Hoe de zaken ook uitpakken, winnen doet u altijd. Daar nemen wel een paar mensen hun pet voor af in het Negende district van Colorado, waar of niet?'
'Wat?' Opnieuw staarde de adjunct-directeur het congreslid aan, niet zozeer geïrriteerd nu maar vanwege iets anders. Kènde hij die man niet?
'U staat behoorlijk onder spanning en ik ga daar niets aan toevoegen. Maar als dat wat u denkt u dwarszit, laten we het dan uit de weg helpen. Als u besluit dat ik waardevol voor u kan zijn, dan zou ik daarin alleen toestemmen wanneer u mij een schriftelijke garantie geeft van anonimiteit, anders helemaal niet. Niemand mag weten dat ik hier ben geweest. Ik heb nog nooit met u of met wie dan ook gesproken.'
Swann leunde stomverbaasd achterover in zijn stoel en pakte zijn kin in zijn hand. 'Ik ken u inderdáád,' zei hij zacht.
'We hebben elkaar nooit ontmoet.'
'Zegt u maar wat u op het hart hebt, afgevaardigde. Begin maar ergens.'
'Ik zal beginnen met acht uur geleden,' zei Kendrick. 'Ik ben al bijna een maand aan het wildwatervaren op de Colorado tot in Arizona, dat is het retraitehuis dat u verzon voor het zomerreces. Ik kwam door Lava Falls en stuitte daar op een basiskamp. Er waren daar natuurlijk mensen, en het was voor het eerst in bijna vier weken dat ik een radio hoorde.'
'Vier weken?' herhaalde Swann. 'Bent u al die tijd onbereik-

baar geweest? Doet u dat vaker?'
'Zowat elk jaar,' antwoordde Kendrick. 'Het is een soort ritueel geworden,' voegde hij er zacht aan toe. 'Ik ga alleen; dat doet trouwens niets ter zake.'
'Mooie politicus,' zei de adjunct en hij pakte verstrooid een potlood op. 'De wereld kunt u vergeten, afgevaardigde, maar u hebt nog steeds kiezers.'
'Geen politicus,' antwoordde Kendrick met een zwakke glimlach. 'En om mijn kiezers maak ik me niet zo druk, gelooft u dat maar. Hoe dan ook, ik hoorde het nieuws en ik heb me gehaast wat ik kon. Ik huurde een watervliegtuig om me naar Flagstaff te brengen en probeerde daar een jet te charteren voor Washington. Het was te laat in de avond, te laat om nog toestemming te krijgen voor een vluchtplan, daarom ben ik doorgevlogen naar Phoenix en heb daar de eerste vlucht hierheen gepakt. Het is geweldig dat je vanuit het vliegtuig kunt bellen. Ik geloof dat ik een lijn constant bezet heb gehouden door met een heel ervaren secretaresse te praten en met nog wat andere mensen. Ik moet me verontschuldigen voor de manier waarop ik eruit zie; in het vliegtuig kreeg ik een scheerapparaat maar ik wilde de tijd niet nemen om naar huis te gaan en me om te kleden. Ik ben er nu, meneer Swann, en u bent de man die ik wil spreken. Misschien kan ik u helemaal niet helpen en ik weet zeker dat u me dat zult zeggen als het zo is. Maar, om in herhaling te vervallen, ik moest het aanbieden.'
Terwijl zijn bezoeker aan het woord was had de adjunct de naam 'Kendrick' op het blocnote dat voor hem lag geschreven. Hij had de naam zelfs een paar keer opgeschreven en hem onderstreept. *Kendrick. Kendrick. Kendrick.* 'Wat aanbieden?' vroeg hij en hij keek zijn vreemde indringer fronsend aan. 'Wát, afgevaardigde?'
'Alles wat ik weet over het gebied en de verschillende facties die daar opereren. Oman, de Emiraten, Bahrein, Qatar... Masqat, Dubai, Abu Dhabi... tot aan Kuweit toe en omlaag naar Riyadh. Ik heb daar gewoond. Ik heb daar gewerkt. Ik ken ze heel goed.'
'U hebt gewoond – *gewerkt* – in heel dat gebied in het Zuidwesten?'
'Ja. Ik heb anderhalf jaar in Masqat alleen al gezeten. Op een contract met de familie.'
'De sultan?'

'De vroegere sultan; hij is twee of drie jaar geleden gestorven geloof ik. Maar ja, op contract met hem en zijn ministers. Het was geen gemakkelijke groep, maar wel goed. Je moest je zaken kennen.'
'U hebt daar dus voor een bedrijf gewerkt,' zei Swann, en het klonk als een vaststelling, geen vraag.
'Ja.'
'Welk bedrijf?'
'Het mijne,' antwoordde de groene afgevaardigde.
'Het uwe?'
'Precies.'
De adjunct staarde zijn bezoeker aan en sloeg toen zijn ogen neer naar de naam die hij een paar keer had opgeschreven op het blocnote dat voor hem lag. 'Goeie genáde,' zei hij zacht. 'De Kendrick-groep! Dat is het verband, maar ik zag het niet. Om te beginnen staat u nu overal buiten en ik heb uw naam al vier of vijf jaar niet meer gehoord... misschien wel zes jaar.'
'U sloeg de spijker op de kop de eerste keer. Vier, om precies te zijn.'
'Ik wist wel dat er iets was. Ik zei het nog...'
'Ja, dat deed u, maar we hebben elkaar nooit ontmoet.'
'Uw mensen bouwden alles wat los en vast zat, van waterleidingsystemen tot bruggen... van paardenrenbanen tot complexen van woningen... van clubgebouwen tot vliegvelden... alles. Van waardeloos spul tot het meest waardevolle.'
'We hebben alles gebouwd waarvoor we een contract konden krijgen.'
'Ik weet het nog. Dat was tien of twaalf jaar geleden. U was een van die Amerikaanse blitse jongens daar in de Emiraten... en ik bedoel echt jongens. Er waren er tientallen van twintig en dertig jaar oud en barstend van geavanceerde techniek en lef.'
'We waren niet allemaal zo jong...'
'Nee,' interrumpeerde Swann hem met een nadenkende frons. 'U had een laat-bloeiend geheim wapen, een oude Israëli, een kei van een architect. Goeie genade, een *Israëli,* die zaken in de islamitische stijl kon ontwerpen en die vriendjes was met elke rijke Arabier in de buurt.'
'Hij heette Emmanuel Weingrass – hij heet Manny Weingrass – en hij komt uit Garden Street in de Bronx in New York. Hij is naar Israël gegaan om juridisch niet in de knoop te raken

met zijn tweede of derde vrouw. Hij is nu bijna tachtig en woont in Parijs. En hij neemt het er goed van, voor zover ik begrijp uit zijn telefoontjes.'
'Dat klopt,' zei de adjunct-directeur. 'U hebt de zaak verkocht aan Bechtel of zoiets. Voor dertig of veertig miljoen.'
'Niet aan Bechtel. Het was Trans-Continental, en het waren er geen dertig of veertig, het waren er vijfentwintig. Ze kregen het voor een prikje en ik was er mooi vanaf. Alles was precies naar wens.'
Swann bekeek Kendricks gezicht, vooral de lichtblauwe ogen die gereserveerd en raadselachtig stonden, hoe langer hij er naar staarde. 'Nee, dat was het niet,' zei hij zacht, vriendelijk zelfs, zonder een spoor van vijandigheid. 'Nu weet ik het weer. Er gebeurde een ongeluk op een van uw bouwplaatsen buiten Riyadh – een instorting – die veroorzaakt werd door een lekke gasleiding die ontplofte – meer dan zeventig mensen zijn er omgekomen, ook uw partners, al uw werknemers en een paar kinderen.'
'Hun kinderen,' zei Kendrick zacht. 'Allemaal, al hun vrouwen en kinderen. We vierden het gereedkomen van de derde fase. We waren er allemaal. De werklui, mijn partners – ieders vrouw en kinderen. De hele constructie stortte in toen ze binnen waren, en Manny en ik waren buiten – bezig een paar belachelijke clownskostuums aan te trekken.'
'Maar er is een onderzoek ingesteld waaruit bleek dat de Kendrick-groep totaal geen schuld trof. Het toeleveringsbedrijf dat de materialen op de bouwplaats verzorgde had slechte buizen geïnstalleerd, met vervalste attesten.'
'Daar kwam het wel op neer, ja.'
'Toen hebt u er helemaal de brui aan gegeven, nietwaar?'
'Dit heeft niets met de zaak te maken,' zei het congreslid simpelweg. 'We verspillen onze tijd. Nu u weet wie ik ben, of in elk geval wie ik was, kan ik nu niet iets voor u doen?'
'Vindt u het erg als ik u eerst wat vraag? Volgens mij is het geen tijdverspilling en volgens mij heeft het er zeker mee te maken. We moeten nu eenmaal weten wat voor vlees we in de kuip hebben. Ik meende het wat ik al eerder zei. Er zijn heel wat lui in het Huis die voortdurend proberen een politiek graantje mee te pikken van ons werk hier.'
'Hoe luidt de vraag?'
'Waarom bent u congreslid, meneer Kendrick? Met uw geld en

uw professionele reputatie hebt u dat niet nodig. En ik kan me niet voorstellen hoe u er profijt van kunt trekken, zeker niet in vergelijking tot wat u in de privé-sector zou kunnen doen.'
'Zijn alle mensen die de politiek ingaan uitsluitend uit op persoonlijk gewin?'
'Nee, natuurlijk niet.' Swann zweeg even en schudde zijn hoofd. 'Het spijt me, dat is te oppervlakkig. Het is een standaard antwoord op een standaard strikvraag... Jawel, afgevaardigde, naar mijn bevooroordeelde mening stellen de meeste mannen – én vrouwen – zich verkiesbaar voor zo'n ambt vanwege de publiciteit en, als ze winnen, vanwege de macht. Door die combinatie gaat hun marktwaarde aardig omhoog. Het spijt me dat ik zo cynisch praat. Maar ik leef al heel lang in deze stad en ik zie geen reden om iets aan dat oordeel te veranderen. En u brengt me in de war. Ik weet waar u vandaan komt en ik heb nog nooit gehoord van het Negende district in Colorado. Het is absoluut zeker niet Denver.'
'De wereld is er dichtgeplakt met kranten,' zei Kendrick op een toon waaruit niets bleek. 'Het ligt onderaan de zuidwestelijke Rockies, zo'n beetje afgesloten van de rest van de wereld. Daarom ben ik daar gaan zitten. Het ligt wat achteraf.'
'Maar waarom? Waarom juist de politiek? Heeft het wonderkind uit de Arabische Emiraten een district gevonden waar hij zijn basis kan aanleggen, een politieke lanceerbasis misschien?'
'Dat is wel het laatste waaraan ik gedacht heb.'
'Dat is een uitspraak, afgevaardigde. Geen antwoord.'
Evan Kendrick zweeg even, keek Swann aan en haalde toen de schouders op. 'Goed dan,' zei hij met vaste stem. 'Laten we het een afwijking noemen die niet meer zal voorkomen. Een arrogante windbuil van een vent had daar de zetel en hij was bezig zijn zakken te spekken terwijl het district niet oplette. Ik had niets te doen en een grote mond. Ik had ook het geld om hem te verslaan. Ik kan niet zeggen dat ik trots ben op wat ik heb gedaan en de manier waarop ik het heb gedaan, maar hij is weg en ik zal er over minder dan twee jaar uitstappen. Tegen die tijd zullen ze wel iemand hebben gevonden die beter geschikt is en die mijn plaats kan overnemen.'
'Twéé jaar?' vroeg Swann. 'Deze komende maand, november, zal het een jaar na uw verkiezing zijn, klopt dat?'
'Dat klopt.'
'En uw ambtstermijn is afgelopen januari ingegaan?'

'Wat dan nog?'
'Nou ja, ik wil niet graag uw politieke feiten omverkegelen, maar uw ambtstermijn loopt twee jaar. U hebt ofwel nog één jaar of drie, maar geen twee of minder.'
'Er is in het Negende geen echte oppositiepartij, maar om er zeker van te zijn dat de zetel niet opnieuw in handen komt van de vroegere politieke machine heb ik erin toegestemd me verkiesbaar te stellen – en daarna ontslag te nemen.'
'Mooie overeenkomst is dat.'
'Voor wat mij betreft is ze bindend. Ik wil eruit.'
'Dat liegt er niet om, maar het houdt geen rekening met een mogelijk neveneffect.'
'Ik begrijp u niet.'
'Stel dat u in de komende twintig maanden of zo tot de conclusie komt dat u het toch wel leuk vindt? Wat gebeurt er dan?'
'Het is niet mogelijk en het zou niet kunnen gebeuren, meneer Swann. Laten we het weer eens over Masqat hebben. Het is daar een grote rotzooi, en ik hoop dat ik de juiste "autoriteit" heb om zo'n opmerking te kunnen maken.'
'U hebt de autoriteit omdat ik degene ben die daarover oordeelt.' De adjunct-directeur schudde zijn grijze hoofd. 'Een grote rotzooi, afgevaardigde, en we zijn ervan overtuigd dat ze van buitenaf is geprogrammeerd.'
'Volgens mij kan dat niet anders,' stemde Kendrick in.
'Hebt u een voorstel?'
'Een paar,' antwoordde de bezoeker. 'Bovenaan de lijst staat volledige destabilisatie. Sluit het land af en laat niemand binnen.'
'Een overname?' vroeg Swann. 'Een *Putsch* in de stijl van Khomeini? Dat zou niet werken; de situatie ligt anders. Er is geen Pauwetroon, geen smeulende haat, geen SAVAK.' Swann zweeg even en voegde er peinzend aan toe: 'Geen sjah met een leger van dieven en geen ayatollah met een leger van fanatici. Het is niet hetzelfde.'
'Ik wilde niet de indruk wekken dat dat zo was. Oman is slechts het begin. Wie het dan ook is wil het land niet overnemen, hij wil – of zij willen – alleen de anderen tegenhouden er geld uit te halen.'
'Wát? Wat voor geld?'
'Miljarden. Projecten op lange termijn die op de tekentafels liggen in heel de Perzische Golf. Saudi-Arabië en heel Zuidwest-

Azië, de enige rustige gebieden in dat deel van de wereld. Wat daar op het ogenblik gebeurt komt eigenlijk neer op het lamleggen van de transport- en de bouwindustrie aan deze kant, of het afsluiten van de pieren in New York en New Orleans, Los Angeles en San Francisco. Er wordt geen legaal tintje aan gegeven door stakingen of collectieve onderhandelingen – er is alleen maar terreur en de bedreiging van meer terreur door opgehitste fanatici. En alles ligt stil. De mensen die aan de tekentafels werken en de mensen die buiten werken met de landmeetploegen en in de installatiecomplexen willen alleen maar zo snel als ze kunnen verdwijnen.'
'En zijn ze eenmaal weg,' voegde Swann er snel aan toe, 'dan nemen de lui achter de terroristen de zaak over en de terreur houdt op. Die verdwijnt gewoon. Verrek, het klinkt als een mafia-operatie in de havens!'
'In Arabische stijl,' zei Kendrick. 'Om uw eigen woorden te gebruiken, het zou niet de eerste keer zijn.'
'Weet u dat zeker?'
'Ja. Ons bedrijf is een paar keer bedreigd, maar om uw woorden nog eens aan te halen, we hadden een laat-bloeiend geheim wapen. Emmanuel Weingrass.'
'*Weingrass?* Wat kon die verdorie doen?'
'Liegen met een enorme overtuigingskracht. Het ene moment was hij een reserve-generaal in het Israëlische leger die een luchtaanval kon bevelen tegen elke Arabische groep die ons lastig viel of onze plaatsen innam, en het volgende moment was hij een hoge piet in de Mossad die moordploegen zou uitsturen om degenen die ons zelfs maar waarschuwden om zeep te helpen. Zoals zovele ouder wordende geniale mannen was Manny vaak excentriek en hij speelde bijna altijd toneel. Dat vond hij leuk. Jammer genoeg vonden zijn verschillende vrouwen dat nooit erg lang leuk. Hoe dan ook, niemand wilde ruzie krijgen met een gekke Israëli. De tactiek was te bekend.'
'Wilt u zeggen dat we hem moeten inhuren?' vroeg de adjunct-directeur.
'Nee. Afgezien van zijn leeftijd brengt hij de laatste jaren van zijn leven door in Parijs met de mooiste vrouwen die hij kan huren en zeker met de duurste cognac die hij kan vinden. Hij zou niet kunnen helpen. Maar er is iets wat u wel kunt doen.'
'Wat dan wel?'
'Luistert u eens.' Kendrick boog zich voorover. 'Ik heb hier de

afgelopen acht uur over nagedacht en elk uur gaf mij meer zekerheid, dat er een mogelijke verklaring is. De moeilijkheid is dat er zo weinig feiten zijn – eigenlijk helemaal geen – maar er is een bepaald patroon zichtbaar, en het klopt met dingen die wij vier jaar geleden hebben gehoord.'
'Wat voor dingen? Wat voor patroon?'
'In het begin alleen maar geruchten, daarop volgden de bedreigingen en het waren echt bedreigingen. Ze meenden het werkelijk.'
'Ga door. Ik luister.'
'Terwijl Weingrass bezig was die bedreigingen op zijn manier te ontzenuwen, meestal met behulp van verboden whisky, hoorde hij iets wat zo zinnig was dat je het niet kon afdoen als dronken gewauwel. Hij hoorde dat er in het geheim een consortium werd gevormd – een industrieel kartel zo u wilt. Het was stiekem bezig de zeggenschap te krijgen over tientallen verschillende bedrijven die aan het uitbreiden waren in personeel, technologie en apparatuur. Het doel lag toen voor de hand, en als de informatie klopt, ligt het nu nog meer voor de hand. Ze zijn van plan de hele industriële ontwikkeling van Zuidwest-Azië over te nemen. Voor zover Weingrass te weten kon komen was deze ondergrondse federatie in Bahrein gevestigd – op zichzelf al helemaal niet verrassend – maar wat Manny stomverbaasd deed staan, en wat hem enorm amuseerde, was dat er tot de onbekende raad van bestuur een man behoorde die zich de "Mahdi" noemde – zoals die moslim fanaat die honderd jaar geleden de Engelsen uit Khartoum gooide.'
'De Mahdi? *Khartoum?*'
'Precies. De symbolische betekenis ligt voor de hand. George Gordon, de ongelovigen die de getrouwen van Mohammed doodden en hun land stalen. Alleen kan deze nieuwe Mahdi de mohammedaanse godsdienst geen barst schelen, laat staan die gillende fanatici. Hij wil de contracten en de winst in Arabische handen zien – vooral in zíjn handen.'
'Wacht eens even,' interrumpeerde Swann nadenkend, terwijl hij zijn telefoonhoorn oppakte en een knop indrukte op het schakelbord. 'Dit klopt met iets wat gisteravond van de Britse MI 6 kwam uit Masqat,' vervolgde hij snel terwijl hij Kendrick aankeek. 'We konden er niet achteraan gaan, omdat we niets vast in handen hadden, er was geen spoor, maar het was wel een verdomd gek verhaal. ...Mag ik Gerald Bryce, alstu-

blieft. ...Hallo, Gerry? Gisteravond, eigenlijk zo rond twee uur vanmorgen, kregen we een dubbel-nul van de Engelsen in OHIO. Zoek dat eens voor me op en lees het me langzaam voor, zodat ik elk woord kan opschrijven.' De adjunct legde zijn hand op de hoorn en zei tegen zijn ineens klaarwakkere bezoeker: 'Als iets van wat u hebt verteld ook maar enigszins klopt is dit misschien de eerste concrete doorbraak die we gehad hebben.'
'Daarvoor zit ik hier, meneer Swann, waarschijnlijk met de stank van gerookte vis nog om me heen.'
De adjunct-directeur knikte verstrooid, ongeduldig, terwijl hij wachtte tot de man die hij Bryce had genoemd weer aan de lijn kwam. 'Een douche zou geen kwaad kunnen, afgevaardigde. ...Ja, Gerry, ga je gang! ..."Zoek niet waar u logisch zou verwachten te moeten zoeken. Zoek ergens anders." Ja, dat heb ik. Ik herinner het me nog. Volgens mij volgde daarop... "Waar wrok niet voorkomt uit armoede of verwaarlozing." Precies! En er was nog iets, daar in de buurt... "Waar Allah in deze wereld gunsten heeft verleend, alleen misschien niet in de wereld hierna." ...Ja. Nu nog een stukje terug, iets over fluisteren, dat is alles wat ik me herinner. ...Precies! Dat is het. Laat me nog maar eens horen... "Men fluistert over hen die zullen profiteren van het bloedbad." Oké, Gerry, dat had ik nodig. De rest was allemaal negatief als ik me goed herinner. Geen namen, geen organisaties, alleen maar onzin. ...Dat dacht ik ook. ...Ik weet het nog niet. Als er iets uit komt hoor jij het als eerste. Olie intussen je machine maar eens en laat een uitdraai maken van alle constructiebedrijven in Bahrein. En als er een lijst is van wat wij noemen gemengde of industriële aannemersfirma's dan wil ik die ook hebben. ...Wanneer? Gisteren natuurlijk!' Swann legde de hoorn op, keek naar de zinnen die hij had opgeschreven en toen naar Kendrick. 'U hebt de woorden gehoord, afgevaardigde. Wilt u dat ik ze herhaal?'
'Dat is niet nodig. Het is geen *kalam-faregh*, of wel soms?'
'Nee, meneer Kendrick, dit is echt geen rotzooi. Het heeft er allemaal heel erg mee te maken, en ik wou dat ik verdomme wist wat ik ermee doen moest.'
'Neem mij in dienst, meneer Swann,' zei het congreslid. 'Stuur mij naar Masqat met het snelste vliegtuig dat u kunt vinden.'
'Waarom?' vroeg de adjunct terwijl hij zijn bezoeker doordringend aankeek. 'Wat kunt u doen wat onze eigen ervaren buitenmensen niet kunnen doen? Ze spreken niet alleen vloei-

end Arabisch, de meesten zijn Arabieren.'
'En ze werken voor Consulaire Operaties,' vulde Kendrick aan. 'Wat dan nog?'
'Ze zijn bekend. Ze waren vier jaar geleden al bekend en dat zijn ze nu nog. Als zij iets verkeerds doen zou u een dozijn executies kunnen veroorzaken.'
'Dat is nogal alarmerend wat u daar zegt,' zei Swann langzaam en hij keek zijn bezoeker met half dichtgeknepen ogen aan. 'Ze zijn bekènd? Zou u dat nader willen verklaren?'
'Ik zei u een tijdje geleden al dat *Cons Op* voor ons daar gedurende korte tijd algemeen bekend was. U maakte toen een onnodige opmerking dat ik geruchten in het congres verder uitspon, maar dat deed ik niet. Ik meende wat ik zei.'
'Een algemeen bekende naam?'
'Ik zal verder gaan als u wilt. Een algemeen bekende grap. Een vroegere ingenieur uit het leger en Manny Weingrass hebben hen zelfs een keer voor de gek gehouden.'
'Voor de gek...?'
'Ik weet zeker dat het nog ergens in uw archief zit. We werden benaderd door mensen van Hussein om plannen in te dienen voor een nieuw vliegveld nadat we er in Wufar in Saudi-Arabië een hadden aangelegd. De volgende dag kwamen twee van uw mensen met ons praten; ze vroegen allerlei technische dingen, en legden er de nadruk op dat het onze plicht was als Amerikanen om dat soort informatie door te geven, aangezien Hussein vaak gedachten uitwisselde met de Russen – wat natuurlijk nergens op slaat. Een vliegveld is een vliegveld en iedere idioot kan over een bouwput vliegen en de afmetingen vaststellen?'
'Hoe hebt u hen voor de gek gehouden?'
'Manny en de ingenieur vertelden hun dat de twee belangrijkste landingsbanen meer dan elf kilometer lang waren, kennelijk bestemd voor heel speciale vliegtuigen. Ze renden het kantoor uit alsof ze ter plekke een aanval van diarree hadden gekregen.'
'En?' Swann boog zich voorover.
'De volgende dag belden de mensen van Hussein en die zeiden ons dat we het project wel konden vergeten. We hadden bezoekers gehad van Consulaire Operaties. Dat vonden ze helemaal niet leuk.'
De adjunct-directeur ging achterover in zijn stoel zitten en zijn

vermoeide glimlach liet zien hoe doelloos het allemaal was. 'Soms is het allemaal een beetje dwaas, nietwaar?'
'Volgens mij is het nu verre van dwaas,' opperde Kendrick.
'Nee, natuurlijk is het dat niet.' Swann kwam direct weer naar voren in zijn stoel. 'Zoals u het dus bekijkt heeft deze hele rotzaak – de moorden, de terreur, de pijn – alleen maar met geld te maken. Stom géld!'
'Als er niets tegen wordt gedaan zal het erger worden,' zei Kendrick. 'Veel erger.'
'Verrek, maar hóe?'
'Omdat het een bekende formule is voor een economische overname. Zodra ze de regering in Oman hebben lamgelegd, zullen ze dezelfde tactiek elders gebruiken. De Emiraten, Bahrein, Qatar, zelfs in Saudi-Arabië. Degene die de fanatiekelingen in de hand heeft krijgt de contracten en met al die enorme werkzaamheden onder één paraplu – wat voor naam die dan ook mag hebben – is er in dat gebied een gevaarlijke politieke macht die de controle heeft over een aantal vitale zaken, wat wij helemaal niet leuk zullen vinden.'
'Lieve hemel, u hebt dat wel helemaal doordacht.'
'De laatste acht uur heb ik niks anders gedaan.'
'Stel dat ik u daarheen zou sturen, wat zou u dan kunnen doen?'
'Ik zal het pas weten wanneer ik daar ben, maar ik heb wel een paar ideeën. Ik ken een aantal invloedrijke mensen daar, machtige Omani's die hun vinger aan de pols hebben in de stad en die met geen mogelijkheid deel kunnen uitmaken van deze waanzin. Om een aantal redenen – waarschijnlijk hetzelfde wantrouwen dat wij voelden toen uw jokers van *Cons Op* zich meldden – zullen ze niet met vreemdelingen willen praten maar ze zullen wel met mij praten. Ze vertrouwen me. Ik heb hele dagen en weekeinden met hun gezinnen doorgebracht. Ik ken hun vrouwen ongesluierd en hun kinderen...'
'Ongesluierde vrouwen en kinderen,' herhaalde Swann, hem in de rede vallend. 'De uiterste *shorbet* in de Arabische vocabulaire. De drank van de vriendschap.'
'Een harmonieuze mix van ingrediënten,' stemde het congreslid van Colorado in. 'Met mij zullen ze samenwerken, met u misschien niet. Ik ken bovendien de meeste leveranciers in de havens en in de laadkantoren, zelfs mensen die alles wat officieel is uit de weg gaan omdat ze geld verdienen aan zaken die

je officieel niet kunt krijgen. Ik wil nagaan waar het geld vandaan komt en de instructies die het geld vergezellen en die binnen de ambassade terecht komen. Ergens zit iemand die beide stuurt.'
'Leveranciers?' vroeg Swann met opgetrokken wenkbrauwen en met een ongelovige klank in zijn stem. 'U bedoelt voedsel en medicamenten, dat soort zaken?'
'Dat is slechts...'
'Bent u gèk geworden?' riep de adjunct-directeur uit. 'Die gegijzelden zijn onze mènsen! We hebben de kluizen geopend, alles wat ze nodig hebben, alles wat we bij hen binnen kunnen krijgen!'
'Zoals kogels en wapens en reserve-onderdelen voor wapens?'
'Natuurlijk niet.'
'Uit alles wat ik heb gelezen, wat ik in handen kon krijgen in de nieuwskiosken in Flagstaff en Phoenix, is er elke avond na *el Maghreb* vier of vijf uur vuurwerk – duizenden kogels die worden afgevuurd, hele delen van de ambassade die besproeid worden met geweervuur en mitrailleurs.'
'Dat maakt deel uit van hun verdomde *terreur!*' viel Swann uit. 'Kunt u zich *voorstellen* hoe het daarbinnen moet zijn? Allemaal op een rij tegen een muur met schijnwerpers erop gericht en om je heen wordt alles kapotgeschoten en je denkt: "*Mijn god,* ik kan elk moment worden vermoord!" Als we die arme mensen er nog ooit uitkrijgen lopen ze nog jaren bij de psychiater om te proberen hun nachtmerries kwijt te raken!'
Kendrick liet de plotseling opgekomen emotie even uitrazen. 'Die heethoofden hebben daarbinnen geen arsenaal, meneer Swann. Ik denk niet dat de mensen die de baas over hen zijn dat zouden toestaan. Ze worden bevoorraad. Precies zoals die vloeistofduplicators worden geleverd, omdat ze niet weten hoe ze moeten omgaan met jullie kopieermachines en tekstverwerkers, voor de dagelijkse bulletins die ze drukken voor de televisiecamera's. Probeert u het alstublieft te begrijpen. Misschien één op de twintig van die gekken heeft een beetje intelligentie en nog minder hebben een doordachte ideologische stellingname. Ze zijn het uitschot van de maatschappij en ze worden gemanipuleerd om hun enkele hysterische momenten van beroemdheid te geven. Misschien is het onze schuld wel, ik weet het niet, maar ik weet zeker dat ze geprogrammeerd worden en dat weet u ook. En achter die programmering zit een man

die heel Zuidwest-Azië voor zichzelf wil.'
'Die *Mahdi?*'
'Wie hij dan ook is, ja.'
'En u denkt dat u hem kunt vinden?'
'Ik zal hulp nodig hebben. Ik moet van het vliegveld kunnen komen, Arabische kleren hebben; ik zal een lijst maken.'
De adjunct-directeur leunde weer achterover in zijn stoel en zijn vingers streelden opnieuw zijn kin. 'Waaróm, afgevaardigde? Waarom wilt u dit doen? Waarom wil Evan Kendrick, multimiljonair en ondernemer zijn zeer rijke leven op het spel zetten? Er is daar voor u niets meer over. Waaróm?'
'Volgens mij is het eenvoudigste en eerlijkste antwoord dat ik misschien kan helpen. Zoals u al hebt gezegd heb ik daar een boel geld verdiend. Misschien is het nu de tijd om een beetje van mezelf terug te geven.'
'Als het alleen maar geld was of "een beetje" van uzelf, zou ik daarmee geen moeite hebben,' zei Swann. 'Maar als ik u laat gaan dan komt u in een mijnenveld terecht en u bent niet getraind om zoiets te overleven. Hebt u daaraan wel eens gedacht, afgevaardigde? Dat zou wel moeten.'
'Ik ben niet van plan de ambassade te gaan bestormen,' antwoordde Evan Kendrick.
'Dat is misschien niet nodig. U hoeft alleen maar de verkeerde vraag te stellen aan de verkeerde persoon en het resultaat zou hetzelfde kunnen zijn.'
'Ik zou evengoed vandaag, midden op de dag, in een taxi kunnen zitten op de hoek van 23rd Street en Virginia Avenue en een ongeluk kunnen krijgen.'
'Ik neem aan dat dat betekent dat het gebeurd is.'
'Het komt erop neer dat ik niet achter het stuur zat. De man die stuurde reed te hard voor het verkeer in Washington, dat altijd onvoorspelbaar is. Ik ben voorzichtig, meneer Swann, en in Masqat ken ik mijn weg in het verkeer dat niet zo onvoorspelbaar is.'
'Bent u ooit in dienst geweest?'
'Nee.'
'U had de juiste leeftijd voor Vietnam, neem ik aan. Hoe verklaart u dat?'
'Ik had uitstel wegens studie. Zo ben ik erbuiten gebleven.'
'Bent u vertrouwd met vuurwapens?'
'Een beetje ervaring heb ik er wel mee.'

'Wat betekent dat u weet waar de trekker zit en met welke kant u moet richten.'
'Ik zei een beetje, maar niet op een imbeciele manier. In de begintijd in de Emiraten droegen we wapens op de bouwplaats. Later soms ook.'
'Hebt u ooit moeten schieten?' drong de adjunct-directeur aan.
'Jazeker,' antwoordde Kendrick met rustige stem en zonder toe te happen. 'Zo heb ik kunnen leren waar de trekker zit en met welke kant ik moest richten.'
'Heel grappig, maar wat ik bedoelde was of u ooit hebt moeten schieten op een ander mens?'
'Is dit nodig?'
'Jazeker. Ik moet me een opinie vormen.'
'Goed dan, ja, dat heb ik.'
'Wanneer was dat?'
'Niet één keer, meerdere malen,' verbeterde het congreslid. 'Tot mijn partners en onze ploeg van Amerikanen behoorden een geoloog, een onderhoudsman en een paar oudgedienden uit de Genie – van het type voorman. We hebben verschillende tochten gemaakt naar mogelijke bouwplaatsen om de bodem en de kleischalie te testen en om complexen te omheinen voor bouwmachines. We reden in een kampeerwagen en we werden verschillende keren overvallen door bandieten – rondzwervende nomadenstammen, op zoek naar alleenreizende mensen. Ze vormen al jaren een probleem en de autoriteiten waarschuwen iedereen die het binnenland intrekt zich te beschermen. Niet zo heel erg verschillend van elke grote stad hier. Toen heb ik een wapen gebruikt.'
'Om schrik aan te jagen, meneer Swann. Maar het is ook voorgekomen dat we moesten doden. Zij wilden ons vermoorden. We hebben al die incidenten bij de autoriteiten gemeld.'
'Ik snap het,' zei de adjunct-directeur van Consulaire Operaties. 'In wat voor fysieke vorm verkeert u?'
De bezoeker schudde geïrriteerd zijn hoofd. 'Nu en dan rook ik een sigaar of sigaret na het eten, *dokter,* en ik drink maar weinig. Maar ik doe niet aan gewichtheffen en ik doe ook niet mee aan marathons. Daarentegen ben ik wel een expert in het wild-water-varen en ik maak bergtochten wanneer ik maar kan. En ik geloof ook dat het een hoop onzin is waarmee u nu bezig bent.'
'U mag denken wat u wilt, meneer Kendrick, maar we komen

tijd tekort. Eenvoudige, directe vragen kunnen ons helpen iemand even accuraat te beoordelen als een ingewikkeld psychiatrisch rapport van een van onze klinieken in Virginia.'
'Daarvan mag u de psychiaters de schuld geven.'
'Dat hoeft u mij niet te vertellen,' zei Swann met een kwaadaardig gegrinnik.
'Nee, vertelt u het mij nu maar,' wierp de bezoeker tegen. 'Uw quizspelletjes zijn voorbij. Ga ik nu, of ga ik niet, en indien niet, waaróm dan niet?'
Swann keek op. 'U gaat, afgevaardigde. Niet omdat u een ideale keuze bent maar omdat ik geen andere keuze heb. Ik wil alles proberen, ook een of ander arrogante rotzak waarvan ik aanneem dat u dat bent, onder dat koele uiterlijk van u.'
'U hebt waarschijnlijk gelijk,' zei Kendrick. 'Kunt u mij een volledig rapport bezorgen over alles wat u weet?'
'Dat zal worden afgeleverd bij het vliegtuig voordat u vertrekt van de luchtbasis Andrews. Maar het mag dat vliegtuig niet verlaten, afgevaardigde, en u kunt geen notities maken. Iemand zal u in de gaten houden.'
'Begrepen.'
'Weet u dat zeker? We zullen u een zo goed mogelijke dekmantel geven gezien de zware restricties, maar u bent een gewoon burger die op zichzelf opereert, ondanks uw politieke positie. Kort gezegd, als u door vijandige elementen wordt opgepakt kennen wij u niet. We kunnen u niet helpen. We gaan de levens van tweehonderdzesendertig gegijzelden niet riskeren. Is dát begrepen?'
'Ja, dat is het, omdat het precies past bij datgene wat ik duidelijk maakte toen ik hier binnenkwam. Ik wil een schriftelijke garantie van anonimiteit. Ik ben hier nooit geweest. Ik heb u nooit gezien en nooit met u gepraat. Stuur een memo naar de minister van Buitenlandse Zaken. Zeg maar dat u een telefoontje hebt gehad van een politiek vriendje van mij in Colorado die mijn naam noemde en zei dat u, gezien mijn achtergrond, met mij contact zou moeten zoeken. U ging niet in op die benadering omdat u dacht dat het gewoon weer een van die politici was die probeerde munt te slaan uit BZ – dat moet u niet al te moeilijk vallen.' Kendrick haalde een notitieboekje uit zijn jaszak, boog zich voorover en pakte Swanns potlood op. 'Dit is het adres van mijn advocaat in Washington. Laat per bode maar een kopie bij hem bezorgen voordat ik op

Andrews op het vliegtuig stap. Wanneer hij zegt dat hij het heeft zal ik aan boord gaan.'
'Wat we hier beiden willen is zo duidelijk en zo ondubbelzinnig dat ik mezelf zou moeten feliciteren,' zei Swann. 'Waarom doe ik dat dan niet? Waarom blijf ik maar denken dat u iets voor me achterhoudt?'
'Omdat u van nature en van beroepswege wantrouwig bent. Als u dat niet was zou u niet in die stoel zitten.'
'Die geheimhouding waarop u zo staat...'
'Kennelijk doet u dat ook,' viel Kendrick hem in de rede.
'Ik heb u gezegd waarom. Er zitten daar tweehonderdzesendertig mensen. We gaan niemand een excuus geven om de trekker over te halen. U van de andere kant hebt een boel te winnen, behalve dan dat u gewond kunt raken of erger. Waarom staat ú zo op die geheimhouding?'
'Om ongeveer dezelfde reden,' zei de bezoeker. 'Ik heb in dat hele gebied een boel vrienden gemaakt. Met velen heb ik die vriendschap bijgehouden; we schrijven elkaar; ze komen vaak bij mij op bezoek – onze banden hebben niets geheimzinnigs. Als mijn naam genoemd werd zou een stelletje fanatiekelingen dat als *jaremat thaár* kunnen beschouwen.'
'Straf voor vriendschap,' vertaalde Swann.
'Het klimaat is er rijp voor,' voegde Kendrick eraan toe.
'Ik geloof dat ik daarmee maar tevreden moet zijn,' zei de adjunct-directeur zonder veel overtuiging. 'Wanneer wilt u vertrekken?'
'Zo snel mogelijk. Ik hoef hier niets meer te regelen. Ik zal een taxi pakken, naar huis gaan en me omkleden...'
'Geen taxi's, afgevaardigde. Van nu af totdat u in Masqat komt staat u op de lijst als een verbindingsman van de regering onder een beschikbare dekmantel en maakt u gebruik van militair transport. U bent ondergedoken.' Swann pakte zijn telefoon. 'U krijgt een begeleider mee naar de garage-oprit en van daaraf zal een auto zonder kentekenen u naar huis rijden en daarna naar Andrews. De komende twaalf uur bent u eigendom van de regering en u zult moeten doen wat wij u opdragen.'

Evan Kendrick zat achterin de auto van Buitenlandse Zaken uit het raampje te staren naar het dichte geboomte langs de Potomac. De bestuurder zou spoedig linksaf slaan en een lan-

ge beboste strook van Virginia inrijden, vijf minuten van zijn huis. Zijn geïsoleerde huis, bedacht hij, zijn zeer eenzame huis, ondanks een inwonend echtpaar die oude vrienden waren en de onvermijdbare, zij het niet overdreven stoet van knappe vrouwen, die zijn bed deelden, ook vrienden.
Vier jaar en niets permanents. Bestendigheid was voor hem een halve wereld verwijderd waar niets bestendig was, behalve de noodzaak steeds van het ene karwei naar het andere te trekken, voor iedereen de best mogelijke huisvesting te vinden en ervoor te zorgen dat er onderwijskrachten beschikbaar waren voor de kinderen van zijn partners – kinderen van wie hij soms wilde dat het de zijne waren. Maar voor hem was er nooit tijd geweest om te trouwen en kinderen te krijgen; *zijn vrouwen waren ideeën,* zijn kinderen projecten. In zekere zin was dat de reden geweest waarom hij de leider was; hij werd niet afgeleid door een gezin. De vrouwen waarmee hij zijn bed deelde waren meestal even gejaagd bezig als hijzelf. Net als hij zochten ze de tijdelijke opbeuring, zelfs de stimulering, van korte affaires, maar het was altijd een kwestie van 'tijdelijk'. Verder waren er in die boeiende jaren de opwinding en het lachen, de angstige uren en de uitgelaten momenten wanneer de resultaten van een project boven hun verwachtingen lagen. Ze waren bezig een eigen rijk te bouwen – al was het dan maar klein – maar het zou groeien en op den duur, zo had Weingrass volgehouden, zouden de kinderen van de Kendrick-groep naar de beste scholen in Zwitserland gaan, maar een paar uur vliegen.
'Ze zullen gaan behoren tot de directie van de internationale *mensch!*' had Manny uitgeroepen. 'Al die magnifieke schoolopleidingen en die talen. We zijn bezig de grootste verzameling staatslieden op te leiden sinds Disraëli en Golda!'
'Oom Manny, zullen we gaan vissen?' smeekte een jonge woordvoerder, met achter zich samenzweerders die met grote ogen toekeken.
'Natuurlijk, David – wat een pracht van een naam. De rivier is hier maar een paar kilometer vandaan. We zullen niets dan *walvissen* vangen, dat beloof ik jullie!'
'Manny, toe nou,' protesteerde een van de moeders steeds. 'Hun huiswerk.'
'Dat is werk voor *huis* – leer je eigen grammatica maar. Walvissen zitten in de *rivier!*'
Dat alles was de bestendigheid voor Evan Kendrick. En ineens

was alles kapotgeslagen, duizend gebroken spiegels in het zonlicht, en elke bloederige glasscherf had een beeld weerspiegeld van een heerlijke werkelijkheid en wonderbaarlijke verwachtingen. Alle spiegels waren zwart geworden, niets meer werd erdoor weerkaatst. Dood.

'Niet doen!' schreeuwde Emmanuel Weingrass. 'Ik voel de pijn net zo erg als jij. Maar zie je dan niet dat dat precies is wat ze van je willen, van je verwachten! Geef hun – geef hém die genoegdoening niet! Vecht tegen hen, vecht tegen hém. Ik zal met je meestrijden. Laat zien dat je lef hebt, jongen!'

'Voor wie, Manny? Tegen wie?'

'Dat weet jij evengoed als ik. Wij zijn pas de eersten; er zullen nog anderen volgen. Andere "ongelukken", dierbaren zullen gedood worden, projecten zullen in de steek worden gelaten. Zul je dat toestaan?'

'Het kan me gewoon niks schelen.'

'Je laat hem dus winnen?'

'Wie?'

'De Mahdi!'

'Een gerucht van dronkelappen, meer niet.'

'Hij heeft het gedaan! Hij heeft hen vermoord! Ik weet het zeker!'

'Er is hier niets meer voor mij, beste kameraad, en ik kan niet achter schaduwen aangaan. Ik heb er geen lol meer in. Vergeet het maar, Manny, ik ga je rijk maken.'

'Ik wil geen geld van een lafaard!'

'Je neemt het niet aan?'

'Natuurlijk neem ik het aan. Ik hou gewoon niet langer meer van je.'

Daarna vier jaar van verontrusting, doelloosheid en verveling, waarin hij zich afvroeg wanneer de hete wind van de liefde of de kille wind van de haat het smeulende vuur in hem zou aanwakkeren. Steeds weer had hij zich voorgehouden dat de tijd rijp zou zijn en hij klaar zou zijn, wanneer het vuur ineens zou opvlammen, om wat voor reden dan ook. Nu was hij er klaar voor en niemand zou hem tegenhouden. Haat.

De Mahdi.

Jij beroofde mijn dierbaarste vrienden van het leven even zeker als wanneer je zelf die pijpleiding had aangebracht. Ik moest zovele lichamen identificeren; de gebroken, verwrongen, bloedende lichamen van de mensen die zoveel voor me hadden betekend. De haat gaat niet meer weg, die zit diep en koud en blijft me bij en zal mijn verdere leven pas weer mogelijk maken wanneer jij dood bent. Ik moet teruggaan en de brokken oprapen, weer mezelf worden en afmaken wat wij allen samen aan het bouwen waren. Manny had gelijk. Ik ben weggelopen en mijn excuus was de pijn die ik voelde. Ik vergat de dromen die we hadden. Nu zal ik teruggaan en het afmaken. Ik kom je halen, Mahdi, waar je ook zit. En niemand zal weten dat ik daar was.

'Meneer? Meneer, we zijn er.'

'Pardon?'

'Dit is uw huis,' zei de marinier-chauffeur. 'Ik geloof dat u even een dutje deed, maar we moeten aan onze tijd denken.'

'Geen dutje korporaal, maar je hebt natuurlijk gelijk.' Kendrick greep de kruk en opende het portier. 'Ik ben over een minuut of twintig terug. ...Waarom ga je niet even mee naar binnen? De huishoudster zorgt wel dat je een kop koffie of iets te eten krijgt terwijl je wacht.'

'Ik zou niet eens uit deze wagen komen, meneer.'

'Waarom niet?'

'U hoort tot OHIO. Ze zouden me waarschijnlijk neerschieten.'

Met zijn ene voet op het wegdek draaide Evan Kendrick zich halverwege om en hij keek achter zich. Aan het einde van de straat, de verlaten, met bomen omzoomde straat met alleenstaande huizen, stond aan de trottoirrand een eenzame auto geparkeerd. Op de voorbank zaten twee roerloze gestalten.

De komende twaalf uur bent u eigendom van de regering en u zult moeten doen wat wij u opdragen.

De gestalte die alleen in silhouet te zien was liep snel het ingebouwde, geheime vertrek binnen, sloot de deur en liep in het donker naar de tafel waar de kleine, koperen bureaulamp stond. Hij knipte die aan en liep meteen door naar zijn apparatuur die de hele rechtermuur besloeg. Hij ging voor de tekstverwerker zitten, raakte de schakelaar aan die het scherm deed oplichten en typte de code in.

Uiterst maximale geheimhouding

Geen aftap mogelijk

Ga uw gang

Hij vervolgde zijn journaal met van opwinding trillende vingers.

Alles is nu in gang gezet. De betrokkene is op weg, de reis is begonnen. Ik kan natuurlijk niet voorspellen wat voor hindernissen hij zal tegenkomen, en nog minder of hij succes zal boeken of niet, ik weet alleen via mijn geavanceerde 'apparaten' dat hij op een unieke manier geschikt is. Er zal een dag komen waarop we iets meer zullen weten over de menselijke factor, maar die dag is nog niet aangebroken. Maar als hij het overleeft zal de bliksem toeslaan, dat maken zijn projecties duidelijk uit wel honderd verschillende met succes berekende opties. De kleine kring van functionarissen die op de hoogte moet zijn is ingelicht via strikt geheime modem-communicatie. Kinderspel voor mijn apparatuur.

3

De geschatte vliegtijd van Andrews naar de Amerikaanse Luchtmachtbasis op Sicilië bedroeg iets meer dan zeven uur. De aankomst was voorzien voor vijf uur 's morgens, Romeinse tijd; acht uur in de ochtend in Oman, wat vier tot vijf uur verder lag, afhankelijk van de heersende wind in het Middellandse-Zeegebied en van de veilige routes die genomen konden worden. Ze waren snel opgestegen in het donker boven de Atlantische Oceaan; het militaire straalvliegtuig was een omgebouwde F-106 Delta met een cabine waarin achterin twee stoelen naast elkaar stonden, met uitklapbare tafeltjes die dienst deden zowel als miniatuurbureaus als eettafeltjes. Plafondlampjes richtten hun stralen omlaag en konden door lezende passagiers worden versteld zodat het licht werd geconcentreerd op datgene waarmee ze bezig waren, manuscripten, foto's of landkaarten. Kendrick kreeg de bladzijden van OHIO-VIER-NUL aangereikt door de man die links van hem zat, één bladzijde tegelijk, en hij kreeg de volgende pas nadat hij de voorgaande had teruggegeven. Evan had het hele dossier in twee uur en twaalf minuten doorgewerkt. Hij stond op het punt weer vooraan te beginnen toen de jongeman naast hem, een knappe medewerker van OHIO-VIER-NUL met donkere ogen, die zich een-

voudig had voorgesteld als een assistent van Buitenlandse Zaken, zijn hand opstak.
'Kunnen we eerst niet even eten, meneer?' vroeg hij.
'Wat? Natuurlijk.' Kendrick rekte zich uit in zijn stoel. 'Eerlijk gezegd staat hier niet bijster veel in waaraan ik wat heb.'
'Dat had ik ook niet verwacht,' zei de keurige jongeman.
Evan bekeek zijn metgezel voor het eerst eens wat nauwkeuriger. 'Weet u, ik bedoel dit niet denigrerend – echt niet – maar voor een uiterst geheime operatie van BZ lijkt u me wat jong om dit werk te doen. U bent vast nog geen dertig.'
'Bijna,' antwoordde de assistent. 'Maar wat ik doe, doe ik vrij goed.'
'En dat is?'
'Het spijt me, dat kan ik niet zeggen, meneer,' zei zijn metgezel. 'Wat dacht u nu van een stukje eten? Het is een lange vlucht.'
'Wat dacht u van een borrel vooraf?'
'We hebben speciale voorzieningen getroffen voor burgers.' De jongeman met zijn donkere haardos en zijn zwarte wenkbrauwen glimlachte en wenkte de steward van de luchtmacht, een korporaal die op een stoel zat met zijn gezicht naar hen toe; de bediende stond op en liep op hen toe. 'Een glas witte wijn en een Canadese whisky met ijs, alstublieft.'
'Een *Canadese*...'
'Dat drinkt u toch zeker?'
'U hebt uw huiswerk goed gemaakt.'
'We werken dag en nacht.' De assistent knikte tegen de korporaal die zich terugtrok in het miniatuurkeukentje. 'Ik ben bang dat er geen keuze is voor wat het eten betreft,' vervolgde de jongeman van OHIO. 'Dat is een gevolg van de bezuinigingen van het Pentagon... en van bepaalde lobbyisten van de vleesindustrie en de landbouw. Filet mignon met Hollandse asperges en aardappelen *au gratin.*'
'Wat je bezuinigen noemt.'
'Wat je lobbyisten noemt,' voegde Evans metgezel er grijnzend aan toe. 'Als dessert is er een omelet sibérienne.'
'Wat?'
'De melkjongens moeten ook aan hun trekken komen.' De drankjes werden gebracht; de steward liep terug naar een telefoon aan de wand waarop een wit lampje flikkerde. 'Op uw gezondheid.'

'Op de uwe ook. Hebt u eigenlijk een naam?'
'Kiest u er maar eentje.'
'Dat is kort en bondig. Zullen we het maar op Joe houden?'
'Joe dan. Aangenaam kennis te maken, meneer.'
'Aangezien jij kennelijk weet wie ik ben heb je iets op me voor. Jij kunt mijn naam gebruiken.'
'Niet tijdens deze vlucht.'
'Wie ben ik dan?'
'Officieel bent u een decoderingsdeskundige, Axelrod, die op weg is naar de ambassade in Dzjeddah, Saudi-Arabië. De naam stelt niet veel voor; die dient eigenlijk alleen voor de vluchtstaat van de piloot. Als iemand met u wil spreken zal hij gewoon "meneer" zeggen. Namen zijn eigenlijk verboden op dit soort vluchten.'
'Doctor *Axelrod?*' De onderbreking door de korporaal deed de assistent verbleken.
'Doctor?' vroeg Evan, lichtelijk verbaasd, terwijl hij 'Joe' aankeek.
'Natuurlijk hebt u een graad,' zei de assistent heel zacht.
'Da's leuk,' fluisterde Kendrick en hij keek de steward aan.
'Ja?'
'De piloot zou u even willen spreken, meneer. Wilt u me maar volgen naar de cockpit?'
'Jazeker,' stemde Evan in. Hij duwde het uitklaptafeltje omhoog en gaf zijn glas aan 'Joe'. 'Je hebt in elk geval in één ding gelijk gehad, jongeman,' mompelde hij tegen de man van BZ. 'Hij zei "meneer".'
'En het bevalt me niks,' antwoordde 'Joe' zacht en gespannen. 'Alle communicaties met u hoort via míj te lopen.'
'Wil je er herrie over schoppen?'
'Vergeet het maar. Die piloot is een echte egotripper. Hij wil vriendjes worden met het speciale vrachtje.'
'Het wát?'
'Vergeet het maar, doctor Axelrod. Als u er maar goed aan denkt dat er niets wordt beslist zonder mijn toestemming.'
'Je hebt behoorlijk haar op je tanden.'
'Hele bossen, afgev... doctor Axelrod. Verder ben ik geen "jongeman". Niet voor u tenminste.'
'Zal ik de piloot zeggen hoe je erover denkt?'
'U kunt tegen hem zeggen dat ik zijn pilotenvleugels en zijn ballen zal afsnijden als hij weer zoiets uithaalt.'

'Omdat ik de laatste was die aan boord kwam heb ik hem niet ontmoet, maar ik neem aan dat hij een brigadegeneraal is.'
'Voor mij is hij een brigadier van lik-me-vestje.'
'Goeie hemel,' grinnikte Kendrick. 'Interdepartementale rivaliteit op veertigduizend voet. Ik geloof niet dat ik dat leuk vind.'
'Meneer?' De luchtmachtkorporaal begon ongerust te worden.
'Ik kom eraan, korporaal.'
In de compacte cockpit van de F-106 Delta gloeiden aan alle kanten kleine groene en rode lichtjes; het instrumentenpaneel bestond uit rijen meters en cijfers. De beide piloten zaten vooraan, in hun gordels, de navigator zat rechts met een koptelefoon met een kussentje van schuimplastic op zijn linkeroor geklemd en zijn ogen strak gevestigd op een computerscherm met een coördinatenstelsel. Evan moest zich bukken om in de kleine ruimte zover mogelijk naar voren te lopen.
'Ja, generaal?' informeerde hij. 'U wilde me spreken?'
'Ik wil niet eens naar u *kijken,* doctor,' antwoordde de piloot, met zijn ogen strak gericht op het instrumentenpaneel voor hem. 'Ik ga u alleen maar een bericht voorlezen van iemand die *S* heet. Kent u iemand die *S* heet?'
'Ik geloof van wel,' antwoordde Kendrick, die aannam dat het bericht afkomstig was van Swann van Buitenlandse Zaken. 'Wat staat erin?'
'Deze vogel krijgt schele koppijn van wat er instaat!' riep de brigadegeneraal uit. 'Ik ben daar nog nooit geland! Ik ken het vliegveld niet en ik heb gehoord dat die verrekte spaghettivreters daar in die wildernis beter sardientjes kunnen vangen dan landingsinstructies geven!'
'Het is uw eigen luchtmachtbasis,' protesteerde Evan.
'Was dat maar waar!' wierp de piloot tegen en zijn tweede piloot bevestigde het door nadrukkelijk met zijn hoofd te schudden. 'We veranderen van koers naar Sardinië! Niet Sicilië maar *Sardinië!* Ik zal mijn motoren misschien wel op moeten blazen om ons binnen die landingsbaan te houden... als we het, godverdorie, kunnen vinden!'
'Wat voor bericht hebt u, generaal?' vroeg Kendrick rustig. 'Voor de meeste zaken is er gewoonlijk wel een reden wanneer plannen veranderd worden.'
'Legt u het me dan maar eens uit... nee, leg het maar níet uit. Ik ben al zowat op mijn kookpunt. Die verdomde spionageboeren!'

'Mag ik alstublieft het bericht?'
'Hier hebt u 't.' De woedende piloot las van een stukje papier met een geperforeerde rand. ' "Verandering noodzakelijk. Dzjeddah onmogelijk. Waar toegestaan alle M.T. onder ogen..." '
'Wat wil dat zeggen?' viel Evan hem snel in de rede. 'De M.T. onder ogen.'
'Wat er staat.'
'In klare taal graag.'
'Sorry, dat was ik vergeten. Wie u ook bent, u bent niet degene die op mijn passagierslijst staat. Het betekent dat alle militaire toestellen in Sicilië en Dzjeddah in de gaten gehouden worden, en ook op het vliegveld waar we landen. Die Arabische rotzakken verwachten iets en ze hebben hun smerige psychopaten klaarstaan om *alles* of *iedereen* die ongewoon is door te geven.'
'Niet alle Arabieren zijn rotzakken of smerig of psychopaten, generaal.'
'Voor mij wel.'
'Dan zou ik daar maar eens wat aan doen. De rest van het bericht graag.'
De piloot maakte een obsceen gebaar met zijn rechterhand waarmee hij het geperforeerde papier vasthad. 'Lees het zelf maar, Arabierenvriendje. Maar het mag deze cockpit niet verlaten.'
Kendrick pakte het papier aan, hield het schuin in de richting van het lampje van de navigator en las het bericht. *'Verandering noodzakelijk. Dzjeddah onmogelijk. Waar toegestaan alle M.T. onder ogen. Overstappen op burgertoestel op zuideiland. Route via Cyprus en Riyadh naar doel. Voorbereidingen getroffen. Verwachte aankomsttijd omstreeks Tweede Zuil* el Maghreb *niet mogelijk. Spijt me. S.'* Evan stak zijn arm uit, hield het bericht boven de schouder van de generaal en liet het vallen. 'Ik neem aan dat "zuideiland" Sardinië betekent.'
'Precies.'
'Dan kan ik verder aannemen dat ik nog eens tien uur kan doorbrengen in een vliegtuig, of vliegtuigen, via Cyprus, Saudi-Arabië en ten slotte naar Masqat.'
'Ik zal u één ding zeggen, Arabierenvriendje,' vervolgde de piloot. 'Ik ben blij dat u in die Mickey Mouse-vliegtuigjes moet vliegen en niet ik. Laat ik u een advies geven: probeer een

plaats te krijgen bij de nooduitgang en als u een parachute kunt kopen, geef daar dan geld aan uit. Ook een gasmasker. Ik heb gehoord dat het stinkt in die vliegtuigen.'
'Ik zal proberen aan uw gulle raad te denken.'
'Nu moet u míj nog eens iets vertellen,' zei de generaal. 'Wat is dat verdomme voor Arabisch gebrabbel over die "Tweede Zuil"?'
'Gaat u naar de kerk?' vroeg Evan.
'Natuurlijk ga ik naar de kerk. Wanneer ik thuis ben moet mijn hele gezin naar de kerk... daar komt niemand onderuit, verdomme. Minstens één keer in de maand, vaste prik.'
'Dat doen de Arabieren ook, maar niet één keer in de maand. Vijf keer per dag. Zij geloven even diep als u, minstens even diep, denkt u niet? De Tweede Zuil van *el-Maghreb* slaat op de Mohammedaanse gebeden bij zonsondergang. Verrekte ongemakkelijk, vindt u niet? Ze werken zich de hele dag lang te barsten, meestal zonder iets te verdienen, en dan gaat de zon onder. Geen cocktails, alleen maar gebeden voor hun God. Misschien is dat wel alles wat ze hebben. Net als die spirituals vroeger op de plantages.'
De piloot draaide zich langzaam om in zijn stoel. Zijn gezicht in de schemering van de cockpit verraste Kendrick. De generaal was een neger. 'Dat zei u met opzet,' beweerde de piloot vlakweg.
'Het spijt me. Dat meen ik; ik wist het niet. Van de andere kant bent u begonnen met mij een Arabierenvriendje te noemen.'

Zonsondergang. Masqat, Oman. De stokoude turbojet kwam met zo'n geweld op de landingsbaan terecht dat een paar van de passagiers schreeuwden; hun woestijninstinct had hun al doen geloven in de mogelijkheid van een dood in de vlammen. Toen ze zich realiseerden dat ze gearriveerd waren, dat ze veilig waren en dat er banen in het vooruitzicht waren, begonnen ze opgewonden te roepen. Dank aan Allah voor Zijn welwillendheid! Men had hun rialen beloofd voor baantjes die de Omani's niet wilden hebben. Het zij zo. Het was veel beter dan wat ze hadden achtergelaten.
De zakenlui vóór in het vliegtuig, keurig in het pak, renden naar de uitgang met hun zakdoeken voor hun neus, hun aktentassen in de klamme handen geklemd, erop gebrand de lucht

van Oman in te ademen. Kendrick bleef in het middenpad staan, als laatste in de rij en hij vroeg zich af wat Swann van BZ wel bedoelde toen hij in zijn bericht zei dat er *voorbereidingen* waren getroffen.
'Komt u maar met mij mee!' riep een Arabier in een lang gewaad in het midden van een menigte die zich begon te vormen voor de Immigratieafdeling van het stationsgebouw. 'Wij hebben een andere uitgang, doctor Axelrod.'
'In mijn paspoort staat niets over ene *Axelrod.*'
'Precies. Daarom gaat u met mij mee.'
'Hoe zit het met Immigratie?'
'Houd uw papieren maar in uw zak. Niemand wil die zien. Ik wil ze zeker niet zien!'
'Hoe moeten we...'
'Genoeg, *ya sjaikh.* Geef me uw bagage en blijf drie meter achter me. Kom mee!'
Evan overhandigde zijn zachtleren handbagage aan de opgewonden contactpersoon en liep hem achterna. Ze sloegen rechtsaf, tot voorbij het uiteinde van het één verdieping hoge bruinwitte stationsgebouw en liepen meteen naar links naar het hoge gaashek waarachter de uitlaatgassen van tientallen taxi's, bussen en vrachtwagens de zinderende lucht blauw kleurden. Hordes mensen aan de andere kant van het hek renden heen en weer tussen de dicht opeengepakte voertuigen, met wapperende gewaden, waarschuwingen uitgillend en krijsend om aandacht. Over een afstand van vijfentwintig tot dertig meter duwden tientallen andere Arabieren hun gezichten tegen het gaas en ze staarden naar een voor hen onbekende wereld van gladde asfalt landingsbanen en ranke vliegtuigen, zaken waarvan zij alleen maar konden dromen. Voor zich uit kon Kendrick een metalen bouwwerk onderscheiden zo groot als wel tien nissenhutten. Het was het pakhuis van het vliegveld dat hij zich zo goed herinnerde, wanneer hij terugdacht aan de uren die hij en Manny Weingrass hadden doorgebracht met wachten op apparatuur die veel te laat aankwam en die naar men had beloofd met een of andere vlucht zou arriveren, vaak woedend op de douanebeambten die de formulieren die ze moesten invullen om de apparatuur in te klaren niet begrepen... als die apparatuur tenminste was aangekomen.
De poort voor de hangarachtige deuren van het pakhuis stond open om toegang te verschaffen aan de rij vrachtcontainers,

tot aan de nok gevuld met kisten die uit de verschillende toestellen waren geladen. Bewakers met agressieve honden aan de lijn stonden aan weerszijden van de lopende band van de douane waarover de vracht naar binnen rolde, naar ongeruste leveranciers en handelaren en de steeds aanwezige, steeds gefrustreerde voormannen van constructiebedrijven. Ze hadden machinepistolen in de hand en hun ogen dwaalden voortdurend over de opgewonden menigte. Ze waren daar niet alleen om een schijn van ordehandhaving op te houden te midden van die chaos en om de douanebeambten bij te staan als ruzies uit de hand dreigden te lopen, maar vooral om te voorkomen dat er wapens en drugs het sultanaat binnengesmokkeld zouden worden. Elke kist en zorgvuldig ingepakte doos werd onderzocht door de grommende, keffende honden wanneer ze op de lopende band werden geladen.
Evans contactman bleef staan; hijzelf ook. De Arabier draaide zich om en knikte naar een zijpoortje met een bordje in het Arabisch erboven. *Stop. Alleen bevoegd personeel. Op overtreders wordt geschoten.* Het was een uitgang voor de bewakers en andere regeringsfunctionarissen. Op de poort zat ook een grote metalen plaat waarop normaal een slot zou zitten. En het wás ook een slot, dacht Kendrick, een slot dat elektronisch werd geopend van ergens binnenin het pakhuis. De contactman knikte nog eens twee keer, waarmee hij wilde aangeven dat Evan op de poort moest aflopen met 'op overtreders wordt geschoten', nadat hij een teken had gekregen. Kendrick fronste vragend de wenkbrauwen en hij begon een holle pijn in zijn maag te voelen. Nu in Masqat de staat van beleg heerste had zo'n bewaker maar een klein excuus nodig om te gaan schieten. De Arabier las de twijfel in zijn ogen en knikte voor een vierde keer, langzaam en geruststellend. De contactman draaide zich om en keek naar rechts langs de rij containers. Bijna onmerkbaar hief hij zijn rechterhand op.
Ineens ontstond er een gevecht naast een van de containers. Schreeuwend werd er gevloekt, armen bewogen zich heftig en vuisten kwamen dreunend neer.
'Smokkelwaar!'
'Leugenaar!'
'Je moeder is een geit, een smerige geit!'
'Jouw vader is een hoereloper! Daar ben jij het produkt van!'
Het stof stoof in het rond toen de vechtende lichamen op de

grond vielen; het kluwen werd groter toen anderen partij kozen. De honden begonnen fel te blaffen en aan hun lijnen te trekken zodat ze hun africhters meesleepten naar het strijdgewoel. Op één africhter na, één bewaker; Evans contactman gaf het teken. Samen renden ze naar de verlaten personeelsuitgang.
'U hebt geluk, meneer,' zei de enkele bewaker terwijl zijn agressieve hond dreigend Kendricks broek besnuffelde en de man met zijn wapen snel een code op de metalen plaat tikte. Er ging een zoemer over en de poort zwaaide open. Kendrick en zijn contactman renden er doorheen en vervolgden in volle vaart hun weg langs de metalen wand van het pakhuis.
Op het parkeerterrein dat erachter lag stond een gammele vrachtwagen waarvan de banden maar op halve spanning leken te zijn. De motor brulde terwijl er luide knallen weerklonken uit een oude uitlaat. *'Besuraa!'* riep de Arabische contactman en spoorde daarmee Evan aan tot haast. 'Daar is uw transport.'
'Laten we het hopen,' mompelde Kendrick met een stem vol twijfel.
'Welkom in Masqat, *sjaikh*-hoe-u-ook-heet.'
'U wéét wie ik ben,' zei Evan kwaad. 'U hebt me gevonden in die menigte! Hoeveel ánderen kunnen dat ook?'
'Heel weinig, meneer. En ik weet echt niet wie u bent, ik zweer het bij Allah.'
'Dan moet ik u wel geloven, nietwaar?' vroeg Kendrick, terwijl hij de man aanstaarde.
'Ik zou de naam van Allah niet gebruiken als het niet zo was. Alstublieft. *Mistagill!*'
'Bedankt,' zei Evan. Hij greep zijn handbagage en rende naar de cabine van de vrachtwagen. Plotseling gebaarde de bestuurder vanuit het raampje dat hij achterin moest klimmen, onder het zeil dat over de laadbak van het oude vehikel was gespannen. De vrachtwagen kwam met een schok in beweging terwijl een paar handen hem omhoog en naar binnen trokken. Languit op de planken van de laadbak keek Kendrick naar de Arabier boven hem. De man glimlachte en wees naar het lange *aba*-gewaad en het tot de enkels reikende hemd dat bekend stond als een *thobe,* die aan een hangertje hingen voorin de met een zeil bedekte bak; daarnaast hing aan een spijker de *gothra*-hoofdbedekking en een witte ballonbroek, de dagelijkse dracht van een Arabier en de laatste zaken die Evan had

gevraagd van Frank Swann van BZ. Deze spullen en nog één onmisbaar hulpmiddel.
De Arabier liet het zien. Het was een tube gelei om de huid donker te maken. Wanneer die royaal werd gesmeerd op het gelaat en de handen van een blanke westerling werden die veranderd in die van een semiet uit het Middellandse-Zeegebied wiens huid zijn leven lang was gebronsd door de verschroeiend hete zon van vlak bij de evenaar.

De vrouw stond binnen het vliegveldhek op een paar centimeter van het gaas. Ze droeg een witte broek met enigszins uitlopende pijpen en een nauwsluitende, donkergroene zijden bloes waarin kreukels werden getrokken door de leren riem van haar handtas. Haar gezicht werd omlijst door lang donker haar; haar scherp gesneden, knappe gelaatstrekken gingen schuil achter een grote, modieuze zonnebril, haar hoofd werd bedekt door een witte zonnehoed met brede rand, waarvan de bol was afgezet met een lint van groene zijde. Op het eerste gezicht leek zij alleen maar een mondaine reizigster uit het rijke Rome of Parijs; misschien uit Londen of zelfs uit New York. Maar wie haar wat nauwkeuriger opnam zag een subtiel verschil van dat stereotype. Haar huid had de olijfkleurige tint van Noord-Afrika, niet zwart en niet blank. Het verschil werd nog benadrukt door wat ze in haar handen hield en wat ze nog maar enkele tellen eerder tegen het hek had geduwd. Het was een miniatuurcamera, nauwelijks vijf centimeter lang en met een hele kleine, opbollende convexe prismalens die gemaakt is voor fotograferen op afstand, een apparaat dat associaties opwekt met inlichtingenmensen. De gammele, smerige vrachtwagen was met een zwaai van de parkeerplaats afgereden; de camera was niet langer meer nodig. Ze greep de handtas die aan haar zijde hing en liet het apparaatje erin glijden.
'Khalehla!' riep een dikke, kalende man met grote ogen die op haar kwam afrennen, terwijl hij onhandig twee koffers meezeulde en het zweet zijn hemd doordrenkte en zelfs door het zwarte, modieuze streepjespak drong. 'Waarom ben je in hemelsnaam weggelopen?'
'Die afschuwelijke queue was stomvervelend, schat,' antwoordde de vrouw, en haar accent verried die ondoorgrondelijke mengelmoes van Engels en Italiaans of misschien Grieks. 'Ik dacht: ik loop even wat rond.'

'God-zal-me-bewaren, Khalelha, dat kun je gewoon niet maken, begrijp je dat dan niet? Het is hier op dit moment een echte hel op aarde!' De Engelsman bleef voor haar staan, met blozende hangwangen, druipend van het zweet. 'Ik had nog maar één man voor me in de rij voor die stomkop van Immigratie en ik keek rond en jij was er gewoon niet meer! En toen ik naar buiten wilde rennen om je te zoeken hielden drie gekken met geweren – echte geweren! – me tegen en namen me mee naar een kamer en doorzochten onze bagage!'
'Ik hoop dat je niets verbodens bij je had, Tony.'
'Die rotzakken hebben me mijn whisky afgenomen!'
'Och, wat moet je toch een offers brengen als je zoveel succes hebt. Geeft niks, schat, ik zorg wel dat je nieuwe krijgt.'
De ogen van de Engelse zakenman dwaalden over het gezicht en het figuur van Khalelha. 'Nou ja, het is nu voorbij. Laten we teruggaan, dan zijn we het vlugste klaar.' De dikke man knipoogde – eerst met één oog, toen met het andere. 'Ik heb een prachtige kamer voor ons georganiseerd. Je zult het geweldig naar je zin hebben, lieverd.'
'Een kamer? Met jou, schat?'
'Ja, natuurlijk.'
'Och, dat kan ik echt niet doen.'
'Wát? Je zei...'
'Ik zéi?' viel Khalehla hem in de rede, en haar donkere wenkbrauwen kwamen in een boogje boven haar zonnebril uit.
'Nou ja, je liet doorschemeren, en vrij nadrukkelijk mag ik wel zeggen, dat we eens lekker de bloemetjes zouden gaan buitenzetten in Masqat, als ik jou op dat vliegtuig kon krijgen.'
'Bloemetjes buitenzetten, natuurlijk. Een borreltje aan de Golf, misschien naar de paardenrennen, diner in het El Quaman... ja, zoiets. Maar in jouw kámer?'
'Nou ja, kijk eens... weet je, bepaalde zaken hoef je nu eenmaal niet zo specifiek uit te drukken.'
'Och, lieve, lieve Tony van me. Hoe kan ik me verontschuldigen voor zo'n misverstand? Mijn oude Engelse lectrice aan de Universiteit van Cairo stelde me voor met jou contact te zoeken. Zij is een van de beste vriendinnen van je vrouw. Oh, nee, zoiets kan ik echt niet doen.'
'Verdomme!' ontplofte de zeer succesvolle zakenman die Tony heette.

'Miraya!' schreeuwde Kendrick boven het oorverdovende lawaai van de antieke vrachtwagen uit, terwijl die over een weinig gebruikte weg Masqat inhotste.
'U hebt niet om een spiegel gevraagd, *ya sjaikh,'* schreeuwde de Arabier in de achterbak van de vrachtwagen. Hij sprak Engels met een zwaar accent maar was toch goed te volgen.
'Trek dan een van de zijspiegels naast de portieren los. Zeg het maar tegen de chauffeur.'
'Hij kan me niet horen, *ya sjaikh.* Dit is een oude auto, net als zovele andere, een auto die niet zal opvallen. Ik kan de bestuurder niet bereiken.'
'Godverdómme!' riep Evan uit, met de tube gelei in zijn hand. 'Dan moet u mijn ogen maar zijn, *ya sahbee,'* waarmee hij de man zijn vriend noemde. 'Kom wat dichterbij en kijk goed. Zeg me wanneer het goed is. Trek het zeil maar weg.'
De Arabier sloeg het achterstuk van het zeil gedeeltelijk terug en liet het zonlicht binnenstromen in de schemerige achterbak. Voorzichtig, zich vasthoudend aan de steunen scharrelde hij naar voren tot hij op nauwelijks drie centimeter van Kendrick stond. 'Is dit de *iddawah,* meneer?' vroeg hij, doelend op de tube.
'Iwah,' zei Evan toen hij zag dat de gelei inderdaad het middeltje was dat hij nodig had. Hij wreef er eerst zijn handen mee in; beide mannen keken toe; de wachttijd bedroeg minder dan drie minuten.
'Arma!' riep de Arabier uit en hij stak zijn rechterhand uit. De kleur van de blanke huid was bijna dezelfde als die van hem.
'Kwiyis,' stemde Kendrick in terwijl hij probeerde ongeveer dezelfde hoeveelheid gelei te nemen voor zijn gezicht als hij had gebruikt voor zijn handen. Er zat niets anders op dan het te proberen. Hij deed het en lette nauwkeurig op de ogen van de Arabier.
'Mahool!' riep zijn nieuwste metgezel uit, met een brede, triomfantelijke grijns. *'Delwatee anzur!'*
Het was hem gelukt. Zijn huid had nu de kleur van een zondoordrenkte Arabier. 'Help me, alstublieft, even met de *thobe* en de *aba,'* verzocht Evan, terwijl hij zich in de heftig hotsende vrachtwagen begon uit te kleden.
'Dat zal ik zeker,' zei de Arabier, ineens in veel duidelijker Engels dan hij tot nu toe had gesproken. 'Maar dan heb ik mijn zaken gedaan. Neemt u me niet kwalijk dat ik tegenover u de

naïeveling heb gespeeld maar hier is niemand te vertrouwen; zelfs het Amerikaanse ministerie van Buitenlandse Zaken niet. U neemt risico's, *ya sjaikh,* veel meer dan ik als vader van mijn kinderen zou nemen, maar dat zijn uw zaken, niet de mijne. We zullen u afzetten in het centrum van Masqat en dan moet u het verder zelf uitzoeken.'

'Bedankt dat u me hierheen hebt gebracht,' zei Evan.

'Ik moet ú bedanken, omdat u gekomen bent, *ya sjaikh.* Maar u moet niet proberen uit te zoeken wie u hebben geholpen. Echt waar, we zouden u doden nog voordat de vijand de kans had uw executie voor te bereiden. Wij zwijgen, maar we leven nog.'

'Wie bént u?'

'Gelovigen, *ya sjaikh.* Meer hoeft u niet te weten.'

'Alfsjukre,' zei Evan, bedankte daarmee de receptionist en gaf hem een fooi omdat hem verzekerd was dat zijn komst geheim zou blijven. Hij tekende het hotelregister met een valse Arabische naam en kreeg de sleutel van zijn suite. Een piccolo had hij niet nodig. Kendrick nam de lift naar de verkeerde verdieping en wachtte aan het einde van de gang om te zien of hij werd gevolgd. Dat was niet het geval en daarom liep hij via de trap naar zijn eigen verdieping en ging zijn suite binnen.

Tijd. *Elke minuut is waardevol:* Frank Swann, Buitenlandse Zaken. De avondgebeden van *el Maghreb* waren voorbij; het begon donker te worden en in de verte was de waanzin bij de ambassade hoorbaar. Evan wierp zijn kleine koffer in een hoek van de woonkamer, haalde zijn portefeuille te voorschijn vanonder zijn gewaad en trok er een opgevouwen stuk papier uit waarop hij de namen en de telefoonnummers had getypt – nummers die nu onderhand vijf jaar oud waren – van de mensen met wie hij contact wilde opnemen. Hij liep naar het bureau waarop de telefoon stond, ging zitten en vouwde het papier open.

Vijfendertig minuten later, na uitvoerige maar enigszins pijnlijk begroetingen van drie vrienden uit het verleden, was de afspraak gemaakt. Hij had zeven namen gekozen, elk behorend bij de meest invloedrijke mannen die hij zich herinnerde uit zijn tijd in Masqat. Twee waren er dood; eentje zat in het buitenland; de vierde zei hem heel oprecht dat het klimaat er niet naar was voor een Omani om met een Amerikaan te praten.

De drie die, min of meer met tegenzin, erin hadden toegestemd hem op te zoeken zouden afzonderlijk komen, binnen een uur. Ieder van hen zou rechtstreeks naar zijn suite komen, zonder zich te melden bij de receptie.
Achtendertig minuten gingen voorbij en in die tijd had Kendrick de paar kledingstukken die hij had meegenomen uitgepakt en bepaalde merken whisky besteld van de etageservice. Aan de onthouding van alcohol die de mohammedaanse traditie eiste werd alleen in naam de hand gehouden, en naast elke naam stond de drank die elke gast het liefste dronk; het was een les die Evan had geleerd van de opvliegende Emmanuel Weingrass. *Gewoon industrie-olie, mijn zoon. Als je je de naam van de vrouw van een man herinnert vindt hij dat prettig. Als je je het merk whisky herinnert dat hij drinkt is dat nog heel wat anders. Nou geef je echt om hem!*
Het zachte kloppen op de deur verbrak de stilte in de kamer als een donderslag. Kendrick haalde een paar keer diep adem, liep de kamer door en liet zijn eerste bezoeker binnen.
'Ben jíj dat, Evan? Goeie genade, je hebt je toch zeker niet bekéérd?'
'Kom binnen Mustapha. Wat fijn om je weer eens te zien.'
'Maar zie ik jóu wel echt?' vroeg de man die Mustapha heette en die gekleed ging in een donkerbruin kostuum. 'En die huid van je! Je bent even donker als ik, misschien wel donkerder.'
'Ik wil dat je alles begrijpt.' Kendrick sloot de deur en gebaarde naar zijn vriend uit het verleden dat hij plaats moest nemen. 'Ik heb jouw merk whisky. Zin in een borrel?'
'O, die Manny Weingrass is nooit ver uit de buurt, nietwaar?' zei Mustapha terwijl hij naar de lange, met brokaat beklede sofa liep en erop ging zitten. 'Die ouwe dief.'
'Hè, toe nou, Musty,' protesteerde Evan lachend en liep naar de bar in zijn hotelkamer. 'Hij heeft jou nog nooit bedonderd.'
'Nee, dat is waar. Noch hij, noch jij, noch je andere partners hebben ons ooit bedonderd. Hoe maak je het nu zonder hen, mijn vriend? Velen van ons praten er zelfs na die vier jaar nog over.'
'Soms is het niet gemakkelijk,' zei Kendrick eerlijk terwijl hij de whisky inschonk. 'Maar op den duur accepteer je het. Je rooit het weer.' Hij bracht Mustapha zijn whisky en ging in een van de drie stoelen tegenover de sofa zitten. 'Het allerbes-

te, Musty.' Hij hief zijn glas.
'Nee, beste vriend, het is het allerergste – de tijd had niet erger kunnen zijn, zoals de Engelse Dickens schreef.'
'Laten we wachten tot de anderen hier zien.'
'Die komen niet.' Mustapha dronk van zijn glas.
'Wát?'
'We hebben met elkaar gesproken. Ik ben, zoals dat bij zovele zakelijke bijeenkomsten heet, de vertegenwoordiger van bepaalde belangen. Bovendien vond men dat ik als de enige minister van het kabinet van de sultan de heersende opvatting van de regering kon overbrengen.'
'Waarover? Ik kan je niet meer volgen.'
'Wij konden jou niet meer volgen, Evan, omdat je gewoon hierheen kwam en ons belde. Eén van ons; twee, misschien; in het uiterste geval drie – maar zéven. Nee, dat was onvoorzichtig van je, beste vriend, en gevaarlijk voor iedereen.'
'Waarom?'
'Heb je ook maar even gedacht,' vervolgde de Arabier, zonder te reageren op Kendrick, 'dat zelfs drie herkenbare vooraanstaande mannen – laat staan zéven – binnen enkele minuten na elkaar naar een hotel zouden komen om met een vreemdeling te praten, zonder dat de directie zoiets zou horen? Beláchelijk.'
Evan keek Mustapha strak aan voordat hij weer iets zei. 'Wat is er, Musty? Wat probeer je me duidelijk te maken? Dit is de ambassade niet en die gore troep daarginds heeft niets te maken met de zakenlui of de regering van Oman.'
'Nee, natuurlijk niet,' stemde de Arabier volmondig in. 'Maar wat ik je probeer duidelijk te maken is dat de zaken hier zijn veranderd – op een manier die velen van ons niet meer kunnen volgen.'
'Dat ligt voor de hand,' viel Kendrick hem in de rede. 'Jullie zijn geen terroristen.'
'Nee, dat zijn we niet, maar zou je willen horen wat de mensen – mensen *met verantwoordelijkheidsgevoel* – nu zeggen?'
'Ga door.'
' "Het gaat wel voorbij", zeggen ze. "Bemoei je er niet mee; het zou hen alleen maar verder aanmoedigen".'
'*Bemoei* je er niet mee?' herhaalde Evan ongelovig.
'En "Laat de politici het maar uitzoeken".'
'De politici kúnnen het niet uitzoeken!'

'O, er is nog meer, Evan. "Er is een bepaalde grond voor hun woede", zeggen ze. "Niet het moorden natuurlijk, maar binnen de samenhang met bepaalde gebeurtenissen," *enzovoort, enzovoort.* Dat heb ik ook gehoord.'
'De samenhang met bepaalde gebeurtenissen? Wát voor gebeurtenissen?'
'Wat er nu aan de gang is, beste vriend. "Ze reageren op een heel ongelijke politiek van de Verenigde Staten in het Midden-Oosten." Dáár gaat het om, Evan. "De Israëli's krijgen alles en zij krijgen niets", zegt men. "Zij worden van hun land en uit hun huizen verjaagd en gedwongen te wonen in overvolle, smerige vluchtelingenkampen, terwijl de joden op de Westelijke Oever op hen spugen". Dat soort dingen hoor ik.'
'Dat is wáánzin!' viel Kendrick uit. 'Los van het feit dat er een andere, even pijnlijke keerzijde is van die onverdraagzame medaille, heeft het niets te maken met die tweehonderdzesendertig gegijzelden of de elf die al zijn afgeslacht! Die mensen hebben niets met politiek te maken, ongelijk of niet. Het zijn onschuldige mensen, die gemaltraiteerd worden, doodsbang gemaakt en worden uitgeput door een stelletje verrekte béésten! Hoe kunnen mensen met verantwoordelijkheidsgevoel in godsnaam zoiets zeggen? Wat daar zit is niet het kabinet van de president, of de haviken van de Knesset. Het zijn gewone ambtenaren en toeristen en gezinnen van bouwondernemers. Ik herhaal: wáánzin!'
De man die Mustapha heette zat doodstil op de sofa, zijn ogen nog steeds gericht op Evan. 'Dat weet ik en dat weet jij,' zei hij rustig. 'En dat weten zij ook, mijn vriend.'
'Waarom dan?'
'De waarheid dan,' vervolgde de Arabier met een stem die nog even zacht klonk als voorheen. 'Twee voorvallen die deze afschuwelijke heersende opvatting opriepen, als ik het woord in een enigszins andere betekenis mag gebruiken dan voorheen. De reden waarom deze dingen worden gezegd is dat niemand van ons zin heeft van onze eigen mensen een doelwit te maken.'
'Een doelwit? Jullie... eigen mensen?'
'Twee mannen, ik zal de ene Mahmoud noemen, de andere Abdul – natuurlijk niet hun echte namen, want het is beter dat je die niet kent. Mahmouds dochter... verkracht, haar gezicht met een mes bewerkt. Abduls zoon, met doorgesneden keel in een

steegje onder het kantoor van zijn vader aan de haven. "Misdadigers, verkrachters, moordenaars!" zeggen de autoriteiten. Maar wij weten allemaal wel beter. Abdul en Mahmoud wilden tegenstand bieden. "Wapens!" riepen ze. "Laten we zelf de ambassade bestormen", drongen ze aan. "Laat Masqat geen tweede Teheran worden!" ...Maar zij zelf kregen daarvan niet te lijden. Het waren de mensen die hun het naast stonden, hun kostbaarste bezit. Dat zijn de waarschuwingen, Evan. Vergeef me dat ik het zeg, maar als jij een vrouw en kinderen had zou je hen dan blootstellen aan dergelijke risico's? Ik geloof van niet. De kostbaarste juwelen zijn niet van steen gemaakt, maar van vlees en bloed. Onze gezinnen. Een echte held zal zijn vrees overwinnen en zijn leven wagen voor datgene waarin hij gelooft, maar hij zal ervoor terugschrikken wanneer hij de prijs moet betalen van het leven van zijn geliefden. Is dat niet zo, beste vriend?'

'Mijn gód,' fluisterde Evan. 'Jullie zullen niet helpen... jullie kúnnen het niet.'

'Maar er is wel iemand die je zal ontvangen en zal luisteren naar wat je te zeggen hebt. Maar die ontmoeting moet met de allergrootste voorzichtigheid plaatsvinden, kilometers ver in de woestijn voor de bergen van Jabal Sjam.'

'Wie is dat?'

'De sultan.'

Kendrick zweeg. Hij keek naar zijn glas. Het duurde even, toen keek hij Mustapha aan. 'Ik mag geen enkele officiële verbinding leggen,' zei hij, 'en de sultan is nogal officieel. Ik spreek niet namens mijn regering, dat moet duidelijk zijn.'

'Bedoel je dat je hem niet wilt ontmoeten?'

'Integendeel, dat wil ik heel erg graag. Ik wil alleen maar dat mijn positie duidelijk is. Ik heb niets te maken met de inlichtingendiensten, Buitenlandse Zaken of het Witte Huis – de hemel beware me, het Witte Huis helemaal niet.'

'Volgens mij is dat maar al te duidelijk; je gewaad en je huidskleur bevestigen dat. En de sultan wil al evenmin een officiële relatie met jou als Washington dat wil.'

'Ik loop achter,' zei Evan, drinkend van zijn glas. 'De oude man stierf ongeveer een jaar nadat ik hier wegging, nietwaar? Ik ben bang dat ik de zaken hier niet zo goed heb bijgehouden – dat zal wel een natuurlijke afkeer zijn geweest.'

'Heel begrijpelijk. Onze huidige sultan is zijn zoon; hij komt

dichter bij jou in leeftijd dan bij mij, hij is zelfs jonger dan jij. Na zijn studie in Engeland is hij verder gaan studeren in jouw land. Dartmouth en Harvard om precies te zijn.'
'Hij heet Ahmed,' viel Kendrick hem in de rede toen hij het zich weer herinnerde. 'Ik heb hem een paar keer ontmoet.' Evan fronste zijn wenkbrauwen. 'Economie en internationale betrekkingen,' voegde hij eraan toe.
'Wat?'
'Die graden wilde hij halen. Doctoraal en daarna gepromoveerd.'
'Hij is ontwikkeld en intelligent, maar hij is nog jong. Heel jong voor de taken waarvoor hij staat.'
'Wanneer kan ik hem ontmoeten?'
'Vanavond. Voordat anderen in de gaten krijgen dat je hier bent.' Mustapha keek op zijn horloge. 'Over een half uur moet je het hotel verlaten en vier straten verder naar het noorden lopen. Op de hoek zal een militaire wagen staan. Stap daarin en die zal je naar de woestijn van Jabal Sjam brengen.'

De slanke Arabier in de smerige *aba* dook in de schaduw van de schemerige winkelpui tegenover het hotel. Hij bleef zwijgend staan naast de vrouw die Khalehla heette, die nu gekleed was in een keurig zwart mantelpakje, van het soort dat zakenvrouwen graag dragen en dat niet opviel bij het zwakke licht. Ze was onhandig bezig een lens te monteren op haar kleine camera. Ineens weerklonken in het portiek twee schelle hoge pieptonen.
'Schiet op,' zei de Arabier. 'Hij is onderweg. Hij is nu in de lobby.'
'Ik schiet al op,' antwoordde de vrouw, binnensmonds vloekend terwijl ze prutste met de lens. 'Ik vraag maar weinig van mijn superieuren, maar ik heb wél graag behoorlijke apparatuur die ook wérkt. Ziezo. Die zit erop.'
'Daar komt hij aan!'
Khalehla hief haar camera op met de telescooplens die op infrarood licht werkte om bij donker te kunnen fotograferen. Snel nam ze drie foto's van Evan Kendrick in zijn inlandse kledij. 'Ik vraag me af hoe lang ze hem in leven zullen laten,' zei ze. 'Ik moet snel een telefoon hebben.'

Uiterst maximale geheimhouding

Geen aftap mogelijk

Ga uw gang

Het journaal ging verder.

De berichten uit Masqat zijn verbazingwekkend. De betrokkene heeft zich veranderd in een Omani, compleet met Arabische kleding en donkere huid. Hij beweegt zich door de stad als een ingezetene en is kennelijk bezig contact te leggen met oude vrienden en mensen die hij kent uit zijn vorige leven. Maar de berichten zijn ook vaag omdat de schaduw van de betrokkene alles via Langley doorgeeft en ik heb nog geen toegang kunnen vinden tot CIA-codes voor de Golfstaten. Wie weet wat Langley verbergt? Ik heb mijn apparaten opdracht gegeven harder te werken! Buitenlandse Zaken is natuurlijk een makkie. En waarom ook niet?

4

Aan de uitgestrekte, dorre woestijn leek in het donker geen einde te komen; in de verte stak het silhouet van de bergen van Jabal Sjam af tegen het sporadisch maanlicht – een onbereikbare, dreigende grens die oprees aan de donkere horizon. De vlakke grond leek overal te bestaan uit een droog mengsel van aarde en zand en de vlakte waar het nooit waaide kende niet die afgeronde, zich verplaatsende heuvels van door de wind gevormde duinen die men zich voorstelt wanneer men denkt aan de grote Sahara. De harde, kronkelende weg was nauwelijks berijdbaar; de bruine militaire wagen zwalkte en slipte door de zanderige bochten op weg naar de koninklijke ontmoetingsplaats. Kendrick had opdracht gekregen naast de gewapende chauffeur in uniform te gaan zitten; achterin zat een tweede man, een officier die ook gewapend was. De beveiliging begon al toen hij instapte; toen Evan maar even een verkeerde beweging maakte kreeg hij direct twee mensen aan weerszijden. Op een beleefde groet na zei geen van beide mensen iets.

'Dit is een woestijn,' zei Kendrick in het Arabisch. 'Waarom zijn er zoveel bochten?'

'Er zijn hier vele zijwegen, meneer,' antwoordde de officier vanaf de achterbank. 'Een rechte weg in dit soort terrein zou die te duidelijk aangeven.'
Koninklijke beveiliging, dacht Evan zonder commentaar.
Ze namen een zijweg na vijfentwintig minuten recht naar het westen te hebben gereden. Een paar kilometer verder werd rechts de gloed van een kampvuur zichtbaar. Toen ze dichterbij kwamen zag Kendrick een peloton van geuniformeerde bewakers om het vuur staan die uitkeken naar alle windrichtingen; in de verte tekenden zich de donkere silhouetten af van twee militaire vrachtwagens. De auto stopte; de officier sprong eruit en opende het portier voor de Amerikaan.
'Loopt u maar voor me uit, meneer,' zei hij in het Engels.
'Zeker,' antwoordde Evan en hij probeerde de jonge sultan te herkennen bij het licht van het vuur. Hij was nergens te zien en er was ook niemand in uniform. Evan probeerde zich het gezicht van de jongeman die hij meer dan vier jaar geleden had ontmoet voor de geest te halen, de student die voor een kerstvakantie of een lenteverlof naar huis in Oman was gekomen, hij wist het niet precies meer, alleen dat de zoon van de sultan een aardige jongeman was, die enthousiast was over Amerikaanse sporten en er heel veel vanaf wist. Maar meer kon Evan zich niet herinneren; hij kon zich er geen gezicht bij voorstellen, alleen de naam Ahmed, die Mustapha had bevestigd.
Drie soldaten die op zijn weg stonden gingen opzij; ze liepen door de beschermende cirkel.
'Mag ik even, meneer?' zei een tweede officier die ineens voor Kendrick opdoemde.
'Mag ik even wat?'
'Het is onder deze omstandigheden de gewoonte dat alle bezoekers gefouilleerd worden.'
'Ga uw gang.'
De militair doorzocht snel en efficiënt de lange *aba* en tilde daarbij de rechtermouw op tot boven het stuk waar Evan de donker makende gelei had aangebracht. Toen de officier de blanke huid zag bleef hij de mouw omhoog houden en hij staarde Kendrick aan. 'Hebt u papieren bij u, *ya sjaikh?*'
'Geen papieren. Geen identificatie.'
'Ik begrijp het.' De militair liet de mouw zakken. 'U hebt ook geen wapens.'
'Natuurlijk niet.'

'U mag dat wel beweren, meneer, maar wij moeten dat vaststellen.' De officier trok een smal zwart apparaatje uit zijn riem, niet groter dan een sigarettenpakje. Hij drukte op wat eruit zag als een rode of oranje knop. 'U moet hier even wachten, alstublieft.'
'Ik ga nergens heen,' zei Evan en hij keek even naar de bewakers die hun geweren in de hand hadden.
'Dat gaat u zeker niet, *ya sjaikh,*' stemde de militair in en hij liep terug naar het vuur.
Kendrick keek de Engels sprekende officier aan die met hem op de achterbank van Masqat was komen rijden. 'Ze nemen het zekere voor het onzekere, is 't niet?' zei hij zonder speciale bedoeling.
'Het is de wil van de almachtige Allah, meneer,' antwoordde de militair. 'De sultan is ons licht, onze zon. U bent *Aurobbí,* een blanke. Zou u uw afstamming naar de hemelen niet beschermen?'
'Als ik meende dat ik daarmee mijn toegang kon garanderen zou ik dat zeker doen.'
'Hij is een fijne man, *ya sjaikh.* Misschien nog jong, maar wijs op vele manieren. Dat hebben we gemerkt.'
'Hij komt dus wel?'
'Hij is er al, meneer.'
Het diepe grommen van een krachtige limousine overstemde het knetteren van het kampvuur. Het voertuig met getinte ramen draaide tot voor de kring van bewakers en remde abrupt. Voordat de bestuurder te voorschijn kon komen ging het achterportier open en stapte de sultan uit. Hij ging gekleed in zijn koninklijk gewaad, maar met het portier nog open begon hij dat uit te trekken; zijn *aba* gooide hij in de auto, de *ghotra* hoofdbedekking bleef op zijn hoofd. Hij liep door de kring van zijn koninklijke garde, een slanke, gespierde man van gemiddelde lengte en met brede schouders. Op de *ghotra* na waren zijn kleren westers. Zijn broek was van bruine gabardine en hij droeg een T-shirt met een cartoon-figuur die een Amerikaanse revolutionaire hoed droeg en uit een Amerikaanse voetbal te voorschijn schoot. Daaronder stonden de woorden: *New England Patriots.*
'Het is lang geleden, Evan Kendrick, *ya sjaikh,*' zei de jongeman met een licht Brits accent, terwijl hij glimlachend zijn hand uitstak. 'Ik mag je kostuum wel, al komt het niet direct

van Brooks Brothers, is 't wel?'
'Dat van u ook niet, tenzij de gebroeders Brooks nu ook T-shirts verkopen.' Ze gaven elkaar de hand. Kendrick kon de kracht van de sultan voelen. 'Bedankt dat je me wilt ontmoeten, Ahmed. Neem me niet kwalijk – ik moet eigenlijk Uwe Koninklijke Hoogheid zeggen. Mijn excuses.'
'Je hebt me als Ahmed gekend en ik kende u als *sjaikh, meneer.* Moet ik u nog steeds "meneer" noemen?'
'Dat zou niet erg passend zijn geloof ik.'
'Goed. We begrijpen elkaar.'
'Je ziet er anders uit dan ik me herinner,' zei Evan.
'Ik werd gedwongen snel op te groeien – en niet uit vrije wil. Van student tot leraar, zonder de juiste papieren vrees ik.'
'Je wordt gerespecteerd, dat heb ik al gehoord.'
'Dat komt door het ambt, niet door de man. Ik moet leren mijn ambt waardig te zijn. Kom mee, we zullen eens praten – niet hier.' De sultan Ahmed pakte Kendrick bij de arm en begon door de kring van zijn bewakers te lopen, maar hij werd tegengehouden door de officier die Evan had gefouilleerd.
'Uwe Hoogheid!' riep de militair uit. 'Uw veiligheid is ons leven! Wilt u, alstublieft, binnen het cordon blijven?'
'En een doelwit vormen in het licht van het vuur?'
'Wij staan helemaal om u heen, meneer, en de manschappen zullen voortdurend rond de kring patrouilleren. De grond is vlak.'
'Richt uw wapens maar liever buiten de kring, *sahbee,*' zei Ahmed; hij sprak de militair aan met vriend. 'We zullen maar een paar meter verderop zijn.'
'Met pijn in ons hart, Uwe Hoogheid.'
'Dat gaat wel over.' Ahmed leidde Kendrick tot buiten het cordon. 'Mijn landslieden doen nogal eens nietszeggend melodramatisch.'
'Zo nietszeggend is dat niet als ze bereid zijn een bewegende kring te vormen en een kogel op te vangen die voor jou is bestemd.'
'Het is niets bijzonders, Evan, en eerlijk gezegd ken ik niet al deze mannen even goed. Wat we misschien tegen elkaar te zeggen hebben is waarschijnlijk alleen voor onze oren bestemd.'
'Dat realiseerde ik me niet...' Kendrick keek de jonge sultan van Oman aan toen ze het donker inliepen. 'Je eigen gárde?'
'Bij deze waanzin is alles mogelijk. Je kunt een beroepssoldaat

in de ogen kijken maar je kunt de wrok of de verleiding erachter niet zien. Zo, dit is ver genoeg.' Beide mannen bleven staan in het zand.

'De waanzin,' zei Evan abrupt in het schemerige licht van het vuur en van de maan die nu en dan te voorschijn kwam. 'Laten we het daar eens over hebben.'

'Daarom ben jij natuurlijk hier.'

'Daarom ben ik hier,' stemde het congreslid uit Colorado in. 'Er moet iets worden gedaan. En vlug.'

'Verdomme, wat wil je dan dat ík doe?' riep Ahmed schor fluisterend uit. 'Als ik ook maar iets onderneem kan er weer een gegijzelde worden doodgeschoten en wordt er weer een met kogels doorzeefd lichaam uit het raam gegooid!' De jonge sultan schudde zijn hoofd. 'Kijk, ik weet dat jij en mijn vader goed met elkaar konden opschieten – samen hebben we bij officiële diners wel over een paar projecten gesproken, maar ik denk niet dat je dat nog weet.'

'Toch wel,' viel Kendrick hem in de rede. 'Je was thuis van Harvard, je was, geloof ik, tweedejaars. Je zat altijd aan de linkerkant van je vader, de plaats van de troonopvolger.'

'Hartstikke bedankt, Evan. Ik had een geweldige baan kunnen krijgen bij E.F. Hutton.'

'Je hebt hier een geweldige baan.'

'Dat wéét ik,' zei Ahmed en zijn fluisterende stem klonk weer luider. 'En daarom moet ik er zo verdomde zeker van zijn dat ik het goed doe. Ik kan natuurlijk het leger terugroepen van de grens met Jemen en de ambassade innemen door die op te blazen – en door dat te doen garandeer ik de dood van tweehonderdzesendertig Amerikanen. Ik zie de krantekoppen al: Arabische sultan doodt, enzovoort, enzovoort. *Arabisch.* De Knesset in Jeruzalem zal er een feestje om bouwen! Vergeet het maar, jongen. Ik ben geen schietgrage cowboy die onschuldige levens op het spel zet en die dan in de verwarring op een of andere manier in jullie media antisemiet wordt genoemd. Goeie genáde! Washington en Israël schijnen vergeten te zijn dat we allemaal semieten zijn, en niet alle Arabieren zijn Palestijnen en niet alle Palestijnen zijn terroristen! Ik ga die schijnheilige, arrogante rotzakken in Israël niet opnieuw een excuus geven om hun *Amerikaanse* F-14's te sturen en nog méér Arabieren te vermoorden die even onschuldig zijn als die gegijzelden van jullie! Begrijp je me, Evan *sjaikh?*'

'Ik begrijp je,' zei Kendrick. 'Wil je nou wat rustiger aan doen en naar me luisteren?'
De jonge, opgewonden sultan zuchtte hoorbaar en knikte. 'Natuurlijk zal ik naar je luisteren, maar luisteren is niet hetzelfde als instemmen met wat je ook wilt.'
'Goed.' Evan zweeg even met een doordringende blik in z'n ogen, want hij wilde begrepen worden, ondanks de vreemde, duistere informatie die hij op het punt stond te gaan geven. 'Heb je gehoord over de Mahdi?'
'Khartoum, de jaren 1840.'
'Nee. Bahrein, de jaren 1980.'
'Wát?'
Kendrick vertelde opnieuw het verhaal dat hij ook had afgestoken bij Frank Swann op Buitenlandse Zaken. Het verhaal van een onbekende, geobsedeerde financier die zichzelf de Mahdi noemde, en wiens opzet het was westerlingen uit het Midden-Oosten en Zuidwest-Azië te verdrijven en de enorme rijkdom aan industriële expansie in Arabische handen te houden – meer specifiek in zíjn handen. Hoe diezelfde man, die zijn evangelie van Islamitische ongereptheid had verbreid over alle fanatieke randgroeperingen, een netwerk had opgebouwd, een onbekend kartel van tientallen, misschien honderden van geheime bedrijven en ondernemingen die alle met elkaar verbonden waren onder de paraplu van zijn verborgen organisatie. Evan beschreef vervolgens hoe zijn oude Israëlische architect, Emmanuel Weingrass, de omtrekken van die uitzonderlijke economische samenzwering had ontdekt, aanvankelijk via bedreigingen die werden geuit tegen de Kendrick-groep – bedreigingen die hij had beantwoord met zijn eigen extravagante waarschuwingen van wraakneming – en hoe Manny, hoe meer hij te weten kwam, des te meer ervan overtuigd raakte dat de samenzwering echt bestond en groeide en onthuld moest worden.
'Als ik terugkijk ben ik niet trots op wat ik gedaan heb,' vervolgde Evan bij het onzekere licht van het kampvuur en de flarden maanlicht. 'Maar ik praatte het goed vanwege wat er was gebeurd. Ik moest gewoon hier weg en daarom liet ik de zaak in de steek, liet ik de strijd in de steek die we volgens Manny moesten aangaan. Ik zei hem dat zijn fantasie met hem op de loop was, dat hij geloof hechtte aan onverantwoordelijke – en vaak dronken – boeven. Ik weet nog zo goed wat hij

tegen me zei. "Zou ik in mijn wildste dromen," zei hij, "of zelfs nog onwaarschijnlijker, zouden zíj in hún wildste dromen, een *Mahdi* bedenken? Die moordenaars hebben ons dat aangedaan – híj heeft dat gedaan!" Manny had toen gelijk en hij heeft ook nu gelijk. De ambassade wordt bestormd, moordlustige gekken doden onschuldige mensen en de boodschap daarachter is duidelijk. "Blijf hier weg, westerling. Als je hierheen komt maken we ook een lijk van je en smijten je uit het raam". Zie je dat niet Ahmed? Er bestáát een Mahdi en hij is bezig systematisch iedereen naar buiten te werken door doodgewoon terreur toe te passen.'
'Ik kan zien dat jij overtuigd bent,' antwoordde de jonge sultan sceptisch.
'Dat zijn ook anderen hier in Masqat. Ze begrijpen het alleen niet. Ze zien het verband niet en hebben er geen verklaring voor, maar ze zijn zo bang dat ze weigerden met me te praten. Met míj, een oude vriend van jaren terug, een man met wie ze hebben samengewerkt en die ze vertrouwden.'
'Terreur brengt angst voort. Wat dacht je dan? Er is bovendien nog iets anders. Jij bent een Amerikaan die vermomd is als Arabier. Dat op zichzelf al moet hen angst aanjagen.'
'Ze wisten niet wat ik droeg of hoe ik eruit zag. Ik was een stem via de telefoon.'
'Een Amerikáánse stem. Nog angstaanjagender.'
'Een westerling?'
'Er zijn hier heel wat westerlingen. Maar de Amerikaanse regering heeft begrijpelijk alle Amerikanen bevolen het land te verlaten en heeft alle Amerikaanse burgerluchtvaart op Oman verboden. Jouw vrienden vragen zich af hoe je hier gekomen bent. En waarom. Nu er een stel gekken door de straten zwerft willen zij zich misschien, en begrijpelijk, niet inlaten met de crisis op de ambassade.'
'Dat doen ze ook niet. Omdat er kinderen vermoord zijn – de kinderen van de mannen die zich er wel mee wilden bemoeien.'
Ahmed bleef stokstijf staan, zijn donkere ogen flonkerden opnieuw verbijsterd, opnieuw kwaad. 'Er zijn misdaden gepleegd, jazeker, en de politie doet wat ze kan, maar hierover heb ik niets gehoord – over het vermoorden van kinderen.'
'Het is waar. Een dochter werd verkracht, haar gezicht verminkt; een zoon werd vermoord, zijn keel afgesneden.'

'God zal je straffen als je liegt! Ik ben dan misschien aan handen en voeten gebonden waar het de ambassade betreft, maar niet daarbuiten! Wie waren het? Geef me de namen maar!'
'Die zijn me niet genoemd, niet de echte namen. Die mocht ik niet horen.'
'Maar Mustapha moet het je verteld hebben. Er was niemand anders.'
'Ja.'
'Hij zal het mij ook vertellen, daar kun je donder op zeggen!'
'Dan begrijp je het nu toch zeker wel?' Kendrick stond bijna te smeken. 'Het verband, bedoel ik. Het is er, Ahmed. Er wordt een ondergronds netwerk gevormd. Die Mahdi en zijn mensen gebruiken terroristen om alle actuele en potentiële concurrentie de nek om te draaien. Zij willen alles beheersen; zij willen dat al het geld in hun handen komt.'
De jonge sultan gaf niet direct antwoord en schudde toen zijn hoofd. 'Het spijt me, Evan, dat kan ik niet geloven omdat ze het niet zouden durven proberen.'
'Waarom niet?'
'Omdat de computers een betalingspatroon zouden ontdekken aan een centrale van het netwerk, daarom. Hoe dacht je dat Cornfeld en Vesco gepakt werden? Ergens moet er een verband zijn, een samenloop.'
'Nu kan ik je niet meer volgen.'
'Omdat je de computeranalyses niet meer kunt volgen,' antwoordde Ahmed. 'Je kunt wel honderdduizend verschillende betalingen hebben voor twintigduizend verschillende projecten, en wanneer het voorheen maanden, zelfs jaren zou duren voordat je de verborgen relaties had gevonden tussen, laten we zeggen vijfhonderd vennootschappen, slapend en actief, kunnen die schijven zoiets in een paar uur klaarspelen.'
'Zeer informatief,' zei Kendrick, 'maar je vergeet wel iets.'
'Wat dan?'
'Het vinden van die relaties zou gebeuren na het feit, nadat al die 'betalingen' waren verricht. Tegen die tijd werkt het netwerk volop en heeft de vos een verrekte hoop kippen gevangen. Afgezien van een paar dooreengehaalde vergelijkingen zouden er niet al te veel mensen in geïnteresseerd zijn vallen te plaatsen of de honden naar buiten te sturen, onder die omstandigheden. Wie zou er wat om geven? De treinen lopen immers op tijd en niemand blaast ze op. Er is natuurlijk wel een

nieuw soort regering die er zo haar eigen regels op nahoudt, en als jij en je ministers hen toevallig niet aardig vinden zou je best eens vervangen kunnen worden. Maar nogmaals, wie geeft daar wat om? De zon komt elke morgen op en de mensen hebben weer werk.'
'Zoals jij het zegt klinkt het bijna aantrekkelijk.'
'O, dat is het in het begin altijd. Mussolini kreeg die verdomde treinen op tijd en het Derde Rijk blies zeker nieuw leven in de industrie.'
'Ik begrijp wat je bedoelt, alleen zeg je dat het hier net omgekeerd is. Een industrieel monopolie zou een leemte opvullen en mijn regering overnemen omdat het stabiliteit en groei vertegenwoordigt.'
'Twee punten voor de sultan,' stemde Evan in. 'Hij krijgt er een juweel voor zijn harem bij.'
'Zeg dat maar tegen mijn vrouw. Zij is van presbyteriaanse komaf uit New Bedford, Massachusetts.'
'Hoe heb je dat kunnen klaarspelen?'
'Mijn vader stierf en zij heeft een enorm gevoel voor humor.'
'Ik kan je weer niet volgen.'
'Een andere keer dan maar. Laten we eens aannemen dat je gelijk hebt en dat dit een proefvaart is om te zien of hun tactiek de storm kan doorstaan. Washington wil dat wij blijven praten terwijl die lui van jullie een plan bedenken dat kennelijk een bepaalde penetratie inhoudt, gevolgd door een commandogroep. Maar laten we wel wezen, Amerika en haar bondgenoten hopen op een diplomatieke doorbraak omdat elke strategie die gebaseerd is op geweld in een ramp zou kunnen eindigen. Ze hebben elke geschifte leider in het Midden-Oosten erbijgehaald, en ze zullen misschien Arafat nog net geen burgemeester van New York maken, maar verder willen ze zaken doen met iedereen, ondanks al hun schijnheilige uitspraken. Wat is jouw idee?'
'Hetzelfde als wat volgens jou die computers van jou zouden kunnen doen over een paar jaar wanneer het te laat zou zijn. Ga de bron na van de leveranties aan de ambassade. Geen voedsel of geneesmiddelen, maar munitie en wapens... en ergens tussen die spullen de instructies die iemand naar binnen stuurt. Met andere woorden, zoek die manipulator die zich de Mahdi noemt en roei hem uit.'
De sultan in T-shirt keek Evan aan in het flakkerende licht. 'Je

weet zeker wel dat een groot deel van de westerse pers gespeculeerd heeft dat ikzelf erachter zou kunnen zitten. Dat ik op de een of andere manier aanstoot neem aan de westerse invloed die zich door het land verspreidt. Anders, zeggen ze, zou hij er wel iets tegen doen.'
'Dat besef ik, maar ik geloof dat het onzin is, net als Buitenlandse Zaken trouwens. Niemand die ook maar een greintje verstand heeft gelooft die speculaties.'
'Jullie Buitenlandse Zaken,' zei Ahmed nadenkend, met zijn ogen nog gericht op Kendrick. 'Weet je, in 1979 kwamen ze bij me toen de rotzooi in Teheran begon. Ik studeerde toen nog en ik weet niet wat die twee kerels verwachtten te vinden, maar wat het dan ook was, ik was het niet. Waarschijnlijk een of andere Bedoeïen in een lange, wijde *aba,* die met gekruiste benen een waterpijp met hasjies zat te roken. Als ik me naar die rol had gekleed zouden ze me misschien wel serieus hebben genomen.'
'Ik kan je weer niet volgen.'
'Oh, sorry. Weet je, toen ze eenmaal beseften dat noch mijn familie, noch mijn vader echt iets te maken hadden met de fundamentalistische beweging, waren ze wanhopig. Een van hen smeekte me bijna, zei dat ik een redelijke *Arabier* leek – waarmee ze bedoelden dat mijn Engels vloeiend was, zij het een tikkeltje Oxford-achtig door mijn studietijd daar – en wat zou ík doen als ik het in Washington voor het zeggen had. Wat ze bedoelden was wat voor raad ik zou geven, als ik om raad werd gevraagd. Verdomd, ik had gelíjk!'
'Wat heb je hun gezegd?'
'Ik weet het nog precies. Ik zei... "Wat jullie direct in het begin hadden moeten doen. Het zou nu te laat kunnen zijn, maar misschien lukt het jullie nog". Ik zei hun dat ze de meest efficiënte anti-terroristenbrigade moesten samenstellen die ze bijeen konden krijgen en die, niet naar Teheran, maar naar *Qum* moesten sturen – het hoofdkwartier van Khomeini in de rimboe in het noorden. Stuur er eerst EX-SAVAK agenten heen; die rotzakken zouden wel een manier vinden het klaar te spelen, als ze genoeg vuurkracht en beloning kregen. "Pak Khomeini in het noorden" zei ik hun. "Pak die ongeletterde mullahs om hem heen en haal ze er allemaal levend uit en laat ze dan paraderen voor de televisie van de hele wereld." Hij zou het beste middel zijn om te onderhandelen en die langharige fanatie-

kelingen die zijn hofhouding vormen zouden het duidelijk maken hoe belachelijk ze *allemaal* zijn. Dan had er een overeenkomst gesloten kunnen worden.'

Evan bekeek de intelligente, boze jongeman. 'Het had kunnen werken,' zei hij zacht, 'maar als Khomeini nu eens had besloten als martelaar voet bij stuk te houden?'

'Je kunt van mij aannemen dat hij dat niet gedaan zou hebben. Hij zou een compromis hebben gesloten; dat zou natuurlijk een compromis zijn dat door anderen werd aangeboden, maar hij zou het zelf hebben ontworpen. Hij is er niet op gebrand zo snel naar die hemel te vertrekken die hij zo aanprijst, of te kiezen voor dat martelaarschap dat hij gebruikt om knulletjes van twaalf jaar de mijnenvelden in te jagen.'

'Waarom weet je dat zo zeker?' vroeg Kendrick die zelf twijfelde.

'Ik heb die halve gare in Parijs ontmoet – en ik zeg dit niet om Pehlevi of zijn SAVAK te rechtvaardigen of zijn rovende familieleden, dat zou ik niet kunnen – maar Khomeini is een seniele dweper die wil geloven in zijn eigen onsterfelijkheid en die alles wil doen om die te bevorderen. Ik hoorde hem tegen een groep kruipende imbecielen zeggen dat hij in plaats van twee wel twintig, misschien dertig, zelfs veertig zonen had. "Ik heb mijn zaad verspreid en ik zal het blijven verspreiden," beweerde hij. "Het is de wil van Allah dat mijn zaad overal terechtkomt." Waanzin! Hij is een zeverende, smerige ouwe vent en een klassiek geval voor het gekkenhuis. Kun je je dat voorstellen? Deze verziekte wereld bevolken met kleine ayatollahs? Ik zei tegen die lui van jullie dat ze hem, als ze hem eenmaal hadden, op televisietape moesten zien te krijgen, zonder dat hij het doorhad, terwijl hij zat te preken tegen die heikneuters van hogepriesters van hem – ze zouden het via een doorkijkspiegel kunnen doen of zoiets. Dat heilige imago van hem zou door de hele wereld aan stukken zijn gelachen.'

'Je trekt een bepaalde parallel tussen Khomeini en die Mahdi die ik heb beschreven, nietwaar?'

'Ik weet het niet, ik geloof van wel, als jouw Mahdi bestaat, wat ik betwijfel. Maar als je gelijk hebt en hij bestaat echt, dan komt hij uit de tegengestelde hoek, een hele praktische, niet-religieuze hoek. Maar toch, iedereen die gelooft dat hij met het spook van een Mahdi moet schermen in deze tijd heeft ze niet allemaal op een rijtje staan. Ik ben nog steeds niet overtuigd,

Evan, maar je klinkt overtuigend en ik zal alles doen om je te helpen, om ons allemaal te helpen. Maar het moet van een afstand gebeuren, de verbinding mag niet worden ontdekt. Ik zal je een telefoonnummer geven dat je kunt bellen. Het is geheim – officieel bestaat het zelfs niet eens – en er zijn maar twee mensen die het hebben. Je zult in staat zijn mij te bereiken, maar alléén mij. Je ziet wel, *ya sjaikh* Kendrick, ik kan me niet veroorloven jou te kennen.'
'Ik ben reuze populair. Washington wil me ook al niet kennen.'
'Natuurlijk niet. Niemand van ons wil het bloed van Amerikaanse gegijzelden aan zijn handen hebben kleven.'
'Ik zal papieren nodig hebben voor mezelf en waarschijnlijk lijsten van vrachtvervoerders door de lucht en over zee, uit gebieden die ik zal aangeven.'
'Gesproken, niets opgeschreven, behalve de papieren. Je zult een naam en een adres krijgen; je papieren kun je bij die man halen.'
'Dank je. Overigens zei BZ precies hetzelfde. Niets wat ze me gaven kon op schrift worden gezet.'
'Om dezelfde redenen.'
'Maak je daarover niet ongerust. Alles klopt met wat ik in gedachten heb. Want weet je, Ahmed, ik wil jou ook niet kennen.'
'Echt waar?'
'Dat is de afspraak die ik heb gemaakt met BZ. In hun boeken kom ik helemaal niet voor en ik wil dat dat ook voor de jouwe geldt.'
De jonge sultan fronste peinzend, zijn ogen strak gericht op Evan. 'Ik accepteer wat je zegt maar ik kan niet voorgeven dat ik het begrijp. Je leven verliezen is één ding, maar als je ook maar een beetje succes hebt is het wat anders. Waarom? Ik heb gehoord dat jij nu in de politiek bent gegaan. Een congreslid.'
'Omdat ik uit de politiek wil stappen en hier wil terugkomen, Ahmed. Ik knoop de eindjes weer aan elkaar en ik ga weer werken, maar ik wil niet te veel bagage bij me hebben waardoor ik een doelwit zou kunnen worden. Of iemand die een doelwit zou kunnen worden met mij.'
'Goed, dat accepteer ik, en voor beide dingen ben ik je dankbaar. Mijn vader beweerde dat jij en je mensen de beste waren. Ik weet nog dat hij eens tegen me zei: "Die imbeciele ka-

melen komen nooit met extra kosten." Hij bedoelde dat vriendelijk, natuurlijk.'

'En, natuurlijk, kregen wij meestal ook het volgende project, dus zo imbeciel waren we nu ook weer niet, nietwaar? Het was ons idee tegen redelijke winstmarges te werken en we waren vrij goed in de kostenbeheersing... Ahmed, we hebben nog maar vier dagen over voordat de executies weer beginnen. Ik moest weten of ik bij jou kon aankloppen als ik hulp nodig had, en dat weet ik nu. Ik aanvaard jouw voorwaarden en jij aanvaardt de mijne. Nu, alsjeblieft, we hebben geen uur te verliezen. Op welk nummer kan ik jou bereiken?'

'Het kan niet worden opgeschreven.'

'Begrepen.'

De sultan gaf Kendrick het nummer. In plaats van het normale kengetal voor Masqat, 745, was het 555, gevolgd door drie nullen en een vierde vijf. 'Kun je dat onthouden?'

'Het is niet moeilijk,' antwoordde Kendrick. 'Loopt het via een centrale van het paleis?'

'Nee. Het is een directe lijn naar twee toestellen, die beide in metalen laden zitten opgesloten, eentje in mijn kantoor, de andere in mijn slaapkamer. In plaats van te bellen gaan er rode lampjes branden; op kantoor is het lampje ingebouwd in de rechterachterpoot van mijn bureau en in de slaapkamer zit het verwerkt in mijn nachtkastje. Beide toestellen worden na tien keer overgaan antwoordapparaten.'

'Na de tiende keer?'

'Om me de tijd te geven mensen kwijt te raken en vertrouwelijk te kunnen praten. Wanneer ik buiten het paleis verblijf heb ik een piepertje bij me waardoor ik weet wanneer dat toestel is gebeld. Als het moment er geschikt voor is gebruik ik de afstandbediening en hoor ik de boodschap – via een cryptofoon natuurlijk.'

'Je zei dat er maar twee mensen dat nummer hadden. Hoor ik te weten wie dat zijn of heb ik daar niets mee te maken?'

'Het maakt niets uit,' antwoordde Ahmed, met zijn donkere ogen gericht op de Amerikaan. 'De ene is mijn minister van Staatsveiligheid en de andere is mijn vrouw.'

'Bedankt dat je me zo vertrouwt.'

Met zijn blik nog strak gericht op Kendrick vervolgde de jonge sultan: 'Er is iets afschuwelijks met je gebeurd hier in dit deel van de wereld, Evan. Zovele doden, zovele goede vrien-

den, een afgrijselijke, zinloze tragedie, nog erger vanwege de hebzucht die erachter stak. Ik moet je dit vragen. Heeft de waanzin in Masqat bij jou zoveel pijnlijke herinneringen opgeroepen dat je jezelf voor de gek houdt, dat je zoekt naar onwaarschijnlijke theorieën al was het alleen maar om met spoken te vechten?'
'Geen spoken, Ahmed. Dat hoop ik je te bewijzen.'
'Dat zul je misschien ook – als je in leven blijft.'
'Ik zeg jou hetzelfde wat ik ook tegen BZ heb gezegd. Ik ben niet van plan op mijn eentje de ambassade te gaan bestormen.'
'Als je zoiets deed zou je zo krankzinnig zijn dat je verdiende gespaard te blijven. Waanzin zorgt voor zijn soortgenoten.'
'Nu klink jij ongeloofwaardig.'
'Ongetwijfeld,' stemde de sultan van Oman in, met zijn ogen nog steeds gericht op het congreslid uit Colorado. 'Heb je eraan gedacht wat er zou kunnen gebeuren – níet als je ontdekt wordt en door de terroristen gevangen wordt genomen; dan zou je niet lang genoeg leven om nog te denken – maar als diezelfde mensen van wie je zegt dat je ze hier zou willen ontmoeten jou echt om rekenschap zouden vragen en wilden weten wat je hier komt doen? Wat zou je hun dan vertellen?'
'Waarschijnlijk gewoon de waarheid – zoveel mogelijk van de waarheid. Ik handel alleen, als privé-burger, zonder relaties met mijn regering, en dat kan worden vastgesteld. Ik heb hier een boel geld verdiend en ik kom terug. Als ik op de een of andere manier kan helpen is dat in mijn eigen belang.'
'Uiteindelijk wil je dus het beste voor jezelf. Je bent van plan hier terug te komen en als die waanzinnige moordpartij kan worden gestopt zal het oneindig meer winstgevend voor jou zijn. Bovendien, als er geen eind aan komt heb je hier geen zaak meer waarnaar je kunt terugkeren.'
'Daar komt het zo ongeveer op neer.'
'Wees voorzichtig, Evan. Er zullen maar weinig mensen jou geloven en als die angst waarover je het had zo diep geworteld zit bij je vrienden als je zegt, zou het misschien niet eens de vijand hoeven te zijn die probeert je van kant te maken.'
'Ik ben al gewaarschuwd,' zei Kendrick.
'Wat?'
'Een man in een vrachtwagen, een *sahbee* die me geholpen heeft.'

Kendrick lag op bed, met wijd open ogen. Zijn gedachten woelden dooreen, richtten zich van de ene mogelijkheid op de andere, van de ene vaag herinnerde naam naar de andere, een gezicht, nog een gezicht, een kantoor, een straat, de haven, het havengebied. Hij bleef maar terugkeren naar het havengebied, naar de kaden – van Masqat-Zuid tot Al Qurayyat en Ra's al Hadd. Waaróm?
Ineens ging hem een licht op en hij wist waarom. Hoe vaak hadden Manny Weingrass en hij afspraken gemaakt dat apparatuur zou worden aangevoerd in surplusruimte die kon worden ingekocht op vrachtvaarders van Bahrein en de Emiraten in het noorden? Zo vaak dat hij het niet meer precies wist. Die afstand van ruim honderdvijftig kilometer kustlijn ten zuiden van Masqat en haar zusterhaven Matrah was open gebied, zelfs nog meer voorbij Ra's al Hadd. Maar van daaruit tot je aan de korte Straat van Masirah kwam waren de wegen nog erger dan primitief, en reizigers die het binnenland introkken liepen het risico overvallen te worden door *haramaya* te paard – bereden dieven op zoek naar buit... meestal andere dieven die smokkelwaar vervoerden. Maar toch, gezien de aantallen en de intensiteit van de gecombineerde inlichtingendiensten van minstens zes westerse landen die zich concentreerden op Masqat, was de zuidelijke kustlijn van Oman een logisch gebied om goed in de gaten te houden. Dat wilde nog niet zeggen dat Amerikanen, Engelsen, Fransen, Italianen, West-Duitsers en wie er verder nog samenwerkten met het doel de gijzelingscrisis in Masqat te analyseren en op te lossen, dat stuk van Omans kust over het hoofd hadden gezien; maar de werkelijkheid was dat er maar weinig Amerikaanse patrouilleboten, die snelle, doeltreffende kogels op het water, zich in de Golf bevonden. De andere die er waren zouden hun plicht zeker niet verzaken, maar ze hadden geen van allen die bepaalde woede die zich meester maakt van mensen in de hitte van een speurtocht, wanneer ze weten dat hun eigen landgenoten worden afgeslacht. Er zou zelfs wel eens een zekere tegenzin kunnen heersen om terroristen aan te pakken, uit angst verantwoordelijk te worden gesteld voor nog meer executies van onschuldigen – geen landgenoten van hen. De zuidelijke kust van Oman moest in de gaten worden gehouden.
Het geluid barstte even scherp los alsof er in de warme, droge lucht van de hotelkamer een sirene was gaan loeien. De te-

lefoon gilde; hij pakte de hoorn op. 'Ja?'
'Maak dat je je hotel uitkomt,' zei de zachte, gespannen stem in de hoorn.
'Ahmed?' Evan zwaaide zijn benen op de vloer.
'Ja. We spreken via een directe cryptofoon. Als er bij jou afluisterapparatuur zit horen ze alleen maar koeterwaals.'
'Ik heb net je naam genoemd.'
'Zo zijn er duizenden.'
'Wat is er gebeurd?'
'Mustapha. Omdat je het over *kinderen* had heb ik hem gebeld en gezegd dat hij onmiddellijk naar het paleis moest komen. In mijn woede had ik het ongelukkigerwijs over de zorg die ik voelde. Hij moet iemand hebben gebeld, iets tegen iemand anders hebben gezegd.'
'Waarom zeg je dat?'
'Op weg hierheen is hij in zijn auto neergeschoten.'
'Mijn gód!'
'Als ik het bij het verkeerde eind heb was de enige andere reden om hem te vermoorden zijn ontmoeting met jou.'
'O, mijn hemel...'
'Verlaat direct het hotel en laat geen enkele identificatie achter. Dat zou gevaarlijk voor je kunnen zijn. Je zult twee politieagenten zien; ze zullen je volgen, je beschermen en ergens op straat zal een van hen je de naam van de man noemen die je je papieren zal bezorgen.'
'Ik ben al weg,' zei Kendrick; hij stond op en concentreerde zich op het verwijderen van zaken zoals zijn paspoort, geldriem, vliegtuigbiljetten en alle kledingstukken die zouden kunnen wijzen op een Amerikaan in een vliegtuig uit Riyadh.
'Evan *sjaikh,'* Ahmeds stem over de telefoon klonk zacht en vastberaden. 'Ik ben nu overtuigd. Jouw Mahdi bestaat. Zijn mensen bestaan. Ga achter hen aan. Ga achter hém aan.'

5

'Hasib!' De waarschuwing klonk achter hem, een teken dat hij moest uitkijken. Hij draaide zich bliksemsnel om maar werd tegen de muur van een gebouw gedrukt door een van de twee politiemannen die hem volgden. Met zijn gezicht tegen de stenen, de huid beschermd door de *ghotra,* draaide hij zijn hoofd

om en zag twee gebaarde, sjofele jongemannen in paramilitaire kleding door de bazarachtige straat marcheren; in hun handen droegen ze zware, dreigend uitziende, donkere machinepistolen, ze schopten tegen de kramen van kooplieden en veegden hun zwarte laarzen af op de tapijten van de verkopers op de trottoirrand.
'Kijk, meneer!' fluisterde de politieagent in het Engels, en zijn stem klonk ruw, kwaad en eigenlijk ook een beetje triomfantelijk. 'Ze zien ons niet!'
'Ik begrijp het niet.' De arrogante jonge terroristen kwamen dichterbij.
'Blijf tegen de muur!' beval de Arabier die Kendrick nu stevig tegen de stenen drukte en hem zo in de schaduw hield, terwijl hij het lichaam van de Amerikaan beschermde met het zijne.
'Waarom...' De gewapende gangsters liepen voorbij en stootten de lopen van hun wapens dreigend in de lange gewaden van de mensen vóór hen.
'Beweeg u niet, meneer! Ze zijn dronken, ofwel van sterke drank die ze niet mogen hebben of van het bloed dat ze hebben vergoten. Maar Allah zij dank zijn ze buiten de ambassade.'
'Wat bedoelt u?'
'Wanneer we in uniform zijn mogen we niet in het zicht van de ambassade komen, maar als zíj daarbúiten komen is het iets anders. Dan kunnen we onze gang gaan.'
'Wat gaat er gebeuren?' Voor hen uit smakte een van de terroristen de kolf van zijn wapen tegen het hoofd van een Omani die hem niet aanstond; zijn metgezel richtte zijn wapen waarschuwend op de menigte.
'Ze trotseren ofwel de wraak van Allah op wie zij spuwen,' antwoordde de politieagent fluisterend, met ogen die flonkerden van woede om dat wat hij zag, 'of ze komen terecht bij die andere roekeloze, smerige zwijnen! Blijf hier, *ya sjaikh,* meneer! Blijf in deze kleine bazaar. Ik kom terug, ik moet u nog een naam geven.'
'De ándere... Wat voor andere smerige zwijnen?' Evans woorden gingen verloren: de politieman van de sultan rende weg van de muur en voegde zich bij zijn partner die zich een weg baande door de donkere, woelige, angstige zee van *abas.* Kendrick trok de *ghotra* om zijn gezicht heen en snelde achter hen aan.
Wat volgde was voor het ongeoefende oog even verbijsterend

en snel als een ontleedmes van een chirurg dat in een bloederige massa ingewanden wordt gestoken. De tweede politieagent keek even om naar zijn collega. Ze knikten tegen elkaar; beiden sprongen ze naar voren op de twee branieachtige terroristen af. Rechts voor hen uit kruiste een steegje de weg, en alsof er een onhoorbaar signaal door de smalle bazaar had gesnerpt, zo verdwenen de massa's verkopers en klanten in alle richtingen. Bijna onmiddellijk was het steegje leeg als een donkere verlaten tunnel.
De twee messen van de politiemannen kwamen plotseling neer in de rechterbovenarmen van de twee arrogante moordenaars. Een gegil, dat overstemd werd door het diepe, toenemende geroezemoes van de woelige mensenmassa, volgde op het onwillekeurige loslaten van de wapens terwijl het bloed opspoot uit de gescheurde spieren en arrogantie veranderde in woedende zwakte, nu de dood misschien te prefereren viel boven de schande, en ogen ongelovig werden opengesperd.
De terroristen werden door Ahmeds twee vertrouwde politiemannen snel het donkere steegje in gedwongen; onzichtbare handen wierpen de massieve, dodelijke wapens achter hen aan. Kendrick drong zich door de mensenlichamen die hem de weg versperden en rende de verlaten tunnel in. Vijf meter van de ingang lagen de jeugdige moordenaars met wilde ogen languit op het stenen wegdek; de messen van de politieagenten zweefden boven hun keel.
'La!' schreeuwde Evans beschermer en hij zei hem dat hij niet verder moest gaan. 'Loop weg!' vervolgde hij in het Engels, bang dat Kendrick hem zou misverstaan. 'Verberg uw gezicht en zeg niets!'
'Ik móet het u vragen!' riep Kendrick uit; hij keerde zich om maar gaf geen gehoor aan het tweede bevel. 'Ze spreken waarschijnlijk toch geen Engels...'
'Waarschijnlijk wel, *ya sjaikh,* meneer,' zei de andere politieagent. 'Wat u ook wilt zeggen, zeg het láter! Ik geef hier de instructies en die moeten zonder vragen worden opgevolgd. Hebt u dat begrepen, menéér?'
'Begrepen.' Evan knikte snel even en liep terug naar de overdekte ingang van de bazaar.
'Ik kom terug, *ya sjaikh,*' zei Kendricks beschermer, gebogen over zijn gevangene. 'We brengen deze zwijnen langs de andere kant weg en ik zal u komen ophalen...'

De woorden van de man werden onderbroken door een scherpe, doordringende, uitdagende gil. Zonder na te denken keek Evan om en wenste meteen dat hij dat niet had gedaan. Hij vroeg zich af of hij dat beeld ooit zou kwijtraken. De linker terrorist had het lange mes van de politieman boven hem vastgegrepen en het omlaag getrokken, recht in zijn eigen keel. Kendricks maag keerde zich om bij het zien ervan; hij dacht dat hij moest overgeven.
'Dwáás!' brulde de tweede politieman, niet zozeer in woede als wel in pijn. 'Kind! Zwíjn! Waarom doe je dat jezelf aan? Waarom doe je dat míj aan?' Het protest was vergeefs; de terrorist was dood, zijn bebaarde gezicht was bedekt met bloed. Op een of andere manier, dacht Evan, was hij getuige geweest van een microkosmos van het geweld, de pijn en de doelloosheid die de wereld vormden van het Midden-Oosten en Zuidwest-Azië.
'Alles is nu anders,' zei de tweede agent; met opgeheven mes ging hij overeind staan boven zijn gevangene die met open mond ongelovig lag toe te kijken en raakte de schouder van zijn collega aan. Deze schudde met zijn hoofd alsof hij het beeld van het jeugdige, bebloede lichaam onder zich uit zijn ogen wilde bannen, knikte toen snel en zei tegen zijn metgezel dat hij het begreep. De eerste agent liep op Kendrick af. 'Dit vertraagt de zaak even. Dit incident mag niet bekend worden in de andere straten, daarom moeten we vlug iets doen. De man die u zoekt, de man die op u wacht staat bekend als El-Baz. U zult hem vinden op de markt achter het oude zuidelijke fort aan de haven. Er is een bakkerij die oranje baklava verkoopt. U moet binnen even vragen.'
'Het zuidelijke fort... aan de haven?'
'Er staan twee stenen forten die vele eeuwen geleden door de Portugezen werden gebouwd. De Mirani en de Jalili...'
'Natuurlijk, nu weet ik het weer,' viel Evan hem in de rede; hij kwam langzaam bij van zijn verbijstering en zijn ogen vermeden de dodelijke wonde van het verminkte lichaam op de grond van het donkere steegje. 'Twee forten die gebouwd werden om de haven te beschermen tegen invallende piraten. Het zijn nu ruïnes – een bakkerij die oranje baklava verkoopt.'
'Er is geen tijd meer, meneer. U moet gáán! Loop er maar langs de andere kant uit. U mag hier niet langer meer worden gezien. Snél!'
'Geeft u eerst maar antwoord op mijn vraag,' snauwde Kend-

rick, de woede van de politieman trotserend omdat hij bleef waar hij was. 'Anders blijf ik hier en moet u zich verantwoorden voor de sultan.'
'Wát voor vraag? Gaat u toch weg!'
'U zei dat die twee terecht zouden komen bij "andere roekeloze ...zwijnen" – dat zei u letterlijk. Wat voor andere zwijnen? Waar?'
'Er is geen tijd meer!'
'Geef me antwoord!'
De politieagent haalde diep adem door zijn neus, bevend van frustratie. 'Goed dan. Dit soort incidenten is vaker voorgekomen. We hebben een aantal gevangenen gemaakt die door vele mensen worden ondervraagd. Er mag niets over bekend worden...'
'Hoeveel?'
'Dertig, veertig, misschien nu onderhand vijftig. Ze verdwijnen uit de ambassade en anderen, altijd ánderen, nemen hun plaatsen in!'
'Waar?'
De agent staarde Evan aan en schudde zijn hoofd. 'Nee, *ya sjaikh,* meneer, dat ga ik u niet vertellen. Gaat u nu maar!'
'Ik begrijp het. Bedankt.' Het congreslid uit Colorado greep de stof van zijn *aba* vast en rende door het steegje naar de uitgang. Hij wendde zijn gezicht af om bij het voorbijrennen de dode terrorist niet te hoeven zien, wiens bloed nog steeds vloeide en de spleten tussen de keien begon te vullen.
Hij kwam weer in de straat, keek omhoog en stelde vast in welke richting hij moest lopen. Naar de zee, naar de ruïnes van het oude fort aan de zuidkant van de haven. Hij zou er El-Baz treffen en regelen dat hij de nodige papieren kreeg, maar zijn gedachten waren niet bij die onderhandeling. Nee, de informatie die hij zoëven had gekregen hield hem volledig bezig: *dertig, veertig, misschien onderhand wel vijftig.* Tussen de dertig en de vijftig terroristen zaten gevangen in een of ander geïsoleerd complex in of buiten de stad; ze werden er ondervraagd, al dan niet met gebruik van geweld, door de gecombineerde inlichtingendiensten. Maar als zijn theorie klopte, dat deze kinderlijke slagers het fanatieke schuim vormden van de islam, gemanipuleerd door een grootmeester in financiële misdaad in Bahrein, dan zouden alle ondervragingstechnieken, van de farao's tot de Inquisitie tot de kampen in Hoa Binh nutteloos

zijn. Tenzij – *tenzij* – er aan een van de gevangenen een naam werd doorgegeven die de meest fanatieke hartstochten van een dweper zou oproepen, hem ertoe zou brengen datgene te onthullen waarvoor hij anders nog liever zou sterven dan het verraden. Het zou betekenen dat je natuurlijk een hele speciale fanatiekeling moest vinden, maar mogelijk was het wel. Evan had tegen Frank Swann gezegd dat misschien één op de twintig terroristen intelligent genoeg zou zijn om te voldoen aan die beschrijving – een op de twintig, dat wilde zeggen ongeveer tien of twaalf man in de hele groep moordenaars in de ambassade – als hij gelijk had. Zou één van hen misschien kunnen zitten tussen de dertig tot vijftig gevangenen in dat geïsoleerde, geheime complex? De kansen waren klein, maar een paar uur in die cellen, hooguit een nacht, zou genoeg voor hem zijn. Het was de moeite waard die tijd daaraan te besteden, als hij er toestemming voor zou krijgen. Om aan zijn speurtocht te beginnen had hij een paar woorden nodig; een naam, een plaats – een locatie aan de kust, een toegangscode die terugvoerde naar Bahrein. Wát dan ook! Hij moest vanavond in dat complex zien te komen. De executies zouden drie dagen na morgen weer beginnen, om tien uur 's ochtends.

Eerst de papieren van een man die El-Baz heette.

De ruïnes van het oude Portugese fort rezen spookachtig op tegen de donkere lucht, een puntig silhouet dat getuigde van de kracht en de vastberadenheid van zeevarende avonturiers van eeuwen her. Evan liep snel door de stadsbuurt die bekend stond als Harat Waljat naar de markt van Sabat Aynub, vrij vertaald als de druivenmand, een marktplein dat veel geordender was dan een bazaar, met goed onderhouden winkels om het plein heen; de architectuur was een verbijsterende mengelmoes van vroeg Arabisch, Perzisch, Indiaas en de meest moderne westerse invloeden. Dat alles, bedacht Kendrick, zou op een dag verdwenen zijn; een Omaanse invloed zou zich weer doen gelden en zo opnieuw de tijdelijkheid van veroveraars bevestigen – militair, politiek of terroristisch. Dat laatste hield hem nu bezig. De *Mahdi.*

Hij liep het grote plein op. Een Romaanse fontein sproeide waterstralen boven een donker, rond bassin; in het midden ervan stond een beeld, de voorstelling van een of andere Italiaanse beeldhouwer van een woestijnsjeik die voorwaarts schreed, met wapperend gewaad en zonder bepaald doel voor ogen. Maar

Evans aandacht ging uit naar de mensenmassa. De meesten waren Arabieren, kooplieden die hun waren sleten aan de rijke en dwaze Europeanen, toeristen die zich schijnbaar niets aantrokken van de chaos in de ambassade, en die herkenbaar waren aan hun westerse kleren en hun overvloed aan gouden armbanden en halskettingen, glinsterende symbolen van uitdaging in een stad die haar verstand had verloren. Maar de Omani's zagen eruit als wandelende robots die zich concentreerden op bijkomstigheden en die hun oren probeerden te sluiten voor het voortdurende schieten in de Amerikaanse ambassade op minder dan een kilometer afstand. Overal stonden en liepen ze met knipperende ogen die voortdurend in het rond keken, met voorhoofden die onwezenlijk gefronst waren in ongeloof. Wat er nu gebeurde in hun vredige Masqat ging hun begrip te boven; zij maakten geen deel uit van die waanzin, helemaal geen deel, daarom deden ze hun best die buiten te sluiten.

Hij zag het. *Balawa bohrtooan.* 'Oranje baklava', de specialiteit van de bakkerij. De in Turkse stijl opgetrokken, kleine bruine winkel met een hele rij minaretten geschilderd boven het glas van de etalage, stond tussen een grote, helder verlichte juwelierszaak en een al even modieuze boutique die leerwaren verkocht en de naam *Parijs* overvloedig liet zien in zwarte en gouden letters voor de stapels koffers en reisaccessoires. Kendrick stak het plein schuin over, liep de fontein voorbij en naderde de deur van de bakkerij.

'Jullie mensen hadden gelijk,' zei de donkerharige vrouw in het modieuze zwarte mantelpak, terwijl ze uit de schaduw van de Harat Waljat te voorschijn kwam, met de miniatuurcamera in haar hand. Ze hield die voor haar ogen en drukte op de knop; het automatische spoelmechanisme nam een aantal opeenvolgende foto's toen Evan Kendrick de bakkerij binnenliep aan de markt van Sabat Aynub. 'Zouden ze hem hebben gezien in de bazaar?' vroeg ze, terwijl ze de camera weer in haar handtas stopte, en de kleine Arabier van middelbare leeftijd aansprak die waakzaam achter haar stond.

'Er werd gesproken over een man die het steegje inrende achter de politie aan,' zei de informant, zijn ogen gericht op de bakkerij. 'Het werd tegengesproken, volgens mij overtuigend.'

'Hoe dan? Hij werd dus opgemerkt.'

'Maar in de verwarring zag men hem er niet uitkomen met zijn portefeuille in de hand, die die zwijnen hem blijkbaar wilden afnemen. Dat was de informatie die onze man met nadruk vertelde tegen de toeschouwers. Natuurlijk werd dat door anderen nadrukkelijk bevestigd want hysterische mensen zullen altijd nieuwe informatie aangrijpen die anderen nog niet hebben. Zo steken ze boven de anderen uit.'

'U bent heel goed,' zei de vrouw, zacht lachend. 'En uw mensen ook.'

'Dat moeten we wel zijn, *ya anisa* Khalehla,' antwoordde de Arabier, gebruikmakend van de Omaanse titel van respect. 'Als we dat niet zijn staan we tegenover alternatieven die we liever niet onder ogen zien.'

'Waarom de bakkerij?' vroeg Khalehla. 'Enig idee?'

'Helemaal niet. Ik heb de pest aan baklava. De honing druipt er niet uit, ze vloeit eruit. Joden houden ervan, wist u dat?'

'Ik ook.'

'Dan bent u beiden vergeten wat de Turken u hebben aangedaan – beiden.'

'Ik geloof niet dat onze man die bakkerij is binnengegaan voor baklava of voor een historische verhandeling over de Turken tegen de stammen van Egypte en Israël.'

'Hoor ik daar een dochter van Cleopatra?' De informant glimlachte.

'Deze dochter van Cleopatra heeft er geen flauw benul van waar u het over hebt. Ik probeer alleen maar dingen te leren.'

'Begint u dan maar met die militaire wagen die uw man een paar straten ten noorden van zijn hotel oppikte na het gebed van *el Maghreb.* Dat betekent heel wat.'

'Hij heeft zeker vrienden in het leger.'

'Alleen het garnizoen van de sultan is in Masqat.'

'Wat wil dat zeggen?'

'De officieren worden om de twee maanden omgewisseld tussen de stad en de garnizoenen in Dzjiddaf en Marmul en ook nog een tiental garnizoenen langs de grens met Zuid-Jemen.'

'Wat wilt u daarmee zeggen?'

'Eigenlijk twee dingen, Khalehla. Het eerste is dat ik het ongelooflijk toevallig vind dat de man, na vijf jaar, zo maar een bepaalde vriend heeft in het betrekkelijk kleine, circulerende korps officieren dat deze twee weken gestationeerd zou zijn in Masqat, in een korps bovendien dat met de jaren verandert...'

'Ongewoon toevallig, dat geef ik toe, maar zeker mogelijk. Wat is het tweede punt?'
'Eigenlijk spreekt dat het eerste tegen. In deze tijd zou geen enkel voertuig van het garnizoen in Masqat een vreemdeling oppikken op de manier waarop hij werd opgepikt, in zo'n vermomming, zonder de allerhoogste autoriteit.'
'De *sultan?*'
'Wie anders?'
'Dat zou hij niet dúrven! Hij zit aan alle kanten vast. Eén verkeerde handeling en hij zou verantwoordelijk worden gesteld voor alle executies die plaats zouden vinden. Als dat gebeurt zouden de Amerikanen Masqat met de grond gelijkmaken. Dat weet hij!'
'Misschien weet hij ook dat hij verantwoordelijk wordt gesteld zowel voor wat hij doet als voor wat hij nalaat te doen. In zo'n situatie is het beter te weten wat de anderen aan het doen zijn, al is het alleen maar om van advies te kunnen dienen – of om een of andere onproduktieve activiteit te voorkomen door nog een executie.'
Khalehla keek de informant strak aan in het schemerige licht aan de rand van het plein. 'Als die militaire wagen de man naar een ontmoeting met de sultan heeft gebracht, dan heeft hij hem ook teruggebracht.'
'Inderdaad,' stemde de man van middelbare leeftijd in, met nietszeggende stem, alsof hij begreep wat dat inhield.
'En dat betekent dat datgene wat onze man voorstelde niet zonder meer werd verworpen.'
'Zo ziet het er naar uit, *ya anisa* Khalehla.'
'En wíj moeten weten wat er werd voorgesteld, nietwaar?'
'Het zou uiterst gevaarlijk zijn voor ons allemaal wanneer we dat niet te weten kwamen,' zei de Arabier, en hij knikte. 'We hebben met meer te maken dan met de dood van tweehonderdzesendertig Amerikanen. We hebben te maken met het lot van een heel volk. Míjn volk, zou ik eraan willen toevoegen, en ik zal mijn best doen ervoor te zorgen dat het óns volk blijft. Begrijpt u dat, mijn beste Khalehla?'
'Jazeker, *ya sahib el Aumer.*'
'Beter een dode nul dan een slaaf.'
'Ik begrijp het.'
'Doet u dat echt? Jullie hadden in jullie Middellandse Zee veel meer voordelen dan wij ooit hebben gehad in onze weinig be-

kende Golf. Nu is het onze tijd. We zullen niemand toestaan ons tegen te houden.'
'Ik wil dat het jullie tijd is, beste vriend. Wíj willen dat.'
'Doe dan wat u moet doen, *ya sahbitee Khalehla.*'
'Dat zal ik.' De goed geklede vrouw stak haar hand in haar tasje en haalde er een pistool met een korte loop uit. Ze hield het vast met haar linkerhand, zocht opnieuw in haar tas en trok een magazijn met kogels te voorschijn; met een duidelijke klik schoof ze dat in de onderkant van de greep en trok de slede achteruit. Het wapen was gereed te worden afgevuurd.
'Ga nu, *adeem sahbee,*' zei ze; ze trok de draagriem van haar tas goed over haar schouder en hield haar hand met het pistool in de tas. 'Wij begrijpen elkaar en jij hoort ergens anders te zijn, ergens waar anderen je kunnen zien, niet hier.'
'*Salaam aleikum,* Khalehla. Ga met Allah.'
'Ik zal hém wel eens naar Allah sturen om voorspraak voor zijn zaak... Schiet óp! Hij komt de bakkerij uit! Ik zal hem volgen en doen wat er gedaan moet worden. Je hebt misschien tien, vijftien minuten om bij de anderen te zijn, niet hier.'
'Uiteindelijk beschermt u ons, nietwaar? U bent een schat. Wees voorzichtig, beste Khalehla.'
'Zeg maar tegen hém dat hij voorzichtig moet zijn. Hij stoort.'
'Ik zal naar de Zawadi-moskee gaan en daar praten met de oudere mullahs en muezzins. Heilige ogen worden niet gewantrouwd. Het is maar een klein eindje, hooguit vijf minuten.'
'Aleikum salaam,' zei de vrouw en ze begon het plein links van haar over te steken, haar blik strak gericht op de Amerikaan in Arabische kleren die voorbij de fontein was en die snel op weg was naar de donkere, nauwe straten aan de oostkant, achter de markt van Sabat Aynub. *Wat is die verdomde gek van plan?* dacht ze terwijl ze haar hoed afzette, die samenfrommelde in haar linkerhand en in de handtas propte naast het wapen dat ze koortsachtig met haar rechterhand omklemde. *Hij is op weg naar de misjkwiyis isj-sjaryar,* concludeerde ze en in haar gedachten liepen Arabisch en Engels dooreen. Ze doelde op wat in het Westen het gevaarlijkste deel van de stad wordt genoemd, een wijk waar vreemdelingen liever wegblijven. *Ze hadden gelijk. Hij is een amateur en ik kan daar in deze kleren niet binnengaan! Maar ik moet wel. Mijn god, hij ziet nog kans ons allebei om zeep te laten brengen!*

Evan Kendrick haastte zich over het ongelijke wegdek van keien dat de nauwe straat vormde, langs lage, bouwvallige, overbevolkte huizen en halve huizen – vervallen gebouwen met zeil en dierenhuiden voor kapotgeslagen ramen; die nog intact waren werden beschermd met luiken van latwerk, de meeste kapot. Overal hingen naakte elektriciteitsdraden, waar in de gemeentelijke kabelkasten clandestiene verbindingen waren aangelegd en op een gevaarlijke manier elektriciteit werd gestolen. De doordringende geuren van Arabisch eten vermengden zich met nog sterkere geuren, onmiskenbare geuren – hasjies, brandende cocaïnebladeren die via onbewaakte grotten aan de Golf waren binnengesmokkeld, en hoopjes menselijk afval. De bewoners van dit menselijke getto bewogen zich langzaam, voorzichtig, wantrouwig door de zwak verlichte holen van hun wereld, vertrouwd met het verval, op hun gemak met de gevaren die er scholen, wetend dat ze allemaal als verschoppelingen werden beschouwd – wat bevestigd werd door plotselinge lachsalvo's vanachter ondoordringbare ramen. De mode van deze *misjkwiyis isj-sjaryar* was verre van consequent. *Abas* en *ghotras* werden er gezien naast gescheurde blauwe spijkerbroeken, verboden minirokken en de uniformen van matrozen en soldaten uit een dozijn verschillende landen – smerige uniformen die uitsluitend behoorden bij de lagere rangen, ofschoon men zei dat menig officier de kleren van zijn ondergeschikte leende om zich in deze wijk te wagen en te proeven van de verboden genoegens van de buurt.

Mannen stonden bijeen in portieken tot ergernis van Evan; ze maakten de nauwelijks leesbare nummers op de zandstenen muren onzichtbaar. Hij ergerde zich ook aan de vuile zijstraten die zonder enige reden de huisnummers deden verspringen van de ene kant van de straat naar de andere. *El-Baz. Nummer 77 Sjari el-Balah* – de straat van de dadels. Waar wás dat toch? Daar had je het. Een deur in een diep portiek met dikke ijzeren staven over een bedekte spleet die op ooghoogte in een van de panelen was aangebracht. Een man in smerige kleren die schuin tegen de muur zat blokkeerde echter de deur aan de rechterkant van de tunnelachtige ingang.

'Esmahlee?' vroeg Kendrick zich verontschuldigend en hij zette een stap naar voren.

'Lay?' antwoordde de gebogen gedaante, hij wilde weten waarom.

'Ik heb een afspraak,' vervolgde Evan in het Arabisch. 'Ik word verwacht.'
'Door wie wordt u gestuurd?' vroeg de man zonder zich te bewegen.
'Dat gaat u niets aan.'
'Ik zit hier niet om zo'n antwoord te horen.' De Arabier ging wat rechter zitten, in een hoek met de deur; de plooien van zijn *aba* vielen open en lieten de greep van een pistool zien die in een ceintuur stak. 'Nogmaals, door wie wordt u gestuurd?'
Evan vroeg zich af of de politieman van de sultan vergeten had hem een naam of een code of een wachtwoord te geven waardoor hij toegang kon krijgen. Hij had zo weinig tijd! Hij zat niet te wachten op deze hindernis; hij gokte op een antwoord.
'Ik ben in een bakkerij geweest in de Sabat Aynub,' zei hij snel. 'Ik heb gesproken...'
'Een bakkerij?' viel de hurkende man hem in de rede, met opgetrokken wenkbrauwen onder zijn hoofdtooi. 'Er zijn in de Sabat Aynub minstens drie bakkerijen.'
'Verdomme, *baklava!*' snauwde Kendrick hem toe, met toenemende ergernis, zijn ogen gericht op de greep van het pistool. 'Een of andere stomme oranje...'
'Genoeg,' zei de bewaker. Hij stond abrupt op en trok de plooien van zijn gewaad bijeen. 'Het was een eenvoudig antwoord op een eenvoudige vraag, meneer. U werd gestuurd door een bákker, ziet u?'
'Goed. Príma! Mag ik nu, alstublieft, naar binnen?'
'Eerst moeten we vaststellen wie u gaat opzoeken. Met wie wilt u spreken, meneer?'
'In hemelsnaam, de man die hier woont... die hier werkt.'
'Heeft die man geen naam?'
'Bent u bevoegd die te kennen?' Evans scherpe fluisteren klonk uit boven de straatgeluiden om hem heen.
'Een redelijke vraag, meneer,' zei de Arabier en hij knikte peinzend. 'Aangezien ik echter op de hoogte was van een bakker in de Sabat Aynub...'
'Krijg de kolere!' viel Kendrick uit. 'Goed dan. Hij heet El-Baz! Wilt u me nou binnenlaten? Ik heb haast!'
'Ik zal met genoegen de bewoner waarschuwen, meneer. Híj zal u binnenlaten als híj dat wil. U kunt de noodzaak toch wel inzien voor...'
Verder kwam de zwaarwichtige bewaker niet want hij richtte

zijn blik met een ruk naar de weg voor het huis. De onderstroom van straatgeluiden werd eensklaps luider. Een man schreeuwde; anderen brulden en hun schelle stemmen weerkaatsten van de omringende muren.
'Elhahoonai!'
'Udam!'
'Nazeef!'
En toen klonk boven het woedende koor uit de stem van een vrouw. *'Siboní fihalee!'* riep ze verbeten, eisend met rust te worden gelaten. Daarop volgde in perfect Engels: *'Bastards!'*
Evan en de bewaker renden naar de rand van het trottoir toen twee pistoolschoten boven de menselijke kakofonie uitklonken, die nog verder opzweepten met het dreigende fluiten van ricocherende kogels die in de grotachtige verte verdwenen. De Arabier gooide zich om en wierp zich op de harde stenen vloer van het portiek. Kendrick bleef geknield zitten; hij moest het wéten! Drie gedaanten in lange gewaden, vergezeld door een jongeman en een vrouw in sjofele westerse kleren renden voorbij, de man in een gescheurde kaki broek omklemde zijn bloedende arm. Evan ging staan en tuurde voorzichtig om de hoek van de stenen muur. Wat hij zag verbijsterde hem.
In het schemerdonker van de nauwe straat stond een vrouw met een ontbloot hoofd, in haar linkerhand een mes met een kort lemmet en in haar rechter een automatisch pistool. Langzaam zette Kendrick een stap op de ongelijke keien. Hun blikken ontmoetten elkaar en bleven op elkaar gericht. De vrouw hief haar wapen op; Evan verstijfde en probeerde wanhopig te besluiten wat hem te doen stond en wanneer, wetend dat ze zou schieten als hij zich te snel bewoog. Maar tot zijn toenemende verbazing begon ze achteruit te lopen tot ze dieper in de schaduw stond, met haar pistool nog steeds op hem gericht. Plotseling, terwijl het naderen van opgewonden stemmen werd onderbroken door het herhaalde doordringende geluid van een schel gefluit, draaide de vrouw zich om en rende de nauwe, donkere straat in. In enkele tellen was ze verdwenen. Ze had hem gevolgd! Om hem te doden? Waaróm? Wie wás ze?
'Hier!' De bewaker riep hem met een paniekerig gefluister. Hij keek vlug achterom; de Arabier stond wild naar hem te gebaren dat hij naar de zware, onaanlokkelijke deur moest komen in het diepe portiek. 'Snél, meneer! U mag naar binnen. Háást u! U mag hier niet worden gezien!'

De deur zwaaide open en Evan rende naar binnen; meteen werd hij naar links gerukt door de krachtige hand van een hele kleine man die iets riep tegen de bewaker in het portiek. 'Maak dat je hier wegkomt!' schreeuwde hij. 'Snél!' voegde hij eraan toe. De kleine Arabier smakte de deur dicht en duwde twee metalen grendels op hun plaats terwijl Kendrick zijn ogen half sloot in het schemerachtige licht. Ze stonden in een soort foyer, een brede, verwaarloosde gang met verscheidene dichte deuren aan beide zijden van de gang. Een groot aantal Perzische tapijten bedekte de ruwe houten vloer – tapijten die volgens Kendrick heel aardige prijzen zouden maken op elke westerse veiling – en aan de muren hingen nog meer tapijten, grotere tapijten en daarvan wist Evan zeker dat ze een klein fortuin zouden opleveren. De man die El-Baz heette stopte zijn winst in ingewikkeld geweven schatten. Degenen die verstand hadden van zulke zaken zouden direct geïmponeerd worden en weten dat ze met een belangrijk man te doen hadden. De anderen, en daartoe behoorden de meeste mensen van de politie en andere gezaghebbende autoriteiten, zouden ongetwijfeld denken dat deze geheimzinnige man zijn vloeren en muren bedekte met toeristentapijtjes zodat hij de gebreken aan zijn woning niet hoefde te repareren. De kunstenaar die El-Baz heette wist hoe hij zich moest verkopen.
'Ik ben El-Baz,' zei de kleine, lichtelijk gebogen Arabier in het Engels en hij stak een grote met aders bedekte hand uit. 'U bent wie u ook zegt dat u bent en het doet me erg veel genoegen u te ontmoeten, maar liefst niet onder de naam die uw geëerde ouders u gaven. Volgt u mij, alstublieft, de tweede deur aan uw rechterhand graag. Dat is het eerste en het belangrijkste wat we moeten doen. De rest is in feite al klaar.'
'Klaar? Wát is er al klaar?' vroeg Evan.
'De belangrijke zaken,' antwoordde El-Baz. 'De papieren zijn klaar volgens de informatie die ik heb gekregen.'
'Wat voor informatie?'
'Wie u kunt zijn, wat u kunt zijn, waar u vandaan kunt komen. Meer had ik niet nodig.'
'Wie heeft u die informatie gegeven?'
'Géén idee,' zei de oude Arabier en hij raakte Kendricks arm aan met een gebaar om hem verder de gang te doen inlopen. 'Een onbekend persoon die me telefonisch instructies gaf, waarvandaan weet ik niet. Maar ze gebruikte de juiste woorden en

ik wist dat ik moest gehoorzamen.'
'Zij?'
'Het geslacht doet er niet toe, *ya sjaikh.* De woorden waren het enige belangrijke. Kom. Naar binnen.' El-Baz opende de deur naar een kleine fotostudio; de apparatuur leek wat ouderwets. Evans snelle taxatie ontging El-Baz niet. 'De camera links maakt imitaties van de korrelige kwaliteit van officiële identificatiebewijzen,' legde hij uit, 'en die is natuurlijk overal evenzeer te wijten aan de officiële procedures als aan het oog van de camera. Hier. Gaat u maar op die kruk zitten voor het scherm. Het zal geen pijn doen en het is zo gebeurd.'
El-Baz werkte snel en daar hij een direct-klaar film gebruikte was het voor hem niet moeilijk een afdruk te selecteren. De oude man verbrandde de rest, trok een paar dunne chirurgenhandschoenen aan, hield de ene foto in zijn hand en gebaarde naar een brede, met een gordijn afgeschermde hoek achter de gespannen grijze stof die als scherm diende. Hij liep erop af en trok de zware gordijnen opzij zodat er een blinde, bouwvallige muur zichtbaar werd; het uiterlijk was bedrieglijk. Hij zette zijn rechtervoet naast een plek op de versleten vloer terwijl hij zijn gehandschoende rechterhand uitstak naar een bepaalde plek daarboven, en duwde op beide tegelijk. Een scherp gerande spleet in de muur werd langzaam breder, de linkerkant verdween achter het gordijn; ze gleed niet verder en liet een ruimte over van ruim een halve meter breed. De kleine leverancier van valse papieren stapte naar binnen en wenkte Kendrick dat hij hem moest volgen.
Wat Evan nu zag was even modern als welk apparaat ook in zijn kantoor in Washington en zelfs nog van betere kwaliteit. Er stonden twee grote computers, elk met een eigen printer, en vier telefoons in verschillende kleuren, alle met communicatiemodems, dat alles op een lange witte tafel die vlekkeloos schoon was en waarvoor vier kantoorstoelen stonden.
'Kijk eens,' zei El-Baz en hij wees naar de linker computer waarvan het donkere scherm gevuld was met helder groene letters. 'Kijk eens hoe bevoorrecht u bent, *sjaikh.* Men heeft me gezegd dat ik u de volledige informatie moest geven, mét de bronnen, maar dat ik u geen stukken op schrift mocht geven behalve de papieren zelf. Gaat u zitten. Bestudeer uzelf.'
'Mezelf bestuderen?' vroeg Kendrick.
'U bent een Saudi uit Riyadh, Amal Bahrudi. U bent bouw-

technicus en u hebt wat Europees bloed in uw aderen – een grootvader, geloof ik; het staat op het scherm.'
'Europees...?'
'Dat verklaart uw wat opvallende gelaatstrekken, mocht iemand daar commentaar op hebben.'
'Wacht 'ns even.' Evan bukte zich om het computerscherm wat beter te kunnen bekijken. 'Is dit iemand die echt bestaat?'
'Hij bestond. Hij stierf gisternacht in Oost-Berlijn – dat is de groene telefoon.'
'Stíerf? Gisternácht?'
'De Oostduitse inlichtingendienst, waar de Sovjets natuurlijk alles voor het zeggen hebben, zal zijn dood enkele dagen, misschien wel weken, geheim houden, terwijl hun ambtenaren alles uitzoeken, natuurlijk om het over te brieven naar de KGB. Inmiddels is de aankomst van meneer Bahrudi hier zoals het hoort op onze immigratielijsten aangetekend – dat is de blauwe telefoon – met een visum dat dertig dagen geldig is.'
'Als iemand het dus natrekt,' voegde Kendrick eraan toe, 'is die Bahrudi hier legaal en niet dood in Oost-Berlijn.'
'Precies.'
'Wat gebeurt er als ik word gepakt?'
'Dan hoeft u zich geen zorgen meer te maken. Dan bent op slag dood.'
'Maar de Russen zouden het ons hier lastig kunnen maken. Zij weten dat ik Bahrudi niet ben.'
'Zouden ze dat echt?' De oude Arabier haalde de schouders op. 'We moeten nooit de kans voorbij laten gaan de KGB in verwarring of in verlegenheid te brengen, *sjaikh.*'
Evan zweeg even met gefronst voorhoofd. 'Ik geloof dat het me duidelijk is wat u bedoelt. Hoe bent u aan dit alles gekomen? In hemelsnaam, een dode Saudi in Oost-Berlijn nog wel – geheim gehouden – zijn dossier, zelfs een of andere grootvader, een *Europese* grootvader. Het is ongelooflijk.'
'Geloof het maar, jonge vriend, die ik niet ken en die ik nooit heb ontmoet. Voor mensen zoals ik moeten er natuurlijk bondgenoten op vele plaatsen zitten maar daarover hoeft u zich ook geen zorgen te maken. Bestudeert u maar gewoon de belangrijke feiten – de namen van uw vereerde ouders, scholen, universiteiten; ik geloof twee, eentje in Amerika, echt iets voor de Saudi's. Meer dan dat zult u niet nodig hebben. Als dat wel zo is maakt het niets uit. Dan bent u toch dood.'

Kendrick liep de verborgen stad binnen de stad uit en bleef de rand volgen van het terrein van het Waljat-ziekenhuis in het noordoosten van Masqat. Hij was minder dan 150 meter van de poort van de Amerikaanse ambassade. De brede straat stond nu nog maar halfvol met taai volhoudende toeschouwers. De toortsen en de snel opeenvolgende salvo's geweervuur van binnen het terrein van de ambassade wekten de illusie dat de mensenmassa veel groter en hysterischer was dan in werkelijkheid. De mensen die er nog stonden om getuige te zijn van de terreur op het terrein waren alleen geïnteresseerd in ontspanning; hun rijen werden minder dicht naarmate de een na de ander overmand werd door slaap. Voor hem uit, op minder dan een halve kilometer voorbij de Hajat Waljat, lag het Alam-paleis, de residentie aan de kust van de jonge sultan. Evan keek op zijn horloge; de tijd en de plaats waren in zijn voordeel; hij hád zo weinig tijd en Ahmed moest haast maken. Hij keek uit naar een openbare telefooncel en herinnerde zich vaag dat er een paar stonden bij de ingang van het ziekenhuis – weer door Manny Weingrass. De ouwe schurk van een architect had twee keer beweerd dat er vergif in zijn cognac zat, en één keer had een Omaanse vrouw zo fel in zijn tastende hand gebeten dat hij zeven hechtingen nodig had.
De drie telefooncellen van wit plastic in de verte weerkaatsten het licht van de straatlantaarns. Hij greep de binnenzak van zijn gewaad vast, waarin hij de valse papieren had gestopt en begon hard te lopen, om direct daarna weer in te houden. Zijn instinct zei hem niet op te vallen – geen dreigende indruk te maken. Hij bereikte de eerste cel, stopte meer geld in het apparaat dan nodig was en draaide het vreemde nummer dat onuitwisbaar in zijn geheugen stond gegrift. *555-0005*.
Er begonnen zich zweetdruppels te vormen aan zijn haarlijn toen de steeds langzamer overgaande signalen de acht bereikten. Nog twee en er zou een antwoordapparaat komen in plaats van een menselijke stem! Toe nou!
'Iwah?' klonk de eenvoudige groet, Ja?
'Engels,' zei Evan.
'Zo snel?' antwoordde Ahmed verbaasd. 'Wat is er?'
'Alles in de juiste volgorde. ...Ik werd gevolgd door een vrouw. Het licht was slecht, maar zover ik kon zien was ze van gemiddelde lengte, met lang haar, en gekleed in wat er uitzag als westerse kleding. Ze sprak ook vloeiend Engels en Arabisch.

Zegt je dat iets?'
'Als je bedoelt dat iemand je gevolgd is in de wijk waar El-Baz woont, dan zegt me dat absoluut níets. Waarom?'
'Volgens mij probeerde ze me te vermoorden.'
'Wát?'
'En El-Baz kreeg de informatie over mij van een vrouw – via de telefoon, natuurlijk.'
'Dat weet ik.'
'Kan er verband bestaan?'
'Hoe?'
'Iemand die wil binnendringen, die erop uit is valse papieren te stelen?'
'Ik hoop van niet,' zei Ahmed met vaste stem. 'De vrouw die El-Baz heeft gesproken was mijn vrouw. Ik zou niemand anders vertrouwen met het nieuws dat jij hier bent.'
'Bedankt daarvoor, maar iemand anders weet dat ik hier ben.'
'Je hebt met vier mannen gesproken, Evan, en een van hen, onze wederzijdse vriend Mustapha werd vermoord. Ik ben het met je eens dat iemand anders weet dat je hier bent. Daarom worden de andere drie dag en nacht in de gaten gehouden. Misschien zou je een dag of zo moeten onderduiken. Dat kan ik wel arrangeren en misschien komen we nog iets te weten. Verder wil ik nog iets met je bespreken. Het gaat over die Amal Bahrudi. Duik maar een dag onder. Ik geloof dat dat het beste zou zijn. Wat vind jij?'
'Nee,' antwoordde Kendrick en zijn stem klonk hol bij de gedachte aan wat hij nu ging zeggen. 'Ik moet me wel verbergen, maar niet onderduiken.'
'Ik begrijp het niet.'
'Ik wil gearresteerd worden, opgepakt worden als terrorist. Ik wil in dat complex worden gegooid dat je ergens hebt. Ik moet daar vannacht nog in komen!'

6

De gedaante in het lange gewaad rende over het midden van een brede avenue, de Wadi Al Kabir. Hij was met een vaart te voorschijn gekomen uit het donker achter de enorme Mathaib-poort, een paar honderd meter ten westen van het oude Portugese fort, de Mirani. Zijn wapperende kleren waren doordrenkt met de olie en de vuiligheid van de haven, zijn hoofdtooi plakte achter op zijn natte haren. Voor de toeschouwers – en er waren er velen nog op straat – was de wanhopig rennende man weer zo'n hond uit de zee, een vreemdeling die van een schip was gesprongen om illegaal binnen te dringen in dit eens zo vredige sultanaat, ongetwijfeld een vluchteling – of een terrorist.

Het schelle loeien van een tweetonige sirene werd luider toen een politieauto met een vaart de bocht nam van de Wadi Al Uwar naar de Al Kabir. De jacht was in volle gang; een politie-informant had het punt verraden waar de man aan wal was gekomen en de autoriteiten stonden klaar. Tegenwoordig stonden ze altijd klaar, klaar en gebeten en bezeten. Een verblindend zoeklicht zond zijn straal door de vaag verlichte straat vanuit een beweegbare lamp die op de patrouillewagen was gemonteerd. Het krachtige licht ving de in paniek geraakte vluchteling; hij draaide naar links en stond tegenover een rij winkels waarvan de donkere puien beschermd werden door metalen rolluiken, versperringen die nauwelijks drie weken eerder ondenkbaar zouden zijn geweest. Hij keerde zich om en zwalkte de Al Kabir over naar rechts. Ineens kon hij niet verder, hij werd tegengehouden door enkele late wandelaars die in een groepje gingen staan en bleven staan, met blikken die niet zonder angst waren maar die eigenlijk lieten weten dat ze er eindelijk genoeg van hadden. Ze wilden hun stad terug hebben. Een kleine man in een westers kostuum maar met een Arabische hoofdtooi op zette een stap naar voren – wel voorzichtig, maar vastberaden. Twee grotere mannen in lange gewaden volgden hem, misschien nog wat voorzichtiger maar even vastbesloten en anderen voegden zich aarzelend bij hen. Verderop op de Al Kabir naar het zuiden had een menigte zich verzameld; weifelend vormden ze een rij, een menselijke muur dwars over de straat van mannen in lange gewaden en gesluierde vrouwen; ze hadden hun moed met tegenzin bijeengegaard, uit wanhoop en uit woede. Dat moest nu maar eens ophouden!

'*Ga weg daar!* Verspreidt u! Hij heeft misschien een handgranaat!' Een politieman was uit de wagen gesprongen en rende naar voren, zijn pistool gericht op zijn prooi.

'Uit elkaar daar!' brulde een tweede agent, die van links door de straat kwam aanrennen. 'Zorg dat u niet in onze vuurlinie komt!'

De voorzichtige wandelaars en de aarzelende menigte daarachter stoven naar alle kanten uiteen en maakten zich zo ver mogelijk uit de voeten in portieken. Alsof hij daarop had gewacht graaide de vluchteling in zijn doordrenkte kleren, rukte ze opzij en stak zijn hand dreigend in de plooien. Een snel, stotterend salvo verstoorde de rust van de Al Kabir; de vluchteling schreeuwde, riep de macht aan van een woedende Allah en een wraakzuchtige Al Fatah terwijl hij zijn schouder vastgreep, zijn hoofd achterover rukte en op de grond viel. Hij leek dood te zijn, maar in het schemerige licht kon niemand zien hoe erg hij gewond was. Hij schreeuwde opnieuw en riep brullend alle furies van de islam aan om neer te dalen op de horden van onreine ongelovigen overal om hem heen. De twee politiemannen stortten zich op hem terwijl de patrouillewagen slippend remde met gillende banden; een derde agent sprong uit het open achterportier van de auto en schreeuwde bevelen. 'Ontwapen hem! Fouilleer hem!' Zijn twee ondergeschikten hadden beide bevelen al verwacht. 'Hij zou het kunnen zijn!' voegde de brigadier er aan toe terwijl hij op zijn hurken ging zitten om de vluchteling van dichterbij te kunnen bekijken; zijn stem klonk zelfs nog luider dan voorheen. 'Dáár!' vervolgde hij, nog steeds roepend. 'Er zit een pakje vastgebonden op zijn dij. Geef hier!'
De toeschouwers kwamen langzaam uit het schemerdonker te voorschijn; ze werden door hun nieuwsgierigheid aangetrokken om de razende worsteling te kunnen bekijken midden op de Al Kabir onder het vage licht van de straatlantaarns.
'Ik geloof dat u gelijk hebt, meneer!' schreeuwde de agent die links van de gevangene stond. 'Hier, die streep! Het zou de rest van het litteken aan zijn hals kunnen zijn!'
'Bahrudi!' brulde de brigadier triomfantelijk toen hij de papieren bekeek die uit het pakje van wasdoek waren gerukt. 'Amal *Bahrudi!* De vertrouweling! Hij was pas nog in Oost-Berlijn en, Allah zij geprezen, nu hebben wij hem te pakken!'
'Jullie allemaal!' schreeuwde de politieman die rechts van de vluchteling knielde tegen de menigte die ademloos toekeek. 'Ga weg! Maak dat jullie wégkomen! Dit zwijn wordt misschien beschermd – hij is de beruchte *Bahrudi,* de islamitische leider van de oosteuropese terroristen, de vertrouweling! We hebben via de radio soldaten van het garnizoen van de sultan opgeroepen – maakt dat jullie wegkomen, zorg dat je niet wordt gedood!'

De getuigen vluchtten, een wanordelijke stormloop die naar het zuiden de Al Kabir afrende. Ze hadden hun moed verzameld ondanks hun grote angst maar het vooruitzicht van een vuurgevecht tussen pathologische moordenaars en het leger bracht hen in paniek. Niets was er zeker, alleen de dood kon overal toeslaan; het enige waarvan de toeschouwers zeker waren was dat een berucht internationaal terrorist, Amal Bahrudi, gepakt was.

'In zo'n kleine stad zal dit snel bekend worden,' zei de brigadier in vloeiend Engels terwijl hij de 'gevangene' overeind hielp. 'Als het nodig is zullen we natuurlijk een handje helpen.'

'Ik heb een paar vragen – misschien wel drie!' Evan maakte zijn hoofdtooi los, trok die over zijn hoofd en keek de politieman aan. 'Wat was dat verdomme voor onzin over "de vertrouweling", de "islamitische leider" van Oosteuropese watdan-ook?'

'Kennelijk de waarheid, meneer.'

'Ik kan u niet volgen.'

'Laten we instappen. De tijd is van vitaal belang. We moeten hier weg.'

'Ik wil antwoorden horen!' De twee andere agenten liepen aan weerszijden van het congreslid uit Colorado, grepen zijn armen vast en voerden hem naar het achterportier van de patrouillewagen. 'Ik heb dat spelletje meegespeeld op de manier zoals men mij had gezegd,' vervolgde Evan terwijl hij in de groene politieauto stapte, 'maar iemand vergat erbij te zeggen dat deze man van wie ik de naam heb aangenomen in werkelijkheid een of andere moordenaar is die met bommen strooit in Europa!'

'Ik kan u alleen maar zeggen wat men mij heeft opgedragen u te vertellen, en, echt waar, meer weet ik niet,' antwoordde de brigadier terwijl hij naast Kendrick ging zitten. 'Alles zal u worden uitgelegd in het laboratorium in het hoofdkwartier van het complex.'

'Ik weet van dat laboratorium. Ik weet niets over die Bahrudi.'

'Hij bestaat, meneer.'

'Dát weet ik, maar de rest...'

'Schiet op, chauffeur!' zei de brigadier. 'De andere twee zullen hier blijven.' De groene sedan reed met een schok achteruit, maakte een U-bocht en reed snel in de richting van de Wadi Al Uwar.

'Goed dan, hij bestaat, dát begrijp ik,' hield Kendrick buiten adem aan. 'Maar ik herhaal. Niemand heeft iets gezegd waaruit blijkt dat hij een terrorist was!'
'In het laboratorium op het hoofdkwartier, meneer.' De brigadier ontstak een bruine Arabische sigaret, inhaleerde diep en blies opgelucht de rook uit door zijn neusgaten. Zijn deel van deze ongewone opdracht zat erop.

'Er was heel veel wat de computer van El-Baz niet voor u op het scherm heeft gezet,' zei de Omaanse dokter terwijl hij Evans blote schouder bekeek. Ze waren alleen in de onderzoekkamer van het laboratorium; Kendrick zat op de lange tafel met harde kussens, zijn voeten rustten op een krukje en zijn geldriem lag naast hem. 'Als Ahmeds – neem me niet kwalijk – als de privé-arts van de grote sultan – wat ik geweest ben sinds hij acht jaar oud was, ben ik nu uw énige contact met hem voor geval u om wat voor reden dan ook hem zelf niet kunt bereiken. Is dat duidelijk?'
'Hoe kan ik ú bereiken?'
'Het ziekenhuis of mijn privé-nummer, dat ik u zal geven wanneer we hier klaar zijn. U moet uw broek en uw onderkleren uittrekken en de kleurstof aanbrengen, *ya sjaikh.* Lijfelijk onderzoek is in dat complex aan de orde van de dag, soms elk uur zelfs. De huid moet uniform gekleurd zijn en er mag zeker geen geldriem zijn vol geld.'
'Zult u hem voor mij bewaren?'
'Natuurlijk.'
'Laten we het weer eens over die Bahrudi hebben,' zei Kendrick terwijl hij de bruin kleurende gelei aanbracht op zijn dijen en zijn onderlijf. De Omaanse dokter deed hetzelfde op zijn armen, borst en rug. 'Waarom heeft El-Baz me daarover niets verteld?'
'In opdracht van Ahmed. Hij dacht dat u daar iets op tegen zou hebben, daarom wilde hij het u zelf uitleggen.'
'Ik heb minder dan een uur geleden met hem gesproken. Hij zei niets anders dan dat hij over die Bahrudi wilde praten, meer niet.'
'U had ook verschrikkelijk veel haast en hij moest veel organiseren om uw zogenaamde gevangenname op touw te zetten. Daarom heeft hij de uitleg aan mij overgelaten. Wilt u uw arm wat hoger optillen?'

'Wat is die uitleg dan?' vroeg Evan, nu niet zo kwaad meer.
'Heel eenvoudig, als u door de terroristen zou zijn opgepakt zou u een steun in de rug hebben, in elk geval voor even, en als we geluk hadden zouden we voldoende tijd hebben om u te helpen – als we al konden helpen.'
'Wat voor steun in de rug?'
'U zou als een van de hunnen worden beschouwd. Totdat ze de waarheid te weten kwamen.'
'Bahrudi is dood...'
'Zijn lijk is in handen van de KGB,' voegde de dokter er direct aan toe, Kendrick in de rede vallend. 'De *Komitet* staat bekend om haar besluiteloosheid, ze zijn bang in verlegenheid gebracht te worden.'
'Daar zei El-Baz iets over.'
'Als iemand in Masqat zoiets zou weten dan is het El-Baz.'
'Als dus Bahrudi hier in Oman wordt geaccepteerd, als ík word geaccepteerd als die Bahrudi, dan heb ik wat armslag. Als de Russen tenminste geen alarm slaan en vertellen wat zij weten.'
'Voor ze zoiets doen zouden ze wel drie keer uitkijken. Ze kunnen er niet zeker van zijn; ze zullen bang zijn voor een valstrik, een valstrik die hen in verlegenheid zal brengen natuurlijk, en ze zullen de ontwikkelingen afwachten. Uw andere arm graag. Wilt u hem recht omhoog steken?'
'Een vraag,' zei Evan met vaste stem. 'Als Amal Bahrudi zogenaamd jullie Immigratie is gepasseerd, waarom werd hij dan niet opgepakt? Jullie hebben daar in deze tijd een machtige veiligheidsdienst.'
'Hoeveel John Smiths zijn er in uw land, *ya sjaikh?*'
'Wat dan nog?'
'Bahrudi is een vrij veel voorkomende Arabische naam, misschien meer in Caïro dan in Riyadh, maar evengoed niet ongewoon. Amal is hetzelfde als jullie "Joe" of "Bill" of, natuurlijk, "John".'
'Toch heeft El-Baz hem ingevoerd in de computers van Immigratie. Er zouden toch lichtjes gaan branden...'
'En even snel weer verdwijnen,' viel de Omani hem in de rede, 'omdat de ambtenaren tevreden zouden zijn met een onderzoek en een stevige ondervraging, zoals dat altijd gebeurt.'
'Omdat ik geen litteken heb in mijn hals?' vroeg Evan snel. 'Een van die politiemensen op de Al Kabir had het over een litteken over mijn hals – de hals van Bahrudi.'

'Dat is iets waarover ik niets weet, maar ik neem aan dat het mogelijk is; u hebt niet zo'n litteken. Maar er zijn grondiger redenen.'

'Zoals bij voorbeeld?'

'Een terrorist kondigt zijn komst in een vreemd land niet aan, en zeker niet in een land dat in moeilijkheden verkeert. Hij gebruikt valse papieren. Daarop letten de autoriteiten, niet op een toevalligheid als die van ene John W. Booth, een drogist uit Philadelphia, die tot zijn ongeluk dezelfde naam had als de moordenaar uit Fords theater.'

'U bent aardig op de hoogte over Amerikaanse zaken, is 't niet?'

'Johns Hopkins Medische Faculteit, meneer *Bahrudi.* Dat heb ik te danken aan de vader van onze sultan die een Bedoeïenenkind vond dat graag meer wilde dan een zwervend bestaan.'

'Hoe gebeurde dat?'

'Dat is een ander verhaal. U kunt uw arm weer laten zakken.'

Evan keek de dokter aan. 'Ik merk dat u erg gecharmeerd bent van de sultan.'

De Omaanse arts keek Kendrick in de ogen. 'Voor die familie zou ik een moord plegen, *ya sjaikh,*' zei hij zacht. 'Ik zou het natuurlijk niet op een gewelddadige manier doen. Misschien vergif of een verkeerde diagnose bij een medische crisis of een roekeloos gehanteerd scalpel – iets om mijn schuld af te lossen – maar ik zou het wel doen.'

'Daarvan ben ik overtuigd. En daarom staat u dus ook aan mijn kant.'

'Dat is duidelijk. Het bewijs dat ik u ga leveren en dat me voorheen onbekend was is een getal. Vijf, vijf, vijf – nul, nul, nul, vijf.'

'Dat is voldoende. Hoe heet u?'

'Faisal. Dokter *Amal* Faisal.'

'Ik begrijp wat u bedoelt... "John Smith".' Kendrick kwam van de onderzoektafel af en liep naakt naar een kleine wasbak verderop in het vertrek. Hij waste zijn handen en wreef ze goed in met een krachtige zeep om de overtollige vlekken van zijn vingers te verwijderen; daarna bekeek hij zijn lichaam in de spiegel boven de bak. De blanke huid die eerst niet was bewerkt begon al bruin te worden; over korte tijd zou ze donker genoeg zijn voor het terroristencomplex. Hij keek naar het spiegelbeeld van de dokter. 'Hoe is het daarbinnen?' vroeg hij.

'Het is geen beste plaats voor u.'
'Dat vroeg ik niet. Ik wil weten hoe het er is. Zijn er introductieriten, bepaalde rituelen die je moet doorstaan bij de gevangenen? U moet afluisterapparatuur hebben daar – u zou wel gek zijn als u die niet had.'
'Er is afluisterapparatuur en we moeten aannemen dat ze dat weten; ze staan in groepen rond de deur waar de belangrijkste microfoons zitten en maken er veel lawaai. Het plafond is te hoog om nog iets te kunnen opvangen en de rest van de microfoons zit in het doortrekmechanisme van de toiletten. We hebben er nog niets aan gehad, alsof de gevangenen weten dat ze daar zitten – dat weten we natuurlijk niet. Maar het weinige wat we horen is niet bijster prettig. De gevangenen dingen voortdurend naar de gunst van de grootste dwepers, zoals alle extremisten, en daar er voortdurend nieuwelingen zijn kennen velen elkaar niet. Als gevolg daarvan worden er harde en scherpe vragen gesteld en de methode van ondervraging is vaak wreed. Het zijn fanatici, maar geen dwazen in de echte zin van het woord, *sjaikh.* Waakzaamheid is hun motto, infiltratie vormt voor hen een voortdurende bedreiging.'
'Dan zal het ook mijn motto zijn.' Kendrick liep terug naar de onderzoektafel en het keurige stapeltje gevangeniskleren dat voor hem was klaargelegd. 'Mijn waakzaamheid,' vervolgde hij. 'Even fanatiek als die van iedereen daar.' Hij wendde zich tot de Omani. 'Ik moet de namen hebben van de leiders binnen de ambassade. Ik mocht geen notities maken uit mijn instructiedossier, maar ik heb er twee onthouden omdat ze een paar keer herhaald werden. De ene was Abu Nassir; de andere Abbas Zaher. Hebt u er nog meer?'
'Nassir hebben ze al een week niet meer gezien; ze geloven dat hij vertrokken is, en Zaher wordt niet als een leider beschouwd, meer een show-figuur. De meest prominente naam die de laatste tijd opduikt blijkt die van een vrouw te zijn, Zaya Yateem. Ze spreekt vloeiend Engels en leest de nieuwsbulletins voor over de televisie.'
'Hoe ziet ze eruit?'
'Wie kan dat zeggen. Ze draagt een sluier.'
'Verder nog iemand?'
'Een jongeman die meestal achter haar staat; hij lijkt haar metgezel te zijn en hij heeft een Russisch wapen – ik weet niet wat voor soort.'

'Zijn naam?'
'Hij wordt gewoon Azra genoemd.'
'Blauw? De kleur blauw?'
'Ja. En nu we het over kleuren hebben, er is er nog eentje, een man die al vroeg grijze plekken in zijn haar heeft – heel ongewoon voor ons soort mensen. Hij wordt Ahbyahd genoemd.'
'Wit,' zei Evan.
'Ja. We hebben hem geïdentificeerd als een van de kapers van het TWA-vliegtuig in Beiroet. Maar alleen van foto's, we hebben zijn naam niet kunnen ontdekken.'
'Nassir, de vrouw Yateem, Blauw en Wit. Dat moet voldoende zijn.'
'Waarvoor?' vroeg de arts.
'Voor wat ik ga doen.'
'Denk goed na over wat u gaat doen,' zei de dokter zacht, terwijl hij toekeek hoe Evan de ruime gevangenisbroek optrok met de elastieken ceintuur. 'Ahmed is in dubio, want we zouden heel veel te weten kunnen komen door uw offer – maar u moet begrijpen dat het heel goed wel eens een echt offer zou kunnen worden dat u brengt. Hij wil dat u dat weet.'
'Ik ben ook niet helemaal gek.' Kendrick trok het grijze gevangenishemd aan en schoof zijn voeten in de harde leren sandalen die in alle Arabische gevangenissen worden gebruikt. 'Als ik me bedreigd voel zal ik wel om hulp schreeuwen.'
'Als u dat doet vallen ze als wilde beesten over u heen. U zou het geen tien tellen overleven; niemand zou u op tijd bereiken.'
'Goed dan, een code.' Evan knoopte het ruwe hemd dicht en terwijl hij het politielaboratorium doorkeek viel zijn oog op een paar röntgenfoto's die aan een draad hingen. 'Als uw mensen die de microfoons afluisteren me horen zeggen dat er films uit de ambassade werden gesmokkeld, kom dan naar binnen en haal me eruit. Begrepen?'
' "Films die uit de ambassade worden gesmokkeld..." '
'Precies. Ik zal het niet zeggen of roepen tenzij ik denk dat ik in het nauw word gedreven. Nu moet u het binnen laten weten. Zeg tegen de bewakers dat ze de gevangenen gaan pesten. De "vertrouweling" is gevangengenomen. Amal Bahrudi, leider van de islamitische terroristen in Oost-Europa is hier in Oman gevangen genomen. De strategie van uw intelligente jonge sultan voor mijn tijdelijke bescherming kan een hele sprong vooruit betekenen. Het is mijn paspoort naar hun verdorven wereld.'

'Daarvoor was het niet bedoeld.'
'Maar het komt verrekte goed uit, nietwaar? Bijna alsof Ahmed eraan heeft gedacht voordat ik het deed. Nu ik eraan denk, misschien heeft hij dat wel. Waarom niet?'
'Dat is belachelijk!' protesteerde de dokter met beide handpalmen naar Evan uitgestrekt. 'Luister naar me. We kunnen allerlei theorieën en veronderstellingen verzinnen, zoveel we willen, maar we kunnen niets *garanderen.* Dat complex wordt bewaakt door soldaten en we kunnen niet binnenkijken in de ziel van elke vent. Stel dat er lui zijn die sympathiseren? Kijk eens naar de straten. Wilde beesten die op de volgende executie wachten en weddenschappen afsluiten! Amerika is niet geliefd bij elke burger in een *aba* of bij elke dienstplichtige in uniform; er zijn te veel verhalen, er wordt te veel gesproken over een anti-Arabisch vooroordeel daarginds.'
'Ahmed zei hetzelfde over zijn eigen garnizoen hier in Masqat. Hij had het alleen over hen in de ogen kijken.'
'De ogen bevatten de geheimen van de ziel, *ya sjaikh,* en de sultan had gelijk. We moeten voortdurend bevreesd zijn voor zwakheid en voor verraad van binnenuit. Die soldaten zijn jong, beïnvloedbaar, snel om te oordelen over echte of vermeende beledigingen. Stel, stel nu eens, dat de KGB besluit een bericht te sturen om de hele situatie nog meer uit evenwicht te brengen. "Amal Bahrudi is dood, de man die beweert hem te zijn is een bedrieger!" Dan zou er geen tijd zijn voor codes of hulpgeroep. En de manier waarom u zou worden gedood mag niet licht worden opgevat.'
'Ahmed had daaraan moeten denken...'
'Dat is niet eerlijk!' riep Faisal uit. 'U dicht hem zaken toe die nooit of te nimmer bij hem op zouden komen! Het Bahrudialias moest alléén worden gebruikt als een afleidingsmanoeuvre in het uiterste geval, niet voor iets anders! Het feit dat gewone burgers in het openbaar zouden kunnen verklaren dat ze getuige waren geweest van de gevangenname van een terrorist, dat ze hem zelfs bij naam konden noemen, dat zou verwarring zaaien en dát was de strategie. Verwarring, verbijstering, *besluiteloosheid.* Al was het alleen maar om een paar uur uitstel te winnen voor uw executie – wat voor tijd dan ook die nodig zou zijn om ú daaruit te halen, één enkel individu – dat was de bedoeling van Ahmed, maar geen *infiltratie.*'
Evan leunde met gevouwen armen tegen de tafel, met zijn blik

gericht op de Omani. 'Dan begrijp ik het niet, en dat meen ik, dokter. Ik ben niet op zoek naar spoken, maar volgens mij klopt er iets niet in uw verklaring.'
'Wat dan?'
'Als het verzinnen van de naam van een terrorist voor mij – van een man van wie men nog niet weet dat hij dood is – mijn steun in de rug moest zijn, zoals u dat noemde...'
'Uw tijdelijke bescherming, zoals ú het zo volkomen juist noemde,' viel Faisal hem in de rede.
'Stel dan eens – veronderstel alleen maar even – dat ik er niet geweest was om dat toneelstukje op te voeren op de Al Kabir vanavond?'
'Dat was ook nooit de bedoeling,' antwoordde de arts rustig. 'U hebt gewoon het tijdschema vervroegd. Het had niet rond middernacht moeten plaatsvinden, maar vroeg in de morgen, juist voor de gebeden, vlak bij de moskee van Khor. Het nieuws over Bahrudi's gevangenname zou zich door de bazaars hebben verspreid als het nieuws over een zending goedkope smokkelwaar in de haven. Een ander zou zich hebben voorgedaan als de bedrieger die u nu bent. Dát was het plan, verder niets.'
'Dan, zoals de juristen het zouden uitdrukken, is er een gelegen komende convergentie van doeleinden, die wat tijd en bedoeling betreft opnieuw zijn gerangschikt om alle partijen zonder onenigheid van dienst te kunnen zijn. Dat soort frasen hoor ik voortdurend in Washington. Heel scherpzinnig.'
'Ik ben dokter, *ya sjaikh,* geen advocaat.'
'Dat bent u zeker,' stemde Evan met een flauwe glimlach in. 'Maar ik vraag me af wat onze jonge vriend in het paleis wil. Hij wilde "over Amal Bahrudi praten". Ik vraag me af waarheen dat gesprek ons zou hebben gevoerd.'
'Hij is ook geen jurist.'
'Hij moet van alles zijn om hier de baas te kunnen spelen,' zei Kendrick vinnig. 'Hij moet nádenken. Zeker nu. We verspillen onze tijd, dokter. Takel me eens wat toe. Niet de ogen of de mond, maar rond de wangen en de kin. Maak dan maar een snee in mijn schouder en verbind het, maar laat het bloed goed zien.'
'Wat zegt u me nou?'
'Verrek, u denkt toch niet dat ik het zelf zal doen?'

De zware metalen deur werd opengerukt door twee soldaten

die onmiddellijk hun armen schrap zetten tegen de ijzeren buitenplaat alsof ze een aanval op de uitgang verwachtten. Een derde bewaker slingerde de gewonde, nog bloedende gevangene in de enorme betonnen zaal die als massacel dienst deed; het weinige licht dat er was was gedempt en kwam van zwakke lampen die in een metalen korf tegen het plafond zaten. Een groep gevangenen kwam direct op de nieuw aangekomene af en een paar grepen de schouders vast van de bebloede, moeizaam bewegende man die onhandig probeerde op te staan. Anderen gingen in een groep rond de imposante metalen deur staan en kletsten luid en onophoudelijk met elkaar – ze schreeuwden eigenlijk meer – kennelijk om wat er ook daarbinnen werd gezegd onverstaanbaar te maken.

'Khaleebalak!' brulde de nieuweling en hij rukte zijn rechterarm omhoog om zich vrij te maken, terwijl hij met een harde vuist het gezicht bewerkte van een jonge gevangene die grijnzend zijn rotte tanden liet zien. 'Allah sta me bij, maar ik sla elke imbeciel hier verrot die me maar áánraakt!' vervolgde Kendrick, schreeuwend in het Arabisch, terwijl hij zich in zijn volle lengte verhief, wat zowat een decimeter langer was dan de langste man in zijn buurt.

'Wij zijn met velen en jij bent maar alléén!' siste de beledigde jongeman die zijn neus dichtkneep om het bloeden te stoppen.

'Dat kan wel zo zijn, maar jullie zijn een stelletje geiteneukers! Jullie zijn stommelingen! Ga uit mijn buurt! Ik moet nadenken!' Toen Evan die laatste woorden uitstootte ramde hij zijn linkerarm tegen de mensen die hem vasthielden, trok die meteen weer terug en stootte zijn ellebogen in de keel van de dichtstbijzijnde gevangene die hem nog vasthield. Met zijn nog steeds gebalde rechtervuist haalde hij uit en beukte zijn knokkels onverwacht in het oog van de man.

Hij kon zich niet meer herinneren wanneer hij voor het laatst een ander mens had geslagen, een ander menselijk wezen fysiek had aangevallen. Als zijn geheugen hem niet bedroog was dat op de lagere school geweest. Een jongen die Peter of zoiets heette had het boterhammentrommeltje van zijn beste vriend verstopt – een blikken trommel met figuren van Walt Disney erop – en omdat zijn vriendje klein was en Peter of zoiets groter dan zijn beste vriend, had hij de bullebak uitgedaagd. Jammer genoeg had hij in zijn woede de jongen die Peter heette zo zwaar afgetuigd dat het hoofd zijn vader erbij had gehaald en beide volwassenen had-

den hem gezegd dat hij helemaal fout zat. Een jongen van zijn lengte zocht geen ruzie. Het was niet eerlijk. ...Maar, meneer! Vader! ...Geen beroep mogelijk. Alleen een opmerking van zijn vader nadat hij twintig strafpunten had moeten incasseren.
'Als het weer eens gebeurt, jongen, dan doe je het opnieuw.'
Het gebeurde weer! Iemand pakte hem van achteren bij zijn nek! *Reddend zwemmen!* Waarom moest hij daar nu aan denken? Knijp in de zenuw onder de elleboog! Dan kom je los uit de greep van iemand die verdrinkt! *Rode Kruis Hoogste Diploma voor Reddend Zwemmen. Vakantiegeld verdiend op het meer.* In paniek schoof hij zijn hand langs de blote arm omlaag, voelde de zachte huid onder de elleboog en kneep daarin met alle kracht die hij bezat. De terrorist schreeuwde; het was genoeg. Kendrick trok zijn schouders samen en wierp de man over zijn rug zodat hij met een klap op de betonnen vloer terecht kwam.
'Wil er soms iemand van jullie nog zoiets?' fluisterde de nieuwste gevangene schor, gebukt en in het rond draaiend, nog steeds zijn lengte tonend. 'Jullie zijn gekken! Als jullie niet zo idioot waren geweest hadden ze mij niet te pakken gekregen! Ik kóts op jullie allemaal! Laat me nou met rust! Ik heb het jullie gezegd, ik moet nadenken!'
'Wie ben jij dat je ons beledigt en ons bevelen geeft?' wilde een verlate puber met wilde ogen weten; zijn woorden klonken als een gedempte kreet, een hazelip belette hem duidelijk te praten. Het was helemaal een scène uit Kafka – half bezeten gevangenen die direct tot geweld overgingen, maar die merkten dat ze met hardere munt werden terugbetaald. Het gefluister veranderde in schorre bevelen, onderdrukte beledigingen werden uitdagende kreten, terwijl zij die onophoudelijk stonden te praten naar de deur keken om er zeker van te zijn dat het gesnater alles overstemde wat ze zeiden, zodat vijandige oren het niet zouden horen.
'Ik ben wie ik ben! En dat is genoeg voor jullie, stomme geite...'
'De bewakers vertelden ons hoe je heette!' stamelde een andere gevangene, deze misschien dertig jaar, met een slordige baard en lang, smerig haar; hij legde zijn hand voor zijn mond alsof hij zijn woorden onverstaanbaar wilde maken. ' "Amal *Bahrudi!*" schreeuwden ze. "De *vertrouweling* uit Oost-Berlijn en die hebben wij gevangen!" En wat dan nog? Wat hebben wij

aan jou? De manier waarop je eruit ziet bevalt me niet eens. Voor mij zie jij er heel vreemd uit! Wat is een Amal Bahrudi? Wat gaat ons dat aan?'
Kendrick keek even snel naar de deur en de opgewonden groep gevangenen die er druk stonden te praten. Hij zette een stap vooruit en fluisterde schor: 'Omdat ik gestuurd ben door anderen die veel hoger zijn dan wie ook hier of in de ambassade. Veel, véél hoger. Nu zeg ik jullie voor het laatst, laat me nadenken! Ik moet informatie naar buiten zien te krijgen...'
'Als je dat probeert komen wij allemaal voor een vuurpeloton te staan!' riep een andere terrorist uit met opeengeklemde tanden; hij was klein en ongewoon goed gekleed, op een aantal onverklaarbare urinevlekken na waarmee zijn gevangenisbroek was bezoedeld.
'Zit dat jou dwars?' antwoordde Evan; hij staarde de terrorist aan en sprak met zachte, minachtende stem. *Dit was het moment om zijn identiteit verder geloofwaardig te maken.* 'Zeg me eens, mooie jongen, ben jij soms bang om te sterven?'
'Alleen maar omdat ik dan onze zaak niet verder meer zou kunnen dienen!' stootte de onvolgroeide man verontschuldigend uit en zijn ogen priemden in het rond, op zoek naar rechtvaardiging. Een paar mensen in de groep stemden ermee in; er werd emotioneel en heftig geknikt door degenen die dicht genoeg in de buurt stonden om hem te kunnen verstaan en die meegesleept werden door zijn angst. Kendrick vroeg zich af hoe overtuigend deze afwijking van dweperij zou uitwerken.
'Praat wat zachter, dwaas die je bent!' zei Kendrick kil. 'Je martelaarschap geeft je genoeg verdiensten.' Hij draaide zich om en liep door de aarzelend plaats makende lichamen naar de stenen muur van de enorme cel waarin een open rechthoekig raam zat met ijzeren tralies die in het cement vastzaten.
'Niet zo snel, jij met je vreemde smoel!' De ruwe, iets diepere stem kwam van de uiterste rand van de groep en was nauwelijks hoorbaar boven het lawaai uit; een gedrongen, bebaarde man stapte naar voren. De mensen die voor hem stonden gingen opzij zoals mannen dat vanzelfsprekend doen in de aanwezigheid van een onderofficier – een sergeant of een voorman bij een bouwproject misschien; geen kolonel en geen vice-president van een onderneming. Was er nog iemand met meer gezag in dit complex? vroeg Evan zich af. Iemand anders die nauwlettend toezag; iemand anders die de bevelen gaf?

'Wat moet je?' vroeg Kendrick zacht en beledigend.
'Ik mag die manier waarop jij er uitziet ook niet! Ik mag je smoel niet. Dat is voor mij genoeg.'
'Waarvóór genoeg?' vroeg Evan minachtend en hij negeerde de man met een hoofdbeweging; hij ging tegen de muur leunen terwijl zijn handen de ijzeren tralies vastklemden van het kleine celraam en zijn blik was gericht op de hel verlichte buitenplaats.
'Draai je om!' beval de surrogaatvoorman, of sergeant, met een ruwe stem vlak achter hem.
'Ik draai me om wanneer ik daar zin in heb,' zei Kendrick en hij vroeg zich af of ze het konden horen.
'Nú,' beval de man opnieuw niet luider dan Evan – een zachte inleiding op zijn krachtige hand die ineens op Kendricks rechterschouder smakte en de huid rond de bloedende wond samenkneep.
'Raak me niet aan, en dat is een bevel!' schreeuwde Evan die op zijn plaats bleef staan en met zijn handen de ijzeren tralies omklemde om de pijn die hij voelde niet te verraden; hij spitste zijn oren voor wat hij te weten wilde komen. ...Het kwam. De vingers die zijn schouder omklemden lieten ineens los; de hand zelf zakte op bevel, maar kwam direct weer terug na een moment nadenken. Het was genoeg: de onderofficier gaf zijn bevelen botweg, maar hij ontving ze en voerde ze snel uit wanneer ze werden gegeven door een gezaghebbende stem. Genoeg. Hij was niet dé man hier in het complex. Hij stond hoog op de ladder, maar niet hoog genoeg. Was er werkelijk nog een andere? Er zou nog wel een test volgen.
Kendrick bleef stokstijf staan en slingerde zich toen zonder waarschuwende beweging ineens naar rechts waarbij hij op een smadelijke manier de hand van de man losrukte omdat die uit zijn evenwicht raakte door zijn draaiende beweging. 'Goed dan,' snauwde hij en zijn feller gefluister klonk beschuldigend. 'Wat zit er aan me dat je niet aanstaat? Ik zal jouw *oordeel* wel eens overbrengen aan anderen. Ik weet zeker dat die geïnteresseerd zullen zijn wie er hier in Masqat de zaken beoordeelt!' Evan zweeg weer even en vervolgde toen abrupt met een stem die luider ging klinken en uitdagender. 'Die opinies worden door velen beschouwd als verzuurd in ezelinnenmelk. Wat ís het, imbeciel? Wat staat jou niet aan van mij?'
'Ik vel die oordelen niet!' schreeuwde de gespierde terrorist even

verontschuldigend als de onvolgroeide man die bang was voor het vuurpeloton. Toen hervond de behoedzame sergeant-voorman, een ogenblik bang dat zijn woorden verstaan konden zijn boven het gekwetter uit, zijn wantrouwige kalmte weer, even snel als zijn uitval had plaatsgevonden. 'Jij bent niet verlegen om woorden,' fluisterde hij schor en kneep zijn ogen halfdicht, 'maar voor ons betekenen ze niets. Hoe weten we wie jij bent of waar je vandaan komt? Je ziet er zelfs niet eens uit als een van ons. Je ziet er anders uit.'
'Ik beweeg me in kringen waar jij nooit komt – niet eens kúnt komen. Ik wel.'
'Hij heeft lichte ogen!' De onderdrukte kreet kwam van de oudere, bebaarde gevangene met het lange, smerige haar die naar hem tuurde. 'Hij is een spion! Hij komt ons bespioneren!' Anderen drongen naar voren en bekeken de plotseling nog dreigender vreemdeling.
Kendrick draaide langzaam zijn hoofd naar zijn aanklager. 'Dat soort ogen zou jij ook kunnen hebben als je grootvader Europeaan was geweest. Als ik ze zou willen veranderen om een stommeling als jou een plezier te doen zouden een paar druppels vloeistof genoeg zijn geweest voor een hele week. Dat soort technieken, daar heb jij natuurlijk nog nooit van gehoord.'
'Jij hebt op alles een antwoord klaar, nietwaar?' zei de sergeant-voorman. 'Leugenaars zitten nooit verlegen om woorden want die kosten niks.'
'Ze kunnen je je leven kosten,' antwoordde Evan en zijn ogen zwierven over alle gezichten om hem heen. 'En ik ben niet van plan dat te verliezen.'
'Jij bent dus báng om te sterven?' tartte de goedgeklede jongeman met de besmeurde broek.
'Je hebt zelf die vraag al voor me beantwoord. Ik ben niet bang voor de dood – dat mag niemand van ons zijn – maar ik ben wel bang niet te kunnen uitvoeren waarvoor ik hierheen ben gestuurd. Daar ben ik heel erg bang voor – voor onze meest heilige zaak.'
'Nog méér woorden!' zei de gedrongen surrogaatleider met gesmoorde stem, geprikkeld omdat een aantal van de gevangenen luisterde naar de ongewoon uitziende Euro-Arabier met de gladde tong. 'Wat is dat voor iets wat jij hier in Masqat moet uitvoeren? Als we dan zo stom zijn, waarom vertel je ons dat dan niet, zodat we het ook weten?'

'Ik zal alleen praten met degenen die men mij heeft opgedragen te vinden. Met niemand anders.'
'Ik geloof dat je met mij moet praten,' zei de sergeant – nu meer sergeant dan voorman – en hij zette dreigend een stap in de richting van het verstijfde Amerikaanse congreslid. 'Wij kennen jou niet maar misschien ken jij ons wel. Dat geeft jou een voordeel waarop ik niet erg ben gesteld.'
'En ik ben niet gesteld op jouw stommiteiten,' zei Kendrick en hij gebaarde direct met beide handen, een die naar zijn rechteroor wees, de andere naar de drukke, kwetterende groep bij de deur. 'Begrijp je dat dan niet?' riep hij uit en zijn gefluister klonk als een kreet recht in het gezicht van de man. 'Ze zouden je kunnen horen! Je moet toegeven dat je echt stom bent.'
'O ja, dat zijn we, meneer.' De sergeant – nu echt een sergeant – wendde zijn hoofd om en keek naar een onzichtbare gedaante ergens in de enorme betonnen cel. Evan probeerde de blik van de man te volgen; door zijn lengte zag hij een rij open toiletten aan het uiteinde van de zaal; er waren er verscheidene in gebruik en de ogen van ieder die daar zat volgden de opschudding. Andere gevangenen, nieuwsgierig, velen buiten zichzelf renden heen en weer tussen de luidruchtige groep bij de deur en de menigte rond de nieuwe gevangene. 'Maar wij, meneer, belángrijke meneer,' vervolgde de zwaar gebouwde terrorist spottend, 'hebben zo onze eigen manieren om onze stommiteiten te herstellen. U moet eigenlijk inferieure mensen toevertrouwen dat ze zoiets kunnen doen.'
'Ik geloof dat zodra ik het zie...'
'Dan zul je het nú te zien krijgen!' Ineens stak de gespierde fanatiekeling zijn linkerarm op. Het was een teken en op dat teken zwollen de stemmen aan, ze hieven een islamitisch gezang aan waarbij tientallen invielen, en toen nog meer tot het hele complex daverde van weerkaatsende echo's van ruim vijftig dwepers die krijsend de lof van Allah zongen. En toen gebeurde het. Er zou een offer worden gebracht.
Lichamen tuimelden over hem heen; vuisten beukten hem in de buik en in zijn gezicht. Zijn mond werd dichtgeklemd door krachtige vingers en de huid verstrakte tot hij dacht dat zijn lippen zouden scheuren. De pijn was niet te verdragen. En toen ineens waren zijn lippen weer vrij, zijn mond weer bijna op de oude plaats.
'Zég het ons!' krijste de sergeant-terrorist in Kendricks oor en

zijn woorden gingen verloren voor de verborgen microfoons onder het wilder en sneller wordende islamitische gezang. 'Wie bén je? Uit wat voor hoek van de hel kom jij?'
'Ik ben wie ik ben!' schreeuwde Evan met vertrokken gezicht en doorzettend zo lang hij kon, ervan overtuigd dat hij de Arabische denkwijze kende, gelovend dat er een moment zou kunnen komen waarop respect voor de dood van een vijand een paar tellen stilte zou oproepen voordat de fatale slag werd toegebracht; dat zou genoeg zijn. De dood werd in ere gehouden bij de Islam, bij vriend zowel als bij tegenstander. Hij had die seconden nodig! Hij moest het de bewakers laten weten! O, mijn gód, ze waren hem aan het vermoorden! Een gebalde vuist hamerde op zijn geslachtsdelen – wannéér, wanneer zou dat ophouden voor die paar kostbare seconden?
Een vage figuur doemde plotseling boven hem op, boog zich voorover en bekeek hem. Een nieuwe vuist bonkte op zijn linkernier; de inwendige kreet bereikte zijn lippen niet. Dat kon hij niet toestaan.
'Stóp!' schreeuwde de stem van de vage omtrek boven hem. 'Trek zijn hemd uit. Laat me zijn hals zien. Ze zeggen dat daar een litteken zit dat hij niet kan verbergen.'
Evan voelde hoe zijn hemd van zijn borst werd gescheurd, zijn moed ontglipte hem want hij wist dat het ergste nu onthuld zou worden. Er zat geen litteken op zijn keel.
'Het is inderdaad Amal Bahrudi,' verklaarde de man boven hem. De bijna bewusteloze Kendrick hoorde de woorden en was verbijsterd.
'Waar zoek je dan naar?' vroeg de verbaasde sergeant-voorman woedend.
'Naar dat wat er niet is,' zei de holle stem. 'In heel Europa staat Amal Bahrudi bekend om het litteken aan zijn hals. Er circuleerde onder de autoriteiten een foto waarvan men wist dat ze van hem was, een foto waarop het gezicht onherkenbaar was maar niet de blote hals waar het litteken van een meswond duidelijk te zien was. Het is zijn beste dekmantel geweest, een ingenieus middel om zijn identiteit te verbergen.'
'Ik begrijp niet wat je zegt!' schreeuwde de hurkende, gedrongen man en zijn woorden kwamen haast niet uit boven de kakofonie van het gezang. 'Hoe zijn identiteit verbergen? Wat voor litteken?'
'Een litteken dat er nooit is geweest, een herinneringsteken dat

nooit heeft bestaan. Ze zoeken allemaal naar een leugen. Dit is Bahrudi, de man met de blauwe ogen die pijn in stilte kan doorstaan, de vertrouweling die zich ongemerkt kan ophouden in de hoofdsteden van het Westen vanwege zijn afkomst van een Europese grootvader. Het moet bekend zijn geworden in Oman dat hij op weg hierheen was, maar hoe dan ook, hij zal morgen wel worden vrijgelaten, ongetwijfeld met vele verontschuldigingen. Want er is immers geen litteken aan zijn hals.'

Door het waas van de afschuwelijke pijn heen wist Evan dat dit het moment was om te reageren. Hij dwong zijn brandende lippen tot een glimlach en zijn lichte blauwe ogen concentreerden zich op de vage gedaante boven hem. 'Een verstandig man,' zei hij kuchend van de pijn. 'Help me alsjeblieft overeind, haal die lui van me weg voordat ik ze allemaal naar de hél verwens!'

'Is dat Amal Bahrudi die daar spreekt?' vroeg de onbekende man terwijl hij zijn hand uitstak. 'Laat hem opstaan.'

'Néé!' brulde de sergeant-terrorist en hij duwde Kendricks schouders met geweld omlaag. 'Het klopt van geen kanten wat je zegt! Hij zou zijn wie hij zegt dat hij is vanwege een litteken dat niet bestáát? Wat voor zin heeft dat allemaal vraag ik je?'

'Ik zal weten of hij liegt,' antwoordde de gedaante boven Kendrick die hij nu langzaam begon te onderscheiden. Het ingevallen gelaat was dat van een man van vooraan in de twintig, met hoge jukbeenderen en intense, donkere, intelligente ogen, aan weerszijden van een scherp gesneden, rechte neus. Het lichaam was slank, bijna mager, maar er sprak een lenige kracht uit de manier waarop hij neerhurkte en zijn hoofd hield. De spieren van zijn nek stonden gespannen. 'Laat hem opstaan,' herhaalde de jongere terrorist, met nonchalante stem die toch een bevel inhield. 'En zeg tegen de anderen dat ze geleidelijk ophouden met hun zingen – geleidelijk, denk daaraan – maar laat ze onder elkaar blijven praten. Alles moet normaal lijken, met inbegrip van het onophoudelijke ruziemaken, wat je trouwens niet hoeft aan te moedigen.'

De kwade ondergeschikte gaf Evan een laatste duw zodat hij weer viel, waardoor de snee in zijn schouder opnieuw groter werd en vers bloed op het beton stroomde. De norse man kwam overeind en liep naar de groep om zijn opdracht uit te voeren.

'Bedankt,' zei Evan terwijl hij zich buiten adem en trillend op

zijn knieën werkte, krimpend van de pijn die hij overal voelde, zich bewust van de blauwe plekken op zijn gezicht en zijn lijf en van de schrijnende schrammen waar zijn huid was opengereten – naar zijn gevoel overal op zijn lichaam. 'Nog een minuut langer en ik zou Allah hebben gezien.'
'Dat zou toch nog wel kunnen gebeuren, daarom doe ik geen moeite je bloeden te stelpen.' De jonge Palestijn duwde Kendrick tegen de muur in een zittende houding, met zijn benen languit op de vloer. 'Want weet je, ik heb er geen idee van of je werkelijk Amal Bahrudi bent of niet. Ik heb uit instinct gehandeld. Van de beschrijvingen die ik heb gehoord zou je het kúnnen zijn en je spreekt een deftig Arabisch, wat ook klopt. Daarbij heb je een enorme afstraffing doorstaan terwijl je door even een teken van overgave te geven had kunnen aanduiden dat je bereid was de informatie te geven die van je werd geëist. In plaats daarvan tartte je de mensen en je moest daarbij weten dat ze je elk moment hadden kunnen wurgen. ...Dat is niet de manier van doen van een infiltrant die zijn leven hier op aarde liefheeft. Het is de manier van een der onzen die de zaak geen schade zal berokkenen want, zoals je al zei, het is een heilige zaak. En dat is ze ook. Zeer heilig.'
Goeie gód! dacht Kendrick terwijl hij de kille uitdrukking aannam van een toegewijd extremist. *Wat zit jij ernaast! Als ik maar had gedacht – als ik had kúnnen denken... Vergeet het maar!* 'Hoe kan ik je dan echt overtuigen? Ik zal je maar meteen zeggen dat ik geen dingen ga vertellen die ik niet mag vertellen.' Evan zweeg even en verborg met zijn hand zijn moeilijkheid met slikken. 'Zelfs al zou je de afstraffing weer laten beginnen en me wurgen, als je dat wilt.'
'Dat zijn beide uitspraken die ik zou verwachten,' zei de sterke, slanke terrorist; hij liet zich zakken en zat nu op zijn hurken voor Evan. 'Maar je kunt me wel vertellen waarom je hierheen bent gekomen. Waarom werd je naar Masqat gestuurd? Wie moest je daar zoeken? Je leven hangt af van je antwoorden, Amal Bahrudi, en ik ben de enige die die beslissing kan nemen.'
Hij had gelijk gehad. Hoe onwaarschijnlijk het ook had geleken, hij had gelijk gehad!
Ontsnappen. Hij moest zien te ontsnappen met deze jeugdige moordenaar voor een heilige zaak.

7

Kendrick staarde de Palestijn aan alsof de ziel van een man inderdaad in zijn ogen werd weerspiegeld, ofschoon Evans eigen ogen te gezwollen waren om iets anders te verraden dan een alles overheersende fysieke pijn. *De rest van de microfoons zit in het doortrekmechanisme van de toiletten: Dokter Amal Faisal, zijn contact met de sultan.*

'Ik ben hierheen gestuurd om jullie te vertellen dat er verraders zitten tussen jullie mensen in de ambassade.'

'Verráders?' De terrorist bleef roerloos voor Evan zitten in zijn gehurkte positie; hij fronste licht maar liet verder geen reactie merken. 'Dat is onmogelijk,' zei hij nadat hij 'Amal Bahrudi's' gezicht een paar tellen aandachtig had bekeken.

'Ik vrees van niet,' sprak Kendrick hem tegen. 'Ik heb de bewijzen gezien.'

'Wat voor bewijzen?'

Evan vertrok plotseling zijn gezicht en greep zijn gewonde schouder vast; zijn hand zat direct onder het bloed. 'Als jij dan dat bloeden niet wilt stelpen zal ik het zelf doen!' Hij begon zich omhoog te duwen tegen de stenen muur.

'Blijf zitten!' beval de jonge moordenaar.

'Waarom? Waarom zou ik blijven zitten? Hoe weet ik of jij geen deel uitmaakt van het verraad – dat je géld verdient aan ons werk?'

'Geld...? Wat voor geld?'

'Dat krijg jij niet te horen voordat ík weet dat je het recht daarop hebt.' Opnieuw drukte Evan zich tegen de muur en probeerde hij op te staan met zijn handen op de vloer. 'Je praat als een man maar je bent nog maar een jongen.'

'Ik ben snel opgegroeid,' zei de terrorist en hij duwde zijn vreemde gevangene weer neer. 'Dat zijn de meesten van ons hier.'

'Leer dan nú maar wat erbij. Als ik hier doodbloed hebben we daar geen van beiden wat aan.' Kendrick rukte het met bloed doordrenkte hemd van zijn schouder af. 'Die is vuil,' zei hij, met een knikje naar de wond. 'Die zit vol vuil en troep, dankzij die beesten van vrienden van jou.'

'Het zijn geen beesten en het zijn geen vrienden. Het zijn mijn broeders.'

'Schrijf maar gedichten in je eigen tijd, de mijne is te kostbaar.

Is er hier ergens water... schóón water?'
'De toiletten,' antwoordde de Palestijn. 'Rechts daarvan is een wasbak.'
'Help me omhoog.'
'Néé. Wat voor bewijzen? Wie moest je hier zoeken?'
'Dwáás!' viel Evan uit. 'Goed dan... Waar is Nassir? Iedereen vraagt: waar is Nassir?'
'Dood,' antwoordde de jongeman en uit zijn gezichtsuitdrukking viel verder niets af te lezen.
'Wát?'
'Een marinier van de bewaking verraste hem, nam hem zijn wapen af en schoot hem dood. De marinier werd direct neergeschoten.'
'Er is niets over gezegd...'
'Wat produktief voor de zaak zou kunnen zijn?' wierp de terrorist tegen. 'Een martelaar maken van één enkele Amerikaanse bewaker? Laten merken dat een van de onzen door hem werd verrast? We lopen niet te koop met onze zwakheden.'
'Nassir?' vroeg Kendrick toen hij iets hoorde in de stem van de jonge moordenaar. 'Nassir was zwak?'
'Hij theoretiseerde te veel, hij was niet geschikt voor dit werk.'
'Een theoreticus?' Evan trok zijn wenkbrauwen op. 'Onze student is dus een psycholoog?'
'Deze student kan vaststellen wanneer de tijd er is om actief deel te gaan nemen in plaats van passief te debatteren, wanneer geweld de plaats moet innemen van woorden. Nassir praatte te veel, hij rechtvaardigde te veel.'
'En dat doe jij niet?'
'Het gaat niet over mij, het gaat over jou. Wat voor bewijzen heb je voor verraad?'
'De vrouw, Yateem,' zei Kendrick, als antwoord op de eerste vraag, niet op de zojuist gestelde. 'Zaya Yateem. Ik hoorde dat zij...'
'Yateem een verráádster?' riep de terrorist uit met woedende blik.
'Dat heb ik niet gezegd...'
'Wat zei je dan wel?'
'Ze was betrouwbaar...'
'Veel meer dan dat, Amal Bahrudi!' De jongeman greep het stuk van Evans hemd vast dat er nog over was. 'Zij is toegewijd aan onze zaak, een onvermoeibaar werkster die zich af-

mat meer dan wie van ons ook in de ambassade!'
'Ze spreekt ook Engels,' zei Kendrick, omdat hij weer iets anders hoorde in de stem van de terrorist.
'Dat spreek ik ook!' snauwde de man die zichzelf tot student had gebombardeerd, en hij liet zijn gevangene binnen hun gevangenis los.
'Dat doe ik ook,' zei Evan zacht, en hij keek even naar de talloze groepjes gevangenen van wie er velen naar hen keken. 'Zullen we dan nu maar op Engels overgaan?' vroeg hij terwijl hij opnieuw zijn bloedende schouder bekeek. 'Je zegt dat je bewijzen wilt en die kan ik je natuurlijk niet geven, maar ik kan je wel zeggen wat ik met eigen ogen heb gezien – in Berlijn. Je kunt zelf concluderen of ik de waarheid spreek of niet – je bent immers zo handig met conclusies. Maar ik wil niet dat die beesten van broeders van jou verstaan wat ik zeg.'
'Je bent een arrogante vent onder omstandigheden waarin arrogantie helemaal niet aan de orde is.'
'Ik ben wie ik ben...'
'Dat heb je al gezegd.' De terrorist knikte. 'Engels,' zei hij en hij schakelde over. 'Je had het over Yateem. Wat is er met haar?'
'Je nam aan dat ik wilde zeggen dat ze een verraadster was.'
'Wie dúrft...'
'Ik bedoelde juist het tegenovergestelde,' hield Kendrick vol, met vertrokken gezicht, en hij greep zijn schouder nog steviger vast. 'Ze wordt vertrouwd, zelfs geprezen; ze doet haar werk briljant. Na Nassir was zíj degene die ik moest opzoeken.' Evan hijgde van de pijn, een reactie die helemaal niet moeilijk was, en hij bracht met moeite zijn volgende woorden uit. 'Als zij gedood zou zijn... moest ik een man zoeken die Azra heet – en als die er niet meer was een andere met grijze vegen in zijn haar die bekend staat als Ahbyahd.'
'Ik ben *Azra!*' schreeuwde de student met de donkere ogen. 'Mij noemen ze Blauw!'
Hébbes! dacht Kendrick en hij staarde de jonge terrorist ingespannen aan, met vragende ogen. 'Maar jij zit hier in dit complex, niet in de ambassade...'
'Een besluit van onze operationele raad,' viel Azra hem in de rede. 'Waarvan Yateem het hoofd is.'
Dat begrijp ik niet.'
'Het raakte bij ons bekend dat er gevangenen waren gemaakt

en geïsoleerd werden vastgehouden – gefolterd, omgekocht, op een of andere manier werden gedwongen informatie te geven. Er werd besloten dat de sterkste onder ons van de raad zich gevangen zou laten nemen – zodat er een leider zou zijn die op kon wekken tot weerstand!'

'En jou hebben ze gekozen? Zij heeft jou gekozen?'

'Zaya wist wat ze deed. Ze is mijn zuster, ik ben haar bloedbroeder. Zij is even zeker van mijn toewijding als ik het ben van de hare. Wij zullen ons samen doodvechten, want ons verleden is niets anders dan de dood.'

In de roos! Evan strekte zijn hals en liet zijn hoofd tegen de harde betonnen muur vallen; zijn ogen vol pijn zwierven over het plafond waaraan een paar naakte lampen brandden. 'Ik ontmoet dus mijn belangrijkste contact op de meest onmogelijke plaats. Allah heeft ons dus misschien toch in de steek gelaten.'

'Allah kan bársten!' riep Azra uit tot stomme verbazing van Kendrick. 'Jij zult morgen worden vrijgelaten. Er zit geen litteken aan je hals. Jij zult vrij zijn.'

'Daar zou ik maar niet zo zeker van zijn,' zei Evan. Hij vertrok opnieuw zijn gezicht en greep weer naar zijn schouder. 'Om het maar ronduit te zeggen, die foto van me werd teruggevoerd naar een jihad-cel in Rome en men vraagt zich nu af of dat litteken echt was. Ze zijn in Riyadh en Manamah aan het zoeken naar mijn vroegere tandheelkundige en medische dossiers. Als die niet allemaal verdwenen zijn, als er iets van wordt gevonden krijg ik te maken met een beul in Israël... Maar dat zijn jouw zorgen niet, en de mijne eigenlijk op dit moment ook niet.'

'Je moed is tenminste even groot als je arrogantie.'

'Ik zei het je al eerder,' snauwde Kendrick, 'schrijf je gedichten maar in je eigen tijd. Als jij Azra bent, broer van Yateem, moet jij die informatie hebben. Je moet weten wat ik in Berlijn heb gezien.'

'Het bewijsmateriaal voor het verraad?'

'Als het geen verraad is, is het een enorme stommiteit, en als het geen stommiteit is, is het onvergeeflijke hebzucht en dat is even erg als verraad.' Evan begon opnieuw overeind te komen, drukte zijn rug tegen de muur en zijn handen op de vloer. Dit keer hield de terrorist hem niet tegen. 'Verdómme, help me

dan!' riep hij uit. 'Ik kan zo niet nadenken. Ik moet het bloed afwassen, mijn ogen schoonmaken.'
'Goed dan,' zei de man die Azra werd genoemd aarzelend en zijn blik verried zijn intense nieuwsgierigheid. 'Leun maar op me,' voegde hij er weinig enthousiast aan toe.
'Ik bedoelde alleen maar dat je me omhoog moest helpen,' zei Kendrick en hij rukte zijn arm los zodra hij stond. 'Ik zal zelf wel lopen, dank je. Ik heb geen hulp nodig van onwetende kinderen.'
'Je hebt misschien meer hulp nodig dan ik bereid ben te geven...'
'Dat was ik vergeten,' viel Evan hem in de rede terwijl hij zich wankelend een weg zocht naar de rij van vier toiletten en de wasbak. 'De student is zowel rechter als jury en ook nog eens de rechterhand van Allah die van hem kan barsten!'
'Dit moet je goed begrijpen als je dan zo gelovig bent,' zei Azra vastberaden en hij bleef vlak naast de arrogante, beledigende vreemdeling lopen. 'Mijn strijd is niet voor of tegen Allah, Abraham of Christus. Het is een strijd om in leven te blijven als een menselijk wezen, in weerwil van degenen die me willen vernietigen met hun kogels en hun wetten. Ik spreek voor velen wanneer ik zeg: beleef maar genoegen aan je geloof, belijdt het, maar belast mij er niet mee. Ik heb genoeg moeite om in leven te blijven, al is het maar om nog één dag te kunnen vechten.'
Kendrick keek naar de woedende jonge moordenaar toen ze dichter bij de wasbak kwamen. 'Ik vraag me af of ik wel met jou moet praten, of jij de Azra bent die ik moest zoeken.'
'Geloof het maar,' antwoordde de terrorist. 'In dit werk gooien mensen van allerlei slag, met verschillende doeleinden, het op een akkoordje; allen dragen we iets bij om zeer zelfzuchtige redenen. Samen bereiken we meer voor onze individuele zaken dan we apart kunnen doen.'
'Wij begrijpen elkaar,' zei Kendrick met nietszeggende stem.
Ze kwamen bij de verroeste, metalen wasbak. Evan draaide de enkele kraan met koud water voluit open; toen hij zich bewust werd van het lawaai onderbrak hij de kracht van de straal door er zijn handen en zijn gezicht in te duwen. Hij bespatte zijn hele bovenlijf met water, hield zijn hoofd onder de straal en waste zijn borst en uitvoerig rond de bloedende wond in zijn schouder. Hij ging door met wassen, maar voelde het toene-

mende ongeduld van de schuifelende Azra die met zijn armen in zijn zij achter hem stond. Hij wist dat hij zijn kans zou krijgen. *De rest van de microfoons zit in het doortrekmechanisme van de toiletten.* Het moment brak aan.
'Genoeg!' viel de gefrustreerde terrorist uit en hij greep Kendricks goede schouder en draaide hem van de wasbak af. 'Geef me nu je informatie van wat je in Berlijn hebt gezien! Nú! Wat is dat voor bewijsmateriaal van verraad... of stommiteiten... of hebzucht? Wat ís het?'
'Er moet méér dan één persoon bij betrokken zijn,' begon Evan hoestend met toenemende heftigheid totdat zijn hele lichaam trilde. 'Als mensen weggaan nemen ze ze mee...' Ineens sloeg Kendrick dubbel, greep zijn keel vast en wankelde naar het eerste toilet links van de smerige wasbak. 'Ik moet kótsen!' riep hij uit en hij greep de rand van de bak met beide handen vast.
'Wát nemen ze mee?'
'Fílms!' stootte Evan uit en hij richtte zijn stemgeluid op het handvat van de toilettrekker. 'Er worden films uit de ambassade gesmokkeld! Te koop!'
'Films? Foto's?'
'Twee rollen. Ik heb ze onderschept, heb ze beide gekocht! Persoonsgegevens, methoden...'
Verder was er niets meer te verstaan in de enorme betonnen terroristencel. Bellen begonnen oorverdovend te rinkelen; de schelle geluiden van een noodsituatie weerkaatsten van de muren toen een groep geüniformeerde bewakers naar binnen kwam stormen, met wapens in de aanslag en ogen die razend snel in het rond zwierven. Binnen enkele tellen vonden ze de man die ze zochten; zes soldaten sprongen naar voren naar de rij toiletten.
'Nóóit!' schreeuwde de gevangene die als Amal Bahrudi bekend stond. 'Je kunt me kapotmaken als je wilt, maar jullie zullen niets van me te weten komen, want jullie zijn zelf ook niets!'
De eerste twee bewakers kwamen dichterbij. Kendrick deed een uitval naar hen en wierp zich op de stomverbaasde soldaten die dachten dat ze een infiltrant kwamen redden die op het punt stond vermoord te worden. Hij zwaaide met zijn armen en beukte zijn vuisten in de verbijsterde gezichten.
Om er een eind aan te maken hamerde een derde soldaat de kolf van zijn geweer op de schedel van Amal Bahrudi.

Alles was donker maar hij wist dat hij op de onderzoektafel lag in het gevangenislaboratorium. Hij kon de koude kompressen voelen op zijn ogen en de ijszakken op de verschillende delen van zijn lijf; hij stak zijn hand uit en trok de dikke, natte kompressen weg. Boven hem werden langzaam een paar gezichten scherper – verbaasde gezichten, woedende gezichten. Hij had geen tijd voor hen!
'Faisal!' bracht hij hijgend uit in het Arabisch. 'Waar is Faisal, de dokter?'
'Ik sta hier bij uw rechtervoet,' antwoordde de Omaanse arts in het Engels. 'Ik ben bezig een nogal vreemde wond af te sponsen. Ik vrees dat iemand u heeft gebeten.'
'Ik zie zijn tanden nog voor me,' zei Evan die nu ook Engels sprak. 'Ze zagen eruit als die van een haai, maar dan geel.'
'In dit deel van de wereld kunnen de mensen niet altijd eten wat ze nodig hebben.'
'Laat iedereen naar buiten gaan, dokter,' viel Kendrick hem in de rede. 'Nu. We moeten praten – nú!'
'Na wat u hun daarbinnen hebt aangedaan betwijfel ik of ze wel weg zullen gaan en ik weet niet eens zeker of ik ze wel laat vertrekken. Bent u gek geworden? Ze kwamen uw leven redden en u bent hen aangevlogen; u hebt van één man de neus gebroken en bij een andere een paar tanden uit zijn mond geslagen.'
'Ik moest overtuigend zijn, zeg hun dat maar – nee, doe dat maar niet. Nog niet. Laat ze weggaan. Zeg hun maar wat u wilt maar we moeten práten. Daarna moet u Ahmed voor me bereiken. Hoe lang ben ik hier al?'
'Zowat een uur...'
'Verdómme. Hoe laat is het?'
'Kwart over vier in de morgen.'
'Schiet op! Schiet in godsnaam op!'
Faisal stuurde de soldaten weg met een paar kalmerende woorden waarmee hij hen geruststelde en uitlegde dat er dingen waren die hij hun niet kon verklaren. Toen de laatste bewaker de deur uit liep bleef hij even staan, haalde zijn pistool uit de holster en gaf het aan de dokter. 'Moet ik dat op u richten terwijl we praten?' vroeg de Omani nadat de soldaat vertrokken was.
'Vóór zonsopgang,' zei Kendrick, terwijl hij de ijszakken wegduwde en ging zitten, met moeite zijn benen over de tafelrand

zwaaiend, 'wil ik een aantal wapens op mij gericht zien. Maar niet zo nauwkeurig als wel zou moeten.'
'Wat zegt u daar? U kunt het niet menen.'
'Ontsnappen. Ahmed moet een ontsnapping op touw zetten.'
'Wát? U bent gek geworden!'
'Ik ben nog nooit zo helder geweest, dokter, en ik heb het nooit zo serieus gemeend. Kies twee of drie van uw beste mensen uit, wat wil zeggen dat u hen volkomen moet kunnen vertrouwen, en organiseer een of andere overplaatsing...'
'Overplaatsing?'
Evan schudde zijn hoofd en knipperde met zijn ogen; de zwellingen waren nog zichtbaar al waren ze wel wat afgenomen door de koude kompressen. 'Laat ik het zo zeggen: iemand heeft besloten een paar gevangenen van hier naar ergens anders te verhuizen.'
'Wie zou dat doen? En waarom?'
'Niemand! U verzint het en doet het, geef geen uitleg. Hebt u foto's van de mannen die daar zitten?'
'Natuurlijk. Dat gebeurt altijd bij arrestaties, al zeggen de namen niets. Die zijn altijd vals wanneer ze worden opgegeven.'
'Geef mij die dan, allemaal. Ik zal u zeggen wie u moet uitkiezen.'
'Waarvoor uitkiezen?'
'De overplaatsing. De kerels die u van hier ergens anders heen gaat brengen.'
'Wáárheen? Echt, ik kan u helemaal niet volgen.'
'Dan luistert u niet. Ergens onderweg, in een stil straatje of een donkere weg buiten de stad, zullen we de bewakers overmeesteren en ontsnappen.'
'Overmeesteren... Wíj?'
'Ik maak deel uit van de groep, deel van de ontsnapping. Ik ga daar weer terug.'
'Je reinste waanzin!' riep Faisal uit.
'Je reinste zin,' wierp Evan tegen. 'Er is daarbinnen een man die me kan meenemen waar ik heen wil. Die óns kan meenemen waar we heen moeten! Zorg dat ik die politiefoto's krijg en neem dan contact op met Ahmed op het driemaal vijf nummer. Vertel hem wat ik u heb gezegd, hij zal het wel begrijpen... Begrijpen, verrék! Dat had die jeugddelinquent van de padvinders vanaf het begin in zijn hoofd!'
'Volgens mij had u dat ook, *ya sjaikh ya Amreekánee.*'

'Misschien wel. Misschien wil ik er alleen maar iemand anders de schuld van geven. Zoiets zou ik zelf niet kunnen verzinnen.'
'Dan is er iets in uw binnenste wat u aandrijft, die de man van vroeger aan het veranderen is. Zoiets gebeurt.'
Kendrick keek de Omaanse dokter in zijn zachte bruine ogen.
'Zoiets gebeurt,' stemde Evan in. Ineens zag hij in zijn geest de omtrekken van een vaag silhouet; de gedaante van een man die opsteeg uit de woedende vlammen van een hel op aarde. Flarden rook kringelden rond de verschijning terwijl aan alle kanten puin neerviel en de kreten van de slachtoffers overstemde. *De Mahdi.* Moordenaar van vrouwen en kinderen, van vrienden die hem dierbaar waren, partners in een toekomstdroom – zijn familie, de enige familie die hij ooit had gewild. Allemaal verdwenen, allemaal dood, en de toekomstdroom opgelost in de rook van de vernietiging, verdwijnend in de opstijgende walm tot er niets meer over was dan koude duisternis. *De Mahdi!* 'Zoiets gebeurt,' herhaalde Kendrick zacht en hij wreef over zijn voorhoofd. 'Zorg dat ik die foto's krijg en bel Ahmed. Ik wil over twintig minuten terug zijn in dat complex en ik wil er tien minuten later weer worden uitgehaald. Schiet in hemelsnaam op!'

Ahmed, sultan van Oman, nog steeds in spijkerbroek en in zijn T-shirt van de New England Patriots, zat in de stoel met hoge rugleuning terwijl het rode lampje van zijn beveiligde privételefoon opgloeide op de rechterpoot van zijn bureau. De hoorn hield hij tegen zijn oor; hij luisterde intens.
'Het is dus gebeurd, Faisal,' zei hij zacht. 'Allah zij geprezen, het is gebeurd.'
'Hij zei me dat je het verwachtte,' zei de dokter met ongeloof in zijn stem.
'"Verwachtte" is te sterk uitgedrukt, goede vriend. Hoopte past beter.'
'Ik heb jouw amandelen geknipt, grote sultan, en ik heb je door de jaren heen behandeld voor lichte ziektes, met inbegrip van een grote angst die je had en die ongegrond bleek.'
Ahmed lachte, meer bij zichzelf dan in de telefoon. 'Een woeste week in Los Angeles. Wie weet wat ik had kunnen oplopen?'
'We hadden een pact afgesloten. Ik heb het je vader nooit verteld.'

'Wat wil zeggen dat je nu meent dat ik je iets niet vertel.'
'De gedachte kwam wel even bij me op.'
'Goed dan, beste vriend...' Ineens hief de sultan zijn hoofd met een ruk omhoog toen de deur van zijn koninklijke kantoor openging. Twee vrouwen kwamen binnen; de eerste was duidelijk in verwachting, een westerse vrouw uit New Bedford, Massachusetts, blond en met een badjas aan. Zijn vrouw. Naast haar verscheen een vrouw met olijfkleurige huid en donkere haren, gekleed in een modieus wandelkostuum. Door de familie werd ze gewoon Kahlehla genoemd. 'Behalve mijn gezonde verstand, dokter,' vervolgde Ahmed in de telefoon, 'heb ik bepaalde bronnen. Onze wederzijdse kennis had hulp nodig en wie kon die beter geven dan de heerser van Oman. We hebben informatie laten uitlekken naar de beesten in de ambassade. Er werden ergens gevangenen vastgehouden, onderworpen aan wrede ondervragingen. Iémand moest er heen worden gestuurd om discipline en orde te handhaven – en Kendrick heeft hem gevonden. Geef onze Amerikaan alles wat hij nodig heeft, maar houdt hem nog een kwartiertje, twintig minuten vast, tot mijn twee politiemensen er zijn.'
'De Al Kabir? Je neven?'
'Twee speciale politiemannen is voldoende, goede vriend.'
Even was het stil terwijl een stem naar de juiste woorden zocht.
'De geruchten zijn dus waar, Ahmed.'
'Ik heb geen idee wat je bedoelt. Geruchten betekent geroddel en ik ben in geen van beide geïnteresseerd.'
'Ze zeggen dat je zoveel wijzer bent dan je jaren...'
'Dat is een arrogante bewering,' viel de sultan hem in de rede.
'Hij zei dat je dat wel moest zijn om – "hier de baas te kunnen spelen", zei hij. Dat is een beetje moeilijk voor iemand die je voor mazelen heeft behandeld.'
'Denk er verder maar niet over na, dokter. Houd me maar op de hoogte.' Ahmed stak zijn hand in de la waarin de telefoon stond en drukte een reeks cijfers in. Binnen enkele tellen sprak hij. 'Het spijt me, familie van me, ik weet dat jullie slapen, maar ik moet jullie weer lastig vallen. Ga direct naar het complex. Amal Bahrudi wil ontsnappen. Met víssen.' Hij legde de hoorn op.
'Wat is er gebeurd?' vroeg de vrouw van de jonge sultan en ze liep snel op hem toe.
'Alsjeblieft,' zei Ahmed, en hij keek naar de buik van zijn moei-

zaam lopende echtgenote. 'Je hebt nog maar zes weken, Bobbie. Loop niet zo hard.'

'Hij is om te gillen,' zei Roberta Aldridge Jamenni, terwijl ze haar hoofd wendde naar Khalehla naast haar. 'Die atleet van mij kwam ongeveer als tweeduizendste binnen in de marathon van Boston en hij vertelt mij hoe ik een baby moet dragen. Da's toch om je te bescheuren?'

'Het koninklijke zaad,' antwoordde Khalehla glimlachend.

'Het koninklijke zaad kan me gestolen worden! De gelijke rechten worden niet beter gediend dan door luiers. Vraag het mijn moeder maar, zij kreeg ons vieren binnen zes jaar. ...Echt schat, wat is er gebeurd?'

'Ons Amerikaans congreslid heeft contacten gelegd in het complex. We zijn een ontsnapping in elkaar aan het zetten.'

'Het heeft gewerkt!' riep Khalehla uit terwijl ze naar het bureau liep.

'Het was jouw idee,' zei Ahmed.

'Vergeet dat alsjeblieft. Ik hoor hier helemaal niet te zijn.'

'Je hoort hier wel degelijk thuis,' zei de jeugdige sultan vastbesloten. 'Hoe het ook lijkt, wat voor risico's we ook lopen, we hebben alle hulp nodig die we kunnen krijgen. Het spijt me, Khalehla, ik heb je niet eens begroet. Net als bij mijn neven, de eenvoudige politieagenten, spijt het me dat ik je zo laat nog erbij haal, maar ik wist dat je hier wilde zijn.'

'Nergens anders.'

'Hoe heb je dat klaargespeeld? Ik bedoel om vier uur 's morgens je hotel verlaten?'

'Bedank Bobbie maar. Ik moet er echter aan toevoegen, Ahmed, dat jullie beider reputatie er ietwat onder heeft geleden.'

'O?' De sultan keek zijn vrouw aan.

'Machtige Heer,' zei Bobbie plechtig, haar beide handen tegen elkaar, buigend en sprekend met haar accent uit Boston. 'Deze lieflijke dame is een courtisane uit Caïro – klinkt aardig, vind je niet? Onder de omstadigheden...' Hier benadrukte de koninklijke echtgenote haar gezwollen buik met haar handen en vervolgde: 'Het heeft voordelen als je een hoge rang bekleedt. Met de woorden van een van Radcliffes uitblinkers in geschiedenis, wat mijn vroegere slapie hier zal bevestigen, noemde Hendrik de Achtste van Engeland "het rijden in het zadel". Het gebeurde toen Anna Boleyn haar heer en meester niet van dienst kon zijn.'

'In hemelsnaam, Roberta, dit is *De Koning van Siam* niet en ik ben géén Yul Brynner.'
'Dat ben je nu, vriendje!' Lachend keek Ahmeds vrouw naar Khalehla. 'Als je hem aanraakt krab ik je wel de ogen uit, natuurlijk.'
'Je hoeft niet bang te zijn, lieverd,' zei Khalehla met geveinsde ernst. 'Na wat je me hebt verteld zou ik dat toch niet doen.'
'Schei nou eens uit, jullie tweeën,' onderbrak Ahmed hen. Uit zijn korte blik sprak de genegenheid die hij voor beide vrouwen voelde.
'We moeten nu en dan wel eens lachen,' zei zijn vrouw. 'Anders lopen we straks allemaal gillend door het paleis.'
'Gillend en schuimbekkend,' stemde Ahmed zacht in en hij richtte zijn blik op de vrouw uit Caïro. 'Hoe gaat het met je Engelse zakenvriend?'
'Zo zat als een aap,' antwoordde Khalehla. 'Hij werd het laatst gezien nog half overeind in de Amerikaanse bar van het hotel terwijl hij me zat uit te schelden.'
'Er kunnen voor je dekmantel wel ergere dingen gebeuren.'
'Zeg dat wel. Ik ga kennelijk naar de hoogste bieder.'
'Hoe zit het met onze superpatriotten, de oudere zakenmagnaten die me veel liever gefrustreerd naar het Westen zagen vluchten dan hier blijven? Ze geloven nog steeds dat je voor hen werkt, hoop ik?'
'Ja. Mijn "vriend" vertelde me in de Sabat Aynub-markt dat ze ervan overtuigd waren dat jij Kendrick hebt ontmoet. Hij redeneerde zo logisch dat ik met hem moest instemmen en het met hem eens moest zijn dat je een verdomde dwaas was. Je vroeg gewoon om de grootste moeilijkheden. Het spijt me.'
'Hoe logisch klonk hij?'
'Ze weten dat een militaire auto de Amerikaan een paar straten voorbij zijn hotel heeft opgepikt. Ik kon daar niets tegenin brengen. Ik was er ook.'
'Dan zochten ze naar die auto. Er rijden militaire wagens door heel Masqat.'
'Het spijt me nogmaals, maar het was niet verstandig, Ahmed. Dat had ik je kunnen zeggen als ik je had kunnen bereiken. Je moet weten dat de kring doorbroken was; ze wisten dat Kendrick hier was...'
'Mustapha,' viel de jonge sultan kwaad in de rede. 'Ik betreur zijn dood maar niet het sluiten van zijn grote mond.'

'Misschien was hij het, misschien ook niet,' zei Khalehla. 'Washington zou zelf wel eens verantwoordelijk kunnen zijn. Er waren te veel mensen betrokken bij Kendricks aankomst, dat heb ik ook gezien. Voor zover ik begrijp was het het werk van Buitenlandse Zaken; er zijn anderen die zoiets beter doen.'
'We weten niet wie de vijand is en waar we moeten zoeken!' Ahmed balde zijn vuisten en beet op zijn knokkels. 'Het zou iedereen kunnen zijn, overál – vlak voor je ogen. Godverdomme, wat moeten we doen?'
'Doe maar wat hij je heeft gezegd,' zei de vrouw uit Caïro. 'Laat hem maar onder een goede dekmantel bij hen binnendringen. Hij heeft contact gelegd; wacht maar tot hij je kan bereiken.'
'Is dat alles wat ik kan doen? Wáchten?'
'Nee, er is nog iets anders,' voegde Khalehla eraan toe. 'Geef me de route van de ontsnapping en een van je snelle wagens. Ik heb mijn benodigdheden voor courtisane meegebracht – die zitten in een koffer in de hal – en terwijl ik me verkleed bespreek jij de bijzonderheden maar met je neven en met die dokter die je een oude vriend noemt.'
'Hé, maak het een beetje!' protesteerde Ahmed. 'Ik weet dat Bobbie en jij elkaar al heel lang kennen, maar dat geeft jou nog niet het recht mij op te dragen je leven in gevaar te brengen! Vergeet het maar, *José.*'
'We hebben het niet over mijn leven,' zei Khalehla ijzig en haar bruine ogen staarden Ahmed aan. 'Of zelfs maar over dat van jou. We hebben het over naakte terreur en de redding van Zuidwest-Azië. Wat er vannacht gebeurt leidt misschien tot niets, maar het is mijn taak te proberen dingen te weten te komen en het is jouw taak mij daarvoor toestemming te geven. Zijn we daarvoor niet alle twee opgeleid?'
'En geef haar ook het nummer waarop ze je kan bereiken,' zei Roberta Jamenni rustig. 'Ons kan bereiken.'
'Ga je maar verkleden,' zei de jonge sultan van Oman; hij schudde zijn hoofd met gesloten ogen.
'Dank je, Ahmed. Ik zal opschieten maar eerst moet ik met mijn mensen praten. Veel heb ik niet te zeggen dus het zal zo gebeurd zijn.'

De dronken, kale man in zijn verfomfaaide, deftige streepjespak werd door twee landgenoten de lift uitgeholpen. De om-

vang en het gewicht van hun beschonken vrachtje waren zo groot dat ze met veel moeite zijn lichaam overeind konden houden.
'Een verrekte schande is het!' zei de man aan de linkerkant en hij keek even gegeneerd naar een hotelsleutel die aan de vingers van zijn rechterhand bungelde, een hand die onhandig onder de oksel van de dronken man was geschoven.
'Toe nou, Dickie,' antwoordde zijn metgezel, 'we hebben bij gelegenheid allemaal wel een druppie te veel genomen.'
'Maar niet in een verrekt land dat in vuur en vlam staat door de schuld van een stelletje zwarte barbaren! Hij kon wel ruzie gaan schoppen en voordat we het weten hangen wij aan een of andere lantaarnpaal! Waar is die verdomde kamer van hem?'
'Verderop in de gang. Zware klootzak, vind je niet?'
'Allemaal spek en pure whisky volgens mij.'
'Dat weet ik nog zo net niet. Hij leek een hele aardige kerel die werd ingepalmd door een hoer met een vlotte babbel. Reden genoeg om je te bezuipen. Heb je opgevangen voor wie hij werkte?'
'Een of andere textielfirma in Manchester. Twillingame of Burlingame, of zoiets.'
'Nooit van gehoord,' zei de rechtse man en hij trok verbaasd zijn wenkbrauwen op. 'Hier, geef me de sleutel maar; daar is de deur.'
'We gooien hem gewoon op het bed, en verder kan hij doodvallen.'
'Denk je dat die vent voor ons de bar zal openhouden? Ik bedoel maar, terwijl wij hier onze christenplicht aan het vervullen zijn zou die rotzak de zaak kunnen dichtgooien, weet je wel.'
'Dat zou die rotzak eens moeten proberen!' riep de man die Dickie heette uit terwijl de drie gedaanten de donkere kamer binnenwankelden, waarin het bed vaag zichtbaar was bij het licht uit de gang. 'Ik heb hem twintig pond gegeven om de zaak open te houden, al was het alleen maar voor ons. Als jij denkt dat ik hier mijn ogen maar een seconde zal dichtdoen totdat ik morgen op dat vliegtuig zit, dan kun je je wel laten nakijken! Ik laat me mijn keel niet afsnijden door zo'n bruinjoekel met een of andere messiaanse boodschap, dat kan ik je wel vertellen! Schiet op, tillen!'
'Welterusten, bolletje hapsnoet,' zei de metgezel. 'En ga maar lekker de roze olifanten tellen.'

De zwaargebouwde man in het streepjespak hief zijn hoofd op van het bed en draaide zijn gezicht naar de deur. De voetstappen in de gang stierven weg; hij rolde zijn dikke gedaante onelegant om en kwam overeind. In het schemerige licht dat de kamer binnendrong van de straatlantaarns buiten het raam trok hij zijn colbertje uit, hij hing het zorgvuldig in de open klerenkast en streek de kreukels recht. Vervolgens knoopte hij zijn regimentsdas los en trok die van zijn nek. Daarna maakte hij de knoopjes los van zijn vuile overhemd dat naar whisky stonk en gooide het in een prullenmand. Hij liep de badkamer in, draaide beide kranen open en sponsde zijn bovenlijf af; met een voldaan gevoel pakte hij een fles eau de cologne en sprenkelde die royaal over zijn huid. Hij droogde zich af en liep zijn slaapkamer weer in naar een koffer op een bagagerek in de hoek. Die opende hij, zocht er een zwart zijden hemd uit en trok dat aan. Terwijl hij het dichtknoopte en onder zijn broekriem stak rond zijn dikke buik liep hij naar een raam en haalde een doosje lucifers uit zijn broekzak. Hij ontstak een lucifer, liet de vlam opkomen en beschreef drie halve cirkels voor de brede vensterruit. Hij wachtte tien tellen, liep toen naar het bureau dat in het midden tegen de linkermuur stond en ontstak een schemerlamp. Hij ging naar de deur, stelde het automatische slot buiten werking en liep terug naar het bed waar hij zorgvuldig de twee kussens onder de sprei vandaan haalde, wat opklopte en tegen het hoofdeinde propte; daarna liet hij zijn omvangrijke gestalte neer op het bed. Hij keek op zijn horloge en wachtte af.

Met het krassen aan de deur werden duidelijk drie halfronde bewegingen gemaakt op het hout als men goed luisterde. 'Kom binnen,' zei de man op het bed in het zwarte zijden hemd.

Een Arabier met een donkere huid kwam wat aarzelend binnen, duidelijk met ontzag voor zijn omgeving en voor de man in die omgeving. Zijn gewaad was schoon, zelfs splinternieuw, en zijn hoofdtooi was kraakhelder; hij vervulde een bevoorrechte zending. 'U maakte het heilige teken van de halve maan, meneer, en ik ben hier.'

'Hartelijk bedankt,' zei de Engelsman. 'Kom binnen en sluit alsjeblieft de deur.'

'Natuurlijk, *effendi.*' De man deed wat hem werd opgedragen en bleef op een afstand staan.

'Hebt u meegebracht wat ik nodig heb?'

'Jawel, meneer. Zowel de benodigdheden als de informatie.'
'De benodigdheden eerst, alsjeblieft.'
'Inderdaad.' De Arabier stak zijn hand onder zijn gewaad en haalde een groot pistool te voorschijn; het was zo groot omdat er aan de loop een cylinder met gaatjes was bevestigd; het was een geluiddemper. Met zijn andere hand haalde de bode een kleine grijze doos voor de dag; er zaten zevenentwintig patronen in. Hij liep gehoorzaam naar het bed en hield de greep van het wapen naar voren. 'Het wapen is geladen, meneer. Negen patronen. Zesendertig patronen in totaal.'
'Dank u,' zei de dikke Engelsman en hij nam het wapentuig aan. De Arabier deed onderdanig een stap achteruit. 'Nu de informatie, alstublieft.'
'Jawel, meneer. Maar eerst moet ik u zeggen dat de vrouw kort geleden vanuit haar hotel in de volgende straat naar het paleis is gereden...'
'Wát?' De Engelse zakenman ging stomverbaasd rechtop zitten op het bed, zijn dikke benen zwaaiden om en kwamen met een klap op de vloer terecht. 'Weet u dat zéker?'
'Jawel, meneer. Ze werd opgepikt door een paleisauto.'
'Wanneer?'
'Ongeveer tien tot twaalf minuten geleden. Ik werd natuurlijk direct ingelicht. Ze moet er nu zijn.'
'Maar hoe zit het met de oude mannen, de zakenlui?' De stem van de dikke man klonk zacht en gespannen, alsof hij zijn uiterste best deed zich in bedwang te houden. 'Ze heeft dus contact gelegd?'
'Jawel, meneer,' antwoordde de Arabier met trillende stem alsof hij een aframmeling verwachtte als hij ontkennend antwoordde. 'Ze heeft koffie gedronken met een importeur Hajazzi in de Dakhil, en toen ontmoette ze die veel later op de Sabat markt. Ze nam foto's, volgde iemand...'
'Wíe?'
'Dat weet ik niet, meneer. De Sabat was erg druk en ze vluchtte. Ik kon haar niet volgen.'
'Het paleis...?' fluisterde de zakenman schor en hij stond op. 'Niet te gelóven!'
'Het is waar, meneer. Mijn informatie is juist anders zou ik die niet aan zo'n hooggeplaatst iemand als u overbrengen. Werkelijk, *effendi,* ik zal Allah uit de grond van mijn hart prijzen omdat ik zo'n waarachtige discipel van de Mahdi heb ontmoet!'

De scherpe blik van de Engelsman richtte zich op de bode. 'Ja, dat hebben ze je verteld, nietwaar?' zei hij zacht.
'Ik ben gezegend met deze wetenschap, uitverkoren onder mijn broeders voor dit voorrecht.'
'Wie weet het verder nog?'
'Zowaar ik lééf, niemand, meneer! Wat u doet is een geheiligde pelgrimage die in het geheim en onzichtbaar moet worden verricht. Ik zal naar mijn graf gaan met het geheim van uw aanwezigheid in Masqat!'
'Dat lijkt me een uitstekend idee,' zei de grote, zwaar gebouwde man in het halfdonker en hij hief zijn pistool op.
De twee schoten klonken als snel opeenvolgende, gedempte kuchjes maar hun uitwerking was veel groter dan het geluid zou doen geloven. De Arabier werd aan de andere kant van het vertrek tegen de muur geslingerd en zijn smetteloze gewaad was ineens doordrenkt met bloed.

De Amerikaanse bar van het hotel was donker, op het vage licht na van fluorescentielampen onder de balie; alle andere lampen waren gedoofd. De barkeeper zat met zijn voorschoot voor ineengedoken in een hoek van zijn domein en keek nu en dan vermoeid naar de twee gedaanten die in een zithoek bij een raam aan de straatkant zaten; het uitzicht naar buiten werd gedeeltelijk afgeschermd door de neergelaten halve jaloezieën. De Engelsen waren dwazen, dacht de barkeeper. Maar hun angst was niet helemaal ongegrond – wie had er geen angst in deze krankzinnige tijd, zowel vreemdelingen als Omani's? Maar die twee zouden veiliger zijn achter de gesloten deuren van hotelkamers, onopgemerkt en onzichtbaar. ...Of was dat wel zo? peinsde de barkeeper zich bedenkend. Hijzelf had tegen de directie gezegd dat zij erop stonden te blijven waar ze waren, en de directie, die niet wist wat de vreemdelingen bij zich hadden of wie het verder nog zou kunnen weten en misschien op zoek naar hen was, had drie gewapende bewakers in de hal bij de enige ingang van de Amerikaanse bar geposteerd.
Maar toch, concludeerde de barkeeper gapend, wijs of onwijs, stom of slim, de Engelsen waren enorm vrijgevig en daarop kwam het alleen maar aan. Dat, en het zien van zijn eigen wapen dat bedekt met een handdoek onder de bar lag. Het was, ironisch genoeg, een dodelijk Israëlisch machinepistool dat hij van een gedienstige jood in de haven had gekocht. Há! Nu wa-

ren de joden écht slim. Sinds de waanzin begonnen was hadden ze half Masqat al van wapens voorzien.
'Dickie, moet je kijken!' fluisterde de meest verdraagzame van de twee Engelsen en hij duwde met zijn hand twee jaloezielatten uiteen in de raambedekking.
'Wat, Jack...?' Dickie bracht met een ruk zijn hoofd omhoog en knipperde met zijn ogen; hij had zitten doezelen.
'Is dat die bezopen landgenoot van ons daar niet?'
'Wie? Waar...? Mijn god, je hebt gelijk!'
Buiten op de verlaten, vaag verlichte straat ontstak de zwaar gebouwde man – die rechtop en opgewonden langs de trottoirrand op en neer liep terwijl hij snelle blikken om zich heen wierp – ineens een aantal lucifers, de ene na de andere. Hij leek de vlammetjes omhoog en omlaag te bewegen en smeet elke lucifer kwaad op het plaveisel voordat hij de volgende aanstak. Binnen anderhalve minuut kwam er een grote, donkere wagen met een vaart de straat inrijden; toen hij abrupt remde werden de koplampen gedoofd. Stomverbaasd keken Dickie en zijn metgezel door de jaloezielatten toe hoe de dikke man, met opvallende lenigheid en vastberadenheid om de motorkap van de auto heenliep. Toen hij bij het voorportier kwam sprong er een Arabier uit; hij droeg een hoofdtooi maar de rest van zijn kleren was westers. Direct begon de zwaargebouwde Engelsman snel te praten, waarbij hij herhaaldelijk zijn wijsvinger schudde voor het gezicht van de man die voor hem stond; de Arabier draaide zich om en rende weg. Toen zagen ze heel duidelijk dat de dikke zakenman een groot pistool uit zijn broekriem trok terwijl hij het andere voorportier opende en zich snel, met woedende bewegingen in de auto liet zakken.
'Mijn god, heb je dat gezien?' riep Dickie uit.
'Ja, hij heeft zich omgekleed.'
'Omgekleed?'
'Natuurlijk. Het licht is niet zo best maar iemand die weet waarop hij moet letten ziet nog genoeg. Het witte overhemd is verdwenen en ook het streepjespak. Hij draagt nu een donker hemd en zijn colbert en broek zijn dofzwart, ruw geweven wol, volgens mij nauwelijks geschikt voor dit klimaat.'
'Waar héb je het toch over?' riep de verbijsterde Dickie uit. 'Ik bedoelde het pistool!'
'Nou ja, jongen. Jij zit in de ferro-metalen en ik zit in de textiel.'

'Echt waar jongen, ik kan jou helemaal niet meer volgen! We zien alletwee een vetzak van zo'n honderddertig kilo die een kwartier geleden zo door het lint was dat we hem naar boven moesten dragen ineens broodnuchter op straat rondrennen, een of andere vent bevelen geven en met een pistool zwaaien terwijl hij in een auto springt die door een gek wordt bestuurd en die hij kennelijk had ontboden – en jíj ziet alleen maar zijn kleren!'
'Nou ja, iets meer natuurlijk wel, jongen. Ik heb het pistool natuurlijk ook gezien, en die zenuwachtige Arabier en die wagen – die duidelijk een maniak achter het stuur had – en omdat dat allemaal zo vreemd was vielen die kleren me zo op, snap je dat niet?'
'Ik snap er geen donder van!'
'Opvallen is misschien de verkeerde woordkeuze...'
'Probeer het dan eens met de juiste, Jack.'
'Goed, ik zal het proberen. ...Die vette klootzak was dan misschien al dan niet starnakelzat, maar hij was een dandy van het zuiverste water. Het beste lichtgewicht wollen streepjespak, een overhemd uit een dure winkel in Bond Street, de fijnste foulard die er in Harrod's te koop is en dure schoenen – echt Zuidafrikaans leer en op maat gemaakt in Italië. "Hij ziet eruit als door een ringetje te halen" dacht ik bij mezelf, en alles past precies bij dit klimaat.'
'En wat dan nog?' vroeg de geïrriteerde Dickie.
'Alleen maar dat hij daarnet op straat gekleed ging in een colbertje en een broek van hele gewone kwaliteit, die hem slecht passen en die veel te dik zijn voor dit verdomde klimaat, en zeker geen kloffie dat in een menigte zou opvallen en dat nog minder geschikt is voor een vroeg feestje of een ontbijt op Ascot. En nu ik het daar toch over heb, ik ken alle textielbedrijven in Manchester en er bestaat geen Twillingame of Burlingame of iets wat er ook maar in de verte op lijkt.'
'Je méént het!'
'Ik meen het inderdaad.'
'Dat is me nogal wat, nietwaar?'
'Ik vind ook dat we straks dat vliegtuig niet moeten nemen.'
'Mijn god, waaróm?'
'Volgens mij moeten we naar onze ambassade gaan en iemand wakker maken.'
'Wát?'

'Dickie, stel dat die vent iemand door een ringetje wil halen en aan een boomtak hangen?'

Uiterst maximale geheimhouding

Geen aftap mogelijk

Ga uw gang

Het journaal vervolgde.

Het laatste bericht klinkt verontrustend en aangezien mijn apparaten de toegangscodes van Langley nog niet hebben gebroken weet ik niet eens of er gegevens zijn achtergehouden of niet. De man heeft contact gelegd. De schaduw spreekt over een keuzemogelijkheid met veel risico dat 'onvermijdelijk' was – onvermijdelijk! – maar uiterst gevaarlijk.
Wat gaat hij nu doen en hoe gaat hij het doen? Wat is zijn werkwijze en wie zijn zijn contactpersonen? Ik moet alles precies weten! Als hij het overleeft zal ik elke bijzonderheid nodig hebben want juist die details zullen geloofwaardigheid verlenen aan elke uitzonderlijke actie en het is de actie die de man voor het oog van de natie zal brengen.
Maar zal hij het overleven of zal hij niets anders worden dan een onbekend cijfer in een geheim gehouden reeks gebeurtenissen? Mijn apparaten kunnen het me niet zeggen, ze kunnen alleen getuigen van zijn potentiële kracht die niets voorstelt als hij dood is. Dan zal al mijn werk voor niets zijn geweest.

8

De vier gevangen terroristen zaten geboeid naast elkaar, twee aan de rechterkant van het snel rijdende, heftig schokkende politiebusje, de andere twee links tegenover hen. Zoals was afgesproken zat Kendrick naast de jonge fanatiekeling met zijn woeste ogen wiens hazelip zijn uitgekrijste verklaringen moeilijk verstaanbaar maakte; Azra zat tegenover hem naast de norse, oude moordenaar die Evan eerst had uitgedaagd en toen aangevallen, de man die hij in gedachten een sergeant-voorman noemde. Bij de rammelende metalen deur van het busje stond een politieman die zich met zijn linkerhand vasthield aan een dwarsbalk in het dak in een poging zich op de been te houden. In zijn rechterhand hield hij een MAC-10 machinepistool dat door een strakke leren schouderriem op zijn plaats werd gehouden. Eén enkel verspreid salvo zou de vier levende gevangenen veranderen in bebloede, roerloze lijken, vastgenageld tegen de wanden van de zich voortspoedende wagen. Maar, zoals ook tevoren was afgesproken, aan de broekriem van de bewaker hing een sleutelring, dezelfde sleutels die de gevangenen in hun boeien hadden geslagen. Alles was een wedloop met de tijd geweest, de kostbare tijd. Minuten groeiden uit tot uren en uren brachten een nieuwe dag.

'Je bent niet goed wijs, weet je dat?'
'Dokter, er zit niets anders voor ons op! Die man is Azra – zo blauw als de hemel.'
'Fout, fout, fout! Azra heeft een sik en lange haren – we hebben hem allemaal op de televisie gezien...'
'Hij heeft zijn sik afgeschoren en zijn haren geknipt.'
'Ik vraag het u. Bent u Amal Bahrudi?'
'Die ben ik nu.'
'Nee, dat bent u niet! Evenmin als hij Azra is! Die man werd hier vijf uur geleden binnengebracht uit een bazaar in de Waljat. Hij is een dronken imbeciel, een pochende clown, niets anders. Het zwijn dat bij hem was sneed zijn eigen keel af met het mes van een agent!'
'Ik ben er bij geweest, Faisal. Hij is Azra, de broer van Zaya Yateem.'
'Omdat hij u dat vertelt?'
'Nee. Omdat ik met hem heb gesproken, naar hem heb geluisterd. Zijn heilige oorlog gaat niet voor of tegen Allah, Abraham of Christus. Het gaat erom dat hij hier op deze aarde in leven blijft.'
'Waanzin! Niets dan waanzin om ons heen!'
'Wat zei Ahmed?'
'Dat ik moest doen wat u zei, maar u moet wachten tot zijn speciale politiemensen hier zijn. Dat zijn twee mannen die hij volkomen vertrouwt – volgens uw instructies als ik me niet vergis.'

'Jut en Jul? De twee uniformen die me hebben vergezeld van de bazaar naar de Al Kabir?'
'Ze zijn echt speciaal. De ene zal de politiewagen besturen, de andere zal zich voordoen als bewaker.'
'Een goed plan. Ik speel echt volgens het scenario van Ahmed, is het niet?'
'Dat is niet eerlijk, meneer Kendrick.'
'Hij kan er anders zelf ook wat van. Hier zijn de andere twee gevangenen die ik overgebracht wil zien, in de wagen met Azra en mij.'
'Waarom? Wie zijn ze?'
'De ene is een getikte die zijn eigen vuurpeloton zou uitvloeken, maar de andere... de andere is de sik van Azra. Hij doet alles wat die hemelsblauwe Azra hem zegt. Als u die twee weghaalt is er niemand die het stel bijeen kan houden.'
'Nu zegt u dingen die ik niet begrijp.'
'De rest kan worden gebroken, dokter. Ze weten eigenlijk niet veel, maar ze zijn te breken. Ik stel voor dat u ze in groepjes van drie of vier weghaalt, ze in kleinere cellen stopt en dan wat geweren afschiet in de achtermuur van dit complex. Misschien vindt u wel een paar fanatici die niet zo dol zijn zelf voor het peloton te komen.'
'Nu laat u uw ware strepen zien, sjaikh Kendrick. U begeeft zich in een wereld die u helemaal niet kent.'
'Ik zal het wel leren, dokter. Daarom ben ik hier.'

Het teken werd gegeven! De bewaker bij de deur van de wagen zette zich schrap en liet even zijn linkerhand los; hij zwaaide ermee om de bloedcirculatie weer op gang te brengen en greep direct de dwarsbalk weer vast. Over minder dan een minuut zou hij dat gebaar herhalen en dat zou het moment zijn voor Evan om in actie te komen. Het draaiboek was vlug in elkaar gezet in het laboratorium van het complex; de aanval moest snel en ongecompliceerd verlopen. De reactie van de bewaker was de sleutel voor het succes. Tweeëntwintig seconden later liet de bewaker zijn hand met een vermoeid gebaar zakken.
Kendrick sprong van zijn bank op en zijn lijf was een compact projectiel dat zich in de bewaker boorde wiens hoofd met zo'n kracht tegen de deur smakte dat de plotselinge hysterische uitdrukking van de man direct van zijn gezicht verdween toen hij bewusteloos ineenzakte.

'Snél!' commandeerde Evan en hij wendde zich tot Azra. 'Help me! Pak zijn sleutels!'
De Palestijn sprong naar voren, gevolgd door de sergeant-voorman, met z'n tweeën trokken ze met hun geboeide handen het MAC-10 machinepistool uit de weg en rukten de sleutels van de riem van de bewaker.
'Ik zal hem meteen vermoorden!' schreeuwde de dweper met de hazelip, terwijl hij het wapen greep en naar voren wankelde in de schokkende wagen, het wapen op het hoofd van de bewaker gericht.
'Hou hem tégen!' beval Azra.
'Dwáás!' bulderde de sergeant-voorman en hij wrong het wapen uit de handen van de jonge fanaticus. 'De chauffeur zal de schoten horen!'
'Hij is onze heilige vijand!'
'Hij is onze heilige manier om hier weg te komen, ellendige idioot die je bent!' zei Azra terwijl hij Evans boeien losmaakte en Evan de sleutel gaf om hetzelfde voor hem te doen. Dat deed het congreslid uit Colorado en hij keerde zich vervolgens naar de uitgestoken polsen van de sergeant-voorman.
'Mijn naam is Yosef,' zei de oudere man. 'Het is een Hebreeuwse naam want mijn moeder was een Hebreeuwse, maar wij maken geen deel uit van de joden in Israël – en jij bent een dapper man, Amal Bahrudi.'
'Ik hou niet van vuurpelotons in de woestijn,' zei Kendrick; hij gooide de boeien op de vloer en keerde zich naar de jonge terrorist die de bewusteloze bewaker had willen doden. 'Ik weet nog niet of ik jou eigenlijk wel moet vrijlaten.'
'Waaróm?' schreeuwde de jongen. 'Omdat ik zal doden voor onze heilige oorlog, wil stérven voor onze zaak?'
'Nee, jongeman, omdat je ons zou kunnen doden en wij zijn waardevoller dan jij.'
'Amal!' riep Azra uit en hij greep Evan bij de arm, niet zozeer om zich in evenwicht te houden als wel om Kendricks aandacht te trekken. 'Ik ben het met je eens dat hij een idioot is, maar er zijn omstandigheden. Kolonisten van de Westoever hebben het huis van zijn familie opgeblazen en de kledingzaak van zijn vader. Zijn vader kwam om bij die ontploffing en Israëls Beheerscommissie heeft beide eigendommen voor zo goed als niets verkocht aan nieuwe kolonisten.' *Blauw* ging zachter spreken en fluisterde in Kendricks oor: 'Hij is echt een beetje

geschift, maar wij zijn de enigen die nog wat voor hem betekenen. Yosef en ik zullen hem wel in bedwang houden. Laat hem vrij.'
'Op jouw verantwoording, poëet,' antwoordde Evan nors terwijl hij de boeien van de jonge terrorist losmaakte.
'Waarom zeg je een vuurpeloton in de woestijn?' vroeg Yosef.
'Omdat de weg onder ons half uit zand bestaat, kun je dat niet voelen?' vroeg Kendrick, omdat hij wist welke weg ze namen. 'We verdwijnen gewoon en worden in de woestijn verbrand of begraven.'
'Waarom wij?' hield de oudere terrorist aan.
'Ik weet het van mezelf beter dan van jou: ze weten niet wat ze met me moeten doen dus waarom zouden ze me niet gewoon vermoorden? Als ik gevaarlijk of invloedrijk ben zullen zowel het gevaar als de invloed mét mij verdwijnen.' Evan zweeg even en knikte toen. 'Nu ik eraan denk,' voegde hij eraan toe, 'is dat waarschijnlijk ook de verklaring voor Yosef en de jongen; ze waren daarginds de gevangenen met de grootste bek en hun stemmen werden waarschijnlijk herkend – beiden zijn ze gemakkelijk herkenbaar.'
'En ik?' vroeg Azra en hij staarde Kendrick aan.
'Volgens mij kun jij die vraag zonder mijn hulp beantwoorden,' antwoordde Kendrick en hij sloeg zijn blik waaruit iets van minachting sprak niet neer voor de Palestijn. 'Ik probeerde bij je weg te komen toen ze me kwamen halen bij de toiletten, maar je was te langzaam.'
'Je bedoelt dat ze ons samen hebben gezien?'
'De student krijgt een mager zesje. Niet alleen samen maar bij alle anderen in de buurt. Het was jouw conferentie, dure jongen.'
'We gaan langzamer rijden!' riep Yosef uit toen de wagen wat afremde en ze een dalende bocht begonnen te nemen.
'We moeten eruit zien te komen,' zei Evan. 'Nú! Als hij een vallei inrijdt zullen er soldaten zijn. Vlúg! We moeten op de hoge grond zien te blijven. Dat hebben we nodig; we zullen hier nooit meer omhoog kunnen klimmen.'
'De deur!' riep Azra. 'Die moet aan de buitenkant met een hangslot zijn afgesloten.'
'Ik heb geen idee,' loog Kendrick en hij volgde het scenario dat snel in elkaar was gezet in het laboratorium van het complex. Er waren een paar klinknagels weggehaald en losgewrikt

in twee panelen. 'Ik ben hier nog nooit gevangen genomen. Maar dat geeft niks. Het is een plaatijzeren deur met naden. Als we met z'n vieren tegelijk duwen kunnen we er gemakkelijk een paneel uitslaan. Het midden. Daar is ze het zwakst.'
Evan greep de jongen met de hazelip bij de schouder en trok hem naar links. 'Goed dan, wildebras. Raak die deur alsof je op de Klaagmuur ramt. Met z'n vieren tegelijk. Nú!'
'Wácht!' Azra liep wankelend door de wagen. 'Het wapen!' riep hij uit, terwijl hij het MAC-10 machinepistool oppakte en de riem over zijn schouder trok zodat de loop omlaag was gericht. 'Ik ben klaar,' zei hij en hij voegde zich weer bij de anderen.
'Rámmen!' schreeuwde Kendrick.
De vier gevangenen beukten tegen het middenpaneel van de deur terwijl het busje over rotsblokken hotste in de dalende bocht. Het metaal gaf wat mee, het ging bol staan bij de naden en het maanlicht was zichtbaar door de brede spleten.
'Nóg eens!' brulde Yosef met vlammende ogen.
'Dénk eraan!' beval de man die nu geaccepteerd was als Amal Bahrudi. 'Als we die deur open hebben trek je je knieën in voordat je op de grond komt. We zitten niet te wachten op gewonden.'
Opnieuw bestormden ze het half kapotte paneel. De onderste klinknagels knapten af; het metaal vloog naar buiten in het maanlicht en de vier gedaanten sprongen op de kronkelende weg die naar een vallei in de woestijn voerde. In het busje liet de bewaker zich naar voren rollen nu het voertuig daalde met een gezicht dat droop van het zweet bij de gedachte aan zijn eigen dood. Hij kroop op zijn knieën en bonsde een paar keer op de wand van de bestuurderscabine. Een enkele bons gaf hem antwoord. Hun opdracht voor die nacht was half volbracht.
De vluchtelingen rolden ook, maar tegen de helling op. Hun beweging hield ineens op en werd omgekeerd door de zwaartekracht zodat ze uit alle macht probeerden in evenwicht te blijven. Azra en Yosef stonden het eerst overeind; ze bewogen hun nek heen en weer en schudden hun hoofd waarbij ze instinctmatig controleerden of ze ergens builen of iets ergers hadden. Kendrick was de volgende; zijn schouder stond in brand, zijn benen voelden verkrampt aan en zijn handen waren geschaafd, maar over het algemeen was hij dankbaar voor het

harde werk van met een rugzak door de bergen trekken en voor het wilde water; hij voelde overal pijn maar hij was niet gewond. De Palestijn met de hazelip was er het slechtst vanaf gekomen; hij lag kreunend op de rotsachtige grond waarop hier en daar wat gras groeide langs de weg, en hij kronkelde van vertwijfelde woede omdat hij niet omhoog kon komen. Yosef rende naar hem toe en terwijl Evan en Azra de vallei beneden hen bekeken, deed de norse oudere man zijn uitspraak.
'Dit kind heeft zijn been gebroken,' riep hij naar zijn meerderen.
'Dóód me dan nu!' schreeuwde de jongeman. 'Ik ga naar Allah en jullie zetten de strijd voort!'
'Och, hou je kop,' zei Azra; hij omklemde met zijn hand het MAC-10 wapen en liep met Kendrick naar de gewonde jongen. 'Die dwang van jou om te sterven wordt vervelend en straks worden we nog afgemaakt door die doordringende stem van je. Scheur zijn hemd aan repen, Yosef. Bind hem aan handen en voeten en leg hem langs de weg. Die wagen zal als de sodemieter terugrazen zo gauw ze beneden in het kamp zijn en die idioten beseffen wat er gebeurd is. Ze vinden hem wel.'
'Jij wilt mij overleveren aan mijn víjanden?' schreeuwde de tiener.
'Hou je mond!' antwoordde Azra kwaad terwijl hij het machinepistool over zijn schouder hing. 'We leveren je over aan een ziekenhuis waar men voor je zal zorgen. Kinderen worden niet geëxecuteerd, alleen door bommen en projectielen – maar al te vaak, maar dat heeft hiermee niets te maken.'
'Ik zal níets verraden!'
'Je weet ook niks,' zei de man die Blauw werd genoemd. 'Bind hem vast, Yosef. Zorg dat het been zo gemakkelijk mogelijk ligt.' Azra boog zich over de jongen heen. 'Er zijn veel betere manieren om te vechten dan nodeloos dood te gaan. Laat de vijand je maar genezen zodat je verder kunt strijden. Zorg dat je bij ons terugkomt, mijn koppige vrijheidsstrijder. We hebben je nodig. Yosef, schiet óp!'
Terwijl de oudere terrorist zijn opdracht uitvoerde liepen Azra en Kendrick terug naar de uit de rotsen gehakte weg. Ver beneden hen begon het witte zand dat zich eindeloos uitstrekte in het maanlicht, een enorme vloer van albast, overkoepeld door de donkere hemel erboven. In de verte, afwijkend van de kleur van de witte deken, was een kleine vlek flakkerend

geel zichtbaar. Het was een vuur in de woestijn, het ontmoetingspunt dat zo van belang was voor de 'ontsnapping'. Het was te ver weg om de gedaanten duidelijk te kunnen zien, maar ze waren er wel en men kon met recht aannemen dat het Omaanse soldaten of politiemensen waren. Maar ze waren niet de beulen waarvoor Amal Bahrudi's metgezellen hen hielden.

'Jij kent het terrein veel beter dan ik,' zei Evan in het Engels. 'Hoe ver schat je dat het kamp is?'

'Tien kilometer, misschien twaalf, maar niet meer. De weg loopt beneden rechter; ze zullen zo hier zijn.'

'Laten we dan maken dat we wegkomen.' Kendrick draaide zich om en keek naar Yosef die de gewonde tiener naar de weg droeg. Hij begon op hen af te lopen.

Maar Azra hield hem tegen. 'Waar, Amal Bahrudi?' riep hij. 'Waar moeten we heen?'

Evan draaide met een ruk zijn hoofd om. 'Wáár?' herhaalde hij minachtend. 'Om te beginnen hier weg. Het zal gauw licht zijn, en als ik weet waarover ik praat, en dat doe ik, zullen er een dozijn helikopters op lage hoogte de hele omtrek afzoeken naar ons. In de stad kunnen we onderduiken, hier niet.'

'Wat doen we dán? Waar gaan we heen?'

Kendrick kon het niet duidelijk zien in het maanlicht, maar hij voelde de brandende vragende blik op zich gericht. Hij werd op de proef gesteld. 'We sturen een bericht naar de ambassade. Naar je zus Yateem of naar de man die Ahbyahd wordt genoemd. Stop de foto's en dood degenen die erbij zijn betrokken.'

'Hoe doen we dat? Hoe krijgen we een bericht in de ambassade? Hebben jouw mensen je dat soms ook verteld, Amal Bahrudi?'

Evan was erop voorbereid; het was de onvermijdelijke vraag. 'Eerlijk gezegd waren ze er niet zeker van hoe de verbindingen liepen en ze namen aan dat die dagelijks zouden veranderen als maar één van jullie z'n kop erbij hield. Ik moest een briefje doorgeven via de poort wat gericht was aan jullie operationele raad om me door te laten – via de pijplijn, waar die op dat moment ook zou zijn.'

'Vele van die briefjes zouden kunnen worden doorgegeven als een valstrik. Waarom zou dat van jou worden aangenomen?'

Kendrick zweeg even; toen hij antwoord gaf klonk zijn stem

zacht en rustig en betekenisvol. 'Omdat het getekend was door de Mahdi.'
Azra's ogen sperden zich open. Hij knikte langzaam en stak zijn hand uit. 'Geef hier,' zei hij.
'De envelop was verzegeld met was en mocht niet worden opengemaakt. Het was een belediging die ik moeilijk kon slikken, maar zelfs ík volg de bevelen op van de mensen die de porto betalen, als je begrijpt wat ik bedoel.'
'Degenen die ons het geld geven om dat te doen wat we doen...'
'Als er een code was die aangaf dat het authentiek was, moest een van jullie raad die kennen, of jullie allemaal, en niet ik.'
'Geef me het briefje,' zei Azra.
'Idióót!' schreeuwde het congreslid uit het Negende district van Colorado geïrriteerd. 'Toen ik door de politie in het nauw werd gedreven heb ik het aan flarden gescheurd en over de hele Al Kabir verstrooid! Zou jij het soms anders hebben gedaan?'
De Palestijn bleef roerloos staan. 'Nee, duidelijk niet,' antwoordde hij. 'We hebben het trouwens niet nodig. Ik zorg wel dat wij in de ambassade komen. De pijplijn waarover je het hebt zit goed in elkaar, zowel binnen als buiten.'
'Ze zit zo goed in elkaar dat er films naar buiten worden gesmokkeld onder de ogen van jullie bewakers die het zo goed weten. Stuur een bericht naar je zuster. Verander de bewakers, tot de laatste man, en begin onmiddellijk naar de camera te zoeken. Wanneer die gevonden wordt, dood dan de eigenaar en iedereen die met hem bevriend lijkt. Maak ze allemaal af.'
'Op zo'n oppervlakkig bewijs?' protesteerde Azra. 'We riskeren dat we onschuldige levens vernietigen, waardevolle strijders.'
'Laten we niet zo schijnheilig doen,' lachte Amal Bahrudi. 'Met de vijand hebben we zulke scrupules niet. We doden geen "waardevolle strijders", we vermoorden onschuldige mensen, en terecht, om de wereld te dwingen te luisteren, een wereld die blind en doof is voor onze strijd, om in leven te blijven.'
'Wel Allah Almachtig, nu ben jij degene die blind en doof is!' snauwde Azra. 'Jij gelooft de Westerse pers; er is geen twijfel over mogelijk! Van de elf lijken waren er vier al dood, waaronder ook de twee vrouwen – de ene door zelfmoord omdat ze zo doodsbenauwd was voor verkrachting, *Arabische* verkrachting; de andere, een veel sterkere vrouw, zo iemand als de marinier die Nassir aanviel, wierp zich op een jonge imbe-

ciel die als enige reactie had dat hij zijn wapen afschoot. De twee mannen waren oud en zwak en stierven aan een hartstilstand. Het zijn voor ons wel geen onschuldige doden, maar er werden geen wapens op hen gericht. Dat werd allemaal uitgelegd door Zaya en niemand geloofde ons. Ze zullen ons nooit geloven!'

'Niet dat het er iets toe doet, maar hoe zit het met de anderen? Zeven, geloof ik.'

'Door onze raad veroordeeld, en terecht. Inlichtingenmensen die netwerken tegen ons opzetten in de hele Golf en rond de Middellandse Zee; leden van de beruchte Consulaire Operaties – zelfs twee *Arabieren* –, die hun zielen verkocht hadden om ons naar de vergetelheid te sturen, betaald door de zionisten en hun Amerikaanse marionetten. Zij verdienden de dood want ze zouden ons allen de dood injagen, maar niet voordat wij onteerd waren, tot karikaturen gemaakt van het kwaad terwijl er geen enkel kwaad in ons steekt – alleen de wens in ons eigen land te leven...'

'Dat is wel genóeg, poëet,' viel Kendrick hem in de rede, terwijl hij naar Yosef keek en naar de jonge terrorist die verlangde naar de armen van Allah. 'Er is geen tijd voor die preken van jou, we moeten hier weg zien te komen.'

'Naar de ambassade,' stemde Azra in. 'Via de pijplijn.'

Kendrick liep terug naar de Palestijn en kwam langzaam op hem af. 'Naar de ambassade, ja,' zei hij. 'Maar niet via de pijplijn, alleen maar tot aan de poort. Daar zul jij de boodschap doorgeven aan je zuster waarin je haar alles haarfijn vertelt. Met die opdracht is mijn werk hier ten einde en dat van jou ook – voor jou in elk geval voor een dag of twee.'

'Waar heb je het over?' vroeg de stomverbaasde Blauw.

'Mijn opdracht luidt dat ik één van jullie zo spoedig mogelijk naar Bahrein moet brengen. Het zal maar voor kort zijn, maar het is dringend.'

'Bahrein?'

'Naar de Mahdi. Hij heeft nieuwe opdrachten voor jullie, opdrachten die hij aan niemand anders wil toevertrouwen dan aan een lid van de raad.'

'Het vliegveld staat onder bewaking,' zei Azra met vaste stem. 'Er wordt gepatrouilleerd door bewakers met honden; niemand kan er in of uit komen zonder eerst ondervraagd te worden. We zouden het nooit halen. Met de haven is het hetzelfde. El-

ke boot wordt aangehouden en onderzocht of uit het water geschoten als ze niet gehoorzaamt.'
'Niets van dat alles heeft jullie mensen weerhouden vrij door de pijplijn te komen en te gaan. De gevolgen heb ik in Berlijn gezien.'
'Maar je zei "dringend", en de pijplijn is een proces dat vierentwintig tot achtenveertig uur kan duren.'
'Waarom zo lang?'
'We reizen alleen 's nachts naar het zuiden en in de uniformen van de grensgarnizoenen met Jemen. Als we worden aangehouden patrouilleren we langs de kustlijn. Dan vinden we op een afgesproken punt de snelle diepwater-boten... die natuurlijk door Bahrein worden geleverd.'
'Natuurlijk.' *Hij had gelijk gehad, bedacht Evan. De zuidkust tot aan Ra's al Hadd en verder tot de Straat van Masirah was een open gebied, een woeste wildernis van met rotsblokken bezaaide kusten en ongastvrij binnenland, een gave uit de hemel voor dieven en smokkelaars en vooral voor terroristen. En wat beschermt hen beter dan de uniformen van de grensgarnizoenen, die soldaten die worden uitgekozen zowel op hun trouw en vooral op hun wreedheid die even groot was of groter dan die van de internationale desperado's die asiel kregen in Jemen?* 'Dat is heel goed,' vervolgde Amal Bahrudi en uit zijn stem klonk de beroepsman. 'Hoe hebben jullie in Allah's naam die uniformen te pakken gekregen? Ik heb begrepen dat ze ongewoon zijn; van lichtere kleur, andere epauletten, laarzen die zowel goed zijn voor het woestijnzand als voor het water...'
'Ik heb ze laten maken,' viel Azra hem in de rede, zijn blik op de vallei onder hen gericht. 'In Bahrein, natuurlijk. Elk uniform is geregistreerd en wordt achter slot en grendel bewaard zolang het niet wordt gebruikt. Je hebt gelijk, we moeten zien hier weg te komen. Die wagen zal in minder dan twee minuten in het kamp zijn. We zullen onderweg wel praten. Kom mee!'
Yosef had de gebonden, gewonde jonge terrorist dwars over de weg gelegd, hem gekalmeerd en hem duidelijke instructies gegeven. Azra en Kendrick kwamen dichterbij; Evan sprak: 'We zullen harder opschieten hier op de weg. We zullen erop blijven tot we de koplampen uit de vallei omhoog zien komen. Schiet óp!'
Nog een paar laatste aanmoedigende woorden werden gespro-

ken tot hun gevallen collega en toen begonnen de drie vluchtelingen tegen de bochtige helling op te lopen naar de vlakke grond zo'n honderd meter boven hen. Het terrein bestond uit een combinatie van droge, lage bosjes die de voornamelijk dorre grond bedekten, en korte, knoestige bomen die groeiden op het nachtelijke vocht dat vanaf de zee het binnenland werd ingeblazen en die dan overdag weer in hun groei werden gestuit door de windloze, verschroeiende hitte van de zon. Voor zover ze konden kijken in het vage maanlicht strekte de weg zich recht uit. Zwaar hijgend, met een moeizaam zwoegende omvangrijke borst zei Yosef: 'Drie of vier kilometer naar het noorden staan meer bomen, grotere ook, met veel meer gebladerte waarin we ons kunnen verbergen.'
'Jij weet dat?' vroeg Kendrick onaangenaam verrast, want hij meende dat hij de enige was die wist waar ze waren.

'Niet precies deze weg misschien, al zijn er maar een paar,' antwoordde de botte, oudere terrorist, 'maar ze zijn allemaal hetzelfde. Vanaf de woestijn in de richting van de Golf verandert de grond. Alles is groener en er zijn kleine heuvels. Ineens ben je in Masqat. Het gaat snel.'
'Yosef maakte deel uit van een verkenningsploeg onder commando van Ahbyahd,' legde Azra uit. 'Ze kwamen vijf dagen voordat we de ambassade veroverden hierheen.'
'Ik snap het. Ik snap ook dat het hele Zwarte Woud ons nog niet zou kunnen helpen wanneer het licht wordt, en Oman is het Zwarte Woud niet. Het terrein zal centimeter voor centimeter worden afgekamd door soldaten en politie en helikopters. We kunnen ons alleen maar in Masqat verstoppen.' Evan richtte zijn volgende woorden tot de man die Blauw werd genoemd. 'Jij hebt toch zeker wel contacten in de stad?'
'Vele.'
'Wat wil dat zeggen?'
'Tussen de tien en de twintig, een paar hooggeplaatste. Die kunnen natuurlijk vrij in en uit vliegen.'
'Roep hen samen in Masqat en breng me naar hen toe. Ik zal er eentje uitkiezen.'
'Jij gaat er eentje uitkiezen...'
'Ik heb er maar eentje nodig, maar het moet wel de juiste zijn. Hij moet een boodschap voor me overbrengen en dan heb ik jullie binnen drie uur in Bahrein.'

'Bij de Mahdi?'
'Ja.'
'Maar je zei – je impliceerde – dat je niet weet wie het is.'
'Dat weet ik ook niet.'
'Maar je weet wel hoe je hem moet bereiken?'
'Nee,' antwoordde Kendrick, en hij voelde ineens een holle pijn in zijn borst. 'Weer zo'n belediging, maar gemakkelijker te begrijpen. Mijn werk ligt in Europa, niet hier. Ik heb gewoon aangenomen dat jij wist waar je hem in Bahrein moest vinden.'
'Misschien stond dat in het briefje dat je verscheurd hebt in de Al Kabir, een code...'
'Er zijn altijd wel noodvoorzieningen!' viel Evan hem grof in de rede en hij probeerde zijn onrust te onderdrukken.
'Ja, die zijn er,' zei Azra peinzend. 'Maar er zijn er geen waarbij de Mahdi rechtstreeks is betrokken. Zoals je moet weten wordt zijn naam maar aan een paar mensen toegefluisterd.'
'Ik weet het níet. Dat heb ik je gezegd, ik opereer niet in dit deel van de wereld – en daarom werd ik uitgekozen... dat is duidelijk.'
'Ja, vanzelfsprekend,' stemde Blauw in. 'Jij bent ver van je basis, de onverwachte bode.'
'Ik geloof er niks van!' viel Kendrick uit. 'Jullie krijgen instructies – ongetwijfeld dagelijks, of niet soms?'
'Dat krijgen we.' Azra keek Yosef even aan. 'Maar net als jij ben ik een bode.'
'Wát?'
'Ik ben lid van de raad, en jong en sterk, en geen vrouw. Maar ik ben toch niet de leider; daarvoor ben ik te jong. Nassir, mijn zus Zaya en Ahbyahd; zij werden tot leiders van de raad benoemd. Tot de dood van Nassir hadden die drie samen de verantwoordelijkheid voor de operatie. Wanneer er verzegelde instructies kwamen gaf ik die af maar ik verbrak de zegels niet. Alleen Zaya en Ahbyahd weten hoe we de Mahdi moeten bereiken – niet persoonlijk natuurlijk, maar via een reeks contacten die naar hem voeren, die hem berichten overbrengen.'
'Kun je via de radio in contact komen met je zuster – via een veilige frequentie of misschien een beveiligde telefoon? Ze zou jou de informatie wel geven.'
'Onmogelijk. De afluisterapparatuur van de vijand is te goed. We zeggen via de radio en de telefoon niets wat we niet in het

openbaar zouden zeggen; we moeten aannemen dat dat op hetzelfde neerkomt.'
'Jouw mensen in Masqat!' vervolgde Evan vlug en met nadruk; hij voelde de zweetdruppels op zijn hoofdhuid. 'Zou er een van hen naar binnen kunnen gaan en de informatie meebrengen?'
'Informatie aangaande Mahdi, hoe indirect dan ook?' vroeg Azra. 'Ze zou degene die ernaar vroeg laten neerknallen.'
'Maar we móeten die hebben! Ik moet jou naar Bahrein brengen – naar hem – niet later dan vanavond, en ik ga onze bronnen van operationele fondsen in Europa niet riskeren omdat ik verantwoordelijk word gehouden voor een mislukking hier die de mijne niet is!'
'Er is maar één oplossing,' zei Azra. 'Die waarover ik het al had. We gaan naar de ambassade, ín de ambassade.'
'Er is geen tijd voor dat soort complicaties,' hield Kendrick vertwijfeld vol, doodsbang om ontdekt te worden. 'Ik ken Bahrein. Ik kies daar wel een locatie en dan bellen we een van jouw mensen hier en vragen je zuster in de ambassade bericht te sturen. Zij of Ahbyahd zullen wel een manier vinden om een van de contacten van de Mahdi te bereiken. Er mag natuurlijk over geen van ons beiden iets worden gezegd – we zullen hun laten zeggen dat er een noodsituatie is ontstaan. Dat ís het, een nóódsituatie; ze zullen wel weten wat dat betekent! Ik zal de ontmoetingsplaats wel vaststellen. Een straat, een moskee, een deel van de kaden of de rand van het vliegveld. Iemand zal er wel komen. Iemand móet er komen!'
De jonge gespierde terrorist zweeg opnieuw terwijl hij het gezicht bekeek van de man van wie hij meende dat hij zijn tegenhanger in het verre Europa was. 'Ik vraag je, Bahrudi,' zei hij na bijna tien tellen. 'Zou jij zelf zo vrijelijk omgaan, zo ongedisciplineerd, met je financiële hulpbronnen in Berlijn? Zou Moskou, of de Bulgaarse banken in Sofia, of het onbekende geld in Zagreb zulke onzekere communicaties toestaan?'
'In een noodsituatie zouden ze het begrijpen.'
'Als jij zo'n noodsituatie maar zou laten ontstaan zouden ze je keel afsnijden met een scheermes en iemand anders in jouw plaats nemen!'
'Neem jij jouw hulpbronnen maar voor je rekening, dan doe ik dat met de mijne, meneer Blauw.'
'Ik zal inderdaad de mijne voor mijn rekening nemen. Hier en

nu. We gaan naar de ambassade!'
De wind van de Golf van Oman woei over het korte gras en de knoestige dwergboompjes, maar ze kon niet verhinderen dat het geluid van een aanhoudende tweetonige sirene er bovenuit klonk en snel naderbij kwam vanuit de woestijnvallei. *Het was het signaal.* Verberg je. Kendrick verwachtte het.
'Rénnen!' brulde Yosef en hij greep Azra bij de schouder en duwde zijn meerdere de weg op. 'Rennen, broeders, zoals je nog nooit van je leven hebt gerend!'
'De ambassade!' riep de man die Blauw werd genoemd uit. 'Voordat het licht wordt!'
Voor Evan Kendrick, congreslid uit het Negende district van Colorado, stond de nachtmerrie die hem de rest van zijn leven zou bijblijven op het punt te beginnen.

9

Khalehla schrok. Haar ogen werden plotseling aangetrokken door de achteruitkijkspiegel – een lichtvlekje, een beeld van zwart op nog donkerder zwart, íets was er. En toen zag ze het. Ver op de heuvel boven Masqat reed een auto achter haar aan! Er waren geen koplampen, alleen maar een donkere, bewegende schaduw in de verte. Hij nam een bocht in de verlaten weg die leidde naar de kronkelende afdaling naar de vallei – naar het begin van de woestijn van Jabal Sjam waar de 'ontsnapping' moest plaatsvinden. Er was maar één toegang tot en één weg uit de vallei en haar plan was uit het zicht de weg af te rijden en Evan Kendrick en zijn medevluchtelingen te voet te volgen zodra ze uit het busje waren ontsnapt. Dat plan kon ze nu wel vergeten.
O, mijn god, ik mag niet worden gesnapt! Ze zullen elke gegijzelde in de ambassade vermoorden! Wat heb ik gedaan? Wég! Ik moet verdwijnen!
Khalehla rukte aan het stuurwiel; de krachtige wagen beschreef een bocht op de zachte, zanderige ondergrond, sprong over diepe sporen in de primitieve weg en reed de tegengestelde richting in. Ze stampte haar voet op het gaspedaal tot helemaal op de plank en binnen enkele tellen passeerde ze met volle koplampen de grote auto die nu met een vaart op haar afkwam. Een gedaante naast de verbaasde chauffeur probeerde omlaag

te duiken en zijn gezicht en lichaam te verbergen, maar dat ging niet meer.
En Khalehla kon haar ogen niet gelóven!
Maar er bestond geen twijfel. In een korte, heldere lichtflits zag ze alles voor zich, klopte het zo precies, zo perfect – zo onmiskenbaar perfect. Tóny! Die onhandige, stuntelige warrige Anthony MacDonald. Het zwarte schaap van de onderneming die zeker was van zijn positie omdat de onderneming eigendom was van zijn schoonvader, maar die toch maar naar Caïro was gestuurd omdat hij daar het minste kwaad kon doen. Een afgevaardigde zonder portefeuille, op het gastheer spelen na bij dure diners waarop hij en zijn al even onbenullige en saaie vrouw altijd dronken raakten. Het leek alsof er een memo van het bedrijf op hun voorhoofden was getatoeëerd: *Niet toegelaten in Engeland, behalve voor verplichte familiebegrafenissen. Retourbiljetten vereist.* Wat was dat volmaakt ingenieus! De veel te dikke, veel te inschikkelijke losbol in zijn deftige maatpakken die zijn excessen niet verborgen kon houden. De Rode Pimpernel had geen betere dekmantel kunnen verzinnen en een dekmantel wás het, daarvan was Khalehla overtuigd. Door er een voor zichzelf op te bouwen had ze een meester gedwongen de zijne bloot te geven.
Ze probeerde terug te denken, te reconstrueren hoe hij haar in zijn macht had kunnen krijgen, maar de stappen waren vaag omdat ze er op dat moment niet aan had gedacht. Ze had geen enkele reden eraan te twijfelen dat Tony MacDonald, die alcoholische nul, radeloos was bij de gedachte dat hij alleen naar Masqat moest reizen zonder iemand bij zich die de stad kende. Hij had bij verschillende gelegenheden geklaagd dat zijn firma klanten had in Masqat en dat er van hem werd verwacht dat hij hen bezocht ondanks de verschrikkelijke dingen die daar gebeurden. Ze had – bij verschillende gelegenheden – troostende woorden gesproken dat het in de grond genomen een probleem was dat Amerika en Israël aanging, en niet Engeland zodat hem niets kon gebeuren. Het was alsof hij verwachtte dat zij daarheen zou worden gestuurd en toen de opdracht kwam had ze zich zijn vrees herinnerd en hem gebeld, in de mening dat hij haar volmaakte escorte naar Oman was. O ja, helemaal volmaakt!
Mijn god, wat een netwerk moest hij hebben! dacht ze. Iets meer dan een uur geleden kon hij zogenaamd geen stap meer

verzetten zo dronken was hij, en nu reed hij om vijf uur 's morgens in een grote auto zonder lichten achter haar aan. Eén conclusie was onvermijdelijk: hij had haar dag en nacht laten volgen en dat wilde zeggen dat zijn informanten haar connectie met de sultan van Oman hadden ontdekt. Maar voor wíe speelde die duivels handige MacDonald zijn spelletje, een dekmantel die hem toegang had verschaft tot een efficiënt Omaans netwerk van informanten en chauffeurs van snelle auto's op elk moment van de dag en de nacht in dit belegerde land waarin elke vreemdeling onder een microscoop werd gelegd? Aan welke kant stond hij en als het de verkeerde kant was, voor hoeveel jaar had dan die alomtegenwoordige Tony MacDonald zijn moordzuchtige spelletjes gespeeld?
Wie zat er achter hem? Had het bezoek aan Oman van die tegenstrijdige Engelsman iets te maken met Evan Kendrick? Ahmed had behoedzaam en in abstracte zin gesproken over het geheime doel van het Amerikaanse congreslid in Masqat, maar hij wilde er niets anders verder over zeggen dan dat er geen enkele theorie over het hoofd mocht worden gezien, hoe onwaarschijnlijk die ook leek. Hij had alleen laten weten dat de vroegere bouwtechnicus uit Zuidwest-Azië geloofde dat de bloedige bezetting van de ambassade misschien wel kon worden teruggevoerd naar een man en naar een industriële samenzwering waarvan het begin vijf jaar geleden in Saudi-Arabië werd ontdekt – ontdekt, niet bewezen. Het was veel meer dan ze van haar eigen mensen te horen had gekregen. Maar een succesvolle, intelligente Amerikaan zou het niet riskeren tussen terroristen onder te duiken zonder uitgesproken overtuigingen. Voor Ahmed, sultan van Oman en vurig aanhanger van de New England Patriots, was dat genoeg. Washington kon hem niet erkennen, alleen maar hierheen brengen, en wilde hem ook niet helpen. 'Maar dat kunnen wij wel, ík kan dat!' had Ahmed uitgeroepen. En nu vormde Anthony MacDonald een diep verontrustende factor in het terroristenprobleem.
Haar professionele instinct schreeuwde dat ze weg moest lopen, weg moest rénnen, maar dat kon Khalehla niet. Er was iets gebeurd, iemand had het delicate evenwicht verstoord tussen het geweld uit het verleden en dat wat nog dreigde. Ze zou geen beroep doen op een klein straalvliegtuig dat haar het land uit moest vliegen naar een onbekend, rotsachtig plateau in Caïro. Nog niet. Nu zeker nog niet. Er was nog zoveel te ont-

dekken en er was zo weinig tijd voor! Ze kon eenvoudig niet ophouden!

'Blijf rijden!' brulde de dikke MacDonald, terwijl hij de leren lus boven zijn zitplaats vastgreep en zijn zware lijf weer rechtop trok. 'Ze reed hier op dit uur zeker niet voor haar plezier, ze moet er een reden voor hebben.'
'Misschien heeft ze u wel gezien, *effendi.*'
'Niet waarschijnlijk, maar als dat zo is dan ben ik alleen maar een klant die door een hoer is besodemieterd. Blijf doorrijden en schakel je lichten aan. Misschien wacht er wel iemand op haar en we moeten weten wie het is.'
'Wie het dan ook is heeft het misschien niet op u begrepen, meneer.'
'In dat geval ben ik niets anders dan een dronken ongelovige en ben jij door de firma gehuurd om me tegen mijn eigen stommiteiten in bescherming te nemen. Hetzelfde liedje als altijd, ouwe jongen.'
'Zoals u wilt, *effendi.*' De bestuurder ontstak de koplampen.
'Wat is dat daarvóór?' vroeg MacDonald.
'Niets, meneer. Alleen maar een oude weg die omlaag naar de Jabal Sjam voert.'
'Wat is dat, verdomme?'
'Het begin van de woestijn. Die eindigt bij de bergen heel in de verte, de grens met Saudi-Arabië.'
'Zijn er nog andere wegen?'
'Een paar kilometer naar het oosten en minder begaanbaar, meneer, heel lastig.'
'Wanneer je zegt dat er niets voor ons ligt, wat bedoel je dan precies?'
'Net wat ik zei, meneer. Alleen de weg naar Jabal Sjam.'
'Maar deze weg, waarop we rijden,' hield de Engelsman aan. 'Waar gaat die heen?'
'Nergens heen, meneer. Die draait naar links en wordt dan de weg naar de...'
'Die Jabal-hoe-die-dan-ook-heet,' maakte MacDonald zijn zin af. 'Ik snap het. We hebben het dus niet over twee wegen, maar over eentje die toevallig linksaf gaat naar die pokkewoestijn van jullie.'
'Ja, meneer...'
'Een ontmoetingspunt,' viel de contactman van de Mahdi hem

in de rede, tegen zichzelf fluisterend. 'Ik ben van gedachten veranderd, knaap,' vervolgde hij snel. 'Doe die verdomde koplampen maar weer uit. Er is genoeg maanlicht voor je om bij te kunnen zien, denk je niet?'
'Jazéker!' antwoordde de chauffeur lichtelijk triomfantelijk, terwijl hij de lichten doofde. 'Ik ken deze weg heel goed. Ik ken elke weg in Masqat en Matrah heel, héél erg goed. Zelfs de onbegaanbare naar het oosten en naar het zuiden. Maar ik moet zeggen, *effendi,* dat ik het niet begrijp.'
'Heel eenvoudig, knaap. Als dat drukbezette hoertje van ons niet op weg was naar een plek of een persoon die ze wilde bereiken dan komt er wel iemand anders hierheen – voordat het licht wordt, verwacht ik, en dat zal niet te lang meer duren.'
'De lucht wordt hier snel licht, meneer.'
'Precies.' MacDonald legde het pistool op het dashboard, stak zijn hand in zijn jaszak en haalde er een korte verrekijker uit met uitstulpende, dik gecoate lenzen. Hij hield die voor zijn ogen en bekeek het terrein voor hen uit door de voorruit.
'Het is nog te donker om iets te kunnen zien, *effendi,*' zei de bestuurder.
'Niet voor dit speeltje hier,' legde de Engelsman uit toen ze weer een bocht naderden in het maanlicht. 'Verduister de hele hemel maar en dan tel ik nog voor je het aantal van die korte boompjes op duizend meter afstand.' Ze namen een scherpe bocht waarbij de chauffeur met half toegeknepen ogen de grote slee afremde. De weg liep nu recht en vlak en verdween in het donker voor hen uit.
'Nog twee kilometer en we komen aan de afdaling van de Jabal Sjam, meneer. Ik zal heel langzaam moeten rijden, want er zijn veel bochten, veel rotsblokken...'
'Lieve godnogantoe!' brulde MacDonald terwijl hij door de infrarode kijker tuurde. 'Rij van de wég af! Vlúg!'
'Wat, meneer?'
'Doe wat ik zeg! Zet de motor af!'
'Meneer?'
'Zet hem áf! Laat je zo ver je kunt uitdrijven in de berm!'
De bestuurder draaide de auto naar rechts, hotste over de harde grond met diepe sporen, omklemde het stuurwiel en draaide er herhaaldelijk aan naar rechts en links om de verspreid staande, gedrongen boompjes te ontwijken die in het donker nauwelijks zichtbaar waren. Zo'n vijfentwintig meter in de berm

kwam de slee met een schok tot stilstand; een onzichtbare, knoestige boom die laag boven de grond groeide was blijven vastzitten in het chassis.
'Meneer...?'
'Hou je bék!' fluisterde de dikke Engelsman; hij stak de verrekijker weer in zijn zak en pakte het pistool op het dashboard. Met zijn vrije hand tastte hij naar de portierkruk en hield zich toen ineens in. 'Gaat de binnenverlichting branden wanneer het portier opengaat?' vroeg hij.
'Jawel, meneer,' antwoordde de chauffeur en hij wees naar het dak van de auto. 'Het plafondlampje, meneer.'
MacDonald beukte de loop van zijn pistool in het glas van het plafondlampje. 'Ik ga naar buiten,' zei hij, opnieuw fluisterend. 'Blijf hier, hou je gedeisd en blijf met je klauwen van die verdomde claxon vandaan. Als ik maar één geluid hoor maak ik je koud, heb je dat begrépen?'
'Duidelijk, meneer. Maar mag ik weten waarom, voor het geval er iets gebeurt?'
'Er lopen daar vóór ons uit kerels op de weg – ik kon niet zien of ze met z'n drieën of vieren waren; het waren maar vlekjes – maar ze komen deze kant op en ze lopen hard.' Zonder geluid te maken opende de Engelsman het portier en stapte snel en met moeite uit. Hij hield zich zo laag mogelijk en zocht zich snel een weg over het woestijngras tot op zo'n zeven meter van de weg. In zijn donkere pak en zwart zijden hemd liet hij zijn omvangrijke gestalte zakken naast de stomp van een dwergboompje, legde zijn wapen rechts van de verwrongen stomp en haalde de nachtkijker uit zijn zak. Hij stelde hem in op de weg, zodat hij de naderende figuren er direct mee kon zien. Ineens waren ze er.
Blauw! Het was *Azra.* Zonder zijn baard maar onmiskenbaar! Het jongste lid van de raad, broer van Zaya Yateem, het enige stel hersens in die raad. En de man rechts van hem... MacDonald kon zich zijn naam niet meer herinneren maar hij had de foto's bestudeerd alsof ze hem toegang verschaften tot onvoorstelbare rijkdom – wat ze ook deden – en hij wist dat híj het was. Een joodse naam, een oudere man, iemand die al bijna twintig jaar terrorist was... Yosef? Ja, Yosef! Opgeleid in het leger van Libië nadat hij de Hoogten van Golan was ontvlucht. Maar de man links van Azra stelde hem voor een raadsel; afgaande op zijn uiterlijk meende de Engelsman dat hij

hem zou moeten kennen. MacDonald concentreerde zijn nachtkijker op de hotsende, rennende gedaante en stond perplex. De hardlopende man was bijna even oud als Yosef en de paar mensen boven de dertig jaar in de ambassade waren daar in principe om een reden die Bahrein alleen kende; de rest bestond uit imbecielen en heethoofden – fundamentalistische dwepers die gemakkelijk te manipuleren waren. Toen zag MacDonald wat hem vanaf het begin had moeten opvallen: de drie mannen droegen gevangeniskleren. Ze waren ontsnapte gevangenen. Nu snapte hij er niets meer van. Waren dit de kerels die de hoer Khalehla met zoveel haast tegemoet was gereden? Als dat zo was werd alles nog onbegrijpelijker. Die rothoer werkte vanuit Caïro voor de vijand. De informatie was in Bahrein bevestigd; ze was onweerlegbaar! Daarom had hij met haar aangepapt, haar herhaaldelijk verteld over de belangen van zijn firma in Oman en hoe bang hij was daar onder deze omstandigheden heen te reizen en hoe dankbaar hij zou zijn voor een reisgenoot die daar de weg wist. Ze had het aas geslikt, zijn aanbod aangenomen, zelfs in zoverre dat ze erop stond pas op een specifieke dag Caïro te verlaten, op een specifieke tijd, hetgeen een hele specifieke vlucht betekende waarvan er maar één per dag was. Hij had Bahrein gebeld en te horen gekregen dat hij het spelletje moest meespelen. En haar in de gáten moest houden! Wat hij gedaan had. Ze had niemand ontmoet, er was niets te merken geweest van oogcontact of wat dan ook. Maar in de chaos van Masqats superbeveiligde Immigratie was ze weggelopen. Verdomme! Verdómme! Ze was in de richting van het luchtvrachtpakhuis geslenterd – geslénterd – en toen hij haar had gevonden stond ze daar een beetje te pruilen. Had ze daar met iemand contact gehad? Instructies doorgegeven aan de vijand? En als dat zo was, had dat dan iets te maken met de ontsnapte gevangenen die nu over die weg renden?
Ook dat leek onweerlegbaar te zijn. En volkomen buiten alle plannen!
Toen de drie gedaanten hem voorbij renden duwde een zwetende MacDonald zich omhoog en hij kwam kreunend overeind. Met tegenzin – met gróte tegenzin – beseffend dat er vele en vele miljoenen gemoeid konden zijn met wat er in de komende uren gebeurde, nam hij een beslissing: het plotselinge raadsel dat Khalehla opleverde moest worden opgelost en de antwoorden die hij zo wanhopig nodig had lagen binnen de

ambassade. Niet alleen konden miljoenen verloren gaan zonder die antwoorden, maar als die rothoer belangrijk was bij een of andere afschuwelijke coup en hij slaagde er niet in haar tegen te houden, dan was het heel goed mogelijk dat Bahrein zijn executie zou verordonneren. De Mahdi kon geen mislukkingen verdragen.
Hij moest binnen de ambassade zien te komen, binnen die hel die daar was losgebarsten.

De Lockheed C-130 Hercules met de Israëlische kentekenen vloog op 31 000 voet boven de Saudische woestijn ten oosten van Al Ubaylah. Het vluchtplan vanuit Hebron was nogal vaag: naar het zuiden over de Negev naar de Golf van Akaba en dan nog verder naar het zuiden op gelijke afstand blijvend van de kusten van Egypte, de Sudan en Saudi-Arabië. Bij Hamdanah werd de koers noordelijk, naar het noordoosten, precies tussen de radarroosters door van de vliegvelden in Mekka en Qal Bishah, dan recht naar het oosten bij Al Kurmah de Rub-al-Khaliwoestijn in zuidelijk Arabië. Het toestel had in de lucht bijgetankt vanuit de Sudan ten westen van Dzjeddah boven de Rode Zee; het zou dat opnieuw doen op de terugweg, maar dan zonder de vijf passagiers.
Ze zaten in het vrachtruim, vijf militairen in ruwe burgerkleren, ieder van hen een vrijwilliger van de weinig bekende Masada-brigade, een commandogroep die gespecialiseerd was in blokkade, redding, sabotage en sluipmoord. Niemand van hen was ouder dan tweeëndertig jaar en allen spraken ze vloeiend Hebreeuws, Jiddisch, Arabisch en Engels. Ze verkeerden in een uitstekende conditie, zonverbrand door hun opleiding in de woestijn en doordrongen van een discipline die vereiste dat ze onmiddellijk beslissingen konden nemen, gebaseerd op bliksemsnelle reacties; ieder van hen had een zeer hoog intelligentiequotiënt en allen waren ze in de hoogste mate gemotiveerd want allen hadden ze in de hoogste mate het lijden gekend – ofwel zijzelf of hun directe familie. Ze konden wel lachen, maar ze waren beter in het haten.
Ze zaten voorover gebogen op een bank aan de bakboordkant van het vliegtuig verstrooid te spelen met de riemen van hun parachutes die ze pas kort geleden op hun rug hadden gegespt. Ze spraken zacht met elkaar, dat wil zeggen dat er vier spraken, en één zweeg. De stille man was hun leider; hij zat op de

voorste plaats en staarde nietsziend naar de wand tegenover hem. Hij was misschien achter in de twintig, haar en wenkbrauwen waren geelwit verbleekt door de onbarmhartige zon. Zijn ogen waren groot en donkerbruin, zijn jukbeenderen hoog, aan weerszijden van een scherp getekende semitische neus, zijn lippen waren dun en opeengeperst. Hij was noch de oudste, noch de jongste van de vijf mannen, maar hij wás hun leider; dat was te lezen in zijn gezicht, in zijn ogen.
Hun opdracht in Oman hadden ze gekregen van de topmensen in het ministerie van Defensie in Israël. Hun kansen op succes waren minimaal, de mogelijkheid van dood en mislukking veel groter, maar het moest worden geprobeerd. Want tussen de overgebleven tweehonderdzesendertig gegijzelden in de Amerikaanse ambassade in Masqat bevond zich een aan niemand bekende directeur buitendienst van de Mossad, Israëls ongeëvenaarde inlichtingendienst. Als hij ontdekt werd zou hij naar een van de tientallen 'medische klinieken' worden overgevlogen van zowel vriendschappelijke als vijandige regeringen waar onderhuidse inspuitingen veel effectiever zouden zijn dan folteringen. Ontelbare geheimen konden er zo worden blootgelegd, geheimen die de staat Israël in gevaar konden brengen en die de Mossad in het Midden-Oosten aan banden zouden leggen. Het doel: *Zie hem eruit te krijgen als je kunt. Dood hem als dat niet mogelijk is.*
De leider van dit team van de Masada-brigade heette Yaakov. De Mossad-agent die gegijzeld was in Masqat was zijn vader.
'Ahdohneem,' zei de stem in het Hebreeuws door de luidspreker van het toestel – een rustige stem vol respect die de passagiers aansprak met *Heren.* 'We beginnen aan onze afdaling,' vervolgde hij. 'Het doel zal worden bereikt over zes minuten en vierendertig seconden tenzij we onverwacht wind tegen krijgen boven de bergen, waardoor onze tijd misschien zes minuten en achtenveertig seconden of vijfenvijftig seconden wordt, maar wie daarop let is een kniesoor.' Vier mannen lachten; Yaakov knipperde met zijn ogen die nog steeds waren gericht op de wand tegenover hem. De piloot vervolgde. 'We zullen één keer een ronde maken boven het doel op achtduizend voet, dus als u nog iets wilt veranderen, mentaal of fysiek, aan die krankzinnige beddelakens die jullie aan je rugvinnen hebben zitten moet je dat nu doen. Ik voor mij voel er niets voor op achtduizend voet uit te stappen en een stukje te gaan wande-

len, maar ik kan dan ook lezen en schrijven.' Yaakov glimlachte; de anderen lachten luider dan voorheen. De stem weerklonk opnieuw. 'Het luik zal op achtenhalf duizend voet worden geopend door onze broeder Jonathan Levy die, zoals alle ervaren portiers in Tel Aviv, een ruime fooi van ieder van jullie zal verwachten voor zijn verleende diensten. Schuldbekentenissen worden niet geaccepteerd. Als het rode licht begint te flitsen betekent dat dat jullie dit luxueuze hotel in de lucht moeten verlaten, al weigeren de jongens beneden op de parkeerplaats onder de omstandigheden jullie auto's op te halen. Ook zij kunnen lezen en schrijven en ze zijn geestelijk bekwaam geoordeeld, in tegenstelling tot bepaalde toeristen die ik verder niet zal noemen op deze luchtreis.' Het lachen weerkaatste nu van de wanden van het vliegtuig; Yaakov grinnikte. De piloot nam opnieuw het woord, met zachtere stem dit keer en op een andere toon. 'Moge ons geliefde Israël door de eeuwen heen blijven bestaan door de moed van haar zonen en dochters. En moge de almachtige God met jullie zijn, mijn beste, beste vrienden. Springen.'

Een voor een klapten de parachutes open in de nachtelijke hemel boven de woestijn en een voor een landden de vijf commando's van de Masada-brigade binnen honderdvijftig meter van het gele licht dat omhoog scheen vanaf het zand. Elke man had een miniradio waardoor hij in noodgevallen in contact kon blijven met de anderen. Direct bij het neerkomen groef ieder een gat en begroef er zijn parachute in, met als laatste de schop met het brede blad die naast de stof en het zeil werd gestoken. Toen liepen ze allen op het licht af; dat brandde nu niet meer maar was vervangen door één enkele zaklamp die werd vastgehouden door een man die uit Masqat was gekomen, een vooraanstaand inlichtingenman van de Mossad.

'Laat mij jullie eens bekijken,' zei hij terwijl hij zijn straal op elke militair richtte. 'Niet gek. Jullie zien eruit als een stelletje tuig van de havenwijk.'

'Jouw instructies, als ik me niet vergis,' zei Yaakov.

'Ze worden niet altijd opgevolgd,' antwoordde de agent. 'Jij bent zeker...'

'We hebben géén namen,' viel Yaakov hem scherp in de rede.

'Mea culpa,' zei de man van de Mossad. 'In werkelijkheid ken ik alleen de jouwe en dat is volgens mij begrijpelijk.'

'Vergeet hem maar onmiddelijk.'

'Hoe moet ik jullie allemaal noemen?'
'Wij zijn kleuren, enkel kleuren. Van rechts naar links zijn het Oranje, Grijs, Zwart en Rood.'
'Een voorrecht met jullie kennis te mogen maken,' zei de agent en hij bescheen even elke man met zijn zaklamp – van rechts naar links. 'En jij?' vroeg hij, met de straal op Yaakov gericht.
'Ik ben Blauw.'
'Natuurlijk. De vlag.'
'Nee,' zei de zoon van de gegijzelde man in Masqat. 'Blauw is het heetste vuur en meer hoef je niet te begrijpen.'
'Het is ook het koudste ijs, jongeman, maar dat doet er niet toe. Mijn wagen staat een paar honderd meter naar het noorden. Ik vrees dat ik jullie moet vragen te gaan lopen na jullie spannende afdaling door de hemel.'
'Van mij mag het,' zei Grijs en hij zette een stap vooruit. 'Ik heb de pest aan die afschuwelijke sprongen. Je zou je poot kunnen breken, weten jullie dat?'
Het voertuig was een Japanse versie van een Landrover zonder alle bijkomstigheden en voldoende gedeukt en bekrast om niet op te vallen in een Arabisch land waar snelheid iets relatiefs was en botsingen vaak voorkwamen. De rit naar Masqat die iets meer dan een uur duurde werd echter onverwacht onderbroken. Een klein geel licht flitste herhaaldelijk op een paar kilometer van de stad.
'Er is iets gebeurd,' zei de Mossad-agent tegen Yaakov die voorin naast hem zat. 'Het bevalt me niet. We zouden helemaal niet meer stoppen wanneer we Masqat naderden. De sultan heeft overal patrouilles. Houd je wapen gereed, jongeman. Je weet maar nooit wie er uit de school heeft geklapt.'
'Wie kan er dan uit de school klappen?' vroeg Yaakov kwaad, met zijn wapen meteen uit zijn holster. 'Onze komst is volkomen geheim gehouden. Niemand weet iets over ons – mijn eigen vrouw denkt dat ik in de Negev op manoeuvres ben!'
'Ondergrondse communicatielijnen moeten open worden gehouden, Blauw. Soms graven onze vijanden te diep in de grond. Geef het bevel aan je kameraden. Ze moeten zich gereedhouden om te schieten.'
Dat deed Yaakov; wapens werden te voorschijn gehaald, elke man zat aan een raampje. Maar de agressieve voorbereiding bleek onnodig.
'Het is Ben-Ami!' riep de man van de Mossad uit terwijl hij

de wagen stopte, met gillende banden die hotsten over de spleten in de slecht geplaveide weg. 'Doe het portier open!'
Een kleine, slanke man in blauwe spijkerbroek en een los witkatoenen hemd en met een *ghotra* op zijn hoofd, sprong in de wagen en wrong zich naast Yaakov op de bank. 'Blijf rijden,' beval hij. 'Langzaam. Er zijn hier geen patrouilles en we hebben minstens tien minuten voordat we kunnen worden aangehouden. Heb je een zaklamp?' De Mossad-chauffeur stak zijn hand omlaag en reikte zijn zaklamp aan. De laatst binnengekomene knipte die aan en bekeek de menselijke vracht achter zich en de ene naast hem. 'Prima!' riep hij uit. 'Jullie zien eruit als het schuim uit de havenwijk. Als we worden aangehouden praten jullie onduidelijk Arabisch en je schreeuwt over je heldendaden in bed, begrepen?'
'Amen,' zeiden drie stemmen. De vierde, Oranje, was het er niet mee eens. 'De Talmud staat op de waarheid,' zei hij plechtig. 'Zoek eerst maar een *houri* met fikse borsten voor me en dan doe ik misschien mee.'
'Hou je bek!' riep Yaakov die het niet leuk vond.
'Wat is er gebeurd dat jij hier bent?' vroeg de Mossad-agent.
'Waanzin,' antwoordde de nieuwkomer. 'Een van onze mensen in Washington was aan de lijn een uur nadat jullie waren opgestegen uit Hebron. Zijn informatie ging over een Amerikaan. Een congreslid nog wel. Die is hier en steekt zijn neus erin – hij is zelfs ondergedoken, kun je dat gelóven?'
'Als het waar is,' antwoordde de bestuurder terwijl hij het stuurwiel omklemde, 'dan is elke gedachte aan incompetentie die ik ooit heb gehad over de Amerikaanse inlichtingendienst nu tot volle wasdom gekomen. Als hij gepakt wordt zullen zij de paria's van de hele beschaafde wereld zijn. Dat is een risico dat je gewoon niet neemt.'
'Ze hebben het genomen. Hij is hier.'
'Wáár?'
'Dat weten we niet.'
'Wat heeft dat met óns te maken?' wierp Yaakov tegen. 'Eén Amerikaan. Eén idioot. Wat voor introductie heeft hij?'
'Nogal zwaar moet ik tot mijn spijt bekennen,' antwoordde Ben-Ami. 'En we moeten hem alle hulp geven die we kunnen.'
'Wát?' vroeg de jonge leider van de Masada-brigade. 'Waaróm?'
'Omdat, wat mijn collega er ook over denkt, Washington zich volledig bewust is van het risico, van de potentieel tragische

gevolgen en omdat ze zich daarom van hem hebben losgemaakt. Hij is alleen. Als hij gepakt wordt kan er geen beroep worden gedaan op zijn regering want die zal hem niet erkennen, kan hem ook niet erkennen. Hij handelt als privé-persoon.'
'Dan moet ik weer een vraag stellen,' drong Yaakov aan. 'Als de Amerikanen hun handen ervan afhouden, waarom wij dan niet?'
'Omdat ze hem om te beginnen nooit hierheen hadden laten gaan als niet iemand die zeer hoog is geplaatst dacht dat hij iets heel speciaals wist.'
'Maar waarom wij? We hebben onze eigen taak. Ik herhaal, waarom wíj?'
'Misschien omdat wij het kunnen – en zij niet.'
'Politiek gezien is dat een ramp!' zei de chauffeur nadrukkelijk. 'Washington zet iets in beweging, wat het dan ook is, en trekt zich dan terug om zich te dekken en gooit het ons in de schoot. Dat soort politieke beslissing moet zijn genomen door de pro-Arabische groep in Buitenlandse Zaken. Wij slagen niet in onze opdracht – wat wil zeggen dat híj niet slaagt terwijl wij hier met hem samenwerken – en van alle executies die plaatsvinden krijgen de joden de schuld! De moordenaars van Christus hebben het weer geflikt!'
'Herstel,' viel Ben-Ami hem in de rede. 'Washington heeft dat ons niet "in de schoot gegooid" omdat niemand in Washington enig idee heeft dat wij het weten. En als we ons werk goed doen zullen we niet worden opgemerkt; we geven alleen assistentie die niet kan worden nagegaan, als die nodig is.'
'Je geeft me geen antwoord!' schreeuwde Yaakov. 'Waaróm?'
'Dat deed ik wel, maar je luisterde niet, jongeman; jullie hebben wel andere dingen aan je hoofd. Ik zeg dat we doen wat we doen omdat we het misschien kunnen – misschien, geen enkele garantie. Er zitten daar tweehonderdzesendertig mensen in die afschuwelijke plaats, die een lijden doorstaan zoals wij dat als volk maar al te goed kennen. Onder hen is jouw vader, een van de meest waardevolle mannen in Israël. Als die man, dat congreslid, ook maar iets heeft wat op een oplossing lijkt dan moeten we doen wat we kunnen, al was het alleen maar om te bewijzen dat hij gelijk of ongelijk heeft. Maar eerst moeten we hem vinden.'
'Wie is hij?' vroeg de Mossad-bestuurder minachtend. 'Heeft hij ook een naam of hebben de Amerikanen die ook begraven?'

'Hij heet Kendrick...'
Het grote gammele voertuig beschreef een zwaai en Ben-Ami's zin bleef onafgemaakt. De man van de Mossad was zo geschrokken van de naam dat hij bijna de weg was afgereden.
'*Evan* Kendrick?' vroeg hij terwijl hij weer meester werd over het stuur, met ogen die wijd open stonden van verbazing.
'Ja.'
'De Kendrick-groep!'
'De wat?' vroeg Yaakov met zijn ogen op het gezicht van de chauffeur gericht.
'De onderneming waarvan hij hier directeur was.'
'Zijn dossier wordt vanavond vanuit Washington overgevlogen,' zei Ben-Ami. 'Morgen hebben we het.'
'Dat heb je niet nodig!' riep de Mossad-agent uit. 'We hebben al een dossier over hem dat zo dik is als de tafelen van Mozes. We hebben ook ene Emmanuel Weingrass – en we zouden vaak willen dat we hem helemaal niet hadden!'
'Nou kan ik je niet meer bijbenen.'
'Nu niet, Ben-Ami. Het zou een paar uur duren en een heleboel wijn – die verdomde Weingrass, dat is een uitdrukking van hem!'.
'Zou je misschien wat duidelijker kunnen zijn?'
'Korter, beste vriend, niet noodzakelijk duidelijker. Als Kendrick terug is weet hij inderdaad iets en is hij hier om iets recht te zetten van vier jaar geleden – een ontploffing die het leven kostte aan zo'n zeventig mannen, vrouwen en kinderen. Zij waren zijn familie. Je zou hem moeten kennen om dat te kunnen begrijpen.'
'Heb jij hem dan gekend?' vroeg Ben-Ami en hij boog zich naar voren. 'Heb je hem echt gekend?'
'Niet goed, maar goed genoeg om het te begrijpen. De man die hem het beste kende – vaderfiguur, drinkgabber, biechtvader, raadsman, genie, beste vriend – was Emmanuel Weingrass.'
'De man die jij kennelijk niet mag,' kwam Yaakov tussenbeide, met zijn ogen nog steeds gericht op het gezicht van de chauffeur.
'Ik mag hem helemaal niet,' stemde de Israëlische inlichtingenman in. 'Maar hij is niet helemaal zonder waarde. Ik wou dat dat zo was, maar dat is niet het geval.'
'Waarde voor de *Mossad?*' vroeg Ben-Ami.
Het was alsof de agent aan het stuur zich ineens geneerde. Hij

gaf met zachte stem antwoord. 'We hebben hem in Parijs gebruikt,' zei hij, moeilijk slikkend. 'Hij beweegt zich in ongewone kringen, heeft contacten met marginale mensen. Eigenlijk – mijn gód, ik heb de pest erover in dat te moeten toegeven – is hij wel doeltreffend geweest. Via hem raakten we op het spoor van de terroristen die bommen hadden geplaatst in het kosjere restaurant aan de Rue de Bac. We hebben dat probleem zelf opgelost, maar een of andere stomme idioot stond toe dat hij bij die afwerking mocht zijn. Stom, stóm! En het moet worden gezegd,' voegde de bestuurder er met tegenzin aan toe, terwijl hij het stuur omklemde, 'hij heeft ons in Tel Aviv een paar keer gebeld met informatie waardoor vijf van dergelijke incidenten voorkomen konden worden.'
'Hij heeft heel wat levens gered,' zei Yaakov. 'Joodse levens. En toch mag je hem niet?'
'Jij kent hem niet! Kijk eens, niemand besteedt veel aandacht aan een *bon vivant,* een *boulevardier* van 78 jaar, die langs de Montaigne flaneert met één en soms twee Parijse 'modellen' die hij heeft aangekleed in de St. Honoré met het geld dat hij van de Kendrick-groep heeft gekregen.'
'Waarom is hij daarom minder waardevol?' vroeg Ben-Ami.
'Hij stuurt ons rekeningen voor dinertjes in *La Tour d'Argent!* Drieduizend, vierduizend *sjekels!* Hoe kunnen we weigeren? Hij doet inderdaad goed werk en hij was getuige van een bijzonder gewelddadig voorval toen we het recht in eigen hand namen. Een feit waaraan hij ons nu en dan herinnert als de betalingen wat laat zijn.'
'Volgens mij heeft hij er recht op,' zei Ben-Ami en hij knikte. 'Hij is een agent van de Mossad in een vreemd land en hij moet zijn dekmantel in stand zien te houden.'
'We zitten er tot onze nek toe in,' fluisterde de chauffeur zachtjes bij zichzelf. 'En het ergste moet nog komen.'
'Pardon?' vroeg Yaakov.
'Als er iemand Kendrick kan vinden in Oman dan is het Emmanuel Weingrass. Wanneer we op ons hoofdkwartier in Masqat zijn zal ik Parijs bellen. Verdómme!'

'Je le regrette,' zei de receptionist in het Pont Royal-hotel in Parijs. 'Maar monsieur Weingrass is een paar dagen weg. Hij heeft wel een telefoonnummer in Monte Carlo achtergelaten...'

'Je suis désolé,' zei de receptioniste in de L'Hermitage in Monte Carlo. 'Monsieur Weingrass is niet in zijn suite. Hij zou vanavond gaan dineren in het Hotel de Paris tegenover het casino.'
'Hebt u misschien het nummer?'
'Maar natuurlijk,' antwoordde de vrouw vrolijk. 'Monsieur Weingrass is een bijzonder charmante man. Vanavond nog heeft hij voor ons allemaal bloemen meegebracht; het hele kantoor staat er vol mee! Echt een fijne man. Het nummer is...'

'Désolé,' betreurde de receptionist in het Hotel de Paris zalvend charmant. 'Het restaurant van het hotel is gesloten maar de zeer genereuze monsieur Weingrass liet ons weten dat hij minstens de komende twee uur aan tafel Elf zou zijn in het casino. Als er telefoon voor hem kwam opperde hij dat de persoon in kwestie Armand in het casino zou kunnen bellen. Het nummer is...'

'Je suis très désolé,' kirde Armand, het wat vage manusje-vanalles in het Casino de Paris in Monte Carlo. 'Die ontzettend aardige monsieur Weingrass en zijn lieftallige dame hadden vanavond aan onze roulette geen geluk, daarom besloot hij naar de goktent van Loew te gaan aan de haven – een minderwaardig établissement, natuurlijk, maar met competente croupiers; de Franse natuurlijk, niet de Italianen. Vraagt u maar naar Luigi, een man uit Milaan die nauwelijks zijn naam kan schrijven maar hij zal monsieur Weingrass wel voor u vinden. En brengt u hem mijn groeten over en zeg hem dat ik hem morgen hier verwacht wanneer hij meer geluk zal hebben. Het nummer is...'

'Naturalmente!' brulde de onbekende Luigi triomfantelijk. 'De beste vriend die ik heb! Signor Weingrass. Mijn Hebreeuwse broeder die de taal van Como en het Lago di Garda spreekt alsof hij er geboren was – niet de Laars of zelfs Napolitaans; dat zijn barbaren daar moet u begrijpen – hij staat hier vóór me!'
'Zou u hem alstublieft willen vragen even aan de telefoon te komen? *Alstublieft.*'
'Hij heeft het erg druk, signor. Zijn dame wint op het ogenblik een heleboel geld. Het is geen goede *fortuna* hen nu lastig te vallen.'

'Zeg tegen die rotzak dat hij nu meteen aan de telefoon komt of we stoppen zijn Hebreeuwse ballen in kokende Arabische geitemelk!'
'Che cosa?'
'Doe wat ik zeg! Zeg hem maar dat de naam Mossad is!'
'Pazzo!' zei Luigi tegen niemand in het bijzonder en hij legde de hoorn op zijn bureau. *'Instabile!'* voegde hij eraan toe en hij zette behoedzaam een stap in de richting van het gekrijs aan de dobbeltafels.

Emmanuel Weingrass, met zijn perfect verzorgde snor onder een adelaarsneus die wees op een aristocratisch verleden en zijn volmaakt gekapte witte haar dat in golven over zijn welgevormde hoofd lag, stond kalm tussen het gewoel van hysterische spelers. Hij ging gekleed in een kanariegeel colbertje en een rood geblokte vlinderdas en zijn blik zwierf langs de tafel, meer geïnteresseerd in de gokkers dan in het spel zelf, zich nu en dan ervan bewust dat iemand die even niet speelde of iemand uit de menigte opgewonden toeschouwers naar hem staarde. Hij begreep het, zoals hij de meeste dingen over zichzelf begreep, sommige goedkeurend maar vele, vele andere afkeurend. Ze keken naar zijn gezicht waarvan de trekken misschien wat gedrongener waren dan gewoon was, het gezicht van een oude man dat toch nog iets kinderlijks had, nog jong ondanks de jaren, nog versterkt door zijn modieuze, zij het vrij opvallende kleding. Zij die hem kenden zagen nog andere dingen. Ze zagen dat zijn ogen een levendige, groene kleur hadden, zelfs wanneer ze nergens mee bezig waren, de ogen van een zwerver, zowel intellectueel als geografisch, nooit voldaan, nooit rustig, voortdurend dwalend over landschappen die hij zou willen verkennen of creëren. Je kon zó zien dat hij excentriek was; maar je zag niet hoe excentriek. Hij was kunstenaar, zakenman en ziener. Hij was zichzelf en het strekte hem tot eer dat hij zijn geniale gaven als architect had geaccepteerd als deel van het dwaze spel dat het leven nu eenmaal was, een spel dat nu eenmaal spoedig voor hem ten einde zou komen, hopelijk in zijn slaap. Maar er moesten dingen beleefd en ervaren worden terwijl hij nog leefde; nu hij bijna tachtig was moest hij realistisch zijn, hoezeer hem dat ook irriteerde en angst aanjoeg. Hij keek naar het opgesmukte, sensuele meisje naast hem aan de tafel, zo levendig en zo leeg. Hij zou haar meenemen

naar bed, misschien wat spelen met haar borsten – en dan gaan slapen. *Mea culpa.* Wat voor zin had het?
'Signor?' fluisterde de Italiaan in smoking in het oor van Weingrass. 'Er is iemand voor u aan de telefoon, iemand voor wie ik nooit in mijn leven respect zou kunnen hebben.'
'Dat is vreemd wat je daar zegt, Luigi.'
'Hij beledigde u, mijn beste vriend en meest vereerde gast. Als u wilt zal ik zeggen dat hij moet opdonderen, barbaarse woorden die hij terecht verdient.'
'Niet iedereen is zo dol op me als jij, Luigi. Wat zei hij?'
'Wat hij zei zou ik niet eens durven herhalen waar de meest onbeschaamde Franse croupier hier bij is!'
'Je bent erg loyaal, beste vriend. Noemde hij zijn naam?'
'Ja, een *signor* Mossad. En ik zeg u dat hij gek is, *pazzo!*'
'Dat zijn de meesten van hen,' zei Weingrass en hij liep snel naar de telefoon.

10

Het vroege ochtendlicht dreigde steeds dichterbij te komen. Azra keek naar de morgenlucht en vervloekte zichzelf – en daarbij de onbehouwen Yosef – omdat ze bij de Kabritta-toren een verkeerde straat waren ingeslagen en zo kostbare tijd hadden verspild. De drie vluchtelingen hadden hun gevangenisbroeken hoog boven de enkels afgescheurd, tot aan het midden van hun kuiten, en de mouwen hadden ze aan de schouders afgerukt. Zolang de zon niet scheen konden ze doorgaan voor werklui die uit Libanon of uit de sloppenwijken van Abu Dhabi waren gerecruteerd en die hun thalers uitgaven aan het enige amusement dat er voor hen was: whisky en de hoeren in de *el Sjari el Misjkwiyis,* dat door land omgeven eiland in de stad dat wijselijk geen beschaafde regels kende.
Ze stonden in het betonnen portiek van de dienstingang van het Waljatziekenhuis op nog geen tweehonderd meter van de poort van de Amerikaanse ambassade. Rechts van hen kruiste een nauwe straat de brede weg. Direct om de hoek lag een rij winkels, niet van elkaar te onderscheiden achter hun metalen rolluiken. Alle verkoop was stilgelegd zolang de waanzin duurde. In de verte, achter de poort van de ambassade, liepen groepjes haveloze jonge mensen lusteloos heen en weer; het ge-

wicht van hun wapens trok hun armen en schouders omlaag en ze deden wat hun was opgedragen voor hun jihad, hun heilige oorlog. Maar hun lusteloosheid zou verdwijnen bij de eerste stralen van de zon, en er zou een maniakale energie losbarsten wanneer de eerste groepen toeschouwers verschenen, vooral de ploegen radio- en televisiemensen – voornamelijk vanwege die ploegen. De boze kinderen stonden op het punt op het toneel te verschijnen in minder dan een uur.
Azra bekeek het grote plein voor de poort. Aan de overkant aan de noordzijde lagen drie witte kantoren van twee verdiepingen, dicht bij elkaar. De ramen achter de gesloten gordijnen waren donker, nergens brandde er licht, en dat deed er trouwens niet toe. Als er binnen mensen zaten uit te kijken waren ze te ver van de poort verwijderd om te kunnen horen wat hij zacht door de spijlen zou zeggen en het was nog niet licht genoeg om hem echt te herkennen – als het nieuws van hun ontsnapping al bekend was geworden bij de uitkijkpost. En zelfs als dat zo was zou de vijand geen onbezonnen aanval uitvoeren gebaseerd op vage mogelijkheden; de gevolgen waren misschien dodelijk. Het plein was zo goed als verlaten op een rij bedelaars na die in hun gescheurde kleren voor de zandstenen muren van de ambassade zaten met hun bedelnappen vóór zich, bij verscheidenen van hen zelfs naast hun eigen uitwerpselen. De meest smerige paria's konden onmogelijk agenten zijn van de sultan of van een buitenlandse regering, maar anderen misschien wel. Hij concentreerde zich op elk van die anderen en keek uit naar plotselinge, abrupte bewegingen die een man zouden verraden die niet gewend was aan de langdurige hurkende zit van een bedelaar. Alleen iemand wiens spieren geoefend waren om de voortdurende spanning te weerstaan van de hurkzit van een bedelaar kon urenlang onbeweeglijk blijven zonder zijn benen te strekken om de bloedcirculatie weer op gang te brengen. Niemand bewoog, niemand verroerde zijn benen; het was geen bewijs maar meer kon hij niet verwachten.
Azra knipte met zijn vingers naar Yosef; hij haalde de MAC-10 onder zijn hemd vandaan en gaf die aan de oudere terrorist.
'Ik ga oversteken,' zei hij in het Arabisch. 'Geef me dekking. Als een van die bedelaars een verdachte beweging maakt verwacht ik dat jij wat doet.'
'Ga je gang. Ik zal achter je wegglippen in de schaduw van het ziekenhuis en naar rechts van het ene portiek in het andere

verdwijnen. Niemand kan mikken zoals ik, dus als een van die bedelaars een verdachte beweging maakt is er geen bedelaar meer.'
'Wees niet al te gespannen, Yosef. Maak geen fouten door te schieten wanneer het niet nodig is. Ik móet een van die imbecielen binnen de poort bereiken. Ik strompel erheen, alsof het nu niet direct de helderste morgen van mijn leven is.' De jonge Palestijn wendde zich naar Kendrick die ineengedoken in het magere struikgewas bij de muur van het ziekenhuis zat. 'Hé daar, Bahrudi,' fluisterde hij in het Engels. 'Wanneer Yosef het eerste huis daar heeft bereikt dan moet je langzaam te voorschijn komen en hem nalopen, maar in godsnaam niet te opvallend! Blijf nu en dan staan en krab jezelf, spuug voortdurend en denk eraan dat je er niet mag uitzien als iemand met een rechte houding.'
'Ik weet dat soort dingen!' loog Evan met nadruk, geïmponeerd door de lessen die hij kreeg over terroristen. 'Wat dacht je? Ik heb dat soort tactieken duizend keer meer toegepast dan jij.'
'Ik weet niet wat ik ervan moet denken,' antwoordde Azra simpelweg. 'Ik weet wel dat de manier waarop jij langs de Zawawi-moskee liep me niet beviel. De mullahs en de muezzins begonnen samen te komen... misschien ben jij beter thuis in de verfijnde hoofdsteden van Europa.'
'Ik verzeker je dat ik het aankan,' zei Kendrick kil, in de wetenschap dat hij zich moest houden aan de Arabische versie van kracht die bestond uit jezelf zo eenvoudig mogelijk voordoen. Maar zijn toneelspel werd snel doorgeprikt toen de jonge terrorist grijnsde. Het was een onvervalste glimlach, de eerste die hij had gezien bij de man die zich Blauw noemde.
'Ik ben ervan verzekerd,' zei Azra met een hoofdknik. 'Ik sta hier en ik lig niet dood in de woestijn. Daar dank ik je voor Amal Bahrudi. Hou me nu goed in de gaten. Volg mijn aanwijzingen.'
Blauw draaide zich snel om en liep langzaam over het korte stukje gazon voor het ziekenhuis de brede weg op die naar het eigenlijke plein voerde. Binnen enkele tellen rende Yosef weg in een rechte hoek naar rechts van zijn meerdere, stak de nauwe straat over op zo'n vijf meter van de hoek en drukte zich tegen de zijkant van het huis in de donkerste schaduwen van het vage licht. Toen de eenzame gestalte van Azra midden op

het plein zichtbaar werd, zwalkend op weg naar de poort van de ambassade, draaide Yosef de hoek om; het laatste wat Evan zag was het dodelijke MAC-10 machinepistool dat de onbehouwen sergeant-voorman laag bij de grond hield in zijn linkerhand. Kendrick wist dat hij nu moest starten en een deel van hem wenste plotseling dat hij weer in Colorado was, ten zuidwesten van Telluride onder aan de bergen, tijdelijk in harmonie met zijn omgeving. Toen verschenen de beelden weer voor zijn geestesoog: *donder*. Een reeks oorverdovende explosies. *Rook.* Muren die ineens aan alle kanten instortten te midden van het gillen van dodelijk bevreesde kinderen die spoedig zouden sterven. *Kinderen!* En vrouwen – jonge *moeders* – die krijsten van doodsangst toen tonnen puin van dertig meter hoog omlaag donderden. En hulpeloze mannen – vrienden, echtgenoten, *vaders* – die uitdagend brulden tegen de neerploffende hel waarvan ze direct wisten dat het hun graf zou worden... De *Mahdi!*
Evan kwam overeind, haalde diep adem en begon het plein over te steken. Hij kwam met gebogen schouders terecht op het trottoir aan de noordzijde voor de gebarricadeerde winkels; hij bleef herhaaldelijk staan om zich te krabben en op straat te spugen.

'De vrouw had gelijk,' fluisterde de donker gekleurde Arabier in westerse kleren, terwijl hij door een spleet in een dichtgetimmerde winkel tuurde die nog maar tweeëntwintig dagen geleden een aantrekkelijk café was waar kardemomkoffie, koekjes en fruit te krijgen waren. 'Dat oudere zwijn was zo dichtbij dat ik hem in het voorbijgaan had kunnen aanraken! Ik zal je zeggen, ik hield mijn adem in!'
'Ssst!' waarschuwde de man naast hem die geheel Arabisch was gekleed. 'Daar komt hij aan. De Amerikaan. Hij verraadt zich door zijn lengte.'
'Anderen zullen hem ook verraden. Hij overleeft dit niet.'
'Wie ís hij?' vroeg de man in de jellabah, nauwelijks hoorbaar fluisterend.
'Dat hoeven wij niet te weten. Het enige belangrijke is dat hij zijn leven voor ons waagt. Wij gehoorzamen de vrouw, zo luidt onze opdracht.' Buiten liep de gebogen gedaante langs de winkel; hij bleef even staan om in zijn lies te krabben en op straat te spugen. Verderop, schuin over het plein naderde een ande-

re gedaante, vaag zichtbaar in het schemerige licht, de poort van de ambassade. 'Het was de vrouw,' vervolgde de Arabier in westerse kleren terwijl hij nog steeds door de spleet tuurde, 'die ons zei dat we naar hen moesten uitzien langs de haven, de kleine boten moesten nazoeken, en moesten kijken op de wegen naar het noorden en het zuiden, zelfs hier waar ze het minst werden verwacht. Bel haar dan nu maar en zeg haar dat het onverwachte is gebeurd. Bel daarna de anderen op de Kalbah en Bustafi Wadis en zeg hun dat ze niet langer meer hoeven te zoeken.'

'Natuurlijk,' zei de man in het lange gewaad en hij begon naar de achterzijde van het verlaten café te lopen waar talloze stoelen spookachtig boven op tafels stonden, alsof de directie hemelse gasten verwachtte die niet op de vloer wilden zitten. Toen bleef de Arabier staan en liep snel terug naar zijn collega. 'Wat doen we daarná?'

'De vrouw zal het je wel zeggen. Schiet óp! Het zwijn bij de poort staat naar iemand daarbinnen te gebaren. Daar gaan ze heen. Naar bínnen!'

Azra omklemde de ijzeren spijlen en zijn ogen keken snel omhoog; in het oosten verspreidde het licht zich met de minuut helderder. Het doffe grijs van het plein zou snel worden weggevaagd door de felle, verblindende zon van Masqat; het kon elk moment gebeuren, zoals dat elke ochtend gebeurde, een explosie van licht die er ineens was en die alles in gloed zette. *Vlúg! Kijk dan naar me, idioten die jullie zijn, stelletje tuig! De vijand zit overal te kijken, te loeren, te wachten op het ogenblik om toe te slaan en ik ben nu een prijs van onschatbare waarde. Iemand van ons moet naar Bahrein, naar de Mahdi! Wil die verdomde Allah nou eindelijk iemand deze kant opsturen? Ik kan niet roepen!*

Er kwam iemand! Een jongen in smerige werkkleding maakt zich aarzelend los van zijn groepje van vijf man; hij tuurde door het vage maar toenemende licht, aangetrokken door het zien van een vreemd gekleed personage links van de enorme, met kettingen afgesloten dubbele poort. Naarmate hij dichterbij kwam begon hij sneller te lopen en zijn blik veranderde van vragend naar stomverbaasd.

'Azra?' riep hij uit. 'Ben jij dat?'

'Stíl toch!' fluisterde Blauw terwijl hij zijn handpalmen een aantal malen door de spijlen duwde. De tiener was een van de tientallen recruten die hij les had gegeven in het elementaire gebruik van automatische wapens en als hij zich goed herinnerde was het nou niet direct de snuggerste tussen een aantal gelijken.

'Ze zeiden dat je een geheime opdracht uitvoerde, een taak die zo heilig was dat we de almachtige Allah moesten danken voor jouw kracht.'

'Ik werd gevangen genomen...'

'Allah zij geprezen!'

'Waarvoor?'

'Omdat je de ongelovigen hebt gedood! Als je dat niet had gedaan, zou je nu rusten in de armen van Allah.'

'Ik ben ontsnapt...'

'Zonder de ongelovigen te doden?' vroeg de jongen met bedroefde stem.

'Ze zijn allemaal dood,' antwoordde Blauw met geërgerde nadruk. 'Luister nu naar...'

'Allah zij geprezen!'

'Allah moet nu eindelijk zijn kop eens houden – jij moet je kop houden en naar me luisteren! Ik moet hierbinnen komen, vlug. Ga naar Yateem of Ahbyahd – ren alsof je leven ervan afhangt...'

'Mijn leven telt niet mee!'

'Maar het mijne wel, verdomme! Laat direct iemand hierheen komen met instructies. Rén!'

Het wachten deed Blauws borstkas bonken en zijn slapen kloppen terwijl hij omhoog keek, naar het licht in het oosten keek dat spoedig dit uiterst kleine plekje op de aardbol in vlammen zou zetten, wetend dat dat zijn einde zou betekenen, zijn dood, dat hij niet langer meer zou kunnen strijden tegen de klootzakken die hem zijn leven hadden ontnomen, die zijn jeugd met bloed hadden uitgewist, die de ouders van hem en Yateem hadden weggevaagd in een sproeiregen van kogels, afgevuurd met medeweten van de Israëli's.

Hij wist het nog zo duidelijk, met zoveel pijn. Zijn vader was een vriendelijke briljante man geweest die medicijnen had gestudeerd in Tel Aviv, totdat de autoriteiten in zijn derde studiejaar besloten dat hij beter geschikt was voor het leven van een apotheker om zo plaats te maken voor een pas geïmmigreerde jood op de medische faculteit. Zoiets was heel normaal.

Haal alle Arabieren weg uit de hogere beroepen, dat was de tactiek van de Israëli's. Maar naarmate de jaren verstreken werd zijn vader de enige 'dokter' in hun dorp op de westelijke oever; de reizende artsen van de regering uit Be'er Sjeva verstonden hun vak niet en ze waren gedwongen hun sjekels te verdienen in de dorpjes en de kampen. Een van die artsen diende een klacht in en het leek of het *mene, tekel, upharsin* verschenen was op de Klaagmuur. De apotheek werd gesloten. 'Wij moeten ons onopvallende leven kunnen leven; wanneer zullen ze dat eindelijk toestaan?' had de vader en echtgenoot uitgeschreeuwd.
Het antwoord kwam voor een dochter die Zaya heette en een zoon die Azra de Terrorist werd. De Israëlische Commissie voor Arabische Zaken op de westoever deed opnieuw een uitspraak. Hun vader was een lastpost. Het gezin werd uit het dorp verbannen.
Ze trokken naar het noorden, naar Libanon, naar elke plaats die hen wilde opnemen, en tijdens die exodus bleven ze enige tijd in een vluchtelingenkamp dat Sjatila heette.
Terwijl broer en zus toekeken vanachter de lage stenen muur van een tuintje zagen ze hoe hun moeder en vader werden afgeslacht, hun lichamen doorboord door een regen van kogels, die hen tegen de grond sloegen, die bloed deden opwellen uit hun ogen en hun mond. En boven op de heuvel weerklonk een kanonschot en werd er gezwaaid met de blauwwitte vlag van Israël. Iemand had wel degelijk toestemming gegeven voor die operatie.
Zo werden Zaya Yateem en haar broer geboren, de broer die in de wereld bekend stond als *Azra,* de nieuwste kroonprins van de terroristen.

De herinneringen hielden op toen hij een man hard zag lopen binnen de poort van de ambassade.
'*Blauw!*' riep Ahbyahd uit, te herkennen aan de witte lokken in zijn haar die zichtbaar werden onder het toenemende licht; zijn stem was een schor, verbaasd gefluister toen hij over de binnenplaats rende. 'Wat is er in Allah's naam gebeurd? Je zuster weet niet hoe ze het heeft maar ze begrijpt dat ze niet naar buiten kan komen, niet als vrouw, niet op deze tijd en zeker niet nu jij hier bent. Overal zijn ogen – wat is er met je gebeurd?'

'Zo gauw we binnen zijn. Er is nu geen tijd. Schiet op!'
'Wij?'
'Ikzelf, Yosef en een man die Bahrudi heet – hij is gezonden door de *Mahdi!* Vlug! Het is bijna licht. Waar moeten we heen?'
'Godallemachtig... de *Mahdi!*'
'Toe nou, Ahbyahd!'
'De oostelijke muur, zowat veertig meter voorbij de zuidelijke hoek, daar is een oud riool...'
'Dat weet ik! We hebben eraan gewerkt. Is dat nu begaanbaar?'
'Je moet diep bukken en langzaam klimmen, maar ja, het is begaanbaar. Er zit een gat...'
'Onder de drie grote rotsblokken aan het water,' zei Azra en hij knikte snel. 'Laat iemand ons opwachten. We moeten rennen om het licht voor te blijven.'
De terrorist die Blauw heette sloop weg bij de poort met de kettingen en sloeg met toenemende snelheid, langzaam en onopvallend zijn vorige houding prijsgevend, vlug de zuidelijke rand van de muur om. Hij bleef staan, drukte zijn rug tegen de stenen en zocht met zijn blik de rij gebarricadeerde winkels af. Yosef kwam half te voorschijn uit een dichtgetimmerd portiek; hij was Azra niet uit het oog verloren en wilde dat de jonge leider dat wist. De oudere man siste even en binnen een paar tellen verscheen 'Amal Bahrudi' uit een smal steegje tussen de gebouwen; hij bleef in de schaduw, rende over het plaveisel en voegde zich bij Yosef in het portiek. Azra gebaarde naar links en wees op een nauwelijks bestraat pad voor hem uit dat parallel liep aan de muur van de ambassade; het lag voorbij de rij winkels op het plein; aan de andere kant lag enkel braak terrein vol rommel en woestijngras. In de verte waar de horizon steeds lichter werd lag de rotsachtige kust van de Golf van Oman. De een na de ander renden de vluchtelingen het pad af in hun gescheurde gevangeniskleren en hun harde leren sandalen, langs de muren van de ambassade de plotselinge, toch weer verrassende gloed van de zon in. Met Azra voorop bereikten ze een kleine landtong boven de dreunende golven. Lenig en vast van voet als een kat begon 's werelds nieuwste kroonprins van moordenaars omlaag te klauteren over de enorme rotsblokken; nu en dan bleef hij staan en gebaarde achter zich, wees op de plekken groen zeemos waar je je leven kon verliezen door uit te glijden en neer te storten op de scherp gepunte rotsen beneden. In minder dan een minuut hadden ze

een vreemd gevormd hol bereikt onderaan de lage klippen waar de enorme stenen aan de waterrand lagen. Het was aangegeven door drie rotsblokken die een vreemde driehoek vormden waaronder een grotachtige opening zichtbaar was, niet breder dan een meter en voortdurend overspoeld door de beukende golven.
'Daar is het!' riep Azra uit, blij en opgelucht. 'Ik wist wel dat ik het kon vinden!'
'Wat is het in hemelsnaam?' schreeuwde Kendrick in een poging zich verstaanbaar te maken boven het gedender van de golven uit.
'Een oud riool,' brulde Blauw. 'Honderden jaren geleden gebouwd, een gemeenschappelijk toilet dat voortdurend werd uitgespoeld door zeewater dat door slaven omhoog werd gebracht.'
'Hebben ze door de rotsen heengeboord?'
'Nee, Amal. Ze maakten het oppervlak ongelijk en plaatsten de rotsen erboven onder een hoek; de natuur heeft voor de rest gezorgd. Een omgekeerd aquaduct zou je het kunnen noemen. Het is een steile klim maar aangezien iemand het heeft moeten bouwen zijn er randen aangebracht voor de voeten – slavenvoeten, net als die van ons Palestijnen, nietwaar?'
'Hoe komen we daarbinnen?'
'We lopen door het water. Als de profeet Jezus eróp kon lopen kunnen wij toch minstens erdóór lopen. Kom op. De ambassade!'

Hevig transpirerend beklom Anthony MacDonald de buitentrap aan de zijkant van het oude pakhuis, die uitzicht gaf op de haven. De treden kraakten onder zijn gewicht en het kraken vermengde zich met de geluiden van hout en touwwerk die opklonken van de kaden waar rompen en touwwerk langs de kademuren schraapten. De eerste gouden stralen van de zon schitterden op het water van de haven, onderbroken door roeibootjes en oude treilers die de haven uitvoeren voor de dagelijkse visvangst, voorbij oplettende marinevaartuigen die nu en dan een boot signalen gaven te stoppen voor nader onderzoek. Tony had zijn chauffeur opdracht gegeven langzaam en zonder lichten terug te rijden naar Masqat over de verlaten woestijnweg tot ze een steegje bereikten in de As Saada dat dwars door de stad naar de haven liep. Pas toen ze straatlantaarns

zagen liet MacDonald de bestuurder de lichten weer ontsteken. Hij had er geen idee van waarheen de drie vluchtelingen op weg waren of waar ze verwachtten zich te kunnen verbergen wanneer het licht werd voor het legertje politiemensen dat naar hen op zoek was, maar hij nam aan dat het bij een van de meer ongewone agenten van de Mahdi in de stad zou zijn. Hij zou hen uit de weg gaan; hij moest nog zoveel te weten komen, er waren nog zoveel onbegrepen en tegenstrijdige zaken voordat hij toevallig de jonge ambitieuze Azra tegen het lijf zou lopen. Maar er was één plaats waarheen hij kon gaan, één man die hij kon opzoeken zonder bang te zijn zelf gezien te worden. Een huurmoordenaar die voor geld opdrachten blindelings uitvoerde, een produkt van menselijk afval die met potentiële klanten alleen maar in contact kwam in de smerige steegjes van de *el Sjari el Misjkwiyis.* Alleen degenen die het moesten weten wisten waar hij woonde.
Tony hees zich langs de laatste paar treden omhoog naar de lage, dikke deur boven aan de trap die hem naar de man zou voeren die hij kwam opzoeken. Toen hij de bovenste trede bereikte bleef hij stokstijf staan, met open mond en uitpuilende ogen. Ineens, zonder waarschuwing en zonder ook maar het geringste geluid sprong de deur open op geoliede scharnieren terwijl de halfnaakte moordenaar zich naar buiten stortte op de kleine overloop met een mes in zijn linkerhand waarvan het lange, vlijmscherpe lemmet glinsterde in de pas opgekomen zon, terwijl hij met zijn rechterhand een klein .22 pistool omklemde. Het lemmet werd tegen MacDonalds keel gedrukt, de loop van het pistool tegen zijn linkerslaap; de dikke Engelsman snakte naar adem en greep zich met beide handen vast aan de leuningen om niet alle treden af te vallen.
'Jij bent het dus,' zei de uitgemergelde man met holle wangen en hij trok het pistool terug maar liet het mes op zijn plaats. 'Jij moet hier niet komen. Jij mag je hier nooit vertonen!'
Naar adem snakkend en zijn omvangrijke lijf star houdend sprak MacDonald schor, met het lemmet van de psychopaat over zijn gespannen keel. 'Als dit geen noodgeval was zou ik het nooit gedaan hebben, laat dat je duidelijk zijn.'
'Wat me duidelijk is, is dat ik *bedonderd* ben!' antwoordde de man en hij bewoog het mes heen en weer. 'Ik heb die zoon van die importeur vermoord zoals ik ook jou op dit moment zou kunnen doden. Ik heb het gezicht van dat meisje opengesne-

den en haar op straat achtergelaten met haar rok over haar hoofd getrokken en ik ben *bedonderd.*'
'Niemand heeft dat zo bedoeld.'
'Iemand heeft dat wel degelijk!'
'Ik zal het goedmaken met je. We moeten praten. Zoals ik al zei is het een noodgeval.'
'Praat hier maar. Je komt niet bij me binnen. Niemand komt bij mij naar binnen!'
'Goed dan. Als je misschien zo vriendelijk zou willen zijn me te laten staan in plaats van me hier in doodsangst half over die toch al zo gammele trap te laten hangen...'
'Prááť!'
Tony posteerde zich wat vaster op de derde trede van boven, pakte een zakdoek om er zijn zwetende voorhoofd mee af te vegen en bleef kijken naar het mes onder zijn kin. 'Het is van het grootste belang dat ik contact krijg met de leiders in de ambassade. Omdat zij natuurlijk niet naar buiten kunnen komen moet ik bij hen naar binnen gaan.'
'Dat is te gevaarlijk, vooral voor degene die je naar binnen werkt, omdat hij zelf buiten blijft.' De tot op het bot vermagerde moordenaar haalde het mes weg van MacDonalds keel, maar dat deed hij enkel om het met een draai van zijn pols op een andere plek te richten; de glimmende punt stak nu op de onderkant van de hals van de Engelsman. 'Je kunt via de telefoon met hen spreken, dat doen allerlei mensen.'
'Wat ik te zeggen heb – wat ik hun moet vragen – mag niet gehoord worden over de telefoon. Het is van wezenlijk belang dat alleen de leiders mijn woorden horen en ik de hunne.'
'Ik kan je een nummer verkopen dat niet op de lijst voorkomt.'
'Ergens ligt het vast en als jij het hebt hebben anderen het ook. Ik kan het risico niet nemen. Naar binnen. Ik móét naar binnen.'
'Je doet moeilijk,' zei de psychopaat; zijn linkerooglid trilde even en beide pupillen waren verwijd. 'Waarom doe je zo moeilijk?'
'Omdat ik verschrikkelijk rijk ben en jij dat niet bent. Je hebt geld nodig voor je uitspattingen... voor je gewoonten.'
'Je belédigt me!' snauwde de huurmoordenaar hem toe, met schelle maar niet te luide stem, omdat de halfkrankzinnige man zich bewust was van de vissers en de havenarbeiders die drie verdiepingen lager naar hun werk sjokten.

'Ik ben alleen maar realistisch. Naar binnen. Hoeveel?'
De killer hoestte zijn stinkende adem in MacDonalds gezicht, trok het lemmet weg en richtte zijn waterige oogjes op zijn vroegere en huidige weldoener. 'Het gaat je een heleboel geld kosten. Meer dan je ooit eerder hebt betaald.'
'Ik ben bereid tot een redelijke verhoging, niet exorbitant hoog, denk eraan, maar redelijk. We zullen altijd wel werk voor je hebben...'
'Vanmorgen om tien uur is er een persconferentie op de ambassade,' viel de gedeeltelijk onder invloed van drugs verkerende man hem in de rede. 'Zoals gewoonlijk zullen de journalisten en de televisiemensen op het laatste moment worden geselecteerd en worden hun namen aan de poort afgeroepen. Zorg dat je daar bent en geef me een telefoonnummer zodat ik je binnen de komende paar uur een naam kan doorgeven.'
Dat deed Tony: zijn hotel en zijn kamer. 'Hoeveel, lieve jongen?' voegde hij eraan toe.
De moordenaar liet het mes zakken en noemde het bedrag in Omaanse thalers; het was het equivalent van drieduizend Engelse ponden of ruwweg vijfduizend Amerikaanse dollars. 'Ik moet onkosten maken,' verklaarde hij. 'Smeergelden moeten worden betaald anders is het de dood van de omkoper.'
'Het is een grof schandaal!' riep MacDonald.
'Vergeet het dan maar.'
'Akkoord,' zei de Engelsman.

Khalehla ijsbeerde door haar hotelkamer en ofschoon ze voor de zesde keer in haar tweeëndertig jaar het roken had opgegeven, rookte ze nu de ene sigaret na de andere, terwijl haar ogen steeds maar weer naar de telefoon dwaalden. Ze kon onder geen enkele voorwaarde vanuit het paleis opereren. Die connectie was nu voldoende in gevaar gebracht. Die verdómde klootzak!
Anthony MacDonald – nul, dronkelap... iemands buitengewoon agent – had zijn efficiënte netwerk in Masqat, maar zij was ook niet helemaal zonder hulpmiddelen, dankzij een kamergenote op Radcliffe die nu de vrouw van een sultan was – dankzij het feit dat Khalehla een aantal jaren eerder een vriend en mede-Arabier had voorgesteld aan haar beste vriendin in Cambridge, Massachusetts. Mijn god, de wereld werd eigenlijk steeds kleiner en je ontmoette steeds meer bekenden! Haar moe-

der, die in Californië was geboren, had haar vader, een uitwisselingsstudent uit Port Said, ontmoet toen ze beiden op Berkeley studeerden, zij als Egyptologe, hij voor zijn doctoraal Westerse Cultuur, beiden met het doel in de wetenschap verder te gaan. Ze werden verliefd op elkaar en trouwden. Het blonde Californische meisje en de olijfkleurige Egyptenaar.
Op den duur, toen er een kleindochter geboren werd, ontdekten de verbijsterde zeer radicale grootouders aan beide kanten dat kinderen meer betekenden dan alleen maar een onbesmette afkomst. In een plotselinge opwelling van liefde werden de barricades doorbroken. Vier oudere mensen, twee stellen die elkaar eigenlijk moesten verafschuwen, hadden de maatschappelijke kloof van cultuur, huidskleur en geloof overbrugd door een kind te ontdekken en andere wederzijdse genoegens. Ze werden onafscheidelijk, de bankier en zijn vrouw uit San Diego en de rijke exporteur uit Port Said en zijn enige, Arabische vrouw.
'Waar was ze eigenlijk mee bezig?' verweet Khalehla zichzelf. Het was er nu de tijd niet naar aan het verleden te denken, het heden overschaduwde alles! Toen besefte ze waarom haar gedachten waren afgedwaald – eigenlijk om twee redenen. De druk was te groot geworden; ze moest een paar ogenblikken voor zichzelf hebben, over zichzelf nadenken en over degenen die ze liefhad al was het alleen maar om de haat te kunnen begrijpen die overal heerste. De laatste was de tweede en belangrijkste reden. De gezichten en de woorden van een lang geleden gehouden diner speelden nog in haar geheugen, vooral de woorden waarvan de weerklank nog in haar gedachten echode; ze hadden indruk gemaakt op een meisje van achttien jaar dat op het punt stond naar Amerika te vertrekken.
'De vorsten uit het verleden kun je weinig goeds toeschrijven,' had haar vader gezegd die avond in Caïro toen de hele familie bij elkaar was, ook de beide stellen grootouders. 'Maar ze hadden begrip voor iets waaraan onze leiders van tegenwoordig niet denken – eigenlijk ook niet kúnnen denken tenzij ze proberen vorsten te worden, wat tegenwoordig niet meer zo in is, hoe hard sommigen het ook proberen.'
'En wat is dat wel, jongeman?' vroeg de bankier uit Californië. 'Ik heb een monarchie nog niet helemaal opgegeven. Ik ben natuurlijk republikein.'
'Nou ja, beginnend met onze eigen farao's en via de satrapen

van Perzië, de keizers van Rome en alle koningen en koninginnen van Europa en Rusland, spraken ze huwelijken af om de verschillende naties in hun centrale familie onder te brengen. Zodra iemand een ander onder die omstandigheden leert kennen – tijdens diners, bals, jachtpartijen, zelfs onder het vertellen van moppen, is het moeilijk een stereotiep vooroordeel in stand te houden, nietwaar?'
Iedereen rond de tafel had elkaar aangekeken en glimlachend tegen elkaar geknikt.
'Maar in zulke kringen, mijn zoon,' merkte de exporteur uit Port Said op, 'verliepen de zaken niet altijd even gelukkig. Ik ben geen geleerde, maar er waren oorlogen, families bestreden elkaar, ambities werden doorkruist.'
'Dat is waar, vereerde vader, maar hoeveel erger had alles niet kunnen zijn zonder die tevoren afgesproken huwelijken? Veel, veel erger, vrees ik.'
'Ik weiger gebruikt te worden als een geopolitiek instrument!' had Khalehla's moeder lachend uitgeroepen.
'Eigenlijk, schat, werd alles tussen ons gearrangeerd door onze sluwe ouders hier. Heb jij enig idee hoeveel profijt zij hebben getrokken uit ons huwelijk?'
'Het enige profijt dat ik ooit heb gezien is die lieve jonge meid die onze kleindochter is,' zei de bankier.
'Ze komt naar Amerika, beste vriend,' zei de exporteur. 'Je profijt zou wel eens kunnen afnemen.'
'Wat denk je ervan, schat? Een heel avontuur voor jou, vind je niet?'
'Het is nauwelijks voor het eerst, grootmoeder. We hebben u en grootvader vaak bezocht en ik ben al in heel wat steden geweest.'
'Het zal nu anders zijn, lieverd.' Khalehla was vergeten wie dat had gezegd maar die woorden vormden het begin van een van de vreemdste hoofdstukken van haar leven. 'Je zult er gaan wonen,' had wie het dan ook was eraan toegevoegd.
'Ik ben verschrikkelijk benieuwd. Iedereen is zo vriendelijk, je hebt het gevoel of je erbij hoort, of iedereen van je houdt.'
Opnieuw keken de mensen om de tafel elkaar aan. De bankier had het stilzwijgen doorbroken. 'Zo zul je er misschien niet altijd over denken,' zei hij zacht. 'Er zullen momenten komen waarop je er niet bijhoort, waarop men niet van je houdt, en dat zal verwarrend voor je zijn en zeker pijnlijk.'

'Dat kan ik moeilijk geloven, grootvader,' zei een sprankelend jong meisje dat Khalehla zich nog maar vaag herinnerde.
De man uit Californië had even zijn schoonzoon aangekeken en zijn ogen stonden ernstig. 'Nu ik terugdenk is het voor mij ook moeilijk te geloven. Vergeet één ding nooit, jongedame, als je problemen krijgt of als de zaken moeilijk worden, dan bel je op en ik zit op het volgende vliegtuig.'
'O, grootvader, ik kan me niet voorstellen dat ik zoiets doe.'
En dat deed ze ook niet, al scheelde het een paar keer maar heel weinig, toen alleen haar trots en alle kracht die ze kon opbrengen haar ervan weerhielden. *Schwartze ahrveeyah!* 'Arabische nikker!' was haar eerste kennismaking met felle, persoonlijke haat. Niet de blinde, irrationele haat van een mensenmassa die amok maakte in de straten, met spandoeken en amateuristische borden in hun handen, die een onzichtbare vijand achter verafgelegen grenzen vervloekte, maar van jonge mensen als zijzelf, in een gemengde gemeenschap van studenten, samen in collegezalen zitten en in cafetaria's, waar de waarde van het individu bovenaan stond, van het eerste jaar via voortdurende beoordeling tot afstuderen. Je droeg bij tot het geheel, maar als een individu, niet als een institutionele robot behalve misschien op de sportvelden, en zelfs daar werden individuele prestaties erkend, vaak nog meer als je verloren had, roerend eigenlijk.
Toch was ze hele lange tijd geen individu geweest; ze was zichzelf kwijtgeraakt. Die eigen persoonlijkheid was weggevaagd, overgebracht op een abstract, racistisch collectief dat *Arabier* werd genoemd. Vuile Arabier, sluwe Arabier, moordzuchtige Arabier – Arabier, Arabier, *Arabier* – tot ze het niet langer meer kon verdragen! Ze had zich teruggetrokken op haar kamer, had uitnodigingen afgeslagen van meisjes uit haar slaapgebouw om samen wat te gaan drinken in de sociëteit; twee keer was genoeg geweest.
De eerste keer had al genoeg moeten zijn. Ze was naar het damestoilet gegaan maar werd aan de deur tegengehouden door twee mannelijke studenten; het waren joodse studenten, dat wel, maar het waren ook Amerikaanse studenten.
'Ik dacht dat jullie Arabieren niet dronken!' schreeuwde de beschonken jongeman links van haar.
'Zoiets moet je voor jezelf uitmaken,' had ze geantwoord.
'Ik heb gehoord dat jullie *ahrveeyah* op de vloer van jullie ten-

ten pissen!' riep de andere uit, met een louche blik op haar borsten.
'Dat heb je dan verkeerd gehoord. Wij zijn heel kieskeurig. Mag ik nu alsjeblieft naar binnen...'
'Hier niet, Arabier. We weten niet wat je zult achterlaten op de toiletbril en we hebben een paar *yehhoodeeyáh* bij ons. Gesnopen, Arabier?'
Maar het breekpunt kwam aan het einde van haar tweede semester. Ze had uitstekende resultaten behaald bij een onderwerp dat werd gedoceerd door een beroemde joodse professor, zulke goede resultaten dat ze door de populaire professor werd uitgeroepen tot de meest succesvolle studente. De prijsuitreiking, die elk jaar tijdens zijn college plaats vond, was een van zijn boeken met een persoonlijke opdracht. Vele van haar medestudenten, zowel joden als niet-joden, hadden haar omringd om haar geluk te wensen, maar toen ze het gebouw verliet hadden drie anderen met nylons over hun hoofd haar tegengehouden op een paadje door het struikgewas, op weg naar haar slaapgebouw.
'Wat heb je gedaan?' vroeg er eentje. 'Heb je gedreigd zijn huis op te blazen?'
'Heb je misschien zijn kinderen gestoken met een scherpe Arabische dolk?'
'Verrek nee! Daarvoor zou ze Arafat roepen!'
'We gaan jou een lesje leren, *schwartze ahrveeyah!*'
'Als dat boek dan zoveel betekent voor jullie, hier heb je het!'
'Nee, Arabier, hou jij het maar.'
Ze was verkracht. 'Dit is voor München!' 'Dit is voor de kinderen in de Golan-kibboets!' 'Dit is voor mijn broer op het strand van Asjod waar jullie rotzakken hem vermóórdden!' De aanvallers hadden er seksueel weinig voldoening van gehad, het ging alleen om de woede bij de afstraffing van de gehate Arabier.
Ze was half kruipend, half strompelend teruggekomen in haar slaapgebouw toen er een heel belangrijk persoon in haar leven kwam. Een zekere Roberta Aldridge, de onschatbare Bobbie Aldridge, de heilige huisjes omverschoppende dochter van de Aldridges uit New England.
'Stelletje schórem!' had ze gegild tegen de bomen van Cambridge, Massachusetts.
'Je mag het nóóit verder vertellen!' smeekte het jonge Egypti-

sche meisje. 'Je begríjpt het niet!'
'Maak je daar maar geen zorgen over, meid. In Boston hebben we een gezegde dat hetzelfde betekent waar je ook woont in de stad. "Wie z'n kont verbrandt moet op de blaren zitten!" En geloof maar dat die kloteklappers blaren op hun kont zullen krijgen!'
'Néé! Ze zullen me opnieuw lastig vallen – zij begrijpen het ook niet! Ik haat de joden niet... Mijn beste vriendin vanaf toen ik klein was is de dochter van een rabbijn, een van de beste collega's van mijn vader. Ik haat joden echt niet. Ze zullen zeggen dat ik dat doe omdat ik voor hen alleen maar een smerige Arabier ben, maar het is niet zo! Zo is mijn familie niet. Wij haten niet.'
'Wacht effe, meid. Ik heb niks over de joden gezegd, dat heb jij gedaan. Ik zei kloteklappers, en daarmee heb ik, zogezegd, alles gezegd.'
'Ik kan hier niet langer blijven. Ik heb er genoeg van. Ik ga weg.'
'Dat zul je wel láten! Je gaat naar mijn dokter toe, die maar beter kan weten wat hij moet doen en dan trek je bij mij in. Verrék, ik heb al in bijna twee jaar geen zaak meer gehad om voor te vechten!'
Ere zij God en Allah en al die godheden daarboven. Ik heb een vriendin. En op een of andere manier, tijdens de pijn en de haat van die tijd, ontkiemde er een idee dat groeide tot een engagement. Een meisje van achttien wist wat ze ging doen met de rest van haar leven.

De telefoon ging over. Het verleden was voorbij, het heden betekende álles! Ze haastte zich naar het toestel op het nachtkastje, rukte de hoorn van de haak. 'Já.'
'Hij is hier.'
'Wáár?'
'De ambassade.'
'Oh, mijn gód? Wat gebeurt er? Wat doet hij?'
'Er zijn nog twee anderen bij...'
'Zijn er drie, niet vier?'
'Ik heb er maar drie gezien. De ene staat bij de poort tussen de bedelaars. Hij heeft staan praten met de terroristen daarbinnen.'
'De Amerikaan! Waar is die?'

'Bij de derde man. Die twee houden zich in de schaduw, alleen de eerste man laat zich zien. Hij is degene die de beslissingen neemt, niet de Amerikaan.'
'Wat bedoel je?'
'Volgens mij treft hij voorbereidingen om naar binnen te gaan.'
'Néé!' gilde Khalehla. 'Dat kunnen ze niet – híj kan dat niet, hij mág dat niet! Houd hen tegen, houd hém tegen!'
'Zulke opdrachten moeten van het paleis komen, mevrouw...'
'Zulke opdrachten komen van míj! Je hebt het gehoord! Het complex met de gevangenen was één zaak, maar niet de ambassade, nóóit de ambassade, niet voor hém! Ga erheen en pak hen aan, hou hen tegen, dood hen als het moet! Dood hém!'

'Opschieten!' riep de Arabier in de jellabah uit terwijl hij naar zijn collega rende voor het dichtgetimmerde restaurant, en de hendel van zijn machinepistool in de positie 'Vuren' rukte. 'We hebben opdracht hen nu aan te pakken, tegen te houden, de Amerikaan tegen te houden. We moeten hem doden als het niet anders kan.'
'Dóden?' vroeg de verbijsterde paleisfunctionaris.
'Zo luidt de opdracht. Dóód hem!'
'Die opdracht is te laat gekomen. Ze zijn verdwenen.'

Uiterst maximale geheimhouding

Geen aftap mogelijk

Ga uw gang

De gedaante in de donkere, totaal beveiligde kamer, drukte de letters van het toetsenbord met nijdige nauwkeurigheid in.

Ik heb de toegangscodes van Langley doorbroken en het is waanzin! Niet de CIA want hun liaison houdt niets achter. Maar de waanzin ligt bij de man. Hij is de ambassade binnengedrongen! Daar kan hij onmogelijk levend uitkomen. Ze zullen hem ontdekken – op het toilet, tijdens een maaltijd met of zonder bestek, door een enkele reactie op een uitdrukking. Hij is te lang weggeweest! Ik heb met elke mogelijkheid rekening gehouden en mijn apparaten geven me weinig hoop. Misschien zijn mijn apparaten en wij

te snel geweest in het vellen van een oordeel. Misschien is onze nationale messias niet meer dan een idioot, maar eigenlijk is iedere messias nog als een dwaas en een idioot beschouwd tot het tegendeel werd bewezen. Daar hoop ik maar op, daar bid ik voor.

II

De drie ontsnapte gevangenen kropen achter een jonge, tengere terrorist in het donker omhoog door het oude, met dicht mos bedekte riool tot ze een met spijlen afgesloten opening bereikten in de stenen vloer van het binnenplein. Met handen en voeten die onder de bloedende schaafwonden zaten werkten ze zich moeizaam omhoog tot in het verblindende zonlicht, maar werden daar geconfronteerd met een tafereel waarvan Kendrick met hart en ziel wenste dat hij het nooit had gezien. Zestig of meer gegijzelden waren van het dak naar het plein gebracht voor hun schamele ochtendmaaltijd. Een latrine bestond uit houten planken met ronde gaten boven grote bloembakken en de mannen waren er gescheiden van de vrouwen door een groot doorzichtig scherm dat van een van de ramen van de ambassade was gerukt. Alsof die kleinering nog niet genoeg was liepen mannelijke en vrouwelijke bewakers voor de gegijzelde mannen en vrouwen heen en weer te lachen en grappen te maken over de moeilijkheden die hun gevangenen kennelijk hadden bij het doen van hun behoefte. Het toiletpapier, dat tergend net buiten bereik van hun handen werd gehouden voordat het werd afgegeven, bestond uit papieruitdraaien van de computers van de ambassade.

Daartegenover, in het volle zicht van de beangstigde, vernederde mensen op de planken, stonden de gegijzelden in een rij voor drie lange, smalle tafels met een aantal metalen schotels waarop droog brood lag en kleine plakken verdacht uitziende kaas. Daartussenin stonden smerige gamellen met een grijsachtig witte vloeistof, waarschijnlijk aangelengde geitemelk, die door een groep gewapende terroristen achter de tafels in kleine hoeveelheden in de houten nappen van de gevangenen werd geschept. Nu en dan werd een gegijzelde een bord of een lepel melk geweigerd; erom smeken haalde niets uit; het gevolg was een klap of een vuist of een lepelvol in het gezicht wanneer de

kreten te hard weerklonken.
Terwijl Kendricks ogen zich nog aan het aanpassen waren aan het scherpe licht begon een jonge gevangene, een jongen van niet meer dan veertien of vijftien jaar opstandig te schreeuwen terwijl de tranen over zijn vertrokken gelaatstrekken stroomden.
'Vuile rótzak die je bent! Mijn moeder is ziek! Ze moet steeds maar overgeven van deze smeertroep! Geef haar toch wat behoorlijks te eten, jullie klootzakken...'
De woordenstroom van de jongen werd onderbroken door de loop van een geweer die tegen zijn gezicht werd geslagen en een diepe schram trok in zijn linkerwang. De klap maakte de jongen ziedend van woede in plaats van hem tot zijn zinnen te brengen. Hij vloog over de tafel heen, greep het hemd van de man met het geweer vast, rukte het van zijn lijf en deed de metalen schotels en gamellen met veel gekletter van de tafel op de grond belanden. Binnen enkele tellen stortten de terroristen zich op hem, trokken hem van de man met de baard af met wie hij op de grond lag te worstelen, sloegen en stompten hem met geweerkolven en schopten zijn kronkelende lijf op de stenen van het plein. Een paar andere gegijzelde mannen, bij wie de moed en de woede door de jongen waren opgewekt, renden naar voren en schreeuwden met zwakke, schorre stem terwijl hun armen zielig maalden tegen hun arrogante, veel sterkere vijanden. Er volgde een brute onderdrukking van een mini-revolutie. De gegijzelden vielen en werden bewusteloos geslagen en geschopt als een stel karkassen die bewerkt werden in een abattoir.
'Stelletje béésten!' brulde een oude man die zijn broek omhoog hield en met onzekere stappen van de planken kwam aanlopen, op een vreemde manier toch nog waardig en vastberaden. 'Arabische béésten! Stel Arabische wilden! Hebben jullie geen van allen nog een greintje fatsoen in je lijf? Worden jullie helden van de Islam door zwakke mannen dood te ranselen die zich niet kunnen verdedigen? Als dat zo is, neem mij dan maar dan kun je nog meer medailles verdienen, maar hou in godsnaam op met wat jullie aan het doen zijn!'
'Wiens god?' schreeuwde een terrorist die gebogen stond over het lichaam van de bewusteloze jongen. 'Een christelijke Jezus wiens volgelingen onze vijanden bewapenen zodat ze met bommen en kanonnen onze kinderen kunnen afslachten? Of een

zwervende Messias wiens volk ons land steelt en onze vaders en moeders vermoordt? Je moet je goden eens op een rijtje zien te krijgen!'
'Genoeg!' beval Azra en hij stapte snel naar voren. Kendrick liep hem na; hij kon zich niet bedwingen en bedacht dat hij enkele tellen eerder bijna de MAC-10 van de schouder van Blauw had afgerukt en het wapen had leeggeschoten op de terroristen. Met de bebloede jongen aan zijn voeten zei Azra rustig: 'De les is geleerd; overdrijf het niet anders verdoof je alleen maar degenen die je iets wilt leren. Breng deze mensen naar de ziekenzaal, naar de gegijzelde dokter... en ga de moeder van de jongen zoeken. Haal haar hierheen en geef haar wat te eten.'
'Waaróm, Azra?' protesteerde de Palestijn. 'Mijn moeder is niet met zoveel consideratie behandeld! Zij werd...'
'De mijne ook niet,' viel Blauw de man vastbesloten in de rede en hij bracht hem daarmee tot zwijgen. 'En nu moet je ons eens zien. Breng dit kind naar beneden en laat hem bij zijn moeder blijven. Laat iemand maar eens met hen praten over deze te grote ijver en doe maar of je het meent.'
Kendrick keek walgend toe terwijl de slappe, bloedende lichamen werden weggedragen. 'Je hebt goed gehandeld,' zei hij in het Engels tegen Azra, zijn woorden kil en nietszeggend, pratend als een deskundige. 'Je vindt het niet altijd even prettig, maar je moet weten wanneer je moet ophouden.'
De nieuwe prins van de terroristen nam Evan op, zoals steeds met ogen die niets uitdrukten. 'Ik meende wat ik zei. Moet je ons eens zien. De dood van onze geliefden heeft ons veranderd. De ene dag zijn we kinderen, de volgende dag volwassen, ongeacht onze leeftijd, en we zijn specialisten in de dood want de herinneringen raken we nooit kwijt.'
'Ik begrijp het.'
'Nee, dat doe je niet, Amal Bahrudi. Jij strijdt een ideologische strijd, de dood die jij ontmoet is veroorzaakt door de politiek – waarin ongetwijfeld hartstochtelijk wordt geloofd – maar die altijd politiek blijft. Dat is mijn strijd niet. Mijn enige ideologie is in leven blijven zodat ik dood kan vergelden met dood – en toch nog kan blijven leven.'
'Waarvoor?' vroeg Kendrick, ineens diep geïnteresseerd.
'Vreemd genoeg om in vrede te kunnen leven, wat aan mijn ouders is ontzegd. Zodat wij allen in ons land kunnen wonen dat ons ontstolen is, overgeleverd aan onze vijanden en betaald

door rijke landen om hun eigen schuldgevoelens te verzachten over misdaden tegen een volk die niet onze misdaden waren. Nu zijn wij de slachtoffers; kunnen we iets anders doen dan vechten?'

'Als jij soms denkt dat dat geen politiek is dan zou ik als ik jou was je gedachten maar eens veranderen. Je blijft een dichter, Azra.'

'Met een mes en een pistool zowel als met mijn gedachten, Bahrudi.'

Opnieuw was er enige opschudding op het plein, maar dit keer onschuldig. Twee gedaanten kwamen een deur uitrennen, de ene een gesluierde vrouw, de andere een man met witte lokken in zijn donkere haar. Zaya Yateem en Ahbyahd, de man die *Wit* werd genoemd, bedacht Evan terwijl hij gespannen en op zijn hoede bleef afwachten. Het was een vreemde begroeting tussen broer en zus; ze gaven elkaar formeel de hand, keken elkaar aan en omarmden toen elkaar. Het universele voogdijschap van een oudere zus voor een jongere broer bleek eruit, die laatste zo vaak onbeholpen, impulsief in de ogen van de oudere, wijzere zuster, en het sloeg een brug over rassen en ideologieën. Het jongere kind zou onvermijdelijk sterker worden, de gespierde arm van het huishouden, maar de oudere zus was er altijd om hem te leiden. Daarna was Ahbyahd minder formeel, hij sloeg zijn armen om het jongste en het sterkste lid van de raad heen en kuste hem op beide wangen. 'Je zult ons heel wat te vertellen hebben,' riep de terrorist Wit uit.

'Dat heb ik,' stemde Azra in, en hij wendde zich naar Kendrick. 'Dat komt door deze man. Hij is Amal Bahrudi uit Oost-Berlijn en hij is door de Mahdi naar ons toegestuurd hier in Masqat.'

Zaya's doordringende, zelfs felle ogen namen Evan op van boven haar sluier. 'Amal Bahrudi,' herhaalde ze. 'De naam heb ik natuurlijk wel gehoord. De Mahdi heeft een lange arm. U bent ver van uw eigen werkterrein.'

'Jammer genoeg wel,' zei Kendrick in het beschaafde dialect van Riyadh. 'Maar anderen worden in de gaten gehouden, ze kunnen geen stap onopgemerkt verzetten. Men vond dat iemand die niet verdacht werd hierheen zou moeten gaan, en Oost-Berlijn is een goed uitgangspunt voor een reis omdat mensen zullen zweren dat ik daar nog ben. Toen de Mahdi riep heb ik gehoor gegeven. Ik was het eigenlijk zelf die het eerst contact opnam met zijn mensen over een probleem dat u hier hebt en dat uw broer u zal uitleggen. We hebben misschien uiteenlopende doeleinden maar we maken allen voortgang door samen te werken, vooral wanneer onze rekeningen worden betaald.'

'Maar u,' zei Ahbyahd met samengetrokken wenkbrauwen. 'De Bahrudi uit Oost-Berlijn, de man die zich overal kan vertonen. Men heeft u ontdekt?'

'Het is waar dat ik de reputatie heb overal rond te reizen,' antwoordde Evan en hij glimlachte even vaag. 'Maar die reputatie zal zeker niet worden vergroot door wat er hier met me is gebeurd.'

'Bent u dan verraden?' vroeg Zaya Yateem.

'Ja. Ik weet wie het was en ik zal hem vinden. Zijn lijk zal in de haven boven komen drijven...'

'Bahrudi heeft ons geholpen te ontsnappen,' viel Azra hem in de rede. 'Terwijl ik aan het denken was handelde hij. Hij verdient de reputatie die hij heeft.'

'We zullen naar binnen gaan, broertjelief. Daar zullen we praten.'

'Liefste zus van me,' zei Blauw. 'We hebben hier verraders, dat kwam Amal ons vertellen – dat en nog iets anders. Ze nemen foto's en smokkelen die naar buiten, verkópen ze! Als we dit overleven zullen we jarenlang worden opgejaagd, dan weet de hele wereld wie we zijn!'

De zus bekeek nu aandachtig haar broer met vragende ogen boven haar sluier. 'Foto's? Die genomen worden door verborgen camera's met de nieuwste technische snufjes en niemand zou die hebben opgemerkt? Hebben we dan onder onze broeders en zusters hier zulke gevorderde fotografiestudenten, terwijl het grootste deel nauwelijks kan lezen?'

'Hij heeft de foto's gezien! In Oost-Berlijn!'

'We zullen binnen praten.'

De twee Engelsen zaten voor het grote bureau in de Britse ambassade en de vermoeide attaché, die nog steeds zijn badjas droeg, deed zijn best wakker te blijven. 'Ja, kerels,' zei hij gapend. 'Ze kunnen hier elk moment zijn en als ik zo vrij mag zijn dat te zeggen, ik hoop dat het belangrijk is wat jullie te vertellen hebben. MI 6 weet hier van voren niet meer dat ze van achteren leeft en ze zijn niet bepaald gecharmeerd van een stelletje landgenoten die hen beroven van een paar kostbare uren slaap.'

'Mijn vriend Dickie hier heeft bij de Grenadiers gediend!' riep Jack beschermend uit. 'Als hij denkt dat er iets aan u te vertellen valt dan moet u, geloof ik, naar hem luisteren. Waarvoor zijn we per slot van rekening hier?'

'Om geld te verdienen voor jullie firma's?' opperde de attaché.

'Nou ja, dat hoort er natuurlijk ook bij,' zei Jack. 'Maar op de eerste plaats zijn we *Engelsen,* en dat kunt u maar beter niet vergeten. We laten het Britse rijk niet roemloos ten onder gaan. Waar of niet, Dickie?'

'Dat is al gebeurd,' zei de attaché en hij onderdrukte weer een geeuw. 'Veertig jaar geleden.'

'Moet u luisteren,' viel Dickie hem in de rede. 'Mijn vriend Jack hier zit in ferro-metalen maar ik zit in de textiel en ik zal u vertellen dat die vent niets goeds van plan is – gezien de manier waarop hij gekleed ging, in tegenstelling tot zijn eerdere kleren. Kleren maken niet alleen de man maar ze zijn ook passend voor het werk dat hij doet; zo is het al geweest sinds het eerste vlas werd geweven, nu ik er aan denk waarschijnlijk precies hier in de buurt...'

'MI 6 heeft de informatie,' onderbrak de attaché hem met de verveelde uitdrukking van een man die het allemaal al eerder heeft gehoord. 'Ze zullen hier zo zijn.'

Dat waren ze. Binnen vijf seconden na de opmerking van de attaché kwamen twee mannen in hemden met openstaande boord het kantoor binnenlopen; ze waren beiden ongeschoren en ze zagen er niet bepaald vriendelijk uit. De tweede man had een grote envelop bij zich; de eerste man deed het woord. 'Bent u de heren die ons hierheen hebben gehaald?' vroeg hij terwijl hij zich tot Dickie en Jack richtte.

'Richard Harding aan mijn linkerkant,' zei de attaché. 'En John Preston rechts. Kan ik nu gaan?'

'Het spijt me, jongen,' antwoordde de tweede man terwijl hij op het bureau afliep en de envelop opende. 'Wij zijn hier omdat jij ons hebt opgeroepen. Daarom mag je blijven.'

'Heel erg vriendelijk van je,' zei de man van de ambassade onvriendelijk. 'Maar ik heb jullie niet opgeroepen, ik heb alleen maar informatie doorgegeven die twee Engelsen met klem verzochten door te geven. Daarom mag ik nu weer naar bed gaan omdat ik niets met jullie werk heb te maken.'

‘Eigenlijk,’ viel Jack Preston hem in de rede, ‘was het Dickie die erop stond, maar ik ben altijd van mening geweest dat in crisistijd geen steen en geen instinct over het hoofd mag worden gezien, en Dickie Harding – een vroegere Grenadier, als u dat nog niet wist – heeft een hele gevoelige neus gehad… in het verleden.’
‘Verrek, Jack, het heeft niks met mijn neus te maken, het gaat om wat hij droeg. Ik bedoel maar, een vent zou nog stikken in de Hooglanden in de winter met die stoffen aan zijn lijf, en als de glans op zijn hemd betekende dat het zijde of polyester was zou hij helemaal creperen. Katoen! Je reinste, ademende katoen, dat is de enige stof voor dit klimaat. En de snit van wat hij droeg, nou ja, ik zal je zeggen…’
‘Mag ik even, meneer?’ Met zijn ogen heel even op het plafond gericht haalde de tweede man een stapel foto’s uit de envelop en gaf die aan Preston en Harding, daarmee een einde makend aan het gepraat. ‘Zou u die eens willen bekijken en zien of er iemand tussenzit die u herkent?’
Elf seconden later was het werk gedaan. ‘Dát is ’m!’ riep Dickie uit.
‘Ik geloof van wel,’ stemde Jack in.
‘En jullie zijn alle twee geschift,’ zei de eerste man van MI 6. ‘Hij heet MacDonald en hij hangt in Caïro de zuiplap en de rijke jongen uit. Zijn schoonvader is eigenaar van de zaak waarvoor hij werkt – een bedrijf in auto-onderdelen – en hij is daar neergezet omdat hij zo stom is als het achtereind van een varken en de adjunct-directeur in het Caïro-kantoor heeft de touwtjes in handen. Dat komt ervan als je een fijne neus hebt op dit uur van de morgen. Mag ik vragen waar jullie twee de nacht hebben doorgebracht?’
‘Luister, Dickie, ik zei je al dat je misschien te snel iets ondernam op nogal oppervlakkig bewijsmateriaal…’
‘Wacht eens even,’ viel de tweede man van MI 6 hem in de rede; hij pakte de vergrote pasfoto op en bekeek die. ‘Een jaar of zo geleden nam een militaire collega hier contact met ons op en hij wilde met ons praten over een AO-probleem dat er volgens hem dreigde.’
‘Een wat?’ vroeg de attaché.
‘ “Apparatuur Onderzoek”; dat kun je uitleggen als spionage. Hij wilde niet veel zeggen over de telefoon, maar hij merkte wel op dat we verbaasd zouden zijn over de verdachte. “Een

opgeblazen dronkelap van een Engelsman die in Caïro werkt", of zoiets zei hij. Zou dit de man kunnen zijn?'
'Zie je wel,' drong Jack aan. 'Ik drong er bij Dickie op aan er werk van te maken, het niet voor zich te houden!'
'Echt, beste jongen, zo enthousiast was je nu ook weer niet. Weet je, we zouden nog steeds dat vliegtuig kunnen halen waar jij je zoveel zorgen over maakte.'
'Wat is er bij dat gesprek gebeurd?' vroeg de attaché, voorovergebogen en met zijn ogen gericht op de tweede man van MI 6.
'Dat gesprek heeft nooit plaatsgevonden. Onze militaire collega is aan de haven vermoord; hij werd met doorgesneden keel voor een pakhuis gevonden. Ze noemden het een beroving, want er werd niets in zijn zakken gevonden.'
'Ik geloof echt dat we dat vliegtuig moeten nemen, Dickie.'

'De *Mahdi?*' riep Zaya Yateem uit vanuit haar stoel achter het bureau van wat drie weken eerder het kantoor was geweest van de Amerikaanse ambassadeur. 'U moet een van ons naar hem in Bahrein brengen? Vanávond?'
'Zoals ik uw broer vertelde,' zei Kendrick in een stoel naast Ahbyahd voor de vrouw. 'De instructies stonden waarschijnlijk in de brief die ik bij u moest afleveren...'
'Ja, ja,' zei Zaya snel en ongeduldig. 'Hij heeft het me uitgelegd toen we even samen praatten. Maar u vergist zich, Bahrudi. Ik heb geen enkele manier om de Mahdi rechtstreeks te bereiken – niemand weet wie hij is.'
'Ik neem aan dat u contact opneemt met iemand die op zijn beurt het aan hem doorgeeft.'
'Natuurlijk, maar dat kan wel een dag duren of misschien wel twee. Het is een ingewikkelde weg om hem te bereiken. Er wordt vijf keer getelefoneerd en elk van die vijf gesprekken wordt tien keer doorverbonden met geheime nummers in Bahrein en er is er maar eentje die verbinding heeft met de Mahdi.'
'Wat gebeurt er bij noodsituaties?'
'Die zijn niet toegestaan,' kwam Azra tussenbeide, geleund tegen de muur naast een gotisch raam waar de zon door scheen. 'Dat heb ik je gezegd.'
'En dát, mijn jonge vriend, is nu juist zo belachelijk. We kunnen niet doeltreffend datgene doen wat we moeten doen zon-

der rekening te houden met het onverwachte.'
'Dat geef ik toe.' Zaya Yateem knikte en schudde toen langzaam haar hoofd. 'Maar er zit iets waars in wat mijn broer zegt. Er wordt van ons verwacht dat we wekenlang onder een noodsituatie doorwerken, als het nodig is. Anders zouden we als leiders onze opdrachten niet krijgen.'
'Mij best,' zei het congreslid van het Negende district van Colorado, en hij voelde het zweet langs zijn nek druipen ondanks de koele ochtendbries die door de open ramen woei. 'Legt u dan maar aan de Mahdi uit waarom wij vanavond niet in Bahrein zijn. Ik heb mijn taak volbracht, met inbegrip van het redden van je broers leven, als ik me niet vergis.'
'Daar heeft hij gelijk in, Zaya,' stemde Azra in en hij ging rechtop staan. 'Ik zou nu anders dood in de woestijn hebben gelegen.'
'Daar ben ik u dankbaar voor Bahrudi, maar ik kan geen ijzer met handen breken.'
'Volgens mij kunt u het maar beter proberen.' Kendrick keek even naar Ahbyahd naast hem en wendde zich toen weer tot de zuster. 'Uw Mahdi heeft heel wat moeite gedaan en kosten gemaakt om mij hier te krijgen en dat betekent volgens mij dat híj in een noodsituatie verkeert.'
'Het nieuws dat men u gevangen heeft genomen zal wel uitleggen wat er gebeurd is,' zei Ahbyahd.
'Denkt u echt dat de veiligheidsmensen van Oman zullen vertellen dat ze me gepakt hebben om dan meteen te moeten doorgeven dat ik ontsnapt ben?'
'Natuurlijk niet,' antwoordde Zaya Yateem.
'De Mahdi heeft jullie portemonnee,' voegde Kendrick eraan toe. 'En hij zou van invloed kunnen zijn op de mijne, en dat bevalt me niet.'
'Onze voorraden raken uitgeput,' kwam Ahbyahd tussenbeide. 'We hebben snelle boten nodig uit de Emiraten anders is alles wat we hebben bereikt voor niks geweest. In plaats van een beleg slaan zullen we dan zelf in staat van beleg verkeren.'
'Er is misschien een manier,' zei Zaya en ze stond ineens op, met haar handen op het bureau en een nadenkende blik in de donkere ogen boven haar sluier. 'We hebben voor vanmorgen een persconferentie belegd; die zal overal worden bekeken en zeker door de Mahdi. Op een bepaald punt in mijn toespraak zal ik zeggen dat we een dringende boodschap sturen naar on-

ze vrienden. Een boodschap waarop direct antwoord moet worden gegeven.'
'Wat zou dat uithalen?' vroeg Azra. 'Alle communicaties worden bekeken, dat weten we. Niemand van de mensen van de Mahdi zal het risico lopen contact met ons op te nemen.'
'Dat hoeven ze niet,' viel Evan hem in de rede en hij ging op het puntje van zijn stoel zitten. 'Ik begrijp wat je zus bedoelt. De reactie is niet verbaal; er is geen communicatie nodig. We vragen hem niet om instructies, we géven ze hem. Daarover hebben jij en ik een paar uur geleden gesproken, Azra. Ik ken Bahrein. Ik zal een plek uitzoeken waar we gaan zitten en we laten dat door een van jullie contacten hier in Masqat doorgeven en zeggen dat dat de dringende boodschap is waarover je zus het had tijdens de persconferentie.' Kendrick draaide zich naar Yateem. 'Zó had u het toch zeker bedoeld, nietwaar?'
'Ik had het nog niet zo uitgewerkt,' gaf Zaya toe, 'maar zo zou het kunnen. Ik dacht er alleen nog maar aan hoe we de procedure van contact met de Mahdi konden versnellen. Maar het zou zo kunnen.'
'Het is de oplossing!' riep Ahbyahd uit. 'Bahrudi heeft ons de oplossing aan de hand gedaan!'
'Op dit moment is er nog niets opgelost,' zei de gesluierde vrouw en ze ging weer zitten. 'We zitten nog met het probleem om mijn broer en meneer Bahrudi naar Bahrein te krijgen. Hoe kan dat gebeuren?'
'Daar wordt voor gezorgd,' antwoordde Evan en zijn hart begon sneller te bonken, verbaasd als hij was over zijn eigen kalmte, zijn nonchalante stem. *Hij kwam dichterbij! Dichter bij de Mahdi!* 'Ik heb Azra verteld dat ik een telefoonnummer heb dat ik u niet zal geven – niet kan geven – maar dat ons met een paar woorden een vliegtuig zal bezorgen.'
'Gewoon zó maar?' riep Ahbyahd uit.
'Uw weldoener hier in Oman kent wegen waarvan jullie niet kunnen drómen.'
'Alle inkomende en uitgaande telefoongesprekken worden afgeluisterd,' wierp Azra tegen.
'Wat ik zeg kan gehoord worden, maar niet wat de man die ik bel zegt. Dat heeft men mij verzekerd.'
'Een vervormer?' vroeg Yateem.
'Ze horen bij onze uitrusting in Europa. Een simpel kegeltje dat over de microfoon wordt gedrukt. De vervorming is totaal

behalve bij de directe verbinding.'
'Belt u maar,' zei Zaya. Ze stond op en liep snel om het bureau heen terwijl Kendrick hetzelfde deed en in haar stoel ging zitten. Met zijn hand boven de kiesschijf draaide hij het nummer.
'Ja?' Ahmeds stem kwam door voordat het toestel de tweede keer overging.
'Een vliegtuig,' zei Kendrick. 'Twee passagiers. Waar? Wanneer?'
'Mijn gód!' riep de jonge sultan van Oman uit. 'Even denken. Het vliegveld, natuurlijk. Zowat een halve kilometer voor het vrachtgebouw is er een bocht in de weg. Iemand zal je daar oppikken in een militaire auto. Zeg maar dat die gestolen is om jullie langs de bewaking te krijgen.'
'Wanneer?'
'Het zal even duren. De bewaking is overal intens en er moeten regelingen worden getroffen. Kun je me een bestemming geven?'
'De tweeëntwintigste letter, in tweeën gesneden.'
'V... in tweeën – een schuine I – Iran?'
'Nee. Hou je aan de cijfers.'
'Tweeëntwintig... twee. *B?*'
'Ja.'
'Bahrein!'
'Ja.'
'Dat helpt. Ik ga even bellen. Hoe snel heb je het nodig?'
'Wanneer de festiviteiten hier op hun hoogst zijn. We moeten ontsnappen in de verwarring.'
'Dat zou dan rond twaalf uur zijn.'
'Je zegt het maar. Overigens, er is een dokter – die heeft iets wat ik misschien nodig heb voor mijn gezondheid.'
'De geldriem natuurlijk. Die wordt je wel toegestopt.'
'Goed.'
'De bocht voor het vrachtgebouw. Zorg dat je er bent.'
'Dat zullen we.' Evan legde de hoorn op. 'We moeten om twaalf uur op het vliegveld zijn.'
'Het vliegveld!' riep Azra. 'We zullen opgepikt worden!'
'Op de weg naar het vliegveld. Iemand zal een militaire auto stelen en zij zullen ons oppikken.'
'Ik zal zorgen dat er een van onze contacten in de stad jullie rijdt,' zei Zaya Yateem. 'Hij zal degene zijn aan wie je de plaats

bekend moet maken waar je in Bahrein zult zijn, de ontmoetingsplaats. Jullie hebben minstens vijf uur voordat jullie vertrekken.'
'We zullen kleren nodig hebben, een douche en wat slaap,' zei Azra. 'Ik kan me niet meer herinneren wanneer ik voor het laatst heb geslapen.'
'Ik zou hier graag wat rondkijken,' merkte Kendrick op terwijl hij opstond. 'Misschien leer ik nog wel wat.'
'Wat u maar wilt, Amal Bahrudi,' zei Yateem en ze kwam op Evan af. 'U hebt het leven gered van mijn dierbare broer en er zijn geen woorden om u daarvoor te bedanken.'
'Zorgt u maar dat ik tegen twaalven op het vliegveld kom,' antwoordde Kendrick op kille toon. 'Eerlijk gezegd wil ik zo spoedig mogelijk terugkeren naar Duitsland.'
'Tegen twaalven,' stemde de terroriste in.

'Weingrass zal hier rond twaalf uur zijn!' riep de Mossad-functionaris uit tegen Ben-Ami en de vijf mannen van de Masada-brigade. Ze zaten in de kelder van een huis in de Jabal Saali, op korte afstand van de rijen Engelse graven waar vele zeerovers eeuwen geleden begraven waren. Het primitieve stenen souterrain was omgebouwd tot een controlecentrum voor de Israëlische inlichtingendienst.
'Hoe komt hij hier?' vroeg Ben-Ami, die de *ghotra* had afgezet en die er nu in zijn blauwe spijkerbroek en zijn losse donkere hemd veel natuurlijker uitzag. 'Zijn paspoort stamt uit Jeruzalem, niet bepaald een welkom document.'
'Je twijfelt nu eenmaal niet aan Emmanuel Weingrass. Hij heeft ongetwijfeld meer paspoorten dan er ongezuurde broodjes zijn op het Jabotinskyplein in Tel Aviv. Hij zegt dat we niets moeten doen tot hij aankomt. "Absoluut niets", waren letterlijk zijn woorden.'
'Je klinkt niet meer zo afkeurend over hem als je gedaan hebt,' zei Yaakov, codenaam Blauw, zoon van een gegijzelde en leider van de Masada-ploeg.
'Omdat ik zijn onkostenrekening niet meer hoef te tekenen! Die zal er niet zijn. Ik hoefde alleen maar Kendricks naam te noemen en hij zei dat hij al onderweg was.'
'Dat wil nauwelijks zeggen dat hij zijn onkosten niet in rekening zal brengen,' wierp Ben-Ami grinnikend tegen.
'O nee, ik was daar heel precies in. Ik vroeg hem hoeveel zijn

hulp ons zou gaan kosten en hij antwoordde ondubbelzinnig: "De pot op! Dit betaal ik!" Daaruit blijkt duidelijk dat hij het voor zijn eigen rekening neemt.'
'We zijn onze tijd aan het verknoeien!' riep Yaakov uit. 'We zouden de ambassade al moeten verkennen. We hebben de plattegronden bestudeerd; er zijn een half dozijn manieren waarop we binnen kunnen komen en vertrekken met mijn vader!'
Hoofden werden met een ruk opgeheven en ogen werden opengesperd en gericht op de jonge leider die Blauw werd genoemd.
'We begrijpen het,' zei de Mossad-functionaris.
'Het spijt me. Dat had ik niet moeten zeggen.'
'Jij hebt elk recht om dat te zeggen,' zei Ben-Ami.
'Ik had het niet moeten doen. Nogmaals mijn excuses. Maar waarom zouden we wachten op die *Weingrass?*'
'Omdat hij resultaat behaalt, beste vriend, en zonder hem lukt ons dat misschien niet.'
'Ik begrijp het! Jullie zijn bij de Mossad salto's aan het draaien. Nu is het de Amerikaan die jullie willen helpen en niet ons oorspronkelijke doel! Verdomme nogantoe, já, mijn váder!'
'Het resultaat zou precies hetzelfde kunnen zijn, Yaakov...'
'Ik bén Yaakov niet!' brulde de jonge leider. 'Voor jou ben ik alleen maar Blauw – de zoon van een vader die zijn eigen vader en moeder in Auschwitz vaneengerukt heeft zien worden, toen ze elkaar aan de hand vasthielden en afzonderlijk de gascellen werden ingedreven. Ik wil mijn váder daaruit halen en veilig stellen en ik kán het niet! Hoeveel meer moet die man nog te lijden hebben? Een afgrijselijke jeugd waarin hij moest toezien hoe kinderen van zijn eigen leeftijd werden opgehangen omdat ze afval stalen om te eten te hebben, hoe ze verkracht werden door die zwijnen van de Wehrmacht, zich verborgen moesten houden, stierven van de honger in bossen door heel Polen tot de geallieerden kwamen. Toen later gezegend met drie zonen waarvan er twee werden gedood, mijn broers, die in Sidon werden afgeslacht door smerige terroristenzwijnen van Arabieren! Nu moet ik me druk maken om een of andere Amerikaanse cowboy, een politicus die zo nodig de held moet uithangen, zodat hij in films kan optreden en zijn portret kan zien op dozen havermout?'
'Voor zover ik het gehoord heb,' zei Ben-Ami rustig, 'is niets daarvan waar. Deze Amerikaan zet zijn leven op het spel zonder hulp van zijn eigen mensen, zonder het vooruitzicht op toe-

komstige beloning als hij in leven blijft. Zoals onze vriend hier zegt doet hij dat wat hij nu uitvoert om een reden die niet zoveel verschilt van de onze. Om een afschuwelijk onrecht recht te zetten dat hem werd aangedaan, zijn familie als het ware.'
'Hij kan bársten! Dat was een familie, geen volk! Ik zeg dat we naar de ambassade moeten gaan!'
'En ik zeg dat je dat uit je hoofd laat,' zei de functionaris en hij legde langzaam zijn pistool op tafel. 'Jullie staan nu onder bevel van de Mossad en jullie zullen doen wat wij zeggen.'
'Zwijnen!' schreeuwde Yaakov. 'Zwijnen zijn jullie, allemaal!'
'Inderdaad,' zei Ben-Ami. 'Allemaal.'

10.48 uur v.m. Omaanse tijd. De strak in toom gehouden persconferentie was voorbij. De verslaggevers en televisieploegen waren bezig hun aantekenboeken en apparatuur bijeen te garen, klaar om door de gangen van de ambassade naar de buitenpoort geleid te worden, bewaakt door honderd jonge mannen en gesluierde vrouwen die heen en weer liepen, met hun wapenen klaar voor actie. Maar in de vergaderzaal doorbrak een dikke man het cordon van de bewakers met vleiende woorden en naderde de tafel waaraan Zaya Yateem zat. Met een geweerloop op zijn hoofd gericht begon hij te praten.
'Ik kom van de Mahdi,' fluisterde hij, 'die elke shilling betaalt die jullie schuldig zijn.'
'U óók al? De noodsituatie in Bahrein moet inderdaad ernstig zijn.'
'Pardon...'
'Is hij gefouilleerd?' vroeg Zaya aan de bewakers die knikten. 'Laat hem maar los.'
'Dank u, mevrouw – wát voor noodsituatie in Bahrein?'
'Dat weten we duidelijk niet. Een van de onzen gaat er vanavond naar toe om het te horen en zal ons het nieuws komen brengen.'
MacDonald staarde in de ogen die boven de sluier uitkwamen en in zijn enorme borst vlamde een felle, holle pijn. *Wat was er aan de hand? Waarom ging Bahrein buiten hem om? Wat voor beslissingen waren er genomen waarvan hij niets afwist? Wat had die vuile Arabische hoer gedaan?* 'Mevrouw,' vervolgde de Engelsman langzaam, op afgemeten toon. 'De noodsituatie in Bahrein is een nieuwe ontwikkeling, maar ik maak me zorgen over een andere zaak die even ernstig is. Onze weldoener zou graag

opheldering hebben – onmiddellijke opheldering – over de aanwezigheid van de vrouw Khalehla, hier in Masqat.'
'Khalehla? Wij hebben hier geen vrouw die Khalehla heet, maar namen zeggen niet veel, is 't wel?'
'Hier niet, niet hierbinnen, maar buiten en in contact met uw mensen – uw eigen broer in feite.'
'Mijn bróer?'
'Precies. Drie ontsnapte gevangenen die zich haastten om haar te ontmoeten op de weg naar de Jabal Sjam, om de vijand te ontmoeten!'
'Wat zegt u me dáár?'
'Ik zeg niets, mevrouw, ik stel eisen. Wíj eisen een verklaring. De Mahdi staat erop met de meeste nadruk.'
'Ik heb geen idee waar u het over hebt! Het is waar dat er drie gevangenen ontsnapt zijn, een van hen mijn broer samen met Yosef en de andere een afgezant van onze weldoener, een man Bahrudi uit Oost-Berlijn.'
'Oost... Mevrouw, ik kan u niet meer volgen.'
'Als u echt van de Mahdi komt ben ik stomverbaasd dat u niets van hem afweet.' Yateem zweeg en haar doordringende ogen zochten MacDonalds gezicht af. 'Van de andere kant zou u bij iedereen kunnen horen, overal vandaan kunnen komen.'
'Zolang ik in Masqat zit ben ik het enige contact met de Mahdi. Bel Bahrein maar, dan zult u het zelf horen, mevrouw.'
'U weet heel goed dat zulke telefoongesprekken niet zijn toegestaan. Zaya knipte met haar vingers dat de bewakers moesten komen; ze renden naar de tafel. 'Neem deze man mee naar de raadskamer. Wek dan mijn broer en Yosef en ga Amal Bahrudi zoeken. We moeten opnieuw praten. Nú!'

De kleren die Evan voor zichzelf uitkoos hielden het midden tussen de terroristenmode en gewone kleding: ongestreken kaki broek, een vuil veldjack in Amerikaanse stijl en een donker hemd dat tot het midden van zijn borst openstond. Op zijn leeftijd en zijn ogen na zag hij er hetzelfde uit als de meerderheid van het fanatieke tuig dat de ambassade hadden veroverd. Zelfs de leeftijd was verdoezeld door zijn donkergemaakte huid en zijn ogen gingen schuil onder de klep van een pet. Om het beeld dat hij wilde vormen te vervolmaken was er een mes in een schede bevestigd aan zijn jack en de verdikking in zijn rechterzak wees op een revolver. De 'vertrouweling' werd vertrouwd; hij had het leven gered van Azra, prins van de terroristen, en hij kon zich vrij bewegen door de bezette ambassade, van het ene weerzinwekkende tafereel naar het andere, van de ene doodsbange, uitgeputte, radeloze groep naar de andere.

Hoop. Dat was het enige dat hij kon geven, met de wetenschap dat die uiteindelijk misschien vals zou blijken, maar hij moest die geven, hij moest hun iets geven waaraan ze zich konden vastklampen, waaraan ze ten minste konden denken in de donkerste, meest beangstigende nachtelijke uren.

'Ik ben Amerikaan!' fluisterde hij tegen de dodelijk verschrikte gegijzelden overal wanneer hij er drie of meer bijeen trof en zijn ogen zwierven voortdurend naar de ronddwalende klootzakken die dachten dat hij hun gevangenen uitschold in zijn onverwachte, luidkeelse woede-aanvallen. *'Niemand heeft jullie vergeten! We doen alles wat we kunnen! Let er niet op dat ik tegen jullie loop te schreeuwen. Dat moet ik wel.'*

'Gód zij dank!' was het steeds weerkerende, aanvankelijke antwoord, gevolgd door tranen, en de beschrijvingen van de afgrijselijkheden gingen steeds weer over de openbare terechtstelling van de zeven veroordeelde gegijzelden.

'Ze zullen ons allemaal vermoorden! Het kan hen niks schelen! Die smerige beesten geven niets om de dood – niet die van ons, noch die van zichzelf!'

Doe uw best om rustig te blijven en dat meen ik. Probeer niet te laten zien dat u bang bent, dat is heel erg belangrijk. Tart hen niet maar kruip ook niet voor hen. Het werkt op hen als een drug als ze u bang zien. Denk daaraan.

Op een bepaald moment richtte Kendrick zich plotseling op in zijn volle lengte en begon heftig te schelden op een groepje van vijf Amerikanen. Zijn ronddwalende ogen hadden een van Zaya Yateems persoonlijke lijfwachten opgemerkt; de man kwam snel op hem aflopen.

'U daar! Bahrudi!'

'Ja.'

'Zaya wil u nu meteen spreken. Schiet op, naar de raadskamer!'

Evan liep achter de bewaker aan het dak over en drie trappen af tot in een lange gang. Hij zette zijn pet af die nu doorweekt was van het zweet en werd naar de openstaande deur geleid van een groot ambassadekantoor. Hij liep naar binnen en vier

seconden later lag zijn wereld aan scherven toen hij datgene hoorde wat hij altijd had gevreesd te zullen horen.
'Godallemachtig! Jij bent *Evan Kendrick!*'

12

'*Meen ir ráh-gill da?*' vroeg Evan totaal verlamd van schrik, zich uit alle macht dwingend koelbloedig te blijven, toen hij Zaya vroeg wie de dikke man was die Engels had gesproken.
'Hij zegt dat hij van de Mahdi komt,' antwoordde Azra, tussen Yosef en Ahbyahd in.
'Wat zei hij eigenlijk?'
'Dat heb je gehoord. Hij zegt dat jij iemand bent die Kendrick heet.'
'Wie is dat?' vroeg Evan in het Engels aan Anthony MacDonald, terwijl hij wanhopig probeerde zich kalm voor te doen bij het verwerken van het feit dat de man die hij in vijf jaar niet meer had gezien nu ineens in dit vertrek stond. *MacDonald!* Die losbol van een dronkelap uit de betere kringen in de Britse kolonie in Caïro! 'Ik heet Amal Bahrudi, hoe heet u?'
'Jij weet verrekte goed wie ik ben!' schreeuwde de Engelsman en hij stak zijn wijsvinger op en keek om beurten de vier Arabische raadslieden aan, speciaal Yateem. 'Hij is geen Amal-hoe-dan-ook en hij komt niet van de Mahdi! Hij is een Amerikaan die Evan Kendrick heet!'
'Ik heb op twee Amerikaanse universiteiten gestudeerd,' zei Evan glimlachend, 'maar niemand heeft me ooit een Kendrick genoemd. Wel andere namen, ja, maar geen Kendrick.'
'Je staat te liegen!'
'Integendeel, ik zou moeten zeggen dat u de leugenaar bent wanneer u beweert dat u voor de Mahdi werkt. Ik heb elke foto te zien gekregen van iedere Europeaan die – zullen we zeggen – vertrouwelijk voor hem werkt en u was daar zeker niet bij. Dat zou ik me absoluut herinneren omdat u – laten we dat ook maar zo zeggen – een opvallend gezicht en figuur hebt.'
'Leugenaar. Indringer! Jij werkt samen met Khalehla de hoer, de vijand! Vanmorgen vroeg, nog voordat het licht was, was zij op weg om jou te ontmoeten!'
'Waar hebt u het toch over?' Kendrick keek even naar Azra en Yosef. 'Ik heb nog nooit gehoord van ene Khalehla, niet

als vijand en niet als hoer, en voordat het licht werd liepen mijn vrienden en ik te rennen om ons leven te redden. We hadden geen tijd om te treuzelen, dat kan ik u verzekeren.'
'Ik zeg jullie dat hij liegt. Ik was daar en ik heb haar gezien! Ik zag jullie alle drie!'
'U hebt ons gezien?' vroeg Evan met opgetrokken wenkbrauwen. 'Hoe dan?'
'Ik ben van de weg afgereden...'
'U hebt ons gezien en u hebt ons niet gehólpen?' viel Kendrick hem kwaad in de rede. 'En nu beweert u dat u van de Mahdi komt?'
'Wat hij zegt is waar, Engelsman,' zei Zaya. 'Waarom hebt u hen niet geholpen?'
'Ik moest dingen te weten komen, daarom! En nu weet ik ze ook. Khalehla... en hém!'
'Ik moet zeggen, u hebt een enorme fantasie, hoe u ook heet, wat ik niet weet. Maar één ding kunnen we in elk geval zeker stellen. Wij zijn op weg naar Bahrein om met de Mahdi te praten. We zullen u meenemen. De grote man zal ongetwijfeld verrukt zijn u te zien aangezien u zo belangrijk voor hem bent.'
'Daar ben ik het mee eens,' zei Azra vastbesloten.
'Bahrein?' brulde MacDonald. 'Hoe denk je, verdomme, daar te komen?'
'Wilt u zeggen dat u dat niet weet?' vroeg Kendrick.

Emmanuel Weingrass stapte uit de limousine voor het kerkhof bij Jabal Sa'ali; zijn smalle borst deed pijn van de laatste hoestaanval die hij had gehad. Hij wendde zich naar de bestuurder die het portier openhield en sprak vol eerbied, met een overdreven Engels accent: 'Ik zal wat gaan bidden voor mijn Engelse voorvaderen, zo weinig mensen doen dat, weet u. Kom over een uur maar terug.'
'Howar!' vroeg de man en hij stak één vinger omhoog. *'Iss'a?'* herhaalde hij in het Arabisch, en hij gebruikte het woord voor uur.
'Jazeker, mijn mohammedaanse vriend. Het is een emotionele pelgrimage die ik elk jaar maak. Begrijpt u dat?'
'Ja, ja! *El sallah. Allahoo Akbar!*' antwoordde de chauffeur snel achtereen knikkend, en hij zei dat hij begreep wat bidden betekende en dat God groot was. Hij had ook geld in zijn hand, meer geld dan hij had verwacht, en hij wist dat hij nog meer

kon krijgen als hij over een uur terugkwam.
'Laat me nu alleen,' zei Weingrass. 'Ik wil alleen zijn – *sibni fihahlee.*'
'Ja, ja!' De man deed het portier dicht, rende terug naar zijn plaats achter het stuur en reed weg. Manny stond zich nog een korte hoestbui toe, een ratelend gekuch dat het vorige overtrof en keek om zich heen om te zien waar hij was; daarna begon hij het kerkhof over te steken naar het stenen huis dat een paar honderd meter verder op een stuk open land stond. Tien minuten later werd hij naar het souterrain gevoerd waar het hoofdkwartier was gevestigd van de Israëlische inlichtingendienst.
'Weingrass!' riep de man van de Mossad uit. 'Fijn je weer eens te zien!'
'Nee, dat is het niet. Jij vindt het nooit zo fijn mij te ontmoeten of over de telefoon te horen. Jij weet niks over het werk dat jullie doen, je bent niet meer dan een boekhouder – en dan nog een verrekt zuinige.'
'Kom op, Manny, laten we nou niet beginnen...'
'Volgens mij moeten we meteen beginnen,' viel Weingrass hem in de rede en hij keek naar Ben-Ami en de vijf leden van de Masada-groep. 'Heeft iemand van jullie buitenbeentjes misschien whisky? Ik weet dat deze *zholah* hier die niet heeft,' voegde hij eraan toe, duidelijk makend dat de man van de Mossad vrekkig was.
'Niet eens wijn,' antwoordde Ben-Ami. 'Dat was niet inbegrepen bij onze voorraden.'
'Die ongetwijfeld werden verstrekt door die vent hier. Goed dan, boekhouder, vertel me maar alles wat je weet. Waar is mijn zoon, Evan Kendrick?'
'Hier, maar meer weten we niet.'
'Dat is bekend. Jullie liepen altijd al drie dagen achter op de sabbath.'
'Manny...'
'Hou je maar rustig. Straks krijg je nog een hartaanval en ik wil niet dat Israël haar slechtste boekhouder kwijt raakt. Wie kan me meer vertellen?'
'Ik kan u meer vertellen!' schreeuwde Yaakov, codenaam Blauw. 'We hadden op dit moment – uren geleden – de ambassade al moeten verkennen. We hebben een karwei dat niets heeft te maken met jouw Amerikaan!'
'Behalve een boekhouder hebben jullie dus ook nog een heet-

hoofd,' zei Weingrass. 'Verder nog iemand?'
'Kendrick is hier zonder officiële opdracht,' antwoordde Ben-Ami. 'Hij werd in het geheim hierheen gevlogen maar verder aan zijn lot overgelaten. Als hij gepakt wordt zal niemand hem erkennen.'
'Waar hebt u die informatie vandaan?'
'Een van onze mensen in Washington. Ik weet niet wie of van welke afdeling of welk bureau.'
'Je zou een telefoonboek moeten hebben. Hoe veilig is deze telefoon hier?' vroeg Weingrass en hij ging aan de tafel zitten.
'Geen enkele garantie,' zei de man van de Mossad. 'Ze is heel haastig geïnstalleerd.'
'Voor zo min mogelijk sjekels, dat weet ik zeker.'
'Mánny!'
'Oh, hou toch je kop.' Weingrass haalde een notitieboekje uit zijn zak, bladerde erin en vond een naam en een nummer. Hij pakte de hoorn op en draaide. Binnen enkele tellen sprak hij. 'Dank u, mijn goede vriend op het paleis, omdat u zo beleefd bent. Mijn naam is Weingrass, voor u natuurlijk nietszeggend, maar niet voor de grote sultan Ahmed. Ik zou natuurlijk zijne doorluchtigheid niet willen storen, maar als u hem zou willen zeggen dat ik heb gebeld zou hij misschien een grote dienst kunnen bewijzen. Mag ik u een nummer geven?'
Dat deed Manny, turend naar de cijfers op het toestel. 'Dank u, beste vriend, en mag ik, met respect, zeggen dat dit een zeer dringende zaak is en dat de sultan u wel zal prijzen vanwege uw ijver. Dank u nogmaals.'
De eens zo bekende architect legde de hoorn op en leunde achterover in zijn stoel, diep ademhalend om het geratel te onderdrukken dat weerklonk in zijn borst. 'Nu moeten we wachten,' zei hij en hij keek de functionaris van de Mossad aan. 'En hopen dat onze sultan meer verstand en meer geld heeft dan jullie. Mijn god, hij is dus teruggekomen! Na vier jaar heeft hij me eindelijk gehoord en is mijn zoon teruggekomen!'
'Waarom?' vroeg Yaakov.
'De Mahdi,' zei Weingrass zacht en kwaad en hij staarde naar de vloer.
'De wíe?'
'Daar kom je wel achter, heethoofd.'
'Hij is toch niet echt je zoon, Manny.'
'Hij is de enige zoon die ik ooit heb willen hebben...' De te-

lefoon ging over; Weingrass graaide de hoorn van de haak en hield die aan zijn oor. 'Ja?'
'Emmanuel?'
'Eens, toen we toevallig in Los Angeles waren was je heel wat minder formeel.'
'Allah zij geprezen, ik zal het nooit vergeten. Ik heb me laten onderzoeken toen ik hier terugkwam.'
'Vertel me eens, jonge stinkerd, heb je nog ooit een goed cijfer gekregen voor dat werkstuk economie in je derde jaar?'
'Niet meer dan een acht, Manny. Ik had naar jou moeten luisteren. Jij zei me dat ik het veel ingewikkelder moest maken – dat ze de voorkeur gaven aan ingewikkelde geschriften.'
'Kun je praten?' vroeg Weingrass, ineens op ernstige toon.
'Dat kan ik, maar jij niet. Begrijp je me?'
'Ja. Onze vriend. Waar is hij?'
'Op weg naar Bahrein met twee andere mensen uit de ambassade – er zou er eerst maar eentje zijn, maar dat werd op het laatste moment veranderd. Ik weet niet waarom.'
'Omdat hij een spoor heeft dat naar hém leidt! Zijn er nog meer bij?'
Ahmed zweeg even. 'Ja, Manny,' zei hij zacht. 'Er is er nog eentje die je niet in de weg mag lopen en die je niet mag kennen. Het is een vrouw en ze heet Khalehla. Ik zeg je dit omdat ik je vertrouw en omdat je moet weten dat ze er is, maar niemand anders mag dat ooit te weten komen. Haar aanwezigheid hier moet even stil worden gehouden als die van onze vriend; wanneer zij wordt ontdekt zou dat even catastrofaal zijn als alles wat er is gebeurd.'
'Dat is me nogal wat, jongeman. Hoe kan ik haar herkennen?'
'Ik hoop dat dat niet nodig zal zijn. Ze zit verborgen in de cockpit die gesloten zal blijven tot ze in Bahrein zijn.'
'Meer ga je me niet vertellen?'
'Over haar niet, nee.'
'Ik moet hen vinden, hém vinden. Wat kun je voor hem doen?'
'Ik zal je nog een vliegtuig bezorgen. Onze vriend zal me zo gauw hij kan bellen en vertellen wat er aan de hand is. Wanneer je daar aankomt bel me dan; hier is het nummer.' Ahmed gaf zijn versluierde privé-telefoonnummer aan Weingrass.
'Zeker een nieuwe centrale,' zei Manny.
'Het is geen centrale,' zei de jonge sultan. 'Blijf je op dit nummer?'

'Ja.'
'Ik bel je wel terug als ik wat heb geregeld. Als er binnen korte tijd een burgervlucht vertrekt zou het over het geheel genomen gemakkelijker zijn je daarop te boeken.'
'Sorry, maar dat kan niet.'
'Waarom niet?'
'Om dezelfde reden als jij onze wederzijdse vriend niet kunt vertellen dat ik hier ben. Alles moet met de ogen en de oren dicht gebeuren. Ik heb zeven man bij me.'
'Zeven?'
'Ja, en als jij soms dacht dat er moeilijkheden zouden komen – catastrofes, bij voorbeeld – denk dan maar eens aan deze goed *ingelichte* kerels die in het blauw en het wit gekleed gaan.'
Ahmed, sultan van Oman, schrok hoorbaar. 'De *Mossad?*' fluisterde hij.
'Zoiets ja.'
'Mózes in een mándje!' riep Ahmed uit.

Het kleine Rockwell-straalvliegtuig voor zes passagiers vloog naar het noordwesten op 34 000 voet boven de Verenigde Arabische Emiraten en de Perzische Golf op zijn reis van dertienhonderd kilometer naar het sjeikdom Bahrein. Een verontrustend stille, zelfverzekerde Anthony MacDonald zat alleen op de eerste rij van twee zitplaatsen; Azra en Kendrick zaten naast elkaar op de laatste rij. De deur naar de cockpit was gesloten en volgens de man die hen had opgepikt in de 'gestolen' militaire wagen en hen door het vrachtgebouw naar het uiteinde van het vliegveld van Masqat en het vliegtuig had gebracht, zou die deur op slot blijven tot de passagiers het toestel hadden verlaten. Niemand mocht hen zien; ze zouden op het internationale vliegveld van Bahrein, Muharraq, door iemand worden opgevangen die hen door Immigratie zou brengen.
Evan en Azra hadden het plan een aantal malen doorgesproken en omdat de terrorist nooit in Bahrein was geweest maakte hij aantekeningen – voornamelijk plaatsen en hun schrijfwijze. Het was voor Kendrick van het grootste belang dat hij en Azra uit elkaar zouden gaan, minstens voor een uur of zo. De reden was MacDonald, de meest onwaarschijnlijke agent van de Mahdi. De Engelsman zou hem wel eens rechtstreeks de weg naar de Mahdi kunnen wijzen, en als dat zo was zou Evan de kroonprins van de terroristen laten schieten.

'Vergeet niet dat we samen zijn ontsnapt uit de Jabal Sjam, en je hoeft alleen maar aan Interpol te denken, om maar te zwijgen van de gecombineerde inlichtingendiensten van Europa en Amerika, en dan weet je dat ze overal naar ons zullen zoeken en dat ze onze foto's hebben. We mogen het risico niet lopen dat we overdag samen worden gezien. Na zonsondergang is het risico minder, maar zelfs dan moeten we voorzorgsmaatregelen nemen.'

'Wat voor voorzorgsmaatregelen?'

'Om te beginnen andere kleren kopen; zo zien we eruit als derderangs dokwerkers, dat is goed voor Masqat maar hier ligt dat anders. Neem maar een taxi naar Manamah, dat is de stad aan de andere kant van de dam op het grote eiland, en neem een kamer in het Aradous-hotel aan de Wadi Al Ahd. In de lobby is een zaak voor herenkleding; koop voor jezelf een net westers pak en laat je haar knippen bij de kapper. Schrijf het allemaal maar op!'

'Dat doe ik al.' Azra schreef sneller.

'Neem maar een kamer onder de naam van – nu ik eraan denk is Yateem een veel voorkomende naam in Bahrein, maar laten we dat risico niet nemen.'

'De naam van mijn moeder, Isjaad?'

'Die zit in al hun computers. Gebruik Farouk maar, dat doet iedereen. T. Farouk. Ik neem over een uur of twee contact met je op.'

'Wat ga je intussen doen?'

'Wat dacht je?' zei Kendrick, van plan de waarheid te vertellen. 'Ik blijf bij die Engelse leugenaar die beweert dat hij voor de Mahdi werkt. Mocht dat toch het geval blijken te zijn en is zijn communicatie afgebroken, dan kunnen we de afspraak voor vanavond gemakkelijk maken. Maar eerlijk gezegd geloof ik hem niet, en als hij de leugenaar is die ik denk dat hij is, moet ik uitvissen voor wie hij dan wél werkt.'

Azra keek de man die hij kende als Amal Bahrudi aan en zei zacht: 'Jij leeft in een ingewikkelder wereld dan de mijne. Wij kennen onze vijanden; wij richten onze wapens op hen en proberen hen te doden, anders zouden zij ons doden. Maar ik zie nu dat jij nooit zeker kunt zijn, dat je eerst moet uitvinden wie je vijand is voordat je in de hitte van het gevecht je wapen afvuurt.'

'Jij hebt ook moeten infiltreren en de mogelijkheid van verra-

ders onder ogen moeten zien; de voorzorgsmaatregelen zijn niet zo heel erg verschillend.'
'Infiltratie is niet moeilijk wanneer duizend mensen zich kleden als wij, praten als wij. Het is een kwestie van houding; wij nemen die van de vijand aan. Wat die verraders betreft, we hebben gefaald in Masqat, dat heb jij ons aangetoond.'
'Ik?'
'De fóto's, Bahrudi.'
'Natuurlijk. Het spijt me, ik dacht aan andere dingen.' *Dat deed hij, maar dat mocht niet meer gebeuren,* dacht Kendrick. *De jonge terrorist zat hem vreemd aan te kijken. Hij moest elke twijfel wegnemen. Snel!* 'Maar nu we het over die foto's hebben, je zuster zal met echte bewijzen moeten komen dat ze de hele verraderlijke zaak met wortel en tak heeft uitgeroeid. Ik stel voor nog meer foto's. Lijken voor een vernielde camera, met op band opgenomen verklaringen die de ronde kunnen doen – op band opgenomen bekentenissen, natuurlijk.'
'Zaya weet wat ze moet doen; zij is de sterkste onder ons, de meest toegewijde. Ze zal niet rusten voordat ze elk vertrek van boven tot onder heeft onderzocht, elke broeder en zuster heeft gefouilleerd. Systematisch.'
'Wóórden, poëet!' waarschuwde Evan ruw. 'Je begrijpt het, geloof ik, niet. Wat er in Masqat is gebeurd – wat jullie in je onbenul hebben laten gebeuren – zou overal ons werk kunnen beïnvloeden. Als het bekend wordt en niet wordt gestraft, zullen er van alle kanten agenten op ons afkomen en ons infiltreren, ze zullen zich naar binnen werken om ons te ontmaskeren met camera's en geluidsopnamen!'
'Goed, goed,' zei Azra knikkend en niet van plan nog verdere kritiek aan te horen. 'Mijn zuster zal voor alles zorgen. Ik geloof niet dat ze overtuigd was totdat ze begreep wat je voor ons hebt gedaan in Jabal Sjam, zag wat jij kon doen via de telefoon. Ik verzeker je dat ze snel de nodige maatregelen zal nemen.'
'Prima! Rust nu maar wat uit, nijdige poëet. We hebben een lange middag en avond voor de boeg.'
Kendrick ging achterover leunen in zijn stoel alsof hij van plan was een dutje te gaan doen; zijn bijna gesloten ogen waren gericht op de achterkant van Anthony MacDonalds grote, kalende hoofd op de eerste rij. Er was nog zoveel te overdenken, er waren zovele zaken te overwegen waarvoor hij nog geen tijd

had gehad ze te analyseren, zelfs een poging daartoe te doen. Maar vóór al het andere was er een Mahdi, dé Mahdi! Niet bezig met het beleg en het uithongeren van Khartoum en George Gordon, zo'n dikke honderdvijftig jaar geleden, maar in leven, vandáág, en bezig met het manipuleren van terreur in Bahrein! En er bestond een ingewikkelde keten die naar het monster voerde; ze was verborgen, begraven, professioneel gesmeed, maar ze bestond! Hij had een terroristisch aanhangsel gevonden, niet meer dan een tentakel misschien, maar het maakte deel uit van het totale lijf. De moordenaar naast hem kon hem naar de hoofdverbinding leiden zoals duizenden elektrische draden in een gebouw voerden naar de centrale krachtbron. *Er wordt vijf keer getelefoneerd en elk van die vijf gesprekken wordt tien keer doorverbonden met geheime nummers in Bahrein en er is er maar eentje die verbinding heeft met de Mahdi:* Zaya Yateem, die wist waarover ze sprak. Vijftig gesprekken, vijftig telefoonnummers – één tussen vijftig onbekende mannen of vrouwen die wist waar de Mahdi was, wie hij was!

Hij had een noodsituatie geschapen zoals Manny Weingrass hem altijd had gezegd noodgevallen te verzinnen wanneer hij te maken had met potentiële klanten die niet met elkaar wilden of konden communiceren. *Zeg tegen de eerste klojo dat je niet later dan woensdag een antwoord moet hebben, anders gaan we naar Riyadh. Zeg de tweede clown dat we niet kunnen wachten tot na donderdag omdat er een enorm karwei in Abu Dhabi ligt dat we zo kunnen oppikken.*

Dit was natuurlijk niet hetzelfde, het was maar een variant op die tactiek. De terroristenleiders in de ambassade van Masqat waren ervan overtuigd dat er een noodsituatie bestond voor hun weldoener, de Mahdi, omdat hij ervoor had gezorgd dat 'Amal Bahrudi' uit Oost-Berlijn een van hen naar Bahrein zou brengen. Daartegenover stond dat de partij van de Mahdi via de internationale televisie te horen had gekregen dat er een 'dringende boodschap' was verzonden 'naar vrienden' en dat men een 'onmiddellijk antwoord' verwachtte – *noodsituatie!*

Manny, heb ik het goed gedaan? Ik moet hem vinden, hem bestrijden – hem doden voor wat hij ons allemaal heeft aangedaan!

Emmanuel Weingrass, peinsde Evan, terwijl zijn ogen langzaam dichtvielen nu de slaap hem begon te overmannen. Toch kon hij het niet tegenhouden; inwendig grinnikte hij even. Hij dacht

terug aan hun eerste reis naar Bahrein.
'Denk er nu in godsnaam aan dat we te maken hebben met lui die aan het hoofd staan van een archipel, geen uitgestrekt gebied dat grenst aan een ander uitgestrekt gebied en dat beide kanten voor het gemak een land noemen. Dit is een sjeikdom dat bestaat uit meer dan dertig pokke-eilanden in de Perzische Golf. Het is niet iets wat je kunt opmeten in hectares en dat verwachten ze ook helemaal niet van je – en dat is hun kracht.'
'Waar wil je heen, Manny?'
'Probeer me te volgen, stuk ongeletterde monteur die je bent. Je doet een beroep op dat gevoel van kracht. Dit is een onafhankelijke staat, een verzameling puisten in zee die de havens beschermt tegen de stormen uit de Golf en die heel gunstig ligt tussen het schiereiland Qatar en de Hasa-kust van Saudi-Arabië, en dat laatste is heel belangrijk vanwege de macht van de Saudi's.'
'Verrek, wat heeft dat nu te maken met zo'n stomme golfbaan op een eiland? Speel jij golf, Manny? Ik heb er nooit de tijd voor gehad.'
'Een wit balletje achternarennen over een paar hectaren gras, terwijl je barst van de reumatiek en je hart het van ergernis dreigt te begeven is nooit mijn idee geweest van een beschaafd tijdverdrijf. Maar ik weet wel wat we in die stomme golfbaan gaan stoppen.'
'Wat dan?'
'Herinneringen aan het verleden. Omdat dat hen voortdurend herinnert aan hun heden, iedereen daaraan herinnert. Hun kracht.'
'Wil je eindelijk eens met je voeten op de grond komen?'
'Lees er de historische kronieken van Assyrië, Perzië, de Grieken en de Romeinen maar op na. Bekijk de eerste tekeningen maar eens van de Portugese cartografen en de logboeken van Vasco da Gama. Er is altijd wel een tijd geweest dat al die mensen streden om de macht over de archipel – de Portugezen hebben haar honderd jaar beheerst – waarom?'
'Nou?'
'Vanwege de strategische belangrijke ligging in de Golf. Eeuwenlang is het een begeerd centrum geweest voor de handel en een bewaarplaats van het geld dat de handel opbrengt...'
Op dat moment was de veel jongere Evan Kendrick rechtop gaan zitten, had hij begrepen waar die excentrieke architect heen wilde. 'Dat gebeurt nu ook,' had hij hem onderbroken, 'het geld van de hele wereld stroomt er in sloten tegelijk naar binnen.'

'Als een onafhankelijke staat die niet bang hoeft te zijn dat ze in de wereld van vandaag door een vijand wordt bezet,' verklaarde Weingrass, 'is Bahrein vriend en vijand tegelijk van dienst. Dat magnifieke clubhuis dat we gaan bouwen op die stomme golfbaan zal de historie van Bahrein gaan uitbeelden. We gaan het doen met muurschilderingen. Een zakenman kijkt naar die afbeeldingen boven de bar en ziet er al die dingen in en denkt: Verrek, da's hier een belangrijke plaats! Iedereen wilde er de baas spelen! Moet je zien wat een geld ze hebben uitgegeven! Nu is hij er nog meer op gebeten hier iets te beginnen. Het is algemeen bekend dat er op golfbanen zaken worden gedaan, jonge analfabeet. Waarom denk je anders dat ze er eentje willen bouwen?'
Nadat ze het nogal groteske clubhuis hadden gebouwd op die stomme golfbaan kreeg de Kendrick-groep nog contracten voor drie banken en twee regeringsgebouwen. En Manny Weingrass kreeg persoonlijk gratie van een van de hoogste ministers voor een ordeverstoring in een café aan de Al Zubarastraat.
Het dreunen van de straalmotoren was het enige dat Evan nog hoorde. Zijn ogen waren gesloten.

'Ik teken bezwaar aan tegen deze nevenoperatie en ik wil dat vastgelegd zien,' zei Yaakov, codenaam Blauw van de Masada-brigade, toen de zeven mannen in het vliegtuig stapten aan de uiterste oostrand van het vliegveld van Masqat. Emmanuel Weingrass ging direct bij de piloot zitten en bevestigde zijn veiligheidsriem. Zijn lijf schudde van een ingehouden, diepe hoest. De man van de Mossad was achtergebleven; hij had nog werk in Oman; zijn pistool had hij overgedragen aan de tengere Ben-Ami die het in de hand hield totdat de ploeg van vijf man zijn plaatsen in het toestel had ingenomen.
'Het zal worden vastgelegd, beste vriend,' zei Ben-Ami terwijl het vliegtuig vaart maakte op de startbaan. 'Probeer alsjeblieft te begrijpen dat er dingen zijn die wij niet te horen kunnen krijgen voor het welzijn van ons allemaal. Wij zijn de activisten, de soldaten – en zij die de beslissingen nemen zijn de hoogste staf. Zij doen hun werk en wij het onze, en dat is het opvolgen van bevelen.'
'Dan moet ik bezwaar maken tegen een walgelijke parallel,' zei de man die Grijs werd genoemd. ' "Het opvolgen van bevelen" is nou niet direct een uitdrukking die ik te pruimen vind.'
'Mag ik je eraan herinneren, meneer Ben-Ami,' voegde Oran-

je eraan toe, 'dat wij de afgelopen drie weken hebben geoefend voor één enkele opdracht, een waarvan we allemaal geloven dat we die kunnen uitvoeren ondanks de grootste twijfels bij de mensen die achterblijven. We zijn klaar; we zijn er helemaal voor opgejut en nu gaat het ineens niet door, zonder verklaring, en zijn we op weg naar Bahrein achter een vent aan die we niet kennen met een plan dat we nooit hebben gezien.'
'Als er al een plan is,' zei Zwart. 'En niet gewoon iets wat de Mossad verschuldigd is aan een vervelende ouwe kerel die een Amerikaan wil zoeken, een niet-joodse zoon die zijn echte zoon niet is.'
Weingrass draaide zich om; het toestel klom snel en de motoren klonken wat gedempt door de snelle stijging. 'Nou moeten jullie eens naar me luisteren, stelletje kinkels!' schreeuwde hij. 'Als die Amerikaan in het gezelschap van een geschifte Arabische terrorist naar Bahrein is gegaan betekent dat dat hij er een verdomd goede reden toe heeft. Het is waarschijnlijk bij jullie spierbonken en intellectuele leeghoofden nog niet opgekomen, maar Masqat is niet waar het die onmenselijke klojo's die met hun geweertjes spelen om gaat. De hersenen, als jullie me een uitdrukking willen vergeven die je toch niet snapt, zitten in Bahrein en daar zit hij achteraan, achter die vent zit hij aan!'
'Uw uitleg, meneer Weingrass, als die al klopt,' zei Wit, 'houdt geen plan in. Of gaan we soms dobbelen over de uitkomst?'
'De kansen kunnen behoorlijk tegenzitten, wijsneus, maar nee, we gaan er niet om dobbelen. Zo gauw we zijn geland en ons hebben geïnstalleerd, zal ik Masqat elk kwartier bellen totdat we de informatie hebben die we moeten hebben. Dán hebben we ook een plan.'
'Hoe?' vroeg Blauw kwaad en achterdochtig.
'Dat maken we zelf, heethoofd.'

De dikke Engelsman stond star van ongeloof toe te kijken toen de terrorist Azra begon weg te lopen met een Bahreinse politieman. De rustige man in uniform was naar het Rockwell-toestel komen lopen toen het achter de laatste onderhoudshangar stond op het vliegveld in Muharraq.
'Wacht!' riep MacDonald en hij keek verwilderd naar Kendrick die naast hem stond. 'Stop! Je kunt me niet achterlaten met deze man. Ik heb je toch gezegd dat hij niet degene is die

hij beweert dat hij is! Hij hoort niet bij ons!'
'Nee, dat is waar,' stemde de Palestijn in terwijl hij even bleef staan en achterom keek. 'Hij komt uit Oost-Berlijn en hij heeft mijn leven gered. Als jij de waarheid spreekt verzeker ik je dat hij het jouwe ook zal redden.'
'Je kunt niet...'
'Ik moet het,' viel Azra hem in de rede en hij draaide zich met een hoofdknik naar de politieman.
De man uit Bahrein leverde geen commentaar, noch in woorden noch door zijn gezichtsuitdrukking. Hij zei tegen Kendrick: 'Daar ziet u mijn collega al uit de hangar komen. Hij zal met u meelopen door een andere uitgang. Welkom in ons land.'
'Azra!' schreeuwde MacDonald, maar hij werd overstemd door het gebrul van straalmotoren.
'Kalm nou, Tony,' zei Evan toen de tweede Bahreinse agent dichterbij kwam. 'We komen hier illegaal binnen en je zou ons wel eens voor een vuurpeloton kunnen brengen.'
'Jij! Ik wíst wel dat jij het was! Jij bént Kendrick!'
'Natuurlijk ben ik het, en als een van onze mensen hier in Bahrein wist dat je mijn naam noemde, zou die lieftallige dronkelap van een Cecilia – ze heet toch Cecilia, is 't niet? – weduwe zijn nog voordat ze haar volgende borreltje kon bestellen.'
'Verrek, ik kan het gewoon niet geloven. Je hebt je bedrijf verkocht en bent teruggekeerd naar Amerika! Ik heb gehoord dat je in de politiek bent gegaan!'
'Met behulp van de Mahdi zou ik zelfs president kunnen worden.'
'O, mijn god!'
'Blijf lachen, Tony. Deze man vindt het niet leuk wat hij aan het doen is en we mogen hem niet laten denken dat we ondankbaar zijn. Lach nou, vetzak die je bent!'

Khalehla was gekleed in donkerbruine broek, een pilotenjack en ze droeg een officierspet; ze stond bij de staart van de Harrier-jet te kijken naar wat er op dertig meter afstand gebeurde. De jonge Palestijnse moordenaar die Blauw heette was buiten het vliegveld gebracht; het Amerikaanse congreslid en die ongelooflijke MacDonald stonden op het punt weg te lopen met een andere man in uniform die hen door een doolhof van weggetjes tussen vrachtgoederen door leidde zodat ze niet door de immigratie hoefden. Die Kendrick, die man die zich ken-

nelijk inzette voor een afschuwelijke zaak, was beter dan ze dacht. Hij had niet alleen de gruwelen van de ambassade doorstaan, iets wat ze negen uur geleden nog voor onmogelijk had gehouden en waarover ze in paniek was geraakt, maar hij had nu de terrorist gescheiden van de terroristenagent. *Wat was hij van plan? Wat was hij aan het doen?*
'Schiet op!' riep ze naar de piloot die met een monteur stond te praten bij de rechtervleugel. 'Laten we gaan!'
De piloot knikte, stak even in wanhoop zijn armen in de lucht, en beiden liepen ze naar de uitgang die gereserveerd was voor vliegpersoneel. Ahmed, de jeugdige sultan van Oman, had de machtige scepter die hij in Masqat bezat geducht laten zwaaien. De drie passagiers in het toestel zouden naar een deel van het vliegveld worden gebracht dat lager lag en ver achter de taxistandplaats voor de aankomsthal; op het trottoir waren tijdelijk bordjes 'Taxi' geplaatst en elke taxi die er stond werd bestuurd door een lid van de Bahreinse geheime politie. Niemand had enige informatie gekregen, op één enkele opdracht na: rapporteer de bestemming van elke passagier.
Khalehla en de piloot namen met enkele woorden afscheid van elkaar en beiden gingen ze hun eigen weg, hij naar het Centrum Vluchtcontrole om zijn instructies te halen voor de retourvlucht naar Masqat en zij naar een bepaald gedeelte voor de hal waar ze de Amerikaan zou oppikken en volgen. Ze zou verschrikkelijk moeten oppassen om niet gezien te worden wanneer ze Kendrick en MacDonald schaduwde. Tony zou haar meteen herkennen en de Amerikaan, die duidelijk op zijn hoede was, zou misschien nog eens goed kijken en terugdenken aan een donkere, smerige straat in de el Sjari el Misjkwiyis en een vrouw met een pistool in haar hand. Het feit dat het niet was gericht op hem maar op vier mensen in die straat van vuilnis die geprobeerd hadden haar te beroven of erger, zou niet gemakkelijk worden geloofd door een man die leefde op de rand van een gevaar dat maar al te reëel was. Vastberadenheid en paranoia gingen samen in de geest van iemand die onder hevige spanning leefde. Hij was gewapend en één beeld dat hem plotseling overweldigde kon een gewelddadige reactie oproepen. Khalehla vreesde niet voor haar leven; haar acht jaar training omvatten vier jaar in het gewelddadige Midden-Oosten en hadden haar geleerd te anticiperen, te doden voordat ze zelf werd gedood. Wat haar verdriet deed was dat deze nette man

niet mocht sterven voor wat hij aan het doen was, maar het was heel goed mogelijk dat zij zijn scherprechter moest zijn. Die mogelijkheid werd met de minuut groter.
Ze kwam op de afgesproken plaats voordat de passagiers uit Oman er waren. Het verkeer voor het aankomstgebouw was afgrijselijk: limousines met getinte raampjes; taxi's; gewone, onopvallende auto's; bestelwagens in allerlei soorten. Het lawaai en de stank waren er overweldigend, de kakofonie oorverdovend onder het lage betonnen plafond. Khalehla vond een schemerige nis tussen twee vuilnisbakken en wachtte af.
De eerste die naar buiten kwam was de terrorist die Azra heette, vergezeld door een politieman in uniform. Die zwaaide om een taxi die met een vaartje naar de in ruwe kleding gehulde jongeman aan de stoeprand reed. Hij stapte in, las iets op van een stukje papier in zijn hand en gaf de chauffeur aanwijzingen.
Een paar minuten later liepen de vreemde Amerikaan en de ongelofelijke Anthony MacDonald het trottoir op. Er zat iets fout! dacht Khalehla onmiddellijk, zonder echt te denken, alleen maar door te kijken. Tony gedroeg zich zoals hij dat in Caïro altijd deed! Er sprak opwinding uit elke beweging die hij maakte, verspilde energie smeekte om aandacht, zijn ogen puilden uit, zijn voortdurend veranderende gezichtsuitdrukking was die van een dronkelap die smeekte om respect – dat alles was volkomen tegengesteld aan de volledige beheersing die werd vereist van iemand die in het geheim opereerde met een netwerk van informanten in een hoogst ontvlambare situatie. Het klopte van geen kanten!
En toen gebeurde het! Terwijl de taxi snel naar de trottoirrand reed ramde MacDonald ineens zijn logge lijf tegen de Amerikaan zodat hij op het overdekte straatgedeelte terechtkwam vlak voor de snel rijdende taxi. Kendrick caramboleerde van de motorkap en zijn lichaam vloog door de lucht te midden van het razende verkeer in de tunnelachtige doorgang. Remmen gilden, fluitjes snerpten en het congreslid van het Negende district van Colorado lag slap en roerloos tegen de verbrijzelde voorruit aan van een kleine Japanse auto. *Mijn god, hij is dood!* dacht Khalehla terwijl ze de straat oprende. En toen bewoog hij zich – de Amerikaan bewoog zijn beide armen terwijl hij probeerde zich omhoog te drukken maar daarbij opnieuw ineenzakte.

Khalehla stormde op de auto af, drong zich door een groep politiemensen en leden van Bahreinse geheime politie heen en scheurde de milt van een man die onbeweeglijk was blijven staan met een kwaadaardige, goedgerichte vuistslag. Ze wierp haar lichaam beschermend over de krampachtig bewegende Kendrick heen en trok het pistool uit haar pilotenjack. Ze sprak tegen de dichtstbijzijnde politieagent met het wapen gericht op zijn hoofd.
'Mijn naam is Khalehla en meer hoef je niet te weten. Deze man is van mij en hij gaat met mij mee. Vertel dat verder en zorg dat we hier vandaan komen anders vermoord ik je!'

De gedaante rende zo opgewonden het geheime vertrek binnen dat hij de deur achter zich dichtsmakte en in het donker bijna struikelde, op weg naar zijn apparatuur. Met bevende handen schakelde hij het toestel aan.

Uiterst maximale geheimhouding

Geen aftap mogelijk

Ga uw gang

Er is iets gebeurd! Meevaller of tegenvaller, de jager of het wild. Het laatste rapport noemt Bahrein maar zonder details, alleen dat de man uiterst ongerust was en eiste direct daarheen gevlogen te worden. Daaruit volgt natuurlijk dat hij ofwel ontsnapt is uit de ambassade, er in het geheim werd uitgebracht of nooit erin is geweest. Maar waarom Bahrein? Er ontbreekt nog veel te veel, alsof de schaduw van de man gebeurtenissen geheim houdt om redenen die hij alleen maar kent – een niet onwaarschijnlijke mogelijkheid gezien alles wat er de afgelopen paar jaar gebeurd is en de macht die het Congres en verschillende speciale openbare aanklagers bezitten om te dagvaarden.
Wat is er gebeurd? Wat gebeurt er op dit moment? Mijn apparaten gillen om informatie maar ik kan ze niets geven! Een naam invoeren zonder speciale verwijzing levert alleen maar encyclopedische historische informatie op die lang geleden is ingevoerd – en up-to-date gemaakt –

door fotoscan. Soms denk ik dat ik verslagen word door mijn eigen talenten, want ik kan voorbijzien aan factoren en vergelijkingen en er visioenen vinden.
Toch is hij de man! Mijn apparaten zeggen me dat en ik vertrouw ze.

13

Evan verzette zich tegen het strakke verband om zijn linkerschouder en werd zich toen bewust van een prikkelend gevoel overal op zijn bovenborst en van de doordringende geur van medische alcohol. Hij opende zijn ogen en merkte verbaasd dat hij rechtop zat in een bed, met kussens in zijn rug. Hij bevond zich in de slaapkamer van een vrouw. Tegen de muur links van hem stond een toilettafel met een laag, met goud afgebiesd stoeltje ervoor. Voor de grote spiegel met zijluiken, die was afgezet met kleine lampjes stonden hele rijen lotions en parfums in sierflacons. De tafel werd geflankeerd door hoge gothische ramen waarvan de perzikkleurige, doorzichtige gordijnen overduidelijk maakten dat hier een zeer dure binnenhuisarchitect aan het werk was geweest – wat trouwens ook bleek uit de rest van het rococo-meubilair. Voor het raam, het verst van het bed, stond een met satijn beklede ligstoel met daarnaast een telefoontafeltje met marmeren blad en eraan vast een tijdschriftenrek. Recht tegenover het bed, op ruim vijf meter was een lange rij spiegelkasten geplaatst. Rechts van hem, naast het nachtkastje, stond een ivoorkleurig bureau met ervoor weer een met goud gebiesd stoeltje – en verder de langste commode die hij ooit had gezien; ze was perzikkleurig gelakt – pêche, zou Manny Weingrass dat hardnekkig hebben genoemd – en ze nam de totale lengte van de muur in beslag. Op de grond lag zachte, dikke witte vloerbedekking waarvan de pool zo lang was dat ze de voeten kon masseren van iedereen die erover zou durven lopen. Het enige wat ontbrak was een spiegel boven het bed.
De rijk bewerkte deur was gesloten maar erachter kon hij stemmen horen, van een man en van een vrouw. Hij draaide zijn pols om op zijn horloge te kijken; dat was verdwenen. *Waar was hij? Hoe kwam hij hier terecht? O, mijn god! De doorgang voor de aankomsthal... Hij was tegen de auto aangesmakt – te-*

gen twee hard rijdende auto's – en er had een mensenmenigte om hem heen gestaan tot hij hinkend en wel was weggeleid. Azra! Azra wachtte op hem in het Aradous-hotel! En MacDonald! Verdwenen! O mijn god, alles was volledig misgelopen! Bijna in paniek en zich maar vaag bewust van de late namiddagzon die door de ramen stroomde, wierp hij het laken van zich af en klom hij uit bed, onzeker, met een van pijn vertrokken gezicht en zich verbijtend bij elke beweging die hij maakte, maar hij kon zich bewegen en dat was het enige wat van belang was. Hij was ook naakt en ineens ging de deur open.
'Ik ben blij dat u uit bed kon komen,' zei de olijfkleurige vrouw en Kendrick dook het bed weer in en trok het laken over zich heen, terwijl zij de deur achter zich sloot. 'Het bevestigt de diagnose van de dokter; hij is net weg. Hij zei dat u behoorlijk onder de kneus- en schaafwonden zat maar dat er op de röntgenfoto's geen gebroken botten te zien waren.'
'Röntgenfoto's? Waar zijn we dan en wie bent u, verdomme, mevrouw?'
'Herinnert u zich mij niet meer?'
'Als dít uw bescheiden optrekje is in Bahrein,' riep Evan kwaad uit terwijl hij met een zwaai van zijn hand op de kamer wees, 'dan verzeker ik u dat ik u nog nooit eerder heb gezien. Dit is niet direct een plaats die je gemakkelijk vergeet.'
'Het is niet van mij,' zei Khalehla; met een vage glimlach schudde ze haar hoofd en liep naar het voeteneinde van het bed. 'Het behoort aan een lid van de koninklijke familie, een neef van de emir, een wat oudere man met een jonge vrouw – zijn jongste – die beiden in Londen zijn. Hij is vrij ziek en daarom staat er in het souterrain nogal wat medische apparatuur, heel veel zelfs. Rang en geld hebben overal hun privileges, maar vooral hier in Bahrein. Uw vriend, de sultan van Oman, heeft hiervoor gezorgd.'
'Maar iemand heeft hem moeten laten weten wat er gebeurd is – anders had hij hiervoor niet kunnen zorgen!'
'Dat was ik natuurlijk...'
'Ik ken u wél,' viel Kendrick haar fronsend in de rede. 'Ik kan me alleen niet meer herinneren waar en onder welke omstandigheden.'
'Ik was toen anders gekleed en we zagen elkaar onder voor beiden onprettige omstandigheden. In Masqat, in een donker, smerig steegje dat doorgaat voor een straat...'

'Die rotbuurt!' riep Evan uit met opengesperde ogen en zijn hoofd kwam met een ruk omhoog. 'Die koleretroep in El-Baz. U was de vrouw met het pistool; u probeerde mij te vermoorden.'
'Nee, dat is niet waar. Ik beschermde mezelf tegen vier schurken, drie mannen en een vrouw.'
Kendrick sloot even zijn ogen. 'Dat herinner ik me. Een jongen met afgeknipte broekspijpen die zijn arm vasthield.'
'Hij was geen jongen meer,' wierp Khalehla tegen. 'Hij was een verslaafde, even platgespoten als zijn vriendin en beiden zouden ze me hebben vermoord om hun Arabische dealers te betalen voor wat ze nodig hadden. Ik volgde u, niet meer en niet minder. Inlichtingen, dat is mijn werk.'
'Voor wie?'
'Voor de mensen voor wie ik werk.'
'Hoe wist u van mij af?'
'Daar geef ik geen antwoord op.'
'Voor wie werkt u?'
'In algemene zin voor een organisatie die oplossingen probeert te zoeken voor al het afgrijselijke wat er gebeurt in het Midden-Oosten en nu – kennelijk – in Zuidwest-Azië.'
'Israël?'
'Nee,' antwoordde Khalehla rustig. 'Ik ben van Arabische afkomst.'
'Dat zegt me verrekte weinig en het jaagt me zeker schrik aan.'
'Waarom? Is het voor een Amerikaan zo moeilijk te bedenken dat wij Arabieren onpartijdige oplossingen zouden willen vinden?'
'Ik kom net uit de ambassade in Masqat. Wat ik daar heb gezien was niet leuk – ook niet voor Arabieren.'
'Voor ons zeker niet. Maar mag ik misschien de woorden van een Amerikaans congreslid citeren in het Huis van Afgevaardigden: "Een terrorist wordt niet geboren, hij wordt gemaakt"?'
Evan keek de vrouw stomverbaasd aan. 'Dat was de enige opmerking die ik ooit hebt gemaakt voor de Handelingen van het Congres. Werkelijk de enige.'
'U deed dat na een bijzonder boosaardige toespraak van een congreslid uit Californië dat praktisch opriep tot een algemene slachtpartij van alle Palestijnen die woonden in wat hij noemde *Eretz Israël.*'
'Hij wist het verschil niet eens tussen *Eretz* en *Biarritz!* Hij was

een conservatieve uitslover die dacht dat hij de joodse stemmen in Los Angeles aan het verliezen was. Hij had me dat de dag tevoren zelf verteld, menend dat ik achter hem stond en dat ik het met hem eens zou zijn – verrek, hij knipoogde zelfs tegen me!'
'Gelooft u nog steeds in wat u toen zei?'
'Ja,' antwoordde Kendrick aarzelend, alsof hij toch twijfelde aan zijn eigen reactie. 'Niemand die de ellende heeft gezien van de vluchtelingenkampen kan zich voorstellen dat daaruit iets normaals kan voortkomen. Maar wat ik in Masqat zag ging te ver. Los van het gegil en het woeste gezang, was er iets ijskouds, een methodische wreedheid die zichzelf voedde. Die beesten hadden er lol in.'
'De meerderheid van die jónge beesten heeft nooit een thuis gekend. Hun vroegste herinneringen bestaan uit rondzwerven door de rotzooi van de kampen in een poging iets te eten te vinden, of kleren voor hun jongere broers en zusters. Er zijn er maar heel weinig die iets hebben geleerd, zelfs maar lezen of schrijven. Die dingen waren voor hen niet weggelegd – ze waren outcasts in hun eigen land.'
'Zeg dat maar eens tegen de kinderen van Auschwitz en Dachau!' zei Evan met rustige, kille woede. 'Deze mensen léven tenminste nog. Ze maken deel uit van het menselijke ras.'
'Schaakmat, meneer Kendrick. Daarop heb ik geen antwoord, ik kan me alleen maar schamen.'
'Ik wil niet dat u zich schaamt. Ik wil hier weg.'
'Uw toestand laat niet toe dat u doorgaat met te doen waarmee u bezig was. Bekijk uzelf maar eens. U bent uitgeput en u bent bovendien zwaar toegetakeld.'
Met het laken om zijn middel hield Kendrick zich overeind op de rand van het bed. Hij sprak langzaam. 'Ik had een pistool, een mes en een horloge en bovendien nog verschillende andere zaken die behoorlijk wat waard waren. Die zou ik graag terughebben, alstublieft.'
'Volgens mij moeten we de situatie bespreken...'
'Er valt niks te bespreken,' zei het congreslid. 'Absoluut niets.'
'En als ik u nu eens vertelde dat we Tony MacDonald hebben gevonden?'
'Tóny?'
'Mijn thuisbasis is Caïro. Ik wilde dat ik kon zeggen dat we maanden geleden al wisten wie hij was, maar dat zou niet waar

zijn. Het eerste vermoeden dat ik kreeg kwam vanmorgen vroeg, eigenlijk nog vóór zonsopgang. Hij reed achter me aan in een auto zonder lichten...'

'Op de weg boven de Jabal Sjam?' vroeg Evan.

'Ja.'

'Dan bent u Cawley, of iets wat erop lijkt. Cawley, de – vijand, onder andere.'

'Mijn naam luidt *Khalehla*, waarbij de eerste twee lettergrepen moeten worden uitgesproken als de Franse havenstad Calais; en ik ben inderdaad zijn vijand, maar niet de andere dingen die ik gemakkelijk kan voorstellen.'

'U volgde mij.' Een vaststelling.

'Ja.'

'Dan wist u dus over de "ontsnapping".'

'Opnieuw, ja.'

'Ahmed?'

'Hij vertrouwt mij. Wij kennen elkaar al heel lang.'

'Dan moet hij ook de mensen vertrouwen voor wie u werkt.'

'Daarop kan ik niet antwoorden. Ik zei dat hij míj vertrouwt.'

'Dat is een ingewikkelde opmerking – twee ingewikkelde opmerkingen.'

'Het is een ingewikkelde situatie.'

'Waar is Tony?'

'Die verstopt zich in het Tylos-hotel aan Government Road onder de naam Strickland.'

'Hoe hebt u hem gevonden.'

'Via het taxibedrijf. Hij is onderweg gestopt bij een sportzaak die ervan wordt verdacht illegaal wapens te verkopen. Hij is gewapend. Laten we zeggen dat de chauffeur heeft meegewerkt.'

' "Laten we zeggen"?'

'Dat is voldoende. Als MacDonald iets gaat doen krijgt u dat direct te horen. Hij heeft al elf telefoontjes gepleegd.'

'Met wie?'

'De nummers waren geheim. Er gaat straks iemand naar de telefooncentrale wanneer hij is uitgetelefoneerd en die haalt de namen op. Die krijgt u zo gauw hij ze heeft en een officiële of publieke telefoon kan bereiken.'

'Bedankt. Die nummers moet ik hebben.'

Khalehla trok het met goud gebiesde stoeltje voor de toilettafel naar zich toe en ging tegenover Kendrick zitten, discreet rechts van het laken dat hem bedekte. 'Vertelt u me eens wat

u aan het doen bent, afgevaardigde. Ik wil u graag helpen.'
'Waarom zou ik dat doen? U wilt me mijn pistool of mijn mes of mijn horloge niet teruggeven – of een bepaald kledingstuk dat u inmiddels waarschijnlijk hebt verkocht. U wilt me niet eens zeggen voor wie u werkt.'
'Wat uw pistool betreft, uw mes, uw horloge, én uw portefeuille, én een geldriem met ongeveer vijftigduizend Amerikaanse dollars, én uw gouden aansteker én een verfomfaaid pakje Amerikaanse sigaretten die niet voor de export zijn bestemd – en dat was heel dwaas van u – u mag alles weer terughebben als u me alleen maar ervan overtuigt dat wat u aan het doen bent niet tot gevolg zal hebben dat er in Maqat tweehonderdzesendertig Amerikanen worden afgeslacht. Wij Arabieren kunnen die mogelijkheid niet toestaan; we worden al genoeg veracht voor de afschuwelijke dingen waarover we geen zeggenschap hebben. Wat betreft degene voor wie ik werk, waarom zou dat voor u belangrijk zijn te weten, zolang het dat niet is voor uw vriend en mijn vriend Ahmed? U vertrouwt hem, hij vertrouwt mij. U kunt mij dus ook vertrouwen. *A* is gelijk aan *B* is gelijk aan *C*. Uw kleren zijn overigens ontsmet, gewassen en gestreken. Ze hangen in de eerste kast links.'
Evan die in wankel evenwicht op de rand van het bed zat staarde de geëmotioneerde jonge vrouw aan met zijn lippen een beetje vaneen. 'Dat is me nogal wat, mevrouw. Ik zal over uw alfabetische logica moeten nadenken.'
'Ik ken uw tijdschema niet, maar u kunt niet veel tijd hebben.'
'Tussen half twaalf en twaalf uur vanavond,' zei Kendrick en hij onthulde niet meer dan een tijdsbestek. 'Er zat een jongeman met me in het vliegtuig. Hij is een terrorist uit de ambassade in Masqat.'
'Die heeft een kamer genomen in het Aradous-hotel aan de Wadi Al Ahd onder de naam "T. Farouk".'
'Hóe...?'
'Weer zo'n gedienstige chauffeur,' antwoordde Khalehla, dit keer met een vollere glimlach. 'Laten we het zo uitdrukken,' voegde ze eraan toe.
'Ik weet niet voor wie u werkt, maar hij moet op een heleboel plaatsen een heleboel kunnen bereiken.'
'Vreemd genoeg hebben de mensen voor wie ik werk hier niets mee te maken. Zij zouden zo ver niet gaan.'
'Maar u hebt dat wel gedaan.'

'Ik moest wel. Persoonlijke redenen; dat is ook verboden terrein.'
'U bent niet voor de poes, Cawley.'
'Khalehla – uitgesproken Kaa-lè-la. Waarom belt u uw vriend in het Aradous niet? Hij heeft kleren gekocht in het hotel en zich laten knippen. Ik neem aan dat dat uw instructies waren. Maar bel hem op; stel hem gerust.'
'U bent bijna té gedienstig – net als de chauffeurs.'
'Omdat ik uw vijand niet ben en u wil helpen. Bel Ahmed maar als u wilt. Hij zal u hetzelfde zeggen. Ik heb overigens, net als u, het driemaal vijf nummer.'
Het was alsof er een onzichtbare sluier van het gezicht van de Arabische vrouw werd getrokken, een lieflijk, aantrekkelijk gezicht, bedacht Evan terwijl hij de grote bruine ogen bekeek waarin zoveel zorg en nieuwsgierigheid was te lezen. Maar toch, hij vervloekte in stilte zichzelf omdat hij zo'n amateur was, niet wist wie er echt was en wie vals! *Tussen half twaalf en twaalf uur.* Dat was het uur *U*, het tijdsbestek van dertig minuten waarin hij een schakel te pakken zou krijgen, dé schakel naar de Mahdi. Kon hij deze verschrikkelijk efficiënte vrouw, die hem lang niet alles over zichzelf had verteld, vertrouwen? Kon hij daarentegen zichzelf vertrouwen? Ze had het driemaal-vijfnummer... hoe kwám ze daaraan? Ineens begon de kamer om hem heen te draaien, het zonlicht door de ramen veranderde in een opstuivende oranje nevel. Waar waren de rámen?
'Nee, Kendrick!' riep Khalehla uit. 'Niet nú. Probeer je op de been te houden! Telefoneer nu, ik zal u hélpen! Uw vriend moet weten dat alles in orde is! Hij is een terrorist in Bahrein! Hij kan geen kant op... u moet hem bellen!'
Evan voelde de felle klappen tegen zijn wangen, de harde striemende slagen die zijn bloed weer naar zijn hoofd joegen, zijn hoofd dat ineens omstrengeld werd door Khalehla's arm terwijl haar linkerhand werd uitgestoken naar een glas op het nachtkastje. 'Drink dit op!' beval ze en hield het glas voor zijn lippen. Hij deed het en de vloeistof verschroeide zijn keel.
'Verdomme!' riep hij uit en ineens was alles weer helder.
'Zestig procent wodka en cognac,' zei Khalehla glimlachend terwijl ze hem bleef vasthouden. 'Ik kreeg het van een man van de Engelse MI 6, Melvyn. "Als je zorgt dat iemand er hiervan drie drinkt kun je hem alles verkopen wat je maar wilt," zei Melvyn tegen me. Kan ik u soms iets verkopen, afgevaardig-

de? Een telefoongesprekje, bijvoorbeeld?'
'Ik kan niks kopen. Ik heb geen geld. Dat hebt u.'
'Telefoneer nu even, alstublieft,' zei Khalehla en ze liet haar gevangene los terwijl ze weer op het goudgebiesde stoeltje van de toilettafel ging zitten. 'Volgens mij is dat verschrikkelijk belangrijk.'
Kendrick schudde zijn hoofd en probeerde zich te concentreren op het telefoontoestel. 'Ik weet het nummer niet.'
'Ik heb het hier.' Khalehla stak een hand in de zak van haar pilotenjack en haalde er een papiertje uit. 'Het nummer is vijf-negen-vijf-negen-een.'
'Dank u, mevrouw de secretaresse.' Evan pakte de hoorn op; zijn hele lijf deed hem pijn toen hij vooroverboog, het toestel oppakte en op zijn schoot zette. De uitputting begon haar tol te eisen; hij kon zich nauwelijks bewegen, nauwelijks het nummer draaien. 'Azra?' zei hij toen hij de stem van de terrorist hoorde. 'Heb je de kaart van Manamah bestudeerd? Goed. Ik haal je om tien uur af van het hotel.' Kendrick zweeg even en keek snel Khalehla aan. 'Als ik om wat voor reden dan ook word opgehouden zal ik je ontmoeten in de straat ten noorden van de Juma-moskee, op de hoek met de Al Khalifa Road. Ik vind je wel. Begrepen? Goed.' Kendrick legde bevend de hoorn weer op.
'U moet nog één keertje telefoneren, afgevaardigde.'
'Laat me heel even rusten.' Kendrick leunde achterover tegen de kussens. Mijn god, wat was hij moe!
'U moet het echt nu even doen. U moet tegen Ahmed zeggen waar u bent, wat u hebt gedaan, wat er gebeurt. Dat verwacht hij. Hij verdient dat van u te horen, niet van mij.'
'Goed, goed.' Met de grootste moeite ging Evan voorover zitten en pakte de telefoon die nog op het bed stond. 'Je kunt van hieruit rechtstreeks met Masqat bellen. Maar ik ben het kengetal van Masqat vergeten.'
'Negen-zes-acht,' zei Khalehla. 'U moet eerst nul-nul-één bellen.'
'Ik zou, verdomme, op zijn kosten moeten bellen,' zei Kendrick terwijl hij het nummer draaide en nauwelijks de cijfers kon onderscheiden.
'Wanneer hebt u het laatst geslapen?' vroeg Khalehla.
'Twee – drie dagen geleden.'
'Wanneer hebt u het laatst gegeten?'

'Dat weet ik niet meer. Hoe zit het trouwens met u? U bent ook aardig druk in de weer geweest, tweedehands Madame Butterfly.'
'Ik weet het ook niet meer. O ja, ik heb wel gegeten. Toen ik de el Sjari el Misjkwiyis verliet ben ik even die afschuwelijke bakkerij op het plein binnengelopen en heb daar wat oranje baklava gekocht. Meer eigenlijk om te zien wie daar was dan iets anders...'
Evan stak zijn hand op; het geheime, verborgen toestel van de sultan ging over.
'Iwah?'
'Ahmed, met Kendrick.'
'Da's een opluchting!'
'Ik ben pisnijdig.'
'Wat? Waar heb je het over?'
'Waarom heb je haar over mij verteld?'
'Haar? Wie?'
Evan gaf de hoorn aan de verschrikte Khalehla en trok daarbij het laken recht.
'Met mij, Ahmed,' zei ze verlegen. Acht seconden later, nadat de stem van de verbijsterde en woedende jonge sultan in de hele kamer hoorbaar was geweest, vervolgde Khalehla: 'Het was ofwel dit of ik moest de hele pers laten ontdekken dat een Amerikaans congreslid die gewapend was en vijftigduizend dollar bij zich had naar Bahrein was komen vliegen zonder door de douane te gaan. Hoe lang zou het duren voordat ze erachter kwamen dat hij met een vliegtuig was gekomen dat door het koninklijk huis van Oman was besteld? En hoe spoedig daarna zou er worden gespeculeerd over zijn zending in Masqat? Ik heb jouw naam gebruikt bij een broer van Amir die ik al jaren ken en hij heeft ons een onderkomen bezorgd. Dank je, Ahmed. Hier komt hij.'
Kendrick nam de hoorn over. 'Ze heeft haar op haar tanden, mijn vroeg-oude vriend, maar ik neem aan dat ik hier beter zit dan waar ik zou kunnen zitten. Bezorg me alleen verder geen verrassingen meer, oké? ...Waarom ben je zo stil? ...Vergeet het maar, hier is het plan en denk eraan, niemand bemoeit zich ermee tenzij ik erom vraag! Ik heb onze knaap uit de ambassade in het Aradous-hotel; en de affaire MacDonald, waarvan je naar ik aanneem op de hoogte bent...' Khalehla knikte en Evan vervolgde snel '...dat dacht ik al. Hij wordt in het Ty-

los-hotel in de gaten gehouden; we krijgen een lijst van de telefoonnummers die hij aan het bellen is wanneer hij ophoudt met bellen. Ze zijn overigens beiden gewapend.' Kendrick beschreef vervolgens uitgeput de details over de plaats waar ze elkaar zouden ontmoeten zoals die waren doorgegeven aan de agenten van de Mahdi. 'We hebben er maar eentje nodig, Ahmed, één man die ons naar hem toe kan voeren. Ik zal hem persoonlijk onder druk zetten tot we de informatie hebben omdat ik niemand anders vertrouw.' Kendrick legde de hoorn op en liet zich terugvallen in de kussens.
'U moet wat eten,' zei Khalehla.
'Laat maar wat halen bij de Chinees,' zei Evan. 'U hebt die vijftigduizend, ik niet.'
'Ik zal iets voor u laten klaarmaken in de keuken.'
'Voor mij?' Met half gesloten ogen keek Kendrick naar de olijfkleurige vrouw op dat belachelijke, vergulde rococo-stoeltje. Het wit van haar donkerbruine ogen was met bloed doorlopen, ze had donkere wallen van uitputting en de plooien in haar opvallende gezicht waren veel dieper dan paste bij haar leeftijd. 'Hoe zit het met u?'
'Ik ben niet belangrijk. U wel.'
'U valt direct nog van die lilliputtroon van u, Koningin-Moeder.'
'Ik rooi het wel, dank u,' zei Khalehla en ze ging rechtop zitten uitdagend knipperend met haar ogen.
'Aangezien u me mijn horloge niet wilt teruggeven, hoe laat is het?'
'Tien over vier.'
'Alles is voorbereid,' zei Evan en hij zwaaide onder zijn laken zijn benen op de vloer, 'en ik weet zeker dat iemand in deze kakelbonte tent me wel kan wekken. "Rust is een wapen", dat heb ik eens ooit gelezen. Er zijn meer veldslagen gewonnen en verloren door slaap en gebrek aan slaap dan door vuuroverwicht. Als u even discreet de andere kant wilt opkijken pak ik wel een handdoek uit naar ik mag aannemen de grootste badkamer hier in Bahrein en ga ik een ander bed zoeken.'
'We kunnen alleen maar uit deze kamer als we ook het huis uitgaan.'
'Waarom?'
'Dat is de afspraak. De emir is niet bepaald dol op de jonge vrouw van zijn neef; daarom is de smaad dat u hier bent be-

perkt tot haar vertrekken. Er staan buiten bewakers om dat bevel kracht bij te zetten.'
'Dat geloof ik gewoon niet!'
'Ik heb de regels niet gemaakt, ik heb gewoon voor een onderkomen voor u gezorgd.'
Terwijl zijn ogen dichtvielen liet Kendrick zich achterover zakken op het bed en schoof zover mogelijk naar de zijkant achter de bescherming van het omhooggehouden perzikkleurige laken. 'Goed dan, miss Caïro. Tenzij u daar voortdurend van die stomme ligstoel wilt glijden of plat op uw gezicht op de vloer wilt gaan liggen, is dit uw siëstabed. Voordat u zich laat vermurwen, twee dingen: zorg dat u niet snurkt en zorg er goed voor dat ik tegen half negen word gewekt.'
Twintig folterende minuten later, toen Khalehla haar ogen niet meer kon openhouden en twee keer van de ligstoel was gevallen kroop ze in het bed.
Het ongelooflijke gebeurde, ongelooflijk omdat ze het geen van beiden verwachtten, omdat ze het er ook niet op hadden aangelegd of zelfs maar in de verte hadden gedacht aan de mogelijkheid. Twee bange, uitgeputte mensen voelden elkaars aanwezigheid en schoven, meer slapend dan wakend, naar elkaar toe, raakten elkaar aanvankelijk aan, staken toen langzaam aarzelend de handen uit naar elkaar en omklemden elkaar ten slotte als twee drenkelingen; gezwollen, open lippen zochten dat wanhopig noodzakelijke, vochtige contact dat verlossing beloofde van hun angsten. Hun lichamen vonden de weg naar en in elkaar en zochten in hartstochtelijke passie naar de bevrijding van hun opgekropte gevoelens – niet als dieren die elkaar voor het eerst ontmoetten, maar als man en vrouw die contact met elkaar hadden gehad en die wisten dat ergens een beetje hartelijkheid, een beetje vertroosting moest zijn in een krankzinnig geworden wereld.
'Ik denk dat ik moet zeggen dat het me spijt,' zei Evan met zijn hoofd op de kussens, terwijl zijn borst op en neer ging alsof hij zijn laatste teugen adem naar binnen werkte.
'Doe dat alsjeblieft niet,' zei Khalehla zacht. 'Ik heb er geen spijt van. Soms... soms moeten we er allemaal aan worden herinnerd dat we deel uitmaken van het menselijke ras. Heb je dat zelf niet zo gezegd?'
'In een ander verband geloof ik.'
'Niet echt. Niet wanneer je er echt over nadenkt. Ga slapen,

Evan Kendrick. Ik zal je naam verder niet meer noemen.'
'Wat wil je daarmee zeggen?'
'Ga maar slapen.'

Drie uur later, bijna op de minuut af, kwam Khalehla uit bed, pakte haar kleren op van het witte tapijt en terwijl ze naar de bewusteloze Amerikaan bleef kijken kleedde ze zich geruisloos aan. Ze schreef een briefje op een vel koninklijk briefpapier en legde dat op het nachtkastje naast de telefoon. Daarna liep ze naar de toilettafel en haalde er Kendricks bezittingen uit, ook het mes, het pistool, het horloge en zijn geldriem. Ze legde alles op de vloer naast het bed behalve het halflege pakje Amerikaanse sigaretten dat ze verfrommelde en in haar zak stopte. Ze liep naar de deur en ging zonder geluid te maken naar buiten.

'Esmah!' fluisterde ze tegen de Bahreinse bewaker in uniform en ze zei hem met een enkel woord dat hij haar opdracht moest gehoorzamen. 'Hij moet om precies half negen worden gewekt. Ik zal zelf het koninklijke huis bellen om te controleren of het gebeurd is. Hebt u dat begrepen?'

'Iwah, iwah!' antwoordde de bewaker met stramme nek en gehoorzaam knikkend.

'Er kan een telefoontje voor hem komen waarbij ze vragen naar de "bezoeker". Dat moet worden onderschept, de informatie moet worden opgeschreven, in een envelop gestopt en onder de deur doorgeschoven. Ik maak het wel in orde met de autoriteiten. Het zijn gewoon namen en telefoonnummers van mensen die zaken doen met zijn firma. Begrepen?'

'Iwah, iwah!'

'Goed.' Khalehla stak voorzichtig en onopvallend de tegenwaarde van vijftig Amerikaanse dollars in Bahreinse *dinars* in de zak van de bewaker. Een leven lang behoorde hij haar toe, of in elk geval vijf uur lang. Ze liep de gebogen rijkelijk versierde trap af naar de enorme hal en de gebeeldhouwde voordeur die werd geopend door een onderdanig buigende andere bewaker. Ze wandelde het drukke trottoir op waar jellabah's en donkere pakken zich beide kanten op haastten en keek uit naar een telefooncel. Ze zag er een op de hoek en liep er snel op af.

'De kosten voor dit gesprek zullen worden betaald, dat verzeker ik u, telefonist,' zei Khalehla nadat ze hem de cijfers had

genoemd die ze alleen in het alleruiterste geval mocht gebruiken.
'Ja?' De stem op negenduizend kilometer afstand klonk ruw en abrupt.
'Mijn naam is Khalehla. U bent degene die ik moest bellen, geloof ik.'
'Niemand anders. De telefonist zei Bahrein. Is dat zo?'
'Ja. Hij is hier. Ik ben zojuist een paar uur bij hem geweest.'
'Wat gebeurt er?'
'Ze ontmoeten elkaar tussen half twaalf en twaalf uur bij de Juma-moskee en de Al Khalifa Road. Ik hoor daarbij te zijn, meneer. Hij is hiervoor niet uitgerust; hij kan het niet aan.'
'Vergeet het maar, mevrouw.'
'Hij is een kínd wat deze mensen betreft! Ik kan hélpen!'
'U kunt ons er ook bij betrekken en daar komt niets van in en dat weet u evengoed als ik. Maak dat u daar wegkomt!'
'Ik dacht wel dat u dat zou zeggen... menéér. Maar mag ik alstublieft uitleggen wat ik beschouw als de negatieve kansen van de vergelijking in deze speciale operatie?'
'Ik wil dat spionnentaaltje helemaal niet hóren! Maak dat u daar wegkomt!'
Khalehla vertrok haar gezicht op het harde geluid toen Frank Swann de hoorn neersmeet in Washington D.C.

'Het Aradous en het Tylos, die ken ik alle twee,' zei Emmanuel Weingrass in de telefoonhoorn in het kleine, beveiligde vertrek op het vliegveld Muharraq. 'T. Farouk en Strickland – goeie gód, ik kan het gewoon niet geloven! Dat mietje van een zuipschuit uit *Caïro?* ...O het spijt me, stinkend, dat was ik vergeten. Ik bedoelde eigenlijk die Franse nicht uit Algiers, dat bedoelde ik. Ga verder.' Weingrass schreef de inlichtingen uit Masqat op die hem werden verschaft door een jongeman voor wie hij een enorm respect begon te krijgen. Hij kende mannen die twee keer zo oud waren als Ahmed en die driemaal zoveel ervaring hadden, die bezweken zouden zijn onder de spanning die de sultan van Oman te verduren had, om maar niet te denken aan die schaamteloze westerse pers die geen idee had van zijn moed. De moed om risico's te nemen die zijn val en zijn dood zouden kunnen veroorzaken. 'Oké, ik heb het allemaal. ...Hé, stinkerd, jij bent me een behoorlijke mannetjesputter. Je bent opgegroeid tot een echte *Mensch.* Natuurlijk

heb je het waarschijnlijk allemaal van mij geleerd.'
'Eén ding heb ik van jou geleerd, Manny, iets heel belangrijks. Dat was om de zaken onder ogen te zien zoals ze zijn en geen excuses te zoeken. Of het nu ging om iets plezierigs of iets pijnlijks zei je nog. Je hebt me gezegd dat iemand zich kan neerleggen bij een mislukking maar niet bij de excuses die hem het recht ontnamen te mogen mislukken. Het heeft lang geduurd voordat ik dat heb begrepen.'
'Dat is dan heel aardig van je, jongeman. Geef het maar door aan het kind dat zich heeft aangekondigd, naar ik heb gelezen. Noem het maar het Weingrass-addendum van de Tien Geboden.'
'Maar Manny...'
'Ja?'
'Draag alsjeblieft niet weer een van die rode of gele vlinderdasjes met noppen in Bahrein. Je valt er zo door op, als je begrijpt wat ik bedoel.'
'Word je nu ook al mijn kleermaker? ...Ik spreek je nog wel, *Mensch*. Wens ons allemaal maar goede jacht.'
'Dat doe ik, beste vriend. Ik zou vooral graag willen dat ik erbij kon zijn.'
'Dat weet ik. Ik zou hier niet zijn als ik dat niet wist – als onze vriend dat niet wist.' Weingrass legde de hoorn op en wendde zich naar de zes mannen achter hem. Ze zaten op tafels en stoelen, een paar met hun kleine reservepistolen in de hand, terwijl anderen de sterkte van de batterijen in hun walkie-talkies controleerden. Allen keken ze gespannen naar Weingrass terwijl ze luisterden naar de oude man. 'We gaan ons opsplitsen,' zei hij. 'Ben-Ami en Grijs gaan met mij mee naar het Tylos. Blauw, jij gaat met de anderen naar het Aradous-hotel.' Weingrass zweeg, hij werd tot zwijgen gedwongen door een onverwachte hoestbui; zijn gezicht liep rood aan en zijn tengere figuur schudde heftig. Ben-Ami en de leden van de Masadaploeg keken elkaar aan; niemand maakte een beweging, instinctmatig wisten ze allemaal dat elke hulp zou worden afgeslagen. Maar één ding was hun allen duidelijk. Ze keken naar een man die niet lang meer te leven had.
'Water?' vroeg Ben-Ami.
'Nee,' antwoordde Manny kort en zijn hoesten werd al wat minder. 'Verrekte verkoudheid op de borst, pokkeweer in Frankrijk. Goed, waar waren we?'

'Ik moest de anderen meenemen naar het Aradous-hotel,' antwoordde Yaakov, codenaam Blauw.
'Zorg dat je wat fatsoenlijke kleren krijgt zodat je er niet uit wordt gegooid. Er zijn winkels hier op het vliegveld, nette jasjes zijn voldoende.'
'Dit zijn onze werkkleren,' wierp Zwart tegen.
'Gooi ze maar in de prullenbak,' zei Weingrass.
'Wat moesten we in het Aradous doen?' Blauw kwam van de tafel af waarop hij zat.
Manny raadpleegde zijn aantekeningen en keek toen de jonge leider aan. 'In kamer twee-nul-een is een man die Azra heet.'
'Arabisch voor "blauw",' viel Rood in de rede en hij keek naar Yaakov.
'Hij is lid van de terroristenraad in Masqat,' kwam Oranje tussenbeide. 'Ze zeggen dat hij de leiding had over het team dat de Teverya kibboets bestormde bij Galilea, en tweeëndertig mensen doodde, waaronder negen kinderen.'
'Hij legde bommen in drie nederzettingen op de Westoever,' voegde Grijs eraan toe, 'en blies een apotheek op nadat hij met een spuitbus de naam "Azra" op de muur had getekend. Na de ontploffing werd de muur weer in elkaar gezet als een puzzel en daar stond het. De naam Azra. Ik heb hem op de televisie gezien.'
'Varken,' zei Yaakov zacht en hij trok de riemen van zijn pistool wat aan onder zijn jack. 'Wat gaan we doen als we in het Aradous zijn? Hem tracteren op thee met gebak of hem alleen maar een medaille geven voor humanitair gedrag?'
'Je zorgt dat hij je niet te zien krijgt!' antwoordde Weingrass schor. 'Maar denk erom dat jullie hem niet uit het oog verliezen. Twee van jullie moeten kamers bij hem in de buurt boeken. Haal geen glas water, ga niet naar het toilet, hou hem alleen maar elke seconde in de gaten. De twee anderen nemen posities in op straat, een aan de voorkant, de andere bij de dienstuitgang. Blijf via de radio met elkaar in contact. Spreek eenvoudige codes af, codes van één woord – in het Arabisch. Als hij ergens heengaat gaan jullie met hem mee, maar laat hem geen moment het vermoeden krijgen dat jullie daar zijn. Vergeet niet, hij is even goed als jullie; hij heeft ook moeten vechten voor zijn leven.'
'Gaan we hem in het geheim begeleiden naar een privé-dineetje?' vroeg Blauw sarcastisch. 'Dit is een plan zonder zelfs

maar de meest rudimentaire blauwdruk.'
'De blauwdruk komt van Kendrick,' zei Manny die dit keer niet inging op de belediging. 'Als hij er echt eentje heeft,' voegde hij er zacht en bezorgd aan toe.
'Wát?' Ben-Ami stond op uit zijn stoel, niet zozeer van woede als van verbazing.
'Als alles volgens schema verloopt pikt hij de Arabier om tien uur op. Met die terrorist uit Masqat op sleeptouw verwacht hij contact te leggen met een van de agenten van de Mahdi, iemand die hen ofwel naar de Mahdi zelf kan voeren, of naar iemand anders die dat kan.'
'Op wat voor básis?' vroeg de ongelovige Ben-Ami van de Mossad.
'Het is eigenlijk zo gek nog niet. De mensen van de Mahdi denken dat er een noodsituatie is maar verder hebben ze geen flauw idee.'
'Een amateur!' brulde Rood van de Masada-ploeg. 'Er zullen reservemensen zijn, valse sporen en reservemensen voor hén. Wat doen we hier verdomme eigenlijk?'
'Jullie zijn ervoor om de reservemensen onschadelijk te maken en de valse sporen én de reservemensen achter hén!' schreeuwde Weingrass ten antwoord. 'Als ik jullie moet vertellen waarop je moet letten dan kun je beter teruggaan en helemaal opnieuw beginnen bij de padvinders in Tel Aviv. Jullie volgen, jullie beschermen, jullie maken de boeven onschadelijk. Jullie maken de weg vrij voor een amateur die zijn leven in de waagschaal stelt. Die Mahdi is de sleutelfiguur en als jullie dat nu onderhand nog niet hebben begrepen dan kan ik er verder ook niks meer aan doen. Eén woord van hem, bij voorkeur met een pistool op zijn kop gericht, en alles houdt op in Oman.'
'Er zit toch wel wat in,' zei Ben-Ami.
'Maar het heeft geen enkele zin!' riep Yaakov uit. 'Stel dat die Kendrick bij jouw Mahdi komt. Wat doet hij dan, wat zégt hij dan?' Blauw begon met een overdreven knauwend Amerikaans accent te praten: ' "Zeg, partner, ik heb een geweldig plan voor je, makker. Jij fluit die stomme gorilla's van jou terug en dan krijg jij van mij mijn nieuwe leren laarzen." Belachelijk! Hij krijgt een kogel door zijn kop zo gauw ze hem maar vragen: "Wat voor noodsituatie"?'
'Dat heeft eigenlijk ook wel verdiensten,' herhaalde Ben-Ami.
'Nou zit ik met advocaten!' gilde Manny. 'Denken jullie dat

die zoon van mij stom is? Dat hij een hele bouwwereld op poten heeft gezet als *meschoggener?* Zo gauw hij iets concreets weet – een naam, een plaats, een bedrijf – belt hij Masqat, en onze wederzijdse vriend, de sultan, belt de Amerikanen, de Engelsen, de Fransen en een ieder die hij verder nog vertrouwt en die zich in Oman heeft gevestigd en dan gaan zij aan het werk. Hun mensen hier in Bahrein gaan er dan op af.'
'Verdienstelijk,' zei Ben-Ami opnieuw met een hoofdknik.
'Niet onverdienstelijk,' stemde Zwart in.
'En wat doe jij bij dat alles?' vroeg een wat rustiger maar toch uitdagende Yaakov.
'Ik ga een dikke vos vangen die een heleboel hennen heeft opgevreten in een ren waarvan niemand afwist,' zei Weingrass.

Kendricks ogen waren ineens wijd open. Een geluid, een zacht schuren – een verbreking van de stilte die niets had te maken met het verkeer buiten de gotische ramen. Het was dichterbij, meer persoonlijk, iets intiems. Toch was het niet de vrouw Khalehla; die was weg. Hij keek even met knipperende ogen naar de kussens naast hem waarin de hoofdafdruk nog zichtbaar was en ondanks alles waarmee hij in gedachten bezig was voelde hij zich ineens wat triest. Voor die paar korte uren had hij een verwantschap gevoeld met haar, een warme band tussen hen die maar voor een gedeelte te maken had met hun uitzinnige liefdesspel, wat trouwens niet eens zou zijn gebeurd zonder dat warme gevoel.
Hoe laat was het? Hij draaide zijn pols om – en zijn horloge was er niet. Verdómme, dat rotwijf had het nog steeds. Hij liet zich omrollen op het bed en zwaaide zijn benen op de vloer zonder acht te slaan op het laken dat hem bedekte. Zijn voetzolen kwamen op harde voorwerpen terecht; hij keek neer op de opvallend witte vloerbedekking en knipperde weer met zijn ogen. Alles wat er in zijn zakken had gezeten lag daar – alles op het pakje sigaretten na dat hij nu zo heel erg nodig had. En toen werden zijn ogen getrokken naar een met goud omrand velletje briefpapier op het nachtkastje; hij pakte het op.
Volgens mij waren we beiden lief voor elkaar toen we het allebei heel erg nodig hadden. Ik heb nergens spijt van, alleen van dit: Ik zal je nooit meer zien. Vaarwel.
Geen naam, geen adres, alleen maar *Ciao, amico*. Dat was het dan voor twee schepen in de Perzische Golf of twee gespan-

nen, gekwetste mensen aan het einde van een middag in Bahrein. Maar hij besefte dat het geen middag meer was. Hij had Khalehla's briefje nauwelijks kunnen lezen; alleen de laatste oranje stralen van de zonsondergang stroomden nu door het raam. Hij pakte zijn horloge van de vloer; het was vijf voor acht; hij had bijna vier uur geslapen. Hij was uitgehongerd en zijn jaren in de woestijn, de bergen en het wilde water hadden hem geleerd geen grote inspanningen te verrichten op een lege maag. Een 'bewaker' had ze gezegd. 'Buiten' had ze uitgelegd.
Evan rukte het laken van het bed, wikkelde het om zich heen en liep de kamer door. Hij bleef staan; op de grond lag een envelop. Dat was het geluid dat hij had gehoord, een envelop die met kracht onder de deur werd doorgeduwd, geforceerd vanwege het dikke tapijt. Hij pakte hem op en scheurde hem open en las het – ze. Een lijst met zestien namen, adressen en telefoonnummers. MacDonald! De lijst van de gesprekken die hij had gevoerd in Bahrein. Eén stap dichter bij de Mahdi!
Evan opende de deur en werkte snel de begroeting in het Arabisch af tussen hem en de bewaker in uniform. 'U bent nu al wakker, meneer. U mocht niet worden gewekt vóór half negen.'
'Ik zou u erg dankbaar zijn wanneer u me nu zou wekken met wat eten. De vrouw zei dat ik misschien wel iets kon krijgen uit uw keuken.'
'Zeker, meneer, wat u maar wilt.'
'Wat u ook kunt vinden. Vlees, rijst, brood... en melk, ik zou graag wat melk hebben. Alles zo snel mogelijk, alstublieft.'
'Heel snel, meneer!' De bewaker draaide zich om en rende de gang door naar de trap. Evan deed de deur dicht en bleef even staan om zich te kunnen oriënteren in de schemerige kamer. Hij knipte de lamp aan op de eindeloze commode, liep vervolgens over de vloerbedekking met de dikke pool naar een andere deur die toegang gaf tot de weelderigste badkamer in heel Bahrein.
Tien minuten later kwam hij eruit, gedoucht en geschoren en nu gekleed in een korte jas van badstof. Hij liep naar de kast waar volgens Khalehla zijn kleren hingen – 'ontsmet, gewassen en gestreken' zoals hij zich haar woorden goed herinnerde. Hij trok de spiegeldeur open en herkende nauwelijks het vreemde samenraapsel van kleren dat hij had verzameld in de ambassade van Masqat; het geheel zag eruit als een heel res-

pectabel, paramilitair uniform. Hij liet alles op de kleerhangers en drapeerde de gesteven uitrusting over de ligstoel; hij liep terug naar het bed en ging erop zitten staren naar zijn bezittingen op de vloer. Hij was in de verleiding zijn geldriem te controleren om te zien of er een paar grote bankbiljetten waren uitgehaald, maar hij besloot dat niet te doen. Als Khalehla een dief was wilde hij dat niet weten, niet nu.
De telefoon ging over, het schelle rinkelen niet zozeer een bellen als wel een metaalachtig gegil. Even staarde hij naar het toestel en vroeg zich af... wie? Hij had de lijst van MacDonald; dat was het enige gesprek waarvan Khalehla had gezegd dat hij het kon verwachten? Khalehla? Was ze van gedachten veranderd? In een opwelling van onvermoede gevoelens stak hij zijn hand uit naar de hoorn en drukte die aan zijn oor. Acht seconden later wenste hij vurig dat hij dat niet had gedaan.
'Amreekanee,' zei de mannenstem, op vlakke, fluisterende toon. 'Als jij dat koninklijke huis vóór de ochtend verlaat, ben je er geweest. Morgen ga je rustig naar de plaats vanwaar je gekomen bent, waar je thuishoort.'

14

Emmanuel Weingrass hield de radio van Grijs voor zijn mond en zei: 'Ga je gang en denk eraan je toestel op zenden houden. Ik moet álles kunnen horen!'
'Neem me niet kwalijk, Weingrass,' antwoordde Ben-Ami vanuit de schaduw aan de overkant van Government Road. 'Ik zou me wat zekerder voelen als onze collega Grijs het ook kon horen. Jij en ik zijn niet zo handig in dit soort situaties als die jonge mensen.'
'Ze hebben met z'n allen minder dan één stel hersenen. Wij hebben er twee.'
'Dit is geen *Schule*, Emmanuel, we zitten hier wat je noemt aan het front en het kan heel onplezierig worden.'
'Ik heb alle vertrouwen in jou, Benny-Boy, zolang jij garandeert dat deze speelgoedradiootjes door metaal heen te horen zijn.'
'Ze zijn even helder als elk elektronisch afluisterapparaatje wat je maar kunt bedenken en je kunt er bovendien mee zenden.

Je hoeft alleen maar de juiste knopjes in te drukken.'
'Dat moet jij dan maar doen,' zei Weingrass. 'Ga maar door, wij volgen wel wanneer we horen wat die MacDonald-Strickland te zeggen heeft.'
'Stuur alsjeblieft Grijs het eerst.' Uit de schaduw naast de luifel van het Tylos-hotel voegde Ben-Ami zich tussen het drukke gewoel rond de ingang. Mensen kwamen en gingen, voornamelijk mannen, voornamelijk in westerse kleren, met daartussen hier en daar wat vrouwen die uitsluitend westers gekleed waren. Taxi's zetten passagiers af en vulden zich weer met nieuwe; pas aangekomen gasten gaven fooien aan een jachtige portier die alleen maar portieren moest openen en sluiten en nu en dan op een snerpend fluitje hoefde te blazen om een piccolo van de laagste rang met een hoofddoek op te roepen die de bagage moest dragen. Ben-Ami dook onder in dat gewoel en ging naar binnen. Een paar tellen later kon men hem horen toen hij een telefoonnummer koos, door het achtergrondlawaai van de hal heen; Manny fronste geïrriteerd zijn wenkbrauwen terwijl hij de radio omhoog hield tussen hemzelf en de veel grotere, gespierde Grijs. De eerste woorden uit kamer 202 waren onverstaanbaar, toen klonk de stem van de man van de Mossad.
'Shaikh Strickland?'
'Wie is daar?' Het voorzichtige gefluister van de Engelsman klonk nu duidelijk; Ben-Ami had zijn radio bijgesteld.
'Ik ben beneden ...Anag hénah littee gáhrah...'
'Stomme zwarte klootzak!' riep MacDonald uit. *'Ik spreek dat koeterwaals niet! Waarom bel je vanuit de hal?'*
'Ik stelde u op de proef, meneer Strickland,' zei Ben-Ami snel. *'Een man die onder spanning verkeert verraadt zich vaak. U had mij kunnen vragen waarheen mijn volgende zakenreis ging, en dat leidde dan misschien naar een volgende herkenningscode. Dan had ik geweten dat u niet de juiste man was...'*
'Ja, ja, ik begrijp het! God zij dank dat je hier bent! Ik heb lang genoeg moeten wachten. Ik verwachtte je al een half uur geleden. Je moest iets tegen me zeggen. Zeg het!'
'Niet via de telefoon,' antwoordde de infiltrant van de Mossad vastberaden. *'Nooit via de telefoon, dat hoorde u te weten.'*
'Als jij denkt dat ik je zomaar binnenlaat op mijn kamer...'
'Dat zou ik niet doen als ik u was,' viel Ben-Ami hem opnieuw in de rede. *'We weten dat u gewapend bent.'*

'Dat weet u?'
'Wij horen het altijd wanneer er een wapen onder de toonbank wordt verkocht.'
'Ja... ja, natuurlijk.'
'Open uw deur met de ketting op zijn plaats. Als mijn woorden niet kloppen doodt u mij.'
'Ja... goed dan. Ik weet zeker dat het niet nodig zal zijn. Maar begrijp me goed, wie je ook bent, als er ook maar één lettergreep verkeerd is ga je eraan!'
'Ik zal goed mijn best doen op mijn Engels, Shaikh Strickland.'
Op de kleine radio in de hand van Weingrass begon ineens een minuscuul groen lichtje te knipperen. 'Verrek, wat is dát nou?' vroeg Manny.
'Rechtstreekse verbinding,' antwoordde Grijs. 'Geef maar hier.' De commando van de Masada pakte het apparaatje en drukte op een knop. 'Ga je gang.'
'Hij is alleen!' klonk de stem van Ben-Ami. 'We moeten snel zijn en hem nu grijpen!'
'We doen helemaal níks, Mossad-imbeciel dat je bent!' protesteerde Weingrass en hij greep de radio vast. 'Zelfs die boerenlullen van Consulaire Operaties kunnen horen wat hun net is opgedragen, maar niet de heilige Mossad! Die horen alleen hun eigen stemmen, en misschien die van Abraham als hij een code-ring heeft gekregen als cadeautje bij een doos havermout!'
'Manny, daar zit ik niet op te wachten,' zei Ben-Ami langzaam en gekwetst over de radio.
'Je zit op een stel oren te wachten, daar wacht je op, *ganza Macher!* Die nicht verwacht elk moment een contactman van de Mahdi – iemand die hem niet mag bellen vanuit de hal maar die rechtstreeks naar zijn kamer moet gaan. Hij kent de woorden waarop MacDonald de deur zal opendoen, en dán gaan wij meedoen en grijpen we hen beiden! Wat was je van plan? Wou je de deur laten openbreken door die Neanderthaler hier naast mij?'
'Nou, ja...'
'Hierop zit ik ook niet te wachten,' mompelde Grijs zacht.
'Geen wonder dat jullie idioten de zaak in Washington hebben verstierd. Jullie dachten zeker dat *Dallas* een codewoord van de Mossad was in plaats van een televisieprogramma!'
'Mánny!'

'Maak dat je als de sodemieter op de tweede verdieping komt! We zijn daar over twee minuten, klopt dat klusjesman?'
'Meneer Weingrass,' zei Grijs en hij klikte de radio uit terwijl de spieren in zijn magere, krachtige kaak heftig tekeer gingen. 'Ik heb, geloof ik, in mijn leven nog nooit een man ontmoet aan wie ik me zo heb geërgerd als aan u.'
'*Oy*, je maakt me bang! In de Bronx zouden ze je daarvoor waarschijnlijk hebben afgeranseld – als tien of twaalf van mijn Ierse of Italiaanse vriendjes je hadden aangekund. Schiet óp!'
Manny begon Government Road over te steken, gevolgd door Grijs die nog steeds met zijn hoofd liep te schudden, niet omdat hij het er niet mee eens was, maar om de gedachten die door zijn hoofd woelden kwijt te raken.
De hotelgang was lang en er lag een versleten loper. Het was etenstijd en de meeste gasten hadden het hotel verlaten. Weingrass stond aan het ene uiteinde; hij had geprobeerd een Gauloise te roken maar had die uitgetrapt en daarbij een gat in de loper gebrand, omdat zijn borst dreigend begon te rommelen. Ben-Ami stond bij de lift het verst van hem vandaan, de overbekende, geïrriteerde hotelgast die wacht op een lift die nooit komt. Grijs stond het dichtst bij kamer 202, nonchalant tegen de muur geleund naast een deur een meter of vijf schuin tegenover die van 'Meneer Strickland'. Hij was een beroeps; hij nam de houding aan van een jongeman die begerig stond te wachten op het te voorschijn komen van een vrouw die hij misschien in het geheim ontmoette; hij ging zelfs zover dat hij door de deur heen een gesprek met haar leek te voeren.
Het gebeurde, en het imponeerde Weingrass. De jachtige portier die onder de luifel aan de ingang van het Tylos stond kwam ineens uit een lift met zijn pet vol goudbrokaat in zijn hand; hij liep op kamer 202 af. Hij bleef staan, klopte, wachtte tot de deur op een kier werd geopend en sprak. De ketting werd losgemaakt. Ineens, met de agressieve snelheid en vastberadenheid van een Olympisch atleet schoot Grijs weg van de muur, stortte zich op de twee gestalten in de open deur, zag op een of andere manier nog kans een pistool uit een verborgen plaats te trekken terwijl hij zijn lichaam schuin omhoog tegen zijn twee vijanden beukte en, weer zonder dat iemand zag hoe, die twee stevig tegen elkaar aantrok en hen over de vloer van de kamer smeet. Twee gedempte schoten weerklonken uit het pistool van de commando; de revolver in de hand

van Anthony MacDonald werd weggevaagd, samen met twee van zijn vingers.
Weingrass en Ben-Ami liepen tegelijkertijd op de deur af, renden naar binnen en klapten die met een smak dicht.
'Mijn god, moet je kíjken!' schreeuwde de Engelsman op de grond en hij greep zijn bloedende rechterhand vast. 'Godverdómme! Ik heb geen...'
'Haal een handdoek uit de badkamer,' beval Grijs rustig aan Ben-Ami.
De agent van de Mossad deed wat hem door de jongere man werd opgedragen.
'Ik ben alleen maar een bóde!' krijste de portier die kronkelend van angst naast het bed lag. 'Ik kwam hier alleen maar een boodschap afgeven!'
'Je grootmoeder is een bode,' zei Emmanuel Weingrass dreigend boven de liggende man. 'Jij bent volmaakt, jij kloteklapper. Jij ziet wie er komt, wie er gaat – jij bent hun verdomde ogen. Met jou wil ik heel graag eens praten.'
'Ik heb geen hand meer!' schreeuwde de dikke MacDonald, terwijl het bloed in stroompjes van zijn arm afliep.
'Hier!' zei Ben-Ami en hij knielde neer en wikkelde een handdoek om de verminkte vingers van de Engelsman.
'Niet doen,' beval Grijs; hij greep de handdoek en wierp die weg.
'Je zei dat ik die moest gaan halen,' protesteerde Ben-Ami verward.
'Ik ben van gedachten veranderd,' zei Grijs, ineens met kille stem; hij hield MacDonalds arm omlaag zodat het bloed nu met kracht uit zijn vingerstompjes gutste. 'Blóed,' vervolgde de Masada-commando rustig tegen de Engelsman, 'vooral bloed uit de rechterarm – van de aorta die het uit het hart pompt – kan alleen maar op deze vloer terechtkomen. Begrijp je me, Khanzeer? Heb je me door, schoft? Vertel ons wat we weten moeten of je leven verpietert hier. Waar is die Mahdi? Wie is hij?'
'Dat wéét ik niet!' schreeuwde Anthony MacDonald hoestend terwijl de tranen hem van de dikke hangwangen stroomden. 'Net als iedereen bel ik telefoonnummers – iemand neemt dan contact op met mij! Meer weet ik niet!'
Het hoofd van de commando kwam met een ruk omhoog. Hij was erin getraind dingen te horen en trillingen te voelen die de

anderen niet hoorden of voelden. 'Ga liggen!' fluisterde hij schor tegen Ben-Ami en Weingrass. 'Laat je naar de muren rollen! Achter stoelen, wát dan ook!'
De kamerdeur vloog open. Drie Arabieren in schone, witte gewaden, hun gezichten verborgen achter een doek, stormden door de opening, hun gedempte machinepistolen op automatisch vuren ingesteld en hun doel was duidelijk: MacDonald en de portier van het Tylos, wier gillende, liggende lichamen op en neer gingen als pneumatische hamers onder het spervuur van kogels tot er geen geluid meer opsteeg uit hun bloedende monden. Plotseling beseften de moordenaars dat er nog anderen in de kamer waren; ze draaiden zich met een ruk om en hun wapens kliefden door de lucht op zoek naar een nieuw doelwit maar dat was er niet meer want ze waren geen concurrentie voor de dodelijke Grijs van de Masada-Brigade. De commando was naar de linkerkant gerend van de openstaande deur, met zijn rug stevig tegen de muur; zijn Uzi-pistool had hij losgerukt uit de geweven banden onder zijn jack. Met een lang salvo maaide hij de drie beulen neer, die alledrie meteen roerloos lagen, zonder stuiptrekkingen, met verbrijzelde schedels.
'Naar buiten!' schreeuwde Grijs terwijl hij zich op Weingrass wierp en de oude man overeind trok. 'Naar de trap naast de liften!'
'Als we worden tegengehouden,' voegde Ben-Ami eraan toe, 'zijn we drie mensen die in paniek zijn geraakt door het schieten.'
Buiten op Government Road, toen ze even op adem stonden te komen in een steegje dat naar de Sjaikh Hamad Boulevard leidde, vloekte Grijs ineens binnensmonds, meer tegen zichzelf dan tegen zijn metgezellen. 'Verdomme, verdomme, verdómme! Ik moest ze kapotschieten!'
'Je had geen keuze,' zei de Mossad-agent. 'Een van hun vingers aan de trekker en we hadden allemaal dood kunnen zijn, zeker een van ons.'
'Maar als er maar eentje in leven was gebleven zouden we zoveel te weten zijn gekomen,' wierp de man van de Masada-eenheid tegen.
'We zijn wel wat te weten gekomen, klusjesman,' zei Weingrass.
'Wil je daar nu eens mee ophouden!'
'Het is eigenlijk meer een koosnaampje, jongeman...'

'Wat hebben we ontdekt, Manny?'
'MacDonald praatte te veel. In zijn paniek zei de Engelsman via de telefoon dingen tegen mensen die hij niet had mogen zeggen en daarom moest hij eraan geloven; hij heeft zijn mond voorbijgepraat.'
'Hoe verklaar je dan de portier?' vroeg Grijs.
'Die kan worden gemist. Hij heeft alleen maar MacDonalds deur opengekregen voor het executiepeloton van de Mahdi. Jij hebt pas echt lawaai gemaakt, niet zij. En nu we dat weten van MacDonalds mond en zijn executie, kunnen we twee essentiële feiten aannemen – net als de spanningsgrenzen wanneer je een hangend balkon ontwerpt aan een gebouw, het ene gewicht excentrisch op een ander excentrisch zwaarteveld.'
'Waar heb je het in hemelsnaam nu weer over, Manny?'
'Mijn jongen, Kendrick heeft zijn werk beter gedaan dan hij zelf waarschijnlijk beseft. De Mahdi is bang. Hij weet echt niet wat er aan de hand is en door die schreeuwlelijk van een Engelsman te doden kan helemaal niemand het hem meer vertellen. Hij heeft een fout gemaakt, is dat niet mooi. De Máhdi heeft een fout gemaakt.'
'Als jouw architectonische schema's even onduidelijk zijn als je zelf bent, meneer Weingrass,' zei Grijs, 'dan hoop ik dat geen van je ontwerpen ooit wordt gebruikt voor gebouwen in Israël.'
'*Oy*, wat is die jongen rad van tong! Weet je zeker dat je niet naar het Atheneum voor Wetenschappen bent geweest in de Bronx? Laat maar. Laten we eens kijken wat er bij de Jumamoskee aan de hand is. Vertel me eens, klusjesman, heb jij ooit een fout gemaakt?'
'Ik geloof dat ik er een heb gemaakt door naar Bahrein te gaan...'
Emmanuel Weingrass hoorde het antwoord niet meer. De oude man stond dubbel gebogen tegen de muur van het donkere steegje in een heftige hoestbui.

Met stomheid geslagen staarde Kendrick naar de telefoonhoorn in zijn hand, en klapte die toen woedend op de haak – woedend en gefrustreerd en bang. *Als jij dat koninklijke huis vóór de ochtend verlaat, ben je er geweest. ...Morgen ga je rustig terug naar de plaats vanwaar je gekomen bent, waar je thuishoort.* Als hij nog een laatste bevestiging wilde hebben dat hij steeds

dichter bij de Mahdi kwam, dan had hij die nu, al kon hij er weinig mee doen. Hij was praktisch een gevangene; één stap buiten het elegante huis en hij zou meteen worden neergeknald door mannen die wachtten op zijn verschijnen. Zelfs zijn 'ontsmette, gewassen en gestreken' kleren zouden direct worden herkend voor wat ze waren: schoongemaakte terroristenkleding. En het bevel dat hij terug moest keren naar de plaats vanwaar hij kwam kon nauwelijks serieus worden genomen. Hij ging uit van het feit dat men niet gauw een Amerikaans congreslid zou vermoorden, zelfs niet eentje wiens aanwezigheid in Bahrein gemakkelijk kon worden teruggevoerd naar de afgrijselijke gebeurtenissen in Masqat waar hij eens had gewerkt. De totale verwoesting en het platbombarderen van Oman die met steeds meer aandrang werden geëist door een groot deel van de Amerikaanse bevolking zouden niet in het belang zijn van de Mahdi – maar die kon evenmin toestaan dat het congreslid terugkeerde naar Washington. Er mocht dan geen overtuigend bewijsmateriaal zijn, hij had immers té veel informatie die door anderen met veel meer ervaring in de zwarte kunst van de spionage gebruikt kon worden. De oplossing van de Mahdi lag maar al te zeer voor de hand. De nieuwsgierige, hinderlijke Amerikaan zou het zoveelste slachtoffer worden van deze afschuwelijke tijd – samen met anderen natuurlijk. Een bloedbad in een vertrekhal van een vliegveld; een vliegtuig dat hoog in de lucht ontplofte; een bom in een cafetaria – er waren zovele mogelijkheden, zolang er tot de slachtoffers maar een man behoorde die te veel wist.
Uiteindelijk was het geworden zoals hij het zich had voorgesteld vanaf het begin. Hijzelf en de Mahdi. Hijzelf óf de Mahdi. Nu had hij verloren, even zeker als wanneer hij in een onvoltooid gebouw stond en er duizenden tonnen beton en metaal op hem neer kwamen denderen.
Er werd even fel op de deur geklopt. *'Odkhul,'* zei hij, duidelijk makend dat de bezoeker binnen kon komen; instinctief pakte hij zijn pistool op van het witte vloerkleed. De bewaker kwam binnenlopen met een groot dienblad, vakkundig balancerend op zijn linkerhand. Evan schoof het pistool onder een kussen en ging rechtop staan toen de militair zijn eten naar het witte bureau droeg.
'Alles is in gereedheid, meneer!' riep de bewaker uit en zijn stem klonk triomfantelijk. 'Ik heb persoonlijk alleen maar dat

uitgezocht wat heel lekker smaakt. Mijn vrouw zegt dat ik kok had moeten worden in plaats van krijgsman...'
Kendrick hoorde eigenlijk de rest van het loflied van deze krijgsman op zichzelf niet meer. In plaats daarvan stond hij eensklaps als gebiologeerd naar de man te staren. Hij was ongeveer één tachtig lang, misschien een centimeter meer of minder, met respectabele schouders en een benijdenswaardig slank middel. Op dat irritante middel na was hij ongeveer Evans maat. Kendrick keek even naar de schone, gesteven kleren op de ligstoel en toen weer naar het kleurrijke rood-met-blauwe uniform van de gefrustreerde kok-krijgsman. Zonder echt na te denken stak Evan zijn hand onder het kussen naar het verborgen wapen terwijl de militair, neuriënd als een Italiaanse *cuciniere supremo* de dampende borden op het bureau zette. De enige gedachte die Kendrick totaal beheerste was dat een gereinigde terroristenuitrusting een doelwit zou vormen voor een salvo kogels, maar niet het uniform van iemand van de Bahreinse Koninklijke Garde, zeker niet als die een koninklijk huis kwam uitlopen. Een andere mogelijkheid bestond er eigenlijk niet. Als hij niets deed was hij morgen dood – op een of andere plaats en op een of andere manier. Hij moest toch iets doen en daarom deed hij het maar. Hij liep om het grote bed heen, ging achter de bewaker staan en deed uit alle macht de greep van het pistool neerkomen op het hoofd van de neuriënde, knikkende militair.
Bewusteloos viel de bewaker op de grond en opnieuw zonder echt na te denken ging Evan achter het bureau zitten en at sneller dan hij ooit eerder in zijn leven had gedaan. Twaalf minuten later lag de militair gebonden en met een prop in zijn mond op het bed en stond Kendrick zichzelf te bekijken voor een spiegelkast. Het gekreukte rood-met-blauwe uniform had verbeterd kunnen worden door de ervaren vingers van een kleermaker, maar over het algemeen en zeker in het halfdonker van de straten bij avond, kon hij ermee door.
Hij zocht de rij kasten na tot hij een plastic zak vond en stopte zijn kleren uit Masqat daarin. Hij keek naar de telefoon. Hij wist dat hij die telefoon niet zou gebruiken, niet kón gebruiken. Als hij buiten op straat in leven bleef zou hij Azra via een ander toestel bellen.

Woedend ijsbeerde Azra in hemdsmouwen en met zijn schouderholster aangepast door de kamer van het Aradous-hotel, verteerd door gedachten aan verraad. Waar was *Amal Bahrudi* – de man met de blauwe ogen die zich Bahrudi noemde? Was hij in werkelijkheid iemand anders, iemand die die getikte, opgeblazen Engelsman 'Kendrick' had genoemd? Was alles een valstrik, een valstrik om een lid van Masqats operationele raad in handen te krijgen, een valstrik om de terrorist die bekend stond als *Blauw* te vangen? ...Terrorist? Wat typerend voor de zionistische moordenaars van de Irgun Zvai Leumi en de Haganah! Hoe gemakkelijk vergeten ze de bloedbaden van *'Jephthah'* en *Deir Yasin*, om nog maar te zwijgen over hun surrogaatbeulen in Sabra en Sjatila! Ze stelen een vaderland en verkopen wat ze niet mogen verkopen, vermoorden een kind omdat het de Palestijnse vlag draagt – 'een ongelukkig exces' noemen ze dat – en toch zijn wij de terroristen! Als het Aradous-hotel een valstrik was kon hij niet opgesloten blijven in een kamer; maar als het geen valstrik was moest hij daar zijn waar men hem kon bereiken. De Mahdi betekende alles voor hem, zijn oproep was een bevel omdat hij hun opnieuw hoop had gegeven, om hun boodschap van authenticiteit te verspreiden. Wanneer zou de wereld hen eindelijk eens begrijpen? Wanneer zouden de Mahdi's van deze wereld overbodig worden?

De telefoon ging over en Azra rende erop af. 'Ja?'

'Ik ben opgehouden maar ben nu onderweg. Ze hebben me gevonden; ik werd bijna gedood op het vliegveld maar ik ontsnapte. Ze kunnen jou zelfs nu hebben gevonden.'

'Wát?'

'Het systeem lekt. Ga naar buiten maar niet via de hal. Er is een trap die dienst doet als brandtrap. Volgens mij ligt die aan de zuidkant van de gang. Het noordelijke of het zuidelijke uiteinde, een van de twee. Maak daarvan gebruik en loop via de keuken van het restaurant naar de dienstuitgang. Dan kom je uit op de Wadi Al Ahd. Steek de straat over; ik vang je daar op.'

'Jij bent toch wel wie je zegt dat je bent, Amal Bahrudi? Kan ik je vertrouwen?'

'We hebben geen van beiden een alternatief, nietwaar?'

'Dat is geen antwoord.'

'Ik ben jou vijand niet,' loog Evan Kendrick. 'We zullen nooit vrienden worden maar je vijand ben ik niet. Dat kan ik me niet veroorloven. En jij verprutst je tijd, poëet, en gedeeltelijk ook mijn tijd. Ik zal er over vijf minuten zijn. Schiet op!'

'Ik ga al.'

'Wees voorzichtig.'

Azra legde de hoorn neer en liep naar zijn wapens die hij een paar keer had schoongemaakt en die keurig op een rij op de commode lagen. Hij pakte het kleine Heckler en Koch P9S automatische pistool op, knielde, trok zijn linker broekspijp op en stak het wapen in de kruisbanden op zijn kuit, vlak onder de knieholte. Hij ging weer staan, nam de grotere, krachtiger Mauser Parabellum van de commode en stak die in zijn schouderholster; daarop volgde het jachtmes in foedraal dat naast het pistool kwam te zitten. Hij liep naar een stoel waarop hij het colbertje van zijn pas gekochte pak had geworpen, trok dat aan en liep naar de deur waarna hij snel de gang opging.

Niets zou hem vreemd hebben geleken als hij zich niet zo had geconcentreerd op het vinden van de trap en er niet zo op geconcentreerd was geweest tijd te winnen – tijd die nu werd gemeten in minuten en segmenten van minuten. Hij begon naar rechts te lopen naar het zuidelijke uiteinde van de gang en zijn ogen waren zich maar gedeeltelijk bewust van een deur die werd gesloten, geen open deur maar eentje die maar net op een kier stond. Dat betekende niets; een onzorgvuldige hotelgast; een westerse vrouw die te veel boodschappen droeg. Toen hij nergens een bordje UITGANG zag voor een trap, draaide hij zich vlug om en liep naar de andere kant, het noordelijke uiteinde van de gang. Een tweede deur, deze nauwelijks op een kier van vijf centimeter, werd snel en geluidloos gesloten. Nu was de eerste niet langer meer zonder betekenis, want die tweede was dat zeker niet. Ze hadden hem gevonden! Zijn kamer werd in de gaten gehouden. Door wie? Wie waren zij? Azra bleef doorlopen, nu naar het noordelijke uiteinde van de gang, maar op het moment dat hij voorbij de tweede deur was draaide hij zich met zijn rug tegen de muur, stak zijn hand onder zijn jasje naar het lange jachtmes en wachtte af. Binnen een paar tellen ging de deur weer open; hij wierp zich op hetzelfde moment om de deurpost heen en stond tegenover een man van wie hij wist dat het zijn vijand was, een diep gebruinde, gespierde man van ongeveer zijn eigen leeftijd – woestijntraining op zijn hele lijf geschreven, een Israëlische commando! In plaats van een wapen

had de geschrokken jood een radio in zijn hand; hij was ongewapend!
Azra stak het mes direct naar voren naar de keel van de Israëli. Met een bliksemsnelle beweging werd het lemmet afgewend; daarop duwde de terrorist het omlaag en stak er de Israëli mee in de pols; de radio viel op het vloerkleed toen Azra de deur dichttrapte; het automatische slot klikte. De Israëli greep hem bij de pols en schopte met zijn rechtervoet; deskundig raakte hij de linker knieschijf van de Palestijn. Azra struikelde; een volgend metalen teenstuk raakte hem aan de zijkant van zijn nek en weer een kwam met geweld in zijn ribben terecht. Maar de hoek was goed; de Israëli was uit zijn evenwicht! De terrorist deed een uitval en zijn mes was een verlengstuk van zijn arm toen hij het recht in de maag van de commando stak. Bloed gutste naar buiten en kwam op Azra's gezicht terecht toen de Israëli, codenaam Oranje, van de Masada-brigade achteroverviel op de grond.
De Palestijn deed moeite om op te staan, scherpe pijnscheuten teisterden zijn ribben en zijn knie, de pezen van zijn nek voelden verlamd aan. Plotseling, zonder enig geluid van voetstappen vooraf, vloog de deur open; het slot werd eenvoudig uit de sponning gerukt. De tweede commando, jonger, met dikke, gespierde armen en woedende ogen die het tafereel voor hem opnamen, schoot met zijn rechterhand achter zijn rechterheup naar zijn pistool. Azra wierp zich op de Israëli, beukte de commando tegen de deur zodat die weer dichtvloog. Het pistool van codenaam Blauw vloog over de vloer, maar daardoor kwam zijn rechterhand vrij zodat hij de arm van de Palestijn kon onderscheppen toen die omlaag hakte met het bloederige mes. De Israëli ramde zijn knie in de ribbenkast van de terrorist en hij zwaaide de vastgegrepen arm met de klok mee zodat Azra op de grond werd gedwongen. Maar de Palestijn wilde nog steeds zijn mes niet loslaten! Beide mannen gingen uiteen en staarden elkaar gebukt aan, beider ogen vol verachting en haat.
'Als je joden wilt vermoorden, probeer het dan maar eens met mij, zwijn!' riep Yaakov uit.
'Waarom niet?' antwoordde Azra en hij stak zijn mes naar voren om de Israëli uit te dagen. 'Jullie vermoorden Arabieren! Jij hebt mijn vader en moeder vermoord alsof je zelf de trekker hebt overgehaald!'
'Jij hebt mijn twee broers gedood op patrouille in de Sidon!'

'Dat kan best zijn! Ik hoop het! Ik was erbij!'
'Jij bent Azra!'
Als twee dolle beesten vlogen de jongemannen op elkaar af met tomeloos geweld; de enige reden voor hun bestaan op aarde was het doden – het doden van de gehate vijand. Bloed gutste uit vleeswonden, weefsels werden verscheurd en botten gebroken onder het uiten van kreten van wraak en walging. Ten slotte gebeurde het, de afloop was even fel en heftig als het begin; gewoon brute kracht bracht de overwinning.
Het mes stak in de hals van de terrorist, het was omgedraaid en door de commando van de Masada-brigade in de keel gedrongen.
Uitgeput en onder het bloed duwde Yaakov zich op van het lijk van zijn tegenstander. Hij keek naar zijn verslagen kameraad, Oranje, en sloot zijn ogen. *'Sjaloom,'* fluisterde hij. 'Dat je de vrede mag vinden die wij allen zoeken, mijn vriend.'
Er was geen tijd voor rouw, dacht hij toen hij zijn ogen weer opende. Het lijk van zijn kameraad en dat van zijn vijand moesten worden weggehaald. Hij moest aan de bron zijn van wat er nu ging gebeuren; hij moest de anderen bereiken. De moordenaar Azra was dood! Nu konden ze terugvliegen naar Masqat, dat moesten ze. Naar zijn vader! Pijnlijk hinkte Blauw naar het bed, rukte de sprei weg en zag zo het Uzi-machinepistool van zijn dode vriend. Hij pakte het, gespte het met moeite over zijn schouder en liep naar de deur om in de gang te kijken. Zijn váder!

In de schaduw aan de overkant van de Wadi Al Ahd wist Kendrick dat hij niet langer meer kon wachten, en hij kon ook niet riskeren te telefoneren. Maar hij kon al evenmin in het struikgewas tegenover het Aradous blijven staan en niets doen! De tijd verstreek en de contactman van de Mahdi verwachtte de marionet Azra, onlangs gekroonde prins van de terroristen, aan te treffen op de plaats van de afspraak. Het was nu duidelijk. Hij was ontdekt, ofwel door de gebeurtenissen op het vliegveld in Bahrein of door een lek in Masqat – de mannen uit het verleden met wie hij had gepraat, mannen die, met uitzondering van Mustapha, geweigerd hadden met hem te praten en die hem nu misschien hadden verraden voor hun eigen veiligheid, even zeker als een van hen Musty om dezelfde reden had vermoord. *Wij mogen er niet bij betrokken raken. On-*

ze families zijn dood! Onze kinderen verkracht, onteerd... dood!
De tactiek van de Mahdi was duidelijk. Zorg dat de Amerikaan alleen komt te staan en wacht tot de terrorist de afgesproken plaats alleen nadert. Grijp de jonge moordenaar vlak voordat hij daar aankomt, dan heb je de valstrik voorkomen, want er is geen valstrik zonder de Amerikaan, alleen maar een loslopende Palestijn die gemist kan worden. Dood hem, maar vind eerst uit wat er in Masqat is gebeurd.
Waar was Azra? Er waren zevenendertig minuten verstreken sinds ze met elkaar hadden gepraat; de Arabier die Blauw werd genoemd was tweeëndertig minuten te laat! Evan keek voor de elfde keer op zijn horloge en vloekte zacht en woedend, zijn onhoorbare woorden evenzeer een smeekbede om hulp als een vervloeking van de wentelende nevelslierten van de frustratie. Hij moest in beweging komen, iets dóen! Uitvinden waar Azra was – want zonder de terrorist was er ook geen valstrik voor de Mahdi mogelijk. De contactpersoon van de Mahdi zou zich niet vertonen aan iemand die hij niet kende, niet herkende. Zo dichtbij! Zo veraf in werkelijkheid!
Kendrick gooide de plastic tas met zijn gesteven kleren uit Masqat in het dichtste deel van de struiken langs het trottoir van de Wadi Al Ahd. Hij stak de boulevard over naar de dienstingang, een kaarsrechte Koninklijke Gardist, arrogant bezig een koninklijke opdracht uit te voeren. Toen hij snel het met keien bestrate steegje uitliep naar de dienstingang bogen verscheidene van de vertrekkende hotelbedienden onderdanig, kennelijk in de hoop niet te worden aangehouden en onderzocht op kleine schatten die ze van het hotel hadden gestolen: zeep, toiletpapier, en borden met eten dat bijeengeschraapt was van de dinertafels van door de vliegreis vermoeide of dronken westerlingen die niet meer tot eten in staat waren. Dat gebeurde altijd; Evan had dat eerder meegemaakt; daarom had hij ook het Aradous-hotel uitgekozen. Weer een idee van Emmanuel Weingrass. Hij en de onvoorspelbare Manny waren het Aradous ontvlucht via de keuken omdat een stiefbroer van de emir had gehoord dat Manny een stiefzuster van die koninklijke broer het Amerikaanse staatsburgerschap had beloofd als ze met hem naar bed wilde gaan – een voorrecht dat Manny op geen enkele manier had kunnen waarmaken.
Kendrick liep de keuken door, kwam aan de zuidelijke trap en beklom die behoedzaam naar de tweede verdieping. Hij trok

het pistool onder zijn rode tuniek en opende de deur. De gang was leeg en het was dan ook de tijd van de avond waarop de welgestelde bezoekers aan Bahrein in de cafés en de geheime casino's zaten. Hij liep langs de linkermuur naar kamer 202, behoedzaam zijn voeten plaatsend op de versleten loper. Hij luisterde; er was niets te horen. Hij klopte zacht.
'Odkhúloo,' zei de stem in zacht Arabisch en gaf daarmee aan dat niet één persoon maar meerdere binnen konden komen.
Vreemd – *fout*, dacht Evan terwijl hij zijn hand uitstak naar de deurkruk. Waarom het meervoud, waarom méér dan een? Hij draaide de kruk om, drukte zich weer tegen de muur en schopte met zijn rechtervoet de deur open.
Stilte, alsof de kamer een lege grot was, de spookachtige stem die hij eerder had gehoord niets anders dan een zielloze geluidsopname. Hij omknelde het niet vertrouwde, ongewenste maar noodzakelijke wapen, gleed om de deurstijl heen en ging naar binnen. ...O, mijn god! Wat hij zag deed hem verstijven van afschuw! Azra zat ineengedoken tegen de muur met een mes in zijn keel, zijn ogen wijd opengesperd, terwijl het bloed nog in straaltjes van zijn borst droop.
'Uw vriend, het zwijn, is dood,' zei de zachte stem achter hem. Evan keerde zich met een ruk om en stond tegenover een jongeman die al evenzeer bedekt was met bloed als Azra. De gewonde moordenaar leunde tegen de muur, nauwelijks in staat zich op de been te houden, en in zijn handen lag een Uzi-machinepistool. 'Wie bén jij?' fluisterde Kendrick. 'Wat heb je, verdomme, uitgespookt?' voegde hij er met luide stem aan toe. De man hinkte vlug naar de deur en deed die dicht, terwijl zijn wapen gericht bleef op Evan. 'Ik heb een man gedood die mijn landgenoten even snel doodde als hij ze kon vinden en die mij vermoord zou hebben.'
'Goeie god, jij bent een Israëli!'
'Jij bent de Amerikaan.'
'Waarom heb je dit gedáán? Wat voer je hier uit?'
'Mijn idee was dit niet.'
'Dat is geen antwoord!'
'Mijn opdracht luidt geen antwoorden te verschaffen.'
'Moest je hem zonodig vermoorden?' riep Kendrick uit; hij draaide zich om en vertrok zijn gezicht van afschuw bij het zien van de dode, verminkte Palestijn.
'Om zijn woorden te gebruiken: "Waarom niet?" Zij slachten

onze kinderen af op schoolpleinen, laten vliegtuigen en bussen ontploffen vol met onze burgers, stellen onze onschuldige atleten terecht in München, schieten oude mannen door hun hoofd, alleen omdat het joden zijn. Ze komen onze stranden opgekropen en vermoorden onze jonge mensen, onze broeders en zusters – waarom? Omdat we joden zijn die eindelijk een tehuis hebben gevonden op een hele smalle strook dor en woest land dat we getemd hebben. Wij! Niet de anderen!'
'Hij heeft nooit de kans gekregen...'
'Hou dat maar vóór je, Amerikaan! Ik weet wat er volgt en ik walg ervan. In laatste instantie is er eigenlijk niets veranderd. In het verborgene en fluisterend wil de wereld nog steeds de joden de schuld geven. Na alles wat ons is aangedaan zijn we nog steeds die lastige oproerkraaiers. Luister nou maar eens goed, bemoeial van een amateur, we zitten niet te wachten op jouw commentaar of je schuldgevoelens of je medelijden. We wachten alleen op wat ons toebehoort! Wij zijn de kampen en de verbrandingsovens en de gaskamers komen uitmarcheren om op te eisen wat van ons is.'
'Verdomde rotzak!' brulde Evan en hij gebaarde woedend naar het bloedende lijk van de terrorist. 'Jij klinkt al net als hij! Net als hij! Wanneer houden jullie er eindelijk eens mee op?'
'Wat maakt jou dat nou uit? Ga maar terug naar je veilige appartement en naar je sjieke club, Amerikaan. Laat ons met rust. Ga terug naar waar je thuishoort.'
Of het nu de herhaling was van de woorden die hij nauwelijks een uur eerder had gehoord via de telefoon, of de plotselinge beelden van neerstortende betonblokken die met geweld neerkwamen op achtenzeventig gillende, hulpeloze mensen die hem lief waren, zou hij nooit weten. Op dat moment wist hij alleen maar dat hij zich stortte op de verschrikte, gewonde Israëli terwijl de tranen van woede hem over de wangen stroomden. 'Arrogante rótzak die je bent!' schreeuwde hij en hij rukte de Uzi uit de greep van de jongeman en wierp die de kamer door, terwijl hij de verzwakte commando tegen de muur ramde. 'Waar haal jij het recht vandaan mij te vertellen wat ik moet doen of waarheen ik moet gaan? Wij zien toe terwijl jullie elkaar afslachten en jezelf en van alles en nog wat in de lucht laten vliegen in de naam van blinde credo's! Wij brengen ons leven door en geven geld uit en putten onze hersenen en onze energie uit in een poging jullie een klein beetje gezond verstand bij te bren-

gen, maar néé, niemand van jullie geeft een centimeter toe! Misschien moeten we jullie wel met rust laten zodat jullie elkaar kunnen afslachten, moeten we de fanatiekelingen elkaar aan mootjes laten hakken, dan blijft er tenminste nog iemand over die nog wat gezond verstand heeft!' Ineens liet Kendrick de man los, rende de kamer door en pakte de Uzi op. Hij liep terug naar de Israëli met het wapen dreigend op de commando gericht. 'Wie bén jij en waarom ben je hier?'

'Ik ben codenaam Blauw. Dat is mijn antwoord en verder geef ik er geen meer...'

'Codenaam wát?'

'Blauw.'

'O, mijn gód...' fluisterde Evan en hij keek even naar de dode Azra. Hij draaide zich weer naar de Israëli en zonder verder iets duidelijk te maken gaf hij het Uzi-machinepistool terug aan de stomverbaasde commando. 'Ga je gang maar,' zei hij zacht. 'Schiet die verdomde wereld maar aan flarden. Het kan mij geen barst verrotten.' Met die woorden liep Kendrick naar de deur en verliet hij de kamer.

Yaakov staarde de Amerikaan na, naar de gesloten deur, en toen naar het lijk dat ineengedoken op de vloer tegen de muur lag. Hij hield het wapen met zijn linkerhand schuin omlaag en trok met zijn rechterhand de krachtige kleine radio uit zijn riem. Hij drukte een knop in.

'Itklem,' zei de stem van Zwart buiten het hotel.

'Heb je de anderen kunnen bereiken?'

'Dat heeft code *R* gedaan. Ze zijn hier – of eigenlijk moet ik zeggen dat ik hen nu langs de Al Ahd kan zien lopen. Onze oudere collega is bij *R*; *G* is bij de oudste maar met die laatste is iets aan de hand. *G* ondersteunt hem. Hoe is het met jou?'

'Ik kan nu ook niet veel meer uitrichten, misschien later.'

'Oranje?'

'Hij is dood...'

'Wat?'

'Geen tijd. Het zwijn is er ook geweest. De man is op weg naar buiten; hij draagt een rood en blauw uniform. Ga hem achterna. Hij is doorgeslagen. Bel me op mijn kamer, daar blijf ik.'

Helemaal verdwaasd stak Evan de Wadi Al Ahd over en liep

rechtstreeks naar de rij struiken waarin hij de plastic tas had gegooid. Of die er nog was of niet maakte niet echt iets uit; hij zou zich gewoon wat comfortabeler voelen en zich zeker sneller kunnen verplaatsen en minder een doelwit vormen in de kleren uit Masqat. Hoe dan ook, hij was zo ver gekomen; hij kon niet meer terugkeren. Het was maar één man, bleef hij maar bij zichzelf herhalen. Als hij die kon vinden in de omgeving van de afgesproken plaats – de Mahdi! Hij móest hem vinden!

De tas lag waar hij hem had achtergelaten en er was voldoende de schaduw tussen de struiken. Gebukt en diep in de bosjes begon hij zich langzaam, kledingstuk voor kledingstuk, om te kleden. Hij liep het trottoir op en liep naar het westen, naar de Sjaikh Isa Road en de Juma-moskee.

'Itklem,' sprak Yaakov in de radio, liggend op het bed in zijn schone kamer, met handdoeken stevig om zijn verwondingen gedraaid; overal op de sprei lagen warme en lauwwarme washandjes.

'Dit is *G*,' zei Grijs. 'Hoe erg is het met je?'

'Voornamelijk snijwonden. Wat bloedverlies. Ik haal het wel.'

'Dan ben je het ermee eens dat ik het zolang overneem?'

'Dat is de afspraak.'

'Ik wilde het van jou horen.'

'Je hebt het nu gehoord.'

'Ik moet nog iets anders horen. Wil je dat we hier de zaken laten liggen en teruggaan naar Masqat, nu dat zwijn is opgeruimd? Ik kan het wel afdwingen wanneer je ja zegt.'

Yaakov keek naar het plafond, verscheurd door tweestrijd, en de bijtende woorden van de Amerikaan klonken hem nog steeds in de oren. 'Nee,' zei hij aarzelend. 'Hij is te ver gekomen, hij heeft te veel geriskeerd. Blijf bij hem.'

'Wat *W* betreft. Die zou ik graag achter willen laten. Misschien bij jou...'

'Dat zou hij nooit toelaten. Dat is zijn "zoon" die daar rondloopt.'

'Je hebt gelijk, vergeet het maar. Ik zou eraan willen toevoegen dat hij onmogelijk is.'

'Vertel me maar eens iets wat ik niet weet...'

'Dat zal ik dan,' viel Grijs hem in de rede. 'De man heeft zojuist het uniform uitgetrokken en hij is ons net op straat ge-

passeerd. *W* zag hem. Hij leek wel een wandelend lijk.'
'Dat is hij waarschijnlijk ook.'
'Sluiten maar.'

Kendrick veranderde op weg naar de Juma van gedachten. Zijn instinct zei hem dat hij op weg naar de moskee tussen de mensen moest blijven. Hij sloeg af naar het noorden de brede Bab Al Bahrein op, daarna wilde hij op het enorme Bab Al Plein rechtsaf gaan de Al Khalifa Road op. Hij werd overweldigd door gedachten, maar er zat weinig verband tussen en ze waren onduidelijk. Hij wist dat hij rondliep in een doolhof, maar hij wist ook dat er in die doolhof een man of meerdere mannen alles afzochten, wachtend op het verschijnen van de dode Azra. Dat was zijn enige voordeel maar het was behoorlijk. Hij wist naar wie en naar wat ze zochten maar zij kenden hem niet. Hij zou om de plaats van de afspraak blijven cirkelen als een valk totdat hij iemand zag, iemand van het juiste soort die goed wist dat hij zijn leven zou kunnen verliezen als hij er niet in slaagde de kroonprins van de terroristen naar de Mahdi te brengen. Die man zou zich verraden, zou misschien zelfs mensen tegenhouden om hen goed te kunnen opnemen en met elke minuut die voorbijging zou zijn onrust groeien. Evan zou die iemand vinden en hem isoleren – hem grijpen en hem bréken. Of hield hij zichzelf voor de gek, werd hij verblind door zijn obsessie. Het deed er niet meer toe, niets deed er meer toe, hij moest alleen maar de ene stap na de andere zetten op het trottoir en zijn weg zoeken door de mensenmassa van Bahrein bij avond.
De mensen. Hij voelde het. Hij werd omgeven door mannen. Een hand raakte zijn schouder! Hij draaide zich met een ruk om en sloeg met zijn arm om zich van de greep te bevrijden. En ineens voelde hij de scherpe punt van een naald in zijn huid dringen, ergens onderaan zijn ruggegraat. Toen werd het donker. Helemaal donker.

De telefoon rinkelde schel en wekte Yaakov; hij greep naar de hoorn. 'Ja?'
'Ze hebben de Amerikaan!' zei codenaam Grijs. 'Wat belangrijker is, ze bestaan dus!'
'Waar is het gebeurd?'
'Dat doet er niet toe; ik ken de straten trouwens toch niet. Wat

belangrijk is, we weten waarheen ze hem hebben gebracht.'
'Jullie wéten...? Hoe? En zeg me nu niet dat dát er niet toe doet!'
Een wat rustiger Grijs gaf hem antwoord. 'We zijn aan het telefoneren en niemand kent jou daarom kan ik praten, maar wel snel. Het is het werk van Weingrass. Verrék, weer die Weingrass. Hij wist dat hij het te voet niet langer meer kon uithouden daarom gaf hij een uitzinnige Arabier *tienduizend dollar* voor zijn gammele taxi! Die *al harmmee* is de komende zes maanden zat! We werkten ons erin en volgden de man en zagen het allemaal gebeuren. Verrék, die Weingrass weer!'
'Beheers je moordlustige neigingen,' beval Yaakov met een glimlach die hij niet kon onderdrukken en die even snel weer verdween. 'Waar wordt de man – verrek! – Kendrick vastgehouden?'
'In een gebouw dat de Sahalhuddín heet aan Tujjar Road...'
'Wie is de eigenaar?'
'Geef ons wat tijd, Blauw. Geef Weingrass wat tijd. Hij belt iedereen in Bahrein die bij hem in het krijt staat en ik durf er niet aan te denken wat het Ethische Comité in Jeruzalem zou zeggen als het verband gaat leggen tussen ons en hem.'
'Geef me antwoord!'
'Er zitten in het complex blijkbaar zes bedrijven. Het is een kwestie het enige juiste te vinden...'
'Kom me hier halen,' beval Yaakov.

'U hebt dus de Mahdi gevonden, afgevaardigde,' zei de donker gekleurde Arabier in helder witte gewaden en met een witzijden hoofdtooi, bovenop versierd met een opeenhoping van saffieren. Ze stonden in een ruim vertrek met een koepelvormig plafond, bestaande uit mozaïektegels; de ramen waren hoog en smal, er stond maar weinig meubilair en dat was geheel uitgevoerd in donker, gepolijst hout, een enorm ebbenhouten bureau dat er meer uitzag als een altaar dan als een plek om aan te werken. De ruimte had iets weg van een moskee, zoals de vertrekken van een hogepriester van een onbekende maar machtige orde. 'Bent u nu tevreden?' vervolgde de Mahdi vanachter het bureau. 'Of misschien teleurgesteld nu u merkt dat ik een man ben zoals u – nee, niet, zoals u of wie dan ook – maar toch een man.'
'Jij bent een moordenaar, rótzak!' Evan sprong op van de zwa-

re stoel met rechte rugleuning maar werd door twee bewakers aan weerszijden vastgegrepen en teruggeduwd. 'Jij hebt achtenzeventig onschuldige mensen vermóórd – mannen, vrouwen en kinderen, die het uitgilden toen het gebouw om hen heen instortte. Jij bent een stuk vúllis!'
'Het was het begin van een oorlog, Kendrick. In alle oorlogen vallen slachtoffers en niet alleen onder de strijdenden. Ik merk in alle bescheidenheid op dat ik die hele belangrijke veldslag heb gewonnen – u verdween voor vier jaar en in die jaren heb ik een enorme vooruitgang geboekt, vooruitgang die ik niet zou hebben gemaakt als u was gebleven. U of die afgrijselijke jood, Weingrass, met zijn snoevende bek.'
'Manny...? Hij bleef maar over jou praten en waarschuwde ons!'
'Zulke monden breng ik tot zwijgen met een verschrikkelijk, flitsend zwaard! U mag dat zien als een kogel door hun hoofden. Maar toen ik over u hoorde wist ik dat u was teruggekomen vanwege die eerste veldslag, vier jaar geleden. U hebt me, zoals ze dat zeggen, het leven aardig lastig gemaakt tot negen uur geleden, *Amal Bahrudi*.'
'O?'
'De Sovjets hebben zo ook hun mensen die graag van twee walletjes eten. Bahrudi, de Euro-Arabier, werd enkele dagen geleden in Oost-Berlijn gedood. De naam Kendrick komt bovendrijven; een dode Arabier met blauwe ogen en uitgesproken westerse trekken duikt ineens op in Masqat – er was enorm veel fantasie voor nodig om het verband te leggen, het was bijna ongelooflijk, maar het klopte. U moet hulp hebben gehad, u hebt in dit soort dingen geen ervaring.'
Evan staarde naar het opvallende gezicht met de hoge jukbeenderen en de flonkerende ogen die hem ononderbroken aankeken. 'Die ogen van jou,' zei Kendrick hoofdschuddend om de laatste uitwerking kwijt te raken van het verdovingsmiddel dat hem op straat was toegediend. 'Dat vlakke gezichtsmasker. Ik heb jou eerder gezien.'
'Natuurlijk heb je dat, Evan. Denk eens na.' De Mahdi zette langzaam zijn *ghotra* af en er werd een hoofd zichtbaar met dicht opeenliggende krulletjes negerhaar met hier en daar wat grijze plekken. Het hoge, gladde voorhoofd werd nu benadrukt door de donkere, gebogen wenkbrauwen; het was het gezicht van een man die snel geobsedeerd kon raken, die zo'n obses-

sie gemakkelijk kon oproepen, voor welk doel ook. 'Zie je mij in een Iraakse tent? Of misschien op een podium op een bepaald terrein in het Midwesten?'
'Verrek!' fluisterde Kendrick nu het beeld duidelijker voor hem begon te worden. 'Jij bent een jaar of zeven, acht geleden bij ons geweest in Basrah en je zei dat je ons rijk zou maken als we het karwei weigerden. Je zei dat er plannen bestonden om Iran kapot te maken, de sjah te verjagen, en je wilde geen gemoderniseerde vliegvelden in Irak.'
'Het is gebeurd. Een echte islamitische maatschappij.'
'Wáánzin! Jij bent nu waarschijnlijk de tussenhandelaar van hun olievelden. En jij bent net zo islamitisch als mijn Schotse grootvader. Jij komt uit Chicago – daar ligt dat terrein in het Midwesten – en je werd twintig jaar geleden uit Chicago gesmeten omdat zelfs je eigen zwarte kiezers – die je hebt uitgezogen – dat gillende, fascistische geouwehoer van jou niet langer meer pruimden! Je hebt hun miljoenen meegenomen en je bent hierheen gekomen om je zakken te vullen en je venijn te verspreiden. Mijn gód, Weingrass wist verrekte goed wie je was en hij zei je dat je kon opsodemieteren! Hij zei dat je drék was – hele goedkope drek, als ik me goed herinner – en als je niet als de donder maakte dat je wegkwam uit die tent in Basrah zou hij écht zijn geduld verliezen en bleekmiddel in je gezicht smijten zodat hij kon zeggen dat hij alleen maar een wítte nazi voor zijn raap had geschoten!'
'Weingrass is – of was – een jood,' zei de Mahdi rustig. 'Hij belasterde me omdat de roem die hij verwachtte hem ontging maar voor mij tot bloei begon te komen. De joden hebben de pest aan succes zolang hun eigen soort het niet behaalt. Daarom zijn zij de onruststokers van deze wereld...'
'En jullie zijn engeltjes?'
'Hoe dan ook,' vervolgde de pseudo-profeet uit Chicago. 'Weingrass wist dat heel goed. Daarom pakte hij altijd anderen aan, pakte hij mij aan.'
'Wie denk je, verdomme, dat je kunt belazeren? Hij noemde jou een klootzak van een *Schwarze* en dat had niks te maken met blanken of zwarten of wie dan ook! Jij bent een stuk gore drek, Al Falfa, of hoe je je ook noemde en je huidskleur heeft er niks mee te maken. Na Riyadh – die héél belangrijke veldslag – hoeveel anderen heb je daarna nog vermoord, afgemaakt?'

'Niet meer dan nodig was in onze heilige oorlog om ras, cultuur en het geloof in dit deel van de wereld zuiver te houden.' De lippen van de Mahdi uit Chicago, Illinois, vertrokken zich langzaam tot een kille glimlach.
'Jij verdomde hufter van een hypocriet!' schreeuwde Kendrick. Hij kon zich niet meer beheersen; hij sprong op van zijn stoel, zijn handen gekromd tot klauwen toen hij over het bureau heen op de moordzuchtige manipulator afvloog. Andere handen grepen hem vast voordat hij de Mahdi kon aanraken; hij werd op de vloer gesmeten en tegelijk in zijn maag en zijn rug getrapt. Hoestend probeerde hij overeind te komen; toen hij op zijn knieën zat greep de bewaker links van hem zijn haren beet en rukte zijn hoofd achteruit terwijl de man rechts van hem een mes dwars voor zijn keel hield.
'Je gebaren zijn al even pathetisch als je woorden,' zei de Mahdi en hij stond op achter zijn bureau. 'We zijn goed op weg om hier een rijk te vestigen en het verlamde Westen kan daar niets tegen uitrichten. We zetten volkeren tegen elkaar op met krachten die ze niet de baas kunnen worden; wij verdelen gedegen en veroveren volledig zonder dat wij van onze kant een schot hoeven te lossen. En jij, Evan Kendrick, hebt ons een grote dienst bewezen. We hebben foto's van je die op het vliegveld zijn genomen toen je aankwam uit Oman; ook van je wapens, je valse papieren en je geldriem en van die laatste opnamen die het doen lijken of er honderdduizenden dollars inzitten. We hebben het onweerlegbare bewijsmateriaal dat jij, een Amerikaans congreslid onder de naam Amal Bahrudi, kans hebt gezien in de ambassade van Masqat door te dringen waar je een welbespraakte, vriendelijke leider die Nassir heette hebt vermoord en later nog een jonge vrijheidsstrijder die Azra heette – en dat alles in de dagen van een kostbare wapenstilstand waarmee iedereen had ingestemd. Was je een agent van die wrede regering van jou? Hoe zou dat anders kunnen? Een golf van walging en afkeer zal zich verbreiden over de zogenaamde democratische landen – die knoeiende, krijgszuchtige reus heeft 't 'm weer geflikt zonder maar even te denken aan de levens van zijn eigen landgenoten.'
'Jij...' Evan schoot omhoog, greep de pols van de hand met het mes en rukte zijn hoofd los van de vuist die de haren vasthad. Hij kreeg een klap in zijn nek en werd weer tegen de grond geranseld.

'De executies zijn vervroegd,' vervolgde de Mahdi. 'Ze zullen morgenochtend weer beginnen – geprovoceerd door jouw verraderlijke werk dat bekend zal worden gemaakt. Het zal weer komen tot chaos en bloedvergieten, veroorzaakt door de doldrieste, verachtelijke Amerikanen, tot er een oplossing is gevonden, onze oplossing – míjn oplossing. Maar van dat alles zult u niets meer merken, afgevaardigde. U zult van de aardbodem zijn verdwenen, ongetwijfeld dankzij uw regering die zo verschrikkelijk in verlegenheid is gebracht en die er niet voor terugschrikt een bewezen mislukking af te straffen door koortsachtig alles te ontkennen. Er zal echter geen *corpus delicti* zijn, niemand zal ook maar een idee hebben van waar u gebleven bent. Morgen, zo gauw het licht is, zult u in een vliegtuig zitten boven zee met een bloedend, gevild varken op uw naakte lijf gebonden en u zult eruit worden gegooid boven de zandbanken van Qatar, waar het wemelt van de haaien.'

15

'Hier zit niets bij!' schreeuwde Weingrass toen hij de stukken stond te bekijken op de tafel in de eetkamer van een Bahreinse functionaris die hij kende sinds de Kendrick-groep jaren geleden in de archipel een clubhuis voor een golfbaan had gebouwd. 'Na alles wat ik voor je heb gedaan, Hassan, al die kleine en niet zo kleine bijdragen die ik naar jou heb toegeschoven, durf je me dít te geven?'
'Er komt nog meer, Emmanuel,' antwoordde de nerveuze Arabier, nerveus omdat de woorden van Weingrass verstaanbaar waren voor Ben-Ami en de vier commando's die op korte afstand van hen vandaan in de westers ingerichte woonkamer zaten aan de rand van de stad. Er was een dokter bijgehaald om Yaakov te hechten en te verbinden; hij weigerde in bed te blijven en zat nu rechtop in een leunstoel. De man die Hassan heette keek even naar hem en, om de aandacht van de architect af te leiden van zijn verleden, zei hij tegen hem: 'Die jongen ziet er niet te best uit, Manny.'
'Dan moet hij maar niet altijd vechten, meer kan ik er niet van zeggen. Iemand probeerde zijn rolschaatsen te jatten. Wat komt er nog en wanneer? Dit zijn bedrijven en de produkten of diensten die ze verkopen. Ik moet namen hebben, ménsen!'

'Dat komt er nu juist aan. Het is niet zo gemakkelijk de minister van Industriële Verordeningen over te halen om twee uur 's morgens zijn huis te verlaten en naar zijn kantoor te gaan om iets illegaals te doen.'
'Industriële en verordeningen zijn in Bahrein woorden die elkaar uitsluiten.'
'Het gaat om geheime stukken!'
'Daar barst het van in Bahrein.'
'Dat is niet wáár, Manny!'
'Och, hou je kop toch. Zie maar dat je me een whisky bezorgt.'
'Jij bent onverbeterlijk, oude vriend.'
'Moet je mij vertellen.' De stem van Grijs klonk vanuit de woonkamer. Hij had zojuist getelefoneerd en dat had hij, met toestemming maar zonder dat er vragen werden gesteld, elk kwartier al gedaan.
'Kan ik iets voor u halen, heren?' vroeg Hassan en hij liep onder de boog door die de woonkamer scheidde van de eetkamer.
'Kardamomkoffie is meer dan genoeg,' antwoordde de oudere Ben-Ami. 'Die is ook verrukkelijk.'
'Er is sterke drank, als u dat wilt, maar dat hebt u natuurlijk net al begrepen van meneer Weingrass. Dit is een huis van religieuze mensen maar wij leggen anderen onze overtuiging niet op.'
'Zou u dat eens op schrift willen stellen, meneer?' vroeg Zwart grinnikend. 'Ik zal het aan mijn vrouw geven en haar zeggen dat u een *Mullah* bent. Ik moet de hele stad door om mijn eieren met spek te kunnen eten.'
'Dank u, liever geen sterke drank, meneer Hassan,' voegde Grijs eraan toe en hij klopte Zwart op zijn knie. 'Met een beetje geluk moeten we vanavond nog werken.'
'En met wat meer geluk zullen mijn handen niet worden afgehakt,' zei de Arabier zacht terwijl hij naar de keuken liep. Hij bleef staan omdat hij werd onderbroken door het geluid van de voordeurbel. De hooggeplaatste koerier was er.
Achtenveertig minuten later was de hele eettafel bedekt met computeruitdraaien en stond Weingrass twee specifieke pagina's te bestuderen; hij keek snel van de ene naar de andere.
'Vertel me eens iets over de Zareeba Limited.'
'De naam is afkomstig uit het Sudanees,' antwoordde de functionaris die geweigerd had zich aan iemand voor te stellen.

'Ruwweg vertaald komt het neer op een beschermd kampement, omgeven door rotsen of dicht struikgewas.'
'De Sudan...?'
'Dat is een land in Afrika...'
'Ik wéét wat het is. Khartoum.'
'Dat is de hoofdstad...'
'Lieve god, ik dacht dat het Buffalo was!' viel Weingrass hem kortaf in de rede. 'Waarom staan er zoveel dochtermaatschappijen op de lijst?'
'Het is een holding; ze hebben een groot aantal belangen. Als een bedrijf regeringslicensies wil hebben voor im- en export van vele verschillende produkten, krijgen ze die eerder onder de bedrijfsparaplu van een zeer solide onderneming.'
'Gelul.'
'Pardon?'
'Dat is plat voor "Och, hemeltje lief". Wie is de baas?'
'Er is een Raad van Bestuur...'
'Er is altijd een Raad van Bestuur. Ik vroeg u wie de baas is?'
'Dat weet eigenlijk niemand precies. De algemene directeur is een aardige kerel – ik heb wel eens koffie met hem gedronken – maar hij lijkt me nou niet precies een agressieve vent, als u begrijpt wat ik bedoel.'
'Er is dus iemand anders.'
'Dat zou ik niet weten...'
'Waar is de lijst met leden van de Raad?'
'Recht vóór u. Onder dat blad rechts van u.'
Weingrass tilde het blad op en pakte het papier dat eronder lag. Voor het eerst in twee uur ging hij zitten en zijn ogen bleven zwerven over de rijen met namen. *'Zareeba... Khartoum,'* bleef hij maar zacht herhalen en nu en dan kneep hij zijn ogen vast dicht en werd zijn geplooide gezicht vertrokken door telkens herhaalde grimassen, alsof hij vertwijfeld probeerde zich iets te herinneren dat hij vergeten was. Ten slotte pakte hij een potlood en trok een cirkel om een naam; daarna duwde hij het papier over de tafel naar de Bahreinse functionaris die stram was blijven staan.
'Hij is een zwarte,' zei de hooggeplaatste koerier.
'Wie is er hier blank en wie is er zwart?'
'Meestal zie je het aan de gelaatstrekken. Eeuwenlange vermenging tussen Arabieren en Afrikanen maakt het er natuurlijk niet gemakkelijker op.'

‘Is het dan een vraag?’
‘Voor sommigen, voor de meesten niet.’
‘Waar komt hij vandaan?’
‘Als hij een immigrant is staat zijn geboorteland vermeld.’
‘Er staat “geheim gehouden”.’
‘Dat betekent over het algemeen dat de persoon in kwestie gevlucht is voor een autoritair regime, meestal fascistisch of communistisch. Zulke mensen beschermen wij als ze bijdragen aan onze maatschappij. Dat doet hij kennelijk.’
‘Sahibe al Farrahkhaliffe,’ en hij benadrukte elk onderdeel van de naam. ‘Wat voor nationaliteit is dat?’
‘Ik heb géén idee. Deels Afrikaans kennelijk; deels Arabisch, nog meer voor de hand liggend. Het hangt samen.’
‘Foute boel, vader!’ riep Manny uit zodat iedereen in beide vertrekken ervan schrok. ‘Het is een zuiver Amerikaans nep-alias! Als hij is wie ik denk dat hij is dan is hij een zwarte zakkenwasser uit Chicago die door zijn eigen mensen op straat is gezet! Die werden in de boot genomen omdat hij hun geld op de bank had gezet – zowat twintig miljoen overigens – op behulpzame banken aan deze kant van de Atlantische Oceaan. Zo’n achttien, twintig jaar geleden was hij een doordrammende, hel en vagevuur prekende fanatiekeling die Al Farrah heette – hij is zo verrekte verwaand dat hij dat deel van zijn verleden wilde bewaren, het deel van “Komt, broeders, al te zamen”. We wisten dat die doerak in een of andere Raad van Bestuur zat van een grote onderneming maar we wisten niet welke. Bovendien keken we op de verkeerde plaats. Khartoum? Vergeet het maar. Hij komt uit de zuidkant van Chicago! Daar heb je jullie Mahdi.’
‘Weet u het zéker?’ vroeg Hassan onder de gebogen doorgang. ‘Dat is een opruiende aantijging!’
‘Ik weet het zeker,’ zei Weingrass zacht. ‘Ik had die hufter kapot moeten schieten in die tent in Basrah.’
‘Pardon?’ De Bahreinse functionaris was duidelijk geschokt.
‘Laat maar zitten...’
‘Niemand heeft het Sahalhuddín gebouw verlaten!’ zei Grijs en hij kwam ook onder de boog staan.
‘Weet je dat zeker?’
‘Ik heb een taxichauffeur omgekocht die maar al te bereid was een aanzienlijk bedrag aan geld aan te nemen, met nog veel meer in het vooruitzicht als hij zou doen wat ik hem vroeg. Ik

bel hem elke paar minuten via een openbare telefoon. Hun twee auto's staan daar nog.'
'Kun je hem vertrouwen?' vroeg Yaakov vanuit zijn stoel.
'Ik heb zijn naam en het nummer van zijn vergunning.'
'Dat zegt geen moer!' protesteerde Manny.
'Ik zei hem dat ik hem achterna zou komen en om zeep zou brengen als hij loog.'
'Ik trek mijn opmerking in, klusjesman.'
'Wil je nou...'
'Kop dicht. Ik welk deel van de Sahalhuddín zit Zareeba?'
'De bovenste twee etages als ik me niet vergis. De onderste verdiepingen worden gehuurd door de dochtermaatschappijen. Zareeba is eigenares van het gebouw.'
'Komt mooi uit,' zei Weingrass. 'Kun je voor ons de laatste nieuwe bouwplannen krijgen, met de brand- en beveiligingssystemen erbij? Ik ben aardig thuis in die dingen.'
'Op deze tijd?' riep de functionaris uit. 'Het is drie uur geweest! Ik zou niet weten hoe...'
'Probeer het eens met een miljoen Amerikaanse dollars,' viel Manny hem zacht in de rede. 'Ik stuur ze vanuit Parijs. Erewoord.'
'Wat?'
'Je kunt ze opdelen zoals je wilt. Dat is mijn zóón die daar vastzit. Zie dat je ze te pakken krijgt.'

Het kleine vertrek lag in het donker, het enige licht kwam van de witte stralen van de maan die door een venster vielen hoog in de muur – te hoog voor hem om erbij te kunnen want er was geen meubilair, op een lage krib met gescheurd zeildoek na. Een bewaker had een fles *seeber-too ahbyahd* bij hem achtergelaten, een verschroeiende lokale whisky en had zo gesuggereerd dat hij maar beter laveloos kon zijn voor wat hem te wachten stond. Hij werd in de verleiding gebracht; hij was bang en de angst vrat aan hem, deed hem zweten zodat zijn hele overhemd doordrenkt was en zijn haren kletsnat. Wat hem ervan weerhield de kurk van de fles te trekken en die leeg te drinken was de woede die nog in hem wroette – en één laatste daad die hij kon verrichten. Hij zou vechten met alle geweld dat hij kon oproepen, in zijn onderbewustzijn misschien hopend op een kogel die aan alles snel een einde zou maken.
Verdómme, waarom had hij ooit gedacht dat hij zoiets aan-

kon? Wat bezielde hem te geloven dat hij geschikt was iets te doen wat veel ervarener mensen als zelfmoord beschouwden? De vraag bevatte natuurlijk het antwoord: hij was inderdaad bezield, geobsedeerd. De schroeiende wind van de haat verbrandde hem; als hij het niet had geprobeerd dan zou hij daardoor zijn verzengd. En zijn zending was niet helemaal mislukt; hij had zijn leven verloren maar alleen omdat hij toch enig succes had geboekt. Hij had het bestaan van de Mahdi bewézen! Hij had een pad gehakt door het dichte oerwoud van bedrog en manipulatie. Anderen zouden na hem komen; dat troostte hem een beetje.
Hij keek weer naar de fles, naar de lichte vloeistof die hem alles zou doen vergeten. Onbewust schudde hij zijn hoofd. De Mahdi had gezegd dat zijn gebaren even pathetisch waren als zijn woorden. Er zou aan geen van beide iets pathetisch zijn in dat vliegtuig boven de zandbanken van Qatar.

Het was elk lid van de Masada-brigade vanaf het begin duidelijk geweest en iedereen controleerde de plastic tape om zijn linkerpols om er zeker van te zijn dat de capsule met cyaankali in de kleine doorzichtige verdikking zat. Niemand had papieren bij zich of ook maar iets waardoor hij geïdentificeerd kon worden; hun 'werkkleren' tot de schoenen aan hun voeten en de goedkope knopen aan hun broek waren alle door agenten van de Mossad gekocht in Bengazi, Libië, het centrum van terroristenrecrutering. In deze tijd van ingespoten chemische stoffen, amfetaminen en de scopolaminen, kon geen enkel lid van de Masada zich veroorloven levend gevangen te worden genomen op plaatsen waar zijn aanwezigheid ook maar even in verband kon worden gebracht met de gebeurtenissen in Oman. Israël kon zich de gruwelen niet veroorloven verantwoordelijk te worden gesteld voor het afslachten van tweehonderdzesendertig Amerikaanse gijzelaars, en het spook van Israëlische inmenging moest worden vermeden, zelfs al moest elke man die naar Zuidwest-Azië was gestuurd roemloos zelfmoord plegen. Iedereen begreep dat; iedereen had op het vliegveld in Hebron zijn pols uitgestoken zodat de dokter de geribbelde plastic tape eraan kon bevestigen. Iedereen had toegekeken toen de dokter snel zijn linkerhand aan zijn mond bracht waar harde tanden en zacht plastic elkaar zouden ontmoeten. Op even doorbijten volgde de dood.

De Tujjar was verlaten, de straat lag er sober bij en de lantaarns schenen gedempt door mistflarden heen die kwamen aandrijven uit de Perzische Golf. Het gebouw dat de naam droeg van Sahalhuddín was donker op een paar verlichte kantoren na op de bovenste verdieping en, vijf etages lager, de vlakke lichtschijn van de tl-lampen achter de glazen deuren van de ingang waar een verveelde man aan een bureau een krant zat te lezen. Voor het gebouw stonden een kleine blauwe auto en een zwarte limousine geparkeerd. Twee bewakers in uniform stonden nonchalant voor de deuren, wat betekende dat er aan de achterkant van het gebouw waarschijnlijk ook bewaking zou zijn. Die was er: één man maar. Codenaam Grijs, Zwart en Rood keerden terug naar de krakkemikkige taxi die tweehonderd meter verderop stond op de hoek van Al Mothanna Road. Op de achterbank zat de gewonde Yaakov; op de voorbank Ben-Ami en Emmanuel Weingrass en die laatste zat onder het licht van het dashboard nog steeds de bouwplannen te bestuderen. Grijs gaf zijn informatie door via een open raampje; Yaakov gaf de opdrachten.
'Jullie, Zwart en Rood, jullie maken de bewakers onschadelijk en gaan naar binnen – normale procedure of een variant als dat nodig is. Grijs, jij volgt met Ben-Ami en snijdt de draden door...'
'Dit souvenir van de Mossad weet geen barst van alarmsystemen af, behalve waarschijnlijk hoe je ze moet laten afgaan.'
'Dat is niet helemaal waar, Manny,' protesteerde Ben-Ami.
'Jij gaat vooraf gecodeerde draden nalopen tot waar ze met opzet zijn veranderd en vastzitten aan nepaansluitingen precies voor mensen zoals jij? Je gaat daar een heksenketel ontsteken! Ik ga met hen mee.'
'Meneer Weingrass,' drong Blauw aan vanaf de achterbank. 'Stel dat je begint te hoesten – dat je een van je aanvallen krijgt waar we allemaal zo bang van zijn geworden.'
'Die krijg ik niet,' antwoordde de architect simpelweg. 'Ik zei het je toch, dat is mijn zoon daarbinnen.'
'Ik geloof hem,' zei Grijs aan het raampje. 'En ik ben degene die ervoor betaald wanneer ik het verkeerd zie.'
'Je begint het te snappen, klusjesman.'
'Wil je nou alsjeblieft...'
'Och, hou je kop maar. Kom op, we gaan.'
Als er op dat moment een niet betrokken toeschouwer in de

Tujjar was geweest, zouden de minuten die volgden geleken hebben op de ingewikkelde bewegingen van een grote klok, waarbij elk tandwieltje een ander op gang brengt dat op zijn beurt beweging brengt in de bezeten vaart van het mechanisme, zonder dat er echter een nokje van zijn plaats schuift of een verkeerde beweging maakt.
Rood en Zwart stelden de twee bewakers aan de voorzijde buiten gevecht voordat die zelfs maar wisten dat er een tegenstander binnen honderd meter van hen was. Rood trok zijn jasje uit, hees zich in het tuniek van zijn bewaker, knoopte het dicht, zette de officiële pet op, trok die omlaag en liep vlug terug naar de glazen deuren waarop hij zacht tikte, terwijl hij zijn linkerhand voor zijn achterwerk hield en in het halfdonker grappige gebaren maakte om te worden binnengelaten zodat hij naar de wc kon gaan. Iedereen kan ineens last krijgen van zijn darmen; de man binnen lachte, legde zijn krant op het bureau en drukte op een knop. De zoemer werd in werking gesteld; Rood en Zwart stormden naar binnen en voordat de nachtportier begreep dat hij een fout had gemaakt lag hij bewusteloos op de marmeren vloer. Grijs volgde en trok het slappe lijf van een bewaker door de linkerdeur, die hij vasthield voordat ze dicht zou zwaaien om Emmanuel Weingrass binnen te laten die het weggeworpen jasje van Rood bij zich had. Alsof het was afgesproken rende Zwart naar buiten om de tweede bewaker te halen terwijl Weingrass de deur vasthield. Toen ze allemaal binnen waren bonden Rood en Zwart de drie bewakingsmensen vast en snoerden hen de mond achter de brede receptiebalie; Zwart haalde intussen een lange, van een beschermkap voorziene spuit met serum uit zijn zak. Hij verwijderde de kap, controleerde de inhoud op luchtbellen en spoot bij elke Arabier een dosis onder in de nek. Vervolgens trokken de drie commando's de roerloze personeelsleden van de Sahalhuddín in de verste hoek van de enorme hal.
'Kom onder dat licht vandaan!' fluisterde Rood en het bevel was tot Weingrass gericht. 'Loop naar het halletje bij de liften!'
'Wat...?'
'Ik hoor iets buiten!'
'Echt waar?'
'Twee of drie mensen misschien. Schiet op!'
Stilte. En achter de dikke glazen deuren zwaaiden twee kennelijk dronken Amerikanen over het trottoir terwijl ze de woor-

den van een bekend liedje meer zachtjes mompelden dan zongen. *To the tables down at Mory's, to the place we love so well...*
'Verrek, heb jij die gehoord?' vroeg Weingrass onder de indruk.
'Loop naar achteren,' zei Grijs tegen Zwart. 'Weet je de weg?'
'Ik heb de plattegronden bekeken, natuurlijk weet ik de weg. Ik zal wachten op je teken en dan de laatste man onschadelijk maken. Mijn flesje toverdrank is nog halfvol.' Zwart verdween in een zuidelijke gang en Grijs rende de hal van de Sahalhuddín door; Weingrass liep voor hem uit naar een metalen deur die naar de kelder van het gebouw voerde.
'Bárst!' riep Manny uit. 'Die is op slot!'
'Was te verwachten,' zei Grijs; hij haalde een zwart doosje uit zijn zak en deed het open. 'Da's geen probleem.' De commando haalde een kneedbare substantie uit het doosje, bracht die aan rond het slot en stak er een lont in van iets meer dan twee centimeter. 'Ga even achteruit staan, alsjeblieft. Het ontploft niet, maar het wordt gloeiend heet.'
Weingrass keek verbaasd toe toen de substantie na het ontsteken van de lont eerst helder rood werd en vervolgens het blauwste blauw dat hij ooit had gezien. Het metaal smolt voor zijn ogen en het hele slot viel eruit.
'Da's knap gedaan, klusjesman...'
'Hou dat maar voor je!'
'Kom op,' stemde Manny in. Ze vonden het beveiligingssysteem; het zat opgeborgen achter een enorm metalen paneel aan de noordkant van de ondergrondse gewelven van de Sahalhuddín. 'Het is een gemoderniseerde *Guardian*,' stelde de architect vast en hij haalde een draadtang uit zijn linkerzak. 'Voor elk stel van zes draden zijn er twee nepverbindingen en als elke draad de toegang tot zo'n veertienhonderd tot achttienhonderdvijftig vierkante meter dekt dan moeten er, gezien de oppervlakte van het gebouw waarschijnlijk niet meer dan achttien draden zijn.'
'Achttien draden,' herhaalde Grijs aarzelend. 'Dat betekent zes nepverbindingen...'
'Precies, klusjesman, oh, pardon.'
'Dank je.'
'Als we er daarvan eentje doorknippen blaast er een Zuidamerikaanse rockband door de hele straat heen.'
'Hoe weet je dan welke het zijn? Je zei dat de gecodeerde dra-

den veranderd werden – voor amateurs als Ben-Ami. Hoe hou je die dan uit elkaar?'
'Dankzij de monteurs, beste jongen. De sloddervossen die hiermee werken hebben de pest aan het lezen van werktekeningen, daarom maken ze het zichzelf, of anderen die de systemen moeten repareren, gemakkelijk. Ze brengen een merktekentje aan op elke valse verbinding, meestal met een tangetje dichtbij het hoofdcontact. Op die manier melden ze zich nadat ze het systeem hebben gerepareerd en zeggen ze dat ze een uur nodig hebben gehad om de nepdraden te vinden omdat de tekeningen niet duidelijk waren – dat zijn ze nooit.'
'Stel dat u het mis hebt, meneer Weingrass? Stel eens dat er een "eerlijke" monteur tussen zat?'
'Onmogelijk. Daar zijn er veel te weinig van,' antwoordde Manny en hij haalde een kleine zaklantaarn en een beitel uit zijn rechterzak. 'Schiet op, haal dat paneel eraf; we hebben zowat tachtig tot negentig seconden om twaalf draden door te knippen. Kun je je dat voorstellen? Die zuinige rotzak van een Hassan zei dat deze batterijen zwak zijn. Schiet óp!'
'Ik kan *plastique* springstof gebruiken,' zei Grijs.
'En met die hitte elk alarm in de hele tent op gang brengen, met inbegrip van de sproei-installatie? *Meschogger!* Ik ga je terugsturen naar de *Schule*.'
'Nou maak je me érg kwaad, meneer...'
'Bek dicht. Doe je werk maar, dan krijg je van mij een medaille.' De architect gaf Grijs de beitel die hij van Hassan had meegenomen, omdat hem uit de plannen voor de beveiliging van de Sahalhuddín duidelijk was geworden dat hij die nodig zou hebben. 'Doe het snel; die dingen zijn erg gevoelig.'
De commando stak de beitel onder het slot van het paneel en duwde ertegen met de kracht van drie normale mensen zodat de kast openvloog. 'Geef me de lantaarn!' zei de Israëli. 'Zoek jij de draden maar!'
Gespannen liet Emmanuel Weingrass de lichtstraal van rechts naar links over de ene na de andere gekleurde draad spelen. *Acht, negen, tien... elf.* 'Waar is de twaalfde?' riep Manny uit. 'Ik heb elke nepdraad gevonden! Er moet er nog eentje zijn! Nog één meer! Als we die niet vinden gaat het alarm toch af!'
'Hier. Hier zit een tekentje!' riep Grijs en hij raakte de zevende draad aan. 'Hij zit naast de derde nepdraad. Je hebt hem gemist!'

‘Nou héb ik hem!’ Weingrass sloeg ineens dubbel in een felle hoestaanval; ineengekrompen kwam hij op de grond terecht en spande zich uit alle macht in om het blaffen tegen te houden.
‘Ga je gang maar, meneer Weingrass,’ zei Grijs zacht en hij legde zijn hand op de tengere schouders van de oude man. ‘Laat je maar gaan. Niemand kan je hier horen.’
‘Ik heb beloofd dat ik het niet zou doen...’
‘Er zijn beloften die we nu eenmaal niet kunnen nakomen, meneer.’
‘Hou op met zo verdomde beleefd te doen!’ Manny had nog een laatste hoestkramp en kwam toen onhandig en moeizaam overeind. De commando bood hem met opzet geen hulp aan.
‘Oké, soldaatje,’ zei Weingrass, diep ademhalend. ‘De zaak is veilig – van ons standpunt uit. Laten we mijn jongen gaan zoeken.’
Grijs bleef staan. ‘Ik heb respect voor je, ondanks het feit dat je zo'n ouwe grompot bent,’ zei de Israëli. ‘En in ons aller belang kan ik niet toestaan dat je met ons meegaat.’
‘Wát zeg je me daar?’
‘We weten niet wat ons daarboven te wachten staat...’
‘Dat weet ik anders wel, bal gehakt! Mijn jongen zit daarboven! Geef me een pistool, klusjesman, anders stuur ik een telegram naar de minister van Defensie in Israël en dan kun je verder op een varkensfokkerij gaan werken!’ Weingrass schopte ineens de commando tegen zijn scheenbeen.
‘Onverbeterlijk!’ mopperde Grijs zonder zijn been te verzetten. ‘Onmógelijk!’
‘Schiet op, *bubbelah*. Een kleintje maar. Ik weet dat je er een hebt.’
‘Gebruik het alsjeblieft niet tenzij ik het zeg,’ zei de commando; hij trok zijn linker broekspijp op en pakte de kleine revolver die onder zijn knie op zijn kuit zat bevestigd.
‘Heb ik je eigenlijk ooit verteld dat ik nog bij de Haganah ben geweest?’
‘De Hagánah?’
‘Jazeker. Ik en Menahem hebben heel wat worstelpartijtjes...’
‘Menahem heeft nooit voor de Haganah...’
‘Dan was het zeker een andere vent met een kale kop. Schiet op, we gaan!’
Ben-Ami stond met de Uzi in zijn handen geklemd in de halfdonkere ingang van de Sahalhuddín en hield via de radio con-

tact. 'Maar waarom is hij met je meegegaan?' vroeg de Mossad-agent.
'Omdat hij onmogelijk is!' antwoordde de geïrriteerde stem van Grijs.
'Dat is geen antwoord!' hield Ben-Ami aan.
'Ik heb geen ander. Sluiten! Wij zijn op de zesde verdieping. We nemen contact op wanneer het mogelijk is.'
'Begrepen.'

Twee commando's stonden aan weerszijden van de brede dubbele deuren rechts van de overloop; de derde stond aan het andere uiteinde van de gang, naast de enige andere deur waaronder licht zichtbaar was. Emmanuel Weingrass bleef met tegenzin achter op de marmeren trap; zijn gespannenheid riep gerommel op in zijn borst, maar zijn vastberadenheid onderdrukte dat.
'Nú!' fluisterde Grijs en beide mannen ramden de deur open met hun immens brede schouders; direct lieten ze zich op de grond vallen toen twee Arabieren aan de beide uiteinden van het vertrek zich omkeerden en het vuur openden met hun automatische wapens. Ze konden niet op tegen de Uzi's; beiden werden ze geveld door twee salvo's uit de Israëlische machinepistolen. Een derde en een vierde man begonnen weg te rennen, eentje in een wit gewaad vanachter een enorm ebbenhouten bureau, de andere van de linkerkant.
'Blijf stáán!' schreeuwde Grijs. 'Of jullie zijn er allebei geweest!'
De donkere man, gekleed in een ruime *aba*, bleef roerloos staan en zijn flonkerende ogen richtten zich op de Israëli. 'Hebben jullie er enig idee van wat jullie hebben gedaan?' vroeg hij met zachte, dreigende stem. 'De beveiliging van dit gebouw is de beste in heel Bahrein. De politie zal hier binnen een paar minuten zijn. Jullie leggen nu je wapens neer of het betekent straks je dood.'
'Hallo daar, stuk strónt!' gilde Emmanuel Weingrass en hij kwam een beetje moeizaam het vertrek binnenlopen, zoals oude mannen dat doen wanneer hun benen niet zo goed meer meewillen als vroeger, vooral nadat ze het nodige hebben meegemaakt. 'Zo goed is dat systeem nu ook weer niet, niet wanneer je vijf- of zeshonderd onderaannemers hebt gebruikt.'
'Jíj!'
'Wie anders? Ik had je jaren geleden in Basrah al koud moeten maken. Maar ik wist dat mijn jongen terug zou gaan om

jou te zoeken, vuile luizenbos. Waar is hij?'
'Mijn leven voor het zijne.'
'Je bent nauwelijks in een positie om te marchanderen...'
'Misschien toch wel,' viel de Mahdi hem in de rede. 'Hij is op weg naar een geheim vliegveld vanwaar hij met een toestel tot boven zee zal worden gevlogen. Eindbestemming – de zandbanken van Qatar.'
'De hááien,' zei Weingrass zacht en in kille woede. 'Eeuwenlang het onvindbare kerkhof voor speciale gevallen.'
'Precies. Een van de gemakken van de natuur. Zullen we dan toch maar marchanderen? Alleen ik kan hen tegenhouden.'
De oude architect staarde de rijzige zwarte man aan en zijn tengere lichaam trilde toen hij diep ademhaalde; hij zei met geforceerde stem: 'We marchanderen. En je kunt je, godallemachtig, maar beter aan je woord houden anders jaag ik je na met een heel leger huurlingen.'
'Jij bent altijd al zo'n melodramatische jood geweest, nietwaar?' De Mahdi keek op zijn horloge. 'Er is nog tijd. Zoals het gewoonlijk gaat met zulke vluchten mag er geen radiocontact zijn en geen gerechtelijk onderzoek van het vliegtuig achteraf. Ze zijn van plan op te stijgen zodra het licht wordt. Zo gauw ik hier weg ben zal ik opbellen; het vliegtuig zal niet vertrekken, maar jij en je legertje van wat voor mensen dan ook zullen dat wel doen.'
'Afgesproken, schoft.'
'Nééé!' Grijs trok met een flitsende beweging zijn mes en wierp zich op de Mahdi; hij greep hem bij zijn gewaad en gooide hem op het bureau. 'Er wordt niet gemarchandeerd en niet onderhandeld! Op dit moment gaat het alleen om jóúw leven!' Grijs plaatste de punt van zijn lemmet op de huid onder het linkeroog van de man uit Chicago en drukte door. De Mahdi schreeuwde toen het bloed over zijn wang droop tot in zijn mond. 'Je belt nú en anders raak je eerst je ene oog kwijt en dan je andere! Daarna doet het er niet toe waar ik mijn mes verder gebruik; dat zie je dan toch niet meer.' De commando stak zijn hand uit, graaide de telefoon van het bureau en smakte die neer naast het bloedende hoofd. 'Verder wordt er niet meer gemarchandeerd, vuile húfter! Geef me dat nummer. Ik zal het voor je draaien – dan weet ik tenminste zeker dat het een vliegveld is en niet een of andere eenheid van veiligheidstroepen. Geef op!'

'Néé – nee, dat kan ik niet!'
'Ik steek het mes erin!'
'Nee, stóp! Er is geen vliegveld en geen toestel!'
'Leugenaar!'
'Niet nú, later!'
'Daar gaat je eerste oog dan, leugenaar!'
'Hij is hier! Mijn god, hou op! Hij is hier!'
'Wáár?' brulde Manny en hij rende naar het bureau.
'In de westelijke vleugel... er is een trap in de hal aan de rechterkant, in een kleine bergruimte onder het dak...'
Meer hoorde Emmanuel Weingrass niet. Hij stormde de kamer uit en schreeuwde het uit zo hard hij nog kon: 'Evan! Mijn zóón! *Evan...*'

Hij had hallucinaties, dacht Kendrick; iemand uit het verleden die hem dierbaar was riep hem, gaf hem moed. Een privilege dat alleen een veroordeelde maar had, bedacht hij. Hij keek op van zijn krib naar het raam; de maan was aan het verdwijnen, het licht werd al minder. Hij zou geen volgende maan meer zien. Spoedig zou er alleen maar duisternis zijn.
'Evan! *Evan!*'
Het klonk precies als Manny. Die was er altijd geweest wanneer zijn jonge vriend hem nodig had gehad. En nu was hij er aan het einde weer om hem te troosten. *Lieve god, Manny, ik hoop dat je op een of andere manier te weten komt dat ik ben teruggekeerd! Dat ik eindelijk naar je heb geluisterd. Ik heb hem gevonden, Manny! Anderen zullen hem ook vinden, dat weet ik zeker! Wees alsjeblieft een beetje trots op me...*
'Godverdomme, Kendrick! Waar zit je ergens?'
Díe stem was geen hallucinatie! En dat waren de stampende voetstappen op de smalle trap ook niet! En nog meer voetstappen! Mijn god, was hij dan al dóód? 'Manny...? Manny?' krijste hij.
'Hier is het! Dit is de kamer! Breek 'm open, spierbal!'
De deur van het kleine vertrek vloog open als een knetterende donderslag. 'Godverdomme, jongen!' riep Emmanuel Weingrass uit toen hij Kendrick wankelend zag opstaan van zijn krib. 'Is dit de manier waarop een achtenswaardig congreslid zich gedraagt? Ik dacht dat ik je dat wel beter had geleerd!'
Met tranen in de ogen vielen vader en zoon in elkaars armen.

Ze zaten allen in de westers ingerichte kamer van Hassan aan de rand van de stad. Ben-Ami had de telefoon voor zich opgeëist nadat Weingrass die had vrijgegeven na een lang gesprek met Masqat en een flitsende conversatie met de jonge sultan, Ahmed. Op vijf meter afstand, rond de grote eettafel zaten zeven functionarissen van de regeringen van Bahrein, Oman, Frankrijk, Engeland, West-Duitsland, Israël en de Palestijnse Bevrijdingsorganisatie. Zoals was overeengekomen was er geen vertegenwoordiger bij uit Washington, maar voor de Amerikaanse belangen werd goed gezorgd. Emmanuel Weingrass zat aan die tafel tussen de Israëli en de man van de PLO.
Evan zat naast de gewonde Yaakov, beiden in leunstoelen, omdat deze twee het meest te lijden hadden gehad. Blauw sprak het eerst. 'Ik heb naar je woorden in het Aradous geluisterd,' zei hij zacht. 'Ik heb erover nagedacht.'
'Meer heb ik je niet gevraagd.'
'Het is moeilijk, Kendrick. We hebben zoveel meegemaakt, niet ik natuurlijk, maar onze vaders en moeders, grootvaders en grootmoeders...'
'En generaties vóór hen,' voegde Evan eraan toe. 'Niemand met ook maar een greintje verstand of gevoel zal dat ontkennen. Maar zíj hebben dat op een andere manier ook. De Palestijnen waren niet verantwoordelijk voor de pogroms of voor de jodenvernietiging, maar omdat de vrije wereld zich zo schuldig voelde – en dat mocht, verdomme, ook wel – werden zij de nieuwe slachtoffers, zonder te weten waarom.'
'Ik weet het.' Yaakov knikte langzaam. 'Ik heb de fanatici gehoord op de Westoever en in de Gaza. Ik heb geluisterd naar hun Meir Kahanes en ze maken me zo doodsbang...'
'Doodsbang?'
'Natuurlijk. Zij gebruikten dezelfde woorden die tegen ons werden gebruikt, zoals jij al zei, generaties lang. Maar toch, zij móórden! Ze hebben mijn twee broers gedood en zo ontelbaar vele anderen!'
'Het moet ooit eens ophouden. Het is allemaal zo'n afschuwelijke verspilling.'
'Ik moet nadenken.'
'Dat is een begin.'
De mannen rond de eettafel stonden abrupt op uit hun stoelen. Ze knikten naar elkaar, en liepen een voor een de woonkamer door naar de voordeur en naar hun auto's, zonder ook

maar even te laten merken dat er nog anderen in het vertrek aanwezig waren. De gastheer, Hassan, kwam aanlopen en begon te praten tegen zijn laatste gasten. Aanvankelijk was het moeilijk zijn woorden te verstaan omdat Emmanuel Weingrass in de eetkamer weer in elkaar gedoken zat door een hevige hoestaanval. Evan begon op te staan; zijn arm werd vastgepakt door Yaakov die zijn hoofd schudde. Kendrick begreep het; hij knikte en ging weer zitten.

'De Amerikaanse ambassade in Masqat zal over drie uur worden ontzet, de terroristen krijgen een escorte naar een schip aan de haven dat wordt geleverd door Sahibe al Farrahkhaliffe.'

'Wat gebeurt er met hém?' vroeg Kendrick kwaad.

'In dit vertrek, en alléén in dit vertrek, zal daarop antwoord worden gegeven. Het mag niet verder bekend worden. Is dat begrepen en geaccepteerd?'

Allen knikten ze.

'Sahibe al Farrahkhaliffe, die u kent als de Mahdi, zal terecht worden gesteld zonder vorm van proces en zonder veroordeling, want zijn misdaden tegen de mensheid zijn zo ten hemel schreiend dat ze geen rechtspraak verdienen. Zoals de Amerikanen zeggen: wij zullen dat "op onze manier" doen.'

'Mag ik wat zeggen?' vroeg Ben-Ami.

'Natuurlijk,' antwoordde Hassan.

'Er zijn voorbereidingen getroffen voor de terugreis van mij en mijn collega's naar Israël. Aangezien we geen van allen paspoorten of papieren hebben heeft de emir gezorgd voor een speciaal toestel en voor een instapprocedure. We moeten binnen een uur op het vliegveld zijn. Neem ons niet kwalijk dat we zo abrupt vertrekken. Kom mee, heren.'

'Neemt u het ons niet kwalijk,' zei Hassan knikkend. 'Dat we de middelen niet hebben om u te danken.'

'Hebt u ergens soms whisky?' vroeg Rood.

'Zoveel u maar wilt.'

'Alles wat u kunt missen. Het is een afschuwelijk lange reis naar huis en ik hebt de pést aan vliegen. Het maakt me bang.'

Evan Kendrick en Emmanuel Weingrass zaten naast elkaar in de leunstoelen in Hassans woonkamer. Ze wachtten op hun instructies van een geplaagde, totaal verbijsterde Amerikaanse ambassadeur die alleen maar telefonisch met hen mocht spreken. Het was of de twee oude vrienden nooit uit elkaar waren

geweest – de vaak verbijsterde student en de harde leraar. Maar toch was de student de leider en de leraar begreep dat.
'Ahmed moet van opluchting een gat in de lucht springen,' zei Evan en hij nam een slok van zijn cognac.
'Er zijn een paar dingen die hem nog op aarde houden.'
'O?'
'Het schijnt dat er een groepering is die zich van hem wilde ontdoen, die hem terug wilde sturen naar Amerika omdat ze dachten dat hij te jong was en te onervaren om de zaken aan te pakken. Hij noemde hen zijn arrogante commerciële vorsten. Hij haalt hen naar het paleis om hun de wacht aan te zeggen.'
'Dat is één ding. Wat nog meer?'
'Er is een ander stel dat de zaken in eigen hand wilde nemen, desnoods de ambassade opblazen, alles, als ze hun land maar terugkregen. Dat zijn de geschifte Rambo's; dat zijn ook de lui die door Cons Op werden gerecruteerd om jou van het vliegveld af te krijgen.'
'Wat gaat hij met hen doen?'
'Niet zo heel veel, tenzij jij je naam van alle minaretten geroepen wilt hebben. Als hij hen op het matje roept gaan ze gillen over hun verbinding met BZ en alle gekken in het Midden-Oosten hebben er dan weer een nieuwe zaak bij.'
'Ahmed weet wel beter. Laat die maar lopen.'
'Er is nog één laatste ding en dat moet hij voor zichzelf doen. Hij moet die boot vernietigen en al die vuile rotzakken doden.'
'Néé, Manny, dat is niet de juiste manier. Dan zal het moorden alleen nog maar doorgaan...'
'Fout!' riep Weingrass uit. 'Je hebt het mis! Er moeten steeds opnieuw voorbeelden worden gesteld totdat ze allemaal weten welke prijs ze moeten betalen!' Ineens werd de oude architect gegrepen door een lange, holle, rochelende hoest die helemaal onder uit zijn rauwgehoeste longen kwam. Hij werd rood en de aders in zijn nek en op zijn voorhoofd zwollen blauw op.
Evan greep de schouder vast van zijn oude vriend om hem steun te geven. 'We praten er later wel over,' zei hij toen het hoesten minder werd. 'Ik wil dat je met mij meegaat, Manny.'
'Vanwege dat hoestje?' Weingrass schudde afwerend zijn hoofd. 'Gewoon een kou op de borst. Rotweer in Frankrijk, meer niet.'

'Daaraan dacht ik niet,' loog Kendrick, naar hij hoopte overtuigend. 'Ik heb je nodig.'
'Waarvoor?'
'Misschien ga ik wel een aantal projecten aanpakken en ik wil jouw advies daarbij.' Dat was weer gelogen, alleen niet zo erg, daarom voegde hij er snel aan toe: 'Mijn huis moet ook nodig eens helemaal vernieuwd worden.'
'Ik dacht dat je het net had laten bouwen?'
'Ik was met andere dingen bezig en ik heb er niet zo op gelet. Het ontwerp is afschuwelijk; de helft van de dingen die ik verondersteld werd te zien zijn onzichtbaar, de bergen en de meren.'
'Je was nooit erg sterk in het lezen van blauwdrukken, als het op de buitentekening aankwam.'
'Ik heb je nodig. Alsjeblieft.'
'Ik heb zaken in Parijs. Ik moet nog geld versturen, ik heb mijn woord gegeven.'
'Stuur het mijne maar.'
'Een miljoen, bij voorbeeld?'
'Tien, als je wilt. Ik zit hier en niet in de maag van een of andere haai. Ik ga je er niet om smeken, Manny, maar, alsjeblieft, ik heb je echt nodig.'
'Nou ja, misschien een week of twee dan,' zei de prikkelbare oude man. 'In Parijs hebben ze me ook nodig, weet je dat?'
'In de hele stad zal de brutowinst overal omlaag gaan, dat weet ik wel,' antwoordde Kendrick zacht, helemaal opgelucht.
'Wat?'
Gelukkig ging de telefoon over zodat Kendrick zijn opmerking niet hoefde te herhalen. Hun instructies waren er.

'Ik ben de man met wie u nooit hebt gesproken, die u nooit hebt gezien,' zei Evan in een telefooncel op de luchtmachtbasis Andrews in Virginia. 'Ik ben weer op weg naar het wilde water en de bergen waar ik de laatste vijf dagen heb gezeten. Is dat begrepen?'
'Begrepen,' antwoordde Frank Swann, adjunct-directeur van Consulaire Operaties van Binnenlandse Zaken. 'Ik ga niet eens proberen u te bedanken.'
'Vergeet het maar.'
'Ik kan het niet. Ik ken uw naam niet eens.'

Uiterst maximale geheimhouding

Geen aftap mogelijk

Ga uw gang

De gedaante zat over het toetsenbord gebogen, met glinsterende ogen en volkomen heldere gedachten, ondanks het feit dat zijn lichaam schrééuwde om rust. Hij bleef diep ademhalen, alsof elke ademtocht zijn hersenen op gang moest houden. Hij had bijna achtenveertig uur niet geslapen in afwachting van de gebeurtenissen in Bahrein. Er was een *black-out* geweest, alle verbindingen waren weggevallen... doodse stilte. De kleine kring van personeel die op de hoogte moest zijn in BZ en bij de CIA zal nu zelf wel opgelucht ademhalen, dacht hij, maar voorheen niet. In plaats daarvan hadden ze allemaal hun adem ingehouden. Bahrein vertegenwoordigde de onherroepelijke, harde rand van iets wat definitief was en het einde was onzeker geweest. Nu niet meer. Het was voorbij, de man zat in het vliegtuig. Hij had gewonnen. De gedaante begon te tikken.

Onze man heeft het klaargespeeld. Mijn apparaten zijn extatisch van vreugde want hoewel ze weigerden een garantie te geven gaven ze aan dat hij kon slagen. Op hun onbezielde manier zagen ze mijn visioen.
De man arriveerde hier vanmorgen onder de diepste geheimhouding, in de mening dat alles voorbij is, dat zijn leven verder weer normaal zal verlopen, maar hij heeft het mis. Alles staat klaar, het verslag is geschreven. De middelen moeten gevonden worden en ze zullen ook worden gevonden. De bliksem zal inslaan en hij zal de flits zijn die een land zal veranderen. Voor hem is dit pas het begin.

Deel twee

Uiterst maximale geheimhouding

Geen aftap mogelijk

Ga uw gang

De middelen zijn gevonden! Zoals in de oude vedische schrifturen is er een vuurgod verschenen als boodschapper voor de mensen. Hij heeft zich aan mij bekend gemaakt en ik mij aan hem. Het Oman-dossier is nu compleet. Alles! En ik heb alles in handen gekregen via toegang en penetratie en heb alles aan hem gegeven. Hij is een opmerkelijk man, en eerlijk gezegd geloof ik dat ik dat ook ben, en hij heeft een toewijding die even groot is als de mijne. Wanneer het dossier compleet is en in zijn geheel is ingevoerd, is dit journaal beëindigd. Een ander staat op het punt te worden begonnen.

16

Eén jaar later.
Zondag 20 augustus, 20.30 uur.

Eén voor één hadden de vijf limousines, als geluidloze, gracieuze triomfwagens, hun eigenaars afgezet voor de marmeren treden die voerden naar de met zuilen versierde ingang van het landhuis aan de oever van Chesapeake Bay. De auto's kwamen aan met onregelmatige tussenpozen zodat bij plotselinge nieuwsgierige toeschouwers, ofwel op de autoweg of in de straten van het villadorp aan Marylands Eastern Shore niet het idee werd gewekt dat de bezoekers haast hadden. Het was niets anders dan zo'n rustig, deftig samenkomen van de puissant rijken, een normaal gezicht in deze enclave van manipulators met

financiële macht. Zo was het ook op deze avond toen de vijf limousines door het dorpje Cynwid Hollow reden op weg naar de Chesapeake Bay.
In het enorme huis, in de vleugel die het dichtst bij het water lag, was de bibliotheek met hoog plafond uitgesproken mannelijk. Leer en gepolijst hout domineerden, terwijl gotische ramen uitzicht gaven op de keurig onderhouden tuin, die was verlicht door schijnwerpers, en de twee meter hoge boekenplanken vormden een imposante muur van kennis, overal waar maar plaats was. Leunstoelen van zacht bruin leder, met schemerlampen ernaast, stonden aan weerszijden van de vensters; een breed kersehouten bureau stond in de rechterhoek van de kamer daartegenover, met een draaistoel van zwart leder en een hoge rugleuning erachter. De typische kenmerken van zo'n vertrek werden gecompleteerd door een grote ronde tafel in het midden, een ontmoetingsplaats voor vergaderingen die maar het best gehouden konden worden in de rust van het platteland.
Met deze inrichting en deze sfeer hield het normale op en het ongewone, zo niet het vreemde werd zichtbaar. Op de tafel, voor elke zitplaats, stond een koperen lamp waarvan het licht was gericht op een geel aantekenblok dat daar was neergelegd als deel van de voorbereidingen. Het leek alsof de kleine, scherp begrensde lichtkringen het gemakkelijker maakten voor degenen die aan de tafel zaten om zich te concentreren op de aantekeningen die ze maakten, zonder de afleiding van volledig verlichte gezichten – en ogen – van degenen die naast hen of tegenover hen zaten. Want er was in het vertrek verder geen andere verlichting; gezichten bewogen zich in en uit het halfdonker, uitdrukkingen waren wel te onderscheiden maar niet lang te bestuderen. Aan de westkant van de bibliotheek zat aan de sierrand van de muur boven de boekenplanken een lange zwarte buis die op een elektronisch commando een zilveren scherm liet zakken tot halverwege de parketvloer, zoals het er nu hing. Dat scherm was nodig voor een ander ongewoon stuk apparatuur, ongewoon omdat het vast was ingebouwd.
In de oostelijke muur achter en boven de tafel, elektronisch naar voren te brengen zoals nu was gebeurd was een paneel aangebracht met audiovisuele apparaten, waaronder projectoren voor televisie en video, voor films, dia's en geluidsopnamen. Via de techniek van een uitschuifbare, op afstand be-

diende schotel op het dak, was de technisch geavanceerde unit in staat satelliet- en kortegolftransmissies van de hele aardbol op te pikken. Op dit ogenblik gloeide er een rood lampje op het vierde uitsteeksel; een molen met dia's was in een apparaat geschoven en was klaar om bediend te worden.

Al die uitrustingsstukken waren zeker ongewoon voor zo'n bibliotheek, zelfs voor de rijken, want hun aanwezigheid schiep een andere sfeer – die van een commandozaal ver van het Witte Huis of het Pentagon of de beveiligde vertrekken van de Nationale Veiligheidsraad. Door een druk op een knop werd de hele wereld, heden en verleden, gepresenteerd om nauwkeurig bekeken te worden, en beoordeeld te worden in een geïsoleerd *clair obscur*.

In de uiterste rechterhoek van deze zo ongewone kamer stond een vreemd anachronisme. Op ongeveer een meter van de met boeken beklede muur stond een oude potkachel waarvan de pijp tot het plafond reikte. Daarnaast stond een emmer met kolen. Wat vooral ongewoon was aan de kachel was dat ze gloeide ondanks het zachte zoemen van de centrale airconditioning die niet overbodig was op deze warme, vochtige avond aan Chesapeake Bay.

Die kachel was echter een vereiste bij de vergadering die op het punt stond te beginnen aan de oever van Cynwid Hollow. Alles wat werd opgeschreven moest verbrand worden, ook de notitieblokken, want niets wat door deze mensen werd gezegd mocht doordringen tot de buitenwereld. Het was een traditie die was ontstaan uit internationale noodzaak. Door wat zij zeiden konden regeringen vallen, economieën groeien of afbrokkelen, door wat zij beslisten konden oorlogen uitbreken of vermeden worden. Zij waren de erfgenamen van de machtigste geheime organisatie in de vrije wereld.

Ze waren met z'n vijven.

En ze waren menselijk.

'De president zal over twee jaar, in november, met overgrote meerderheid worden herkozen,' zei de man met de witte haren en het scherpgesneden, aristocratische gelaat die aan het hoofd van de vergadertafel zat. 'Om dat vast te stellen hebben we onze toekomstverwachtingen nauwelijks nodig. Hij heeft het land volledig in de hand en zolang hij geen rampzalige fouten maakt, die door zijn meer redelijke adviseurs verhinderd zullen worden, kan niemand daar iets aan veranderen, wijzelf ook niet.

Daarom moeten we ons voorbereiden op het onvermijdelijke en onze man klaar hebben staan.'
'Een vreemde uitdrukking, "onze man",' luidde het commentaar van een slanke, kalende man van in de zeventig met ingevallen wangen en grote vriendelijke ogen en hij knikte. 'We zullen snel moeten zijn. En toch zouden de zaken nog kunnen veranderen. De president is zo charmant, zo aantrekkelijk, hij wil zo graag dat men hem aardig vindt – van hem houdt, neem ik aan.'
'Zo oppervlakkig,' viel een breedgeschouderde neger van middelbare leeftijd hem zacht in de rede, zonder dat er animositeit klonk in zijn stem; zijn onberispelijk zittende kleren waren een teken van zijn goede smaak en zijn rijkdom. 'Persoonlijk voel ik geen wrok tegen hem, want in zijn hart is hij fatsoenlijk; hij is een fatsoenlijke man, misschien een goede man. Zo zien de mensen hem en ze hebben waarschijnlijk gelijk. Nee, het gaat niet om hem. Het gaat om die natnekken achter hem – zo ver achter hem dat hij waarschijnlijk niet eens weet dat ze bestaan, behalve als figuren die bijdragen aan zijn verkiezingscampagne.'
'Hij weet het niet,' zei het vierde lid aan de tafel, een gezette man van middelbare leeftijd met een blozend gezicht en de ongeduldige ogen van een geleerde onder een warrige bos rood haar; zijn tweedjasje met stukken op de ellebogen bestempelde hem als academicus. 'En ik durf er tien van mijn patenten onder te verwedden dat hij een fatale misrekening zal maken voordat zijn eerste ambtstermijn voorbij is.'
'Dat zou je verliezen,' zei het vijfde lid aan de tafel, een oudere vrouw met zilvergrijs haar, elegant gekleed in een zwartzijden jurk met een minimum aan juwelen erop. Haar beschaafde stem verried sporen van de modulatie en tongval die vaak Midatlantisch wordt genoemd. 'Niet omdat je hem onderschat, wat je wel doet, maar omdat hij en de mensen achter hem hun toenemende eensgezindheid zullen consolideren totdat hij politiek onoverwinnelijk is. De retoriek zal scheef klinken, maar er zullen geen vergaande beslissingen worden genomen totdat zijn oppositie vrijwel monddood is gemaakt. Met andere woorden, ze bewaren hun grof geschut voor de tweede ambtstermijn.'
'Dan ben je het dus eens met Jacob dat we snel moeten zijn,' zei de man met de witte haren, Samuel Winters, en hij knikte

naar de magere Jacob Mandel rechts van hem.
'Natuurlijk ben ik het daarmee eens, Sam,' antwoordde Margaret Lowell; ze streek met een nonchalant gebaar over haar haren en boog zich ineens voorover met haar ellebogen stevig op tafel en haar handen ineengeslagen. Het was een abrupt mannelijk gebaar van een zeer vrouwelijke vrouw, maar niemand aan tafel sloeg daar acht op. Het ging alleen om haar gedachten. 'Als ik realistisch ben weet ik niet zeker of we wel snel genoeg kunnen zijn,' zei ze vlug en zacht. 'Misschien moeten we wel een meer abrupte benadering kiezen.'
'Néé, Peg,' viel Eric Sundstrom haar in de rede, de roodharige geleerde links van Lowell. 'Alles moet volkomen normaal verlopen, zoals dat past voor een optimistische regering die van passiva activa maakt. Zo móet onze benadering zijn. Elke afwijking van het principe van natuurlijke evolutie – omdat de natuur nu eenmaal onvoorspelbaar is – zou onduldbare alarmklokken doen luiden. Die slecht geïnformeerde eensgezinden waar je het over had zouden zich om de vlag scharen, aangemoedigd door die natnekken van Gid. Dan zouden we een politiestaat hebben.'
Gideon Logan knikte instemmend, met een glimlach om zijn lippen. 'O, ze zouden gaan dansen om de kampvuren en alle weldenkende mensen er bijhalen en de hele politieke wereld zou met zijn gat op de blaren zitten.' Hij zweeg even en keek naar de vrouw tegenover hem aan tafel. 'Er zijn geen weggetjes binnendoor, Margaret. Daar heeft Eric gelijk in.'
'Ik was niet melodramatisch bezig,' hield Lowell vol. 'Geen geweerschoten in Dallas of geschifte jonge mensen met complexen. Ik bedoelde alleen maar de tijd. Hébben we echt die tijd?'
'Als we die goed gebruiken hebben we die ook,' zei Jacob Mandel. 'De belangrijkste factor is de kandidaat.'
'Laten we het dan eens over hem hebben,' onderbrak Samuel Winters hun gesprek. 'Zoals jullie allemaal weten heeft onze collega, meneer Varak, zijn onderzoek voltooid en hij is ervan overtuigd dat hij onze man heeft gevonden. Ik zal u niet vervelen met zijn vele eliminaties, laat ik alleen zeggen dat we ze alle zullen bestuderen indien we niet tot volledige overeenstemming mochten komen. Hij heeft onze richtlijnen bestudeerd – de kwaliteiten die we zoeken en de risico's die we willen vermijden; in wezen de talenten die er naar onze overtuiging moeten zijn. Naar mijn oordeel heeft hij een briljante, zij het mis-

schien wat onverwachte kandidaat gevonden. Ik wil onze vriend het gras niet voor de voeten wegmaaien – hij doet zijn woordje uitstekend zelf – maar ik zou in mijn plicht te kort schieten als ik hier niet verklaarde dat hij bij onze talloze vergaderingen ons dezelfde toewijding heeft betoond als zijn oom, Anton Varak, naar we hoorden heeft gehad voor onze voorgangers, vijftien jaar geleden.' Winters zweeg even en zijn doordringende grijze ogen namen iedereen rond de tafel om beurten op. 'Misschien is er een Europeaan die beroofd is van zijn vrijheden voor nodig om de reden voor ons bestaan te begrijpen. Wij zijn de erfgenamen van Inver Brass, opnieuw tot leven gebracht na de dood van degenen die ons voorgingen. Wij moesten worden uitgekozen door die mannen indien hun raadslieden beslisten dat onze levens zich hadden ontwikkeld zoals zij hadden voorzien. Ieder van ons heeft het begrepen toen de verzegelde enveloppen aan ons werden overhandigd. Wij streefden in de maatschappij waarin we leefden geen verdere voordelen meer na, geen profijt en geen posities zochten we, anders dan wat we al bezaten of die we al bekleedden. De vaardigheden die we bezaten, en die ons waren toegevallen door geluk, of erfenis, of door de tegenspoed van anderen, hadden ons een vrijheid verschaft die maar weinigen mogen genieten in deze verschrikkelijke in beroering gebrachte wereld. Maar die vrijheid brengt een verantwoordelijkheid met zich mee die wij accepteren, zoals onze voorgangers dat jaren geleden hebben gedaan. We zijn verplicht onze middelen te gebruiken om van ons land een beter land te maken en daardoor hopelijk ook een betere wereld.' Winters leunde achterover in zijn stoel en hij draaide zijn handpalmen naar boven terwijl hij zijn hoofd schudde en op aarzelende, zelfs wat vragende toon zei: 'God mag weten, niemand heeft ons uitverkoren, niemand heeft ons gezalfd in de naam van Gods goedertierenheid en er zijn zeker geen bliksemstralen uit de hemelen omlaag komen flitsen met een of andere Olympische boodschap, maar we doen wat we doen omdat we dat kunnen. En we doen het omdat we gelóven in ons collectieve, objectieve oordeel.'
'Je hoeft ons niet te verdedigen, Sam,' viel Margaret Lowell hem zacht in de rede. 'We mogen dan bevoorrecht zijn, maar we zijn ook verschillend. We vertegenwoordigen geen enkele kleur in het spectrum.'
'Ik weet niet zeker hoe ik dat moet opvatten, Margaret,' zei

Gideon Logan en zijn wenkbrauwen waren in geveinsde verrassing opgetrokken, terwijl de leden van Inver Brass lachten.
'Mijn beste Gideon,' antwoordde Lowell. 'Het is me helemaal niet opgevallen. Ben je in deze tijd van het jaar in Palm Beach geweest? Je bent echt verbrand door de zon.'
'Iemand moest uw tuinen verzorgen, mevrouw.'
'Als jij dat hebt gedaan ben ik nu ongetwijfeld dakloos.'
'Dat zou heel goed kunnen. Een syndicaat van Portoricaanse gezinnen heeft het landgoed overgenomen, mevrouw, een commune eigenlijk.'
Zacht gelach weerklonk rond de tafel. 'Het spijt me Samuel, we moeten niet zo lichtzinnig zijn.'
'Integendeel,' kwam Jacob Mandel tussenbeide. 'Het is een gezond teken als we kunnen relativeren. Als we nooit meer zouden lachen, vooral niet over onze zwakheden, dan horen we hier niet thuis... Neem me niet kwalijk, maar dat was een les die we leerden van onze voorouders in de Europese pogroms. Zij noemden het een van de principes van overleving.'
'Ze hadden natuurlijk gelijk,' stemde Sundstrom nog grinnikend in. 'Het schept even afstand tussen de mensen en hun problemen, al is het dan maar voor kort. Maar mogen we nu horen wie de kandidaat is? Dat fascineert me. Sam zegt dat hij een briljante keuze is, maar volkomen onverwacht. Ik had gedacht dat het anders zou zijn, gezien – zoals Peg al zei – de tijdsfactor. Ik dacht dat hij iemand zou zijn achter de coulissen, van het politieke toneel zou je kunnen zeggen.'
'Ik moet werkelijk binnenkort eens een van zijn boeken lezen,' viel Mandel opnieuw op zachte toon in de rede. 'Hij klinkt als een rabbijn maar ik begrijp hem niet.'
'Probeer het maar niet,' zei Winters met een vriendelijke glimlach voor Sundstrom.
'De kandidaat,' herhaalde Sundstrom. 'Begrijp ik hieruit dat Varak een presentatie gereed heeft?'
'Met zijn gebruikelijke zorg voor details,' antwoordde Winters en hij wees met een hoofdbeweging naar links op het brandende rode lichtje op het paneel aan de muur achter hem. 'Terwijl hij daarmee bezig was is hij enkele vrij opmerkelijke dingen op het spoor gekomen die betrekking hebben op gebeurtenissen die een jaar geleden hebben plaatsgevonden, bijna op de dag af.'
'Oman?' vroeg Sundstrom terwijl hij uitkeek boven het licht

van zijn koperen lamp. 'Een week geleden zijn er in tientallen steden herdenkingsdiensten gehouden.'
'Laat meneer Varak het maar uitleggen,' zei de oude geschiedkundige en hij drukte op een ingebouwde knop op tafel. Het zachte geluid van een zoemer weerklonk door het vertrek; enkele tellen later ging de deur van de bibliotheek open en een stevige blonde man van midden of achter in de dertig stapte in het halfdonker en bleef staan in de deuropening. Hij was gekleed in een lichtbruin zomerpak en droeg een donkerrode stropdas; zijn brede schouders leken de stof van zijn colbertje uit te rekken.
'We zijn klaar, meneer Varak. Komt u alstublieft binnen.'
'Dank u, meneer.' Milos Varak sloot de deur zodat het zwakke licht van de gang verdween en liep de kamer in. Voor het neergelaten zilveren scherm bleef hij staan en hij groette de leden van Inver Brass met een kort knikje. Het schijnsel van de koperen lampen dat weerkaatste van de glanzende tafel verlichtte zijn gezicht en benadrukte de uitstekende jukbeenderen en het brede voorhoofd onder de dichte bos keurig gekamd haar. Zijn oogleden stonden een beetje schuin en wezen op Slavische voorouders, beïnvloed door de stammen uit Oost-Europa; de ogen zelf keken rustig, intelligent en een beetje koel.
'Mag ik u zeggen dat ik blij ben u allen weer te zien?' zei hij in zijn afgemeten Engels waarin iets doorklonk van het accent van Praag.
'Fijn jou weer eens te zien, Milos,' antwoordde Jacob Mandel en hij sprak de naam uit met de juiste Tsjechische intonatie. De anderen vielen hem kort bij.
'Varak.' Sundstrom leunde achterover in zijn stoel.
'Je ziet er goed uit, Milos.' Gideon Logan knikte.
'Hij ziet eruit als een voetballer.' Margaret Lowell glimlachte. 'Laten de Redskins je maar niet zien. Die zoeken lijnverdedigers.'
'Het spel is veel te verwarrend voor me, mevrouw.'
'Dat is het voor hen ook.'
'Ik heb iedereen verteld over de vorderingen die u hebt gemaakt,' zei Winters en hij voegde er zacht aan toe, 'voor zover u het vorderingen noemt. Zou u, voordat u de identiteit bekend maakt van de man die u aan ons wilt voorstellen, eerst nog even de richtlijnen willen nalopen?'
'Graag, meneer.' Varaks ogen zwierven de hele tafel langs ter-

wijl hij zich voorbereidde. 'Om te beginnen hoort uw man fysiek aantrekkelijk te zijn, maar niet "knap" of vrouwelijk. Iemand die voldoet aan de hoogste eisen van uw imago-vormers – als dat niet volledig klopt, zou het te veel hindernissen opleveren voor de tijd die we nog hebben. Kortom een man die andere mannen kunnen identificeren met de mannelijke deugden van deze maatschappij en die vrouwen aantrekkelijk vinden. Het moet iemand zijn met echte of goed gespeelde hartelijkheid en een onderkoeld gevoel voor humor, met moedige daden in zijn verleden die zijn bewezen, maar niets dat hij zou gebruiken om de president te overschaduwen.'
'Dat zouden zijn mensen niet accepteren,' zei Eric Sundstrom.
'Ze zouden hoe dan ook niet anders kunnen, meneer,' antwoordde Varak op een toon die zacht overtuigend klonk. 'De manipulatie zal in vier stadia plaatsvinden. Binnen drie maanden zal onze in de grond anonieme man steeds meer voor het voetlicht komen; binnen zes maanden zal hij betrekkelijk goed bekend zijn; aan het einde van het jaar moet hij een herkenningsquotiënt hebben dat even groot is als dat van de leiders van de Senaat en het Huis, als doel dezelfde demografische structuur. Dit kunt u zien als de stadia één tot en met drie. Het hoogtepunt van het vierde stadium, enkele maanden voor de conventie, zal bestaan uit zijn verschijnen op de voorpagina's van *Time* en *Newsweek*, en het publiceren van lovende redactionele commentaren in alle grote kranten en op radio en televisie. Met de juiste financiering op de vereiste plaatsen kan dit alles worden gegarandeerd.' Varak zweeg even en voegde er toen aan toe: 'Dat wil zeggen, gegarandeerd, als we de juiste kandidaat hebben en volgens mij hebben we die gevonden.'
De leden van Inver Brass staarden hun Tsjechische coördinator lichtelijk verbaasd aan en keken daarna behoedzaam naar elkaar.
'Als dat zo is,' opperde Margaret Lowell, 'en als hij afdaalt van zijn berg, dan ga ik met hem trouwen.'
'En ik ook,' zei Gideon Logan. 'Gemengde huwelijken kunnen me gestolen worden.'
'Neem me niet kwalijk,' kwam Varak tussenbeide. 'Ik had niet de bedoeling de kandidaat te romantiseren. Hij is een volkomen normaal iemand en de kwaliteiten die ik hem heb toegeschreven zijn voor het grootste deel het resultaat van het zelfvertrouwen dat voortkomt uit zijn rijkdom, die hij heeft vergaard

door zeer hard werken en door risico's te nemen op de juiste plaatsen en op de juiste tijden. Hij straalt zelfvertrouwen uit en brengt dat over op anderen omdat hij iets nodig heeft van anderen en precies weet waartoe hij zelf in staat is.'
'Wie is hij?' vroeg Mandel.
'Mag ik hem u laten zien?' vroeg Varak; er klonk respect uit zijn stem en zonder verder antwoord te geven ging hij weg van het scherm en haalde een afstandsbedieningsapparaatje uit zijn zak. 'Het kan zijn dat sommigen van u hem herkennen en dat ik mijn opmerking over zijn anonimiteit zal moeten terugnemen.'
Een felle lichtstraal werd vanaf het paneel op het scherm geworpen dat helemaal werd gevuld door het gezicht van Evan Kendrick. Het was een kleurendia en ze accentueerde Kendricks door de zon verbrande huid en ook zijn stoppelbaard en de lichte bruine haarlokken die enigszins over zijn oren vielen en achter in zijn nek hingen. Hij had zijn ogen half dichtgeknepen tegen de zon terwijl hij uitkeek over water en zijn uitdrukking was zowel bedachtzaam als bezorgd.
'Hij ziet eruit als een hippie,' zei Margaret Lowell.
'Uw reactie wordt verklaard door de omstandigheden,' antwoordde Varak. 'Deze foto werd verleden week genomen, de vierde week van een jaarlijkse trip die hij maakt langs de wildwaterrivieren in de Rocky Mountains. Hij gaat alleen, zonder gezelschap en zonder gids.' De man uit Tsjechoslowakije ging door met het vertonen van de dia's en liet elk beeld enkele tellen staan. De foto's toonden Kendrick tegen verschillende achtergronden, terwijl hij over stroomversnellingen voer en enkele keren terwijl hij met moeite zijn PVC-kano overeind hield en tussen de verraderlijke punten van scherpe rotsblokken schoot, omgeven door opspattende gordijnen van woest water en schuim. De beboste berghellingen op de achtergrond benadrukten de hachelijk kleine afmetingen van de man en zijn vaartuigje tegen de onvoorspelbare grootsheid van de natuur.
'Wácht eens even!' riep Samuel Winters uit en hij tuurde ingespannen door zijn grote bril. 'Laat die eens staan,' vervolgde hij terwijl hij de foto bestudeerde. 'Hierover hebt u me nooit iets verteld. Hij gaat daar de bocht om naar het basiskamp onder de Lava Falls.'
'Dat klopt, meneer.'
'Dan moet hij ook door de klasse vijf stroomversnellingen ge-

komen zijn die daarboven liggen.'
'Ja, meneer.'
'Zonder gíds?'
'Ja.'
'Hij is gek! Tientallen jaren geleden heb ik in datzelfde water gevaren met twéé gidsen en ik was doodsbenauwd. Waarom zou hij zoiets doen?'
'Hij heeft het al jaren gedaan – steeds wanneer hij terugkwam in Amerika.'
'Terugkwam?' Jacob Mandel boog zich voorover.
'Tot vijf jaar geleden was hij bouwkundig ingenieur en projectontwikkelaar. Zijn werk was geconcentreerd in het oostelijk gebied van de Middellandse Zee en de Perzische Golf. Dat deel van de wereld is zowat even ver verwijderd van de bergen en de rivieren als men zich kan voorstellen. Volgens mij was die verandering van landschap voor hem een zekere opluchting. Hij liep dan een week of zo zijn zaken na en trok vervolgens naar het Noordwesten.'
'Alleen, zeg je,' zei Eric Sundstrom.
'In die tijd niet, meneer. Hij had vaak een meisje bij zich.'
'Dan is hij dus duidelijk geen homo,' merkte het enige vrouwelijke lid van Inver Brass op.
'Ik heb nooit de bedoeling gehad dat te suggereren.'
'Maar je hebt ook niet gesproken over een vrouw of een gezin, en volgens mij is dat een belangrijke voorwaarde. Je zei alleen dat hij tegenwoordig alleen reist tijdens wat kennelijk zijn vakanties zijn.'
'Hij is vrijgezel, mevrouw.'
'Dat zou een probleem kunnen zijn,' merkte Sundstrom op.
'Niet echt, meneer. We hebben twee jaar om wat te doen aan die situatie en dan zou een huwelijk tijdens een verkiezingsjaar heel aantrekkelijk kunnen zijn.'
'Met de populairste president in de hele geschiedenis als bruiloftsgast ongetwijfeld,' grinnikte Gideon Logan.
'Dat is niet onmogelijk, meneer.'
'Mijn god, jij denkt ook aan alles, Milos.'
'Heel even, alsjeblieft.' Mandel zette zijn bril met metalen montuur recht. 'Je zegt dat hij vijf jaar geleden in het gebied van de Middellandse Zee heeft gewerkt.'
'Daar lag zijn produktie toen. Hij verkocht het bedrijf en verliet het Midden-Oosten.'

'Waarom?'
'Er gebeurde een tragisch ongeluk dat het leven kostte aan bijna al zijn werknemers en al hun gezinnen. Dat verlies heeft hem verschrikkelijk diep getroffen.'
'Was hij verantwoordelijk?' vervolgde de effectenmakelaar.
'Helemaal niet. Een ander bedrijf werd ervan beschuldigd minderwaardig materiaal gebruikt te hebben.'
'Heeft hij op een of andere manier geprofiteerd van die tragedie?' vroeg Mandel en zijn vriendelijke ogen stonden ineens hard.
'Integendeel, meneer, dat heb ik terdege onderzocht. Hij verkocht het bedrijf voor minder dan de helft van de marktwaarde. Zelfs de juristen voor het concern dat hem overnam waren stomverbaasd. Ze hadden machtiging het drievoudige te betalen.'
De ogen van Inver Brass dwaalden weer naar het grote scherm en de foto van een man en zijn vaartuigje die voortraasden door een woeste bocht in de stroomversnellingen.
'Wie heeft deze genomen?' vroeg Logan.
'Ik meneer,' antwoordde Varak. 'Ik ben hem gevolgd. Hij heeft me nooit gezien.'
De dia's bleven komen en ineens was er een abrupte verandering. De 'kandidaat' werd niet langer meer getoond in de grove kleding van het wild-waterlandschap of in de spijkerbroek en T-shirts aan het einde van de dag bij het kampvuur, terwijl hij voor zichzelf een maaltijd bereidde. Op de foto stond nu een goed geschoren man, zijn haren geknipt en gekamd, en gekleed in een keurig donker pak, terwijl hij door een bekende straat liep met een diplomatenkoffertje in de hand.
'Dat is Washington,' zei Eric Sundstrom.
'En dit is op de trappen die naar de Rotunda leiden,' voegde Logan eraan toe bij de volgende dia.
'Hij staat op de Hill,' merkte Mandel op.
'Ik kén die man!' zei Sundstrom en hij duwde met de vingers van zijn rechterhand tegen zijn slaap. 'Ik ken het gezicht en bij dat gezicht hoort een verhaal, maar ik weet niet welk verhaal.'
'Niet het verhaal dat ik u ga vertellen, meneer.'
'Oké, Milos.' Margaret Lowells stem klonk hard. 'Nou is het wel genoeg. Wie is hij, verdomme?'
'Hij heet Kendrick. Evan Kendrick. Hij is de afgevaardigde uit het Negende District in Colorado.'

'Een *congreslid?*' riep Jacob Mandel uit, terwijl de foto van Kendrick op de trap van het Capitool op het scherm bleef staan. 'Ik heb nog nooit van hem gehoord en ik dacht dat ik daar zowat iedereen kende. Van naam natuurlijk, niet persoonlijk.'
'Hij is betrekkelijk nieuw, meneer, en er is niet veel ruchtbaarheid gegeven aan zijn verkiezing. Hij vertegenwoordigde de partij van de president omdat er in dat district praktisch geen oppositie bestaat – het winnen van de voorverkiezingen staat vrijwel gelijk met een benoeming. Ik vermeld dit omdat het congreslid het lang niet altijd eens lijkt te zijn met de politiek van het Witte Huis. Tijdens de voorverkiezingen heeft hij niet gesproken over nationale kwesties.'
'Afgezien van openhartigheid,' zei Gideon Logan, 'wil je suggereren dat hij de onafhankelijkheid bezit van iemand als, laten we zeggen, Lowell Weicker?'
'Op een hele rustige manier, ja.'
'Rustig en nieuw met een niet bijster imposante kiezerskring,' zei Sundstrom. 'Vanuit dat gezichtspunt is je anonimiteit veilig. Misschien wel te veilig. Als de politiek op volle toeren draait kan er niets gemakkelijker terzijde worden geschoven dan een pas gekozen, onbekend congreslid uit een onbekend district. Denver ligt in het Eerste, Boulder in het Tweede en de Springs in het Vijfde. Waar is het Negende?'
'Ten zuidwesten van Telluride, vlak bij de grens met Utah,' antwoordde Jacob Mandel; hij haalde zijn schouders op alsof hij zich wilde verontschuldigen voor zijn kennis. 'We hebben daar een paar jaar geleden eens wat aandelen voor mijnen op de keper bekeken, vrij speculatieve aandelen. Maar die man op het scherm is niet het congreslid met wie we gesproken hebben en die ons nogal vertwijfeld probeerde over te halen ons garant te stellen voor de uitgifte.'
'Hebt u zich garant gesteld, meneer?' vroeg Varak.
'Nee, dat hebben we niet,' antwoordde Mandel. 'Eerlijk gezegd was het speculatieve element veel groter dan voor normaal risicodragend kapitaal aanvaardbaar is.'
'Wat u in Amerika een mogelijke "zwendel" noemt?'
'We hadden geen bewijzen, Milos. We trokken onze handen terug.'
'Maar de congresafgevaardigde uit dat district deed zijn best zich te verzekeren van uw steun?'

'Dat deed hij zeker.'
'Daarom is Evan Kendrick nu hun congreslid, meneer.'
'O?'
'Eric,' kwam Gideon Logan tussenbeide en hij draaide zijn grote hoofd om de geleerde ruimtetechnoloog aan te kunnen kijken. 'Jij zei dat je hem kende, in elk geval zijn gezicht kende.'
'Dat is ook zo, dat weet ik zeker. Nu Varak ons heeft verteld wie hij is geloof ik dat ik hem ook heb ontmoet op een van die eindeloze cocktail-party's in Washington of Georgetown en ik weet heel zeker dat iemand zei dat er een heel verhaal aan hem vastzat... Dat wás het. Het verhaal heb ik nooit gehoord; het was alleen maar een opmerking.'
'Maar Milos zei dat dat verhaal, wat het dan ook was, niet dat was dat hij ons zou gaan vertellen,' zei Margaret Lowell. 'Klopt dat?' voegde ze eraan toe en ze keek Varak aan.
'Ja, mevrouw. De opmerking die professor Sundstrom hoorde had ongetwijfeld betrekking op de manier waarop Kendrick werd gekozen. Hij heeft die verkiezing letterlijk uit woede gekocht, begroef zijn opponent onder een lawine van plaatselijke reclame en een reeks dure bijeenkomsten die meer leken op een publiek circus dan op politieke vergaderingen. Men zei dat toen de zittende man zich beklaagde dat de verkiezingswetten werden geschonden, Kendrick hem confronteerde met zijn juridische raadslieden – niet om over de campagne te spreken maar om het te hebben over het optreden van zijn opponent tijdens zijn ambtsperiode. De klachten hielden onmiddellijk op en Kendrick won met gemak.'
'Je zou kunnen zeggen dat hij zijn verontwaardiging heeft gestut met geld,' merkte Winters zacht op. 'Maar u hebt veel fascinerender nieuws voor ons, meneer Varak en aangezien ik het al heb gehoord zal ik herhalen wat ik eerder zei. Het is opmerkelijk. Gaat u alstublieft verder.'
'Ja, meneer.' De Tsjech drukte op zijn afstandsbediening en de volgende foto verscheen met een gedempte tik op het scherm. Kendrick en de trap naar de Rotunda verdwenen en ervoor in de plaats verscheen een overzicht van hysterische mensenmassa's die door een nauwe straat renden met aan weerszijden huizen die duidelijk een islamitisch karakter droegen, met Arabische opschriften boven enkele winkels.
'Oman,' zei Eric Sundstrom en hij keek even naar Winters. 'Een jaar geleden.' De geschiedkundige knikte.

De dia's volgden elkaar snel op, de ene na de andere en ze lieten taferelen zien van chaos en slachting. Er lagen met kogels doorzeefde lijken en er werden muren getoond met kogelgaten, de neergehaalde poort van de ambassade en rijen knielende, doodsbange gegijzelden achter een scherm van latwerk op het dak; er waren close-ups bij van krijsende jonge mensen die met wapens zwaaiden, hun monden triomfantelijk open, met wilde fanatieke ogen. Ineens stopte de opeenvolgende stroom dia's en de aandacht van Inver Brass werd abrupt gevestigd op een dia die er weinig mee te maken leek te hebben. Er was een lange, donkerkleurige man op zichtbaar in lange, witte gewaden, zijn hoofd bedekt met een *ghotra*, zijn gezicht *en profil*, terwijl hij uit een hotel kwam. Toen verscheen er een tweede foto naast op het scherm en de tweede liet dezelfde man zien terwijl hij hard voor een fontein langs door een Arabische bazaar liep. De foto bleef op het scherm; het verbaasde stilzwijgen werd doorbroken door Milos Varak.
'Die man is Evan Kendrick,' zei hij eenvoudig.
Verbazing ging over in verbijstering. Op Samuel Winters na bogen de anderen zich naar voren, buiten het schijnsel van de koperen lampen om de vergrote gedaante op het scherm goed te kunnen bekijken. Varak vervolgde: 'Deze foto's werden genomen door een buitendienstmedewerker van de CIA met een Vier-Nul fiat die als opdracht had Kendrick zoveel mogelijk in de gaten te houden. Ze heeft opmerkelijk werk verricht.'
'Zij?' Margaret trok goedkeurend haar wenkbrauwen op.
'Een vrouw die gespecialiseerd is in het Midden-Oosten. Haar vader is Egyptenaar, haar moeder Amerikaanse uit Californië. Ze spreekt vloeiend Arabisch en wordt vaak ingeschakeld door het bureau wanneer er crisissituaties zijn daarginds.'
'Daarginds?' fluisterde Mandel stomverbaasd. 'Wat deed híj daar dan?'
'Heel even,' zei Logan en zijn donkere ogen keken Varak veelbetekenend aan. 'Hou me ten goede als ik het mis heb, jongeman, maar als ik me goed herinner stond er verleden jaar in *The Washington Post* in een artikel dat een onbekende Amerikaan in die tijd in Masqat interventie pleegde. Een aantal mensen dacht dat het misschien die man uit Texas, Ross Perot, was geweest, maar het verhaal dook later nooit meer op. Men liet het vallen.'
'U hebt het niet mis, meneer. De Amerikaan was Evan Kend-

rick en men publiceerde daarover verder niets meer, onder druk van het Witte Huis.'
'Waarom? Hij had daar politiek gezien enorm veel voordeel van kunnen hebben – als zijn bijdrage inderdaad heeft geleid tot het akkoord.'
'Zijn bijdrage wás het akkoord.'
'Dan begrijp ik er niks meer van,' merkte Logan kalm op en hij keek Samuel Winters aan.
'Niemand begrijpt het,' zei de historicus. 'Er is geen verklaring voor, alleen maar een verborgen dossier in de stukken die Milos in handen heeft weten te krijgen. Behalve dat document is er nergens iets te vinden dat enig verband legt tussen Kendrick en de gebeurtenissen in Masqat.'
'Er bestaat zelfs een memo aan de minister van Buitenlandse Zaken waarin zo'n verband categorisch wordt ontkend,' viel Varak hem in de rede. 'Het congreslid komt er niet al te best uit te voorschijn. Het komt er in wezen op neer dat hij een zelfzuchtige opportunist was, een politicus die zichzelf wilde bevoordelen met een gijzelingscrisis omdat hij in de Arabische Emiraten had gewerkt, en speciaal in Oman, en probeerde zich ertussen te wringen om in de publiciteit te komen. De aanbeveling luidde van hem af te blijven ter wille van de veiligheid van de gegijzelden.'
'Maar ze hebben hem er kennelijk wél bijgehaald!' riep Sundstrom uit. 'Erbijgehaald en gebruikt! Hij had daar nooit kunnen komen als ze dat niet hadden gedaan; er was daarheen geen burgerverkeer door de lucht meer mogelijk. Goede god, hij moet er in het geheim naartoe zijn gevlogen.'
'En het ligt al evenzeer voor de hand dat hij geen zelfzuchtige opportunist is,' voegde Margaret Lowell eraan toe. 'We zien hem hier voor ons en Milos zegt dat hij geholpen heeft een einde te maken aan de crisis, en toch heeft hij daarover nooit met een woord gesproken. We zouden het allemaal weten als hij dat wel had gedaan.'
'En daarvoor is géén verklaring?' vroeg Gideon Logan aan Varak.
'Geen aanvaardbare verklaring, meneer, en ik heb het tot op de bodem onderzocht.'
'Het Witte Huis?' vroeg Mandel.
'Nee, de man die moest weten dat hij was ingeschakeld, de enige die de leiding had over het crisiscentrum hier in Washing-

ton. Hij heet Frank Swann.'
'Hoe heb je hém gevonden?'
'Ik heb hem niet gevonden, meneer. Dat deed Kendrick.'
'Maar hoe heb je Kendrick gevonden?' drong Margaret Lowell aan.
'Net als meneer Logan herinnerde ik me dat bericht over een Amerikaan in Masqat dat zo ineens uit de media verdween. Ik kan echt niet zeggen waarom, maar ik besloot achter dat verhaal aan te gaan – waarschijnlijk met het idee dat er een hooggeplaatst iemand bij betrokken was, iemand die we in overweging zouden moeten nemen als het verhaal waarheid bevatte.' Varak zweeg even en een voor hem ongewone, lichte glimlach verscheen om zijn lippen. 'Het gebeurt maar al te vaak dat de meest voor de hand liggende veiligheidsmaatregelen juist de mensen die zich erachter willen verschuilen aan het daglicht brengen. In dit geval was het het bezoekersboek van Buitenlandse Zaken. Sinds de moorden van een paar jaar geleden moeten alle bezoekers zonder uitzondering het boek tekenen bij het binnenkomen en bij hun vertrek, waarbij ze langs metaalverklikkers moeten lopen. Tussen de duizenden mensen die daar kwamen tijdens de gijzelingscrisis kwam de onwaarschijnlijke naam voor van een nieuwe afgevaardigde uit Colorado die ene meneer Swann bezocht. Geen van beide namen zei me iets natuurlijk, maar onze computers waren beter geïnformeerd. Meneer Swann was de grootste deskundige van BZ over Zuidwest-Azië en het congreslid was een man die zijn rijkdom had vergaard in de Emiraten, Bahrein en Saudi-Arabië. In de paniek van de crisis had iemand vergeten Kendricks naam uit het boek te verwijderen.'
'Je bent dus die Swann gaan opzoeken,' zei Mandel.
'Inderdaad, meneer.'
'En wat zei hij tegen je?'
'Dat ik er volkomen naast zat. Dat ze Kendricks aanbod om te helpen hadden afgewezen omdat hij niets had bij te dragen. Hij voegde eraan toe dat Kendrick een van de vele mensen was, mensen die in de Arabische Emiraten hadden gewerkt en die dergelijke aanbiedingen hadden gedaan.'
'Maar je geloofde hem niet,' viel Margarat Lowell hem in de rede.
'Daar had ik een hele goede reden voor. Afgevaardigde Kendrick had nooit het boek getekend toen hij die middag Buiten-

landse Zaken verliet. Het was woensdag, 11 augustus en zijn naam komt nergens voor in het boek voor de vertrekkende mensen. Hij werd kennelijk onder speciale begeleiding weggebracht en dat betekent meestal het begin van een dekmantel, meestal een zeer geheime onderneming.'
'Consulaire Operaties,' zei Sundstrom. 'De geheime verbinding van BZ met de CIA.'
'Een onwillig maar noodzakelijk compromis,' voegde Winters eraan toe. 'In het donker trap je op tenen. Onnodig te zeggen dat meneer Varak zijn onderzoekingen heeft uitgestrekt zowel tot BZ als tot Langley.'
'De held van Oman ontmaskerd,' zei Gideon Logan zacht en hij keek naar de gedaante op het scherm. 'Mijn gód, wát een handvat!'
'Een actie voerend congreslid op wie niets valt aan te merken,' viel Mandel hem bij. 'Een bewezen tegenstander van corruptie.'
'Een moedig man,' zei mevrouw Lowell, 'die zijn leven waagde voor tweehonderd Amerikanen, die hij onmogelijk kon kennen, en die niets voor zichzelf wilde hebben...'
'Terwijl hij alles had kunnen krijgen wat hij maar wilde,' maakte Sundstrom de zin af. 'Zeker alles in de politiek.'
'Vertel ons eens alles wat u over Evan Kendrick te weten bent gekomen, alstublieft, meneer Varak,' zei Winters en hij en de vier anderen pakten hun gele bloknotes.
'Voordat ik dat doe,' antwoordde de Tsjech en zijn stem klonk wat aarzelend, 'moet ik zeggen dat ik verleden week naar Colorado ben gevlogen en daar een situatie heb aangetroffen die ik nu nog niet volledig kan verklaren. Ik zou dat liever nu vast zeggen. Er woont in Kendricks huis aan de rand van Mesa Verde een oudere man. Ik heb gehoord dat hij Emmanuel Weingrass heet, een architect die zowel staatsburger is van Israël als van Amerika, en dat hij enkele maanden geleden een zware operatie heeft ondergaan. Sindsdien is hij aan het opknappen als gast van het congreslid.'
'Wat wil dat zeggen?' vroeg Eric Sundstrom.
'Ik weet niet zeker of ik er een bepaalde betekenis aan moet hechten, maar er zijn drie feiten de moeite van het vermelden waard. Ten eerste dook deze Weingrass, voor zover ik heb kunnen vaststellen, op uit het niets kort na Kendricks terugkeer uit Oman. Ten tweede bestaat er kennelijk een hechte band

tussen die twee, en ten derde – en dat is wat verontrustend – is de identiteit van de man, evenals zijn aanwezigheid in Mesa Verde, een angstvallig bewaakt maar slecht bewaard beheim. Weingrass zelf is hierin de boosdoener; of het komt door zijn leeftijd of door zijn aard, hij trekt erg veel op met de werklui, vooral met de Zuidamerikaanse.'

'Dat hoeft nog niets negatiefs te zijn,' zei Logan glimlachend.

'Misschien heeft hij wel deelgenomen aan de operatie in Oman,' opperde Margaret Lowell. 'En dat is ook niet negatief.'

'Nauwelijks,' stemde Jacob Mandel in.

Sundstrom sprak opnieuw. 'Hij moet wel een bijzondere invloed hebben op Kendrick,' zei hij en hij maakte een aantekening. 'Dacht jij ook niet, Milos?'

'Ik mag aannemen van wel. Het enige wat ik eigenlijk wil zeggen is dat ik graag heb dat u op de hoogte bent wanneer ik iets niet weet.'

'Volgens mij is hij een pluspunt,' zei Samuel Winters. 'Van welke kant ook bekeken. Ga alstublieft verder, meneer Varak.'

'Ja, meneer. Omdat ik weet dat niets deze kamer mag verlaten heb ik het dossier van het congreslid op dia's laten zetten.' De Tsjech drukte op de bedieningsknop en de tweevoudige foto van de vermomde Kendrick in de straten vol geweld van Masqat werd vervangen door een getikte pagina, met grote letters en drievoudige interlinie. 'Elke dia vertegenwoordigt ongeveer een kwart van een normale pagina,' vervolgde Varak, 'en alle negatieven zijn in het laboratorium beneden natuurlijk vernietigd. Ik heb mijn best gedaan om de kandidaat zo gedegen mogelijk te bestuderen, maar ik heb misschien details weggelaten die sommigen van u kunnen interesseren. Aarzelt u dus niet mij daarover vragen te stellen. Ik zal op u letten en als u ieder voor zich even wilt knikken wanneer u klaar bent met lezen en met aantekeningen maken zal ik weten wanneer de volgende dia moet komen. ...Wat u in het komende uur of zo dus te zien krijgt is het leven van afgevaardigde Evan Kendrick – vanaf zijn geboorte tot verleden week.'

Bij elke dia was Eric Sundstrom de eerste die knikte. Margaret Lowell en Jacob Mandel wedijverden om de eer de laatste te mogen zijn, maar ze maakten daarbij ook bijna evenveel aantekeningen als Gideon Logan. De woordvoerder, Samuel Winters, maakte er vrijwel geen; hij was al overtuigd.

Drie uur en vier minuten later zette Milos Varak de projector

af. Twee uur en zeven minuten daarna was de laatste vraag gesteld en verliet Varak het vertrek.
'Om onze vriend buiten het juiste verband te parafraseren,' zei Winters, 'een knik van ieder van jullie betekent instemming. Schud je hoofd als het negatief is. We zullen met Jacob beginnen.'
Langzaam en nadenkend knikten de leden van Inver Brass een voor een instemmend.
'Dan zijn we het daarover eens,' vervolgde Winters. 'Congreslid Evan Kendrick zal de volgende vice-president zijn van de Verenigde Staten. Hij zal president worden elf maanden na de verkiezing van de dan zittende president. De codenaam is Icarus, en dat moest als een waarschuwing worden gezien, een vurige hoop dat hij niet, zoals zovele van zijn voorgangers hebben gedaan, zal proberen te dicht bij de zon te vliegen en zo in zee zal storten. En moge God onze zielen genadig zijn.'

17

Congreslid Kendrick van het Negende Congresdistrict in Colorado zat achter zijn bureau te kijken naar het strenge gezicht van zijn secretaresse terwijl die maar bleef doorratelen over post die voorrang had, agenda's van het Huis, witboeken en cocktail-party's waar hij gewoon niet kon wegblijven, ondanks het oordeel van zijn eerste assistent. Haar lippen bleven open en dicht gaan met de snelheid van een mitrailleur en de nasale geluiden die eruit kwamen leken veel op 't geratel van kogels.
'Ziezo, afgevaardigde, dat is uw programma voor deze week.'
'Het is me nogal wat, Annie. Maar kun je nu niet gewoon een circulaire sturen naar iedereen waarin staat dat ik een besmettelijke ziekte heb en niemand van hen wil aansteken?'
'Evan, hou daar mee óp,' riep Ann Mulcahy O'Reilly uit, een zeer vastberaden veteraan van Washington van middelbare leeftijd. Je trekt je hier nergens iets van aan en dat moet nu maar eens ophouden! Weet je wat ze hier op de Hill zeggen? Ze zeggen dat je nergens een barst om geeft en dat je handenvol geld uitgeeft alleen maar om met meisjes uit te gaan die even rijk zijn als jij.'
'Geloof jij dat, Annie?'

'Hoe kan ik dat in godsnaam geloven? Je gaat nooit ergens heen, je doet nooit iets. Ik zou de heiligen danken als ze je in je blootje betrapten in de Reflection Pool met de grootste del van Washington! Dan wist ik tenminste dat je iets dééd.'
'Misschien wil ik helemaal niks doen.'
'Verdomme, maar dat moet je wel! Ik heb je stellingname over een dozijn kwesties uitgetikt en ze zijn oneindig veel beter dan tachtig procent van die clowns hier, maar niemand let erop.'
'Ze worden onder de tafel geschoven omdat ze niet populair zijn, Annie; ik ben niet populair. Ze willen me in geen van beide kampen hebben. De paar bij wie ik in beide partijen ben opgevallen hebben zoveel etiketten op me geplakt dat die zichzelf tegenspreken. Ze kunnen me niet plaatsen en dus verstoppen ze me maar, en dat is niet zo moeilijk, want ik klaag nooit.'
'De hemel weet dat ik het lang niet altijd met je eens ben, maar ik kan wel zien wanneer er iemand hersens heeft... Vergeet het maar, afgevaardigde. Wat zijn uw antwoorden?'
'Later. Heeft Manny nog gebeld?'
'Ik heb hem twee keer het bos ingestuurd. Ik wilde eerst dit met jou afhandelen.'
Kendrick boog zich voorover en zijn lichtblauwe ogen stonden kil, bijna kwaad. 'Dat moet je nooit meer doen, Annie. Voor mij is niets of niemand zo belangrijk als die man in Colorado.'
'Jawel, meneer.' O'Reilly sloeg haar ogen neer.
'Het spijt me,' zei Evan snel, 'dat was nergens voor nodig. Jij probeert je werk te doen en ik help je niet erg daarbij. Nogmaals, het spijt me.'
'Je hoeft je niet te verontschuldigen. Ik weet wat je met meneer Weingrass hebt doorgemaakt en wat hij voor je betekent – hoe vaak heb ik je werk niet naar het ziekenhuis moeten brengen? Ik had het recht niet me ermee te bemoeien. Van de andere kant probeer ik inderdaad mijn werk te doen en jij bent niet altijd de meest gedienstige baas op de Hill.'
'Er zijn andere heuvels waar ik liever op zou zitten...'
'Dat weet ik, en daarom zullen we de cocktail-party's maar doorstrepen; je zou jezelf er trouwens waarschijnlijk meer kwaad doen dan goed.' Ann O'Reilly stond op en legde een dossier op Kendricks bureau. 'Maar volgens mij moet je wel even kijken naar dat voorstel van je collega uit de Senaat van Colorado. Ik geloof dat hij ergens de top van een berg wil af-

snijden en er een reservoir van wil maken. In deze plaats betekent dat meestal een meer, gevolgd door een stelletje flatgebouwen.'
'Die doorzichtige klootzak,' zei Evan en hij rukte het dossier open.
'Ik zal ook meneer Weingrass even bellen voor je.'
'Nog steeds menéér Weingrass?' vroeg Evan terwijl hij in het dossier bladerde. 'Geef je niet toe? Ik heb hem wel tien keer horen zeggen dat je hem Manny moest noemen.'
'Och, dat doe ik nu en dan ook wel, maar het is niet gemakkelijk.'
'Waarom? Omdat hij zo'n grote bek heeft?'
'Moeder Maria, nee. Daaraan kun je je niet ergeren als je getrouwd bent met een dubbele pleepot van een Ierse rechercheur.'
'Dubbele pleepot...?' Kendrick keek op.
'Een oude uitdrukking uit Boston, maar nee, die grote bek is het niet.'
'Wat dan?'
'Een grap waarmee hij steeds maar komt aandraven. Hij blijft maar tegen me zeggen, vooral wanneer ik hem bij zijn voornaam noem: "Meid," zegt hij dan, "volgens mij hebben we hier een nummertje voor een revue. We zullen het Manny's Ierse Annie noemen, wat vind je daarvan?" En dan zeg ik weer: "Ik ben er niet kapot van, Manny," en dan zegt hij: "Ga toch weg bij die vriend van me, dat beest, en laten we ergens heenvliegen. Hij zal mijn eeuwige hartstocht best begrijpen," en dan zeg ik tegen hem dat de DP-smeris zijn eigen hartstocht niet eens begrijpt.'
'Zeg het maar niet tegen je man,' opperde Kendrick grinnikend.
'O, maar dat heb ik al lang gedaan. Hij zei alleen maar dat hij de vliegtickets zou kopen. Maar hij is dan ook al een paar keer dronken geweest met Weingrass...'
'Dronken geweest? Ik wist niet eens dat die twee elkaar kenden.'
'Mijn fout – en daar zal ik altijd spijt van hebben. Het was toen jij zowat acht maanden geleden naar Denver vloog...'
'Ik weet het weer. De statenvergadering en Manny lag nog in het ziekenhuis. Ik vroeg jou om hem te gaan opzoeken en de *Tribune* uit Parijs mee te nemen.'

‘En ik nam Paddy ook mee tijdens het bezoekuur ’s avonds. Ik ben wel niet precies een pin-up maar zelfs ik ga ’s avonds niet meer alleen op straat wandelen en zo is die DP-smeris tenminste ergens goed voor.’
‘Wat gebeurde er?’
‘Ze vielen op elkaar als een twee-eiige tweeling. Ik moest op een avond diezelfde week overwerken en Paddy wilde met alle geweld zelf naar het ziekenhuis gaan.’
Evan schudde langzaam zijn hoofd. ‘Het spijt me, Annie. Dat heb ik nooit geweten. Ik wilde jou en je man niet betrekken bij mijn privé-leven. En Manny heeft me nooit iets verteld.’
‘Waarschijnlijk de flessen met Listerine.’
‘De wat?’
‘Dezelfde kleur als lichte whisky. Ik zal hem wel voor je bellen.’

Emmanuel Weingrass stond tegen een rotsformatie geleund boven op een heuvel die deel uitmaakte van Kendricks bezit van twaalf hectaren aan de voet van de bergen. Zijn geblokte hemd met korte mouwen stond open tot aan zijn middel terwijl hij de zon opzoog en de heldere berglucht van de zuidelijke Rockies inademde. Hij keek naar zijn borst, naar de littekens van de operatie en vroeg zich heel even af of hij in God moest geloven of in Evan Kendrick. De artsen hadden hem verteld – maanden na de operatie en na een groot aantal controles – dat ze alle smerige celletjes hadden weggesneden die zijn leven aan het verslinden waren. Hij was schoon, luidde hun uitspraak. En dat was een uitspraak geweest voor een man die vandaag, op deze rots, tachtig jaar was, terwijl de zon op zijn breekbare lijf brandde. Breekbaar en weer ook niet zó breekbaar, want hij kon zich beter bewegen, beter praten – en hij hoestte praktisch niet meer. Toch miste hij zijn Gauloises en de Monte Cristo-sigaren die hij zo graag rookte. Maar wat konden ze doen? Zijn leven een paar weken of maanden eerder stilleggen dan een logisch einde?
Hij keek naar zijn verpleegster in de schaduw van een boom in de buurt naast het steeds aanwezige golfkarretje. Zij was een van de vrouwen die dag en nacht altijd bij hem waren en hij vroeg zich af wat ze zou doen als hij haar een oneerbaar voorstel deed zoals hij daar tegen dat rotsblok stond geleund. Het had hem altijd geïntrigeerd wat de reactie daarop zou zijn maar

meestal vond hij de werkelijkheid alleen maar leuk.
'Prachtdag, vind je niet?' riep hij.
'Magnifiek gewoon,' luidde het antwoord.
'Wat zou je ervan zeggen als we al onze kleren eens uittrokken en er echt van gingen genieten?'
De verpleegster vertrok geen spier. Het antwoord was rustig, weloverwogen, zelfs vriendelijk. 'Meneer Weingrass, ik ben hier om op u te passen, niet om u een hartaanval te bezorgen.'
'Niet slecht, helemaal niet slecht.'
De radiotelefoon op het golfkarretje zoemde; de vrouw liep erheen en trok de hoorn uit het apparaat. Na een kort gesprek dat werd afgesloten door zacht lachen wendde ze zich naar Manny. 'De afgevaardigde aan de lijn voor u, meneer Weingrass.'
'Jij lacht zo nooit met een afgevaardigde,' zei Manny terwijl hij wegliep van de rots. 'Ik durf te wedden dat het Annie Glocamorra is die weer leugens over me rondstrooit.'
'Ze vroeg inderdaad of ik u nog niet had gewurgd.' De verpleegster overhandigde Weingrass de hoorn.
'Annie, deze vrouw is een geile griet!'
'We proberen je van dienst te zijn,' zei Evan Kendrick.
'Verrek, die griet van jou laat die telefoon ook verdomde gauw los.'
'Een gewaarschuwde vrouw telt voor twee, Manny. Je had gebeld. Is alles in orde?'
'Mag ik alleen maar bellen als er iets is?'
'Je belt zelden, punt uit. Dat voorrecht is praktisch alleen voor mij weggelegd. Wat is er?'
'Heb je nog wat geld over?'
'Ik krijg de rente niet eens op. Jazeker. Waarom?'
'Weet je nog die uitbreiding die we hebben gebouwd aan de westelijke veranda zodat je nu een mooi uitzicht hebt?'
'Natuurlijk.'
'Ik heb wat zitten rotzooien met een paar schetsen. Volgens mij moet je daar bovenop een terras bouwen. Twee T-balken eronder is voldoende; misschien nog een derde als je tegen de muur nog een stoombad met glazen muren wilt hebben.'
'Glazen muren...? Hé, dat klinkt geweldig. Ga je gang.'
'Goed. Ik zal morgen de loodgieters laten komen. Maar wanneer dat klaar is ga ik echt terug naar Parijs.'
'Je zegt het maar, Manny. Maar je zei dat je nog wat plannen

zou uitwerken voor een tuinhuisje onder bij de samenloop van de rivieren.'
'Maar jij zei dat je niet zover wilde lopen.'
'Ik ben van gedachten veranderd. Het zal een goeie plek zijn als je eens alleen wilt zijn en wilt nadenken.'
'Dat doet de eigenaar van deze tent nooit.'
'Wat ben je weer lief. Ik kom de volgende week een paar dagen.'
'Ik kan er nauwelijks op wachten,' zei Weingrass, hij ging harder praten en keek naar de verpleegster. 'Als je hier bent kun je tenminste die zwaarhijgende seksmaniakken van mijn lijf rukken.'

Het was kort na tienen 's avonds toen Milos Varak een verlaten gang doorliep in het kantoorgebouw van het Huis. Er was tevoren voor gezorgd dat hij kon worden toegelaten, een bezoeker die laat op de avond nog ging praten met congreslid Arvin Partridge uit Alabama. Varak kwam aan de zware houten deur met in het midden van het gebeeldhouwde paneel de koperen plaat en klopte. Binnen enkele tellen werd de deur geopend door een slanke jongeman, vooraan in de twintig wiens ogen bezorgd vanachter zijn grote bril staarden. Wie hij dan ook was, hij was niet de ruwe, gewiekste voorzitter van de Partridge 'Bende', die onderzoekscommissie die vastbesloten was erachter te komen waarom de strijdkrachten zo weinig waar voor hun geld kregen. Het ging niet over wc-brillen van 1200 dollar en buistangen van 700 dollar; die waren te voor de hand liggend om serieus te worden genomen en het waren misschien ook nog wel afleidingsmanoeuvres die gecorrigeerd konden worden. Wat de 'Vogels' – een andere bijnaam – interesseerde waren de budgetoverschrijdingen van 500 procent en de beperkte mate waarin er concurrerend werd ingeschreven op defensiecontracten. Wat ze nog maar net hadden blootgelegd, natuurlijk, was een stroom van corruptie met zoveel zijstroompjes dat er niet genoeg verkenners waren om die te onderzoeken in de beschikbare kano's.
'Ik kom hier voor afgevaardigde Partridge,' zei de blonde man. Zijn Tsjechisch accent werd opgemerkt door de slanke jongeman bij de deur, maar mogelijk verkeerd begrepen.
'Hebt u...?' begon de kennelijke assistent van het congreslid aarzelend. 'Ik bedoel, toen u zich bij de bewakers beneden meldde...'

'Als u me vraagt of ik al dan niet ben gecontroleerd op vuurwapens, natuurlijk ben ik dat, en dat hoorde u te weten. Ze hebben u opgebeld vanuit het kantoor Bewaking. Het congreslid, alstublieft. Hij verwacht me.'
'Zeker, meneer. Hij is op zijn kantoor. Deze kant uit, meneer.'
De nerveuze assistent ging Milos voor naar een tweede grote, donkere deur. De jongeman klopte. 'Afgevaardigde...'
'Zeg maar dat hij binnenkomt!' beval de luide zuidelijke stem van binnenuit. 'En jij blijft daar en neemt de telefoon aan. Het kan me niet schelen of het de voorzitter van het Huis is of de president, ik ben er niet!'
'Gaat u maar naar binnen,' zei de assistent en hij deed de deur open.
Varak was in de verleiding de verontruste jongeman te zeggen dat hij een vriendschappelijke liaisonman was van de KGB, maar besloot het toch maar niet te doen. De assistent was er niet voor niets; om deze tijd werd er naar het kantoorgebouw van het Huis maar weinig gebeld. Milos stapte het grote, luxueus ingerichte vertrek binnen met de overvloed van foto's op het bureau, muren en tafels, die alle op een of andere manier getuigden van de invloed, de vaderlandsliefde en de macht van Partridge. De man zelf stond bij een raam waarvoor een gordijn hing en hij was niet zo imposant als hij leek op de foto's. Hij was klein en te dik, met een gezwollen, kwaad gezicht onder een grote schedel met dunnend, geverfd haar.
'Ik weet niet wat je me komt verkopen, Blondie,' zei het congreslid dat als een kwaaie duif een paar stappen vooruit zette, 'maar als het is wat ik denk dat het is dan zal ik je zo hard naar beneden schoppen dat je zou willen dat je een parachute had.'
'Ik verkoop niks, meneer, ik kom iets afgeven. Iets wat zelfs erg waardevol is.'
'Geouwehoer! Jij wilt vast iets in de doofpot gestopt hebben en daar doe ik niet aan mee!'
'Mijn cliënten willen niets in de doofpot stoppen en ik zeker niet. Maar, als ik het mag zeggen, afgevaardigde, misschien wilt ú het wel.'
'Gelul! Ik heb naar je geluisterd aan de telefoon – jij had iets gehóórd, iemand had het over drugs en ik kon maar beter luisteren – daarom heb ik eens hier en daar verdomde goed navraag gedaan en ik ben te weten gekomen wat ik moest weten, wat ik wist dat de waarheid was! We zijn hier schoon, even

schoon als een rivier in Alabama! Nou wil ik wel eens weten wie jou heeft gestuurd, wat voor pooier in wat voor diefachtige directiekamer dacht dat hij mij op stang kon jagen met dit soort gezeik?'
'Ik geloof niet dat u dit soort "gezeik" gepubliceerd zou willen zien, meneer. De informatie is vernietigend.'
'*Informatie?* Woorden! Insinuaties! Geruchten, lasterpraatjes! Net als die zware jongen die probeerde het hele verdomde Congres erbij te lappen met zijn leugens!'
'Geen geruchten, geen lasterpraatjes,' zei Milos Varak en hij stak zijn hand in de binnenzak van zijn colbertje. 'Alleen maar foto's.' De Tsjech van Inver Brass gooide de witte envelop op het bureau.
'Wát?' Partridge liep direct op de envelop af; hij ging zitten en scheurde die open, trok de foto's er één voor één uit en hield ze onder de bureaulamp met groene kap. Hij sperde zijn ogen open en zijn gezicht werd bleek en daarna vuurrood van woede. Wat hij zag was iets wat hij voor volkomen onvoorstelbaar had gehouden. Er waren verscheidene stellen, trio's en kwartetten van gedeeltelijk en totaal naakte jonge mensen die met rietjes gebogen stonden over een wit poeder dat op de tafels was gestrooid; snel genomen opnamen van spuiten, pillen en flessen bier en whisky; ten slotte duidelijke foto's van verscheidene stellen die gemeenschap hadden met elkaar.
'Je hebt tegenwoordig zoveel afmetingen in camera's,' zei Varak. 'De microtechnologie maakt camera's die zo klein zijn als knopen op een jasje of een overhemd mogelijk...'
'O, mijn gód!' riep Partridge gekweld uit. 'Dat is mijn huis in Arlington! En dat is...'
'Het huis van congreslid Bookbinder in Silver Springs, en bovendien de huizen van drie andere leden van uw commissie. Door uw werk bent u vaak niet in Washington aanwezig.'
'Wie heeft die genomen?' vroeg Partridge, nauwelijks verstaanbaar.
'Daarop geef ik geen antwoord; ik zeg alleen maar dat de persoon in kwestie duizenden kilometers hier vandaan is zonder de negatieven en zonder de kans om naar dit land terug te keren. Je zou kunnen zeggen een uitwisselingsstudent in politieke wetenschappen.'
'We hebben zoveel bereikt en nu is het allemaal voor niks geweest. ...O gód!'

'Waarom, afgevaardigde?' vroeg Varak serieus. 'Deze jonge mensen zitten niet in uw commissie. Het zijn uw juridische raadslieden niet of uw accountants of zelfs uw belangrijkste assistenten niet. Het zijn kinderen die afschuwelijke fouten hebben gemaakt in de bedwelmende omgeving van de machtigste hoofdstad in de hele wereld. Zorg dat u hen kwijtraakt; zeg tegen hen dat hun levens en hun carrières geruïneerd zijn, tenzij ze hulp gaan zoeken en zich voortaan gedragen, maar maak geen einde aan uw commissie.'
'Niemand zal ons ooit nog geloven,' zei Partridge en hij staarde recht voor zich uit alsof hij tegen een muur sprak. 'We zijn even rot als iedereen waar we achteraan zitten. We zijn hypocrieten.'
'Niemand hoeft het te weten...'
'Geouwehoer!' barstte het congreslid van Alabama uit en hij stortte zich op de telefoon, drukte op een knop en bleef drukken totdat zijn oproep al lang was beantwoord. 'Kom naar bínnen!' krijste hij. De jonge assistent stapte naar binnen toen Partridge opstond achter zijn bureau. 'Jij klóótzak met je deftige schoolopleiding! Ik vroeg je me de waarheid te vertellen! Je hebt gelogen!'
'Nee, dat heb ik niet!' schreeuwde de jongeman terug, met tranen in de ogen achter de grote brilleglazen. 'U vroeg me wat er gebeurde – wat er gebeurt – en ik zei u niets – er gebeurt niets! Een paar van ons zijn vorige week gearresteerd en we zijn er allemaal bang van geworden. Oké, we waren dom, stóm, daarover waren we het allemaal eens, maar we hebben niemand nadeel berokkend behalve onszelf! We hebben alles in de steek gelaten en nog een verrekte hoop meer dan dat, maar u en die lefgozers van u hier hebben nooit iets gemerkt. Die omhooggevallen staf van u laat ons tachtig uur in de week werken en dan noemen ze ons ook nog stomkoppen terwijl ze het spul gebruiken dat ze van ons krijgen om voor de televisiecamera's te komen. Nou, wat u nog niet hebt gemerkt is dat u hier nu een hele nieuwe kleuterschoolklas hebt gekregen. De anderen zijn allemaal weggelopen en u hebt het nog niet eens gemérkt! Ik ben de enige die er nog is omdat ik niet weg kón komen.'
'Je kunt nou opdonderen.'
'Reken maar, keizer *Jones!*'
'Wie?'
'Een toespeling die precies op jou slaat,' zei de jongeman; hij

stormde de deur uit en smakte die achter zich dicht.
'Wie was dát?' vroeg Varak.
'Arvin Partridge, junior,' antwoordde de afgevaardigde zacht en hij ging zitten met zijn ogen op de deur gericht. 'Hij is in zijn derde jaar rechtenstudie in Virginia. Het waren allemaal rechtenstudenten en ze hebben zich dag en nacht rotgewerkt voor noppes en heel weinig dank. Maar wij gaven hun ook iets en zij hebben het vertrouwen dat wij in hen hebben gesteld geschonden.'
'En wat hebt u ze dan wel gegeven?'
'Ervaring die ze nergens anders hadden kunnen opdoen, niet in de rechtzalen of in de wetboeken, alleen maar hier. Mijn zoon zocht spijkers op laag water in wetszaken en grammatica en dat weet hij. Hij heeft tegen me gelogen over iets wat ons allemaal kan vernietigen. Ik zal hem nooit meer vertrouwen.'
'Het spijt me.'
'Het is jouw probleem niet!' snauwde Partridge en zijn toon was niet langer meer nadenkend. 'Goed dan, smeerlap,' vervolgde hij ruw, 'wat wil je van me om deze commissie op poten te houden? Je zei dat het niet om een doofpot ging, maar ik neem aan dat er tientallen manieren zijn om zoiets te zeggen zonder het te zeggen. Ik zal de plussen en de minnen tegen elkaar moeten afwegen, nietwaar?'
'Er zijn voor u geen minnen, meneer,' zei Varak; hij haalde een paar opgevouwen vellen papier te voorschijn, vouwde ze open en legde ze op het bureau voor het congreslid. Ze vormden een resumé met een kleine pasfoto in de rechterbovenhoek van het eerste vel. 'Mijn cliënten willen deze man graag in uw commissie hebben...'
'Jullie weten zeker iets over hem!' viel Partridge hem in de rede.
'Absoluut niets compromitterends; hij staat boven elke verdenking waar het om dit soort zaken gaat. Ik herhaal, mijn cliënten willen niets in de doofpot gestopt zien, dit is geen afpersing, er hoeven geen commissienota's te worden uitgezonden of geblokkeerd voor betaling. Deze man kent mijn cliënten niet en zij kennen hem ook niet persoonlijk, en hij weet absoluut niets over ons gesprek vanavond.'
'Waarom wilt u dan dat ik hem neem?'
'Omdat mijn cliënten geloven dat hij een uitstekende aanwinst zal zijn voor uw commissie.'

'Eén man kan geen barst uitrichten, dat weet je toch zeker wel?'
'Zeker.'
'Als hij wordt binnengekruid om informatie te krijgen, wij zijn waterdicht.' Partridge keek naar de foto's onder de lamp met de groene kap; hij draaide ze om en sloeg er nijdig met zijn hand op. 'Dat waren we tenminste.'
Varak boog zich naar voren en pakte de foto's. 'Doe het maar, afgevaardigde. Maak hem lid van uw commissie. Veel maakt het toch niet uit. Wanneer hij zijn benoeming heeft krijgt u deze foto's terug, mét de negatieven. Doet u het nu maar.'
De ogen van Partridge waren gericht op de opnamen in de hand van de blonde man. 'Toevallig is er wel een vacature. Bookbinder heeft gisteren zijn ontslag genomen – privé-problemen.'
'Dat weet ik,' zei Milos Varak.
Het congreslid keek zijn bezoeker in de ogen. 'Wie bent u, verdomme, eigenlijk?'
'Iemand die gehecht is aan zijn nieuwe vaderland, maar ik ben niet belangrijk. Die man wel.'
Partridge keek naar het resumé dat voor hem lag. 'Evan Kendrick, Colorado's Negende,' las hij. 'Ik heb nauwelijks van de man gehoord en ik ben niet kapot van wat ik tot dusver heb gehoord. Hij is een nul; een rijke nul.'
'Dat zal veranderen, meneer,' zei Varak terwijl hij zich omkeerde en op de deur afliep.

'Afgevaardigde, *afgevaardigde!*' schreeuwde Evan Kendricks eerste assistent; hij kwam zijn kantoor uitstormen en rende door de gang van het Huis zijn werkgever achterna.
'Wat is er?' vroeg Evan. Hij haalde zijn vinger van de liftknop en keek geamuseerd toe terwijl de jongeman buiten adem en slippend voor hem tot stilstand kwam. 'Het is niks voor jou om zelfs maar harder te praten dan een vertrouwelijk gefluister, Phil. Is het Negende van Colorado onder een landverschuiving begraven?'
'Misschien is het net na lange tijd onder de modder vandaan gekomen. Vanuit uw standpunt gezien dan.'
'Ik ben benieuwd.'
'Congreslid *Partridge*. De Partridge van *Alabama!*'
'Een beetje rauwe bink maar een goede kerel. Hij neemt risico's. Wat hij doet bevalt me wel.'

'Hij wil dat u het samen met hem doet.'
'Wat doet?'
'Lid worden van zijn commissie!'
'Wát?'
'Het is een geweldige stap vooruit, meneer!'
'Het is een waardeloze stap achteruit,' luidde de afwijkende mening van Kendrick. 'Zijn commissieleden komen twee keer per week 's avonds op het nieuws, en ze zijn "reserve" voor de zondagochtenden wanneer onze nieuwste kometen uit het Congres niet beschikbaar zijn. Het is wel het laatste wat ik wil.'
'Neem me niet kwalijk, afgevaardigde, maar het is het eerste dat u zou moeten aannemen,' zei de assistent, nu wat rustiger en Kendrick strak aankijkend.
'Waarom?'
De jongeman die Phil heette legde zijn hand op Kendricks arm en duwde hem wat uit de buurt van de groeiende groep mensen voor de lift. 'U hebt me gezegd dat u na de verkiezingen uw ontslag neemt en dat accepteer ik. Maar u hebt me ook gezegd dat u invloed wilt hebben op de benoeming van uw opvolger.'
'Dat ben ik zeker van plan.' Evan knikte instemmend. 'Ik heb tegen die rotmachine gevochten en ik wil dat ze buiten werking blijft. Verrek, ze zouden elke berg in de zuidelijke Rockies verkopen als een uraniummijn als ze maar één onderzoek door regeringsinstanties konden krijgen – en het nieuws daarover natuurlijk konden laten uitlekken.'
'U zult helemaal geen zeggenschap meer hebben als u Partridge weigert.'
'Waarom niet?'
'Omdat hij u echt wíl hebben.'
'Waarom?'
'Ik weet het niet zeker, ik weet alleen maar zeker dat hij een reden heeft voor alles wat hij doet. Misschien wil hij zijn invloed verder naar het westen uitbreiden, een fundament leggen voor eigen voordeel – wie zal het zeggen? Maar hij heeft verrekt veel delegaties van zijn staat onder zijn duim; en als u hem beledigt door "Nee, dank je makker" te zeggen zal hij dat als arrogantie beschouwen en u isoleren, zowel hier als in uw district. Ik bedoel maar, hij is echt een mannetjesputter op de Hill.'

Kendrick zuchtte met gefronste wenkbrauwen. 'Och, ik kan altijd nog mijn mond houden lijkt me.'

Het was de derde week na de benoeming van congreslid Evan Kendrick in de Partridge-commissie, een totaal onverwachte benoeming waarvan niemand in Washington ondersteboven was, behalve Ann Mulcahy O'Reilly, en daardoor ook haar man, Patrick Xavier, een uit Boston overgeplaatste politie-inspecteur die de autoriteiten van de door misdaden geteisterde stad graag in hun dienst wilden hebben en ook betaalden. Over het algemeen nam men aan dat de voorzitter dit had gedaan omdat de oude geslepen vos de aandacht meer op zichzelf wilde vestigen en niet op de andere leden van de commissie. Als dat juist was gegist had Partridge geen betere keuze kunnen maken. De afgevaardigde van Colorado's Negende District deed zelden zijn mond open tijdens de hoorzittingen die tweemaal per week op de televisie verschenen, behalve dan 'Ik pas, meneer de voorzitter', wanneer het zijn beurt was getuigen te ondervragen. De langste verklaring die hij in feite had afgelegd tijdens zijn korte ambtstermijn bij de 'Vogels' was zijn antwoord van drieëntwintig seconden op het welkom van de voorzitter. Hij had kalm uitdrukking gegeven aan zijn verbazing voor deze eervolle uitverkiezing en hoopte dat hij het door de voorzitter in hem gestelde vertrouwen zou kunnen waarmaken. De televisiecamera's waren midden in zijn korte speech – na precies twaalf seconden – van hem weggedraaid en werden gericht op het verschijnen van een geüniformeerde conciërge die in de hoorzaal overal de asbakken leegde.
'Dames en heren,' zei de gedempte stem van de omroeper, 'zelfs tijdens hoorzittingen als deze vergeet de regering niet fundamentele voorzorgsmaatregelen te nemen ...Wat? ...O ja, afgevaardigde Owen Canbrick is aan het einde van zijn verklaring.'
Op de dinsdag van de vierde week gebeurde er echter iets heel ongewoons. Het was de morgen van de eerste zitting van die week die werd uitgezonden, en er bestond meer dan normale belangstelling voor omdat de hoofdgetuige de vertegenwoordiger was van de inkoopafdeling van het Pentagon. De man was een vrij jonge, kalende kolonel die op een agressieve manier naam had gemaakt in de logistiek, een onwankelbaar toegewijde militair met onwrikbare overtuigingen. Hij was intelligent, rad van tong en gezegend met wrange humor; hij was het

zware geschut van Arlington als het ging om jengelende, vrekkige burgers. Vele mensen zaten handenwrijvend te wachten op de confrontatie tussen kolonel Robert Barrish en de even intelligente, even welbespraakte en zeker even zure voorzitter van de Partridge-commissie.
Wat die morgen echter ongewoon was, was de afwezigheid van afgevaardigde Arvin Partridge van Alabama. De voorzitter was niet komen opdagen en hij kon niet worden opgespoord ondanks alle telefoontjes en een heel peloton assistenten die de hele hoofdstad uitkamden. Hij was gewoon verdwenen.
Maar congrescommissies zijn niet uitsluitend afhankelijk van voorzitters, zeker niet als er televisie aan te pas komt, daarom ging de hoorzitting door onder het gebrek aan leiderschap dat ten toon werd gespreid door een congreslid van Noord-Dakota die gebukt ging onder de zwaarste kater van zijn hele leven, een zeer ongewone aandoening omdat bekend was dat de man niet dronk. Hij werd beschouwd als een zachtaardige, sobere dominee die helemaal leefde naar de bijbelse aanmaning om zwaarden om te smeden tot ploegscharen. Hij was ook een portie rauw vlees voor de leeuw in de gedaante van kolonel Robert Barrish.
'...en om mijn verklaring voor deze *burgerlijke* inquisitie te beëindigen, verklaar ik met nadruk dat ik de woordvoerder ben van een sterke, *vrije* maatschappij die in een strijd op leven en dood is gewikkeld met satanische machten die ons aan stukken zouden rijten zo gauw ze maar even zien dat wij zwak zijn. Moeten onze handen in boeien worden geslagen vanwege onbelangrijke theoretische vertrouwensprocedures die zo goed als niets te maken hebben met de *status quo ante* van onze vijanden?'
'Als ik u goed begrijp,' zei de plaatsvervangende voorzitter die maar nauwelijks uit zijn ogen kon kijken, 'dan wil ik u verzekeren dat niemand hier uw toewijding tot het verdedigen van onze natie ook maar even in twijfel trekt.'
'Dat mag ik hopen, meneer.'
'Ik geloof niet...'
'Wácht 's effe, soldaat,' zei Evan Kendrick aan het uiteinde van de tafel.
'Pardon?'
'Ik vroeg of u even wilde wachten, alstublieft?'
'Mijn rang is kolonel in het leger van de Verenigde Staten, en

ik verwacht als zodanig te worden aangesproken,' zei de officier kregelig.
Evan keek de getuige strak aan en vergat even de microfoon. 'Ik spreek u aan op de manier die mij aanstaat, arrogante rotzak.' Camera's werden met een ruk omgezwaaid, overal weerklonken piepjes in de studio's, maar ze kwamen te laat om het woord uit de ether te houden. '...tenzij u persoonlijk de Constitutie hebt veranderd, en ik betwijfel of u die ooit hebt gelezen,' vervolgde Kendrick terwijl hij zacht grinnikend de stukken die voor hem lagen bestudeerde en terugdacht aan zijn gesprek met Frank Swann op Buitenlandse Zaken voordat hij naar Masqat ging. 'Inquisitie, moet je hóren!'
'Ik neem aanstoot aan uw houding...'
'Een heleboel belastingbetalers nemen ook aanstoot aan de uwe,' viel Evan hem in de rede, terwijl hij de staat van dienst van Barrish nalas en zich nog precies de woorden van Frank Swann herinnerde van meer dan een jaar geleden. 'Mag ik u eens vragen, kolonel, hebt u ooit een geweer afgeschoten?'
'Ik ben militair!'
'Dat hebben we alletwee vastgesteld, nietwaar? Ik weet dat u militair bent; wij burgers die met deze inquisitie bezig zijn betalen uw salaris – tenzij u het uniform hebt gehuurd.' Door de vertrekken van het congres klonk zacht gelach. 'Ik vroeg u of u ooit een geweer hebt afgeschoten.'
'Ontelbare malen. En u?'
'Verscheidene malen, niet ontelbare, en nooit in uniform.'
'Dan geloof ik dat daarmee de kwestie is afgedaan.'
'Niet helemaal. Hebt u ooit een wapen gebruikt met het doel een ander mens te doden die van plan was u te doden?'
De stilte die volgde ging aan niemand voorbij. Het zachte antwoord was voor allen hoorbaar. 'Ik heb nooit in een oorlog gevochten als u dat bedoelt.'
'Maar u zei zojuist dat u in een strijd op leven en dood was gewikkeld, enzovoort, enzovoort, hetgeen bij iedereen hier en de kijkers daarginds de indruk wekt dat u een soort moderne Davy Crockett bent die het fort aan de Alamo verdedigt, of een sergeant York, of misschien een Indiana Jones die het opneemt tegen de schurken. Maar dat klopt van geen kanten, nietwaar, kolonel? U bent een boekhouder die de diefstal probeert goed te praten van miljoenen – misschien wel miljarden – van het geld van de belastingbetalers onder het rood, wit

blauw van super-vaderlandslievendheid.'
'Jij rot...! Hoe dúrf je...' Opnieuw kwamen de zwaaiende camera's en de piepjes te laat, toen kolonel Barrish uit zijn stoel omhoog kwam en met zijn vuist op tafel sloeg.
'De zitting wordt *verdaagd!*' schreeuwde de uitgeputte voorzitter. 'Verdaagd, godverdómme!'

In de donkere controlekamer van een van Washingtons televisiestations stond een grijze nieuwslezer te kijken naar het scherm waarop de hoorzitting werd uitgezonden. Zoals bijna heel Amerika hem ontelbare keren had zien doen, tuitte hij nadenkend zijn lippen en wendde zich toen tot de assistent naast hem.
'Ik wil die afgevaardigde – wie hij dan ook is – zondag aanstaande in mijn programma.'

De verontwaardigde vrouw in Chevy Chase riep over de telefoon: 'Ik zal u zeggen, moeder, ik heb hem nooit eerder in mijn leven zo gezien! Ik meen het, hij was echt helemaal drónken. De hemel zij dank heeft die aardige buitenlander hem thuis gebracht! Hij zei dat hij hem voor een restaurant in Washington had gevonden en dat hij nauwelijks kon lopen – kunt u zich dat voorstellen? Nauwelijks in staat te lópen! Hij herkende hem en omdat hij een goed christen was meende hij dat hij hem maar beter van de straat af kon krijgen. Wat zo waanzinnig is, moeder, volgens mij heeft hij nog nooit een druppel alcohol aangeraakt. Nou, dat heb ik dan kennelijk mis gehad. Ik vraag me af hoeveel andere geheimen die toegewijde dominee van mij heeft! Vanmorgen beweerde hij dat hij zich niets meer kon herinneren – helemaal niets, zei hij. ...O, lieve God in de hemel! Móeder, hij komt net binnen door de voordeur – mama! Hij kotst het hele vloerkleed onder!'

'Waar bén ik, godverdomme?' fluisterde Arvin Partridge senior. Hij schudde zijn hoofd en probeerde zijn ogen te concentreren op het raam met de sjofele gordijnen van de motelkamer. 'In een of andere luizentent?'
'Dat is er niet ver naast,' zei de blonde man die op het bed afliep. 'Alleen vinden de luizen hier meestal elke twee uur een ander slachtoffer.'
'Jíj!' schreeuwde de afgevaardigde uit Alabama en hij staarde de Tsjech aan. 'Wat heb je met me uitgevoerd?'

'Niet met u, maar voor u,' antwoordde Varak. 'Ik kon u gelukkig nog redden uit een situatie die heel gênant had kunnen worden.'
'Wát?' Partridge ging overeind zitten en zwaaide zijn benen uit het bed; hij was nog gedeeltelijk in de war maar besefte dat hij volledig gekleed was. 'Waar? Hoe?'
'Een van mijn cliënten dineerde in het Carriage House in Georgetown waar u een afspraak had met de afgevaardigde van Noord-Dakota. Toen het onaangename voorval begon belde hij me. Het kwam weer erg goed uit dat ik in de buurt woon en op tijd daar kon komen. Het ligt overigens voor de hand dat u hier niet bent ingeschreven.'
'Wácht 's effe!' schreeuwde Partridge. 'Gelúl! Dat gesprek tussen die kwezel en mij was afgesproken werk! Er komt een telefoontje binnen op zijn kantoor dat ik hem wil spreken over dringende commissiezaken en bij mij gebeurt hetzelfde. We krijgen morgen die zakkewasser van het Pentagon, Barrish, daarom konden we maar beter samen even praten. Ik vraag hem wat er aan de hand is en hij vraagt mij hetzelfde!'
'Daar zou ik niets van weten, meneer.'
'Geouwehoer! ...Wat voor onaangenaam voorval?'
'U hebt te veel gedronken.'
'Gezeik! Ik had één pokkemartini en de hemelpiloot had limonade.'
'Als dat waar is kunt u beiden heel weinig hebben. U viel languit over de tafel en de dominee probeerde het zout te drinken.'
De voorzitter van de Partridge-commissie keek de Tsjech woedend aan. 'Verdoving,' zei hij zacht. 'Je hebt ons allebei een verdovingsmiddel gegeven!'
'Vóór gisteravond was ik nog nooit eerder in dat restaurant geweest.'
'Je liegt dat je barst, en je hebt er nog ervaring in ook. ...Goeie god, hoe laat is het?' Partridge bracht met een ruk zijn pols omhoog en keek op zijn horloge; Varak was hem voor.
'De hoorzitting is voorbij.'
'Verdómme!'
'De dominee bracht het er niet zo geweldig van af, maar uw pasbenoemde man heeft een onvergetelijke indruk gemaakt, meneer. Ik ben er zeker van dat u stukken van zijn optreden op het avondnieuws zult zien, al zullen er natuurlijk bepaalde woorden uitgewist worden.'

'O, mijn gód,' fluisterde het congreslid bij zichzelf. Hij keek op naar de Tsjech van Inver Brass. 'Wat hebben ze over mij gezegd? Over waarom ik er niet was?'
'Uw kantoor heeft een verklaring uitgegeven die voor iedereen volkomen acceptabel was. U was aan het vissen voor de kust van Maryland. U kreeg motorpech en u moest het anker laten zakken op anderhalve kilometer van de jachthaven. Er zijn bewijzen voor; er komen geen moeilijkheden.'
'Mijn kantoor heeft zo'n verklaring uitgegeven? Wie heeft daarvoor gemachtigd?'
'Uw zoon. Hij is een opmerkelijk vergevensgezinde jongeman. Hij wacht buiten op u in uw auto.'

De roodharige verkoper in de Saab-showroom glom waarlijk van verbazing toen hij de stukken tekende en tien biljetten van honderd dollar natelde. 'We zullen de auto laten klaarmaken zodat u er vanmiddag om drie uur mee kunt wegrijden.'
'Da's fijn,' zei de koper, die op de financieringspapieren als beroep had opgegeven barkeeper, momenteel in dienst in het Carriage House in Georgetown.

18

'Uur-U, meneer Kendrick,' zei kolonel Robert Barrish met een vriendelijke glimlach voor de camera en zijn stem klonk als de rede zelf. 'We moeten er op zijn voorbereid en door preventieve escalatie stellen we het steeds verder uit.'
'Of we stoppen daarentegen de arsenalen zo vol dat er maar één misrekening nodig is om de hele planeet op te blazen.'
'Och, toe nou,' vermaande de legerofficier neerbuigend. 'Die manier van rationaliseren is al lang *modus non operandi* verklaard. Wij zijn de beroepsmensen.'
'U bedoelt onze kant?'
'Natuurlijk bedoel ik onze kant.'
'Hoe zit het met de vijand? Zijn zij ook geen beroepslui?'
'Als u bezig bent de technologische taken van onze vijanden te vergelijken met de onze, dan zult u volgens mij ontdekken dat u daarover even verkeerd bent geïnformeerd als over de effectiviteit van de kostenbeheersing van ons systeem.'
'Ik neem aan dat dat betekent dat ze niet zo goed zijn als wij.'

'Een scherpzinnige evaluatie, afgevaardigde. Naast de superioriteit van onze morele verplichtingen – verplichtingen tegenover God – is de geavanceerd technische training van onze strijdkrachten de beste op de hele wereld. Neemt u me niet kwalijk dat ik dat hier zeg, maar als onderdeel van een ongelooflijk team moet ik zeggen dat ik verschrikkelijk trots ben op onze geweldige kerels en meisjes.'
'Verdikkeme, maar dat ben ik ook,' zei Evan met een vage glimlach om zijn lippen. 'Maar ík moet dan hier zeggen, kolonel, dat ik de draad van uw redenering ben kwijtgeraakt, of was het preventieve escalatie? Ik dacht dat uw opmerking over professionalisme het antwoord was op mijn commentaar over de mogelijkheid van een misrekening met al die volle arsenalen.'
'Dat was het inderdaad. U moet weten, meneer Kendrick, wat ik u geduldig probeer bij te brengen is dat het personeel dat onze wapens bedient gebonden is aan procedurevoorschriften die een misrekening uitsluiten. Wij zitten praktisch volkomen veilig.'
'Dat kan wel zo zijn,' stemde Evan in. 'Maar hoe zit het met die andere vent? U zei – ik geloof tenminste dat u zei – dat hij niet zo slim was, dat je geen vergelijking mocht trekken. Stel dat hij een misrekening maakt? Wat dan?'
'Dan zou hij nooit de kans krijgen dat nog eens te doen. Met een minimaal verlies voor onszelf zouden we een verwoesting...'
'Wacht even, soldáát!' viel Kendrick hem in de rede; zijn stem klonk plotseling hard en wat hij zei was niets anders dan een bevel. 'Even terug. "Met een minimaal verlies voor onszelf..." Wat wilt u dáármee zeggen?'
'Ik weet zeker dat u beseft dat ik niet de vrijheid heb over zulke zaken te praten.'
'Ik vind dat u daar maar beter wel over kunt praten. Betekent "minimaal verlies" alleen maar Los Angeles, of New York, of misschien Albuquerque of St. Louis? Aangezien we allemaal betalen voor die paraplu van minimaal verlies, waarom zegt u ons dan niet even wat voor weer we gaan krijgen?'
'Als u denkt dat ik de nationale veiligheid in gevaar ga brengen op de televisie... nou, afgevaardigde, het spijt me werkelijk dat te moeten zeggen, maar volgens mij hebt u niet het minste recht het Amerikaanse volk te vertegenwoordigen.'
'Het hele stel? Ik heb nooit de illusie gehad dat ik dat verte-

genwoordigde. Ze hebben me verteld dat dit programma iets was tussen u en mij – dat ik u had beledigd op de televisie en dat u het recht had mij in dezelfde arena van repliek te dienen. Kom dus maar op met uw repliek, kolonel. Blijf me niet om de oren slaan met allerlei kreten uit het Pentagon; ik heb te veel respect voor onze strijdkrachten om u dat te laten doen.'
'Als u met "kreten" kritiek levert op de onbaatzuchtige leiders van ons defensie-apparaat – trouwe en eervolle mannen die boven alles onze natie sterk willen houden, dan heb ik medelijden met u.'
'Och, schei toch uit. Zo lang zit ik hier nog niet, maar tussen de weinige vrienden die ik heb gemaakt bevinden zich een paar hoge pieten uit Arlington die waarschijnlijk de rimbim krijgen wanneer u komt aandragen met uw *modus non operandi's*. Wat ik geduldig probeer aan u uit te leggen, kolonel, is dat u evenmin onbeperkt krediet hebt als ik of mijn buurman in de straat waar ik woon. We leven met realiteiten...'
'Laat ik u dan die realiteiten eens uitleggen!' onderbrak Barrish hem.
'Laat me uitpraten,' zei Evan en hij glimlachte.
'Heren, alstublieft!' zei de bekende nieuwslezer.
'Ik trek uw verplichtingen op geen enkele manier in twijfel, kolonel,' viel Kendrick hem in de rede. 'U doet uw plicht en u verdedigt uw stalletje, dat begrijp ik.' Evan pakte een stuk papier. 'Maar toen u zei tijdens de hoorzitting – ik heb het opgeschreven – "onbelangrijke theoretische vertrouwensprocedures" vroeg ik me af wat u bedoelde. Hoeft u werkelijk geen rekenschap af te leggen? Als u dat gelooft dan moet u dat maar eens tegen Joe Smith zeggen die probeert zijn huishoudboekje in evenwicht te houden.'
'Diezelfde Joe Smith komt op zijn knieën naar ons toekruipen wanneer hij door begint te krijgen dat wij ervoor zorgen dat hij in leven kan blijven!'
'Ik geloof dat ik zojuist een luid gekreun hoorde in Arlington, kolonel. Joe Smith hoeft voor niemand op zijn knieën te vallen. Niet hier.'
'U rukt mijn opmerkingen uit hun verband! U weet heel goed wat ik bedoelde, afgevaardigde Partridge!'
'Nee, kolonel, dat is die andere man. Ik ben de vervanger die op de linkervleugel moest gaan verdedigen.'
'Línks klopt in elk geval helemaal!'

'Dat is een interessante opmerking. Mag ik u citeren?'
'Ik wéét wie u bent,' zei Barrish dreigend. 'Praat me niet over de gewone man alsof u bent als ieder ander.' Barrish zweeg even en schreeuwde toen, alsof hij zich niet langer meer kon beheersen: 'U bent niet eens getrouwd!'
'Dat is de meest correcte opmerking die u hier hebt gemaakt. Nee, dat ben ik niet, maar als u vraagt of ik met u wil uitgaan, dan kan ik dat maar beter even met mijn meisje afstemmen.'
Einde van het gevecht. Het grove geschut van het Pentagon was vernageld en zijn gezicht zat onder de kruitdamp, via de televisie voor iedereen in het hele land te zien.

'Verrék, wie ís die vent?' vroeg de heer Joseph Smith van 70 Cedar Street in Clinton, New Yersey.
'Ik weet het niet,' zei mevrouw Smith die naast haar man voor de televisie zat. 'Hij is best aardig, vind je niet?'
'Aardig weet ik niet, maar hij heeft net de vloer aangeveegd met een van die verwaande officieren die me in Vietnam voortdurend op mijn huid zaten. Voor mij zit hij gebeiteld.'

'Hij is goed,' zei Eric Sundstrom van Inver Brass. Hij stond op en draaide het toestel uit in zijn flat die uitkeek op het Gramercy Park in New York. Hij dronk zijn glas Montrachet leeg en keek naar Margaret Lowell en Gideon Logan die beiden in leunstoelen zaten aan de andere kant van de kamer. 'Hij is goed bij de pinken en blijft ijskoud. Ik ken die klootzak van een Barrish; hij doet niks liever dan iemand in het openbaar in de zeik drukken. Kendrick heeft hem begraven in zijn eigen geouwehoer.'
'Onze man is ook echt wel aardig,' voegde mevrouw Lowell eraan toe.
'Wat?'
'Nou ja, hij is aantrekkelijk, Eric. Dat is nauwelijks een negatief punt.'
'Hij heeft humor,' zei Logan. 'En dat is zeker een grote plus. Hij is in staat en hij heeft de tegenwoordigheid van geest om snel over te schakelen van het serieuze naar het amusante en dat is een grote gave. Hetzelfde deed hij tijdens de hoorzitting; het is niet zomaar iets toevalligs. Kennedy had hetzelfde talent; hij zag overal humoristische ironie. De mensen houden

daarvan. Toch geloof ik dat ik een grijze wolk zie aan de horizon.'
'Wat dan?' vroeg Sundstrom.
'Een man die zo gevat is zal moeilijk in toom te houden zijn.'
'Als hij de juiste man is,' zei Margaret Lowell, 'en we hebben alle reden om aan te nemen dat hij dat is, dan is dat niet belangrijk, Gideon.'
'Stel dat hij het niet is? Stel dat er iets is wat we niet weten? *Wij* zullen hem naar voren hebben gebracht, het is niet via de politiek gebeurd.'

Diep in de binnenstad in Manhattan, tussen Fifth Avenue en Madison Avenue, in een deftig herenhuis van vijf verdiepingen zat Samuel Winters tegenover zijn vriend Jacob Mandel. Ze zaten in Winters' werkkamer op de bovenste etage. Verschillende magnifieke gobelins hingen aan de muren tussen de boekenplanken en het meubilair was al even adembenemend. Toch was de kamer gezellig. Ze werd gebruikt; er straalde warmte van uit; de meesterwerken uit het verleden hingen er met een doel, niet alleen om te worden opgemerkt. De aristocratische geschiedkundige gebruikte zijn afstandsbediening om de televisie af te zetten.
'En?' vroeg Winters.
'Ik wil even nadenken, Samuel.' Mandels ogen dwaalden door het werkvertrek. 'Je hebt dit allemaal al vanaf je geboorte,' zei de effectenmakelaar. 'Toch heb je altijd zo hard gewerkt.'
'Ik heb een terrein gekozen waar het hebben van geld de zaken gemakkelijker maakte,' antwoordde Winters. 'Zo nu en dan heb ik me er behoorlijk schuldig onder gevoeld. Ik kon overal heengaan waar ik wilde, toegang krijgen tot archieven waar anderen niet in konden komen, studeren zolang ik wilde. De bijdragen die ik misschien heb geleverd waren maar klein in vergelijking tot het plezier dat ik heb beleefd. Dat zei mijn vrouw altijd.' De geschiedkundige keek even naar het portret van een zeer knappe vrouw met donkere haren die gekleed was naar de mode van de jaren veertig; het hing achter het bureau tussen twee enorme ramen die uitkeken op Seventy-third Street. Een man die zat te werken kon zich gemakkelijk omdraaien en ernaar kijken.
'Je mist haar, nietwaar?'
'Verschrikkelijk. Ik kom hierboven vaak met haar praten.'

‘Ik geloof niet dat ik zonder mijn Hannah zou kunnen, maar vreemd genoeg, gezien wat ze in Duitsland heeft meegemaakt, bid ik God dat zij het eerst van mij weggaat. Volgens mij zou de dood van nog een geliefd persoon voor haar een te grote pijn zijn om alleen te dragen. Klinkt je dat afschuwelijk in de oren?’

‘Het klinkt opmerkelijk edelmoedig – zoals alles wat je zegt en doet, beste vriend. En ook omdat ik zo goed weet wat jij alleen te verduren zou hebben. Jij zou het beter doen dan ik, Jacob.’

‘Onzin.’

‘Het komt zeker door jullie tempel...’

‘Wanneer ben jij het laatst in de kerk geweest, Samuel?’

‘Eens kijken. Mijn zoon trouwde in Parijs toen ik mijn been brak en er niet bij kon zijn, en mijn dochter liep weg met dat charmante leeghoofd dat veel meer geld verdient dan hij waard is met het schrijven van die films die ik niet begrijp – dat moet dus geweest zijn in vijfenveertig toen ik gedemobiliseerd werd. De Heilige Johannes de Doper, natuurlijk. Ik moest wel gaan van haar terwijl ik haar alleen maar een pak op haar blote billen wilde geven.’

‘Och, jij bent onmogelijk! Ik geloof er geen snars van.’

‘Daar zou je je wel eens in kunnen vergissen.’

‘Hij zou gevaar kunnen opleveren,’ zei Mandel en hij veranderde ineens van onderwerp door weer over Evan Kendrick te praten. Winters begreep het; zijn oude vriend had wat gepraat, maar hij had ook nagedacht.

‘Op wat voor manier? Alles wat we over hem te weten zijn gekomen – en ik betwijfel of er nog veel meer te ontdekken valt – lijkt elke machtswellust uit te sluiten. Als die er niet is, waarin ligt dan het gevaar?’

‘Hij is verschrikkelijk onafhankelijk.’

‘Des te beter. Misschien wordt hij nog wel eens een prima president. Geen relaties met de herrieschoppers, de ja-knikkers en de strooplikkers. We hebben beiden gezien hoe hij korte metten maakte met de eerste categorie; de rest is gemakkelijker.’

‘Dan ben ik niet duidelijk,’ zei Mandel. ‘Omdat het mij ook nog niet duidelijk is.’

‘Of misschien ben ik wel stom, Jacob. Wat probeer je te zeggen?’

‘Stel dat hij ons ontdekt? Stel dat hij ontdekte dat hij code-

naam Icarus was, het produkt van Inver Brass?'
'Dat is onmogelijk.'
'Daar gaat het niet om. Vergeet die mogelijkheid nu eens even. Intellectueel gezien – en de jongeman heeft zeker intellect – wat zou zijn reactie zijn? Denk erom, hij is fel onafhankelijk.'
Samuel Winters ondersteunde zijn kin met zijn hand en staarde door het raam dat uitzicht gaf op straat. Toen dwaalde zijn blik naar het portret van zijn vrouw. 'Ik begrijp het,' zei hij, en voor zijn geest verschenen vage beelden uit zijn eigen verleden. 'Hij zou ziedend zijn. Hij zou zichzelf zien als onderdeel van een uitgebreidere corruptie, daar onherroepelijk mee verbonden omdat hij gemanipuleerd werd. Hij zou woedend zijn.'
'En in die woede,' drong Mandel aan, 'wat denk je dat hij dan zou doen? Overigens doet het niet ter zake wanneer we op de lange duur worden ontmaskerd. Het zou zoiets zijn als het gerucht van de Trilaterale Commissie die Jimmy Carter naar voren schoof omdat Henry Luce een onbekende gouverneur van Georgia op de voorpagina van *Time* liet zetten. Waarschijnlijk zat er wel wat waarheid in die geruchten maar niemand gaf daar iets om. Wat zou Kendrick doen?'
Winters keek zijn oude vriend aan en zijn ogen gingen wijd open. 'Mijn god,' zei hij zacht. 'Hij zou van weerzin weglopen.'
'Komt je dat bekend voor, Samuel?'
'Dat was zovele jaren geleden... de zaken lagen toen anders...'
'Volgens mij lagen ze niet zo heel erg anders. Veel beter dan nu eigenlijk, niet anders.'
'Ik bekleedde geen ambt.'
'Je had het zo kunnen pakken. De briljante, enorm rijke rector van de Columbia Universiteit die door de ene president na de andere om advies werd gevraagd en wiens verschijnen voor de commissies van het Huis en de Senaat de nationale politiek veranderde. Je stond op de nominatie voor het gouverneurschap van New York en je vluchtte letterlijk naar Albany toen je pas een paar weken voor de conventie hoorde dat een politieke organisatie die je niet kende jouw nominatie op touw had gezet en je onvermijdelijke verkiezing.'
'Het was een totale en onaangename verrassing. Ik had er nooit eerder over gehoord.'
'Toch nam je aan – al of niet terecht – dat die geheime organisatie verwachtte dat jij zou doen wat zij zeiden en je vlucht-

te en maakte je los van de hele poppenkast.'
'Met weerzin. Het ging in tegen elke regel van een open politiek proces die ik ooit had voorgestaan.'
'Fel onafhankelijk,' voegde de effectenmakelaar eraan toe. 'En wat er volgde was een politiek vacuüm; er heerste politieke chaos en de hele partij stond op zijn kop. De opportunisten bemoeiden zich ermee en namen de zaken over en er volgden zes jaar van draconische wetten en corrupte bestuursorganen langs de hele lengte van de Hudson.'
'Geef je mij van dat alles de schuld, Jacob?'
'Het heeft ermee te maken, Samuel. Caesar weigerde drie keer de kroon en toen brak de hel los.'
'Beweer je dat Kendrick zou kunnen weigeren het ambt te aanvaarden dat hem wordt aangeboden?'
'Jij hebt het ook gedaan. Je bent woedend weggelopen.'
'Omdat mensen die ik niet kende enorme sommen geld uitgaven om mij aan de macht te krijgen. Waarom? Als ze werkelijk geïnteresseerd waren in een betere regering en niet in hun privé-belangen, waarom maakten ze zich dan niet bekend?'
'Waarom doen wij dat niet, Samuel?'
Winters keek Mandel doordringend aan met trieste ogen. 'Omdat wij God aan het spelen zijn, Jacob. Dat moeten we wel, want we weten wat de anderen niet weten. We weten wat er zal gebeuren als wij het niet op onze manier blijven doen. Ineens hebben de mensen van een geweldige republiek geen president meer maar een koning, de heerser van alle staten van de unie. Wat ze niet begrijpen is wat de consequenties zijn van een koningschap. Die jakhalzen op de achtergrond kunnen alleen worden opgeruimd door hem te vervangen. Op geen enkele andere manier.'
'Ik begrijp het. Ik ben voorzichtig omdat ik bang ben.'
'Dan moeten we verschrikkelijk voorzichtig zijn en ervoor zorgen dat Evan Kendrick nooit iets over ons te weten komt. Zo eenvoudig is dat.'
'Niets is eenvoudig,' wierp Mandel tegen. 'Hij is niet op zijn achterhoofd gevallen. Hij gaat zich afvragen waarom hij ineens zomaar al die aandacht krijgt. Varak zal een meesterlijke poppenspeler moeten zijn; elk deel van het draaiboek moet logisch en onveranderlijk naar het volgende leiden.'
'Daaraan heb ik ook gedacht,' gat Winters zachtjes toe en hij keek weer even naar het portret van zijn overleden vrouw. 'Jen-

nie zei altijd tegen me: "Het gaat te gemakkelijk, Sam. Iedereen werkt zich uit de naad om een paar regels in de krant te krijgen en jij krijgt hele hoofdartikelen die je prijzen voor dingen waarvan je niet eens zeker weet of je ze wel ooit hebt gedaan." Daarom begon ik vragen te stellen, en zo ontdekte ik wat er gebeurd was, niet wie maar hóe.'
'En toen liet je alles schieten.'
'Natuurlijk.'
'Waarom? Dat vraag ik me echt af, waaróm?'
'Daar heb je net antwoord op gegeven, Jacob. Ik was woedend.'
'Ondanks alles wat je had kunnen bijdragen?'
'Nou ja, dat is duidelijk.'
'Klopt het, Samuel, als ik zou zeggen dat je niet echt erop uit was dat ambt te krijgen?'
'Ook dat is duidelijk. Je kunt me erom bewonderen of niet, maar ik heb nooit ook maar voor iets hoeven vechten. Zoals Averell eens ooit heeft gezegd: "Je kunt het gelukkig noemen of jammer, maar ik ben nooit afhankelijk geweest van mijn baan om te kunnen eten." Daarmee is zo'n beetje alles gezegd geloof ik.'
'De koorts, Samuel. Die koorts die jij nooit hebt gevoeld, die honger die jij nooit hebt gehad moet op een of andere manier bezit nemen van Kendrick. Uiteindelijk moet hij willen winnen, moet hij vertwijfeld verlangen naar die overwinning.'
'Het heilige vuur,' zei de geschiedkundige. 'We hadden er direct allemaal aan moeten denken, maar de rest nam gewoon aan dat hij die kans met beide handen zou aangrijpen. Mijn god, we zijn dwazen geweest!'
'Niet "de rest van ons",' protesteerde de effectenmakelaar en hij stak beide handen op. 'Ik dacht er pas aan toen ik een uur geleden deze kamer binnenliep. Ineens waren die herinneringen er weer, herinneringen aan jou en je... felle onafhankelijkheid. In plaats van een lichtend voorbeeld, een aanwinst voor ons allemaal, werd je een moreel verontwaardigd risico dat er vandoor ging en plaats maakte voor alle gehaktballen die er rondliepen in de stad.'
'Je hebt gelijk, Jacob. Ik had moeten blijven, dat weet ik al jaren. Toen mijn vrouw eens kwaad op me was noemde ze me een "verwend lammetje botermelk". Net als jij beweerde zij, geloof ik, dat ik zoveel had kunnen voorkomen, ook al had ik misschien niets bereikt.'

'Dat had je zeker, Samuel. Harry Truman had gelijk, het zijn de leiders die lijn brengen in de geschiedenis. Er zouden geen Verenigde Staten hebben bestaan zonder Thomas Jefferson, geen Derde Rijk zonder Adolf Hitler. Maar geen man of geen vrouw komt aan de leiding als hij of zij het niet zelf wil. Ze moeten er een brandende noodzaak toe voelen.'
'En jij denkt dat Kendrick die mist?'
'Ik vermoed het. Wat ik op dat televisiescherm heb gezien, en wat ik vijf dagen geleden zag tijdens de hoorzitting van de commissie, was een onvoorzichtig man die het geen barst kon schelen wie hij beledigde omdat hij moreel verontwaardigd was. Hersenen, ja; moed, zeer zeker; zelfs humor en aantrekkingskracht – alles wat naar onze mening deel moest uitmaken van een ideaal geheel. Maar ik zag ook een karaktertrek van mijn vriend Samuel Winters, een man die het systeem zijn rug kon toekeren omdat hij de brandende noodzaak niet in zich voelde achter de prijs aan te gaan.'
'Is dat zo slecht, Jacob? Niet wat mij betreft, ik was eigenlijk nooit zo belangrijk, maar is het voor iedereen die een ambt zoekt zo gezond in vuur en vlam te staan?'
'Je geeft je zaak niet over aan een directie van uitzendkrachten, niet als je er al je geld hebt ingestoken. Het volk verwacht terecht een huisbaas die altijd aanwezig is en ze voelen het wanneer die fundamentele roeping niet heel duidelijk aanwezig is. Ze willen waar voor hun geld.'
'Nou ja,' zei Winters, en zijn stem klonk licht verontschuldigend. 'Volgens mij waren de mensen toch wel een beetje onder de indruk van mij en ik stond inderdaad niet in vuur en vlam. Van de andere kant heb ik ook niet zoveel stommiteiten begaan.'
'Lieve hemel, daar heb je nooit de kans voor gekregen. Jouw campagne was een *Blitzkrieg* op de televisie met een paar van de mooiste opnamen die ik ooit heb gezien en je knappe gezicht was een duidelijk voordeel natuurlijk.'
'Ik heb drie of vier debatten gevoerd, vergeet dat niet. Drie eigenlijk.'
'Met slijmballen, Samuel. Ze werden ondergesneeuwd door sympathieke klasse – de mensen zijn daar dol op. Ze zullen nooit ophouden de hemelen af te zoeken, tegenwoordig de televisieschermen, naar die koning of die prins die ze verwachten en die hen de weg moet wijzen met troostende woorden.'

'Het is verrekte jammer. Abraham Lincoln zou als een onhandige boerenkinkel zijn beschouwd en thuis zijn gebleven in Illinois.'
'Of erger nog,' zei Jacob Mandel grinnikend. 'Abraham de jood, onder één hoedje spelend met de antichrist bij het offeren van kleine kinderen.'
'En toen hij zijn baard liet staan was dat de absolute bevestiging,' stemde Winters in en hij stond glimlachend op uit zijn stoel. 'Een borrel?' vroeg hij; hij kende het antwoord al van zijn vriend en liep op de bar af onder een Frans tapijt aan de rechtermuur.
'Graag. Het bekende drankje.'
'Natuurlijk.' De geschiedkundige schonk zwijgend twee glazen in, eentje met bourbon, het andere met Canadese whisky, beide met alleen maar ijs. Hij liep terug naar hun stoelen en gaf de bourbon aan Mandel. 'Goed dan, Jacob. Ik geloof dat ik alles op een rijtje heb.'
'Ik wist wel dat je tegelijkertijd kon schenken en denken,' zei Mandel en hij hief glimlachend zijn glas op. 'Op uw gezondheid, meneer.'
'Lechajem,' antwoordde de geschiedkundige.
'En dus?'
'Op een of andere manier moet dat heilige vuur waarover je het hebt, die noodzaak om de prijs te winnen, bij Evan Kendrick worden aangewakkerd. Als hij dat niet heeft is hij niet geloofwaardig en zonder hém nemen de zakkewassers van Gideon – de opportunisten en de fanatici, de zaak over.'
'Dat geloof ik ook, ja.'
Winters nam een slokje van zijn glas en zijn ogen dwaalden naar een gobelin. 'Philips en de ridders werden in Crécy niet alleen verslagen door de Engelse boogschutters en de lange messen uit Wales. Ze hadden te kampen met wat Saint Simon driehonderd jaar later beschreef als een hof dat werd uitgezogen door de "laaghartige bourgeois zedenbedervers".'
'Ik kan jouw eruditie niet meer volgen, Samuel.'
'Hoe wakkeren we dat vuur aan bij Evan Kendrick? Het is zo verschrikkelijk belangrijk dat dat gebeurt. Ik zie het nu zo duidelijk.'
'Volgens mij moeten we beginnen met Milos Varak.'

Annie Mulcahy O'Reilly was woedend. De normale vier tele-

foonlijnen in het kantoor van het congreslid werden meestal alleen gebruikt om naar buiten te bellen; deze afgevaardigde kreeg gewoonlijk maar weinig telefoontjes. Maar vandaag was het niet alleen anders, het was waanzínnig. Binnen vierentwintig uur was de kleinste staf op de Hill, die ook het minst te doen had, de meest overwerkte. Annie moest haar twee hulptypistes oproepen die 's maandags nóóit kwamen ('Toe nou, Annie, dat verpest het hele weekend') om hen met onverzorgde haren op kantoor te krijgen. Vervolgens belde ze Phillip Tobias, de intelligente, zij het wat gefrustreerde eerste assistent, en zei hem dat hij zijn tennisafspraak wel kon vergeten en als de sodemieter naar de stad moest komen anders zou ze hem vermóórden. ('Verrek, wat is er aan de hand?' 'Heb je gisteren het programma van Foxley niet gezien?' 'Nee, ik was aan het zeilen, waarom had ik moeten kijken?' 'Híj zat in het programma!' 'Wát? Voor zoiets moet ik altijd toestemming geven!' 'Ze hebben hem zeker thuis gebeld.' 'De rotzak heeft me dat helemaal niet verteld!' 'Mij ook niet, maar ik zag zijn naam in het programma-overzicht in de krant.' 'Verdomme! Zorg dat ik een band krijg, Annie! Alsjeblieft!' 'Alleen als je hierheen komt en ons helpt de telefoons te beantwoorden, schatje.' 'Val dood!' 'Hé, ik ben een dame, hufter. Ik wens zo niet te worden aangesproken.' 'Het spijt me, het spijt me, Annie! Alsjeblieft. De bánd!')
Ten slotte, en alleen omdat ze vertwijfeld was en alleen omdat haar man, Patrick Xavier O'Reilly, de maandagen vrij had vanwege zijn dienst op de van misdaden vergeven zaterdag, belde ze de dubbele pleepot van een Ierse rechercheur en zei hem dat ze een aanklacht tegen hem zou indienen wegens verkrachting – niet meer dan een vrome wens, voegde ze eraan toe – als hij niet kwam meehelpen. De enige man die ze niet kon bereiken was de afgevaardigde van Colorado's Negende District.
'Het spijt me werkelijk heel, heel erg, mevrouw O'Reilly,' zei de Arabische man van het echtpaar dat Kendricks huis verzorgde, en die Annnie ervan verdacht een werkloos chirurg te zijn of een vroegere universiteitsrector. 'Het congreslid zei dat hij een paar dagen weg zou zijn. Ik heb geen idee waar hij is.'
'Dat is je reinste geouwehoer, meneer Sahara...'
'U geeft me nogal de ruimte, mevrouw.'
'Onder andere! U zorgt maar dat u die etter van een openbaar ambtenaar te pakken krijgt en hem zegt dat we hier hoorndol

worden! En dat komt allemaal door zijn optreden in het programma van Foxley!'
'Hij was zeer ter zake, vond u niet?'
'Wat weet u daarvan?'
'Ik zag zijn naam in het programma-overzicht van *The Washington Post*, mevrouw. Ook in de *Times* van New York en Los Angeles en de *Chicago Tribune*.'
'Krijgt híj al die kranten?'
'Nee, mevrouw, ik. Maar hij mag ze gerust van me lezen.'
'Allah zij geprezen!'
De herrie in het buitenkantoor was niet meer te verdragen. Annie gooide de hoorn op de haak en rende naar de deur; toen ze die opentrok was ze stomverbaasd Evan Kendrick en haar man te zien die zich een weg baanden door een hele menigte verslaggevers, assistenten van congresleden en een aantal andere mensen die ze niet kende. 'Kom hierbínnen!' gilde ze.
Toen ze eenmaal in het secretaressekantoor stonden en de deur dicht was nam de heer O'Reilly het woord. 'Ik ben die Paddy van haar,' zei hij buiten adem. 'Fijn kennis met u te maken, afgevaardigde.'
'Jij bent mijn blokkadebreker, makker,' antwoordde Kendrick; hij gaf een hand en nam de grote, breedgeschouderde, roodharige man snel op. Hij zag een bierbuikje dat een decimeter dikker was dan zijn aanzienlijke lengte toestond en een enigszins blozend gezicht waarin een paar slimme, intelligente groene ogen stonden. 'Ik ben dankbaar dat we hier toevallig tegelijk aankwamen.'
'Eerlijk gezegd kwamen we dat niet, meneer. Die getikte vrouw van mij belde me meer dan een uur geleden en ik zag kans in twintig misschien vijfentwintig minuten hierheen te komen. Ik zag het gedonder in de gang en dacht dat u misschien ook nog wel zou komen. Ik heb op u gewacht.'
'Je had het me wel eens kunnen laten weten, pokke-Ier! Wij zijn hier langzaam aan het gek worden!'
'En een aanklacht wegens een zwaar misdrijf aan mijn reet krijgen, schat?'
'Hij is écht een dubbele pleepot Ier, afgevaardigde...'
'Hou nou eens op, jullie twee,' beval Evan en hij keek naar de deur. 'Wat gaan we hier, verdomme, aan doen? Wat is er gebeurd?'

'Jij bent in het programma van Foxley geweest,' zei mevrouw O'Reilly. 'Wij niet.'
'Ik kijk met opzet nooit naar zulke programma's,' mompelde Kendrick. 'Als ik dat doe word ik verondersteld dingen te weten.'
'Nu weten een heleboel mensen wie jij bent.'
'U was verrékte goed, afgevaardigde,' voegde de DP-rechercheur eraan toe. 'Een paar jongens van het bureau belden me en vroegen me Annie te zeggen dat ze u moesten bedanken – dat heb ik je verteld, Annie.'
'Ten eerste heb ik daar de kans niet voor gekregen, en ten tweede zou ik het waarschijnlijk in die verwarring hier toch zijn vergeten. Maar volgens mij, Evan, is de enige manier om hier een eind aan te maken dat je even naar buiten gaat en een of andere verklaring aflegt.'
'Wacht nou eens even,' viel Kendrick haar in de rede en hij keek Patrick O'Reilly aan. 'Waarom zou iemand op het politiebureau mij willen bedanken?'
'Voor de manier waarop u die Barrish aanpakte en hem op zijn lazer gaf.'
'Dat had ik al door, maar wat hebben zij met Barrish te maken?'
'Hij is een nepgozer van het Pentagon die vriendjes heeft op hoge posten. Ook een tyfuslijer als je een paar slapeloze nachten hebt doorgebracht met in een hotel rond te hangen en je wordt dan op je nek gezeten in plaats van bedankt.'
'Wat voor hotel? Wat is er gebeurd?'
'Meneer Kendrick,' kwam Annie tussenbeide. 'Het is daarbuiten een dierentuin! Je moet je daar even vertonen, iets zeggen.'
'Nee, ik wil dit horen. Ga door, meneer – mag ik je Patrick noemen, of Pat?'
' "Paddy" past beter.' De politieman klopte op zijn buik. 'Zo noemen ze me.'
'Ik heet Evan. Laat dat "afgevaardigde" maar vallen – ik wil er helemaal vanaf. Alsjeblieft. Ga door. Hoe raakte Barrish betrokken bij de politie?'
'Dat zei ik niet. Zelf is hij schoner dan een Ierse doedelzak, die trouwens van binnen niet zo bijster schoon is, maar hij is witter dan een gebleekt laken in de middagzon.'
'Mensen in jouw soort baan bedanken andere mensen niet omdat ze schone lakens op hun lazer geven...'

'Nou ja, het was ook niet allemaal zo verschrikkelijk belangrijk; om je de waarheid te zeggen was het eigenlijk vrij onbelangrijk, maar er had iets uit kunnen komen als we het hadden opgevolgd. ...De jongens zaten achter een mafioos aan waarvan bekend was dat hij zwart geld wit maakte via Miami en meer plaatsen in het Zuiden zoals de Kaaiman Eilanden. Toen ze voor de vierde avond het Mayflower-hotel in de gaten hielden dachten ze dat ze hem hadden. Een van die types met bordeelsluipers aan ging om één uur naar zijn kamer met een grote aktentas. Eén uur 's morgens – nou niet direct het begin of het drukste deel van een kantoordag, klopt?'
'Niet precies.'
'Nou ja, het bleek dat bordeelsluiper legale geldzaken deed met de mafioos en uit de presentielijsten van het Pentagon bleek dat hij tot bijna half twaalf in een inkoopvergadering had gezeten en dat hij verder om acht uur de volgende morgen een vliegtuig moest halen naar Los Angeles, dus was er een verklaring voor het tijdstip één uur.'
'Hoe zat het met die aktentas?'
'Daar mochten we niet aankomen. Ze waren pisnijdig en er werd kwistig gestrooid met nationale veiligheid. Iemand belde op, ziet u.'
'Maar niet naar een advocaat,' zei Evan. 'Wel naar ene kolonel Robert Barrish van het Pentagon.'
'Precies. We kregen flink op ons lazer omdat we de beweegredenen in twijfel trokken van een prima, loyale Amerikaan die hielp om de grote Verenigde Staten van Amerika sterk te houden. De jongens werden flink uitgekafferd.'
'Maar jij denkt er anders over. Jij denkt dat er in die kamer heel wat anders gebeurde dan legale zakelijke onderhandelingen.'
'Als het loopt als een eend en praat als een eend en eruit ziet als een eend is het in de meeste gevallen een eend. Maar niet die bordeelsluiper; hij was geen eend, hij was een wezel met een platte staart wiens naam van ónze lijst met eenden werd verwijderd.'
'Bedankt, Paddy. ...Goed dan, mevrouw O'Reilly, wat moet ik daarbuiten zeggen?'
'Onze jongen Phil Tobias zal het waarschijnlijk oneens zijn met alles wat ik voorstel, dat hoor je te weten. Hij is op weg hierheen.'
'Heb jij zijn tennisafspraak op maandagmorgen versjteerd? Dat

soort moed hoef je echt niet op te brengen.'
'Hij is aardig en hij is slim, Evan, maar ik geloof niet dat zijn advies je nu zou helpen; je staat er nu alleen voor. Vergeet niet, die gieren daarbuiten zijn ervan overtuigd dat je de hele vorige week op het publiek hebt gespeeld – dat je munt hebt geslagen uit de hoorzitting en nu uit het tv-programma. Als je je erbuiten had gehouden zou niemand er een barst om hebben gegeven, maar dat deed je niet. Je bent op de vuist gegaan met een zwaargewicht en je wekte de indruk dat hij een boef was met een vlotte babbel en daardoor ben je nieuws geworden. Ze willen weten wat je van plan bent.'
'Wat stel je dan voor? Jij weet wat ik van plan ben, Annie. Wat moet ik zeggen?'
Ann Mulcahy O'Reilly keek Kendrick recht in de ogen. 'Wat je ook wilt, afgevaardigde. Zolang je het maar meent.'
'De klacht van de zwaan? Mijn zwanezang, Annie?'
'Dat zul je alleen maar weten wanneer je daarbuiten bent.'
De ongedisciplineerde herrie in het buitenkantoor werd nog vergroot door het plotselinge oplichten van flitslampen en de zwaaiende, verblindende schijnwerpers van de televisieploegen die hun fatale minicamera's op de menigte richtten. Er werden vragen geschreeuwd en overstemd door andere vragen. Een aantal van de meest vooraanstaande verslaggevers eisten arrogant hun rechten op voor de beste plaatsen, daarom liep de afgevaardigde van Colorado's Negende District eenvoudig naar het bureau van zijn receptioniste, schoof het vloeiblad en de telefoon opzij en ging erop zitten. Hij glimlachte dapper, stak een paar maal beide handen omhoog en weigerde iets te zeggen. Langzaam verminderde de kakofonie, nu en dan onderbroken door een schelle stem, die werd beantwoord door de zwijgende blik van geveinsde verrassing van de kant van de afgevaardigde. Eindelijk werd het begrepen: congreslid Evan Kendrick zou zijn mond niet opendoen tot hij door iedereen kon worden gehoord. Het werd stil.
'Hartelijk bedankt,' zei Evan. 'Ik heb alle hulp nodig die ik kan krijgen om uit te vlooien wat ik wil gaan zeggen – voordat júllie zeggen wat je wilt zeggen, en dat ligt anders, want jullie weten het allemaal precies.'
'Afgevaardigde Kendrick,' schreeuwde een televisieverslaggever die kennelijk kwaad was omdat hij in de tweede rij stond. 'Is het wáár...'

'Toe nou, wácht nou even,' viel Evan hem vastberaden in de rede. 'Laat me even met rust, jongen. Jullie zijn hier aan gewend, ik niet.'
'We hebben het op de televisie wel anders gezien, meneer!' antwoordde de nieuwslezer die het eerst gesproken had.
'Dat was man tegen man volgens mij. Dit is één tegen het hele Colosseum dat wacht op het diner voor de leeuwen. Mag ik eerst even iets zeggen?'
'Natuurlijk, meneer.'
'Ik ben blij dat ik verleden week niet met jou te doen had, Stan – ik geloof dat je Stan heet.'
'Klopt, afgevaardigde.'
'Jij zou mijn kop hebben opgepeuzeld als snack bij je cognac.'
'Erg vriendelijk van u, meneer.'
'Echt waar? Het is dus echt een compliment?'
'Jawel, afgevaardigde, dat is het. Het is ons werk.'
'Dat respecteer ik. Ik zou willen dat jullie het vaker deden.'
'Wat?'
'Een van de meest gerespecteerde leden van mijn staf,' vervolgde Kendrick snel, 'bracht me bij dat ik een verklaring moest afleggen. Dat is niet niks als ze je nooit eerder hebben gevraagd een verklaring af te leggen...'
'U hebt toch een verkiezingscampagne gehouden, meneer,' viel een andere televisieverslaggever hem in de rede, terwijl ze heel opvallend haar blonde haren in het zicht van de camera bracht. 'Toen waren er ook bepaalde verklaringen vereist.'
'Niet wanneer de zittende afgevaardigde de versie van ons district van de *Apenplaneet* vertegenwoordigde. Trek het maar na, ik blijf erbij. Mag ik nu doorgaan of zal ik maar liever weggaan? Ik zal heel eerlijk met jullie zijn. Het kan me echt geen barst verrotten.'
'Gaat u door, meneer,' zei de heer die vaak Stan-de-man werd genoemd, met een brede grijns op zijn fotogenieke gezicht.
'Goed. ...Mijn zeer gewaardeerde staflid zei ook dat sommigen van jullie, misschien wel jullie allemaal, de indruk zouden kunnen hebben dat ik verleden week op het publiek speelde. "Op het publiek spelen". Naar wat ik begrijp van die uitdrukking betekent het de aandacht op zichzelf vestigen door iets te doen wat in de grond genomen melodramatisch is – met of zonder bewijzen – en dat de aandacht van het publiek vestigt op degene die dat doet. Als die definitie klopt dan moet

ik de titel van op-het-publiek-speler afwijzen – als dat al een woord is – omdat ik niet uit ben op iemands goedkeuring. Nogmaals, het kan me werkelijk niks schelen.'
De korte opschudding werd onderdrukt doordat de afgevaardigde zijn handpalmen naar voren duwde. 'Dat meen ik uit de grond van mijn hart, dames en heren. Ik verwacht niet dat ik hier nog lang zal zijn...'
'Hebt u problemen met uw gezondheid, meneer?' riep een jongeman.
'Wil je een potje armworstelen? ...Nee, voor zover ik weet heb ik daar geen problemen mee...'
'Ik was bokskampioen op de universiteit, meneer,' voegde de jonge verslaggever in het vertrek eraan toe, niet in staat zich in te houden te midden van het ongedurige boe-geroep van de menigte. 'Het spijt me, meneer,' zei hij in verlegenheid gebracht.
'Dat hoeft niet, jongeman. Als ik jouw talent had zou ik waarschijnlijk het hoofd van de inkoopafdeling van het Pentagon én zijn tegenhanger in het Kremlin uitdagen en dan zouden we alles op de ouderwetse manier oplossen. Eén uitdager van elke kant en dan kunnen de bataljons thuisblijven. Maar nee, ik heb jouw talent niet en ik heb ook geen problemen met mijn gezondheid.'
'Wat bedoelde u dán?' vroeg een gerespecteerd kroniekschrijver van *The New York Times.* 'Ik voel me gevleid dat u hier bent,' zei Evan toen hij de man herkende. 'Ik had geen idee dat ik uw tijd waard was.'
'Volgens mij bent u dat en zo belangrijk is mijn tijd ook weer niet. Waar komt u vandaan, afgevaardigde?'
'Daarover heb ik mijn twijfels, maar om jullie eerste vraag te beantwoorden, ik weet niet zeker of ik hier wel thuishoor. Wat de tweede vraag betreft, aangezien ik niet zeker ben of ik hier wel thuishoor verkeer ik in de benijdenswaardige positie dat ik kan zeggen wat ik wil zeggen zonder op de gevolgen te letten – de politieke gevolgen, neem ik aan.'
'Dat is echt nieuws,' zei de cynische Stan-de-man terwijl hij in zijn aantekenboek schreef. 'Uw verklaring, meneer.'
'Dank je. Ik heb het maar liever zo snel mogelijk achter de rug. Net als een heleboel mensen ben ik niet dol op wat ik zie. Ik ben heel lang weggeweest uit dit land en misschien moet je wel weggaan om goed te kunnen begrijpen wat we eigenlijk hebben – zo niet om het te vergelijken met wat we niet heb-

ben. Dit land wordt niet verondersteld geregeerd te worden door een oligarchie en toch lijkt het me dat er een aan het werk is. Ik kan niet precies zeggen wat het is, of wie het zijn, maar ze zijn er, dat weet ik. En dat weten jullie ook. Ze willen escaleren, steeds maar *escaleren*, ze wijzen altijd op een tegenstander die zelf het topje heeft bereikt van zijn economische en technologische ladder. Waar zal dat eindelijk eens ophouden? Waar zullen zíj ophouden? Wanneer houden we ermee op onze kinderen nachtmerries te bezorgen omdat ze niets anders te horen krijgen dan die verdomde belofte van totale vernietiging? Wanneer zullen hún kinderen dat eindelijk niet meer horen? ...Of blijven we gewoon opstijgen in deze lift die in de hel is gebouwd totdat we niet meer naar beneden kunnen, wat trouwens niet zoveel verschil meer zal uitmaken omdat alle straten beneden toch in brand staan. ...Neem me niet kwalijk, ik weet dat het niet eerlijk is, maar ineens wil ik geen vragen meer horen. Ik ga terug naar de bergen.' Evan Kendrick kwam van het bureau af en liep snel door de stomverbaasde persmensen heen naar de deur van zijn kantoor. Hij opende die, versnelde zijn pas en verdween in de gang.
'Hij gaat niet naar de bergen,' fluisterde Patrick Xavier O'Reilly tegen zijn vrouw. 'Die jongen blijft hier in de stad.'
'Och stil toch!' riep Annie uit met tranen in haar ogen. 'Hij heeft zich zojuist onmogelijk gemaakt op de hele Hill!'
'Misschien op de Hill, meid, maar niet voor ons. Hij heeft het heel onomwonden gezegd. Zij verdienen al het geld en wij schijten in onze broek van angst. Hou hem in de gaten, Annie, zorg voor hem. Hij heeft een stem die we nog meer willen horen.'

19

Kendrick zwierf door de warme, zwoele straten van Washington met de boord van zijn hemd open, zijn colbertje over zijn schouder en hij had geen idee waar hij heenging, hij wilde alleen maar helder kunnen denken door de ene voet voor de andere te zetten zonder bepaald doel. Hij wist niet meer hoe vaak hij was aangehouden door vreemdelingen met commentaar dat vrij gelijk was verdeeld maar net iets doorsloeg in zijn voordeel, een feit waarvan hij niet wist of het hem wel beviel.

'Verrekte goed wat u daar hebt uitgehaald met die onzin uitkramende hufter, senator!'
'Ik ben geen senator, ik ben congreslid. Even goed bedankt!'

'Wie denkt u wel dat u bent, afgevaardigde hoe u dan ook heet? U probeert een prima, loyale Amerikaan als kolonel Barrish pootje te lichten. Verdomde linkse vrijgezellenicht!'
'Mag ik u misschien wat parfum verkopen? De kolonel heeft er ook wat van gekocht.'
'Wálgelijk!'

'He man, ik vat jouw MTV! Jij hebt swing en je zingt als een vogeltje. Die klootzak zou alle broeders weer terugsturen naar Vietnam als kanonnevlees!'
'Ik geloof niet dat hij dat zou doen, soldaat. Hij kent geen discriminatie. Voor hem zijn we allemaal kanonnevlees.'

'Omdat u slim bent hebt u nog geen gelijk, meneer! En omdat hij verstrikt raakte – toegegeven, in zijn eigen woorden – heeft hij nog geen ongelijk. Hij is een man die toegewijd is aan de kracht van onze natie en dat bent u kennelijk niet!'
'Volgens mij ben ik toegewijd aan rede, meneer. Dat sluit de kracht van ons land niet buiten, ik mag tenminste hopen van niet.'
'Daar heb ik geen bewijzen van gezien.'
'Het spijt me, ze waren er wel.'

'Dank u, afgevaardigde, omdat u hebt uitgesproken wat zo velen van ons alleen maar denken.'
'Waarom zegt u het dan niet?'
'Ik weet het niet. Overal waar je kijkt staat er iemand tegen ons te schreeuwen dat we een vuist moeten maken. Als jongen was ik bij Bastogne, in de Bulge, en niemand hoefde mij te vertellen een vuist te maken. Die vuist had ik al – en ik was ook verdomde bang. Het gebeurde gewoon; ik wilde blijven leven. Maar nu liggen de zaken anders. Het gaat niet om man tegen man, zelfs niet langer meer met kanonnen en vliegtuigen. Het zijn machines die door de lucht vliegen en grote gaten slaan in de aarde. Je kunt niet op ze mikken, je kunt ze niet tegenhouden. Je kunt alleen maar wachten.'
'Ik wou dat u op die hoorzitting was geweest. U hebt het zo-

juist beter uitgedrukt dan ik het ooit heb kunnen doen, en u hebt er betere kwalificaties voor.'

Hij wilde werkelijk niet langer praten; hij was uitgepraat en vreemdelingen op straat hielpen hem weinig om de eenzaamheid te vinden die hij zocht. Hij moest nadenken, de zaken voor zichzelf op een rijtje zetten, beslissen wat hij doen moest en snel die beslissing nemen alleen maar om het achter de rug te hebben. Hij had de benoeming bij de Partridge-commissie aangenomen om een specifieke reden: hij wilde een stem hebben in de verkiezing voor zijn district van de man die hem zou moeten opvolgen, en zijn assistent Phil Tobias had hem ervan overtuigd dat die stem hem gegarandeerd zou worden als hij gehoor gaf aan de oproep van Partridge. Maar Evan vroeg zich nu af of hem dat eigenlijk een barst kon schelen.

Tot op zekere hoogte moest hij toegeven dat het hem wel iets kon schelen, maar niet vanwege een aanspraak op een bepaald gebied. Hij was als een woedende man met open ogen een onbelangrijke politieke arena binnengelopen. Kon hij nu gewoon de brui eraan geven omdat hij geïrriteerd was over een korte vlaag van openbare bekendheid? Hij liep niet te koop met zijn ethiek, maar hij had een duidelijke afkeer van iemand die een verplichting aanging en die vervolgens liet schieten omdat het hem persoonlijk te moeilijk werd. Van de andere kant, en met de woorden uit een ander tijdperk, had hij de boeven naar buiten gesmeten die Colorado's Negende District hadden uitgezogen. Hij had gedaan wat hij wilde doen. Wat konden zijn kiezers nog meer van hem verlangen? Hij had hen wakker geschud; dat dacht hij tenminste en hij had geld noch woorden gespaard in een poging dat voor elkaar te krijgen.

Nadenken. Hij moest werkelijk nadenken. Hij zou waarschijnlijk zijn bezit in Colorado nog een tijdje vasthouden, voor hoelang wist hij nog niet; hij was eenenveertig; over negentien jaar zou hij zestig zijn. Verrek, wat deed dát er toe? ...Het deed er wel degelijk toe. Hij ging terug naar Zuidwest-Azië, naar het werk en de mensen waarbij hij zich thuisvoelde, maar net als Manny zou hij niet zijn laatste jaren gaan doorbrengen, of als hij geluk had zo'n twee decennia, in diezelfde omgeving. ...Manny. Emmanuel Weingrass, genie, de briljantheid in persoon, autocraat, renegaat, als mens totaal onmogelijk – en toch de enige vader die hij ooit had gekend. Zijn eigen vader had

hij niet eens meegemaakt; die man die altijd weg was, was omgekomen bij het bouwen van een brug in Nepal en had een vrouw achtergelaten met een cynische humor die beweerde dat ze een veel te jonge kapitein in de Genie had getrouwd tijdens de Tweede Wereldoorlog en minder huwelijkse geneugten had gesmaakt dan Catharina van Aragon.
'Hé!' schreeuwde een dikke man die net onder de luifel kwam aanlopen van een bar aan Sixteenth Street. 'Jou heb ik net gezien! Je was op de televisie en je zat op een bureau! Het was dat nieuwsprogramma dat de hele dag duurt. Stomvervelend! Ik weet verdomd niet meer wat je zei maar er waren een paar kerels die klapten en een paar die boe riepen. Jij was het!'
'U zult zich wel vergissen,' zei Kendrick terwijl hij zijn pas versnelde. Goeie god, dacht hij, de mensen van Cable News hadden die onvoorbereide persconferentie meteen op de buis gegooid. Hij was nauwelijks anderhalf uur geleden weggegaan uit zijn kantoor; iemand had er haast. Hij wist dat Cable altijd op zoek was naar nieuws dat er overal in Washington viel op te pikken, maar waarom moest hij het zijn? Wat hem werkelijk dwarszat was een opmerking die de jonge Tobias had gemaakt toen Evan nog pas werkte op de Hill. 'Cable is een broeiproces, afgevaardigde, en daar kunnen we gebruik van maken. De grote stations beschouwen u misschien als niet belangrijk genoeg om in het nieuws te brengen, maar ze houden voortdurend alle kruimels van Cable in het oog, alles wat ongewoon is en vreemd – spekkie voor hun eigen bekkie. We kunnen situaties creëren waarin de jongens van Cable in het aas happen en volgens mij, meneer Kendrick, zullen uw uiterlijk en uw ongewone opmerkingen...'
'Laten we nooit de fout maken de jongens van Cable erbij te halen, meneer Tobias, oké?' De weigering had de assistent teleurgesteld en hij werd maar gedeeltelijk vermurwd door Evans belofte dat de volgende man in het kantoor veel beter zou meewerken. Hij had het gemeend; hij meende het nu ook, maar hij maakte zich er zorgen over dat het te laat kon zijn. Hij liep terug naar het Madison-hotel, maar ongeveer een straat verder, waar hij de zondagnacht had doorgebracht; hij had dat gedaan omdat hij de tegenwoordigheid van geest had gehad zijn huis in Virginia te bellen om te horen of zijn optreden in het programma van Foxley nog problemen thuis had veroorzaakt.

'Alleen als je wilt telefoneren, Evan,' had dr. Sabri Hassan geantwoord in het Arabisch, de taal die ze beiden gebruikten zowel voor hun gemak als om andere redenen. 'De telefoon blijft maar overgaan.'
'Dan blijf ik in de stad. Ik weet nog niet waar, maar ik laat het je weten.'
'Waarom zou je die moeite nemen?' had Sabri gevraagd. 'Je komt er waarschijnlijk niet doorheen. Het verbaast me dat het je nu is gelukt.'
'Oké, en mocht Manny bellen...'
'Waarom bel je hem zelf niet en zeg je hem waar je zit, dan hoef ik niet te liegen. De journalisten horen niets liever dan een Arabier die liegt; dan vallen ze over ons heen. De Israëli's kunnen zeggen dat wit zwart is, of dat zoet zuur is, en hun lobbyisten overtuigen het Congres ervan dat het in hun eigen voordeel is. Met ons is dat anders.'
'Hou erover op, Sabri...'
'We moeten bij je weggaan, Evan. Wij doen jou geen goed, we zúllen je geen goed doen.'
'Verdomme, waar heb je het nou weer over?'
'Kasji en ik hebben vanmorgen naar het programma gekeken. Je was erg doeltreffend, beste vriend.'
'We zullen het er later wel over hebben.' Hij had de middag doorgebracht met naar baseball kijken en whisky te drinken. Om half zeven had hij het nieuws aangezet, het ene station na het andere, maar het enige dat hij te zien kreeg was zichzelf in korte stukken uit het Foxley-programma. Vol afkeer had hij een cultureel programma gezocht dat een film vertoonde over de paringsgewoonten van walvissen voor de kust van Tierra del Fuego. Hij was verbaasd; hij was in slaap gevallen.
Vandaag voelde hij instinctmatig dat hij zijn kamersleutel bij zich moest houden, daarom haastte hij zich de hal van het Madison door naar de liften. Toen hij op zijn kamer was trok hij zijn kleren uit, op zijn onderbroek na en hij ging op bed liggen. En of het nu een symptoom was van een teruggedrongen ego of alleen maar nieuwsgierigheid, maar hij pakte de afstandsbediening en schakelde over naar het kanaal van Cable News. Zeven minuten later zag hij zichzelf het kantoor uitlopen.
'Dames en heren, u hebt zojuist een van de meest ongewone persconferenties gezien die deze verslaggever ooit heeft meegemaakt.

Niet alleen ongewoon maar ook ongewoon eenzijdig. Deze afgevaardigde uit Colorado, die aan zijn eerste ambtstermijn bezig is, heeft vragen van nationaal belang opgeworpen maar weigert ondervraagd te worden over zijn conclusies. Hij loopt gewoon weg. Voor hem spreekt dat hij ontkent "op het publiek te spelen" omdat hij er kennelijk nog niet zeker van is of hij wel in Washington blijft – hetgeen naar wij aannemen betekent in de politiek – maar toch waren zijn verklaringen op zijn zachtst gezegd provocerend.'

De videoband werd ineens stopgezet en ervoor in de plaats kwam een rechtstreeks beeld van een nieuwslezeres. 'We schakelen nu over naar het ministerie van Defensie waar naar we hebben vernomen een staatssecretaris een verklaring heeft voorbereid. Neem het maar over, Steve.'

Een ander gezicht, dit keer van een donkerharige verslaggever met een scherp gesneden gezicht en te veel tanden; het tuurde in een camera en fluisterde: 'Staatssecretaris Jasper Hefflefinger, die meestal van stal wordt gehaald wanneer iemand het Pentagon aanvalt, haast zich de bres te dichten die geslagen werd door afgevaardigde – wie? – Henryck van Wyoming – wát? – Colorado! Hier is staatssecretaris Hefflefinger.'

Weer aan ander gezicht. Een knappe man met hangwangen, een krachtig gelaat met een bos zilvergrijs haar dat de aandacht trok. En met een stem waarmee hij benijd moest worden door de meest prominente radio-omroepers van einde jaren dertig en veertig. 'Ik zeg tegen die afgevaardigde dat we blij zijn met zijn commentaar. Wij willen hetzelfde, meneer! Het vermijden van een catastrofe, de jacht op vrede en vrijheid...'

De pietlut draafde maar door met van alles te zeggen en toch niets te zeggen en hij raakte niet één keer de kwestie van escalatie en beperking.

Waarom ík? schreeuwde Kendrick bij zichzelf. Waarom ik? Laat ze maar doodvallen! Alles kan doodvallen! Hij zette het toestel af, pakte de telefoon en belde Colorado. 'Hai, Manny,' zei hij toen hij het abrupte hallo van Weingrass hoorde.

'Jongen, ben jij me effe een grote piet!' schreeuwde de oude man in de telefoon. 'Uiteindelijk heb ik je dus toch nog goed opgevoed!'

'Vergeet het maar, Manny, ik wil niks meer met die rotzooi te maken hebben.'

'Wát wil je? Heb je jezelf op de tv gezien?'
'Daarom wil ik ermee ophouden. Vergeet dat stoombad met glazen muren maar en het tuinhuisje bij de rivier. Dat doen we later wel. Laten jij en ik maar teruggaan naar de Emiraten – via Parijs natuurlijk – misschien een paar maanden in Parijs als je dat leuk vindt. Oké?'
'Níet oké, jij *meschogger* clown! Je hebt wat te zeggen en dan moet je het ook doen! Ik heb je altijd geleerd – of we er een contract mee verloren of niet – altijd te zeggen wat volgens jou juist was... Oké, oké, misschien hebben we een beetje gesjoemeld met de tijd, maar we hebben het gerooid! En we berekenden nooit tijdsoverschrijdingen ook al moesten we die zelf betalen!'
'Manny, dat heeft niks te maken met wat hier aan de hand is...'
'Het heeft er alles mee te maken! Je bent iets aan het bouwen... En over bouwen gesproken, raad eens, *goy* jongen van me?'
'Wat?'
'Ik ben begonnen aan het stoombad op het terras en ik heb de plannen voor het tuinhuisje bij de rivier klaar. Niemand valt Emmanuel Weingrass lastig tot zijn plannen zijn uitgevoerd tot zijn volle tevredenheid!'
'Manny, je bent onmogelijk!'
'Ik geloof dat ik dat al eens eerder heb gehoord.'

Milos Varak liep een grindpad af in Rock Creek Park naar een bank die uitkeek over een ravijn waarin een zijriviertje van de Potomac stroomde. Het was een afgelegen, vredige plek, ver van de betonnen paden die de voorkeur hadden van de zomertoeristen wanneer ze de hitte en de drukte van de straten wilden ontvluchten. Zoals de Tsjech verwachtte zat de voorzitter van het Huis van Afgevaardigden daar al op de bank, zijn bos witte haren verborgen onder een Ierse wandelpet met de klep half over zijn gezicht getrokken, zijn lange, ontstellend magere gestalte bedekt met een onnodige regenjas in de zwoele vochtigheid van een augustusmiddag in Washington. De voorzitter wilde niet dat iemand hem zou herkennen; dat was meestal wel anders bij hem. Varak liep naar hem toe en zei:
'Meneer de voorzitter, het is een eer voor me kennis met u te maken, meneer.'
'Verrek, je bent echt een buitenlander!' Op het uitgemergelde

gezicht met de donkere ogen en de gebogen witte wenkbrauwen lag woede te lezen maar ook een trek van verontschuldiging, het laatste kennelijk zeer tot zijn ongenoegen. 'Als je een of andere boodschappenjongen bent van die pokkecommunisten dan kun je meteen opdonderen, Iwan! Ik ben niet meer verkiesbaar voor een volgende termijn. Ik ben uitgewerkt, aan het eind, *kaput* vanaf januari aanstaande en wat er dertig of veertig jaar geleden gebeurde betekent geen reet meer! Heb je me begrepen, Boris?'
'U hebt een uitzonderlijke carrière achter u en u bent een positieve kracht geweest voor uw land, meneer – en ook mijn land. Wat betreft mijn Rus-zijn of een spion uit het Oostblok, kan ik u zeggen dat er een aantal mensen in deze regering zitten die weten dat ik de afgelopen tien jaar tegen beiden heb gevochten.'
De politicus met de staalharde ogen nam Varak op. 'Je zou het lef niet hebben of de stommiteit begaan zoiets tegen me te zeggen tenzij je daar bewijzen voor had,' dreunde hij met het doordringende accent van iemand uit het noorden van New England. 'Toch heb je me bedreigd!'
'Alleen maar om uw aandacht te trekken, u over te halen met me te praten. Mag ik gaan zitten?'
'Zit,' zei de voorzitter alsof hij het tegen een hond had waarvan hij verwachtte dat die hem zou gehoorzamen. Varak ging zitten en liet een grote ruimte tussen hen beiden in. 'Wat weet jij over de gebeurtenissen die al dan niet misschien hebben plaatsgevonden in de jaren vijftig?'
'Het was de zeventiende maart 1951, om het precies te zeggen,' antwoordde de Tsjech. 'Op die dag werd er een jongetje geboren in het ziekenhuis van Maria Barmhartigheid in Belfast van een jonge vrouw die een aantal jaren eerder naar Amerika was geëmigreerd. Ze was naar Ierland teruggekeerd om een hele trieste reden. Haar man was gestorven en ze leed daar zo onder dat ze haar kind thuis, bij haar familie geboren wilde laten worden.'
Met kille en onbevreesde blik zei de voorzitter: 'En?'
'Volgens mij weet u dat, meneer. Er was daar geen echtgenoot maar een man die heel veel van haar moet hebben gehouden. Een opkomend politicus in een ongelukkig huwelijk waaruit hij niet kon ontsnappen vanwege de wetten van de Kerk en de blinde aanhankelijkheid van zijn kiezers. Jarenlang stuurde die

man, die ook advocaat was, geld naar de vrouw en hij bezocht haar en het kind in Ierland zo vaak hij kon... Als een Amerikaanse oom natuurlijk...'
'Kun je bewijzen wie die mensen waren?' viel de oude voorzitter hem in de rede. 'Geen horen zeggen of geruchten of onbetrouwbare verklaringen van ooggetuigen, maar bewijs dat zwart op wit staat?'
'Dat kan ik.'
'Waarmee? Hoe?'
'Er werden brieven geschreven.'
'Leugenaar!' snauwde de zeventigjarige. 'Ze heeft elke brief verbrand voordat ze stierf!'
'Ik vrees dat ze ze alle op één na verbrandde,' zei Varak zacht. 'Volgens mij was ze vast van plan die ook te vernietigen, maar de dood overviel haar eerder dan ze verwachtte. Haar man vond de brief verstopt onder een aantal artikelen op haar nachtkastje. Hij weet natuurlijk niet wie *E* is en hij wil het ook niet weten. Hij is alleen maar dankbaar dat zijn vrouw uw aanbod afwees en die laatste twintig jaar bij hem bleef.'
De oude man wendde zich af; even welden er tranen op in zijn ogen maar die werden vastberaden weggesnoven. 'Mijn vrouw was toen bij me weg,' zei hij nauwelijks verstaanbaar. 'Onze dochter en zoon studeerden en er was geen enkele reden die valse schijn nog langer op te houden. Er waren dingen veranderd, de meningen waren veranderd en ik was zo veilig als een Kennedy in Boston. Zelfs de kapsonesmakers in het aartsdiocesen hielden hun mond – al liet ik bij een paar van die schijnheilige rotzakken natuurlijk wel doorschemeren dat ik als de Kerk bij de verkiezingen tussenbeide zou komen de zwarte radicalen en de joden zou aanmoedigen het Huis op zijn kop te zetten over hun heilige status van belastingvrijdom. De bisschop moest bijna kotsen van benauwdheid en hij slingerde allerlei banvloeken over me uit omdat ik zo'n slecht voorbeeld gaf aan de gelovigen, maar ik kreeg hem klein. Ik zei hem dat mijn vrouw die bij me wegging waarschijnlijk ook met hem had geslapen.' De voorzitter met de witte haardos en het doorploegde gelaat zweeg. 'Moeder Maria,' riep hij uit en de tranen waren nu zichtbaar. 'Ik wilde dat meisje terug hebben!'
'Ik weet zeker dat u niet over uw vrouw spreekt.'
'Jij weet precies wat ik bedoel, meneer Zondernaam! Maar ze kon het niet doen. Een fatsoenlijke man had haar al bijna vijf-

tien jaar een thuis gegeven en haar zoon een naam. Ze kon niet bij hem weggaan, zelfs niet voor mij. Ik zal je de waarheid zeggen, ik heb haar laatste brief ook bewaard. Beide brieven waren de laatste die we elkaar schreven. "We zullen in het hiernamaals herenigd worden," schreef ze me. "Maar niet verder meer hier op aarde, mijn lieveling." Wat voor onzin was dat nou? We hadden een leven kunnen opbouwen, een verdomd goed deel van een leven!'

'Als u me toestaat, meneer, volgens mij waren het de woorden van een liefhebbende vrouw die evenveel respect had voor u als voor zichzelf en haar zoon. U had zelf kinderen en openbaringen uit het verleden kunnen de toekomst vernietigen. U had een toekomst, meneer de voorzitter.'

'Ik zou het er allemaal aan hebben gegeven...'

'Dat kon ze u niet laten doen, evenmin als ze de man kon ruïneren die haar en haar kind een huis en een naam had gegeven.'

De oude man haalde een zakdoek te voorschijn en wreef door zijn ogen en zijn stem werd plotseling weer hard. 'Hoe weet jij dat godverdomme allemaal?'

'Dat was niet moeilijk. U bent de leider van het Huis van Afgevaardigden, de tweede man na de president, en ik wilde meer over u weten. Neemt u me niet kwalijk, maar oudere mensen praten gemakkelijker dan jongere – veel daarvan is terug te voeren op hun niet erkende gevoel van belangrijkheid als het om zogenaamde geheimen gaat – en ik wist natuurlijk dat u en uw vrouw, beiden katholiek, gescheiden waren. Gezien uw politieke status in die tijd en de macht van uw Kerk, moet dat een hele zware beslissing zijn geweest.'

'Verrek, daarin kan ik je niet tegenspreken. Je hebt dus gezocht naar de oudere mensen die er in die tijd ook al waren.'

'Ik heb hen gevonden. Ik ontdekte dat uw vrouw, de dochter van een rijke projectontwikkelaar die politieke invloed wilde hebben en die letterlijk uw eerste campagnes financierde, een slechte reputatie had.'

'Ervoor en erna, meneer Zondernaam. Alleen was ik de laatste die daarachter kwam.'

'Maar u kwam erachter,' zei Varak vastberaden. 'En in uw woede en schaamte zocht u naar ander gezelschap. In die tijd was u ervan overtuigd dat u aan uw huwelijk niets meer kon veranderen, daarom zocht u naar surrogaatvertroosting.'

'Wordt dat zo genoemd? Ik zocht naar iemand die ik de mijne kon noemen.'
'En u vond haar in een ziekenhuis waar u tijdens een campagne heenging om bloed te geven. Ze was een gediplomeerd verpleegster uit Ierland die studeerde voor haar Amerikaanse diploma.'
'Hoe weet jij, verdomme...'
'Oude mensen praten.'
'Pee Wee Mangecavallo,' fluisterde de voorzitter en zijn ogen schitterden ineens alsof de herinnering een vlaag van geluk opwekte. 'Hij had een klein Italiaans restaurant, een bar met goed Siciliaans eten, zowat vier straten van het ziekenhuis. Niemand viel me daar ooit lastig – ik geloof niet dat ze wisten wie ik was. Die spaghettivreter, hij wíst het dus nog.'
'Meneer Mangecavallo is nu over de negentig, maar hij weet het inderdaad nog. U nam dat knappe verpleegstertje mee daar naartoe en hij sloot om één uur 's nachts zijn bar en liet u beiden binnen; hij vroeg alleen of u de jukebox niet te hard wilde laten spelen.'
'Een pracht van een kerel.'
'Met een buitengewoon scherp geheugen voor iemand van zijn leeftijd, maar ik vrees zonder de zelfbeheersing die hij als jongere man had. Hij haalt achter elkaar herinneringen op, hij bazelt eigenlijk een beetje en zegt dingen boven een glas Chianti die hij zelfs een paar jaar geleden nooit zou hebben gezegd.'
'Op zijn leeftijd heeft hij daartoe het recht...'
'En u hebt hem echt in vertrouwen genomen, meneer de voorzitter,' viel Varak hem in de rede.
'Nee, niet echt,' sprak de oude politicus hem tegen. 'Maar Pee Wee zag verband tussen de dingen; zo moeilijk was dat niet. Nadat ze naar Ierland was vertrokken ging ik daar nog wel eens naar terug, een paar jaar lang vrij regelmatig. Ik dronk dan meer dan ik gewoonlijk deed omdat, zoals ik zei, niemand me kende of er een sodemieter om gaf en Pee Wee zorgde altijd dat ik zonder ongelukken thuiskwam, zoals dat heet. Ik zal wel te veel hebben gezegd.'
'U bent weer in het restaurant van meneer Mangecavallo geweest op de dag dat ze trouwde...'
'En óf ik dat deed. Ik weet het nog als de dag van gisteren – ik herinner me dat ik naar binnen ging, maar ik weet er niks

meer van hoe ik eruit ben gekomen.'
'Meneer Mangecavallo weet nog alles over die dag. Namen, een land, een stad... een datum van – scheiding noemde u het. Ik ben in Ierland geweest.'
De voorzitter van het Huis hief met een ruk zijn hoofd op en keek Varak aan met woedende, vragende ogen die niet één keer knipperden. 'Wat wil je van me? Het is allemaal voorbij en je kunt me er geen kwaad meer mee doen. Wat wil je eigenlijk?'
'Niets waarvan u ooit spijt zou hebben of waarover u zich zou hoeven schamen, meneer. U zou het tot de bodem kunnen laten uitzoeken en u zou het alleen maar volkomen eens zijn met de aanbeveling van mijn cliënten.'
'Jouw... *cliënten?* Aanbeveling...? Een of andere benoeming in het Huis?'
'Ja meneer.'
'Afgezien van al dat gezeik, waarom zou ik toestemmen in wat je dan ook bedoelt?'
'Vanwege een bijzonderheid in Ierland waarvan u niet op de hoogte bent.'
'Wat dan wel?'
'Hebt u gehoord over de moordenaar die zich Tam O'Shanter noemt, de provo "eskadercommandant" van de IRA?'
'Een zwijn! Een vlek op het schild van elke Ierse clan!'
'Hij is uw zoon.'

Er was een week verstreken en voor Kendrick was het een verder bewijs van hoe snel roem verging in Washington. De hoorzittingen van de Partridge-commissie waren uitgesteld op verzoek van het Pentagon dat twee verklaringen uitgaf, één dat het een diepgaand onderzoek instelde naar bepaalde financiële zaken, en één dat kolonel Robert Barrish bevorderd was tot brigadiergeneraal en was overgeplaatst naar het eiland Guam om een oogje te houden op die zeer essentiële buitenpost van de vrijheid.
Ene Joseph Smith uit 70 Cedar Street in Clinton, New Jersey, wiens vader bij het 27ste had gediend op Guam brulde van het lachen toen hij zijn vrouw tegen haar borst stompte voor de televisie. 'Hij is opzij gezet, baby! En hoe-heet-die-ook-al-weer heeft 't 'm geflikt! Ik mág die vent steeds meer!'
Maar zoals er een einde komt aan alle korte periodes van euforie, zo gebeurde dat ook bij de tijdelijke opluchting van de

afgevaardigde van het Negende District van het Congres in Colorado.
'God in de hémel!' schreeuwde Phil Tobias, eerste assistent van het congreslid en hij hield zijn hand op de telefoonhoorn. 'Het is de voorzitter van het Huis zélf! Geen assistent, geen secretaresse, hijzélf!'
'Misschien moet je dat de andere "hijzelf" laten weten,' zei Annie O'Reilly. 'Hij heeft jouw toestel gebeld, niet het mijne. Zeg maar niks, schat. Druk alleen de knop maar in en kondig hem aan. Dit gaat jouw pet te boven.'
'Maar het is niet zoals het hóórt! Zijn mensen hadden míj moeten bellen...'
'Doe het nu maar.'
Tobias deed het.
'Kendrick?'
'Jawel, meneer de voorzitter?'
'Hebt u een paar minuten voor me te missen?' vroeg de man uit New England.
'Ja natuurlijk, meneer de voorzitter, als u denkt dat het belangrijk is.'
'Ik bel zo'n pas afgestudeerde klojo niet rechtstreeks als ik niet dacht dat het belangrijk was.'
'Dan mag ik alleen maar hopen dat een klojo van een voorzitter een belangrijk onderwerp te bespreken heeft,' antwoordde Kendrick. 'Als hij dat niet heeft bereken ik zijn staat mijn uurtarief voor advisering. Is dat begrepen, meneer de voorzitter?'
'Ik mag jouw stijl wel, jongen. We staan aan verschillende kanten maar ik mag jouw stijl wel.'
'Dat verandert misschien wanneer ik in uw kantoor ben.'
'Dat vind ik zelfs nog mooier.'

Kendrick stond stomverbaasd voor het bureau te staren naar de ontwijkende ogen van de uitgemergelde voorzitter van het Huis met zijn witte haren. De oude Ier had zojuist iets gezegd wat op zijn minst een voorstel zou moeten zijn maar wat, in plaats daarvan, een onaangename verrassing was op Evans weg om zich uit Washington terug te trekken. 'De subcommissie voor Toezicht en Evaluatie?' vroeg Kendrick met onderdrukte woede. 'Van *Inlichtingen?*'
'Precies,' antwoordde de voorzitter en hij keek in zijn stukken.

'Waar haalt u het lef vandaan? Zoiets kunt u niet doen!'
'Het is al gebeurd. Uw benoeming is al bekend gemaakt.'
'Zonder mijn toestemming?'
'Die heb ik niet nodig. Ik zal niet zeggen dat ik het erg gemakkelijk heb gehad met de leiders van uw eigen partij – u bent niet bepaald de populairste vent aan uw kant van het hek – maar met een beetje overtuigen stemden ze ermee in. U bent een soort symbool van tweepartijdigheid.'
'Symbool? Wat voor symbool? Ik ben helemaal geen symbool!'
'Heb je een band van het programma van Foxley?'
'Dat is verleden tijd. Dat is vergeten.'
'Of die stunt die je uithaalde in je kantoor de volgende morgen? Die vent van *The New York Times* heeft een geweldige column over je geschreven, hij zei van je dat je een soort – wat was het ook al weer? Ik heb het gisteren nog eens nagelezen – "een stem was van het gezonde verstand tussen het gekras van krankzinnige kraaien".'
'Dat was allemaal weken geleden en niemand heeft daar sindsdien nog iets zinnigs over gezegd. Ik ben uit beeld.'
'Je bent net weer in volle bloei teruggekomen.'
'Ik weiger de benoeming! Ik heb er geen zin in te worden belast met geheimen over de nationale veiligheid. Ik blijf niet in de politiek en ik beschouw het als een onhoudbare positie wanneer ik geplaatst word in – een gevaarlijke situatie om het ronduit te zeggen.'
'Als je in het openbaar weigert zal je partij je in je blootje op straat zetten – in het openbaar. Ze zullen wat scheldwoorden gebruiken, zoals een rijke vergissing en onverantwoordelijk en ze zullen die stomme ezel weer tot leven brengen die jij met je geld hebt begraven. Hij en dat bestuursapparaat worden hier gemist.' De voorzitter zweeg even en grinnikte. 'Ze legden iedereen in de watten met verwennerijtjes als privé-vliegtuigen en dure suites vanaf Hawaï tot het zuiden van Frankrijk die eigendom waren van de mijnjongens. Het maakte geen donder verschil uit van welke partij je was, ze wilden alleen een paar toevoegingen in de wetgeving – het kon hun geen barst schelen waar die vandaan kwamen. Verrek, afgevaardigde, als je weigert zou je ons allemaal een genoegen kunnen doen.'
'U bent echt een klojo, meneer de voorzitter.'
'Ik ben pragmatisch, jongen.'
'Maar u hebt zoveel fatsoenlijke dingen gedaan...'

'Dat kwam omdat ik praktisch was,' viel de oude politieke vos hem in de rede. 'Die dingen krijg je niet gedaan met emmers azijn, die worden gemakkelijker geslikt met hele kommen warme stroop, zoals zoete stroop uit Vermont, snap je?'
'Beseft u wel dat u met die ene verklaring politieke corruptie hebt vergoeilijkt?'
'Dat had je gedacht! Ik heb zojuist door de vingers gezien dat je op kleine schaal hebzucht moet accepteren als onderdeel van de menselijke aard, in ruil voor een wetgeving op grote schaal om mensen te helpen die dat echt nodig hebben! Ik heb die dingen erdoor gekregen, hufter, door met mijn ogen te knipperen voor een enkele uitspatting wanneer de betreffende mensen wisten dat mijn ogen nog open waren. Jij bent een rijke klootzak, jij begrijpt zoiets niet. Natuurlijk hebben we hier op de Hill een paar miljonairs, maar de meesten zijn dat niet. Die leven van jaarsalarissen die jij in een maand zou verbrassen. Ze laten de politiek schieten omdat ze hun twee of drie kinderen niet kunnen laten studeren op wat ze verdienen, laat stáán op vakantie gaan. Jij hebt dus helemaal gelijk, ik knipper met mijn ogen.'
'Goed dan!' riep Kendrick uit. 'Dat kan ik begrijpen, maar wat ik niet kan begrijpen is dat u me benoemt bij Toezicht! Er is niets in mijn achtergrond wat mij geschikt maakt voor zo'n taak. Ik zou u zo'n dertig, veertig anderen kunnen opnoemen die heel wat meer weten dan ik – en da's niet zo moeilijk, want ik weet helemaal niks. Zij volgen dat soort zaken op de voet, ze vinden het geweldig als insiders die stomme zaken te volgen – ik herhaal, ik ben van mening dat het *stomme zaken* zijn! Haal een van hen er maar bij. Ze lopen te kwijlen om zo'n kans te krijgen.'
'We zijn niet op zoek naar dat soort honger, jongen,' zei de voorzitter in zijn zwaar geprononceerde accent van de Oostkust dat helemaal niet paste bij de tientallen jaren van subtiele politieke onderhandelingen in de hoofdstad van het land. 'Een goede, gezonde kritische houding, zoals jij die hebt laten zien tegenover die bazelende kolonel bij Foxley, die hebben we hier nodig. Je zult een echte bijdrage leveren.'
'U hebt ongelijk, meneer de voorzitter, omdat ik niets heb bij te dragen, niet eens een greintje belangstelling. Barrish gebruikte en misbruikte algemeenheden en weigerde arrogant duidelijke praat te leveren, hij sprak alleen maar neerbuigend. Dat was

volkomen anders. Nogmaals, ik heb geen belangstelling voor Toezicht.'

'Nou ja, beste jongen, belangstelling verandert afhankelijk van de situatie, net als bij de bank. Er gebeurt iets en de rente gaat omhoog of omlaag in overeenstemming daarmee. En sommigen van ons zijn beter dan anderen op de hoogte van de toestanden in bepaalde onrustgebieden in de wereld – in dat opzicht ben jij zeker geschikt. Zoals dat prachtige boek zegt heeft niemand ene mallemoer aan talenten die in de grond zijn gestopt, maar als ze aan het licht worden gebracht kunnen ze tot bloei komen. Net zoals jij de laatste tijd tot bloei bent gekomen.'

'Als u het hebt over de tijd die ik heb doorgebracht in de Arabische Emiraten, denk er dan, alstublieft, aan dat ik in de bouw bezig was en alleen maar belangstelling had voor werkkrachten en winst.'

'Is dat echt waar?'

'De gemiddelde toerist wist meer over de politiek en de cultuur van die landen dan ik. In de bouwwereld klitten we allemaal zo'n beetje aan elkaar; we hadden onze eigen kringen en kwamen zelden daarbuiten.'

'Dat kan ik moeilijk geloven – zowat onmogelijk zelfs. Ik heb het achtergrondrapport van het Congres over jou gelezen, jongen, en ik moet je zeggen dat ik er steil van achterover ben geslagen. Jij zit hier midden in Washington en je hebt vliegvelden aangelegd en regeringsgebouwen neergezet voor de Arabieren en dat betekende heel zeker dat je een verrekte hoop hebt moeten overleggen met de hoge pieten daar. Ik wil maar zeggen *vliegvelden*; dat betekent militaire inlichtingen, jongen! Verder ontdek ik dat je verschillende Arabische talen spreekt, niet één maar verschillende!'

'Het is maar één taal, de rest bestaat uit dialecten...'

'Ik zeg je dat je van onschatbare waarde bent en het is niet minder dan je vaderlandse plicht om je land te dienen door dat wat je weet te delen met andere deskundigen.'

'Ik ben géén deskundige!'

'Bovendien,' viel de voorzitter hem in de rede en hij leunde met een peinzende uitdrukking achterover in zijn stoel, 'zou het onder de omstandigheden, gezien je achtergrond en zo, er uitzien alsof je iets te verbergen had als je de benoeming weigerde, iets wat we misschien eens nader zouden moeten onderzoeken. Jij

hebt iets te verbergen, afgevaardigde.' De voorzitter keek Evan ineens strak aan.
Iets te verbergen? Hij had alles te verbergen! Waarom keek de voorzitter hem zo aan? Niemand was op de hoogte van Oman, van Masqat en Bahrein. Niemand zou dat ooit kunnen weten! Dat was de afspraak.
'Ik heb geen donder te verbergen maar er zou van alles duidelijk worden,' zei Kendrick vol overtuiging. 'U zou de subcommissie een slechte dienst bewijzen, gebaseerd op een misplaatste evaluatie van mijn kwalificaties. Doe uzelf nu een plezier. Haal een van de anderen erbij.'
'Dat prachtige boek, dat allerheiligste van alle boeken, heeft zoveel antwoorden, nietwaar?' zei de voorzitter zonder enig verband en zijn ogen dwaalden weer door het vertrek. 'Velen mogen geroepen zijn, maar slechts enkelen worden verkozen, klopt dat niet?'
'Och, in hemelsnaam...'
'Dat zou best eens het geval kunnen zijn, jongeman,' viel de oude Ier hem met een hoofdknik in de rede. 'Alleen de tijd zal het leren, nietwaar? Inmiddels heeft het bestuur van jouw partij besloten dat jij gekozen bent. Dan ben je dus gekozen – tenzij je iets te verbergen hebt, iets wat we eens zouden moeten onderzoeken. ...Nou, wegwezen. Ik moet werken.'
'Wegwezen?'
'Sodemieter hier op, Kendrick.'

20

De twee delen van het Congres, de Senaat en het Huis, hebben verscheidene commissies met dezelfde doelstelling en met gelijkluidende of bijna gelijkluidende namen. Zo is er Bestedingen van de Senaat en Bestedingen van het Huis, de Buitenlandse Betrekkingen van de Senaat en Buitenlandse Zaken van het Huis, de Selectieve Commissie voor Inlichtingen van de Senaat en de Permanente Selectieve Commissie voor Inlichtingen van het Huis, deze laatste met de machtige Subcommissie voor Toezicht en Evaluatie. Deze duplicering is opnieuw een voorbeeld van het effectieve systeem van het bewaren van het evenwicht tussen de drie machten in de republiek. De wetgevende arm van de regering, die een actuele afspiegeling vormt van de geldende inzichten van een veel breder spectrum van het staatslichaam dan een gebonden uitvoerende tak of de wetgevende tak die een heel leven lang zitting heeft, moet bij zichzelf te rade gaan en overeenstemming bereiken over elk van de honderdvoudige kwesties die aan haar twee overlegorganen worden voorgelegd. Het proces is opvallend frustrerend, opvallend onuitstaanbaar en over het algemeen eerlijk. Als het vinden van compromissen de kunst vormt van regeren binnen een pluralistische maatschappij, dan doet niemand dat beter, of met meer irritatie, dan de wetgevende tak van de Amerikaanse regering met haar ontelbare, vaak onuitstaanbare en dikwijls belachelijke commissies. Dit oordeel is juist; de elementen van een pluralistische maatschappij zijn inderdaad talrijk, meestal onuitstaanbaar voor tirannen die de macht zoeken, en ze zijn bijna altijd belachelijk in de ogen van degenen die aan de burgerij hun wil zouden willen opleggen. De ethiek van de één mag nooit via ideologie de rechtsgeldigheid van de ander worden, zoals velen in de uitvoerende tak en de wetgevende tak het graag zouden zien. Die halve fanatici zingen met tegenzin heel vaak een toontje lager wanneer ze te maken krijgen met de protesten die opklinken uit die lastige commissies van geringer allooi op de Hill. Ondanks zeldzame en onvergeeflijke afwijkingen wordt de *vox populi* meestal gehoord en dat komt ten goede aan het land. Maar er zijn enkele commissies op Capitol Hill waar logica en noodzaak de stemmen zachter doen klinken. Dat zijn de kleine, beperkte adviescolleges die zich concentreren op de strategieën die worden ontworpen door de verschillende inlichtingendiensten binnen de regering. Misschien omdat de stemmen meestal niet luid klinken en de leden van zulke commissies aan zeer streng veiligheidsonderzoek worden onderworpen, krijgen degenen die worden uitverkoren voor de selectieve commissies een bepaald aureool. Ze weten dingen die anderen niet mogen weten; ze zijn anders, mogelijk een beter soort mannen en vrouwen. Ook bestaat er een stilzwijgende overeenkomst tussen het Congres en de pers dat deze laatste zich wat inhoudt op gebieden die deze commissies raken; een senator of een congreslid wordt benoemd, maar zijn of haar benoeming wordt geen geruchtmakende zaak. Toch hangt er evenmin een geheimzinnig waas over; de benoeming wordt bekend gemaakt en er wordt een geldige reden voor gegeven, maar zowel de benoeming als de reden wordt eenvoudig vermeld, zonder opsmuk. In het geval van de afgevaardigde uit het Negende District van Colorado, een zeker congreslid Evan Kendrick, werd verklaard dat hij een bouwkundige was met uitgebreide ervaring in het Midden-Oosten, vooral rond de Perzische Golf. Aangezien weinigen iets wisten over het gebied, en geaccepteerd werd dat het congreslid jaren geleden een hoge commerciële post had bekleed ergens in het Middellandse-Zeegebied, werd de benoeming als redelijk beschouwd en werd er geen bijzondere aandacht aan geschonken.

Redacteuren, commentatoren en politici zijn zich echter heel goed bewust van de nuances van toenemende bekendheid, want bekendheid gaat samen met macht in het *District of Columbia.* Er zijn commissies, maar er zijn ook *commissies.* Iemand die wordt benoemd bij Indiaanse Zaken staat niet op gelijke voet met een ander die naar Financiën wordt gestuurd – de eerste doet het minimum om te zorgen voor een terzijde geschoven, in de grond genomen ontheemd volk; de andere onderzoekt de methodiek en de procedures om te betalen voor het voortbestaan van de hele regering. En ook Milieu is niet gelijk aan Strijdkrachten – de budgetten van de ene commissie worden voortdurend en grof verminderd, terwijl er geen grens is aan de uitgaven voor bewapening. Het toekennen van geldelijke middelen is de moedermelk van invloed. Kort gezegd kunnen echter weinig commissies op de Hill op tegen het aureool en de geheime mystiek die zweven boven degenen die geassocieerd zijn met de clandestiene wereld van inlichtingen. Wanneer er onverwacht benoemingen vallen voor deze selectieve adviescolleges, zijn alle ogen erop gericht; collega's fluisteren in antichambres en de pers knielt in de startblokken, klaar voor hun tekstverwerkers, microfoons en camera's. Meestal komt er niets uit die voorbereidingen en zinken de namen weg in behaaglijke of onbehaaglijke vergetelheid. Maar niet altijd, en als Evan Kendrick zich bewust was geweest van de subtiliteiten dan zou hij misschien het risico hebben genomen tegen de sluwe voorzitter van het Huis te zeggen dat hij dood kon vallen.

Maar hij was er zich niet van bewust en het zou geen verschil hebben uitgemaakt als hij het wel was geweest; de voortgang van Inver Brass kon niet worden tegengehouden.

Het was half zeven in de ochtend, een maandagmorgen en de

vroege zon kwam bijna te voorschijn boven de heuvels in Virginia, toen Kendrick naakt in zijn zwembad dook in de hoop dat tien of twintig baantjes in het koude oktoberwater de spinnewebben, die zijn ogen versluierden en die zich pijnlijk door zijn slapen verspreidden, zouden wegvagen. Tien uur geleden had hij veel te veel cognacjes gedronken met Emmanuel Weingrass in Colorado terwijl ze in een belachelijk luxueus tuinhuisje zaten en beiden lachten om de rivier die zichtbaar wegstroomde onder de glazen vloer.
'Nog even en je gaat walvissen zien!' had Manny uitgeroepen. 'Zoals je die kinderen beloofde in die half uitgedroogde rivier, waar weet ik al niet meer.'
'We hadden aas dat niet deugde. Ik had een van de moeders moeten gebruiken. Dat zwarte meisje. Die was adembenemend!'
'Haar man was majoor, een echte majoor, bij de genie. Die zou vast bezwaar hebben gemaakt.'
'Hun dochter was een heel knap kind. ...Ze kwam om met alle anderen.'
'Oh, gód, Manny. Waarom?'
'Het is tijd voor jou om op te stappen.'
'Ik wil niet weg.'
'Dat moet je! Je hebt morgen een vergadering, al twee uur vroeger dan het hier is.'
'Die kan ik overslaan. Ik heb er al een paar overgeslagen.'
'Eén, en daar voel ik nu nog de gevolgen van. Je vliegtuig staat te wachten op het vliegveld in Mesa Verde. Over vier uur ben je in Washington.'
Terwijl hij zijn baantjes trok en zijn snelheid geleidelijk opvoerde, dacht hij aan de aanstaande ochtendvergadering van Toezicht en hij moest toegeven dat hij blij was dat Manny erop had aangedrongen terug te keren naar de hoofdstad. De vergaderingen van de subcommissie fascineerden hem, maakten hem kwaad, verbijsterden hem, ontstelden hem, maar het meest van alles fascineerden ze hem. Er was zoveel aan de hand in de wereld waar hij niets van wist, zowel vóór als tegen de belangen van de Verenigde Staten. Maar pas in de derde vergadering begon hij te begrijpen dat er een steeds terugkerende fout school in de benadering van zijn collega's tegenover de getuigen uit de verschillende inlichtingendiensten. De fout was dat ze zochten naar zwakheden in de argumenten van de getuigen voor het uitvoeren van bepaalde operaties, terwijl ze ei-

genlijk de operatie zelf in twijfel hadden moeten trekken.
Het was begrijpelijk, want de mannen die verschenen voor Toezicht om hun zaken te bepleiten – uitsluitend mannen, en dat had een aanwijzing moeten zijn – waren vriendelijke beroepsmensen uit een gewelddadige clandestiene wereld die de melodramatische kant van die wereld bagatelliseerden. Ze brachten hun moeilijk te volgen jargon rustig en deden daarmee de hoofden van hun luisteraars opzwellen. Het was een bedwelmende gewaarwording deel uit te maken van die wereldomspannende ondergrondse, zelfs al was het maar als consulent; het gaf voedsel aan de puberachtige fantasieën van gerijpte volwassenen. Onder de getuigen bevonden zich geen Barrishachtige kolonels; in plaats daarvan paradeerde er voor de subcommissie een onafgebroken stroom aantrekkelijke, goedgeklede, steeds bescheiden en gematigde mannen om op koele, zakelijke toon uit te leggen wat ze konden bereiken als er geld voor werd uitgegeven en waarom het noodzakelijk was voor de veiligheid van het land dat het gebeurde. In de meeste gevallen luidde de vraag: *kunnen jullie het doen?* Niet of het juist was, of zelfs of het verstandig was.
Die beoordelingsfouten kwamen zo vaak voor dat ze het congreslid uit Colorado verontrustten, die voor korte tijd deel had uitgemaakt van die wrede, gewelddadige wereld waarin de getuigen zich bewogen. Hij kon dat niet romantiseren; hij verfoeide het. Die afgrijselijke, adembenemende angst die deel uitmaakte van het afschuwelijke spel van het nemen en verliezen van menselijk leven, in een schaduwwereld die in een donker tijdperk thuishoorde waar het leven zelf slechts werd gemeten naar de mogelijkheid te overleven. In zo'n soort wereld leefde je niet; je verdroeg haar zwetend en met holle pijnen in je maag, zoals Evan die tijdens zijn korte kennismaking ermee had ondergaan. Toch wist hij dat die wereld bleef voortbestaan; bewoners ervan hadden hem gered van de haaien van Qatar. Niettemin begon hij in de daaropvolgende zittingen zijn voelhorens uit te steken, stelde hij steeds lastiger vragen. Hij begreep dat zijn naam in het geheim, vol emoties en met nadruk genoemd werd in de gangen van het Congres, de CIA en zelfs het Witte Huis. Wie wás die opruier, die onruststoker? Het kon hem geen barst schelen; het waren gerechtvaardigde vragen en hij zou ze blijven stellen. Wie was er verdomme onschendbaar? Wie stond er boven de wet?

Er was enig tumult boven hem, door het water heen dat in het zwembad langs zijn gezicht stroomde kon hij wilde gebaren zien en uitroepen horen. Hij hield midden in een baan stil en schudde zijn hoofd terwijl hij watertrapte. De man die hem kwam storen was Sabri, maar het was een Sabri Hassan die hij zelden zag. De altijd rustige doctor in de filosofie van middelbare leeftijd uit Dubai was buiten zichzelf; hij probeerde uit alle macht zich te beheersen en rustig te praten, maar hij slaagde daar nauwelijks in.
'Je moet wég!' schreeuwde hij toen Evan het water uit zijn oren had geschud.
'Wat... wát?'
'Oman! Masqat! Het bericht komt door op alle stations, op alle kanalen. Er zijn zelfs foto's van je gekleed als een van ons – in Masqat! Zowel de radio als de televisie blijft de programma's onderbreken om de laatste ontwikkelingen door te geven! Het is zojuist bekend gemaakt, pas enkele minuten geleden; de kranten houden hun ochtendeditie vast om meer details te kunnen geven...'
'Godverdómme!' brulde Kendrick en hij sprong uit het zwembad terwijl Sabri een handdoek om hem heen wierp.
'De verslaggevers en de rest van die mensen zullen ongetwijfeld binnen een paar minuten hier opduiken,' zei de Arabier. 'Ik heb de telefoon van de haak gelaten en Kasji is onze auto aan het inladen – neem me niet kwalijk, de auto die je ons zo royaal hebt gegeven...'
'Hou daar maar over op!' schreeuwde Evan en hij begon naar zijn huis te rennen. 'Wat doet je vrouw met de auto?'
'Ze laadt er je kleren in, genoeg voor een paar dagen als dat nodig is. Je eigen wagen zou herkend kunnen worden; de onze staat altijd in de garage. Ik nam aan dat je wat tijd wilde hebben om na te denken.'
'Tijd om een paar moorden te beramen!' stemde Evan in, terwijl hij door de deur van de patio stormde en met twee treden tegelijk de achtertrap oprende, met dr. Hassan vlak achter zich aan. 'Hoe heeft dat in godsnaam kunnen gebeuren. Verdómme!'
'Ik vrees dat het nog maar het begin is, goede vriend.'
'Wát?' vroeg Kendrick en hij rende de grote slaapkamer in die uitkeek op het zwembad. Hij liep naar zijn commode, trok daar haastig een aantal laden open en rukte er sokken uit, ondergoed en een overhemd.

'De stations bellen allerlei mensen om commentaar. Ze zijn natuurlijk allemaal erg lovend.'
'Wat konden ze anders zeggen?' vroeg Evan terwijl hij zijn sokken en onderbroek aantrok en Sabri het gesteven overhemd openvouwde en het hem aangaf. 'Dat ze allemaal juichten voor hun terroristische vriendjes in Palestina?' Kendrick trok het hemd aan en rende naar zijn kast om een broek te pakken. Sabri's vrouw, Kasji, kwam binnenlopen.
'Anahásfa!' riep ze uit, zich verontschuldigend en zich omkerend.
'Geen tijd voor *eltakaled*, Kasji,' riep het congreslid, haar zeggend dat ze de tradities maar moest vergeten. 'Hoe schiet je op met mijn kleren?'
'Misschien is het jouw keuze wel niet, beste Evan, maar je kunt er je mee kleden,' antwoordde de vriendelijke, bezorgde vrouw. 'Ik dacht er ook aan dat je ons zou kunnen bellen van waar je ook bent en dan kan ik je nog wat nabrengen. Veel mensen van de kranten kennen mijn man maar niemand kent mij. Ik vertoon me nooit.'
'Dat ligt aan jou, niet aan mij,' zei Kendrick; hij trok een colbertje aan en liep terug naar de commode om zijn portefeuille, zijn geldklem en zijn aansteker te pakken. 'Misschien sluiten we deze tent wel, Kasji, en gaan we naar Colorado. Daar kun je dan mijn officiële gastvrouw zijn.'
'Och, dat is dwaas, beste Evan,' giechelde mevrouw Hassan. 'Dat is niet zoals het hoort.'
'Jij bent de professor, Sabri,' voegde Kendrick eraan toe terwijl hij snel een kam door zijn haren haalde. 'Wanneer ga je het haar eindelijk eens leren?'
'Wanneer zal zij luisteren? Onze vrouwen moeten iets op ons voor hebben waar wij mannen niets vanaf weten.'
'Laten we gáán!'
'De sleutels zitten in de auto, beste Evan...'
'Bedankt, Kasji,' zei Kendrick terwijl hij met Sabri de deur uitliep en de trap af. 'Vertel me eens,' vervolgde Evan toen beide mannen de patio overstaken naar de grote garage waarin zijn Mercedes sportwagen stond en Hassans Cimarron Cadillac. 'Hoeveel weten ze eigenlijk?'
'Ik kan alleen vergelijken wat ik heb gehoord met dat wat Emmanuel me heeft verteld, want jij hebt letterlijk niets verteld.'
'Niet omdat ik iets voor je geheim wilde houden...'

'Toe nou, Evan,' viel de professor hem in de rede. 'Hoe lang ken ik je nu al? Je bent op een pijnlijke manier jezelf lof aan het toezwaaien, al is het dan indirect.'
'Lof, was 't maar waar!' riep Kendrick uit en hij trok de garagedeur open. 'Ik heb het verpest! Ik was zo goed als dood met een bloedend varken op mijn rug gebonden, op het punt om gedropt te worden boven de zandbanken van Qatar! Anderen hebben het gedaan, ik niet. Ze hebben mijn veel te hoog geprezen hachje gered.'
'Zonder jou hadden ze niets kunnen doen...'
'Vergeet het maar,' zei Evan, die naast het portier van de Cadillac stond.
'Hoeveel zijn ze te weten gekomen?'
'Naar mijn mening heel weinig. Niets van wat Emmanuel me heeft verteld, zelfs wanneer je rekening houdt met zijn natuurlijke overdrijvingen. De journalisten moeten de bijzonderheden bijeenschrapen en die bijzonderheden krijgen ze blijkbaar niet.'
'Daar heb ik niet veel aan. Waarom zei je dat dit pas "het begin" was toen we van het zwembad kwamen?'
'Vanwege een man die geïnterviewd werd – en die zich kennelijk maar al te graag uit zijn huis had laten slepen – een collega van jou in de Subcommissie Inlichtingen van het Huis, een congreslid dat Mason heet.'
'Mason...?' vroeg Kendrick fronsend. 'Hij is een hele piet in Tulsa of Phoenix, ik weet niet meer precies waar, maar hij is een nul. Een paar weken geleden werd er in het geheim geageerd om hem uit de commissie te wippen.'
'Op die manier werd hij nauwelijks gepresenteerd, Evan.'
'Dat zal best. Wat zei hij?'
'Dat jij het schranderste lid van de commissie was. Jij was de briljante man tegen wie iedereen opkeek en naar wie iedereen luisterde.'
'Gezeik! Ik heb wat gepraat en een paar vragen gesteld maar nooit zoveel en op de tweede plaats geloof ik niet dat Mason en ik ooit meer tegen elkaar hebben gezegd dan "hallo"! Het is gelúl!'
'Het is nu ook door het hele land bekend...'
Het geluid van één, toen twee auto's die gillend afremden voor het huis doorbrak de stilte van de garage.
'Goeie gód!' fluisterde Evan. 'Ik zit in de val!'

'Nog niet,' zei dr. Hassan. 'Kasji weet wat ze moet doen. Ze zal de eerstaangekomenen binnenlaten, waarbij ze tussen haakjes Hebreeuws zal praten, en hen naar het solarium brengen. Ze zal net doen alsof ze hen niet verstaat en ze zo aan het lijntje houden – natuurlijk maar voor een paar minuten. Ga nou, Evan, en ga binnendoor naar het zuiden totdat je aan de autoweg komt. Over een uur leg ik de hoorn weer op de haak. Bel ons. Kasji zal je alles brengen wat je nodig hebt.'

Kendrick bleef achter elkaar draaien en duwde de haak neer bij elke ingesprektoon tot hij eindelijk tot zijn opluchting de telefoon hoorde overgaan.
'Het huis van afgevaardigde Kendrick...'
'Ik ben het, Sabri.'
'Nu sta ik er écht van te kijken dat je verbinding hebt kunnen krijgen. Het doet me ook buitengewoon veel plezier want nu kan ik de hoorn weer naast het toestel leggen.'
'Hoe gaat het bij jullie?'
'Rampzalig, beste vriend. Ook op je kantoor en in je huis in Colorado. Ze zijn allemaal belegerd.'
'Hoe weet je dat?'
'Hier wil niemand vertrekken en net als jij kwam Emmanuel eindelijk bij ons door. Vloekend en wel. Hij beweerde dat hij het bijna een half uur had geprobeerd...'
'Dan heb ik het in tien minuten korter gedaan. Wat zei hij?'
'Het huis is omsingeld, overal staan mensen. De mensen van de kranten en de televisie zijn kennelijk allemaal naar Mesa Verde gevlogen waar de meesten vast kwamen te zitten omdat drie taxi's zulke aantallen nauwelijks aankonden.'
'Manny zal wel razend zijn.'
'Waarom hij vooral zo razend is, is het gebrek aan sanitaire faciliteiten.'
'Wat?'
'Die heeft hij hun geweigerd en daarna zag hij hoe iedereen aan alle kanten rond het huis het noodzakelijke begon te doen, zodat hij op je rek met jachtgeweren is afgevlogen.'
'O, mijn god, ze pissen het hele grasveld onder – dat híj heeft aangelegd!'
'Ik heb Emmanuels tirades in het verleden heel wat keren moeten aanhoren, maar dit slaat alles. Maar terwijl hij zo aan het doorslaan was zag hij wel kans me te vertellen dat ik mevrouw

O'Reilly moest bellen op je kantoor, aangezien zij geen verbinding kon krijgen met het huis hier.'
'Wat zei Annie?'
'Dat je een tijdje buiten schot moest blijven maar – zoals zij het zei – of je haar "in godsnaam" wilde bellen.'
'Ik geloof niet dat ik dat doe,' zei Evan peinzend. 'Hoe minder ze weet hoe beter het op dit moment is.'
'Waar ben je?' vroeg de professor.
'In een motel buiten Woodbridge, langs snelweg Vijfennegentig. Het heet *De Drie Beren* en ik zit in bungalow drieëntwintig. Het is de laatste links, het dichtst bij de bossen.'
'Omdat je dat zo beschrijft neem ik aan dat je dingen nodig hebt. Eten ongetwijfeld; je kunt niet naar buiten gaan en de kans lopen gezien te worden en er kan geen etageservice zijn in een motel met bungalows...'
'Nee, geen eten. Ik heb onderweg wat gegeten.'
'Heeft niemand je herkend?'
'Er was een tekenfilmpje op de televisie.'
'Wat heb je dan nodig?'
'Wacht tot de late edities van de ochtendbladen verschijnen en stuur Jim de tuinman naar Washington om er zoveel mogelijk verschillende te pakken te krijgen. Vooral de grote kranten; die zullen hun beste mensen op het bericht hebben gezet en die zullen andere mensen bereiken.'
'Ik zal een lijstje voor hem maken. Dan brengt Kasji ze naar je toe.'
Pas om half twee in de middag arriveerde Sabri's vrouw bij het motel in Woodbridge, Virginia. Evan opende de deur van bungalow drieëntwintig en was dankbaar toen hij merkte dat ze de bestelwagen van de tuinman had genomen. Hij had niet gedacht aan die afleidingsmanoeuvre maar zijn twee vrienden uit Dubai wisten dat ze maar beter niet in zijn Mercedes langs de belegeraars rond zijn huis konden rijden. Terwijl Kendrick de deur openhield liep Kasji snel een tweede en een derde keer terug naar het voertuig, want behalve de stapel landelijke bladen had ze eten meegebracht. Er waren sandwiches in plastic folie, twee flessen melk in een ijsemmertje, vier warmhouders, met voor de helft westerse en voor de andere helft Arabische schotels en een fles Canadese whisky.
'Kasji, ik ben niet van plan hier een wéék te blijven,' zei Kendrick.

'Dit is voor vandaag en vanavond, beste Evan. Je staat behoorlijk onder spanning en je moet eten. In de doos op tafel zitten bestek en metalen onderzetters waarop je de warmhouders kunt zetten. Er zijn ook placemats en servetten, maar als ik zo vrij mag zijn, bel me alsjeblieft als je hier ineens moet vertrekken, dan kan ik het bestek en de servetten terughalen.'
'Waarom? Gooit de kwartiermeester je anders in het cachot?'
'Ik ben zelf de kwartiermeester, beste Evan.'
'Bedankt, Kasji.'
'Je ziet er moe uit, *ya sahbee*. Heb je niet geslapen?'
'Nee, ik heb naar die verdomde televisie liggen kijken en hoe meer ik kijk hoe kwader ik word. Het is moeilijk slapen wanneer je woedend bent.'
'Zoals mijn man zegt, en ik ben het met hem eens, ben je heel doeltreffend op de televisie. Hij zegt ook dat we bij je weg moeten gaan.'
'Waarom? Dat zei hij me een paar weken geleden ook al en ik weet nog steeds niet waarom!'
'Natuurlijk weet je dat. Wij zijn Arabieren en jij bent in een stad waar men ons wantrouwt; jij werkt in een politieke arena die ons niet verdraagt. En we willen niet dat jou door ons iets overkomt.'
'Kasji, dit ís mijn arena niet! Ik ga er vandoor, ik kots ervan! Jij zegt dat dit een stad is die jullie niet vertrouwt? Waarom zouden jullie zo anders zijn? Deze stad vertrouwt *niemand!* Het is een stad vol leugenaars en standwerkers en nepgosers, mannen en vrouwen die zich klauwend een weg zullen banen over elke rug om een beetje dichter bij de honingpotten te komen. Ze zijn bezig een verdomd goed systeem te versjteren, ze zuigen het bloed uit elke ader die ze kunnen aftappen, roepen de vaderlandslievende heiligheid van hun motieven van de daken terwijl het volk aan de zijlijnen zit te klappen voor iets waarvoor ze zelf betalen, zonder het te weten! Da's niks voor mij, Kasji, ik trek me terúg!'
'Je bent kwaad...'
'Moet je mij vertellen!' Kendrick rende naar het bed waarop de stapel kranten lag.
'Mijn béste Evan,' onderbrak de Arabische vrouw hem en Kendrick had haar nog nooit zo vastberaden horen spreken. Hij draaide zich om met een aantal kranten in de hand. 'Die artikelen zullen je grieven,' vervolgde ze met haar donkere ogen

op hem gericht, 'en om je de waarheid te zeggen waren er gedeelten bij die Sabri en mij hebben gegriefd.'
'Ik begrijp het,' zei Kendrick zacht en hij keek haar aan. 'Alle Arabieren zijn terroristen. Ik weet zeker dat dat erin staat, met vette letters.'
'Heel duidelijk, ja.'
'Maar dat is niet wat je wilt zeggen.'
'Nee. Ik zei dat je gegriefd zou worden maar dat woord is niet sterk genoeg. Je zult ziedend worden, maar voordat je iets doet wat je niet meer kunt goedmaken moet je alsjeblieft eerst even naar mij luisteren.'
'Wat heb je me dan in 's hemelsnaam te zeggen, Kasji?'
'Dankzij jou hebben mijn man en ik een aantal zittingen kunnen bijwonen van jullie Senaat en jullie Huis van Afgevaardigden. Ook door jouw toedoen hebben we het voorrecht gehad zaken te horen bepleiten voor het Hoogste Gerechtshof.'
'Dat was niet alleen door mijn toedoen. Wat wil je zeggen?'
'Wat we zagen en hoorden was opmerkelijk. Staatszaken, zelfs wetten waarover openlijk wordt gedebatteerd, niet door eenvoudige rekestranten maar door geleerde mannen. Jij ziet de slechtste kanten, de misdadige kanten en wat je zegt is ongetwijfeld waar, maar is er niet nog een andere waarheid? We hebben toegekeken terwijl vele mannen en vrouwen met overtuiging opkwamen voor wat ze geloofden, zonder angst dat ze gemeden of tot zwijgen gebracht zouden worden...'
'Gemeden kunnen ze worden. Niet tot zwijgen gebracht. Nooit.'
'En toch nemen ze risico's voor hun motieven, vaak grote risico's?'
'Verrek, ja. Ze brengen de zaak in de openbaarheid.'
'Voor hun overtuigingen?'
'Ja...' Kendrick liet het woord wegsterven. Het was duidelijk wat Kasji Hassan bedoelde; het was ook een waarschuwing voor hem nu hij werd opgevreten door blinde woede.
'Dan zijn er dus ook *goede* mensen in wat jij een "verdomd goed systeem" noemde. Denk daar, alsjeblieft aan, Evan. Kleineer hen alsjeblieft niet.'
'Wát moet ik niet doen?'
'Ik druk me slecht uit. Neem me niet kwalijk. Ik moet gaan.' Kasji liep snel naar de deur en draaide zich toen om. 'Ik smeek je, *ya sahbee*, als je in je woede meent dat je iets drastisch moet doen, bel dan eerst mijn man, in de naam van Allah, of als je

wilt Emmanuel. Dat is echter geen vooringenomenheid. Want ik hou net zoveel van onze joodse broeder als van jou, maar mijn man zou wel wat rustiger reageren.'
'Je kunt erop rekenen.'
Kasji liep naar buiten en Kendrick stortte zich letterlijk op de kranten, draaide ze allemaal om op zijn bed met de voorpagina's naar boven, rij na rij, zodat de koppen zichtbaar waren. Als een oerkreet de pijn had kunnen verzachten zou zijn stem de ramen van zijn verstikkend hete bungalow in scherven hebben gebroken.

The New York Times
New York, dinsdag 12 oktober

AFGEVAARDIGDE EVAN KENDRICK VAN COLORADO ZOU HEBBEN BIJGEDRAGEN AAN OPLOSSING OMAN-CRISIS
Arabische terroristen te slim af volgens geheim memorandum

The Washington Post
Washington D.C., dinsdag 12 oktober

KENDRICK VAN COLORADO ONTHULD ALS GEHEIM AMERIKAANS WAPEN IN OMAN
Spoorde Arabische terroristen en relaties op

Los Angeles Times
Los Angeles, dinsdag 12 oktober

VRIJGEGEVEN DOSSIERS ONTHULLEN: KENDRICK, AFGEV. COLORADO, SLEUTEL TOT OPLOSSING OMAN
Palestijnse terroristen hadden Arabische steun. Nog geheim

Chicago Tribune
Chicago, dinsdag 12 oktober

KAPITALIST KENDRICK OPENT BOEIEN VAN GEGIJZELDEN DIE DOOR COMMUNISTISCHE TERRORISTEN WERDEN VASTGEHOUDEN
Overal wanorde onder Arabische moordenaars door onthullingen

New York Post
New York, dinsdag 12 oktober

EVAN, DE MENSCH VAN OMAN, ZETTE DE ARABIEREN VOOR PAAL!
Voorstel in Jeruzalem hem ereburger te maken van Israël!
New york eist een victory-parade!

USA Today
Woensdag 13 oktober

'COMMANDO' KENDRICK HEEFT 'T 'M GEFLIKT!
Arabische terroristen kunnen zijn bloed wel drinken!
Wij willen een standbeeld!

Kendrick stond over zijn bed gebogen en zijn neergeslagen ogen namen snel de ene vette kop na de andere op; in zijn hoofd dreunde maar één woord, één enkele vraag: *waarom?* En toen hij daarop het antwoord niet kon vinden kwam er langzaam een andere vraag bij hem op: *wie?*

21

Als er een antwoord bestond op een van beide vragen dan zou dat niet in de kranten te vinden zijn. Die stonden bol van 'gezaghebbende' en 'hooggeplaatste' en zelfs 'vertrouwelijke' bronnen, die voor het merendeel antwoordden met 'geen commentaar' en 'we kunnen er op dit moment niets over zeggen', en dat alles kwam neer op ontwijkende maar daardoor bevestigende verklaringen.
Wat de opschudding veroorzaakte was een hoogst geheim, interdepartementaal memo met het briefhoofd van Buitenlandse Zaken. Het was zonder ondertekening, uit verborgen dossiers te voorschijn gekomen en was naar buiten gebracht door een werknemer of werknemers die van mening waren dat een man groot onrecht was aangedaan onder de onredelijke beperkingen van nationale veiligheid, waarbij de paranoïde angst voor represailles door terroristen ongetwijfeld bovenaan de lijst stond. Kopieën van het memo waren tegelijkertijd naar de kranten, de nieuwsagentschappen en de radio- en televisiestations gestuurd, en ze werden daar alle ontvangen tussen vijf uur en

zes uur in de ochtend, Eastern Daylight Time. Bij elk memo zaten drie verschillende foto's van de afgevaardigde in Masqat. De mogelijkheid om te ontkennen werd ontkend.
Het was op touw gezet, dacht Evan. Het tijdstip was gekozen om het hele land wakker te schudden naarmate de mensen in de verschillende tijdzones hun dag begonnen; in de loop van de dag zouden nog meer bulletins volgen.
Waarom?
Wat merkwaardig was waren de feiten die werd onthuld – even merkwaardig door wat werd weggelaten als door wat werd genoemd. Ze waren verbazingwekkend juist, tot op het punt dat hij in het diepste geheim naar Oman was gevlogen en in Masqat van het vliegveld was gesmokkeld door inlichtingenagenten die hem Arabische kleren hadden bezorgd en zelfs de gelei die zijn huid donker had gemaakt, waardoor hij niet opviel in het 'operatieterrein'. Verrék! *Operatieterrein.*
Er waren vage, vaak veronderstelde details over contacten die hij had gelegd met mensen die hij uit het verleden kende, de namen waren eruit geknipt – zwarte balken in het memo om voor de hand liggende redenen. Er was een alinea over zijn vrijwillige opsluiting in een complex met terroristen wat hem bijna het leven had gekost, maar waar hij de namen te weten was gekomen die hij moest hebben om de mannen op te sporen die achter de Palestijnse fanatici in de ambassade stonden, vooral één naam – de naam uitgeknipt, een zwart balkje in de kopij. Hij had die man opgespoord – uitgeknipt, zwart balkje – en hem gedwongen de terroristische aanvoerders die de ambassade in Masqat hadden bezet hun bloedige werk te doen beëindigen. De man om wie alles draaide was doodgeschoten – de details waren uitgeknipt, een hele zwarte *alinea* – en Evan Kendrick, afgevaardigde van het Negende District van Colorado, was teruggekeerd onder de bescherming van de Verenigde Staten.
Deskundigen waren erbij gehaald om de foto's te onderzoeken. Elke afdruk werd spectografisch geanalyseerd op authenticiteit met betrekking tot de ouderdom van de negatieven en de mogelijkheid van veranderingen in een laboratorium. Alles was bevestigd, zelfs tot op de dag en de datum die te voorschijn waren gekomen door een krant, die een voetganger van Masqat bij zich had, twintig maal te vergroten. De meer serieuze kranten merkten op dat er geen alternatieve bronnen waren die al

dan niet geloofwaardigheden hadden kunnen verlenen aan de feiten die maar vaag naar voren werden gebracht, maar niemand kon twijfelen aan de foto's of aan de identiteit van de man die erop was afgebeeld. En die man, congreslid Evan Kendrick, was nergens te vinden om het ongelooflijke bericht te ontkennen of te bevestigen. *The New York Times* en *The Washington Post* snorden de paar vrienden en buren op die ze in de hoofdstad en in Virginia en Colorado konden vinden. Niemand kon zich herinneren iets gezien of gehoord te hebben van het congreslid tijdens de betreffende periode een jaar geleden – al was het nu niet direct zo dat ze zoiets verwachtten, en dat op zich betekende dat ze het waarschijnlijk wel geweten zouden hebben als hij contact met hen had gehad.
De *Los Angeles Times* ging nog verder en liet de telefoongesprekken van de heer Kendrick controleren, zonder de bronnen te noemen. Op enkele gesprekken na naar een paar lokale winkels en naar een zekere James Olsen, een tuinman, werden er over een periode van vier weken maar vijf gesprekken gevoerd vanuit het huis van de afgevaardigde in Virginia die mogelijk ergens betrekking op konden hebben. Drie daarvan waren gevoerd met de faculteiten voor Arabische studie aan de universiteiten van Georgetown en Princeton; een met de diplomaat van het Arabische Emiraat Dubai, die een paar maanden geleden naar huis was teruggekeerd; en het vijfde gesprek was geweest met een advocaat in Washington die weigerde met de pers te praten. Het maakte geen barst uit of het er iets mee te maken had; de jachthonden roken het wild, al was de prooi zelf verdwenen. De minder serieuze bladen, en dat wilde zeggen de meeste kranten die het geld niet hadden om uitvoerig onderzoek te laten verrichten, en de hele boulevardpers die zich niets aantrok van verificatie, als ze het woord al konden spellen, kon haar pseudo-journalistische gang gaan. Ze namen het onthulde, hoogst geheime memo en gebruikten het als een springplank naar het onstuimige water van heldhaftige speculaties, in de wetenschap dat hun bladen door hun weinig sceptische lezers zouden worden weggegraaid. Gedrukte woorden vormen maar al te vaak ware woorden voor weinig kritische lezers – inderdaad een wat neerbuigend oordeel, dat vaak maar al te waar is.
Wat echter in geen van de berichten werd vermeld waren waarheden, essentiële waarheden, die verder gingen dan de opmer-

kelijk juiste onthullingen. Er werd niets gezegd over een moedige jonge sultan in Oman, die zijn leven en zijn koningshuis in de waagschaal had gesteld om hem te helpen. Of over de Omani's die hem zowel op het vliegveld als in de achterbuurten van Masqat hadden beschermd. Of over een vreemde en opvallend professionele vrouw die hem had gered op de drukke doorgang voor dat andere vliegveld in Bahrein nadat hij bijna was vermoord, die asiel voor hem had gevonden en een dokter die zijn wonden verzorgd had. Bovenal werd er met geen woord gesproken over de Israëlische ploeg, onder leiding van een Mossad-functionaris, die hem had gered van een dood die hem nog steeds deed huiveren van afschuw. Of zelfs over een andere Amerikaan, een oudere architect uit de Bronx, zonder wie hij een jaar geleden dood zou zijn geweest, zonder een enkel spoor verdwenen tussen de haaien van Qatar.
In plaats daarvan liep er een rode draad door alle verslagen: alles wat Arabisch was, was beklad met de kwast van onmenselijke wreedheid en terrorisme. Het woord *Arabisch* zelf was synoniem met meedogenloosheid en barbaarsheid en er bleef van een heel volk geen greintje fatsoen meer over. Hoe langer Evan de kranten las, hoe kwader hij werd. Ineens veegde hij ze in een vlaag van woede allemaal van zijn bed.
Waarom?
Wie?
En toen stak er een holle, afschuwelijke pijn in zijn borst. *Ahmed!* Oh, mijn god, wat had hij gedáán? Zou de jonge sultan het begrijpen, kón hij het begrijpen? Door er helemaal niet over te spreken had de Amerikaanse pers het hele land Oman veroordeeld, had ze de bedriegelijke speculatie gevoed dat het land een *Arabisch* onvermogen had betoond tegenover de terroristen, of erger nog, had laten zien dat het als *Arabisch* land medeplichtig was aan de moedwillige, wrede moordpartij op Amerikaanse burgers.
Hij moest zijn jonge vriend bellen, contact met hem zoeken en hem zeggen dat hij niets te maken had met wat er gebeurd was. Kendrick zat op de rand van het bed; hij greep de hoorn van de telefoon en trok intussen zijn portefeuille uit zijn broekzak; de hoorn klemde hij onder zijn kin terwijl hij zijn credit-card zocht. Omdat hij zich de cijfervolgorde van het kengetal voor Masqat niet meer herinnerde draaide hij de o om het de receptionist te vragen. Ineens verdween de kiestoon en even raak-

te hij in paniek. Met wijd open ogen keek hij om zich heen naar de ramen.
'Ja, drieëntwintig?' klonk de schorre mannenstem over de lijn.
'Ik probeerde de receptie te bellen.'
'Al bel je maar een kengetal, dan krijg je nog de balie hier.'
'Ik... ik moet een intercontinentaal gesprek voeren,' stamelde Evan verward.
'Dat kan wel zijn, maar niet via deze telefoon.'
'Op een credit-card. Hoe krijg ik een telefonist – ik wil dit betalen op het nummer van mijn credit-card.'
'Ik blijf luisteren tot ik je het nummer hoor noemen en het ook echt wordt aangenomen, begrepen?'
Hij begreep het niet! Was het een valstrik? Had men hem ontdekt in een sjofel motel in Woodbridge, Virginia? 'Ik kan dat eigenlijk niet accepteren,' zei hij aarzelend. 'Het is een privégesprek.'
'Wát je zegt!' antwoordde de stem spottend. 'Ga dan maar een openbare telefoon zoeken. Er is er eentje in een wegrestaurant zowat zeven kilometer verderop. Doei, hufter, ik ben al genoeg bedonderd...'
'Wácht even! Goed dan, blijf maar aan de lijn. Maar wanneer de telefonist doorverbindt wil ik het klikje horen dat je oplegt, oké?'
'Nou ja, eigenlijk wilde ik Louella Parsons bellen.'
'Wie?'
'Vergeet het maar, hufter. Ik bel al. Mensen die de hele dag blijven zijn ofwel seksmaniakken of ze hebben een roofoverval gepleegd.'
Ergens langs de woeste kusten van de Perzische Golf kwam een telefonist die Engels sprak met een Arabisch accent met de mededeling dat er in Oman geen centrale was met 555 als kengetal. 'Bél het, alstublieft!' bleef Evan aanhouden en hij voegde er nog een smekend 'Alstublieft' aan toe.
Acht keer ging het toestel over en toen hoorde hij Ahmeds verontruste stem. *'Iwah?'*
'Je spreekt met Evan, Ahmed,' zei Kendrick in het Engels. 'Ik moet met je praten...'
'Met mij práten?' viel de jonge sultan uit. 'Waar haal jij de gore moed vandaan om mij nog te bellen, rótzak?'
'Je weet het dus? Over... over wat ze over me zeggen?'
'Wéten? Een van de aardige voordelen van een rijk jongetje te

zijn is dat ik schotels op mijn dak heb die kunnen oppikken wat ik wil en van waar ik het wil! Ik heb zelfs nog wat op jou voor, *ya sjaikh.* Heb jij de berichten al gezien van deze kant en uit het Midden-Oosten? Uit Bahrein en Riyadh, uit *Jeruzalem* en *Tel Aviv?*'
'Kennelijk niet. Ik heb alleen die maar gezien...'
'Het is allemaal dezelfde smeertroep, een mooie mesthoop waar jij op kunt gaan zitten! Veel geluk in Washington, blijf alleen hier maar verder weg.'
'Maar ik wíl terugkomen. Ik kóm ook terug!'
'Blijf weg, blijf weg uit dit deel van de wereld. We kunnen lezen en we kunnen horen en we kunnen naar de televisie kijken. Je hebt het allemaal alléén gedaan! Jij hebt de Arabieren in de zeik gedrukt! Ik wil niks meer met jou te maken hebben, klootzak die je bent!'
'Ahmed!'
'Donder op, Evan! Ik had zoiets nooit achter jou gezocht. Krijg je macht in Washington door ons allemaal beesten en terroristen te noemen? Is dat de enige manier?'
'Dat heb ik nooit gedaan, nooit gezégd!'
'Jouw wereld heeft het gezegd! En ze blijven het zo zeggen, steeds en steeds en steeds maar weer, tot het onderhand verdomde voor de hand ligt dat jullie ons allemaal in de boeien willen zien! En het laatste verdomde draaiboek is van jou!'
'Néé!' protesteerde Kendrick luidkeels. 'Niet van míj!'
'Lees je kranten maar. Kijk naar de televisie!'
'Dat is de pers, niet jou en mij!'
'Jij bént jou – nog zo'n arrogante klootzak uit dat blinde, hypocriete joods-christelijke land van jou – en ik ben ik, een islamitische Arabier. En je zult niet langer meer op mij spuwen!'
'Dat zou ik nooit willen, nooit kunnen...'
'En ook niet op mijn broeders, wier land op jouw bevel hun ontstolen werd, zodat hele dorpen gedwongen werden hun huizen en hun werk in de steek te laten en hun onbelangrijke zaakjes – klein en onbelangrijk, maar wel al generaties lang hun eigendom!'
'In godsnaam, Ahmed, je klinkt net als een van hén!'
'Je méént het!' zei de jonge sultan en uit zijn woorden klonk zowel woede als sarcasme. 'Met "hen" mag ik aannemen dat je een jongetje bedoelt van een van die duizenden en nogmaals duizenden gezinnen die onder de bedreiging van geweren in

kampen geslingerd werden die alleen maar geschikt zijn voor zwijnen. Voor zwíjnen, niet voor gezinnen! Niet voor moeders en vaders en kinderen! ...Hemeltjelief, meneer de alwetende, uitgesproken eerlijke Amerikaan. Gosjemijne, als ik klink als een van hen dan spijt me dat echt! En ik zal je nog eens iets vertellen waarvan ik spijt heb: ik kwam hier zo laat. Ik begrijp zoveel meer dan gisteren.'

'Waar heb je het, verdomme, nu weer over?'

'Ik herhaal. Lees je kranten, kijk naar je televisie, luister naar je radio. Is dat superieure volk van jou zich aan het opmaken om al die smerige Arabieren met atoombommen te bestoken zodat je verder geen last meer van ons hebt? Of gaan jullie dat overlaten aan die lieve vriendjes van jullie in Israël, die je immers toch zeggen wat jullie doen moeten. Je geeft hun gewoon de bommen.'

'Nou moet jij 's effe ophouden!' riep Kendrick uit. 'Die Israëli's hebben mij het leven gered!'

'Verdomd als 't niet waar is, dat hebben ze inderdaad gedaan, maar jij was maar een bijkomstigheid! Jij was alleen maar een brug naar datgene waarvoor ze echt hierheen kwamen gevlogen.'

'Waar heb je het over?'

'Ik kan het je net zo goed vertellen omdat niemand anders het zal doen, en niemand zal zoiets afdrukken in de krant. Ze gaven geen sodemieter om jou, meneer de held. Die eenheid kwam hierheen om één vent uit de ambassade te halen, een Mossad-agent, een strategist met een hoge rang, die zich voordeed als genaturaliseerd Amerikaan, onder contract van Buitenlandse Zaken.'

'O, mijn god,' fluisterde Evan. 'Wist Weingrass daarvan?'

'Als hij het wist heeft hij zijn bek gehouden. Hij dwong hen achter jou aan te gaan in Bahrein. Zó hebben ze jouw leven gered. Ze waren het helemaal niet van plan. Ze geven geen rotsodemieter om iemand of iets, alleen om zichzelf. De jóden! Net als jij, meneer de héld.'

'Verdomme, luister nou eens naar me, Ahmed! Ik ben niet verantwoordelijk voor wat er hier gebeurd is, voor wat er in de kranten staat en wat er te zien is op de televisie. Het is wel het laatste wat ik wilde...'

'Geouwehoer!' viel de jonge afgestudeerde van Harvard en sultan van Oman hem in de rede. 'Niets van dat alles had ge-

schreven kunnen worden zonder jou. Ik heb dingen ontdekt waarvan ik geen idéé had. Wat zijn dat voor inlichtingenagenten van jullie die hier rondbanjeren in mijn land? Wat zijn dat voor contacten die jij allemaal hebt gelegd?'
'Mustapha was er één van!'
'Vermóórd. Wie heeft jou hier binnengevlogen zonder het mij te laten weten? Ik ben de baas in deze verrekte tent; wie heeft er het récht? Ben ik soms de slagpin van de kop van Jut?'
'Ahmed, ik weet niks van die dingen. Ik wist alleen dat ik daarhéén moest.'
'En ik hang er maar zo'n beetje bij? Kon ik niet worden vertrouwd? ...Natuurlijk niet, ik ben een *Arabier!*'
'Nou ben je aan het ouwehoeren. Je werd beschermd.'
'Waartegen? Een Amerikaans-Israëlische doofpot?'
'Hou nou, godverdomme, eens een keer daarmee op! Ik heb nooit iets geweten over een Mossad-agent in de ambassade tot jij het me daarnet vertelde. Als ik het geweten had, had ik het je gezegd! En nu we het daar toch over hebben, fanatiekeling die je ineens bent geworden, ik had ook niks te maken met de vluchtelingenkampen of het daar naar binnen marcheren van gezinnen onder bedreiging van geweren...'
'Jullie hebben er allemáál mee te maken!' schreeuwde de sultan van Oman. 'De ene volkerenmoord in ruil voor de andere, maar wíj hadden evenmin iets met die andere te maken! Sodemieter op!'
Het gesprek werd afgesneden. Een goede man en een goede vriend die geholpen had zijn leven te redden, was uit zijn leven verdwenen. En zijn plannen om terug te keren naar een deel van de wereld dat hem ontzettend dierbaar was, lagen in scherven.

Voordat hij zich in het openbaar ging vertonen moest hij uitvinden wat er gebeurd was en wie het had laten gebeuren en waaróm! Hij moest ergens beginnen en dat ergens was Buitenlandse Zaken en een man die Frank Swann heette. Een frontale aanval op BZ was natuurlijk uitgesloten. Zo gauw hij zich bekendmaakte zouden er overal alarmbellen gaan rinkelen en aangezien zijn gezicht herhaalde malen, tot kotsens toe, op de televisie was vertoond en half Washington naar hem op zoek was, moest elke actie die hij ondernam zorgvuldig worden doordacht. Om bij het eerste te beginnen: hoe kon hij Swann bereiken, zonder dat Swann of zijn kantoor het doorhad? Zijn kantoor? Evan wist het weer. Een jaar geleden was hij Swanns kantoor binnengelopen en had hij met een secretaresse gesproken; hij had haar een paar Arabische woorden genoemd om de urgentie van zijn bezoek duidelijk te maken. Ze was in een ander kantoor verdwenen en tien minuten later waren hij en Swann met elkaar in gesprek in het ondergrondse computercomplex. Die secretaresse was niet alleen efficiënt, maar ze was ook een hele goede waakhond, zoals kennelijk de meeste secretaresses waren in het verraderlijke Washington. Aangezien die waakhond van een secretaresse heel goed op de hoogte was van een zeker congreslid Kendrick met wie ze een jaar geleden had gesproken, zou ze misschien ook wel willen luisteren naar een andere stem van iemand die haar baas ook wilde beschermen. Het was het proberen waard; het was ook het enige wat hij kon bedenken. Hij pakte de hoorn van de haak, draaide het kengetal 202 voor Washington en wachtte tot de schorre manager van *De Drie Beren* zich zou melden.

'Consulaire Operaties, kantoor van directeur Swann,' zei de secretaresse.

'Hallo dit is Ralph van ID,' begon Kendrick. 'Ik heb nieuws voor Frank.'

'Met wíe spreek ik?'

'Het is in orde, ik ben een vriend van Frank. Ik wilde hem alleen maar zeggen dat er later op de middag misschien een interdepartementale vergadering zal zijn...'

'Wéér eentje? Daar zit hij echt niet op te wachten.'

'Hoe ziet zijn agenda eruit?'

'Barstensvol. Hij zit tot vier uur in vergadering.'

'Nou ja, als hij niet nog een keer op de pijnbank gelegd wil worden kan hij er misschien maar beter een punt achter zetten en vroeg naar huis rijden.'

'Rijden? Hij? Hij springt met een parachute in het oerwoud van Nicaragua, maar hij waagt zich niet in het verkeer in Washington.'

'Je weet wat ik bedoel. Ze zijn hier allemaal nogal zenuwachtig. Hij zou wel eens aan het spit kunnen worden geregen.'

'Daar zit hij al aan sinds zes uur vanmorgen.'

'Ik probeer alleen maar een vriendje te helpen.'

'Nou ik eraan denk, hij heeft een afspraak met zijn dokter.'

'Echt waar?'
'Die heeft hij nu. Bedankt, Ralph.'
'Ik heb je nooit gebeld.'
'Natuurlijk niet, schat. Iemand in ID controleerde alleen maar de agenda's.'

Evan stond tussen de mensen te wachten op een bus op de hoek van Twentyfirst Street en hij had een vrij uitzicht op de ingang naar Buitenlandse Zaken. Na zijn gesprek met Swanns secretaresse had hij de bungalow verlaten en was snel naar Washington gereden; bij een winkelcentrum in Alexandria was hij even gestopt om een zonnebril te kopen, een vissershoedje van zeildoek met een brede rand en een jack van zachte stof. Het was twaalf minuten voor vier in de middag; als de secretaresse haar taak als waakhond goed had volbracht, dan zou Frank Swann, adjunct-directeur van Consulaire Operaties, binnen de komende vijftien of twintig minuten uit de enorme glazen deuren te voorschijn komen.
Dat gebeurde ook. Om drie minuten over vier sloeg hij haastig linksaf op het trottoir in de tegenovergestelde richting van de bushalte. Kendrick rende tussen de mensen vandaan en begon achter de man van Buitenlandse Zaken aan te lopen. Op zo'n tien meter achter hem; hij vroeg zich af wat voor vervoermiddel de niet autorijdende Swann zou gaan nemen. Als hij van plan was te lopen zou Kendrick hem tot staan brengen bij een parkje of een andere plaats waar ze ongestoord konden praten.
Hij ging niet lopen; hij stond op het punt een bus te nemen die op Virginia Avenue naar het oosten reed. Swann voegde zich bij een paar andere passagiers die op hetzelfde voertuig wachtten dat nu snel en log kwam aanrijden door de straat, op weg naar de halte. Evan haastte zich naar de hoek; hij mocht de directeur van Cons Op niet op die bus laten stappen. Hij naderde Swann en tikte hem op de schouder. 'Hallo Frank,' zei Kendrick vriendelijk, en hij zette zijn donkere bril af.
'Jij!' schreeuwde de stomverbaasde Swann, en de andere passagiers schrokken ervan toen de deuren van de bus zich openvouwden.
'Ik,' gaf Evan zacht toe. 'Ik geloof dat we maar beter eens moesten praten.'
'Goeie god! Je moet helemaal geschift zijn!'

'Als ik dat ben dan heb jij daarvoor gezorgd...'
Verder vorderde hun korte gesprek niet want ineens weerklonk een vreemde stem over straat en weergalmde van de zijkant van de bus. 'Hij ís het!' brulde een vreemd uitziende, onverzorgde man met grote uitpuilende ogen en lang, slonzig haar dat over zijn oren en voorhoofd viel. 'Moet je zien! Kijk nou! Hij is het! *Commando Kendrick!* Ik heb hem de hele dag op de televisie gezien – ik heb zeven televisies op mijn flat! Er gebeurt niks of ik weet ervan! Hij is het!'
Voordat Evan kon reageren graaide de man de vissershoed van zijn hoofd. 'Hé!' schreeuwde Kendrick.
'Moet je zien! Kijk nou! Hij is het!'
'Laten we maken dat we hier wegkomen!' riep Swann uit.
Ze begonnen de straat af te rennen, de vreemd uitziende man achter hen aan, met zijn wijde broek flodderend in de wind die hij veroorzaakte, met Evans hoed in zijn hand en wild zwaaiende armen.
'Hij loopt achter ons aan!' zei de directeur van Cons Op terwijl hij omkeek.
'Hij heeft mijn hoed!' zei Kendrick.
Twee blokken verder was een beverig oud dametje met blauwgeverfde haren en een stok bezig uit een taxi te stappen. 'Dáár!' gilde Swann. 'De taxi!' Opzijspringend voor het verkeer renden ze de brede boulevard over. Evan stapte in via het portier aan de straatkant en de man van BZ rende om de achterbak heen naar de andere kant; hij hielp de oudere passagier met uitstappen en schopte per ongeluk tegen haar stok. Die viel op het trottoir; het dametje met de blauwe haren viel ook. 'Spijt me, schat,' zei Swann en hij liet zich op de achterbank vallen.
'Laten we wegwezen!' schreeuwde Kendrick. 'Schiet op! Maak dat we hier wegkomen!'
'Hebben jullie een bank overvallen of zoiets?' vroeg de chauffeur terwijl hij schakelde.
'Jij profiteert ervan mee als je wat opschiet,' hijgde Evan.
'Ik schiet al op, ik schiet al op. Ik heb geen vliegbrevet. Ik moet op de grond blijven, als je begrijpt wat ik bedoel.'
Als één man draaiden Kendrick en Swann zich met een ruk om en keken uit het achterraampje. Achter hen op de hoek was de vreemd uitziende man met zijn slonzige haren en zijn flodderbroek bezig iets op een stukje papier te schrijven. 'De naam van het taxibedrijf en het nummer van de wagen,' zei de

directeur van Cons Op zacht. 'Waar we ook heengaan, we zullen minstens één straat verder een andere taxi moeten nemen.'
'Waarom? Niet de andere taxi maar de straat verder?'
'Zodat onze chauffeur niet ziet welke taxi we nemen.'
'Het klinkt net of je weet wat je aan het doen bent.'
'Ik hoop dat jij dat weet,' antwoordde Swann buiten adem. Hij haalde een zakdoekje te voorschijn en veegde ermee over zijn bezwete gelaat.
Achtentwintig minuten en een tweede taxi later liepen de afgevaardigde en de man van BZ haastig de straat af in een achterbuurt van Washington. Ze keken omhoog naar een rode neonreclame waarvan drie letters donker waren. Het was een verlopen bar die paste in de omgeving. Ze knikten elkaar toe en liepen naar binnen, even terugschrikkend voor het intens donkere interieur, dat des te meer opviel omdat het op straat een heldere oktoberdag was. De enige verblindende, blèrende lichtbron was een televisietoestel dat aan de muur vastzat boven de armoedige, smerige bar. Een paar ineengedoken, onverzorgde klanten met waterige oogjes bevestigden de status van het etablissement. Kendrick en Swann liepen met half dichtgeknepen ogen in het vage lichtschijnsel naar het donkerste deel rechts van de bar; ze vonden een verwaarloosde zithoek en gingen tegenover elkaar aan een tafeltje zitten.
'Sta je er echt op dat we praten?' vroeg de grijze Swann, diep ademhalend, met een rood en nog transpirerend gezicht.
'Ik sta er zozeer op dat ik anders bereid ben jou een kandidaat voor het lijkenhuisje te maken.'
'Ik zou maar uitkijken, ik heb een zwarte band.'
'Waarin?'
Swann fronste zijn voorhoofd. 'Ik heb eigenlijk nooit goed geweten waarin, maar het werkt altijd in de film wanneer ze laten zien hoe spionnen werken. Ik wil een borrel.'
'Roep jij maar een kelner,' zei Kendrick. 'Ik blijf liever in de schaduw.'
'Schaduw?' vroeg Swann terwijl hij voorzichtig zijn hand opstak naar de zwaargebouwde zwarte dienster met vlammend rood haar. 'Waar is er hier ergens licht?'
'Wanneer heb jij voor het laatst drie opdrukoefeningen achter elkaar gedaan, meneer de Karate Kid?'
'In de jaren zestig, in het begin, geloof ik.'
'Toen hebben ze voor het laatst nieuwe lampen ingedraaid hier.

Hoe kon je in godsnaam zoiets doen, leugenaar?'
'Hoe kun jij in godsnaam denken dat ik zoiets zou doen?' riep de man van BZ uit maar hij zweeg abrupt toen hij de serveerster met de handen in de zij naast de tafel zag staan. 'Wat ga je drinken?' vroeg hij Evan.
'Niks.'
'Dat is hier niet aardig. Ook niet gezond vermoed ik. Twee rye-whisky's, dubbele, dank u. Canadese als u die hebt.'
'Dat kun je wel schudden,' zei de dienster.
'Dan maar gewone,' zei Swann. Toen de dienster wegliep keek hij Kendrick weer aan. 'Jij bent me een grapjas, meneer de afgevaardigde, ik bedoel maar, een echte clown. Consulaire Operaties kan mijn bloed wel drinken! De minister van Buitenlandse Zaken heeft een memo uitgestuurd waaruit duidelijk wordt dat hij niet eens weet wie ik bén, die onzekere ouwe zak van een professor! En de Israëli's gillen moord en brand omdat ze denken dat hun kostbare Mossad gecompromitteerd kan worden als iemand verder gaat graven, en de Arabieren op onze loonlijst zijn aan het kankeren omdat ze de eer niet krijgen die hun toekomt! En om half vier vanmiddag heeft de president – de verdomde president zelve – me de mantel uitgeveegd vanwege "plichtverzaking". Ik zal je eens wat zeggen, hij gebruikte die uitdrukking alsof hij precies wist waarover hij sprak, en dat betekende dat ík wist dat er minstens twee anderen meeluisterden... Ben jij op de vlucht? Ik ben de man die op de vlucht is! Ik zit verdomme al bijna dertig jaar in deze kolere-troep...'
'Zo heb ik het genoemd,' viel Evan hem in de rede. 'Het spijt me.'
'Dat mag ook wel,' zei Swann er bot overheen. 'Want wie kan deze zwijnetroep weer opruimen, wie anders dan wij klootzakken die nog stommer zijn dan het systeem? Jij hebt ons nodig, Jan, en vergeet dat maar niet. Het probleem is dat ik er helemaal niks aan heb overgehouden. Ik bedoel maar, ik hoef me niet naar huis te haasten om te kijken of het zwembad achter mijn huis behandeld is tegen algen nu het zo warm is. Voornamelijk omdat ik geen zwembad heb en mijn vrouw het huis heeft gekregen bij de scheiding omdat ze het helemaal zat was dat ik even een brood ging halen bij de bakker en drie maanden later terugkwam met het stof van Afghanistan nog in mijn oren! O nee, meneer de geheime afgevaardigde, ik heb jou niet

verlinkt. Ik heb integendeel mijn best gedaan het verraad in te dammen. Veel heb ik niet meer over, maar ik wil een schone lei houden en eruit stappen met wat ik nog heb.'
'Jij hebt geprobeerd de zaak tegen te houden?'
'Kalm aan, heel nonchalant, heel professioneel. Ik heb hem zelfs een kopie van een memo laten zien dat ik naar boven heb gestuurd dat we jou afgewezen hadden.'
'Hem?'
Swann keek Kendrick triest aan toen de serveerster hun drankjes bracht en met de vingers op tafel trommelend bleef staan terwijl de man van BZ zijn hand in zijn zak stak, naar de rekening keek en betaalde. De vrouw schokschouderde om de fooi en liep weg.
'Hém?' herhaalde Evan.
'Toe maar,' zei Swann met vlakke stem en hij nam een grote slok van zijn whisky. 'Sla er nog maar een spijker in, wat maakt het voor verschil? Zoveel bloed is er niet meer over.'
'Ik neem aan dat dat betekent dat je niet weet wie hij is.'
'O, ik heb een naam en een rang en zelfs een eersteklas aanbeveling.'
'Nou dan?'
'Hij bestaat niet.'
'Wát?'
'Je hebt me gehoord.'
'Hij bestáát niet?' drong een geïrriteerde Kendrick aan.
'Nou ja, een van hen bestaat wel, maar niet de vent die me kwam opzoeken.' Swann dronk zijn eerste glas leeg.
'Dat geloof ik niet...'
'Dat deed Ivy al evenmin, mijn secretaresse. Ivy de Verschrikkelijke.'
'Waar heb je het nou weer over?' vroeg Kendrick klagend.
'Ivy kreeg een telefoontje van het kantoor van senator Allison, van een vent met wie ze een paar jaar geleden wel eens uitging. Hij is nu een van de eerste assistenten van de senator. Hij vroeg haar een afspraak te maken voor een staflid die wat vertrouwelijk werk deed voor Allison, dus dat deed ze. Nou, hij bleek een blonde vent te zijn met een accent dat volgens mij ergens uit Midden-Europa komt, maar hij is wel degelijk echt, hij kende jou vanbinnen en vanbuiten. Als je ergens een litteken hebt waarvan je moeder alleen maar af wist, dan mag je van mij aannemen dat hij er een close-up van heeft.'

'Da's waanzin,' viel Evan hem zacht in de rede. 'Ik vraag me af waaróm?'
'Dat deed ik ook. Ik bedoel maar, de vragen die hij me stelde barstten van de VG...'
'Pardon?'
'Vroegere gegevens over jou. Hij vertelde mij bijna evenveel als hij van mij kon krijgen. Hij was zo professioneel dat ik bereid was hem ter plekke een baantje in Europa te bezorgen.'
'Maar waarom ík?'
'Zoals ik al zei vroeg ik me dat ook af. Ik vroeg Ivy dus navraag te doen op Allisons kantoor. Om te beginnen, waarom zou een senator die niks te vrezen heeft zo'n soort SS...'
'Wát?'
'Niet wat jij denkt. "Super Spion". Nou ik eraan denk neem ik aan dat er verband bestaat.'
'Wil je nou alsjeblieft bij je verhaal blijven?'
'Natuurlijk,' zei Swann en hij nam een slok van zijn tweede whisky. 'Ivy belt haar vriendje en die weet niet eens waarover ze het hééft. Hij had haar helemaal niet opgebeld en hij had nog nooit gehoord van een staflid die heette – hoe hij dan ook heette.'
'Maar ze moest toch weten met wie ze sprak, in godsnaam! Zijn stem – de koetjes en kalfjes waarover ze spraken.'
'Haar oude vlam kwam ergens diep uit Georgia en hij had keelpijn toen hij haar belde, dat beweerde Ivy. Maar de snoeshaan die haar in werkelijkheid belde wist precies waar ze samen waren geweest – tot een paar motels in Maryland toe die Ivy maar liever verborgen wilde houden voor haar man.'
'Verrék, het is een *operatie*.' Kendrick stak zijn hand over de tafel en pakte Swanns glas. 'Waaróm?'
'Waarom heb je net mijn whisky afgepakt? Ik heb geen zwembad meer, weet je nog wel. Niet eens een huis.'
Ineens weerklonk uit het schallende televisieapparaat boven de bar de duidelijk uitgesproken naam 'Kendrick!'.
Beide mannen draaiden hun hoofd met een ruk naar de bron, met wijd opengesperde, ongelovige ogen.
'Groot nieuws! Hét bericht van dit uur, misschien wel van de laatste tien jaar!' schreeuwde een tv-journalist tussen een massa grijnzende gezichten die in de camera tuurden. *'De laatste twaalf uur heeft heel Washington geprobeerd afgevaardigde Evan Kendrick uit Colorado, de held van Oman, te vinden, maar vergeefs.*

De ergste vrees richt zich natuurlijk op represailles van de kant van de Arabieren. We horen dat de regering bevel heeft uitgevaardigd aan de politie, ziekenhuizen en de lijkenhuizen goed op te letten. Toch werd hij nog maar enkele minuten geleden gezien hier op deze straathoek, duidelijk herkend door ene Kasimir Bola – Bola… slawski. Waar komt u vandaan, meneer?'
'Jersey City,' antwoordde de man met de wilde ogen die Kendricks hoed droeg, *'maar mijn wieg heeft gestaan in Warschau! Gods eigen Warschau!'*
'U bent dus in Polen geboren?'
'Niet precies. In Newark.'
'Maar u hebt afgevaardigde Kendrick gezien?'
'Heel zeker. Hij stond te praten met een vent met grijs haar een paar straten terug, voor een bus. Toen ik schreeuwde "Commando Kendrick, hij is het!" begonnen ze te rennen! Ik weet het zeker! Ik heb televisies in elke kamer, zelfs op de wc. Ik mis nooit iets!'
'Wanneer u zegt een paar straten terug, meneer, dan hebt u het eigenlijk over een hoek die maar tweeënhalve straat verwijderd is van het ministerie van Buitenlandse Zaken, nietwaar?'
'Daar kun je gif op nemen!'
'We zijn ervan overtuigd,' voegde de verslaggever er op quasivertrouwelijke toon aan toe terwijl hij in de camera keek, *'dat de autoriteiten zullen nagaan bij BZ of iemand zoals onze ooggetuige heeft beschreven werkelijk deel heeft uitgemaakt van deze uiterst vreemde afspraak.'*
'Ik ben hen achterna gerend!' schreeuwde de getuige in de flodderbroek en hij zette Evans hoed af. *'Ik heb zijn hoed! Kijk eens, de hoed van de commando zelf!'*
'Maar wat hebt u gehoord, meneer Bolaslawski? Toen bij de bus?'
'Ik zal je zeggen, de zaken zijn niet altijd zoals ze lijken! Je kunt niet te voorzichtig zijn. Voordat ze wegrenden gaf die vent met het grijze haar commando Kendrick een bevel. Volgens mij had hij een Russisch accent, misschien wel joods! De rooien en de joden – die kun je nooit vertrouwen, snap je wat ik bedoel? Ze zijn nog nooit in een kerk geweest! Ze weten niet eens wat de heilige mis is…'
Het televisiekanaal schakelde abrupt over naar een reclamespot die een deodorant aanprees.
'Ik geef me over,' zei Swann; hij pakte met vaste hand zijn glas terug van Evan en dronk het in één teug leeg. 'Nou ben

ik al een mol. Een Russische jood van de KGB die niet weet wat de mis is. Is er misschien nog iets wat je voor me wilt doen?'
'Nee, want ik geloof je. Maar jij kunt iets voor mij doen, en daar hebben we alletwee baat bij. Ik moet erachter komen wie me dit aandoet, wie dat heeft gedaan waarvan jij de schuld krijgt, en waarom.'
'En als je erachter bent,' onderbrak Swann en hij boog zich naar voren, 'dan ga je het mij vertellen? Dáár heb ik belang bij, mijn enige belang op dit moment. Ik moet uit het verdomhoekje zien te raken en er iemand anders instoppen.'
'Jij bent de eerste die het te horen krijgt.'
'Wat wil je?'
'Een lijst van iedereen die wist dat ik naar Masqat ging.'
'Dat is geen lijst, dat is een heel klein kringetje.' Swann schudde zijn hoofd, niet zozeer om negatief te zijn maar om uit te leggen. 'Dat was er niet eens geweest als jij niet had gezegd dat je ons misschien nog nodig zou hebben als het iets bleek te zijn wat je alleen niet aankon. Ik heb het duidelijk gemaakt. We konden ons niet veroorloven jou te kennen vanwege de gegijzelden.'
'Hoe klein is dat kringetje?'
'Alles was mondeling, dat begrijp je.'
'Begrepen. Hoe klein?'
'Voor de mensen die niet bij de operatie waren betrokken was het alleen maar de dubbel overgehaalde zak van een Herbert Dennison, die mannetjesputter van een chef-staf op het Witte Huis, verder de ministers van Buitenlandse zaken en Defensie en de voorzitter van de Gezamenlijke Chefs van Staven. Ik was liaison voor alle vier, dus hen kun je uitschakelen. Ze hadden allemaal te veel te verliezen en niets te winnen wanneer jij in de openbaarheid kwam.' Swann leunde achteruit in de zithoek en fronste zijn voorhoofd. 'Het operationele deel was zuiver op noodzaak-basis. Lester Crawford in Langley. Les is de analist van de CIA voor geheime operaties in dat gebied en aan de andere kant zijn bureauchef in Bahrein – Grayson of zoiets – James Grayson, zo heet hij. Hij schopte bonje en wilde Weingrass en jou niet uit zijn gebied laten vertrekken, omdat hij dacht dat de Firma een klap van de molen had gekregen en zich rechtstreeks bemoeide met een van die heterdaad-situaties. Typisch CIA.'

'Kan ik me voorstellen.'
'Verder waren er vier of vijf Arabieren ter plekke, de beste die wij en de Firma hebben, die allemaal jouw foto bekeken hebben maar niet wisten wie je was. Zij konden dus niet vertellen wat ze niet wisten. De laatste twee wisten wel wie je was, de ene was ter plaatse, de andere hier in OHIO-Vier-Nul. Hij bediende de computers.'
'De computers?' vroeg Kendrick. *'Uitdraaien?'*
'Ze waren alleen op de zijne geprogrammeerd; op de centrale computer ben jij uitgewist. Hij heet Gerald Bryce en als hij de zaak aan de grote klok heeft gehangen ga ik me aangeven bij de FBI als de joodse mol voor de Sovjets van meneer Bolaslawski. Hij is intelligent en spits en een tovenaar op zijn apparaten, er is geen betere. Hij komt nog eens aan het hoofd van Cons Op als de meiden hem lang genoeg met rust laten om een tijdklok in te drukken.'
'Een *playboy?*'
'Lieve hemel, *Eerwaarde*, zullen we maar naar de vespers gaan? De jongen is zesentwintig en hij is knapper dan hij verdient. Hij is ook vrijgezel en zit flink achter de meiden aan – anderen praten erover; hijzelf nooit. Ik geloof dat ik hem daarom graag mag. Er zijn in de wereld niet al te veel echte heren meer.'
'Ik mag hem ook al. Wie was de laatste, degene die ter plaatse was en mij kende?'
Frank Swann boog zich voorover, draaide zijn lege glas rond in zijn hand en staarde ernaar voordat hij Kendrick aankeek. 'Ik dacht dat je dat zelf onderhand wel had uitgevlooid.'
'Wat? Waarom?'
'Adrienne Rasjad.'
'Zegt me niks.'
'Ze gebruikte een schuilnaam...'
'Adrienne...? Een vrouw?' Swann knikte. Evan fronste zijn voorhoofd, kreeg ogen als schoteltjes en trok zijn wenkbrauwen samen.
'Khalehla?' fluisterde hij. De man van BZ knikte opnieuw. 'Zij werkte voor júllie?'
'Nou ja, niet voor mij, maar ze was wel een van ons.'
'Verrék, zij heeft me van dat vliegveld in Bahrein gehaald! Die vette klootzak van een MacDonald ramde me voor het verkeer op de doorgang – ik was er zowat geweest en ik wist niet waar ik was. Zij heeft me daaruit gehaald – en hoe ze dat voor me-

kaar heeft gebokst weet ik niet!'
'Ik weet het wel,' zei Swann. 'Ze dreigde een paar politieagenten uit Bahrein voor hun raap te schieten als ze haar schuilnaam niet doorgaven naar boven en voor elkaar kregen dat ze je daar weg kon halen. Ze kon je niet alleen weghalen, ze kreeg er ook nog een auto voor uit de koninklijke garage.'
'Je zegt dat ze één van ons was, maar niet iemand van jou. Wat wil dat zeggen?'
'Ze werkt voor de CIA maar ze is ook een speciaal iemand, iemand waar je niet zomaar aan kunt komen. Ze heeft contacten in heel het gebied van de Golf en de Middellandse Zee; de CIA staat niemand toe zich met haar te bemoeien.'
'Zonder haar hadden ze op het vliegveld kunnen weten wie ik was.'
'Zonder haar had je een prooi kunnen worden voor elke terrorist die er in Bahrein rondliep, met inbegrip van de mensen van de Mahdi.'
Kendrick zweeg even; zijn ogen hadden een nietsziende blik, zijn lippen stonden vaneen, zijn gedachten waren afgedwaald. 'Heeft ze je verteld waar ze me verborgen heeft?'
'Dat weigerde ze.'
'Kon ze dat dan?'
'Ik zei je al, ze is een speciaal iemand.'
'Ik begrijp het,' zei Evan zacht.
'Ik geloof dat ik het ook snap,' zei Swann.
'Wat bedoel je daarmee?'
'Niks. Ze heeft je van het vliegveld gehaald en nam pas zes uur later contact met ons op.'
'Is dat ongewoon?'
'Onder de omstandigheden zou je kunnen zeggen dat het hoogst ongewoon was. Het was haar taak jou in de gaten te houden en onmiddellijk te melden aan Crawford in Langley wanneer je iets drastisch deed; hij moest mij dan om instructies vragen. Dat heeft ze niet gedaan en in haar officiële verslag na de operatie heeft ze die zes uur helemaal niet genoemd.'
'Ze moest de plaats waar we ons verborgen hadden beschermen.'
'Natuurlijk. Het moest koninklijk gebied zijn en niemand schopt er rotzooi met de emir of zijn familie.'
'Natuurlijk.' Kendrick zweeg weer en keek opnieuw in het diepste donker van de verwaarloosde bar. 'Ze was heel aardig,' zei

hij langzaam, aarzelend. 'We hebben gepraat. Ze begreep zoveel. Ik bewonderde haar.'
'Hé, toe nou, afgevaardigde.' Swann boog zich over zijn lege glas. 'Denk je soms dat het voor het eerst was?'
'Wat?'
'Twee mensen in een gevaarlijke situatie, een man en een vrouw, geen van beiden wetend of zij of hij de volgende dag of de volgende week nog in leven is. Dus kruipen ze bij elkaar, dat is natuurlijk. Wat dan nog?'
'Dat néém ik niet zomaar, Frank. Ze betékende iets voor mij.'
'Goed dan, ik zal het recht voor z'n raap zeggen. Ik geloof niet dat jij iets voor haar betekende. Zij is een beroepsvrouw die zelf ook de nodige rotzooi heeft gehad in haar OT.'
'Haar wát? Wil je nou alsjeblieft Engels of Arabisch spreken, wat je maar wilt, maar laat het begrijpelijk zijn.'
'Operatieterrein...'
'Dat zeiden ze ook in de kranten.'
'Daar kan ik niets aan doen. Als het aan mij lag zou ik elke rotzak die die artikelen schreef neutraliseren.'
'Vertel me alsjeblieft niet wat "neutraliseren" betekent.'
'Dat zal ik niet. Ik maak je alleen maar duidelijk dat we tijdens een operatie allemaal wel eens een slippertje maken wanneer we uitgeput zijn, of gewoon bang. We genieten van een paar uur veilig genot en we schrijven het af als een extra dividend dat we al lang hadden moeten krijgen. Wil je me wel geloven dat we zelfs lezingen houden over dat onderwerp voor mensen die we uitzenden?'
'Ik geloof het nu. Om heel eerlijk te zijn – ik heb toen wel even aan de omstandigheden gedacht.'
'Goed. Schrijf haar maar af. Ze opereert uitsluitend in het Middellandse-Zeegebied en ze heeft niks te maken met wat er hier gebeurt. Je zou waarschijnlijk naar Noord-Afrika moeten vliegen om haar te vinden.'
'Ik heb dus alleen maar een man die Crawford heet in Langley en een bureauchef in Bahrein.'
'Nee. Je hebt een blonde man met een accent uit Midden-Europa, die hier in Washington opereert. Opereert in het diepste geheim. Hij heeft ergens informatie opgepikt, en niet bij mij, niet bij OHIO-Vier-Nul. Ga hem maar zoeken.'
Swann gaf Evan de normale privé-nummers van zowel zijn kantoor als zijn flat en haastte zich de donkere, verlopen bar uit

alsof hij snakte naar lucht. Kendrick bestelde een rye-whisky bij de zwaargebouwde zwarte serveerster met het vlammende rode haar en vroeg haar waar de telefoon was, als die er al was. Ze zei het hem.

'Als je twee keer hard op de linker benedenhoek timmert krijg je je kwartje terug,' verklaarde de vrouw.

'Als ik dat doe zal ik het jou geven, oké?' zei Evan.

'Geef het maar aan je vriend,' antwoordde de vrouw. 'Flapdrollen in nette pakken geven nooit fooien, blank of zwart, maakt geen verschil.'

Kendrick stond op en liep behoedzaam naar de donkere muur en de telefoon. Het was tijd zijn kantoor eens te bellen. Hij kon mevrouw Ann Mulcahy O'Reilly niet langer onder druk laten staan. Met half dichtgeknepen ogen stopte hij de munt erin en draaide.

'Afgevaardigde Kendricks...'

'Ik ben het, Annie,' viel Evan haar in de rede.

'Mijn god, waar zít je? Het is na vijven en het is hier nog steeds een gekkenhuis!'

'Daarom ben ik er niet.'

'Voor ik het vergeet!' riep mevrouw Mulcahy O'Reilly uit. 'Manny belde een tijdje geleden en hij klonk heel nadrukkelijk maar schreeuwde niet. Volgens mij betekent dat dat hij zo serieus is als hij maar zijn kan.'

'Wat zei hij?'

'Dat je hem niet mocht bellen in Colorado.'

'Wát?'

'Hij zei me dat ik moest zeggen *allcot massghoul*, of zoiets.'

'Het is heel duidelijk, Annie.' Weingrass had gezegd *alkhatt masjghool*, Arabisch voor 'de lijn is bezet', een eenvoudig eufemisme voor gestoord of afgetapt. Als Manny gelijk had kon er via laserstralen een spoor worden gevolgd en binnen een paar tellen kon de plaats van waaraf werd gebeld worden vastgesteld. 'Ik zal niet meer bellen met Colorado,' voegde Evan eraan toe.

'Hij zei dat ik moest zeggen dat hij naar Mesa Verde zal rijden als het wat rustiger werd en me hier zou bellen en me een nummer geven waar je hem kunt bereiken.'

'Ik hou wel contact met je.'

'Nu dan, meneer Superman, is het waar wat iedereen zegt? Heb je echt al die dingen gedaan in Oman of waar het ook is?'

'Maar een paar. Ze hebben een heleboel mensen eruit gelaten die genoemd hadden moeten worden. Iemand probeert een man van me te maken die ik niet ben. Hoe gaat het bij jou?'
'Het gewone "Geen commentaar" en "De baas is niet in de stad",' antwoordde O'Reilly.
'Goed. Blij dat te horen.'
'Nee, afgevaardigde, het is niet goed want er zijn een paar dingen die niet als standaardzaken kunnen worden afgehandeld. We kunnen de geschiften en de pers en zelfs je collega's wel onder de duim houden, maar niet Zestienhonderd.'
'Het *Witte Huis?*'
'Die rotzak van een bureauchef zelf. We kunnen de woordvoerder van de president moeilijk "geen commentaar" geven.'
'Wat zei hij?'
'Hij gaf me een telefoonnummer dat je moet bellen. Het is zijn privé-toestel en hij zorgde er heel goed voor dat ik doorhad dat minder dan tien mensen in Washington het hebben...'
'Ik vraag me af of de president daarbij hoort,' onderbrak Kendrick haar een beetje half spottend.
'Hij beweert van wel en het is zelfs een rechtstreeks bevel van de president zelf dat je direct zijn bureauchef moet bellen.'
'Een rechtstreeks wát?'
'Bevel van de president.'
'Zou er misschien iemand die clowns met hun neus willen drukken op de Constitutie? De wetgevende tak van deze regering neemt geen rechtstreekse bevelen aan van de uitvoerende, presidentiële of wat voor andere tak ook.'
'Zijn woordkeus was stom, dat geef ik toe,' vervolgde Ann O'Reilly haastig, 'maar als je me laat uitpraten word je misschien wat plooibaarder.'
'Ga door.'
'Hij zei dat ze begrepen waarom je je gedeisd hield, en dat ze zouden zorgen voor een onopvallende auto om je op te pikken wanneer je daarvoor klaar bent. ...Mag ik nou misschien iets zeggen als je pleegmoeder hier in dit gekkenhuis, menéér?'
'Alsjeblieft.'
'Je kunt niet aan het weglopen blijven, Evan. Vroeg of laat zul je je moeten laten zien en het is beter dat je weet wat ze van je denken daarginds voordat je dat doet. Je mag het leuk vinden of niet, maar ze hebben je door. Waarom probeer je niet

erachter te komen hoe ze zullen reageren? Het zou een ramp kunnen voorkomen.'
'Wat is het nummer?'

22

Herbert Dennison, bureauchef van het Witte Huis, sloot de deur van zijn privé-toilet en pakte de fles met Maalox die op de rechterhoek van het marmeren schap stond. Precies afgemeten nam hij vier slokken van de kalkachtige vloeistof en hij wist uit ervaring dat ze het brandende gevoel boven in zijn borst zou doen verdwijnen. Toen de aanvallen jaren geleden in New York begonnen was hij zo bang geweest dat hij nauwelijks kon eten of slapen, zozeer was hij ervan overtuigd dat hij, na de hel van Korea te hebben overleefd, op straat zou sterven aan een hartaanval. Zijn vrouw uit die tijd – de eerste van drie – was ook vertwijfeld geweest, ze kon niet beslissen of ze hem eerst naar het ziekenhuis moest brengen of naar hun verzekeringsagent om zijn polis te laten uitbreiden. Buiten hem om regelde ze het laatste en een week later beet Herbert door de zure appel heen en liet zich opnemen in het Cornell Medical Centre voor een grondig onderzoek.
Het luchtte hem op toen de artsen zeiden dat hij een hart had zo sterk als dat van een jonge stier en hem uitlegden dat de sporadische aanvallen van benauwdheid veroorzaakt werden door periodieke oprispingen van overmatig zuur, dat ongetwijfeld werd opgewekt door te hoge bloeddruk. Vanaf die dag had hij altijd flesjes met de witte, rustgevende vloeistof ter beschikking, in slaapkamers, kantoren, auto's en aktentassen. Spanning maakte deel uit van zijn leven.
De diagnose van de artsen klopte zo goed dat hij na een aantal jaren redelijk kon voorspellen, met een uur of twee speling, wanneer de zuuroprispingen zouden komen. In zijn tijd in Wall Street kwamen ze steevast wanneer de obligatiemarkt als een wilde tekeerging of wanneer hij knokte met zijn collega's die hem voortdurend in de wielen reden wanneer hij probeerde zijn positie te verbeteren en meer geld te verdienen. Het waren allemaal lapzwansen, vond Dennison. Dure jongetjes van dure universiteiten die lid waren van dure clubs die hem nog niet zagen staan, om nog niet te spreken van dat ze wilden overwe-

gen hem toe te laten als lid. Wie kon dat ene moer verrotten? Diezelfde clubs lieten tegenwoordig smouzen en nikkers en zelfs spaghettivreters binnen! Ze hoefden alleen maar te praten als mietjes van acteurs en hun kleren te kopen bij Paul Stuart of een of andere Franse nicht. Welnu, hij had hen te grazen genomen! Hij had hen kapot gemaakt! Hij had op de beurs de instincten van een straatvechter en hij had zoveel geld verdiend dat die pokkefirma hem wel president móest maken, anders was hij eruit gestapt en had hij miljoenen meegenomen. En hij had die onderneming bijgeschaafd tot ze de meest gewiekste, meest agressieve firma was in Wall Street. Hij had dat gedaan door alle leeglopers eruit te schoppen samen met dat stomme stel zogenaamde trainees die geld opslokten en ieders tijd verspilden. Hij had twee motto's die de bijbel vormden van de onderneming. Het eerste luidde: *Maak meer omzet dan verleden jaar of maak dat je hier wegkomt.* Het tweede was al even bondig: *Je wordt hier niet getraind, je zorgt maar dat je getraind hier komt.* Herb Dennison kon het geen barst schelen of mensen hem aardig vonden of niet; de theorie dat het doel de middelen heiligt was precies iets voor hem, dank u. Hij had in Korea geleerd dat vriendelijke officieren vaak beloond werden met GI-doodskisten voor hun gebrek aan harde discipline en nog hardere autoriteit op het slagveld. Hij wist goed dat zijn manschappen zijn spreekwoordelijke bloed wel konden drinken, zozeer dat hij altijd op zijn hoede was geweest dat er geen Amerikaanse handgranaat in zijn tent werd gegooid, en hoeveel verliezen er ook werden geleden, hij was ervan overtuigd dat die veel groter zouden zijn geweest als de lulletjes rozewater het voor het zeggen hadden gehad.

Net als die huilebalken in Wall Street: 'Wij willen vertrouwen opbouwen, Herb, continuïteit...' Of: 'De jongeman van vandaag is de manager van morgen – een loyale manager.' Gelul! Je maakte geen winst op vertrouwen of continuïteit of loyaliteit. Je maakte winst door andere mensen geld te laten verdienen, meer vertrouwen en continuïteit en loyaliteit zochten ze niet! En het was bewezen dat hij gelijk had gehad; de lijst van cliënten was aangezwollen tot ze haast niet meer in de computer paste, door talentvolle mensen weg te kopen bij andere firma's, waarbij hij er verdomd goed op paste dat hij van die nieuwe jongens kreeg waarvoor hij had betaald, anders konden zij ook oprotten.

Natuurlijk was hij spijkerhard, meedogenloos zelfs misschien, zoals velen hem zowel in zijn gezicht als in de pers noemden, en hij was onderweg inderdaad een paar goede mensen kwijtgeraakt, maar het belangrijkste was dat hij op de lange duur gelijk had gekregen. Hij had dat bewezen zowel in dienst als in het burgerleven... en toch hadden op den duur de lapzwansen hem te grazen genomen. In Korea had de bevelvoerend officier van het regiment hem praktisch belóófd dat hij zou afzwaaien als kolonel; dat was nooit gebeurd. In New York was het zo mogelijk nog erger geweest: zijn naam was genoemd als het nieuwste lid van de Raad van Commissarissen voor Wellington-Midlantic Industries, de bekendste raad in de internationale financiële wereld. Dat was nooit gebeurd. In beide gevallen hadden die Kongsi's van die dure universiteiten hem de grond ingeboord, net toen hij de top zou bereiken. Hij had dus zijn miljoenen gepakt en gezegd: *jullie kunnen allemaal kapotvallen!*

En weer had hij gelijk gekregen want hij had een man gevonden die zowel zijn geld als zijn aanzienlijke talenten kon gebruiken: een senator uit Idaho die was begonnen zijn opvallend sonore, geëmotioneerde stem te verheffen, die dingen zei waarin Herb Dennison vurig geloofde en die toch een politicus was, zelfs kon lachen en die zijn groeiende schaar van toehoorders kon amuseren terwijl hij hun tegelijkertijd iets bijbracht.

De man uit Idaho was lang en knap, met een glimlach die sinds Eisenhower en Shirley Temple niet meer was vertoond, hij zat vol anekdotes en volkswijsheden die de oude waarden naar voren brachten van kracht, moed, zelfvertrouwen en boven alles – voor Dennison – vrijheid van keuze. Herb was naar Washington gevlogen en hij had een pact afgesloten met die senator. Drie jaar lang stopte Dennison al zijn energie daarin en een paar miljoen – plus nog meer miljoenen van talloze anonieme mensen voor wie hij fortuinen had verdiend – totdat ze een campagnefonds hadden waarmee ze het pausschap hadden kunnen kopen als dat wat nadrukkelijker te koop was geweest.

Herb Dennison boerde; de kalkachtige, rustgevende vloeistof begon te werken, maar niet snel genoeg; hij moest klaar zijn voor de man die binnen een paar minuten zijn kantoor zou binnenlopen. Hij nam nog twee slokken en bekeek zich in de spiegel, ontevreden bij het zien van zijn voortdurend dunnende grijze haren die hij aan beide kanten recht naar achteren kamde, het scherp afgetekende deel aan de linkerkant en de bovenkant van zijn hoofd in overeenstemming met zijn serieuze uiterlijk. Hij tuurde in de spiegel en wilde dat zijn grijsgroene ogen wat groter waren; hij sperde ze zo ver mogelijk open; nog waren ze te klein. En de lichte kwab onder zijn kin, die de indruk van hangwangen versterkte, herinnerde hem eraan dat hij aan wat meer lichaamsbeweging moest doen of minder moest eten, hetgeen hem geen van beide aantrok. En waarom zag hij er niet meer uit als de mannen in de advertenties die zijn Engelse kleermakers hem opstuurden, ondanks al dat verrekte geld dat hij betaalde voor zijn pakken? Toch zweefde er om hem een imposant air van kracht, nog benadrukt door zijn stramme houding en zijn vooruitstekende kin, zaken waaraan hij jaren had gewerkt.

Hij boerde opnieuw en slikte nog een mondvol van zijn persoonlijke elixer. *Die verdomde klootzak van een Kendrick!* vloekte hij bij zichzelf. Die niemand die ineens iemand was geworden was de oorzaak van zijn kwaadheid en zijn ongemak. ...Nou ja, als hij eerlijk wilde zijn tegenover zichzelf, en hij probeerde altijd eerlijk te zijn tegenover zichzelf, zij het niet altijd tegenover anderen, dan was het niet die niemand/iemand zelf, het was de uitwerking van de rotzak op Langford Jennings, president van de Verenigde Staten. *Alle jézus nogantoe!* Wat was Langford van plan? (In gedachten verbeterde Herb zichzelf door 'Langford' te vervangen door 'de president', en dat maakte hem nog kwader; het maakte deel uit van de spanning, deel van de afstand die de autoriteit in het Witte Huis verlangde en Dennison had er de pest aan. Na de inhuldiging en nadat hij Jennings drie jaar bij zijn voornaam had genoemd, had die even zijn bureauchef terzijde genomen tijdens een van de vele inaugurele bals en met hem gepraat met die zachte, schertsende stem die droop van zelfkritiek en humor. 'Je weet dat ik er geen barst om geef, Herb, maar volgens mij vraagt het ambt – niet ik maar het ámbt – dat jij me voortaan moet aanspreken met "meneer de president", vind je dat zelf ook niet?' Verdómme! Daar kon hij het weer mooi mee doen!)

Wat was Jennings van plan? Wat die maniak van een Kendrick betrof had de president nonchalant ingestemd met alles wat Herb had voorgesteld, maar de reacties waren té nonchalant geweest, bijna ongeïnteresseerd, en dat zat de bureauchef

dwars. Jennings' honingzoete stem had onbezorgd geklonken maar in zijn ogen was geen enkel gebrek aan belangstelling te lezen. Nu en dan verraste Langford Jennings het hele verrekte stel in het Witte Huis. Dennison hoopte dat dit niet een van die vaak lastige momenten was.
De telefoon in het toilet ging over en omdat ze van zo dichtbij klonk schrok de bureauchef zodat hij Maalox over zijn colbertje van Savile Row knoeide. Onhandig greep hij met zijn rechterhand de hoorn van het muurtoestel terwijl hij met zijn linker het warme water aandraaide en een washandje nat maakte. Terwijl hij sprak wreef hij verwoed de natte doek over de witte vlekken, dankbaar dat ze in de donkere stof verdwenen.
'Ja?'
'Afgevaardigde Kendrick is aan de Oostpoort, meneer. Hij wordt op het moment gefouilleerd.'
'Hij wordt wát?'
'Ze controleren hem op wapens en explosieven...'
'Verrek, ik heb nooit gezegd dat hij een terrorist was! Hij zit in een officiële auto met twee mensen van de geheime dienst!'
'Meneer, u hebt vrij duidelijk te kennen gegeven dat u zich zorgen maakte en dat het u niet beviel...'
'Stuur hem direct hierheen!'
'Hij zal zich eerst moeten aankleden, meneer.'
'Godverdómme!'
Zes minuten later werd een rustige, maar woedende Evan Kendrick binnengelaten door een benauwde secretaresse. In plaats van appreciatie voor de vrouw was er op Evans gezicht een andere boodschap te lezen, meer zoiets als *Maak dat u hier wegkomt, dame, ik wil die man even alleen spreken!* Ze verliet het kantoor snel terwijl de bureauchef met uitgestoken hand kwam aanlopen. Kendrick deed alsof hij die niet zag. 'Ik heb al gehoord over jouw spelletje hier, Dennison,' zei Evan met zachte kille stem, 'maar wanneer je het in je hoofd haalt een lid van het Huis te laten fouilleren die hier is op jouw uitnodiging – en ik hoop maar dat het een uitnodiging is, hengst; mij geef je geen bevelen – dan ben je nu te ver gegaan.'
'Volledig verkeerd begrepen instructies, afgevaardigde! Mijn god, hoe kunt u iets anders denken?'
'Als het om jou gaat heel gemakkelijk. Er zijn te veel collega's van mij geweest die te vaak ruzie met jou hebben gehad. De gruwelverhalen rijzen de pan uit, met inbegrip van het verhaal

dat u een lid uit Kansas een klap probeerde te geven, waarna die u, naar ik heb begrepen, netjes vloerde.'
'Dat is gelógen! Hij negeerde de procedure in het Witte Huis waarvoor ik verantwoordelijk ben. Ik heb hem misschien aangeraakt, alleen maar om hem tegen te houden, maar meer niet. En toen kon hij me verrassen.'
'Ik geloof van niet. Ik hoorde dat hij je een "majoor likmevestje" noemde en dat jij woedend werd.'
'Het is verdraaid, helemaal verdraaid!' Dennison vertrok zijn gezicht; het zuur kwam weer opzetten. 'Luister, ik bied mijn verontschuldigingen aan omdat u zich moest uitkleden voor het fouilleren...'
'Dat hoeft niet. Dat is niet gebeurd. Ik accepteerde het dat ik mijn jasje moest uittrekken omdat ik dacht dat dat normaal was, maar toen de bewakers het over mijn hemd en mijn broek hadden namen mijn veel verstandiger escortes het over.'
'Waar doet u dan, verdomme, zo moeilijk over?'
'Dat je aan zoiets zelfs maar hebt gedacht en als je dat niet hebt gedaan dat je dan hier een mentaliteit hebt geschapen die het mogelijk kan maken.'
'Ik zou me tegen die beschuldiging kunnen verzetten, maar dat is me te min. We gaan nu naar het Ovale Kantoor en verwar de man nu in godsnaam niet met al dat Arabische geouwehoer. Denk eraan, hij weet niet wat er is gebeurd en het zal niets uithalen als u hem van alles gaat uitleggen. Ik zal hem later alles wel duidelijk maken.'
'Hoe weet ik dat je dat kunt?'
'Wat?'
'Je hebt me wel gehoord. Hoe weet ik of je daartoe in staat bent, nog afgezien van je betrouwbaarheid?'
'Waar hebt u het toch over?'
'Volgens mij zou jij alles duidelijk maken wat je duidelijk wilt maken en hem alleen maar vertellen wat hij wil horen.'
'Wie denk jij, verdomme, wel dat je bent om zo tegen mij te praten?'
'Ik ben waarschijnlijk even rijk als jij. En ik ben iemand die hier weggaat, ik weet zeker dat Swann je dat heeft verteld, daarom stelt jouw politieke zegen niks voor mij voor – ik zou hem trouwens niet eens aannemen. Weet je wat, Dennison? Volgens mij ben jij een eersteklas rat. Niet van het leuke Mickey Mouse-soort, maar het echte beest. Een lelijk, stropend

knaagdier met een lange staart die een walgelijke ziekte verspreid. Die heet niet-verantwoordelijk-zijn.'
'U bent niet op uw mondje gevallen, nietwaar, afgevaardigde?'
'Dat kan ik me veroorloven. Ik ga hier weg.'
'Maar dat doet híj niet! En ik wil dat hij sterk is en overtuigend klinkt. Hij brengt ons een nieuw tijdperk binnen. We mogen ons weer gróót voelen en dat werd onderhand tijd. We zeggen tegen de rotzakken van deze wereld dat ze moeten schijten of anders van de pot af moeten gaan!'
'Je uitdrukkingen zijn al even banaal als je zelf bent.'
'Wat ben jij dan voor iemand? Een of ander rijk jongetje dat Engels heeft gestudeerd? Laat naar je kijken, afgevaardigde. Het gaat hier om het spel én om de knikkers; hier is het menens! Mensen in deze regering presteren of ze liggen eruit. Begrepen?'
'Ik zal proberen het te onthouden.'
'Terwijl je daarmee bezig bent, denk er dan aan dat hij er een hekel aan heeft als iemand hem tegenspreekt. Alles loopt lekker, begrepen. Helemaal geen sores; iedereen is gelukkig, begrepen?'
'Je herhaalt jezelf nogal eens, nietwaar?'
'Ik zorg dat hier dingen gebeuren, Kendrick. Zo gaat dat bij het spel en de knikkers.'
'Je bent een machine zonder een greintje gevoel, dat ben je.'
'Nou, dus we zijn niet dol op elkaar. Wat dan nog? Stelt niks voor...'
'Dát had ik al door,' stemde Evan in.
'Kom op, we gaan.'
'Niet zo haastig,' zei Kendrick vastberaden; hij keerde Dennison de rug toe en liep naar een raam alsof het kantoor van hem was en niet van de man van de president. 'Hoe luidt het draaiboek? Zo zeggen jullie dat toch, is 't niet?'
'Wat bedoel je?'
'Wat wil je van me?' vroeg Kendrick en hij keek uit over het gazon van het Witte Huis. 'Aangezien jij voor me aan het denken bent; waarom ben ik hier?'
'Omdat het negeren van jou een averechtse uitwerking zou hebben.'
'Echt waar?' Kendrick draaide zich weer om naar de bureauchef van het Witte Huis. 'Een averechtse uitwerking?'
'We kunnen nu eenmaal niet om je heen, is dat duidelijk ge-

noeg? Hij kan daar niet op zijn kont blijven zitten en net doen of je niet bestaat, klopt dat?'
'O, ik snap het. Stel dat tijdens een van zijn amusante, alleen niet verschrikkelijk informatieve persconferenties iemand mijn naam naar voren brengt wat nu onvermijdelijk is. Hij kan niet goed zeggen dat hij niet zeker weet of ik voor de Jets of voor de Giants speel, nietwaar?'
'Je snapt het. Kom op. Ik zal het gesprek wel in de juiste banen leiden.'
'Je bedoelt de teugels in handen houden, nietwaar?'
'Je kunt het noemen zo je wilt, afgevaardigde. Hij is de grootste president van de twintigste eeuw en dat mag je niet vergeten. Het is mijn taak hem zo te houden.'
'Maar niet de mijne.'
'Dat had je gedacht! We moeten er allemaal aan meewerken. Ik ben aan het front geweest, jongeman, en ik heb mannen zien sneuvelen bij het verdedigen van onze vrijheden, onze manier van leven. Ik zal je zeggen dat ik er tranen van in mijn ogen kreeg! En deze mán, deze presidént, heeft die waarden weer ingevoerd, die offers die we zo prijzen. Hij heeft dit land de juiste richting in gestuurd, alleen door zijn wilskracht, zijn persoonlijkheid als je wilt. Hij is de beste!'
'Maar daarom nog niet de intelligentste,' onderbrak Kendrick hem.
'Dat betekent geen reet. Galileo zou een rottige paus zijn geweest en een nog slechtere keizer.'
'Ik denk dat daar iets inzit.'
'Dat zit het zeker. Nu het draaiboek – de uitleg is eenvoudig en eigenlijk al bekend. Een of andere klootzak heeft het verhaal over Oman laten uitlekken en jij wilt dat zo snel mogelijk weer in de doofpot gestopt zien.'
'Is dat zo?'
Dennison zweeg even en bekeek Evans gezicht alsof het iets heel onaantrekkelijks was. 'Dat is rechtstreeks gebaseerd op wat die hufter van een Swann de voorzitter van de Gezamenlijke Chefs van Staven vertelde...'
'Waarom is Swann een hufter? Hij heeft dat verhaal niet laten uitlekken. Hij probeerde de man die hem kwam opzoeken het bos in te sturen.'
'Hij heeft het laten gebeuren en ik zal zorgen dat hij hangt.'
'Om ervoor te zorgen dat we beiden hetzelfde draaiboek ge-

bruiken, waarom wil ik alles zo snel mogelijk vergeten zien?'
'Omdat er represailles genomen kunnen worden tegen die rottige Arabische vriendjes van jou daarginds. Dat heb jij tegen Swann verteld en dat heeft hij doorgegeven aan zijn meerderen. Wil je dat veranderen?'
'Nee, natuurlijk niet,' zei Kendrick zacht. 'Het draaiboek is hetzelfde.'
'Goed. We zullen een korte plechtigheid inlassen waaruit blijkt dat hij jou bedankt namens het hele verdomde land. Geen vragen, alleen maar wat foto's nemen en dan donder jij op.' Dennison gebaarde naar de deur; beide mannen liepen er naar toe.
'Zal ik je eens wat zeggen, afgevaardigde?' merkte de bureauchef op met zijn hand op de kruk. 'Dat jij je hier zo vertoont heeft een van de beste fluistercampagnes verpest die elke regering zich maar zou kunnen wensen – op het gebied van public relations dan.'
'Een fluistercampagne?'
'Ja. Hoe langer we de zaak stil hielden, vragen afwezen op grond van de nationale veiligheid, hoe meer mensen dachten dat de president de kwestie Oman helemaal zelf had opgelost.'
'Die indruk heeft hij zeker gegeven,' zei Evan glimlachend, niet onvriendelijk, alsof hij een gave bewonderde waarmee hij het niet noodzakelijkerwijs eens was.
'Ik zeg je dat hij misschien geen Einstein is, maar hij is wel een verrekt groot genie.' Dennison opende de deur.
Evan verroerde zich niet. 'Mag ik je eraan herinneren dat er in Masqat elf mannen en een vrouw zijn vermoord? Dat tweehonderd anderen voor de rest van hun leven nachtmerries zullen hebben?'
'Dat klopt!' antwoordde Dennison. 'En dat heeft híj gezegd, met tranen in zijn ogen, verdomme! Hij zei dat ze echte Amerikaanse helden waren, even dapper als de jongens die in Verdun hebben gevochten, op Omaha Beach, Panmunjon en Danang! Dat heeft die man gezegd, afgevaardigde, en hij méénde het, en wij voelden ons weer gróót!'
'Hij zei dat toen hij zijn keuzemogelijkheden beperkte en zijn boodschap duidelijk maakte,' stemde Kendrick in. 'En als er iemand verantwoordelijk was voor het redden van die tweehonderdzesendertig gegijzelden, dan moet hij het zijn geweest.'
'En dus?'
'Laat maar. Laten we dit afwerken.'

'Je bent mesjokke, afgevaardigde. En je hebt gelijk, jij hoort in deze stad niet thuis.'

Evan Kendrick had de president van de Verenigde Staten maar één keer ontmoet. Die ontmoeting had ongeveer vijf, misschien zes seconden geduurd, tijdens een receptie op het Witte Huis voor de nieuw gekozen afgevaardigden van de partij van de president. Hij was verplicht geweest daarheen te gaan, volgens Ann Mulcahy O'Reilly, die praktisch dreigde het hele kantoor de lucht in te blazen als hij weigerde. Het was niet zozeer dat Kendrick de man niet mocht, bleef hij Annie maar voorhouden, hij was het alleen maar niet eens met een boel dingen die Langford Jennings predikte – misschien meer dan een boel, misschien wel de meeste. En in antwoord op de vraag van mevrouw O'Reilly waarom hij zich dan verkiesbaar had gesteld, kon hij alleen maar zeggen dat de andere partij bij een verkiezing geen enkele kans maakte gekozen te worden.
De overheersende indruk die Evan had gekregen terwijl hij Langford Jennings kort de hand drukte in die receptiequeue lag meer in het abstracte dan in het tastbare, hoewel niet helemaal. Het ambt was zowel intimiderend als overweldigend. Dat aan één enkele man die ontzagwekkende globale macht kon worden toevertrouwd ging het verstand van een intelligent mens te boven. Een blunder tijdens een afschuwelijke misrekening kon de hele planeet in de lucht doen vliegen. En toch... ondanks Kendricks persoonlijke oordeel over de man zelf: bepaald geen briljant intellect en een geneigdheid zaken te gemakkelijk voor te stellen, evenals het tolereren van fanatieke clowns als Herbert Dennison, hing er om Langford Jennings toch een opvallend imago dat hoog uittorende boven het leven, een imago dat de gewone man op straat in de republiek hartstochtelijk graag wenste te zien in het presidentschap. Evan had geprobeerd de ragfijne sluier te doorzien die de man beschermde tegen een kritisch onderzoek en hij had ten slotte geconcludeerd dat het onderzoek zelf irrelevant was in vergelijking met die invloed. Dat was ook het geval geweest met de invloed van Nero, Caligula en alle waanzinnige, autoritaire pausen en keizers en de grootste schurken van de twintigste eeuw, Mussolini, Stalin en Hitler. Toch was er bij deze man niets merkbaar van het kwaad dat kleefde aan de anderen; integendeel, hij straalde een krachtig, doordringend vertrouwen uit dat

uit zijn diepste binnenste leek te komen. Jennings was ook gezegend met een grof, aantrekkelijk uiterlijk en een nog veel groter geloof, en de zuiverheid van zijn geloof betekende alles voor hem. Hij was ook een van de meest charmante, beminnelijke mannen die Kendrick ooit had gezien.
'Verdómme, het doet me plezier jou te ontmoeten, Evan! Mag ik je Evan noemen, meneer de afgevaardigde?'
'Natuurlijk, meneer de president.'
Jennings kwam achter zijn bureau in het Ovale Kantoor vandaan om Kendrick de hand te drukken, waarbij hij diens rechterarm vastpakte. 'Ik heb net al die geheime dingen over jou gelezen, wat je allemaal hebt gedaan, en ik moet je zeggen, ik ben zó trots...'
'Er waren een heleboel anderen bij betrokken, meneer. Zonder hen zou ik het er niet levend hebben afgebracht.'
'Dat begrijp ik. Ga zitten, Evan, zit, zít!' De president liep terug naar zijn stoel; Herbert Dennison bleef staan. 'Wat jij hebt gedaan, Evan, helemaal op je éëntje zal een schoolvoorbeeld zijn voor hele generaties jonge mensen in Amerika. Jij pakte de zweep in je handen en je liet het verdomde ding knallen.'
'Niet alleen, meneer. Er is een lange lijst van mensen die hun levens op het spel hebben gezet om mij te helpen – en een paar hebben hun leven erbij verloren. Zoals ik al zei zou ik dood zijn als zij er niet geweest waren. Er waren minstens tien Omani's, te beginnen bij de jonge sultan, en een Israëlische commando-eenheid die me bereikte toen ik letterlijk nog maar een paar uur had te leven. Mijn executie lag al vast...'
'Ja, dat begrijp ik allemaal, Evan,' viel Langford Jennings hem in de rede, terwijl hij deelnemend knikte en zijn voorhoofd fronste. 'Ik begrijp ook dat onze vrienden in Israël erop staan dat er niets bekend wordt over hun hulp, en onze inlichtingengemeenschap hier in Washington weigert het risico te lopen onze mensen in de Perzische Golf bekend te maken.'
'De Golf van Oman, meneer de president.'
'Je zult wel gelijk hebben,' zei Jennings met zijn beroemde grijns vol zelfspot waarvan een hele natie gecharmeerd was. 'Ik weet niet zeker of ik die twee uit elkaar kan houden, maar ik zal er vanavond induiken. Zoals mijn favoriete cartoonist het zou uitbeelden zou ik van mijn vrouw mijn koekjes en mijn melk pas krijgen wanneer ik alles op een rijtje had.'
'Dat zou niet eerlijk zijn, meneer. Het is een geografisch inge-

wikkeld deel van de wereld als iemand er niet bekend is.'
'Ja, nou, ik geloof wel dat zelfs ik het zou kunnen leren met een schoolatlas.'
'Ik heb nooit de indruk willen wekken...'
'Het is al goed, Evan. Nu en dan maak ik wel eens een fout. Waar het hier vooral om gaat is wat we met jou gaan doen. Wat gaan we doen, gezien de beperkingen die moeten voorkomen dat we de levens in gevaar brengen van agenten en subagenten die voor ons werken in dat explosieve deel van de aardbol?'
'Volgens mij vereisen die noodzakelijke beperkingen dat we alles stil houden, geheim...'
'Daar is het nu een beetje laat voor, Evan,' onderbrak Jennings hem. 'Alibi's terwille van de nationale veiligheid kunnen niet eindeloos worden volgehouden. Voorbij een bepaald punt wek je te veel nieuwsgierigheid; dan kunnen de zaken penibel worden – en gevaarlijk.'
'Bovendien,' voegde Herbert Dennison eraan toe, op een grove manier zijn stilzwijgen onderbrekend, 'zoals ik u al zei, afgevaardigde, kan de president u niet gewoon negeren. Dat zou niet edelmoedig en niet vaderlandslievend zijn. Zoals ik het zie – en de president is het daarmee eens – zullen we hier een paar foto's laten nemen in het Ovale Kantoor, waarop u door de president gelukgewenst wordt, samen met een paar opnamen die u beiden tonen in wat er zal uitzien als een vertrouwelijk gesprek. Dat zal in overeenstemming zijn met de versluiering van inlichtingen zoals die vereist wordt door onze contra-terroristische diensten. Het land zal dat begrijpen. Je maakt je tactiek niet bekend aan die Arabische schoften.'
'Zonder een boel Arabieren zou ik niets bereikt hebben, en dat weet jij verdomde goed,' zei Kendrick en zijn woedende ogen keken de bureauchef strak aan.
'O, maar dat weten we wel, Evan,' viel Jennings hem in de rede en zijn ogen verrieden dat hij zich amuseerde met wat hij zag. 'Ik weet het tenminste. Tussen haakjes, Herb, ik kreeg vanmiddag een telefoontje van Sam Winters en volgens mij heeft hij een geweldig idee dat tegen geen van jouw veiligheidszorgen zou indruisen en dat die zorgen eigenlijk zou kunnen verklaren.'
'Samuel Winters is niet altijd een vriend,' wierp Dennison tegen. 'Hij heeft geweigerd een paar politieke goedkeuringen te

geven die wij bij het Congres hadden kunnen gebruiken.'
'Dan was hij het niet met ons eens. Wordt hij daardoor een vijand? Verrek, als dat zo is dan kun je maar beter de helft van de mariniers die hier op wacht staan naar het woongedeelte van het Witte Huis sturen. Toe nou, Herb, Sam Winters is zo lang als ik me kan herinneren raadgever geweest voor presidenten van beide partijen. Je moet wel geschift zijn als je niet naar hem luistert.'
'Hij had via mij moeten bellen.'
'Zie je nou, Evan?' zei de president met zijn hoofd scheef en een ondeugende grijs. 'Ik mag in de zandbak spelen, maar ik mag niet mijn eigen vriendjes uitzoeken.'
'Dat is nauwelijks wat ik...'
'Het is zeker wat jij bedoelde, Herb, en van mij mag het. Jij krijgt hier de zaken voor mekaar – waaraan je ononderbroken herinnert, en ook dát mag van mij.'
'Wat stelde meneer Winters – *professor* Winters – voor?' vroeg Dennison, met een sarcastische nadruk op de academische titel.
'Nou ja, hij is nu eenmaal professor, Herb, maar hij is niet zomaar een gewone leerkracht, waar of niet? Ik bedoel maar, als hij wilde, zou hij naar ik aanneem een paar aardige universiteiten kunnen opkopen. Zeker die waaraan ik heb gestudeerd zou hij in zijn zak kunnen steken voor een bedrag dat hij niet eens zou missen.'
'Wat voor idee had hij?' drong de bureauchef bezorgd aan.
'Dat ik aan mijn vriend Evan hier de *Medal of Freedom* zou uitreiken.' De president wendde zich tot Kendrick. 'Dat is het burgerequivalent van de *Congressional Medal of Honor*, Evan.'
'Dat weet ik, meneer. Ik verdien die niet en ik wil hem ook niet.'
'Nou ja, Sam legde een paar dingen aan me uit en volgens mij heeft hij gelijk. Om te beginnen verdien je dat wél, en of je die nou wilt of niet, ik zou eruitzien als een goedkope rotzak als ik hem jou niet uitreikte. En dát, kerels, accepteer ik niet. Duidelijk, Herb?'
'Jawel, meneer de president,' zei Dennison met schorre stem. 'U moet echter ook weten dat afgevaardigde Kendrick, ofschoon hij zonder tegenstand kan worden herkozen en u een partijzetel in het Congres kan bezorgen, van plan is in de toekomst uit het ambt te stappen. Het heeft geen zin, aangezien

hij er zelf ook op tegen is, meer aandacht op hem te richten.'
'De zín is, Herb, dat ik het verdom een goedkope rotzak te zijn. Bovendien, zoals hij eruit ziet, zou hij mijn jongere broer kunnen zijn, daar zouden we nog voordeel uit kunnen halen. Sam Winters wees me daarop. Het beeld van een Amerikaans gezin met pit, zo noemde hij het. Niet slecht, vind je wel?'
'Het is niet nódig, meneer de president,' wierp Dennison opnieuw tegen, nu geërgerd en met een schorre stem die aangaf dat hij niet veel verder durfde forceren. 'De vrees van het congreslid is gerechtvaardigd. Hij denkt dat er represailles genomen zouden kunnen worden tegen vrienden van hem in de Arabische wereld.'
De president leunde achterover in zijn stoel en hij keek zijn bureauchef nietszeggend aan. 'Daaraan heb ik geen boodschap. We leven in een gevaarlijke wereld en we zullen die alleen nog maar gevaarlijker maken door ons te laten beïnvloeden door dat soort speculatieve onzin. Maar in die geest zal ik het uitleggen aan het land – vanuit een positie van kracht, niet van vrees – dat ik het volledig bekend maken van de operatie in Oman niet zal toestaan, met het oog op onze strategie tegen de terroristen. Daarin had je gelijk, Herb. Eigenlijk zei Sam Winters het het eerst tegen me. Bovendien wil ik niet de indruk wekken een goedkope rotzak te zijn. Dat is helemaal niks voor mij. Begrepen, Herb?'
'Jawel, meneer.'
'Evan,' zei Jennings, opnieuw met die aanstekelijke grijns over heel zijn gezicht, 'jij bent een man naar mijn hart. Wat je gedaan hebt was geweldig – voor zover ik het heb kunnen lezen – en deze president gaat daar geen doekjes om winden! Tussen haakjes, Sam Winters had het erover dat ik moest zeggen dat we samengewerkt hebben. Verrek, mijn mensen hebben met jou gewerkt, en daar is geen speld tussen te krijgen.'
'Meneer de president...'
'Zet het maar op de agenda, Herb. Ik heb al in de mijne gekeken, als je dat niet erg vindt. Aanstaande dinsdag, tien uur 's morgens. Zo halen we op alle stations het avondnieuws en dinsdag is een drukke kijkavond.'
'Maar, meneer de president...' begon een geagiteerde Dennison.
'En, Herb, ik wil de marinierskapel erbij hebben. In de Blauwe Zaal. Ik verdom het een goedkope rotzak te zijn! Zo ben ik gewoon niet!'

Een woedende Herbert Dennison liep terug naar zijn kantoor met Kendrick op sleeptouw om het bevel van de president te gaan uitvoeren: de details voorbereiden voor de uitreikingsplechtigheid de volgende dinsdag in de Blauwe Zaal. Met de marinierskapel. De bureauchef was zo woedend dat zijn grote, vierkante kaken vast op elkaar zaten geklemd.
'Je zit echt met me in je maag, nietwaar, Herbie?' vroeg Evan toen hij zag hoe vastberaden Dennison voortstapte.
'Ik zit met jou in mijn maag, en ik heet geen Herbie.'
'Och, ik weet 't niet. Zojuist zag je eruit als een echte Herbie. De man heeft je wel even op je nummer gezet, is 't niet?'
'Het komt wel vaker voor dat de president liever naar de verkeerde mensen luistert.'
Kendrick keek naar de bureauchef toen ze door de brede gang marcheerden. Dennison negeerde de aarzelende begroetingen van een aantal Witte Huismedewerkers die langs hem heen liepen; een paar van hen staarden ongelovig naar Evan en herkenden hem blijkbaar. 'Ik snap het niet,' zei Kendrick. 'Afgezien van het feit dat we elkaar niet liggen, wat voor probleem heb je eigenlijk? Ik zit met iets in mijn maag wat me helemaal niet bevalt. Waarom maak jij dan zo'n kapsones?'
'Omdat je te veel kletst, verdomme. Ik heb naar je gekeken in het programma van Foxley en dat toneelspelletje op je kantoor de volgende ochtend. Jij hebt een averechtse uitwerking.'
'Je bent nogal gek op die uitdrukking, is 't niet?'
'Er zijn nog een boel andere die ik zou kunnen gebruiken.'
'Daar ben ik van overtuigd. Maar misschien heb ik wel een verrassing voor je.'
'Nog een? Wat dan, verdomme?'
'Wacht maar tot we op je kantoor zijn.'
Dennison gaf zijn secretaresse opdracht alle telefoongesprekken tegen te houden, behalve wanneer ze Rode Prioriteit hadden. Ze knikte haastig en gehoorzaam haar hoofd, maar legde met onderdanige stem uit: 'Er liggen nu al meer dan tien boodschappen, meneer. Bijna al die mensen moet u dringend terugbellen.'
'Zijn ze Prioriteit Rood?' De vrouw schudde haar hoofd. 'Wat heb ik je dan net gezegd?' Met die beleefde woorden duwde de bureauchef het congreslid zijn kantoor binnen en sloeg de deur met een klap achter zich dicht. 'Wat voor verrassing heb je nu voor me?'

'Weet je, Herbie, ik moet je echt een goede raad geven,' antwoordde Evan en hij liep nonchalant naar het raam waar hij al eerder had gestaan; hij draaide zich om en keek Dennison aan. 'Je kunt zo onbeschoft zijn tegen je mensen als je wilt of zo lang zij dat slikken, maar je moet nooit meer een lid van het Huis van Afgevaardigden in zijn rug duwen en hem je kantoor binnenduwen alsof je hem een pak op zijn broek gaat geven.'
'Ik heb jou niet gedúwd!'
'Zo heb ik het uitgelegd en dat is het enige belangrijke. Jij hebt een ijzeren hand, Herbie. Ik weet zeker dat mijn geëerde collega uit Kansas dat op dezelfde manier uitlegde toen hij je tegen de grond sloeg.'
Onverwacht zweeg Herbert Dennison en lachte toen zacht. Het lange, diepe gegrinnik klonk nadenkend, niet boos of vijandig, meer een geluid van opluchting dan iets anders. Hij trok zijn das los en ging nonchalant in een leren leunstoel tegenover het bureau zitten. 'Verrek, ik wou dat ik tien of twaalf jaar jonger was, Kendrick, dan zou ik je ervan langs geven – zelfs op die leeftijd had ik het gekund. Maar als je drieënzestig bent kom je erachter dat voorzichtigheid de moeder is van de porseleinkast, of hoe je dat ook zegt. Ik heb er geen zin in weer tegen de grond te gaan; tegenwoordig is het wat moeilijker overeind te komen.'
'Vraag er dan niet om, daag het niet uit. Jij kunt enorm provoceren.'
'Ga zitten, afgevaardigde – in mijn stoel, aan mijn bureau. Toe nou maar.' Evan deed het. 'Hoe voelt dat? Voel je iets tintelen in je ruggegraat, voel je het bloed naar je hoofd stromen?'
'Geen van beide. Het is een plek om te werken.'
'Ja, nou ja, ik geloof dat wij verschillend zijn. Je moet begrijpen: daar verderop in de gang zit de machtigste man van de hele wereld en hij is van mij afhankelijk en om je de waarheid te zeggen ben ik nu ook bepaald geen genie. Ik hou alleen maar dit gekkenhuis op gang. Ik smeer de machine zodat de wielen blijven draaien en de olie die ik gebruik heeft een hoge zuurgraad, net als ikzelf. Maar het is het enige smeermiddel dat ik heb en het werkt.'
'Ik neem aan dat je daarin gelijk hebt,' zei Kendrick.
'Ik neem aan van wel en ik geloof niet dat jij je beledigd voelt. Sinds ik hier zit – sinds wíj hier zitten – buigt iedereen voor

me als een knipmes, zegt iedereen allerlei vleiende dingen tegen me met een brede glimlach... alleen aan hun ogen kan ik zien dat ze me liever kapot zouden willen schieten. Ik heb dat al eerder meegemaakt; ik zit er niet mee. Maar nou kom jij hier binnenlopen en je zegt tegen me dat ik de pot op kan. Nou, dááraan heb ik tenminste wat. Daar kan ik tegenop. Ik bedoel maar, het bevalt me dat jij de pest aan mij hebt en ik aan jou – snap je dat?'
'Ik geloof van wel, op een beetje perverse manier. Maar jij bent nu eenmaal een perverse vent.'
'Waarom? Omdat ik liever iets recht voor z'n raap zou zeggen dan er in kringetjes omheen draaien? Iemand naar de mond praten en kontlikken is alleen maar tijdverspilling. Als ik zonder beide kon zouden we tien keer meer kunnen bereiken dan we nu doen.'
'Heb je dat ooit aan iemand laten weten?'
'Ik heb het geprobeerd, afgevaardigde, mijn god, ik heb het echt geprobeerd. En weet je wat? Niemand gelooft me.'
'Zou jij dat doen als je in hun schoenen stond?'
'Waarschijnlijk niet, en als ze het deden zou dit gekkenhuis misschien veranderen in een officieel krankzinnigengesticht. Denk er maar eens over na, Kendrick. Mijn perversiteit heeft meer dan één kant.'
'Ik kan daarop geen commentaar geven maar dit gesprek maakt het me wel gemakkelijker.'
'Gemakkelijker? O, die verrassing die je voor me hebt.'
'Ja,' stemde Evan in. 'Weet je, tot op een zeker punt zal ik doen wat je wilt – tegen een bepaalde prijs. Het is mijn pact met de duivel.'
'Je vleit me.'
'Dat doe ik dan niet met opzet. Ik hou ook niet van kontlikken omdat het míjn tijd verspilt. Voor zover ik jou begrijp heb ik "een averechtse uitwerking" omdat ik een grote bek heb gehad over een aantal zaken die mij nogal aan het hart gaan en wat je hebt gehoord heeft jou tegen de haren in gestreken. Klopt dat, tot dusver?'
'Het klopt als een bus, baas. Je ziet er misschien anders uit, maar volgens mij kun jij net zo protesteren als dat langharige tuig.'
'En je meent dat ik met nog meer zal komen als ik maar even de kans krijg, en dan gooi ik echt jouw ruiten in. Klopt?'

'Als een zwerende vinger. Ik wil zíjn stem en zíjn commentaar door niemand onderbroken horen. Hij heeft ons uit de kleuterschool gehaald en voor het eerst hebben we echt de wind in de zeilen en dat is een goed gevoel.'
'Ik ga niet eens proberen dat te begrijpen.'
'Dat zou je waarschijnlijk niet eens kunnen...'
'Maar in de grond genomen wil jij twee dingen van mij,' vervolgde Evan haastig. 'Het eerste is dat ik zo weinig mogelijk zeg en helemaal niks dat de wijsheid die voortkomt uit dat gekkenhuis van jou in twijfel zou trekken. Zit ik er dichtbij?'
'Je zou niet dichterbij kunnen komen zonder gearresteerd te worden.'
'En het tweede is wat je al eerder zei. Je wilt dat ik verdwijn – en snel verdwijn. Zit ik er ver naast?'
'Je krijgt een tien met een griffel.'
'Goed dan, beide zal ik doen – tot op zekere hoogte. Na dat feestje aanstaande dinsdag, dat we geen van beiden willen, maar we moeten de man zijn zin geven, zal mijn kantoor overspoeld worden met verzoeken van de pers. Kranten, radio, televisie, de weekbladen – de hele santekraam. Ik ben in het nieuws en zij willen hun koopwaar kwijt...'
'Je vertelt me niks wat ik niet al weet of wat me bevalt,' viel Dennison hem in de rede.
'Ik zal alles weigeren,' zei Kendrick vlakweg. 'Ik zal geen enkel interview geven. Ik zal niet in het openbaar spreken over welk onderwerp dan ook, en ik zal zo snel mogelijk uit het zicht verdwijnen.'
'Je zou ter plekke een kus van me kunnen krijgen, alleen had je het over iets met een averechtse uitwerking, zoals "tot op zekere hoogte". Wat wil je daar, verdomme, mee zeggen?'
'Het betekent dat ik in het Huis zal stemmen naar eer en geweten, en als iemand iets tegen me inbrengt zal ik zo rustig mogelijk vertellen waarom ik er zo over denk. Maar dat is in het Huis; wanneer ik niet op de Hill ben, ben ik niet beschikbaar voor commentaar.'
'De meest rottige publiciteit krijgen we buiten de Hill, niet erop,' zei de bureauchef van het Witte Huis nadenkend. 'De Handelingen van het Congres en de camera's van Cable zeggen de lezers van de *Daily News* en de kijkers van *Dallas* niks. Onder de omstandigheden en dankzij die slimme klootzak van een Sam Winters is jouw aanbod onweerstaanbaar dat ik me af-

vraag wat de prijs is. Je hebt natuurlijk een prijs?'
'Ik wil weten wie me heeft verlinkt. Wie het bericht over Oman heeft laten uitlekken op zo'n uiterst professionele manier.'
'Denk je soms dat ík dat niet wil weten?' viel Dennison uit terwijl hij met een ruk omhoog kwam in zijn stoel. 'Ik zou de rotzakken vijftig mijl voor de kust van Newport News in torpedobuizen laten afschieten!'
'Help me dan hen te vinden. Dat is mijn prijs, die kun je betalen of ik doe weer hetzelfde bij Foxley in het hele land, waarbij ik jou en je zootje precies zal noemen wat jullie naar mijn eerlijke overtuiging ook zijn. Een stelletje bazelende Neanderthalers in een gecompliceerde wereld die je niet kunt begrijpen.'
'Ben jij soms zo'n deskundige?'
'Verrek, nee. Ik weet alleen maar dat jullie het niet zijn. Ik kijk en ik luister en ik zie jou zoveel mensen aan de kant zetten die je zouden kunnen helpen, gewoon omdat ze een zigje of een zagje hebben in hun strepen dat niet past in jullie tevoren vastgestelde patroon. En vanmiddag heb ik iets ontdekt; ik heb het gezien en gehoord. De president van de Verenigde Staten heeft met Sam Winters gesproken, een man die jouw goedkeuring niet kan wegdragen, maar toen je uitlegde waarom je hem niet mocht, omdat hij steun had geweigerd die jullie had kunnen helpen in het Congres, toen zei Langford Jennings iets wat me enorm imponeerde. Hij zei tegen jou dat Sam Winters nog geen vijand was, gewoon omdat hij het met een of andere politiek niet eens was.'
'De president begrijpt wel vaker niet wie zijn vijanden zijn. Ideologische medestanders heeft hij gauw in de gaten en hun blijft hij trouw – eerlijk gezegd, soms te lang – maar hij is vaak te edelmoedig om degenen door te hebben die willen ondermijnen wat hij vertegenwoordigt.'
'Zo'n zwak en arrogant argument heb ik nog nooit van mijn leven gehoord, Herbie. Waartegen bescherm je de man eigenlijk? Tegengestelde meningen?'
'Laten we het weer eens over je grote verrassing hebben, afgevaardigde. Dat onderwerp ligt me beter.'
'Dat kan ik begrijpen.'
'Wat weet jij wat wij niet weten en wat ons kan helpen te ontdekken wie het verhaal over Oman heeft laten uitlekken?'
'In de grond genomen wat ik gehoord heb van Frank Swann. Als hoofd van de OHIO-Vier-Nul ploeg was hij de liaison naar

de ministers van Defensie en van Buitenlandse Zaken en ook naar de voorzitter van de Gezamenlijke Chefs van Staven, die allemaal van mij op de hoogte waren. Hij zei me dat ik hen moest uitschakelen als mogelijke lekken, maar...'
'Helemaal uitschakelen,' onderbrak Dennison hem. 'Ze staan regelmatig voor aap. Ze kunnen op de meest eenvoudige vragen nog geen antwoord geven, waardoor ze als een stelletje idioten overkomen. Idioten zijn het trouwens niet en ze spelen al lang genoeg mee om te weten wat hoogst geheim is en waarom het dat is. Wat nog meer?'
'Dan blijven er nog drie over, op jou na en eerlijk gezegd reken ik jou alleen niet mee omdat het bekend worden van mij een zo grote "averechtse uitwerking" heeft dat jij het met je kromme hersenen niet meer zou kunnen bevatten.'
'Wie zijn die drie?'
'De eerste is een man die Lester Crawford heet bij de CIA; de tweede is de CIA-bureauchef in Bahrein, James Grayson. De laatste is een vrouw, Adrienne Rasjad die kennelijk heel speciaal is en die vanuit Caïro opereert.'
'Wat is er met hen?'
'Volgens Swann zijn zij de enigen die wisten wie ik was toen ik werd overgevlogen naar Masqat.'
'Dat zijn mensen van óns,' zei Dennison nadrukkelijk. 'Hoe zit het met de mensen daarginds?'
'Ik kan niet zeggen dat het onmogelijk is, maar volgens mij is het weinig waarschijnlijk. De paar met wie ik contact heb gehad, op de jonge sultan na, zijn zo ver verwijderd van enig contact met Washington dat ik aan hen als laatsten moet denken, als ik al aan hen moet denken. Ahmed, die ik al jaren ken, zou het niet doen om een heleboel redenen, te beginnen met zijn troon en, al even belangrijk, zijn banden met deze regering. Van de vier mannen met wie ik telefonisch heb gesproken reageerde er maar eentje en hij werd daarom vermoord – ongetwijfeld met toestemming van de anderen. Ze waren doodsbenauwd. Ze wilden niks met mij te maken hebben, wilden allemaal niet toegeven dat ik in Oman was en dat gold voor iedereen van wie ze wisten dat hij met mij had gesproken en die verdenking op hen zou kunnen laden. Je zou er geweest moeten zijn om dat te begrijpen. Ze hebben allemaal een terroristensyndroom, met dolken op hun keel – en op de keel van elk lid van hun gezin. Er zijn represailles geweest, een zoon die

vermoord werd, een dochter die verkracht en verminkt werd omdat neven of ooms wilden dat er iets ondernomen werd tegen de Palestijnen. Ik geloof niet dat iemand van die kerels mijn naam zou hebben genoemd tegen een dooie hond.'

'Verrek, in wat voor wereld leven die Arabieren eigenlijk?'

'Een wereld waarin de overgrote meerderheid probeert in leven te blijven en een redelijk leven mogelijk te maken voor zichzelf en hun kinderen. En wij hebben daarbij weinig steun gegeven, jij bevooroordeelde rotzak.'

Dennison hield zijn hoofd schuin en fronste zijn wenkbrauwen. 'Misschien heb ik wel verdiend wat je daar zegt, afgevaardigde, daarover zou ik eens moeten nadenken. Niet zo lang geleden was het mode niet dol te zijn op de joden, hen niet te vertrouwen, en nu is dat veranderd en hebben de Arabieren hun plaatsen ingenomen op de lijst van mensen die we niet mogen. Misschien is het wel geluk, wie weet? Maar wat ik wil weten is wie jou uit dat hoogst geheime potje heeft getrokken. Volgens jou is het iemand uit onze rangen.'

'Dat moet wel. Swann werd benaderd – bedrieglijk benaderd, naar later bleek – door een blonde man met een Europees accent die alles over mij wist. Die informatie had alleen kunnen komen uit regeringsdossiers – waarschijnlijk het onderzoek van het Congres naar mijn achtergronden. Hij probeerde verband te leggen tussen mij en de situatie in Oman maar Swann ontkende dat nadrukkelijk en zei dat hij mij expliciet had afgewezen. Frank had echter niet de indruk dat de man overtuigd was.'

'We zijn op de hoogte van die blonde hufter,' viel Dennison hem in de rede. 'We kunnen hem niet vinden.'

'Maar hij is blijven graven en hij heeft iemand anders gevonden, iemand die met of zonder opzet bevestigde wat hij zocht. Als we jou uitschakelen en we schakelen ook BZ, Defensie en de Gezamenlijke Chefs van Staven uit, dan moet het Crawford zijn, Grayson of die vrouw Rasjad.'

'De eerste twee kun je wel vergeten,' zei de bureauchef van het Witte Huis. 'Vanmorgen heb ik Crawford hier in ditzelfde kantoor het vuur aan de schenen gelegd en hij was bereid met mij op de vuist te gaan omdat ik de mogelijkheid zelfs maar had geopperd. Voor wat Grayson betreft, die heb ik vijf uur geleden in Bahrein gebeld en die kreeg zowat een hartverzakking bij de gedachte alleen al dat ik hem zelfs maar beschouwde als een lek. Hij haalde het handboek van geheime operaties voor me aan, alsof ik de stomste jongen in de straat was die in de bak gegooid zou moeten worden omdat ik hem op vreemd grondgebied belde via een open telefoonlijn. Grayson is een ouderwetse beroepsman, net als Crawford. Geen van beiden zouden ze het risico nemen voor jou een heel levenswerk overboord te gooien, en geen van beiden zouden met een truc daartoe kunnen worden overgehaald.'

Kendrick boog zich voorover in Dennisons stoel, met zijn ellebogen op het bureau. Hij staarde naar de muur tegenover zich en allerlei tegenstrijdige gedachten woelden door zijn hoofd. Khalehla, geboren Adrienne Rasjad had zijn leven gered, maar had ze dat alleen gedaan om hem te kunnen verkopen? Ze was ook goed bevriend met Ahmed, die schade zou kunnen lijden door zijn band met haar, en Evan had de jonge sultan al genoeg beledigd, aan die lijst hoefde hij geen inlichtingenagente die verraad had gepleegd toe te voegen. Toch had Khalehla hem begrepen toen hij begrip nodig had; ze was lief voor hem geweest toen hij liefde nodig had omdat hij zo bang was – zowel voor zijn leven als voor zijn tekortkomingen. Als men haar door bedrog zover had gekregen dat ze hem verried en als hij haar onbekwaamheid onthulde, zou dat het einde betekenen van werk waarin ze diep geloofde. ...Maar als ze niet door bedrog was overgehaald, als ze hem willens en wetens had verraden – dan zou hij alleen maar haar verraad ontmaskeren. Waar lag de waarheid? Gedupeerde of leugenaar? Wat het dan ook was, hij moest het voor zichzelf te weten komen, zonder het spook van een officieel onderzoek. Boven alles, of ze nu gedupeerd was of gelogen had, hij moest weten met wie ze contact had opgenomen of wie met haar contact had opgenomen. Want alleen de 'wie' kon antwoord geven op 'waarom' hij ontmaskerd was als de Evan van Oman. En dat moest hij te weten komen! 'Dan is er bij die zeven van jou maar ééntje van wie we het niet weten.'

'De vrouw,' stemde Dennison met een hoofdknik in. 'Ik zal haar aan een draaiend spit steken boven het heetste vuur dat je ooit hebt meegemaakt.'

'Nee, dat doe je niet,' wierp Kendrick tegen. 'Jij en je mensen blijven van haar af totdat ik toestemming geef – als ik die al geef. En we gaan nog een stap verder. Niemand mag weten dat je haar hierheen haalt – in het strikte geheim. Absoluut

niemand. Is dat begrepen?'
'Wie denk jij verdomme wel...'
'Daarover hebben we het allemaal al gehad, Herbie. Vergeet dinsdag aanstaande niet in de Blauwe Zaal. Met de marinierskapel en al die verslaggevers en televisiecamera's. Ik heb een ideaal gehoor als ik een paar meningen naar voren zou willen brengen. Geloof maar dat jij het eerst aan de beurt zou komen, of je je nou hebt ingedekt of niet.'
'Klóte! Mag degene die wordt afgeperst misschien zo vrij zijn te vragen waarom die vrouwelijke spion een voorkeursbehandeling krijgt?'
'Jazeker,' antwoordde Evan en hij keek de bureauchef aan. 'Die vrouw heeft mijn leven gered en jij gaat het hare niet ruïneren door haar eigen mensen te laten weten dat je haar verdenkt. Dat heb je hier al veel te veel gedaan.'
'Goed, goed! Maar laten we één ding heel goed afspreken. Als zij de zeef is, geef je haar over aan mij.'
'Dat zal ervan afhangen,' zei Kendrick en hij leunde achterover.
'Waarvan nóu dan weer, verdomme?'
'Van het hoe en het waarom.'
'Nog meer raadseltjes, afgevaardigde?'
'Voor mij niet,' antwoordde Evan en hij stond abrupt op uit de stoel. 'Laat me hier vertrekken, Dennison. En aangezien ik niet naar huis kan in Virginia en al evenmin naar Colorado, zonder te worden ondergesneeuwd, is er hier soms iemand in dit gekkenhuis die me een bungalow of een buitenhuisje kan verhuren onder een andere naam? Ik wil eerst een paar dagen nadenken over enkele dingen voordat ik terugga naar mijn kantoor.'
'Daarvoor is al gezorgd,' zei de bureauchef abrupt. 'Het was eigenlijk een idee van Jennings – om je dit weekeinde ergens rustig onder te brengen in een van die beschermde huizen in Maryland.'
'Wat is een beschermd huis nu in godsnaam weer? Gebruik toch een taal die ik kan begrijpen.'
'Laat ik het zo zeggen. Jij bent de gast van de president van de Verenigde Staten in een huis dat niemand kan vinden en dat gereserveerd is voor mensen die niet gevonden willen worden. Het klopte met mijn mening dat Langford Jennings de eerste openbare verklaringen over jou hoort af te leggen. Ze

hebben je hier al gezien, en zo zeker als konijnen kleine konijntjes krijgen zal dat bekend worden.'

'Jij schrijft het draaiboek. Wat zeggen we – wat jíj, aangezien ik geïsoleerd ben?'

'Dat is gemakkelijk. Je veiligheid. Dat is de eerste zorg van de president na overleg met onze contraterroristische experts. Maak je geen zorgen, onze tekstschrijvers komen wel met iets waarvan de vrouwen gaan snotteren en wat de mannen het idee geeft in een optocht te willen marcheren. En aangezien Jennings in dit soort zaken het laatste woord heeft zullen we wel met een of andere verknipte beeldspraak komen van een dappere ridder van de Ronde Tafel die zorgt voor een moedige jongere broer die een gezamenlijke, gevaarlijke opdracht heeft uitgevoerd. Gezéik!'

'En als er enige waarheid in schuilt in de theorie van de represailles,' voegde Kendrick eraan toe, 'zal dat me tot een doelwit maken.'

'Als dat eens waar mocht zijn,' stemde Dennison weer knikkend in.

'Bel me wanneer je de zaken rond hebt met de vrouw Rasjad.'

Evan zat in de leren fauteuil in het werkvertrek van het imposante beveiligde huis op Marylands Eastern Shore in het dorpje Cynwid Hollow. Buiten, binnen de muren van de door schijnwerpers verlichte tuin, liepen bewakers door de licht- en schaduwplekken bij het patrouilleren van elke vierkante meter van het terrein, hun geweren schietklaar, hun ogen waakzaam. Kendrick klikte de televisie af waarop hij voor de derde keer had zitten kijken naar president Langford Jennings' onverwacht gehouden persconferentie betreffende een zekere afgevaardigde Evan Kendrick uit Colorado. Het was nog extravaganter dan Dennison had voorspeld, vol met emotionele pauzes, voortdurend vergezeld van een aantal goed gerepeteerde grijnzen die zo voor de hand liggend spraken over de trots en het lijden onder het oppervlak van de glimlachende man. Opnieuw zei de president alles in algemene bewoordingen en niet specifiek – op één opmerking na:

Totdat alle juiste veiligheidsmaatregelen zijn genomen heb ik afgevaardigde Kendrick gevraagd in beschermde afzondering te verblijven. En met dat verzoek spreek ik hierbij een dringende waarschuwing uit. Zouden laffe terroristen, waar dan ook, een aanval

doen op het leven van mijn jonge vriend, mijn goede collega, iemand die ik beschouw als niet meer en niet minder dan een jongere broer, dan zal de volledige macht van de Verenigde Staten, te land, ter zee en in de lucht in actie komen tegen hardnekkige enclaves van degenen die verantwoordelijk zijn. Hardnekkig? O, mijn god!
Er ging een telefoon over. Evan keek om zich heen in een poging het toestel te vinden. Het stond aan de andere kant van het vertrek op een bureau; hij stond op uit zijn luie stoel en liep naar het verrassend indringende instrument.
'Ja?'
'Ze zit in een militair vliegtuig met een belangrijke attaché van de ambassade in Caïro. Ze staat op de passagierslijst als secretaresse, de naam is onbelangrijk. Ze wordt morgenvroeg om zeven uur, onze tijd, verwacht. Ze zal hooguit om tien uur in Maryland zijn.'
'Wat weet ze?'
'Niets.'
'Je hebt toch wát moeten zeggen,' drong Kendrick aan.
'Men heeft haar gezegd dat het om nieuwe en dringende instructies ging van haar regering, instructies die alleen hier en persoonlijk aan haar konden worden gegeven.'
'Heeft ze die onzin geslikt?'
'Ze kon niet anders. Ze is opgepikt in haar flat in Caïro en heeft vanaf dat moment in voorlopige hechtenis gezeten. Ik hoop dat je rot zult slapen, klootzak.'
'Bedankt, Herbie.' Evan legde de hoorn op, zowel opgelucht als angstig bij het vooruitzicht van de confrontatie die hij morgenvroeg zou hebben met de vrouw die hij had gekend als Khalehla, een vrouw die hij in een vlaag van angst en uitputting had liefgehad. Die impulsieve daad en de vertwijfeling die ertoe had geleid moesten vergeten worden. Hij moest vaststellen of het een vriend of een vijand was die hij opnieuw ontmoette. Het werd tijd Ann O'Reilly te bellen en via haar Manny te bereiken. Het deed er niet toe wie er wist waar hij was; hij was de officiële gast van de president van de Verenigde Staten.

23

Emmanuel Weingrass zat in de met rood kunstleer beklede zithoek met de gedrongen, besnorde eigenaar van het café in Mesa Verde. De afgelopen twee uur waren nogal spannend geweest voor Manny, ze deden hem een beetje denken aan die krankzinnige dagen in Parijs toen hij voor de Mossad werkte. De huidige situatie was lang niet zo melodramatisch en zijn tegenstanders waren nauwelijks levensgevaarlijk te noemen maar hij was nu eenmaal een oudere man die zich van de ene plaats naar de andere moest begeven zonder gezien of tegengehouden te worden. In Parijs had hij zonder op te vallen spitsroeden moeten lopen van de Sacré-Coeur naar de Boulevard de la Madeleine. Hier in Colorado moest hij van Evans huis naar het dorp Mesa Verde zien te komen zonder te worden tegengehouden en opgesloten door zijn ploeg verpleegsters, die als kippen zonder kop rondliepen door alles wat er buiten gebeurde.
'Hoe heb je 'm dat geflikt?' vroeg Gonzalez-Gonzalez, de eigenaar van het café, terwijl hij Weingrass een glas whisky inschonk.
'De oudste behoefte van de beschaafde mens om zich terug te trekken, Gé-Gé. De wc. Ik ging naar de wc en klom door een raam naar buiten. Toen mengde ik me tussen de massa en nam foto's met een van Evans camera's, net als een echte fotograaf, weet je wel, tot ik een taxi kon nemen hier naar toe.'
'Hé, man,' onderbrak Gonzalez-Gonzalez hem. 'Die boys verdienen tegenwoordig behoorlijk veel dinero!'
'Het zijn allemaal dieven! Ik stapte in en het eerste wat die *gannef* tegen me zegt is "Honderd dollar naar het vliegveld, meneer". Dus ik zet mijn hoed af en zeg tegen hem: "De Staatstaxicommissie zal best geïnteresseerd zijn te horen wat ze tegenwoordig in Verde berekenen", en hij zegt tegen mij: "O, u bent het, meneer Weingrass, grapje, meneer Weingrass", en ik zeg tegen hem: "Laat ze maar tweehonderd betalen en breng mij naar Gé-Gé"!'
Beide mannen barstten uit in luid gelach toen de telefoon aan de muur achter de zithoek ineens doordringend begon te rinkelen. Gonzalez legde zijn hand op Manny's arm. 'Laat García maar opnemen,' zei hij.
'Waarom? Je zei dat mijn jongen al twee keer eerder had gebeld.'

'García weet wat hij moet zeggen. Dat heb ik hem net verteld.'
'Vertel het mij ook maar!'
'Hij zal het congreslid het nummer geven van het toestel op mijn kantoor en hem zeggen dat hij over twee minuten moet terugbellen.'
'Gé-Gé, waar ben je in godsnaam mee bezig?'
'Een paar minuten nadat jij was binnengekomen kwam er hier een *gringo* die ik niet ken.'
'Wat dan nog? Je hebt hier zat mensen die je niet kent.'
'Hij hoort hier niet thuis, Manny. Hij heeft geen regenjas, noch een hoed, noch een camera, maar toch hoort hij hier niet thuis. Hij draagt een echt pak – met een vest.' Weingrass begon zijn hoofd om te draaien. 'Niet doen!' beval Gonzalez en hij greep Weingrass bij de arm. 'Hij kijkt zo nu en dan deze kant op. Hij heeft jou op het oog.'
'Wat gaan we nu dan doen?'
'Wacht maar af en sta op wanneer ik het je zeg.'
De kelner die García heette legde de hoorn op, kuchte even en liep naar de roodharige man met het donkere pak met vest. Hij boog zich voorover en zei iets vlak bij het gezicht van de goedgeklede klant. De man staarde zijn onverwachte bode kil aan; de kelner haalde de schouders op en liep terug naar de bar. De man legde langzaam en onopvallend een paar bankbiljetten op tafel, stond op en liep naar de dichtstbijgelegen ingang.
'Nú!' fluisterde Gonzalez-Gonzalez, terwijl hij opstond en Manny gebaarde hem te volgen. Tien tellen later stonden ze in het slordige kantoor van de eigenaar. 'De afgevaardigde zal over zowat een minuut bellen,' zei Gé-Gé, en hij wees op een stoel achter een bureau dat tientallen jaren geleden betere dagen had gekend.
'Weet je zeker dat het Kendrick was?'
'Door García's kuchje wist ik het zeker.'
'Wat zei José tegen die vent aan het tafeltje?'
'Dat volgens hem de telefonische boodschap voor hem was bestemd aangezien de beschrijving op geen enkele andere klant sloeg.'
'Wat was de boodschap?'
'Heel eenvoudig, *amigo*. Het was belangrijk dat hij contact opnam met zijn mensen buiten.'
'Niet méér?'

'Hij is nu weg, nietwaar. Daardoor weten we iets, nietwaar?'
'Wat dan bijvoorbeeld?'
'*Uno*, hij heeft mensen die hij kan bereiken, waar of niet? *Dos*, ze zijn ofwel buiten deze deftige tent of hij kan met hen praten via een ander communicatiemiddel, zoals een sjieke telefoon in een auto, ja? *Tres*, hij is hier niet binnengekomen in zijn ook al sjieke pak om een Tex-Mex bier te drinken waar hij bijna in stikte – zoals mijn heerlijke, sprankelende wijn jou doet stikken, nee? *Cuatro*, hij is ongetwijfeld *federale*.'
'Regering?' vroeg Manny verbaasd.
'Persoonlijk heb ik natuurlijk nooit iets te maken gehad met illegalen die de grenzen van mijn geliefde land naar het zuiden overschrijden, maar de verhalen dringen zelfs tot zulke onschuldige mensen als ik door. We weten waarop we moeten letten, beste vriend. *Comprende, hermano?*'
'Ik heb altijd al gezegd,' zei Weingrass terwijl hij achter het bureau ging zitten, 'zoek de deftigste vlooientent maar op in de stad en je leert meer over het leven dan in alle riolen van Parijs.'
'Parijs, Frankrijk, betekent veel voor je, nietwaar, Manny?'
'Het begint weg te trekken, *amigo*. Ik weet niet zeker waarom, maar het begint weg te trekken. Er gebeurt hier iets met mijn jongen en ik kan het niet begrijpen. Maar het is belangrijk.'
'Hij betekent veel voor je, ja?'
'Hij is mijn zóón.' De telefoon ging over en Weingrass graaide de hoorn naar zijn oor terwijl Gonzalez-Gonzalez naar buiten liep. '*Leeghoofd*, ben jij dat?'
'Wat heb jij daarginds, Manny?' vroeg Kendrick via de lijn van het beschermde huis aan de Oostkust van Maryland. 'Een Mossad-ploeg die je rug dekt?'
'Veel effectiever,' antwoordde de oude architect uit de Bronx. 'Er zijn geen boekhouders, geen accountants die de sjekels zitten te tellen boven een geklutst eitje. Nou jij. Wat is er in godsnaam gebeurd?'
'Ik weet het niet, ik zweer het je dat ik het niet weet!' Evan vertelde in detail wat er die dag allemaal was gebeurd, vanaf Sabri's verontrustende nieuws over de onthullingen over Oman terwijl hij in zijn zwembad lag tot zijn vlucht naar een goedkoop motelletje in Virginia; van zijn confrontatie met Frank Swann van Buitenlandse Zaken tot zijn aankomst onder begeleiding in het Witte Huis; van zijn vijandige gesprek met de

bureauchef van het Witte Huis tot zijn uiteindelijke gesprek met de president van Amerika die vervolgens de hele zaak in de war schopte door het uitreiken van een medaille te organiseren in de Blauwe Zaal, aanstaande dinsdag – met de Mariniersskapel. Ten slotte het feit dat de vrouw die Khalehla heette, die eerst zijn leven had gered in Bahrein, in werkelijkheid een functionaris was van de CIA en hierheen werd gevlogen zodat hij haar kon ondervragen.
'Te oordelen naar wat jij me hebt verteld had ze niets te maken met het onthullen van jouw naam.'
'Waarom niet?'
'Omdat jij haar geloofde toen ze zich als Arabische doodschaamde, dat heb je me verteld. Op een bepaalde manier, leeghoofd, ken ik jou beter dan je jezelf kent. Jij laat je in dit soort zaken niet gauw in de luren leggen. Daarom was je zo goed voor de Kendrick-groep. Als die vrouw jou zou verraden zou dat haar schaamte alleen maar groter maken en die krankzinnige wereld waarin ze leeft nog meer doen ontvlammen.'
'Zij is de enige die nog over is, Manny. De anderen zouden het niet doen; ze konden het niet doen.'
'Dan zijn er anderen die wij nog niet kennen.'
'Wie dan in hemelsnaam? Dit waren de enige mensen die wisten dat ik daar was.'
'Je hebt me net verteld van Swann gehoord te hebben dat een blonde griezel met een buitenlands accent had uitgevlooid dat je in Masqat was. Waar heeft hij die informatie dan vandaan?'
'Niemand kan hem vinden, zelfs niet in het Witte Huis.'
'Misschien ken ik mensen die hem wel kunnen vinden,' viel Weingrass hem in de rede.
'Néé, Manny,' zei Kendrick op besliste toon. 'Dit is Parijs niet en die mensen moeten erbuiten blijven. Ik ben hun te veel verschuldigd, al zou ik wel eens een keer van je willen horen waarom ze zoveel belangstelling hadden in een bepaalde gegijzelde.'
'Ze hebben het me nooit verteld,' zei Weingrass. 'Ik wist dat ze eerst een ander plan hadden waarvoor ze waren getraind en ik nam aan dat het was om iemand in de ambassade te bereiken, maar ze hebben het er nooit over gehad waar ik bij was. Die lui weten hoe ze hun mond moeten houden. ...Wat ga je nu doen?'
'Morgenochtend met die vrouw Rasjad. Dat zei ik je al.'
'Daarna.'

'Je hebt zeker niet naar de televisie gekeken.'
'Ik zit bij Gé-Gé. Die krijgt alleen maar videobanden, weet je wel? Hij vertoont er een van de kampioenswedstrijden van tweeëntachtig en iedereen aan de bar denkt dat het vandaag is. Wat is er op de televisie?'
'De president. Hij heeft aangekondigd dat ik in beschermde afzondering verblijf.'
'Voor mij klinkt dat als de gevangenis.'
'Op een bepaalde manier is het dat ook, maar de gevangenis is best uit te houden en de directeur heeft me voorrechten verschaft.'
'Krijg ik een nummer?'
'Dat zou ik niet weten. Er staat niks op het toestel, alleen maar een wit strookje papier, maar ik zal je wel op de hoogte houden. Ik zal je bellen als ik ergens anders heenga. Niemand zou deze lijn kunnen afluisteren en het zou er niet toe doen als ze dat deden.'
'Oké, nou wil ik jou graag nog wat vragen. Heb je tegen iemand gezegd dat ik erbij was?'
'Lieve hemel, nee. Jij staat misschien wel in het geheime dossier over Oman en ik heb gezegd dat er een heleboel mensen lof verdienen behalve ik, maar ik heb nooit jouw naam genoemd. Waarom?'
'Ik word geschaduwd.'
'Wát?'
'Het is een bijkomstigheid waar ik niet dol op ben. Gé-Gé zegt dat de clown die me volgt van de regering is en dat er nog anderen zijn.'
'Misschien heeft Dennison jouw naam gevonden in het dossier en heeft hij gezorgd voor bescherming.'
'Waartegen? Zelfs in Parijs was ik zo betrouwbaar als de bank – als ik dat niet was, zou ik drie jaar geleden al dood zijn geweest. En waarom denk je dat ik ergens in een dossier zou staan? Behalve de eenheid kende niemand mijn naam en géén van onze namen werd genoemd bij die vergadering op de ochtend dat we vertrokken. Ten slotte, leeghoofd, als ik beschermd word zou het een verdomd goed idee zijn me dat te laten weten. Als ik zo gevaarlijk ben dat ze me zo moeten beschermen, dan zou ik best eens de vent voor zijn raap kunnen knallen die me aan het beschermen is.'
'Zoals gewoonlijk,' zei Kendrick, 'heb je misschien een onsje

logica in je normale pond onwaarschijnlijkheid. Ik zal het nagaan.'
'Doe dat. Ik heb dan misschien niet zoveel jaren meer over, maar ik zou ze liever niet willen verkorten met een kogel door mijn kop – van welke kant dan ook. Bel me morgen want ik moet nu terug naar mijn heksensamenkomst voordat de bewoners mijn vertrek melden aan de plaatselijke politietovenaar.'
'Doe Gé-Gé mijn groeten,' zei Evan nog. 'En zeg hem dat hij als de sodemieter maakt dat hij met zijn vingers van de importzaken afblijft wanneer ik thuis ben. En bedank hem ook, Manny.' Kendrick legde de hoorn op en liet zijn hand erop rusten. Hij pakte haar weer op en draaide de o.
'Centrale,' zei een wat aarzelende vrouwenstem nadat het toestel vaker was overgegaan dan normaal leek.
'Ik weet het niet zeker,' begon Evan, 'maar ik heb zo het idee dat u geen gewone huis-tuin-en-keuken-telefoniste bent voor de Bell-telefoonmaatschappij.'
'Meneer...?'
'Geeft niks, juffrouw. Mijn naam is Kendrick en ik moet meneer Herbert Dennison bereiken, de bureauchef van het Witte Huis, en wel zo spoedig mogelijk – het is dringend. Ik verzoek u uw best te doen hem te vinden en hem binnen de komende vijf minuten te laten terugbellen. Als dat onmogelijk is zal ik gedwongen zijn de man van mijn secretaresse te bellen die inspecteur is bij de politie in Washington, en hem te zeggen dat ik tegen mijn wil word vastgehouden op een plek waarvan ik vrij zeker ben dat ik hem kan beschrijven.'
'Meneer, alstublíeft!'
'Volgens mij ben ik redelijk en heel duidelijk,' onderbrak Evan haar. 'De heer Dennison moet me binnen vijf minuten bellen en het aftellen is nu begonnen. Dank u, en nog een goeie dag verder.' Weer legde Kendrick de hoorn op maar nu haalde hij zijn hand weg en hij liep naar een bar tegen de muur waarop een ijsemmertje stond en verschillende flessen whisky. Hij schonk zich een glas in, keek op zijn horloge en liep naar een groot erkerraam dat uitzag over de verlichte achtertuin. Hij vond het grappig een croquetbaan te zien waarlangs wit smeedijzeren tuinmeubilair stond; minder grappig vond hij het toen hij een marinier zag in het informele, niet militair aandoende uniform van het personeel van het landhuis. Hij liep over een tuinpad bij de stenen muur, zijn niet zo informele, zeer mili-

taire automatische geweer schuin naar de grond houdend. Manny had gelijk: hij zat in de gevangenis. Enkele tellen later ging de telefoon over en de afgevaardigde van Colorado nam de hoorn op. 'Hallo, Herbie, hoe is 't met je?'
'Hoe het met me is? Klootzak die je bent! Ik sta onder de douche, dat is er met me. Nát! Wat wil je?'
'Ik wil weten waarom Weingrass wordt geschaduwd. Ik wil weten waarom zijn naam ergens te voorschijn is gekomen en ik hoop maar dat je een verdomd goede verklaring hebt, bijvoorbeeld zijn persoonlijke welzijn.'
'Hou je koest, ondankbare hond,' zei de bureauchef kortaf. 'Wat is dat voor iets, Weingrass? Iets wat door Manischewitz is uitgevonden?'
'Emmanuel Weingrass is een architect van internationale faam. Hij is ook een goede vriend van mij en hij woont in mijn huis in Colorado en om een reden die ik jou niet aan je neus hoef te hangen is zijn aanwezigheid daar uiterst vertrouwelijk. Waar en bij wie heb jij zijn naam laten vallen?'
'Ik kan niet laten vallen wat ik nog nooit heb gehoord, zak die je bent.'
'Je liegt toch zeker niet tegen me, Herbie? Want mocht je dat wel doen, dan kan ik de komende paar weken verdomde gênant maken voor jou.'
'Als ik dacht dat ik jou door liegen kwijt zou raken zou ik bij de vissers op het bankje gaan zitten, maar ik ken geen leugens waar het ene Weingrass betreft. Ik weet echt niet wie hij is, dat moet je aannemen.'
'Jij hebt de rapporten over Oman gelezen, nietwaar?'
'Die zitten in een dossier en dat is strikt geheim. Natuurlijk heb ik dat dossier gelezen.'
'Weingrass komt er niet in voor?'
'Nee, als dat wel zo was zou ik het me herinneren. Het is een gekke naam.'
'Niet voor Weingrass.' Kendrick zweeg even maar te kort voor Dennison om hem te onderbreken. 'Zou iemand van de CIA of de NSA of een andere club een gast van mij laten schaduwen zonder het tegen jou te zeggen?'
'Vergéét het maar!' schreeuwde de leenheer van het Witte Huis. 'Waar het jou betreft en dat zwaard dat je boven ons hoofd houdt, durft niemand zelfs maar een stap voor- of achteruit te zetten, zonder dat ik het hoor!'

'Eén laatste vraag. Werd er in het Oman-dossier zelfs maar gesproken over de man die met me uit Bahrein is komen vliegen?'

Het was Dennisons beurt om te zwijgen. 'Je bent een beetje voor de hand liggend, afgevaardigde.'

'Jij bent een beetje dichter bij die strontfiguur die je misschien een dreun gaat verkopen. Als je denkt dat ik nu schadelijk ben voor de gezondheid van jou en jouw man, dan mag je niet eens speculeren over de band met de architect. Laat zitten.'

'Ik zal het laten zitten,' stemde de bureauchef in. 'Met een naam als Weingrass kan ik een ander verband leggen en dat bezorgt me het rimbam. Zoals bijvoorbeeld de Mossad.'

'Goed. Geef nu alleen maar antwoord op mijn vraag. Wat stond er in het dossier over de vlucht van Bahrein naar Andrews?'

'De passagiers waren jij en een oude Arabier in westerse kleren, een man die lange tijd sub-agent was geweest voor Cons Op die hierheen werd gevlogen voor een medische behandeling. Zijn naam was Ali of zoiets; BZ liet hem binnen en hij verdween. Dat is de waarheid, Kendrick. Niemand in deze regering weet iets van meneer Weingrass.'

'Bedankt, Herb.'

'Bedankt voor de "Herb". Kan ik nog iets voor je doen?'

Evan staarde naar het erkerraam, vervolgens naar de verlichte tuin en de marinier buiten en naar alles wat het tafereel inhield. 'Ik ga je een plezier doen en nee zeggen,' zei hij zacht. 'Voor het moment, althans. Maar je kunt me wel iets uitleggen. Deze telefoon wordt afgeluisterd, nietwaar?'

'Geen apparatuur van het normale soort. Er is een kleine zwarte doos, zoals die in een vliegtuig. Die mag alleen door geautoriseerd personeel worden verwijderd en de banden mogen alleen onder de meest strikte veiligheidsmaatregelen worden afgeluisterd.'

'Kun je die procedure, laten we zeggen een half uurtje of zo stopzetten, totdat ik iemand heb gebeld? Het is in je eigen belang, geloof me maar.'

'Dat accepteer ik. ...Jazeker, er is een omleiding op de lijn; onze mensen gebruiken die vaak wanneer ze in die huizen zijn. Geef me vijf minuten en daarna kun je Moskou bellen als je wilt.'

'Vijf minuten.'

'Kan ik nu weer teruggaan naar mijn douche?'
'Probeer het dit keer maar eens met Chlorox.' Kendrick legde de hoorn op de haak, haalde zijn portefeuille te voorschijn en stak zijn wijsvinger achter zijn rijbewijs voor Colorado. Hij haalde het stukje papier eronderuit waarop de twee privé-telefoonnummers van Frank Swann stonden en keek weer op zijn horloge. Hij zou tien minuten wachten en hopen dat de adjunct-directeur van Consulaire Operaties op een van beide nummers te bereiken zou zijn. Dat was hij. In zijn flat natuurlijk. Na kort groeten te hebben uitgewisseld legde Evan uit waar hij was – waar hij dacht dat hij was.
'Hoe gaat het met de "beschermende afzondering"?' vroeg Swann en hij klonk vermoeid. 'Ik ben in verschillende van die huizen geweest wanneer we overlopers moesten ondervragen. Ik hoop dat je eentje hebt met paarden of met minstens twee zwembaden, eentje binnen natuurlijk. Ze zijn allemaal hetzelfde; volgens mij koopt de regering ze als politieke beloningen voor de rijken die genoeg krijgen van hun landhuizen en voor niks een nieuw willen kopen. Ik hoop dat er iemand meeluistert. Ik heb geen zwembad meer.'
'Er is een croquetbaan, die heb ik gezien.'
'Niks bijzonders dan. Wat heb je me te vertellen? Ben ik zowat vrijgesproken?'
'Misschien. Ik heb in elk geval geprobeerd je wat schoon te wassen. Frank, ik moet je een vraag stellen en we kunnen allebei zeggen wat we willen, elke naam noemen die we willen. De telefoon wordt hier nu niet afgeluisterd.'
'Wie heeft je dat gezegd?'
'Dennison.'
'En jij hebt hem gelóófd? Het kan me trouwens niks schelen of hij hiervan een rapport krijgt.'
'Ik geloof hem omdat hij een vaag idee heeft over wat ik ga zeggen en hij wil het liefst een paar duizend kilometer afstand houden tussen de regering en waarover wij gaan praten. Hij zei dat we via een "omleiding" praten.'
'Hij heeft gelijk. Hij is bang dat je woorden worden opgevangen door kleine oortjes. Waar gaat het over?'
'Manny Weingrass en via hem een band met de Mossad...'
'Ik zei je al, dat is onmogelijk,' viel de adjunct-directeur hem in de rede. 'Oké, we zitten echt op een omleiding. Ga door.'
'Dennison vertelde me dat in het Oman-dossier als passagiers

van het toestel van Bahrein naar de luchtmachtbasis Andrews stonden opgegeven ik en een oude Arabier in westerse kleren die een sub-agent was voor Consulaire Operaties...'
'En die hierheen werd gebracht voor medische verzorging,' onderbrak Swann hem. 'Na jaren van onschatbare samenwerking waren onze geheime diensten dat aan Ali Saada en zijn gezin verschuldigd.'
'Je weet zeker dat het er zo stond?'
'Wie zou dat beter kunnen weten? Ik heb het zelf geschreven.'
'Jíj? Dan wist jij dus dat het Weingrass was?'
'Dat was niet moeilijk. Jouw instructies die we via Grayson kregen waren verdomde duidelijk. Je eiste – eiste nog wel – dat een ongenoemd persoon jou zou vergezellen in dat vliegtuig terug naar Amerika...'
'Ik moest de Mossad beschermen.'
'Duidelijk, en dat deed ik ook. Weet je, iemand zo binnenbrengen is tegen de regels – en helemaal tegen de wet – tenzij hij in onze boeken voorkomt. Ik heb hem dus in de boeken gezet als iemand anders.'
'Maar hoe wist je dat het Manny was?'
'Dat was het gemakkelijkste deel. Ik heb met het hoofd van de Bahreinse Koninklijke Garde gesproken, die was aangewezen als jouw geheime escorte. De fysieke beschrijving was waarschijnlijk al genoeg, maar toen hij me vertelde dat de ouwe rotzak een van de manschappen tegen de knie had geschopt omdat hij jou liet struikelen toen je in de auto naar het vliegtuig stapte, toen wist ik dat het Weingrass was. Zoals ze dat zo mooi zeggen was zijn reputatie hem al vooruitgegaan.'
'Ik apprecieer het dat je dat hebt gedaan,' zei Evan zacht. 'Zowel namens hem als namens mezelf.'
'Het was de enige manier die ik kon bedenken om je te bedanken.'
'Dan mag ik aannemen dat niemand bij de inlichtingendiensten in Washington wist dat Weingrass bij Oman was betrokken.'
'Absoluut. Vergeet Masqat maar, daar heeft hij niet bestaan. En hier is hij ook niet onder de levenden.'
'Dennison wist niet eens wie hij was...'
'Natuurlijk niet.'
'Hij wordt geschaduwd, Frank. In Colorado wordt hij door iemand gevolgd.'
'Niet door mensen van ons.'

Tweehonderdvijfenzeventig meter ten noorden van het beschermde huis aan het water van de Chesapeake Bay lag het landgoed van dr. Samuel Winters, beroemd historicus en al meer dan veertig jaar vriend en raadsman van de presidenten van de Verenigde Staten. In zijn jonge jaren werd de immens rijke academicus beschouwd als een uitstekend sportman; bekers voor polo, tennis, skiën en zeilen stonden naast elkaar op schappen in zijn privé-werkkamer en getuigden van zijn vroegere vaardigheden. Nu bleef er voor de ouder wordende opvoeder een passiever spel over dat voor de familie Winters al generaties lang een zekere hartstocht was geweest en dat voor het eerst in het begin van de jaren twintig werd beoefend op het gazon van hun landhuis aan Oyster Bay. Dat spel was croquet en telkens wanneer een lid van de familie een nieuw huis bouwde was het eerste waaraan hij dacht een juist gazon te laten aanleggen voor de zeer officiële baan die nooit afweek van de afmetingen van 40 bij 75 voet, zoals was voorgeschreven door de Nationale Croquet Bond in 1882. Een van de dingen die een bezoeker aan het landgoed van dr. Winters dan ook opvielen, was de croquetbaan rechts van het enorme huis boven het water van de Chesapeake. De aantrekkelijkheid ervan werd nog verhoogd door de vele witte gietijzeren tuinmeubelen die langs de baan stonden, plekjes waar degenen die hun volgende slag overdachten of iets wilden drinken, wat konden uitrusten.
Het tafereel was precies hetzelfde als dat van de croquetbaan in het beschermde huis op 275 meter ten zuiden van het bezit van Winters en dat was helemaal niet zo verwonderlijk, want al het land waarop beide huizen stonden behoorde aan Samuel Winters. Vijf jaar geleden – toen Inver Brass in het geheim weer tot leven werd gebracht – had dr. Winters zonder ophef het zuidelijke landgoed cadeau gedaan aan de Amerikaanse regering om het te laten gebruiken als 'beveiligd' of 'beschermd' huis. Om onschuldige nieuwsgierigen op afstand te houden en vijandige onderzoekingen door mogelijke tegenstanders van de Verenigde Staten te voorkomen, was de transactie nooit bekend gemaakt. Volgens de eigendomspapieren zoals die berustten bij het gemeentehuis van Cynwid Hollow, behoorden het huis en de grond nog steeds aan Samuel en Martha Winters (de laatste overleden) en de accountants van de familie betaalden nog jaarlijks de buitensporig hoge kustbelasting, die in

het geheim werd terugbetaald door een dankbare regering. Als er iemand van de nieuwsgierigen, of het nu vriend of vijand was, informeerde over de activiteiten in het aristocratische complex, kregen ze altijd te horen dat die nooit ophielden, dat deftige auto's en cateringsbedrijven voortdurend zorgden voor de groten en de bijna groten van de academische wereld en de industrie, die allemaal de uiteenlopende belangen van Samuel Winters vertegenwoordigden. Een ploeg jonge, sterke tuinlieden hield de omgeving tot in de puntjes bij en diende ook als personeel in het huis, waarbij ze zorgden voor alles wat de niet aflatende stroom bezoekers wenste. Er werd een beeld gevestigd van een soort *think-tank* voor vele doeleinden voor een multimiljonair – veel te algemeen bekend om iets anders te kunnen zijn dan wat het voorgaf.

Om dat beeld ongeschonden in stand te houden werden alle rekeningen gestuurd naar de accountants van Samuel Winters, die ze direct betaalden en kopieën van de rekeningen stuurden naar de persoonlijke juridische raadsman van de geschiedkundige, die ze per bode liet afleveren op Buitenlandse Zaken waar ze in het geheim werden gerestitueerd. Het was een simpele overeenkomst en alle betrokkenen hadden er baat bij, even simpel en onbaatzuchtig was het voor dr. Winters om bij president Langford Jennings te suggereren dat het voor Evan Kendrick misschien goed zou zijn als hij een paar dagen uit het zoeklicht van de pers bleef in het 'beveiligde huis', ten zuiden van zijn bezit, aangezien er op dat moment toch niemand was. De president stemde er dankbaar mee in; hij zou Herb Dennison het nodige laten regelen.

Milos Varak haalde de grote koptelefoons van zijn oren en schakelde het elektronische apparaat uit dat op de tafel voor hem stond. Hij draaide zijn stoel naar links, haalde een schakelaar over op de muur daar en hoorde meteen de goed gesmeerde tandraderen die de gerichte schotel op het dak deden zakken. Daarna stond hij op en zwierf doelloos langs de geavanceerde communicatie-apparatuur in de geluidsdichte studio in de kelder van Samuel Winters' huis. Hij was geschrokken. Wat hij had gehoord bij het afgeluisterde telefoongesprek vanuit het beschermde huis begreep hij niet.

Zoals Swann van Buitenlandse Zaken met zoveel overtuiging bevestigde wist niemand in de inlichtingenwereld van Was-

hington iets over Emmanuel Weingrass. Ze hadden er geen idee van dat 'de oude Arabier' die met Evan Kendrick uit Bahrein was komen meevliegen Weingrass was. In de woorden van Swann was het zijn 'dankjewel' aan Evan Kendrick voor zijn inzet in Oman, het smokkelen van Weingrass uit Bahrein en het al evenzeer in het geheim binnenbrengen van de man in de Verenigde Staten door een vermomming en een dekmantel te gebruiken. De man en de dekmantel waren voor de ambtenarenwereld verdwenen; Weingrass bestond in feite niet meer. Swanns bedrog was ook vereist vanwege de band van Weingrass met de Mossad, een bedrog dat Kendrick heel goed begreep. De afgevaardigde zelf had immers ook de grootste voorzorgsmaatregelen genomen om de aanwezigheid en de identiteit van zijn oudere vriend geheim te houden. Milos had ontdekt dat de oude man onder de naam Manfred Weinstein in een ziekenhuis was opgenomen en in een kamer was gelegd in een privé-vleugel met een eigen toegang, en dat hij na ontslagen te zijn in een privé-vliegtuig naar Mesa Verde was gevlogen.
Alles was *privé*; de naam van Weingrass was nooit ergens vastgelegd. En tijdens de maanden van zijn herstel verliet de opvliegende architect slechts zelden het huis en hij ging nooit naar plaatsen waar het congreslid bekend was. Verdómme! dacht Varak. Buiten het kleine kringetje van Kendricks eigen bekenden dat iedereen uitsloot, op een vertrouwde secretaresse na, haar man, een Arabisch echtpaar in Virginia en drie veel te duur betaalde verpleegsters wier royale salarissen totale geheimhouding inhielden, bestond Emmanuel Weingrass eenvoudigweg niet!
Varak liep terug naar het instrumentenpaneel, zette de opnameknop uit, spoelde de tape terug en vond de woorden opnieuw die hij wilde horen.
Dan mag ik aannemen dat niemand bij de inlichtingendiensten in Washington wist dat Weingrass bij Oman was betrokken.
Absoluut. Vergeet Masqat maar, daar heeft hij niet bestaan. En hier is hij ook niet onder de levenden.
Dennison wist niet eens wie hij was...
Natuurlijk niet.
Hij wordt geschaduwd, Frank. Daar in Colorado wordt hij door iemand gevolgd.
Niet door mensen van ons.
'Niet door mensen van ons...' Van wie dan?

Die vraag alarmeerde Varak. De enige mensen die wisten dat er een Emmanuel Weingrass bestond, die gehoord hadden hoeveel die oude man betekende voor Evan Kendrick, waren de vijf leden van Inver Brass. Zou één van hen...?
Milos wilde er verder niet meer over nadenken. Op dit moment was dat te pijnlijk voor hem.

Adrienne Rasjad schrok wakker door een onverwachte turbulentie waar het militaire toestel doorheen vloog. Ze keek over het gangpad in de vaag verlichte cabine met de accommodatie die minder was dan de eerste klasse. De attaché van de ambassade in Caïro was duidelijk niet op zijn gemak – bang, om het juister te zeggen. Toch had de man genoeg ervaring met een dergelijk transportmiddel om een vertroostende vriend mee te nemen, meer specifiek een grote, met leer beklede flacon die hij letterlijk uit zijn aktentas rukte en waarvan hij dronk tot hij besefte dat zijn 'vrachtje' naar hem keek. Met een schaapachtig gebaar stak hij de flacon naar haar uit. Ze schudde haar hoofd en zei, boven het geluid van de straalmotoren uit: 'Het zijn alleen maar gaten in de weg.'
'Hé, vrienden!' riep de stem van de piloot via de intercom. 'Het spijt me van die gaten in de weg, maar ik vrees dat dit weer voor het komende half uur of zo onvermijdelijk is. We moeten ons aan onze koers houden en niet in de buurt van de commerciële routes komen. Jullie hadden een burgertoestel moeten nemen, jongens. Hou je vast!'
De attaché dronk nog een keer uit de flacon, dit keer langer en meer dan voorheen. Adrienne keek de andere kant uit; haar Arabische inslag zei haar dat ze niet moest kijken wanneer een man bang was, en de westerse vrouw in haar zei dat ze als ervaren militair pilote de vrees van haar metgezel moest wegnemen. De synthese in haar won het pleit; ze glimlachte geruststellend naar de attaché en keerde terug naar haar gedachten die door haar slaap waren onderbroken.
Waarom was ze zo hals over kop teruggeroepen naar Washington? Als er dan al nieuwe instructies waren die te delicaat waren om via een versluierde telex te worden overgebracht, waarom had Mitchell Payton haar dan niet gebeld en haar ten minste een aanwijzing gegeven? Het was helemaal niks voor 'oom Mitch' toe te staan dat iemand zich met haar werk bemoeide, tenzij hij er haar iets over zei. Zelfs met die rotzooi in

Oman een jaar geleden, en als er ooit een situatie voor prioriteit was geweest dan was het die wel, had Mitch verzegelde instructies naar haar gestuurd via een diplomatiek koerier die haar zonder verdere verklaringen zeiden dat ze mee moest werken met Consulaire Operaties van Buitenlandse Zaken, hoe beledigd ze zich ook mocht voelen. Meegewerkt had ze, en beledigd had ze zich zeker gevoeld. Nu moest ze ineens terugkeren naar Amerika, praktisch in het diepste geheim, zonder dat ze maar iets had gehoord van Mitchell Payton.

Congreslid Evan Kendrick. In de afgelopen achttien uur had zijn naam over de hele wereld geklonken als het geluid van een naderend onweer. Je kon bijna de verschrikte gezichten van de mensen die betrokken waren geweest bij de Amerikaan zien opkijken naar de lucht, zich afvragend of ze moesten gaan schuilen, moesten wegvluchten of hun leven op het spel stond onder de bedreiging van de naderende storm. Er zou bloedwraak worden genomen tegen degenen die de bemoeizuchtige man uit het Westen hadden geholpen. Ze vroeg zich af wie het verhaal had laten uitlekken – nee, 'uitlekken' was een te onschuldig woord – wie het verhaal had laten *exploderen!* De kranten in Caïro stonden er vol van en onopvallende navraag had haar geleerd dat in het hele Midden-Oosten Evan Kendrick ofwel werd beschouwd als een grote heilige of een laaghartige zondaar. Heiligverklaring of een zeer pijnlijke dood wachtte hem, afhankelijk waar degenen die hem beoordeelden stonden, zelfs in hetzelfde land. Waarom? Had Kendrick dat zelf gedaan? Had die kwetsbare man, die onwaarschijnlijke politicus die zijn leven had gewaagd om een afgrijselijke misdaad te wreken, na een jaar nederigheid en zelfverloochening besloten dat hij toch achter een politieke beloning zou aangaan? Als dat zo was, dan was hij niet de man die ze een jaar geleden zo kort maar ook zo intiem had gekend. Met terughoudendheid maar niet met spijt dacht ze eraan terug. Ze hadden elkaar liefgehad – onwaarschijnlijk, heftig, onder de omstandigheden misschien onvermijdelijk – maar die voorbijgaande momenten van verrukkelijke vertroosting moesten vergeten worden. Als ze naar Washington was teruggehaald vanwege een plotseling ambitieuze afgevaardigde, dan hadden die ogenblikken nooit bestaan.

24

Kendrick stond bij de ramen die uitzagen op de brede, cirkelvormige oprit voor het beschermde huis. Dennison had hem meer dan een uur geleden gebeld met de mededeling dat het toestel uit Caïro was geland en dat Rasjad in een wachtende officiële auto was gestapt; ze was onder begeleiding op weg naar Cynwid Hollow. De bureauchef had eraan toegevoegd dat de CIA-agente heftig had geprotesteerd toen haar geweigerd werd vanaf de luchtmachtbasis Andrews te telefoneren.
'Ze trapte een heleboel stennis en weigerde in de wagen te stappen,' had Dennison geklaagd. 'Ze zei dat ze nog niet rechtstreeks van haar meerdere had gehoord en dat de luchtmacht wat haar betreft kon doodvallen. Verdomde trút! Ik was onderweg naar mijn werk en ze belde me via de mobilofoon. Weet je wat ze tegen míj zei? "Verrek, wie ben jij dan wel?" Dát zei ze tegen mij! En om nog wat zout in de wond te strooien hield ze de hoorn van zich af en vroeg hardop: "Wat is een Dennison voor een ding?"'
'Dat komt omdat jij altijd zo op de achtergrond blijft, Herb. Heeft iemand het haar verteld?'
'De rotzakken láchten! Toen heb ík haar even aan het verstand gepeuterd dat ze hier was op rechtstreeks bevel van de president en dat ze ofwel in die auto kon stappen of vijf jaar in Leavenworth kon doorbrengen.'
'Da's een gevangenis voor mannen.'
'Dat weet ik. Hé! Ze is over een uur of zo bij jou. Denk erom, als zij de zeef is krijg ik haar in handen.'
'Misschien.'
'Ik zorg voor een bevel van de president!'
'En ik zal dat voorlezen op het avondnieuws. Met commentaar.'
'Klóte!'
Kendrick begon weg te lopen van het raam om nog een kop koffie in te schenken toen er een onopvallend uitziende, grijze sedan verscheen aan de voet van de cirkelvormige oprit. Hij reed snel de ronde weg af en stopte voor de stenen treden waar een majoor van de luchtmacht snel uit het achterdeel stapte. Hij liep haastig om de bagageruimte heen en opende het portier aan de kant van het huis voor zijn officiële passagier.
De vrouw die Evan had gekend als Khalehla stapte in de och-

tendzon en keek met half dichtgeknepen ogen verward en onzeker in het schelle licht. Ze droeg geen hoed en haar lange donkere haren hingen af tot op haar schouders boven een wit jasje op een groene broek en schoenen met lage hakken. Onder haar rechterarm had ze een grote witte handtas geklemd. Terwijl Kendrick naar haar keek kwam de herinnering aan dat einde van die middag in Bahrein weer terug. Hij dacht eraan hoe hij geschrokken was toen ze kwam binnenlopen in die bizarre, koninklijke slaapkamer en lachte omdat hij was teruggerend om een laken om te slaan. En hoe hij, ondanks zijn paniek, verbijstering en pijn – of misschien juist door die drie gevoelens – getroffen was door de koele liefelijkheid van haar als gebeeldhouwde Euro-Arabische gelaat en de intelligente twinkeling in haar ogen.
Hij had gelijk gehad; ze was inderdaad een opvallende vrouw die kaarsrecht liep, bijna uitdagend, zelfs nu ze naar de massieve deur liep van het beschermde huis waar ze niet wist wat er binnen met haar zou gebeuren. Kendrick bekeek haar objectief; er kwam geen warme gloed van herinnering in hem op bij zijn reactie op haar, alleen maar kille, diepe nieuwsgierigheid. Ze had die late namiddag in Bahrein gelogen, gelogen in wat ze zei en wat ze niet zei. Hij vroeg zich af of ze opnieuw tegen hem zou liegen.
De majoor van de luchtmacht opende de deur van de enorme woonkamer voor Adrienne Rasjad. Ze liep naar binnen en bleef roerloos staan kijken naar Evan bij het raam. In haar ogen lag geen verwondering, alleen maar die koele flonkering van intellect.
'Ik zal maar eens gaan,' zei de majoor van de luchtmacht.
'Dank u, majoor.' De deur ging dicht en Kendrick zette een stap naar voren. 'Hallo, Khalehla. Het wás toch Khalehla, nietwaar?'
'U zegt het maar,' antwoordde ze rustig.
'Maar eigenlijk ook weer geen Khalehla, nietwaar. Het is Adrienne – Adrienne Rasjad.'
'U zegt het maar,' herhaalde ze.
'Da's een beetje overbodig, is 't niet?'
'En dit alles heeft niet de minste zin, afgevaardigde. Hebt u me hierheen laten komen om u nog een getuigschrift te geven? Want als dat zo is dan krijgt u dat van mij niet.'
'Een getuigschrift? Dat is wel het laatste wat ik hebben wil.'

'Goed zo, ik ben blij voor u. Ik weet zeker dat het congreslid van Colorado alle aanbevelingen heeft die hij kan gebruiken. Het is dus niet nodig dat iemand wiens leven, net als de levens van een groot aantal collega's afhangt van anonimiteit, naar voren stapt en bijdraagt tot het steeds toenemende gejuich voor u.'
'Denkt u dat? Dat ik zit te wachten op aanbevelingen, op gejuich?'
'Wat moet ik anders denken? Dat u me uit mijn werk haalde, mij tentoonstelde in de ambassade en voor de luchtmacht en zo waarschijnlijk een dekmantel die ik de afgelopen paar jaar heb ontwikkeld voorgoed verpestte, alleen omdat ik met u naar bed ben geweest? Het is één keer gebeurd, maar ik verzeker u dat het nooit weer zal gebeuren.'
'Hé, wacht 's effe, kruidje-roer-me-niet,' protesteerde Evan. 'Ik was toen niet op een avontuurtje uit. Verrek, ik wist niet eens waar ik was of wat er gebeurd was of wat er nog zou gáán gebeuren. Ik was doodsbang en ik wist dat ik dingen moest doen die ik volgens mij helemaal niet zou kúnnen doen.'
'U was ook uitgeput,' voegde Adrienne Rasjad eraan toe. 'Ik net zo goed. Zoiets gebeurt.'
'Dat zei Swann ook al...'
'Die rótzak!'
'Nee, wacht even. Frank Swann is geen rotzak...'
'Zal ik een ander woord gebruiken? Pooier, bij voorbeeld? Een gewetenloze pooier.'
'U hebt het mis. Ik weet niet wat uw relatie met hem was, maar hij had een karwei te klaren.'
'Zoals u opofferen, misschien?'
'Misschien. Ik moet toegeven dat het geen aangename gedachte is maar hij kon toen bijna geen kant meer uit.'
'Vergeet het maar, afgevaardigde. Waarom ben ik hier?'
'Omdat ik iets te weten moet komen en u bent de enige die nog over is om het me te vertellen.'
'Wat dan?'
'Wie heeft dat verhaal over mij de wereld ingestuurd? Wie verbrak de overeenkomst die was gemaakt? Ze hebben me verteld dat degenen die wisten dat ik naar Oman ging – en dat waren er maar verrekte weinig, een heel klein kringetje zeiden ze – géén van allen een reden zouden hebben dat te doen en elke reden in de wereld om het juist niet te doen. Behalve Swann

en zijn hoofd computerzaken, die hij volkomen vertrouwt, waren er in de hele regering maar zeven mensen die het wisten. Zes zijn er afgevallen, allen absoluut negatief. U bent de zevende, de enige die nog over is.'

Adrienne Rasjad bleef roerloos staan, haar gezicht uitdrukkingloos, haar ogen fonkelend van woede. 'Jij stomme, arrogante *amateur*,' zei ze langzaam, op kille toon.

'U kunt me uitschelden zoveel als u wilt,' begon Evan kwaad, 'maar...'

'Zullen we misschien een wandelingetje gaan maken, afgevaardigde?' viel de vrouw uit Caïro hem in de rede, terwijl ze naar een groot erkerraam liep aan de andere kant van de kamer dat uitzag over een aanlegplaats aan de rotsige kustlijn van de Chesapeake.

'Wat?'

'De lucht hier is al even benauwd als het gezelschap. Ik zou graag even gaan wandelen, alstublieft.' Rasjad hief haar hoofd op en wees naar buiten; daarna knikte ze twee keer alsof ze kracht bijzette aan een bevel.

'Goed,' mompelde Kendrick verbaasd. 'Daar achter is een zijingang.'

'Ik zie hem,' zei Adrienne-Khalehla en ze liep naar de deur achter in de kamer. Ze liepen naar buiten een terras van flagstones op dat grensde aan een kortgemaaid gazon van waaruit een pad naar de aanlegplaats voerde. Als er boten hadden vastgelegen aan de pijlers of aan de lege boeien die dansten op het water verderop, dan waren die weggehaald voor de herfststormen. 'Blijf maar bezig met uw tirade, afgevaardigde,' vervolgde de geheime agente van de CIA. 'Daar mag u rustig mee doorgaan.'

'Wacht nou eens even, juffrouw Rasjad of hoe u dan ook mag heten!' Evan bleef staan op het witte, betonnen pad, halverwege de kust. 'Als u soms denkt dat ik bezig ben met een "tirade", dan hebt u het helemaal bij het verkeerde eind...'

'Blijf in godsnaam doorlopen! Direct kunt u zoveel praten als u maar wilt, méér dan u wilt, stomme idioot.' Het strand langs de baai rechts van de aanlegplaats was een mengsel van donker zand en stenen zoals bijna overal langs de Chesapeake; links lag het botenhuis, ook normaal. Wat echter niet normaal was was een grote groep hoge bomen die zo'n vijftig meter ten noorden en ten zuiden van de aanlegplaats en het boten-

huis stonden. Ze verschaften wat afzondering, meer in schijn dan in werkelijkheid, maar het zien ervan had de agente uit Caïro aangetrokken. Ze liep naar rechts, over het zand en de stenen, dichtbij de kabbelende golfjes. Ze liepen de bomengrens voorbij tot ze aan een groot rotsblok kwamen dat aan de waterkant opstak uit de grond. Boven hen was het enorme huis onzichtbaar. 'Zo is het wel goed,' zei Adrienne Rasjad.
'Goed?' riep Kendrick uit. 'Wat was dat eigenlijk voor spelletje? En nu we daar toch mee bezig zijn zal ik eerst eens even een paar dingen rechtzetten. Ik ben u dankbaar voor het feit dat u waarschijnlijk mijn leven hebt gered – waarschijnlijk, maar nooit helemaal te bewijzen – maar ik neem geen bevelen van u aan en volgens mijn weloverwogen mening ben ik géén stomme idioot, en ik mag dan een amateur zijn, maar u hebt aan mij verantwoording af te leggen, niet ik aan u! Heel goed begrepen, dame?'
'Bent u klaar?'
'Ik ben nog niet eens begonnen.'
'Voordat u dan begint zal ik het even hebben over die dingen waarover u net begon. Dat spelletje was bedoeld om ons daaruit te krijgen. Ik neem aan dat u weet dat het een beveiligd huis is?'
'Jazeker.'
'En dat alles wat u zegt in elke kamer, met inbegrip van het toilet en de douche wordt opgenomen.'
'Nou ja, ik wist dat de telefoon wordt afgeluisterd...'
'Dank u, meneer de amateur.'
'Ik heb geen sodemieter te verbergen...'
'Praat wat zachter. Praat met uw gezicht naar het water, net als ik.'
'Wat? Waaróm?'
'Elektronisch oppikken van stemgeluid. De bomen zullen het geluid vervormen omdat er geen direct zichtbare stralen zijn...'
'Wat?'
'De techniek is verbeterd door laserstralen...'
'Wát?'
'Stil nou! Fluisteren.'
'Ik herhaal, ik heb niks te verbergen. U misschien wel, maar ik niet!'
'Is dat zo?' vroeg Rasjad terwijl ze tegen de rots geleund praat-

te in de richting van de langzaam opkomende golfjes. 'Wilt u Ahmed erbij betrekken?'
'Ik heb hem al genoemd. Tegen de president. Die hoort te weten hoezeer die jongen heeft geholpen...'
'O, dat zal Ahmed wel fijn vinden. En zijn persoonlijke arts? En zijn twee neven die u geholpen en beschermd hebben? En El-Baz, en de piloot die u naar Bahrein heeft gevlogen? Ze kunnen allemaal worden vermóórd.'
'Behalve Ahmed heb ik nooit iemand bij name genoemd...'
'Namen zijn niet belangrijk. Functies wel.'
'Verrek, het was de president van de Verenigde Staten!'
'En hij praat in tegenstelling tot de geruchten ook wel eens zonder een microfoon?'
'Natuurlijk.'
'Weet u met wie hij praat? Kent u hem persoonlijk? Weet u hoe betrouwbaar ze zijn als het gaat om maximale veiligheid; weet híj dat? Kent u de mensen die in het huis de afluisterapparatuur bedienen?'
'Natuurlijk niet.'
'Hoe zit het met mij? Ik ben in Caïro in actieve dienst en ik heb een aannemelijke dekmantel daar. Zou u over mij hebben gepraat?'
'Dat heb ik, maar alleen tegenover Swann.'
'Ik heb het niet over wat u hebt gezegd tegen iemand die de leiding heeft die daarom ook alles wist, ik heb het over daarginds. Als u mij was gaan ondervragen daar in dat huis, zou u dan niet een paar van de mensen of alle mensen genoemd kunnen hebben die ik zojuist naar voren heb gebracht? En als klap op de vuurpijl, meneer de amateur, is het niet waarschijnlijk dat u het over de Mossad gehad zou hebben?'
Evan sloot zijn ogen. 'Misschien wel,' zei hij zacht met een hoofdknik. 'Als we ruzie hadden gekregen.'
'Ruzie was onvermijdelijk en daarom ben ik met u naar buiten en hierheen gegaan.'
'Iedereen daarginds staat aan onze kant!' protesteerde Kendrick.
'Daar ben ik zeker van,' stemde Adrienne in, 'maar we kennen de kracht of de zwakheid niet van mensen die we nooit hebben ontmoet en niet kunnen zien, waar of niet?'
'U bent paranoïde.'
'Dat hoort bij de baan, afgevaardigde. Bovendien bent u echt

een stomme idioot, zoals ik volgens mij duidelijk heb aangetoond door uw gebrek aan kennis betreffende beveiligde huizen. Ik zal het niet hebben over de vraag wie er aan wie bevelen geeft want dat heeft er niks mee te maken, en ik zal teruggaan naar uw eerste punt. Het is best mogelijk dat ik uw leven in Bahrein níet heb gered, maar in plaats daarvan heeft die rotzak van een Swann u in een onhoudbare positie geplaatst die wij en bepaalde piloten noemen het "point of no return". Men verwachtte niet dat u het zou overleven, meneer Kendrick, en daartegen heb ik wel bezwaar gemaakt.'

'Waarom?'

'Omdat ik me zorgen maakte om u.'

'Omdat wij...'

'Dat heeft er al evenmin mee te maken. U was een fatsoenlijke man die probeerde iets fatsoenlijks te doen waarvoor u niet was opgeleid. Naar bleek waren er anderen die u veel meer hebben geholpen dan ik ooit had gekund. Ik zat bij Jimmy Grayson op kantoor en we waren beiden opgelucht toen we hoorden dat uw vliegtuig uit Bahrein was vertrokken.'

'Grayson? Hij was een van de zeven die wisten dat ik daar was.'

'Pas op het allerlaatste moment,' zei Rasjad. 'Zelfs ik wilde het hem niet vertellen. Het moest uit Washington komen.'

'In de taal van het Witte Huis werd hij gistermorgen aan het spit geregen.'

'Waarom?'

'Om te zien of hij mijn naam soms had laten uitlekken.'

'*Jimmy?* Dat is nog stommer dan te denken dat ik het was. Grayson is er zo op gebeten directeur te worden dat hij er haast niet van kan slapen. Bovendien heeft hij er weinig zin in dat zijn keel wordt afgesneden en zijn lichaam verminkt, al evenmin als ik.'

'U zegt dat maar allemaal heel gemakkelijk. Die woorden vallen u erg snel in, te snel misschien.'

'Over Jimmy?'

'Nee. Over uzelf.'

'Ik snap het.' De vrouw die zich Khalehla had genoemd leunde niet langer meer tegen het rotsblok. 'U denkt dat ik dit allemaal heb ingestudeerd – bij mezelf natuurlijk omdat ik onmogelijk iemand anders kon benaderen. En ik ben natuurlijk half Arabisch...'

'U wandelde daar die kamer binnen alsof u verwachtte mij te zien. Ik was geen enkele verrassing voor u.'
'Dat deed ik en dat was het niet.'
'Waarom en waarom niet? Op beide punten?'
'Proces van eliminatie neem ik aan – en een afspraak, een man die ik ken die me beschermt tegen échte verrassingen. De afgelopen anderhalve dag bent u in heel het Middellandse-Zeegebied groot nieuws geweest, afgevaardigde, en er zitten een boel mensen te bibberen, ikzelf ook. Niet alleen vóór mezelf maar voor vele anderen die ik gebruikt en misbruikt heb om u in het oog te kunnen houden. Iemand als ik bouwt een netwerk op, gebaseerd op vertrouwen, en op dit moment is het meest essentiële hulpmiddel dat ik heb, dat vertrouwen, op losse schroeven komen te staan. U ziet dus, meneer Kendrick, dat u niet alleen mijn tijd hebt verspild en mijn concentratie, maar ook een heleboel geld van de belastingbetalers om me hierheen te halen voor een vraag die elke ervaren agent in actieve dienst zou kunnen beantwoorden.'
'U had me kunnen verkopen, mijn naam kunnen verkopen tegen een prijs.'
'Wat voor prijs? Mijn léven? De levens van de mensen die ik gebruikt heb om u te schaduwen, mannen die voor mij belangrijk zijn en voor het werk dat ik doe – werk dat volgens mij echt waardevol is zoals ik geprobeerd heb u uit te leggen in Bahrein? Gelooft u dat wérkelijk?'
'O, jézus! Ik weet niet meer wat ik moet geloven!' gaf Evan toe. Hij zuchtte diep en schudde zijn hoofd. 'Alles wat ik wilde doen, alle plannen die ik had gemaakt liggen nu aan scherven. Ahmed wil me niet meer zien, ik kan niet meer teruggaan, daar niet en verder nergens in de Emiraten en de Golfstaten. Daar zou hij voor zorgen.'
'Wilde u dan teruggaan?'
'Met heel mijn hart. Ik wilde mijn leven weer oppakken waar ik mijn beste werk had gedaan. Maar eerst moest ik een rotzak zien kwijt te raken die alles had verwoest, die gemoord had alleen maar om te moorden – zovelen.'
'De Mahdi,' onderbrak Rasjad hem met een hoofdknik. 'Ahmed heeft het me verteld. Dat was uw werk. Ahmed is nog jong en hij zal van gedachten veranderen. Op den duur zal hij begrijpen wat u daar voor iedereen hebt gedaan en zal hij dankbaar zijn. ...Maar u hebt net antwoord gegeven op een vraag.

Weet u, ik dacht dat u zelf het verhaal aan de grote klok had gehangen, maar dat is niet zo, toch?'
'Ik? Bent u helemaal geschift? Over zes maanden vertrek ik hier.'
'U hebt dus geen enkele politieke ambitie?'
'Verrek, néé! Ik pak mijn biezen, ik ga er vandoor! Alleen kan ik nu nergens heen. Iemand probeert me tegen te houden, me te maken tot iets wat ik niet ben. Wat is er, verdomme, toch met me aan de hand?'
'Op het eerste gezicht zou ik zeggen dat u wordt opgegraven.'
'Als wát dan? Door wíé?'
'Door iemand die vindt dat men u tekort heeft gedaan. Iemand die gelooft dat u openbare erkenning verdient, bekendheid.'
'Maar die wil ik niet! En de president helpt ook al niet. Hij gaat me aanstaande dinsdag de *Medal of Freedom* uitreiken in die verdomde Blauwe Zaal met de hele Marinierskapel! Ik zei hem dat ik dat niet wilde en die mafkikker zei dat ik wel moest komen omdat hij er niet wilde uitzien als een goedkope rotzak. Wat is dat nou voor redenatie?'
'Echt iets voor een president...' Rasjad zweeg ineens. 'Kom, we gaan weer wandelen,' zei ze snel toen er twee personeelsleden in witte pakken opdoken onder aan de aanlegplaats. 'Niet omkijken. Gewoon doen. We lopen gewoon een eindje over dit armzalige strand.'
'Mag ik praten?' vroeg Kendrick en hij ging naast haar lopen.
'Niet iets wat betrekking op de zaak heeft. Wacht maar tot we de hoek om zijn.'
'Waarom? Kunnen ze ons dan horen?'
'Het is mogelijk. Ik weet het niet zeker.' Ze volgden de bocht van het strand tot de twee mannen bij de aanlegplaats verdwenen waren achter de bomen. 'De Japanners kunnen via richtmicrofoons op afstand afluisteren, al heb ik er nog nooit zo een gezien,' vervolgde Rasjad zonder bepaalde bedoeling. Toen bleef ze weer staan en ze keek Evan met haar intelligente ogen vragend aan. 'Hebt u met Ahmed gesproken?' vroeg ze.
'Gisteren. Hij zei dat ik kon doodvallen en dat ik niet meer moest terugkeren naar Oman. Nooit.'
'U begrijpt dat ik dat bij hem zal natrekken?'
Evan was ineens stomverbaasd, daarna kwaad. Ze was bezig hem te ondervragen, hem te beschuldigen, hem te controleren.

'Het kan me geen barst schelen wat u doet, mijn enige zorg is wat u misschien hebt gedaan. U bent overtuigend, Khalehla – neem me niet kwalijk, juffrouw Rasjad – en u gelooft misschien wat u zegt, maar de zes mannen die van mij op de hoogte waren hadden alles te verliezen en geen donder te winnen door te zeggen dat ik verleden jaar in Masqat was.'
'En ík had niets anders te verliezen dan mijn leven en de levens van de mensen in het netwerk dat ik in die hele sector met zorg heb opgebouwd, van wie er sommigen me overigens heel erg dierbaar zijn? Kom toch van dat stokpaardje af, afgevaardigde, u maakt uzelf alleen maar belachelijk. U bent niet alleen een amateur, u bent onuitstaanbaar.'
'Weet u, het is mogelijk dat u misschien een vergissing hebt begaan!' riep Kendrick vertwijfeld uit. 'Ik zou u bijna het voordeel van de twijfel willen geven, zoiets heb ik al tegen Dennison gezegd toen ik hem zei dat ik niet wilde dat hij u de grond zou inboren.'
'Och, wat heel erg vriendelijk van u, meneer.'
'Nee, ik meende het. U hebt echt mijn leven gered en als u zich iets hebt laten ontglippen en mijn naam hebt genoemd...'
'Maak uw stommiteit nu niet groter dan ze al is,' onderbrak Rasjad hem. 'Het is oneindig veel waarschijnlijker dat een van de vijf anderen zich zoiets heeft laten ontglippen dan Grayson of ik. Wij leven dagelijks met het gevaar; wij maken dat soort fouten niet.'
'Laten we verder lopen,' zei Evan; er waren geen bewakers te zien, alleen zijn eigen twijfel en verwarring brachten hem ertoe in beweging te blijven. Zijn probleem was dat hij haar geloofde, dat hij geloofde wat Manny Weingrass over haar had gezegd: *...zij had niets te maken met het onthullen van jouw naam... het zou haar schaamte alleen maar groter maken en die krankzinnige wereld waarin ze leeft nog meer doen ontvlammen.* En toen Kendrick protesteerde dat de anderen het niet gedaan konden hebben, had Manny eraan toegevoegd: *Dan zijn er anderen die wij nog niet kennen...* Ze kwamen aan een zandpad dat door de bomen naar boven leidde, kennelijk naar de muur die om het landgoed lag. 'Zullen we eens verder kijken?' vroeg Evan.
'Waarom niet?' zei Adrienne kil.
'Luister,' vervolgde hij toen ze naast elkaar tegen de beboste helling opklommen, 'stel dat ik u geloof...'

'Heel erg bedankt.'
'Goed dan, ik gelóóf u! En omdat ik dat doe ga ik u iets vertellen wat alleen Swann en Dennison maar weten; de anderen niet, ik geloof tenminste van niet.'
'Weet u zeker dat u het me moet vertellen?'
'Ik heb hulp nodig en zij kunnen me niet helpen. U misschien wel; u bent erbij geweest – met mij – en u weet zoveel dingen die ik niet weet. Hoe gebeurtenissen stil worden gehouden, hoe geheime informatie wordt doorgegeven aan mensen die die hebben moeten, dat soort procedures.'
'Ik ken er een paar, maar lang niet allemaal. Ik werk vanuit Caïro, niet hier. Maar ga door.'
'Een tijdje geleden werd Swann bezocht door een man, een blonde man met een Europees accent die een heleboel over me wist – Frank noemde dat VG.'
'Vroegere gegevens,' zei Rasjad. 'Ze worden ook "Voorrechtdetails" genoemd en ze komen meestal uit de kelders.'
'Kelders? Wat voor kelders?'
'Dat is jargon voor vertrouwelijke inlichtingendossiers. Ga verder.'
'Nadat hij Frank had geïmponeerd, écht had geïmponeerd, kwam de aap uit de mouw en vertelde hij waarover het ging. Hij zei tegen Swann dat hij de conclusie had getrokken dat ik door Buitenlandse Zaken tijdens de gijzelingscrisis naar Masqat was gezonden.'
'Wát?' riep ze uit met haar hand op Kendricks arm. 'Wie was hij?'
'Dat weet niemand. Niemand kan hem vinden. De identiteit die hij gebruikte om tot Frank door te dringen was vals.'
'Goeie gód,' fluisterde Rasjad en ze keek op naar het omhooglopende pad; door de muur van bomen voor hen uit viel helder zonlicht. 'Laten we even hier blijven,' zei ze zacht en dringend. 'Ga zitten.' Beiden lieten ze zich zakken op het zandpad, omgeven door dikke stammen en struikgewas. 'En toen?' hield de vrouw uit Caïro aan.
'Nou ja, Swann probeerde hem het bos in te sturen; hij liet hem zelfs een memo zien aan de minister van Buitenlandse Zaken dat we samen in elkaar hadden gedraaid en waarin ik werd afgewezen. De man heeft Frank kennelijk niet geloofd en hij bleef maar doorgraven tot hij alles wist. Wat er gistermorgen bekend werd gemaakt was zó juist dat het alleen maar kon komen uit

het Oman-dossier – uit de kelders, zoals u het noemde.'
'Dat wéét ik,' fluisterde Rasjad even woedend als bang. 'Mijn god, iemand is benaderd!'
'Een van de zeven – zés?' verbeterde hij snel.
'Wie waren het? Ik bedoel niet Swann en zijn computerman van OHIO-Vier-Nul, maar buiten Dennison, Grayson en mij?'
'De minister van Buitenlandse Zaken en Defensie en de voorzitter van de gezamenlijke Chefs van Staven.'
'Die zijn geen van allen zelfs maar te benaderen.'
'Hoe zit het eigenlijk met die computerman? Hij heet Bryce, Gerald Bryce, en hij is jong. Frank vertrouwt hem volkomen maar dat is alleen zijn oordeel.'
'Ik betwijfel het. Frank Swann is een rotzak, maar ik geloof niet dat hij op die manier voor de gek kan worden gehouden. Iemand als Bryce is de eerste aan wie je zou denken en als hij slim genoeg is om de leiding te hebben over zo'n operatie dan weet hij dat ook. Hij weet ook dat hij dertig jaar in Leavenworth zou kunnen krijgen.'
Evan glimlachte. 'Ik begrijp dat Dennison u daar met vijf jaar heeft gedreigd.'
'Ik zei tegen hem dat het een mannengevangenis was,' grijnsde Adrienne.
'Dat was ook mijn commentaar,' lachte Kendrick.
'En toen zei ik dat ik dan niet eens in het staatsieschip van Cleopatra zou stappen, laat staan in een officiële auto als hij nog meer van zulke geintjes voor me had.'
'Waarom bent u eigenlijk ingestapt?'
'Je reinste nieuwsgierigheid. Dat is het enige antwoord dat ik u kan geven.'
'Dat accepteer ik. ...Waar waren we dus? Die zeven kunnen het niet zijn en een blonde Europeaan wel.'
'Ik weet het niet.' Ineens raakte Rasjad zijn arm weer aan. 'Ik moet je een paar vragen stellen, Evan...'
'*Evan?* Dank je wel.'
'Neem me niet kwalijk. Afgevaardigde. Dat was echt een vergissing.'
'Niks kwalijk te nemen. Volgens mij zijn we toe aan voornamen.'
'Ik weet het niet...'
'Maar mag ik je Khalehla noemen? Dat gaat me wat gemakkelijker af.'

'Mij ook. Het Arabische deel in me heeft er altijd aanstoot aan genomen verloochend te worden door Adrienne.'
'Stel je vragen maar... Khalehla.'
'Goed. Wanneer besloot jij om naar Masqat te gaan? Gezien de omstandigheden en wat je kans zag klaar te spelen was je er vrij laat.'
Kendrick haalde diep adem. 'Ik was aan het wildwatervaren in Arizona toen ik in een basiskamp kwam dat Lava Falls heet en voor het eerst in een paar weken naar de radio luisterde. Ik wist dat ik direct naar Washington moest...' Evan vertelde de bijzonderheden van die chaotische zestien uur waarin hij van een betrekkelijk primitief kamp in de bergen terecht kwam in de gangen van Buitenlandse Zaken en ten slotte in het ingewikkelde computercomplex waar OHIO-Vier-Nul was gehuisvest. 'Daar maakten Swann en ik onze afspraak en kon ik van start gaan.'
'Laten we eens even teruggaan,' zei Khalehla en pas toen keek ze Kendrick niet langer aan. 'Je huurde een watervliegtuig om je naar Flagstaff te brengen, waar je probeerde een vliegtuig te charteren naar Washington, klopt dat?'
'Ja, maar de charterbalie zei dat het te laat was.'
'Je had haast,' opperde de agente. 'Was waarschijnlijk kwaad. Je zult je wel een beetje hebben laten gelden. Een afgevaardigde uit de bekende staat Colorado, enzovoort.'
'Meer dan een beetje – en heel wat meer "enzovoort".'
'Je kwam in Phoenix en nam de eerste officiële vlucht die vertrok. Hoe heb je betaald voor je ticket?'
'Credit-card.'
'Niet zo slim,' zei Khalehla, 'maar dat kon je ook niet weten. Hoe wist je wie je moest hebben in BZ?'
'Dat wist ik niet, maar vergeet niet dat ik jarenlang heb gewerkt in Oman en in de Emiraten, daarom wist ik wat voor iemand ik moest zoeken. En aangezien ik een ervaren secretaresse uit Washington had geërfd die een neus heeft voor dit soort zaken, zei ik tegen haar wie ze moest zoeken. Ik maakte duidelijk dat het ongetwijfeld iemand zou zijn in de afdelingen Midden-Oosten of Zuidwest-Azië van Consulaire Operaties van BZ. De meeste Amerikanen die daar hebben gewerkt zijn vertrouwd met die mensen – vaak meer dan hun lief is.'
'Die secretaresse met een neus voor dit soort zaken begon dus te telefoneren en vragen te stellen. Dat moet bepaalde mensen

wel nieuwsgierig hebben gemaakt. Heeft ze een lijst bewaard van de mensen die ze belde?'
'Dat weet ik niet. Ik heb het haar nooit gevraagd. Alles was nogal chaotisch en ik onderhield verbinding met haar via een van die telefoons in het vliegtuig vanuit Phoenix. Tegen de tijd dat ik landde had ze nog vier of vijf mogelijkheden, maar er was er maar eentje bij die als deskundige op het gebied van de Emiraten werd beschouwd en die was ook adjunct-directeur van Cons Op. Frank Swann.'
'Het zou interessant zijn te weten of je secretaresse een lijst heeft bewaard,' zei Khalehla en ze keek nadenkend omhoog.
'Ik zal haar bellen.'
'Dat zul je wel laten van hieruit. Bovendien ben ik nog niet klaar. Je ging dus naar BZ om Swann op te zoeken en dat wil zeggen dat je je moest melden bij de bewakingsdienst.'
'Natuurlijk.'
'Heb je je ook afgemeld?'
'Nou, nee, niet echt, niet aan de balie in de hal. Ik werd meegenomen naar een parkeergarage en naar huis gereden in een wagen van Buitenlandse Zaken.'
'Naar je eigen huis?'
'Ja, ik was op weg naar Oman en ik moest een paar spullen pakken...'
'Hoe zit het met de chauffeur?' onderbrak Khalehla hem. 'Heeft hij je aangesproken bij je naam?'
'Nee, helemaal niet. Maar hij zei wel iets waar ik van schrok. Ik vroeg hem of hij mee naar binnen wilde komen om iets te eten of een kop koffie te drinken terwijl ik inpakte en hij zei: "Ze zouden me kunnen neerknallen wanneer ik uit de wagen kom", of iets dergelijks. Toen voegde hij eraan toe: "U bent van OHIO-Vier-Nul".'
'En dat wil zeggen dat hij dat niet was,' zei Rasjad haastig. 'En je stond voor je huis?'
'Ja. Toen stapte ik uit en zag nog een auto, zo'n dertig meter achter ons aan de trottoirrand. Die moest ons hebben gevolgd; er zijn aan dat stuk straat geen andere huizen.'
'Een gewapend escorte.' Khalehla knikte. 'Swann beschermde je vanaf het allereerste begin en hij had gelijk. Hij had er de tijd niet voor en evenmin de mensen om alles na te lopen wat er vóór die tijd met je was gebeurd.'
Evan was verbaasd. 'Zou je dat willen uitleggen?'

'Voordat je bij Swann aankwam neemt een rijke, boze afgevaardigde een gehuurd vliegtuig naar Flagstaff en zet alles op zijn kop om in Washington te komen. Dat wordt geweigerd, daarom vliegt hij naar Phoenix waar hij er ongetwijfeld op staat met het eerste officiële toestel mee te kunnen en betaalt met een credit-card, terwijl hij bovendien zijn secretaresse begint te bellen die een goede neus heeft en haar zegt dat ze een man moet zoeken die hij niet kent maar van wie hij zeker is dat hij bestaat in Buitenlandse Zaken. Ze gaat telefoneren – heel dringend meen ik dat je zei – en spreekt met een aantal mensen die zich moeten afvragen waarom. Ze krijgt die laatste vier of vijf mogelijkheden bij elkaar – en dat betekent dat ze een heleboel van háár kennissen moest bellen die haar die informatie konden geven en die zich ook moesten gaan afvragen waarom, en jij verschijnt op BZ en eist een onderhoud met Swann. Klopt dat? In de toestand waarin je verkeerde eiste je een onderhoud met hem?'
'Ja. Ik kreeg de gewone smoesjes te horen, men zei dat hij er niet was, maar ik wist dat hij er wel was, dat had mijn secretaresse bevestigd. Ik geloof dat ik behoorlijk bleef aanhouden. Ten slotte lieten ze me naar zijn kantoor gaan.'
'En nadat je met hem had gesproken nam hij de beslissing je naar Masqat te sturen.'
'En dus?'
'Dat kleine kringetje waarover je het had, was niet zo erg klein, Evan. Je deed wat iedereen onder die omstandigheden zou hebben gedaan – onder de spanning waarin je verkeerde. Je hebt een aantal sporen achtergelaten tijdens die geagiteerde reis van Lava Falls naar Washington. Men had je gemakkelijk via Phoenix naar Flagstaff kunnen opsporen, je naam en je luidruchtige aandringen op onmiddellijke doorverbinding moeten een heleboel mensen zijn bijgebleven, vooral omdat het al zo laat was. Vervolgens duik je op in Buitenlandse Zaken waar je nog meer bent opgevallen – zoals bij voorbeeld je melden bij de bewakingsdienst zonder je af te melden – totdat je naar Swanns kantoor mocht gaan.'
'Ja, maar...'
'Laat me dit, alsjeblieft, afmaken,' viel Khalehla hem opnieuw in de rede. 'Je zult het begrijpen en ik wil dat we beiden precies weten wat er gebeurd is. Jij en Swann praten met elkaar, jullie maken je afspraak over anonimiteit en zoals je zei kon

je vertrekken naar Masqat. De eerste etappe was naar je huis met een chauffeur die geen deel uitmaakte van OHIO-Vier-Nul, evenmin als de bewakers in de hal. De chauffeur was gewoon aangewezen door een vervoerscoördinator en de bewakers die dienst hadden deden gewoon hun werk. Ze verkeren niet in die hoge kringen; niemand daar haalt hen erbij als er strikt geheime vergaderingen zijn. Maar het zijn ook maar mensen; ze gaan naar huis en praten met hun vrouw en hun vrienden omdat er iets opvallends was gebeurd in hun verder maar saaie banen. Ze zouden ook best vragen kunnen beantwoorden die hun nonchalant worden gesteld door mensen die zij zien als regeringsambtenaren.'

'En op een of andere manier wisten ze allemaal wie ik was...'

'Net als een heleboel andere mensen in Phoenix en Flagstaff, en één ding was hun allen duidelijk. Deze belangrijke man is kwaad; dit congreslid heeft bloedhaast; deze hoge piet heeft problemen. Zie je nu het spoor dat je hebt achtergelaten?'

'Ja, dat zie ik, maar wie zou daarnaar gaan zoeken?'

'Ik weet het niet en dat zit me erger dwars dan ik je kan zeggen.'

'Dat zit jou dwars? Wie het dan ook was heeft mijn hele leven versjteerd! Wie zou zoiets doen?'

'Iemand die een begin heeft gevonden, een lek dat leidde naar de rest van het spoor van een kamp ver in de bergen dat Lava Falls heet naar de terroristen in Masqat. Iemand die wat vond waardoor hij verder wilde gaan zoeken. Misschien waren het de telefoongesprekken die je secretaresse voerde, of de opschudding die jij veroorzaakte aan de bewakingsbalie van Buitenlandse Zaken, of zelfs zoiets krankzinnigs als het horen van een gerucht dat een onbekende Amerikaan in Oman tussenbeide was gekomen – het was helemaal niet zo krankzinnig; het verscheen in de krant en het werd de grond in geboord – maar het zou iemand aan het denken hebben kunnen zetten. Toen pasten ineens de andere stukjes van de puzzel in elkaar en jij was er.'

Evan legde zijn hand op de hare op het zandpad. 'Ik moet weten wie het was, Khalehla, ik moet het wéten.'

'Maar we weten het al,' zei ze zacht, zichzelf verbeterend, met uitdrukkingsloze stem alsof ze iets zag wat ze eerder had moeten zien. 'Een blonde man met een Europees accent.'

'Waaróm?' Kendrick schreeuwde het bijna uit en trok zijn hand terug.

Khalehla keek hem medelijdend aan, maar onder haar bezorgdheid lag er in haar ogen weer die kille, analytische blik. 'Het antwoord daarop moet jouw allergrootste zorg zijn, Evan, maar ik heb een ander probleem en daarom ben ik zo bang.'
'Ik begrijp het niet.'
'Wie die blonde man ook was, wie hij dan ook vertegenwoordigt, hij is tot heel diep in onze kelders doorgedrongen en heeft daaruit gehaald wat hij nooit in handen had mogen krijgen. Ik ben verbijsterd, Evan, *doodsbang*, en die woorden geven nog niet sterk genoeg weer wat ik werkelijk voel. Niet alleen vanwege wat jou is aangedaan, maar wat ons is aangedaan. Wij zijn gecompromitteerd, onze geheimhouding is doorgeprikt en dat had nooit mogelijk mogen zijn. Als zij – wie ze dan ook zijn – jou kunnen opgraven uit de geheimste, veiligste archieven die we hebben, dan kunnen ze een heleboel andere dingen te weten komen waar niemand aan hoort te komen. Waar mensen zoals ik werken kan zoiets heel veel levens kosten – op een heel onplezierige manier.'
Kendrick keek naar haar strakke, opvallende gezicht en zag de vrees in haar ogen. 'Je meent het, nietwaar? Je bent écht bang.'
'Dat zou jij ook zijn als je de mannen en vrouwen kende die ons helpen, die ons vertrouwen, die hun leven op het spel zetten om ons inlichtingen te bezorgen. Elke dag vragen ze zich af of ze zullen struikelen over iets wat ze gedaan hebben of hebben nagelaten te doen. Velen van hen hebben zelfmoord gepleegd omdat ze de spanning niet langer aankonden, anderen zijn gek geworden en zijn in de woestijn verdwenen omdat ze er de voorkeur aan gaven in vrede met hun Allah te sterven boven door te gaan. Maar de meesten gaan wel door omdat ze in ons geloven, geloven dat wij eerlijk zijn en echt de vrede willen. Overal hebben ze te maken met gewapende gekken, en hoe erg het er ook uitziet, zij zorgen ervoor dat het niet erger is, dat er door de straten niet nog meer bloed vloeit. ...Ja, ik ben bang omdat velen van die mensen vrienden van me zijn – van mij en mijn vader en moeder. De gedachte dat zij verraden worden – en dat werd jij, Evan, *verraden* – brengt me ertoe de woestijn in te willen kruipen en daar te sterven zoals de mensen die we gek hebben gemaakt. Omdat er iemand die héél diep verborgen zit onze meest geheime dossiers openstelt voor anderen die niet bij ons horen. In jouw geval had hij of zij alleen maar een naam nodig, jouw naam, en nu vrezen er in

Masqat en Bahrein mensen voor hun leven. Hoeveel andere namen kunnen er nog bekend worden gemaakt? Hoeveel andere geheimen kunnen worden blootgelegd?'
Evan stak zijn hand uit en legde die niet over de hare, maar greep die nu vast. 'Als je dat gelooft, waarom help je me dan niet?'
'Jou helpen?'
'Ik moet weten wie me dit aandoet en jij moet weten wie daar zit, of daar beneden zit, en die dit mogelijk maakt. Volgens mij hebben we hetzelfde doel, vind je ook niet? Ik heb Dennison in een dubbele Nelson waaruit hij niet kan loskomen en ik kan zorgen dat er een geheime instructie komt van het Witte Huis dat je hier moet blijven. Hij zal er zelfs op gebeten zijn de kans te krijgen een lek te vinden; dat is een obsessie voor hem.'
Khalehla fronste haar voorhoofd. 'Zo werkt dat niet. Bovendien hoor ik hier niet thuis. Ik ben heel goed waar ik zit, maar ik hoor echt niet tot de besten wanneer ik buiten mijn element ben, mijn Arabische element.'
'Ten eerste,' wierp Kendrick vastberaden tegen, 'beschouw ik jou als eersteklas omdat je mijn leven hebt gered en ik zie mijn leven als betrekkelijk belangrijk. En ten tweede, zoals ik al zei, heb jij ervaring op gebieden waar ik me helemaal niet thuisvoel. Procedures, "Geheime wegen van verwijzing" – nog zo'n mooie uitdrukking die ik geleerd heb bij de Geselecteerde Commissie voor Inlichtingen, maar ik heb niet het flauwste benul wat het betekent. Verrek, mevrouw, jij weet zelfs wat de "kelders" betekenen, terwijl ik altijd dacht dat het souterrains waren van huizen in voorsteden, die ik, god zij dank, nooit heb hoeven bouwen. Toe, in Bahrein zei je dat je me wilde helpen. Help me nú dan! Help jezelf.'
Adrienne Rasjad gaf antwoord terwijl haar donkere ogen kil in de zijne keken. 'Ik zou je kunnen helpen, maar het zal misschien voorkomen, dat je zou moeten doen wat ik je zeg. Zou je dat kunnen?'
'Ik ben er niet wild op van bruggen of hoge gebouwen af te springen...'
'Het zou meer zijn op het gebied van wat je zou moeten zeggen en tegen bepaalde mensen tegen wie ik zou willen dat je het zegt. Het zou ook kunnen gebeuren dat ik je bepaalde dingen niet zou kunnen uitleggen. Zou je dat kunnen accepteren?'

'Ja. Omdat ik je heb zien werken, naar je heb geluisterd en omdat ik je vertrouw.'

'Dank je.' Ze kneep hem even in zijn hand en liet die toen los. 'Ik zou iemand met me mee moeten brengen.'

'Waarom?'

'In de eerste plaats is het noodzakelijk. Ik zou een tijdelijke overplaatsing nodig hebben en die kan hij voor me krijgen zonder uitleg te hoeven geven – vergeet het Witte Huis maar, dat is te gevaarlijk, te onzeker. Ten tweede zou hij kunnen helpen op gebieden waarover ik geen zeggenschap heb.'

'Wie is hij?'

'Mitchell Payton. Hij is directeur Speciale Projecten – dat is een eufemisme voor "Stel geen vragen".'

'Kun je hem vertrouwen? Ik bedoel totaal, zonder enige twijfel.'

'Zonder enige twijfel. Hij heeft mij binnengebracht bij de CIA.'

'Dat hoeft nog niet direct een reden te zijn.'

'Het feit dat ik hem "oom Mitch" heb genoemd sinds ik zes jaar oud was in Caïro is dat echter wel. Hij was een jonge functionaris in actieve dienst die zich voordeed als lector op de universiteit. Hij raakte bevriend met mijn ouders – mijn vader was daar professor en mijn moeder is een Amerikaanse uit Californië; daar kwam Mitch ook vandaan.'

'Zal hij die overplaatsing voor je willen verzorgen?'

'Ja, natuurlijk.'

'Dat weet je zeker?'

'Hij kan niet anders. Ik heb het je al verteld, er is iemand bezig een stuk van onze ziel weg te geven dat niet te koop is. Jij bent het nu. Wie zal de volgende zijn?'

25

Mitchell Jarvis Payton was een drieënzestig jaar oude academicus in goede conditie die vierendertig jaar geleden onder valse voorwendselen de CIA was binnengehaald omdat hij paste bij een beschrijving die iemand in die tijd had doorgegeven aan de personeelsafdeling. Die iemand was van het toneel verdwenen en er was geen baan geweest voor Payton, alleen de behoefte aan iemand als hij was blijven bestaan – met het etiket *dringend*. Tegen de tijd echter dat zijn toekomstige werkgevers zich realiseerden dat ze voor de kandidaat geen speciaal werk hadden, was het te laat. Hij was gerecruteerd door de agressieve koppensnellers van het bureau in Los Angeles en naar het hoofdkwartier van de CIA in Langley gestuurd voor scholing. Dr. Payton zat er behoorlijk mee in de knoop, want in een vlaag van persoonlijke en vaderlandslievende ijver had hij zijn ontslag aangeboden, met onmiddellijke ingang, aan de Nationale Universiteitsraad. Het was een ongunstig begin voor een man wiens carrière zich zo voorspoedig zou ontwikkelen. MJ, zoals hij zo lang hij zich kon herinneren werd genoemd, was op negenentwintigjarige leeftijd buitengewoon hoogleraar geweest met een doctoraat in Arabische Wetenschappen aan de Universiteit van Californië waar hij ook college had gegeven. Op een mooie ochtend kreeg hij bezoek van twee heren van de regering die hem ervan overtuigden dat zijn land dringend behoefte had aan zijn talenten. Bijzonderheden mochten ze, natúúrlijk, niet onthullen, maar voor zover ze een regeringssector vertegenwoordigden met bijzonder veel glamour, namen ze aan dat de post ergens in het buitenland was, op het gebied van zijn vakkennis. De jonge vrijgezel had de kans met beide handen aangegrepen en toen hij kwam te staan tegenover verbijsterde meerderen in Langley, die zich afvroegen wat ze met hem moesten doen, had hij er nadrukkelijk op gewezen dat hij zijn schepen in L.A. achter zich had verbrand omdat hij op z'n minst aannam dat hij naar Egypte zou worden gestuurd. Dus had men hem naar Egypte gestuurd – *we kunnen in Egypte niet genoeg waarnemers hebben die die verrekte taal verstaan.* Als bijvak had hij Amerikaanse Literatuur gestudeerd, gekozen omdat Payton niet dacht dat er al te veel van bestond. Om die reden had een arbeidsbemiddelingsbureau in Rome, in werkelijkheid een onderafdeling van de CIA, hem geplaatst op de Universiteit van Caïro als Arabisch sprekend lector in de Amerikaanse Literatuur.

Daar had hij de Rasjads ontmoet, een verrukkelijk stel, die een belangrijke rol gingen spelen in zijn leven. Op Paytons eerste faculteitsvergadering zat hij naast de beroemde professor Rasjad en toen ze voor de vergadering wat met elkaar praatten ontdekte hij dat Rasjad niet alleen in Californië had gestudeerd maar dat hij ook nog getrouwd was met een klasgenote van MJ. Er ontstond een echte vriendschap terwijl MJ's reputatie binnen de CIA opbloeide. Via talenten waarvan hij geen idee

had dat hij ze bezat en die hem soms echt schrik aanjoegen, ontdekte hij dat hij een uitzonderlijk overtuigend leugenaar was. Het waren chaotische tijden, van snel veranderende allianties die in de gaten gehouden moesten worden waarbij de zich verbreidende Amerikaanse penetratie verborgen moest blijven. Door zijn vloeiend Arabisch en zijn inzicht dat mensen gemotiveerd konden worden door vriendelijke woorden, gesteund door geld, kon hij uiteenlopende groepen van onderling vijandige facties organiseren die elkaars activiteiten aan hem doorgaven. Als beloning verschafte hij geld voor hun zaak – onbelangrijke uitgaven voor een CIA die toen nog onschendbaar was maar belangrijke bijdragen voor de steeds lege schatkisten van de fanatici. Door zijn werk in Caïro kon Washington een aantal potentieel explosieve en vervelende situaties afwenden. Het was echter typerend voor de vriendjespolitiek in de inlichtingenwereld in Washington om, als een goeie vent zo prima werkte waar hij zat, te vergeten dat er een aantal factoren waren die hem daar juist zo goed maakten en hem terug te halen naar Washington om te zien wat hij daar kon uitrichten. Hij volgde James Jezus Angleton op, de Grijze Vos van clandestiene operaties, als directeur van Speciale Projecten. En hij vergat nooit wat zijn vriend Rasjad hem had gezegd toen hij die dominerende positie kreeg.
'Dat had je nooit bereikt, MJ, als je was getrouwd. Jij bezit het zelfvertrouwen van nooit te zijn beïnvloed.'
Misschien.
Maar de test of hij te beïnvloeden was kwam pas met volle kracht op hem neer toen de koppige dochter van zijn dierbare vrienden in Washington was opgedoken, vasthoudender dan hij haar ooit had meegemaakt. Er was iets afschuwelijks gebeurd in Cambridge, Massachusetts, en ze was vastbesloten haar leven – of in elk geval een deel van haar leven – te wijden aan het verminderen van de haat en het geweld die haar wereld rond de Middellandse Zee uiteenreten. Ze had 'oom Mitch' nooit verteld wat haar was overkomen – dat hoefde ze eigenlijk ook niet – maar bleef koppig aanhouden. Ze had er de kwalificaties voor; ze sprak even vloeiend Engels als Frans als Arabisch en ze was op dat moment bezig Jiddisch en Hebreeuws te leren. Hij had het *Peace Corps* voorgesteld en ze had haar handtasje met een klap op de grond voor zijn bureau neergesmeten. 'Néé! Ik ben geen kind meer, oom Mitch,

en ik heb niet van die liefdadige bevliegingen. Ik voel me alleen maar betrokken met de plaats waar ik vandaan kom, waar ik geboren ben. Als u me niet wilt nemen, ga ik anderen zoeken die het wel zullen willen!'
'Dat zouden verkeerde anderen zijn, Adrienne.'
'Hou me dan tegen. Neem me aan!'
'Ik zal met je ouders moeten praten...'
'Dat kún je niet! Hij is met pensioen – ze zijn beiden met pensioen en ze wonen in het noorden in Baltim-aan-zee. Ze zouden zich alleen maar zorgen maken over mij en door dat te doen problemen veroorzaken. Bezorg me maar een baantje als vertaalster of als free-lance consulente voor exporteurs – dat kun je toch zeker wel! Lieve hemel, oom Mitch, je was een onbelangrijke lector aan de universiteit en wij hebben ook nooit iets gezegd!'
'Je wist het niet, lieverd...'
'Dat had je gedacht! Het gefluister in het huis wanneer er een *vriend* van oom Mitch op bezoek kwam en hoe ik dan op mijn kamer moest blijven, en toen op een avond kwamen er ineens drie kerels die alle drie revolvers in hun riem hadden die ik zogenaamd nooit heb gezien...'
'Dat waren noodsituaties. Je vader begreep het wel.'
'Dan begrijp jij mij nu ook, oom Mitch. Dit moet ik doen!'
'Goed dan,' stemde MJ Payton in. 'Maar nu moet jij mij ook goed begrijpen, jongedame. Je zult een verkorte cursus moeten volgen in Fairfax, Virginia, in een complex dat op geen enkele kaart te vinden is. Als je het niet haalt kan ik je niet helpen.'
'Aangenomen,' had Adrienne Khalehla Rasjad glimlachend gezegd. 'Zullen we wedden?'
'Niet met jou, jonge tijgerin die je bent. Kom op, dan gaan we lunchen. Je drinkt niet, is 't wel?'
'Eigenlijk niet.'
'Ik wel en ik zal het ook doen maar ik ga niet wedden met jou.'
En het was maar goed voor Paytons portemonnee dat hij niet wedde. Kandidaat Nr. 1344 beëindigde de gruwelijk zware cursus van tien weken in Fairfax, Virginia, als beste van haar klas. Emancipatie had er niets mee te maken, ze was gewoon beter dan zesentwintig mannen. Maar ja, dacht 'oom Mitch', ze had dan ook een motief dat de anderen niet hadden: ze was half Arabisch.

Dat alles was meer dan negen jaar geleden gebeurd. Maar nu op deze vrijdagmiddag, bijna tien jaar later, was Mitchell Jarvis Payton verbijsterd! Actief agent Adrienne Rasjad, momenteel dienstdoend in de oostelijke sector van de Middellandse Zee, basis Caïro, had hem zojuist gebeld via een openbare telefoon in het Hilton Hotel hier in Washington! Wat voerde ze in hemelsnaam hier uit? Op wiens bevel was ze van haar post gehaald? Alle agenten verbonden aan Speciale Projecten kregen pas hun bevelen als ze door hem waren goedgekeurd. Het was niet te geloven! En het feit dat ze niet naar Langley wilde komen maar erop stond dat ze met hem moest praten in een afgelegen restaurant in Arlington maakte MJ nou niet bepaald veel rustiger. Vooral nadat ze tegen hem had gezegd: 'Het is van essentieel belang dat ik niet tegen iemand aanloop die ik ken of die mij kent, oom Mitch.' Nog afgezien van de dreigende ondertoon van haar bewering, had ze hem in jaren geen oom Mitch meer genoemd, niet meer sinds ze studeerde. Zijn 'nichtje' dat geen familie van hem was, zat zwaar in de nesten.

Milos Varak stapte in Durango, Colorado, uit het vliegtuig en liep door het aankomstgebouw naar de balie waar auto's werden verhuurd. Hij liet een vals rijbewijs zien en een al even valse credit-card, ondertekende het huurcontract, nam de sleuteltjes aan en werd naar de parkeerplaats verwezen waar de auto op hem wachtte. In zijn aktentas zat een kaart op grote schaal van het onderste deel van zuidwest-Colorado en ze vermeldde zaken als de wonderen van het Mesa Verde Nationale Park en beschrijvingen van hotels, motels en restaurants waarvan het merendeel te vinden was rond steden als Cortez, Hesperas, Marvel en verder naar het oosten, Durango. Het minst gedetailleerde gebied was een gat dat Mesa Verde heette; je kon het zelfs geen 'plaats' noemen. Het was een aardrijkskundige benaming die eerder te vinden was in het hoofd van de mensen dan in een atlas; een soort winkel van Sinkel, een kapper, een klein privé-vliegveld aan de rand en een café dat Gé-Gé heette vormden de handel en nijverheid in het plaatsje. Je reed door Mesa Verde, je woonde daar niet. Het diende alleen maar voor boeren, landarbeiders en voor die verstokte reizigers die onvermijdelijk verdwaalden wanneer ze de toeristenroutes namen naar New Mexico en Arizona. Het vliegveld dat je daar niet

zou verwachten was voor het gemak van dat dozijn of zo bevoorrechte landeigenaars die voor zichzelf landgoederen hadden gebouwd ergens helemaal achteraf en die niet zonder konden. Heel zelden, haast nooit, zagen ze het stuk weg met de winkel, de kapperszaak en Gé-Gé's café. Wat ze nodig hadden werd per vliegtuig aangevoerd vanuit Denver, Las Vegas en Beverly Hills – vandaar het vliegveld. De uitzondering vormde afgevaardigde Evan Kendrick die tot ieders verrassing een openbaar ambt had aanvaard. Hij had de vergissing begaan te denken dat Mesa Verde stemmen kon opleveren, en dat zou het ook wel hebben gedaan als de verkiezingen ten zuiden van de Rio Grande waren gehouden.
Maar Varak was er erg op gesteld juist dat stuk weg te zien dat voor de plaatselijke bewoners Mesa Verde heette, of alleen maar Verde, zoals Emmanuel Weingrass het noemde. Hij wilde zien hoe de mannen zich kleedden, hoe ze liepen, wat het zware werk op het land had aangericht aan hun lichamen, hun spieren, hun houding. Voor de komende vierentwintig uur, of hooguit achtenveertig uur, zou hij moeten onderduiken tussen de bewoners. Milos had een karweitje op te knappen dat hem in een bepaald opzicht verschrikkelijk veel pijn deed, maar hij kon er eenvoudig niet onderuit. Als er binnen Inver Brass een verrader zat moest Varak hem vinden... of haar.
Na een uur en vijfendertig minuten rijden vond hij het café Gé-Gé. Hij kon niet naar binnen gaan zoals hij was, daarom parkeerde hij de auto, trok zijn colbertje uit en slenterde de winkel ertegenover binnen.
'Ik heb jou hier nooit eerder gezien,' zei de wat oudere eigenaar en hij draaide zijn hoofd om bij het opstapelen van rijstzakken op een plank. 'Altijd prettig een nieuw gezicht te zien. Ben je op weg naar New Mex? Ik zal je de juiste weg wel wijzen, je hoeft er niks voor te kopen. Dat zeg ik altijd tegen de mensen maar ze vinden altijd dat ze geld moeten uitgeven terwijl ze alleen maar de weg willen vragen.'
'Erg vriendelijk van u, meneer,' zei Milos, 'maar ik vrees dat ik geld moet uitgeven – niet van mezelf natuurlijk, maar van mijn baas. Het is wel heel toevallig maar ik moet een paar zakken rijst kopen. Die hebben ze vergeten mee te geven met de bestelling uit Denver.'
'O, een van de grote jongens in de heuvels. Neem maar wat je hebben wilt, jongen – contant natuurlijk. Op mijn leeftijd be-

zorg ik niet meer aan huis.'
'Het zou niet eens bij me opkomen, meneer.'
'Hé, jij komt niet uit Amerika, is 't wel?'
'Scandinavië,' antwoordde Varak. 'Ik ben maar tijdelijk, ik val in voor de chauffeur die ziek is geworden.' Milos pakte drie zakken rijst en droeg die naar de toonbank; de eigenaar liep achter hem aan naar de kassa.
'Voor wie werk je?'
'Het huis van Kendrick, maar hij kent me niet...'
'Hé, is dat niet geweldig van die jonge Evan? Ons eigen congreslid, de héld van Oman! Ik zal je zeggen, zo voel je je weer groot, net als de president zegt! Hij komt hier wel eens een paar keer binnenlopen – drie, misschien vier keer. Een ontzettend aardige kerel; echt heel gewoon, weet je wel?'
'Ik vrees dat ik hem nog nooit heb ontmoet.'
'Ja, maar als je daar in dat huis zit dan ken je zeker die ouwe Manny! Da's een mooi nummer, vind je niet? Ik zal je zeggen, die getikte joodse kerel is me er eentje!'
'Dat is hij zeker!'
'Dat is dan zes dollar en eenendertig cent, jongeman. Laat die cent maar zitten als je die niet hebt.'
'Ik weet zeker dat ik...' Varak voelde in zijn zak. 'Komt meneer... Manny vaak hier?'
'Soms. Misschien een keer of twee drie in de maand. Dan komt hij aanrijden met een van die verpleegsters van 'm, maar ze heeft haar rug nog niet gedraaid of hij schiet bij Gé-Gé binnen. Mooie kerel is dat! Hier is je wisselgeld, jongen.'
'Dank u.' Milos pakte de zakken rijst op en draaide zich om naar de deur, maar hij werd tegengehouden door wat de eigenaar vervolgens zei.
'Toch geloof ik dat die meiden hem verlinken, omdat Evan wat strenger begint te worden met op zijn ouwe vriend te passen, maar ik neem aan dat je dat wel weet.'
'Ja natuurlijk,' zei Varak en hij keek glimlachend om naar de man. 'Hoe bent u daarachter gekomen?'
'Gisteren,' antwoordde de eigenaar. 'Met al dat gedonder ginds bij het huis zag Manny kans Jakes taxi te bemachtigen om hem naar Gé-Gé te brengen. Ik zag hem en daarom liep ik naar de deur en schreeuwde tegen hem wat een geweldig nieuws het was, weet je wel? Hij schreeuwde iets terug als "mijn honnepon" en ging naar binnen. Toen zag ik die andere wagen heel

langzaam door de straat komen aanrijden met een vent die in een telefóón praatte – weet je wel, een van die autotelefoons. Hij parkeerde tegenover Gé-Gé en bleef daar naar de deur zitten kijken. Toen was hij later weer aan die telefoon en een paar minuten daarna stapte hij uit en liep bij Gonzalez binnen. Er was niemand anders naar binnen gelopen, daarom dacht ik dat hij Manny in de smiezen hield.'
'Ik zal hem zeggen dat hij wat voorzichtiger moet zijn,' zei Milos nog steeds glimlachend. 'Maar om er zeker van te zijn dat we het over dezelfde man hebben, of een van hen, hoe zag hij eruit?'
'O, een echte stadskerel. Sjieke kleren en van dat glimmende plakhaar.'
'Donker haar soms?'
'Nee, een beetje rossig.'
'O, die?' zei Varak met overtuiging. 'Zowat mijn lengte.'
'Nee, volgens mij was hij wat langer, misschien wel heel wat.'
'Ja, natuurlijk,' stemde de Tsjech in. 'Ik denk dat we vaak onszelf langer vinden dan we echt zijn. Hij is nogal slank, of misschien komt het door zijn lengte...'
'Die was 't!' viel de eigenaar hem in de rede. 'Niet zoveel vlees op zijn botten, niet zoals jij, helemaal niet.'
'Dan reed hij zeker in de bruine Lincoln.'
'Ik dacht dat ie blauw was en groot, maar ik onderscheid tegenwoordig de ene wagen niet meer van de andere. Ze zien er voor mij allemaal hetzelfde uit, als een stelletje trieste kevers.'
'Zo, dank u, meneer. Ik zal zeker tegen de ploeg zeggen dat ze wat voorzichtiger moeten zijn. We kunnen Manny maar beter niet kwaad maken.'
'O, maak je maar geen zorgen dat ik het hem zal vertellen. Manny heeft een flinke operatie achter de rug en als die jonge Evan denkt dat hij beter in het oog moet worden gehouden dan ben ik daar helemaal voor. Ik bedoel maar, die ouwe Manny is me een nummer – Gé-Gé doet zelfs water in zijn whisky als hij de kans ziet.'
'Nogmaals bedankt. Ik zal tegen de afgevaardigde zeggen hoe goed u meewerkt.'
'Ik dacht dat je hem niet kende.'
'Wanneer ik hem zie, meneer. Tot ziens.'
Milos Varak startte de huurauto en reed het stuk weg af, zodat de winkel, de kapperszaak en het café van Gé-Gé achter

hem verdwenen. *Een lange, slanke man met keurig gekamd rossig haar en in een grote blauwe auto.* De jacht was begonnen.

'Ik geloof er geen barst van!' fluisterde Mitchell Jarvis Payton.
'Geloof het nou maar MJ,' zei Adrienne Rasjad boven het roodgeblokte tafelkleedje achterin het Italiaanse restaurant in Arlington. 'Wat wist jij eigenlijk van Oman?'
'Het was een Vier-Nul operatie van BZ en Lester Crawford was de liaison, en ze wilden een lijst van onze beste mensen met de breedst mogelijke contacten in het zuidwestelijke gebied. Meer weet ik niet. Er waren misschien wel anderen met betere kwalificaties dan jij, maar niet waar het contacten betrof.'
'Je moest wel aannemen dat de operatie met de gijzeling te maken had.'
'Natuurlijk, dat deden we allemaal, en om je de waarheid te zeggen had ik het er niet gemakkelijk mee. Ik wist van jouw vriendschap met Ahmed en zijn vrouw en ik moest aannemen dat de anderen ook op de hoogte waren. Je moet begrijpen dat ik jouw naam niet wilde opgeven aan Les, maar je werk in het verleden met Projecten maakte dat voor de hand liggend en je banden met de koninklijke familie vereisten het. Ik besefte ook dat je me levend zou villen als ik jou om persoonlijke redenen daarbuiten had gelaten en je was het later te weten gekomen.'
'Dat zou ik zeker.'
'Maar ik moet een pekelzondetje bekennen,' zei Payton met een trieste glimlach. 'Toen het allemaal voorbij was liep ik Crawfords kantoor binnen en maakte hem duidelijk dat ik goed wist wat de regels waren, maar ik moest weten of alles goed was met jou. Hij keek me aan met die schelvisogen van 'm en zei dat jij weer terug was in Caïro. Volgens mij had hij nog moeite om dat zelfs te zeggen. ...En nu zit jij me te vertellen dat de hele operatie door een van óns aan de grote klok is gehangen! Een Vier-Nul plan kan in geen jaren bekend worden gemaakt, vaak in geen tientallen jaren! Er zijn dossiers die dateren uit de Tweede Wereldoorlog die pas het midden van de volgende eeuw aan het licht zullen komen, als ze dan al worden vrijgegeven.'
'Wie beheert dat archief, MJ, die dossiers?'
'Ze worden de vergetelheid in gekruid – opgeslagen in pakhuizen door het hele land en beheerd door conservatoren van de regering met gewapende bewakers en alarmsystemen die zo

geavanceerd zijn dat ze meteen hier in Washington overgaan, ons hier waarschuwen en bovendien de ministeries van Buitenlandse Zaken en Defensie en de strategiecentra in het Witte Huis. Nu er zoveel geavanceerde computers zijn wordt het meeste de laatste twintig jaar of zo opgeslagen in databanken met toegangscodes die gecoördineerd moeten worden tussen minstens drie inlichtingendiensten en het Ovale Kantoor. Wanneer oorspronkelijke documenten essentieel worden geacht worden ze verzegeld en weggestuurd.' Payton haalde de schouders op en draaide zijn handpalmen omhoog. 'Vergetelheid, meid. Er kan niet mee worden gerotzooid en er kan niets worden gestolen.'

'Dat is dus kennelijk wel gebeurd,' verschilde de agente uit Caïro van mening.

'Er kan niemand meer aankomen wanneer die dossiers het niveau van absolute geheimhouding bereiken,' wierp MJ tegen. 'Daarom vind ik dat je me maar beter alles kunt vertellen wat het congreslid jou heeft verteld. Want als het waar is wat je zegt dan hebben we een rotzak zitten ergens tussen de beslissing van maximale geheimhouding en de databanken.'

Adrienne Khalehla Rasjad leunde achterover in haar stoel en begon. Ze hield niets verborgen voor haar 'oom Mitch', zelfs niet het voorval in bed dat in Bahrein had plaatsgevonden. 'Ik kan niet zeggen dat ik er spijt van heb, beroepsmatig niet en verder ook niet, MJ. We waren beiden aan het eind van ons Latijn en bang en eerlijk gezegd is hij een verdomd fatsoenlijke kerel – hij weet niet wat hem overkomt, maar toch een fijne vent, geloof ik. Ik heb het vanmorgen in Maryland nog eens bevestigd gekregen.'

'In béd?'

'Goeie genade, nee. Door wat hij zei, wat hij wil bereiken. Waarom hij deed wat hij gedaan heeft, zelfs waarom hij congreslid is geworden en nu er weer wil uitstappen zoals ik je zei. Ik weet zeker dat hij een boel onvolmaaktheden heeft, maar hij kan ook goed kwaad worden.'

'Ik geloof dat ik bij mijn "nichtje" bepaalde gevoelens begin te ontdekken die ik al heel, heel lang heb willen zien.'

'O, die zijn er, ik zou schijnheilig zijn als ik dat niet toegaf, maar ik betwijfel of het iets blijvends is. Op een bepaalde manier lijken we op elkaar. Ik loop op de zaken vooruit maar volgens mij zijn we alle twee te zeer bezig met wat wij doen,

als twee afzonderlijke mensen, dan met wat de ander wil. Toch mag ik hem, MJ, ik mag hem echt graag. Hij brengt me aan het lachen en niet alleen maar óm hem maar mét hem.'
'Dat is verschrikkelijk belangrijk,' zei Payton weemoedig, en zijn glimlach en zijn lichte frons deden hem er nog triester uitzien dan tevoren. 'Ik heb nooit iemand kunnen vinden die me echt aan het lachen kon maken... niet mét haar. Natuurlijk ligt die fout bij mezelf. Ik ben te verdomde veeleisend en daarvoor betaal ik m'n prijs.'
'Jij hebt geen fouten én geen tekortkomingen,' hield Rasjad vol. 'Jij bent mijn oom Mitch en verder wil ik er niets meer over horen.'
'Je vader maakte je moeder altijd aan het lachen. Soms benijdde ik hem, ondanks de problemen die ze hadden. Hij maakte haar écht aan het lachen.'
'Het was een afweermechanisme. Moeder dacht dat hij maar drie keer hoefde zeggen "scheiding" en dat ze dan uit elkaar moesten gaan.'
'Onzin, hij aanbad haar.' En even plotseling, alsof ze helemaal niet waren afgeweken van de crisis in Masqat, keerde Payton ernaar terug. 'Waarom stond Kendrick vanaf het begin op die anonimiteit? Ik weet dat je het me hebt verteld, maar herhaal het nog eens, wil je?'
'Je klinkt wantrouwig en dat hoor je niet te zijn. Het is een volkomen logische verklaring. Hij wilde teruggaan en doorgaan waar hij vijf, zes jaar eerder was opgehouden. Dat kon hij niet doen met de last van Oman op zijn nek. Hij kan het nú niet doen omdat iedereen zijn bloed wil zien, van de Palestijnse fanatiekelingen tot Ahmed en al die mensen die hem hebben geholpen en die doodsbang zijn dat ze ontmaskerd zullen worden. Wat er de laatste twee dagen met hem is gebeurd bewijst dat hij gelijk heeft. Hij wil teruggaan en dat kan hij nu niet. Niemand laat hem er binnen.'
Payton fronste opnieuw zijn voorhoofd, de triestheid was verdwenen en ervoor in de plaats was er op zijn gezicht een kille nieuwsgierigheid te lezen die grensde aan twijfel. 'Ja, dat begrijp ik, lieverd, maar je hebt niet meer dan zijn woord dat hij terug wilde gaan – wil gaan.'
'Ik geloof hem,' zei Rasjad.
'Misschien gelooft hij het zelf wel,' opperde de directeur van Speciale Projecten. 'Nú als het ware, nu hij zich heeft bedacht

omdat hij alles nog eens goed doordacht heeft.'
'Daar kan ik geen touw aan vastknopen, MJ. Wat bedoel je?'
'Misschien is het niet zo belangrijk, maar het is de moeite van het overdenken waard. Een man die uit Washington wil verdwijnen, echt verdwijnen, en die geen advocatenkantoor wil beginnen of een public relations bureau of een ander soort bonus voor het politieke werk dat hij heeft verricht, zo'n man gaat meestal niet op de vuist met zwaargewichten van het Pentagon tijdens hoorzittingen die op de televisie worden uitgezonden, en hij verschijnt niet op een nationaal programma op zondag dat de meeste kijkers trekt in het hele land, en evenmin houdt hij een provocerende persoonlijke persconferentie waardoor gegarandeerd iedereen kijkt. Verder blijft hij al evenmin het zwarte schaap spelen in een geselecteerde subcommissie voor inlichtingen, stelt hij moeilijke vragen die zijn naam misschien niet zo geliefd maken bij het publiek maar waardoor er in de hoofdstad wel over hem wordt gesproken. Alles bijeen genomen zijn die activiteiten niet direct het werk van een man die zich voorgenomen heeft uit de politieke arena te stappen of de beloningen te laten schieten die daaraan vastzitten. Er zit een zekere inconsequentie aan vast, vind je ook niet?'
Adrienne Rasjad knikte. 'Daar heb ik het allemaal al met hem over gehad; eerst beschuldigde ik hem ervan dat hij alleen maar uit was op een getuigschrift van mij en dat hij zwaar leed aan politieke ambitie. Hij plofte zowat, ontkende dat hij zulke motieven had en bleef heftig volhouden dat hij alleen maar uit Washington wegwilde.'
'Zou hij soms van gedachten zijn veranderd?' opperde Payton. 'Ik vraag dat vriendelijk want dat kan elk verstandig mens overkomen. Stel dat deze zeer succesvolle individualist – en hij is een individualist in hart en nieren; dat heb ik zelf gezien – besmet wordt door ons Potomac-virus en tegen zichzelf zegt dat hij daar achteraan wil, alles gebruikt wat hij heeft, met inbegrip van wat hij in Oman heeft gedaan. Dan wordt hij wakker en denkt: "Mijn god, wat heb ik gedaan? Wat doe ik hier eigenlijk? Ik hoor hier niet thuis tussen die mensen!" ...Hij zou echt niet de eerste zijn, weet je. We hebben hier in de stad heel wat goede mannen en vrouwen verloren die tot diezelfde conclusie zijn gekomen – dat ze hier niet thuishoorden. De meesten zijn fel onafhankelijke mensen die geloven in hun eigen oordeel, meestal voortgekomen uit het succes dat ze op een of

ander terrein hebben gehad. Tenzij ze macht willen bezitten omdat hun ego dat nu eenmaal eist – en jouw instincten over Kendrick lijken dat uit te sluiten en ik vertrouw op jouw instincten – hebben deze mensen geen geduld met de doolhoven en eindeloos debatteren en compromissen sluiten die de bijprodukten vormen van ons systeem. Zou ons congreslid zo iemand kunnen zijn?'
'Zo op het eerste gezicht zou ik zeggen dat dat zijn profiel is met een hoofdletter *P*, maar ook dat is maar een gevoel van me.'
'Het is dus niet onmogelijk dat die aantrekkelijke jongeman van jou...'
'Och, toe nou, MJ,' onderbrak Rasjad hem. 'Doe niet zo *voorwereldlijk*.'
'Ik gebruik die uitdrukking in plaats van een andere die ik weiger in de mond te nemen in verband met mijn nichtje.'
'Ik accepteer jouw versie van beleefdheid.'
'Fatsoen, lieverd. Maar is het niet mogelijk dat jouw vriend wakker werd en tegen zichzelf zei: "Ik heb een afschuwelijke fout begaan door een held te maken van mezelf, en nu moet ik die weer goedmaken"?'
'Dat zou het geval zijn als hij een leugenaar was, en ik geloof niet dat hij dat is.'
'Maar je ziet toch zeker de inconsequentie in zijn gedrag, nietwaar? Hij is op een bepaalde manier opgetreden en beweert vervolgens dat hij het tegendeel is.'
'Dat zeg je omdat hij te hard protesteert, en ik zeg dat hij dat niet is omdat hij niet kan liegen, niet tegen zichzelf en niet tegen mij.'
'Ik zoek in alle richtingen voordat we naar een rotzak gaan zoeken die – als jij gelijk hebt – werd benaderd door een andere rotzak, eentje met blonde haren. Heeft Kendrick jou verteld waarom hij in het openbaar ruzie zocht met het hele Pentagon en bovendien met de hele defensie-industrie, om maar te zwijgen over zijn minder openbare maar algemeen gepubliceerde kritiek op onze eigen inlichtingendiensten?'
'Omdat hij in een positie was om die dingen te zeggen en omdat hij meende dat ze gezegd moesten worden.'
'Meer niet? Dat is zijn verklaring?'
'Ja.'
'Maar hij had eerst achter die posities moeten aangaan die hem

de gelegenheid gaven zo te spreken. Lieve god, de Partridgecommissie en daarna de Geselecteerde Subcommissie voor Inlichtingen; dat zijn zetels waar elke politicus zijn vingers voor aflikt om het zacht uit te drukken. Voor elk van die zetels zijn er vierhonderd congresleden die hun vrouwen zouden verkopen om zo'n benoeming te krijgen. Ze vallen je niet zo maar in de schoot, er moet voor worden gewérkt, voor worden gevóchten. Hoe verklaart hij dat?'
'Dat kan hij niet. Ze zijn hem zo maar in de schoot gevallen. En in plaats van ervoor te vechten heeft hij gevochten om erbuiten te blijven.'
'Párdon?' riep MJ Payton verbaasd uit.
'Hij zei dat ik maar eens met zijn eerste assistent moest praten als ik hem niet geloofde; die moest hem dwingen de benoeming bij Partridge aan te nemen, en daarna moet je maar eens gaan praten met de voorzitter van het Huis zelf en die sluwe Ierse vos vragen wat hij volgens Evan met zijn subcommissie kon doen. Hij wilde geen van beide baantjes maar het werd hem duidelijk gemaakt dat hij geen barst te zeggen zou hebben over zijn opvolger in Colorado's Negende, als hij ze niet aannam. Dat is belangrijk voor hem; daarom heeft hij zich verkiesbaar gesteld. Hij ruimde de ene gehaktbal van de partij op en wilde niet dat er een andere voor in de plaats kwam.'
Payton ging langzaam achterover zitten in zijn stoel; hij bracht zijn hand naar zijn kin en kneep zijn ogen half dicht. Door de jaren heen had Adrienne Rasjad geleerd wanneer ze haar mond moest houden en het denkproces van haar mentor niet moest onderbreken. Beide deed ze nu, voorbereid op een aantal uiteenlopende antwoorden, behalve op dat wat ze te horen kreeg.
'Dit is hele andere koek, lieverd. Als ik me goed herinner zei jij tegen Kendrick dat hij volgens jou werd opgegraven door iemand die meende dat hij erkenning verdiende voor wat hij had gedaan. Ik ben bang dat het veel dieper gaat. Ons congreslid wordt geprogrammeerd.'
'Goeie god, waarvoor?'
'Ik weet het niet, maar volgens mij kunnen we dat maar beter zien uit te vinden. Heel rustig, heel voorzichtig. We hebben te maken met een heel vreemde zaak.'

Varak zag de grote donkerblauwe wagen. Die stond geparkeerd langs de kronkelende, met bomen omzoomde weg die door een bos liep op een paar honderd meter ten westen van Kendricks huis en hij was leeg. Hij was voorbij het imposante, door heggen omgeven huis van het congreslid gereden, dat nog steeds werd belegerd door een paar koppige, hoopvolle verslaggevers met een cameraploeg en hij was van plan naar het noorden te rijden, naar een motel in de buitenwijken van Cortez. Hij veranderde echter van gedachten door het zien van het blauwe voertuig. De Tsjech reed tot voorbij de volgende bocht en parkeerde de auto in wat struikgewas dat voor de bomen groeide. Op de bank naast hem lag zijn aktentas; hij opende die en haalde er de spullen uit die hij dacht nodig te hebben, een paar absoluut noodzakelijk, een paar hoopte hij te kunnen gebruiken. Hij stopte ze in zijn zakken, stapte uit de auto, sloot het portier zacht achter zich en liep de bocht om, terug naar de blauwe wagen. Hij ging op het portier af dat aan de kant van het bos zat en bekeek het voertuig nauwkeurig op mogelijke valstrikken – valstrikken die een alarm zouden doen overgaan wanneer er iemand aan het slot prutste, of druk uitoefende op de portieren, of zelfs lichtstralen die liepen van de voorwielen naar de achterwielen en die iets in werking zouden zetten wanneer ze werden onderbroken door vaste voorwerpen.

Hij vond er twee van de drie en een daarvan was zo ernstig dat het hem iets zei: er zaten in die auto geheimen die veel kostbaarder waren dan kleren of juwelen of zelfs vertrouwelijke zakelijke documenten. In het metaal onder aan de raampjes was een rij hele kleine gaatjes geboord; het waren minieme straalpijpjes waaruit een niet-dodelijk gas zou komen dat een indringer voor langere tijd buiten gevecht zou stellen. Ze waren oorspronkelijk ontworpen en geperfectioneerd voor diplomaten in landen in oproer waar het bijna even belangrijk was aanvallers later te kunnen ondervragen als levens te redden. Ze werden nu verkocht aan de rijken in de hele wereld en men zei dat de leveranciers van de apparatuur de vraag niet konden bijhouden.

Varak keek om zich heen en liep snel naar de achterkant van de wagen; daar tastte hij in zijn zak en liet zich in de buurt van de uitlaat op de grond vallen. Hij kroop onder de auto en ging meteen aan het werk; na minder dan anderhalve minuut kwam hij weer te voorschijn, ging staan en rende het bos in. De jacht was ingezet en het wachten begon.

Eenenveertig minuten later zag hij de rijzige slanke gestalte aan

komen lopen. De man ging gekleed in een donker pak, zijn colbertje hing open, een vest was zichtbaar; zijn haar was keurig gekamd en was meer rood dan bruin. Iemand die de leiding heeft, dacht Milos, zou eens een paar lessen moeten krijgen in de kunst van het grimeren. Je liet een medewerker met rood haar nooit beginnen aan een opdracht; dan vroeg je om moeilijkheden. De man maakte eerst het portier aan de rechterkant open, liep toen om de motorkap heen en opende het portier aan de kant van de bestuurder. Maar voordat hij dat deed bukte hij zich tot hij niet meer te zien was omdat er kennelijk nog een derde mechanisme zat, hij ging weer staan en stapte in de auto. Hij startte de motor.
De krachtige motor kuchte een paar maal en ineens weerklonk er vanonder het chassis een hard, rammelend lawaai en er kwam een rookwolk onderuit gevolgd door het geluid van uiteenspringend metaal. De knalpot en de uitlaat waren kapotgesprongen en de explosie ging gepaard met een dampwolk aan alle kanten van het voertuig. Varak liet zich zakken met een zakdoek voor zijn gezicht en wachtte tot de wolken verdwenen waren; ze trokken naar boven weg, terwijl hij zich vasthield aan een boom. Langzaam ging hij staan.
De chauffeur had een chirurgenmasker voor zijn gezicht en een pistool in de hand en ook hij keek naar de opstijgende wolken terwijl hij op zijn zitplaats naar alle kanten draaide, op zoek naar een aanvaller. Er verscheen niemand en hij was duidelijk in verwarring. Hij pakte de hoorn van de mobilofoon op en aarzelde, en Milos begreep het. Als het probleem niets anders was dan een mankement aan de auto en als hij daarvoor zijn meerderen belde, stel 30 of 300 of 3000 kilometer verderop, zou hij behoorlijk bekritiseerd worden. Hij legde de hoorn weer neer en schakelde de auto in zijn versnelling; het lawaai was zo oorverdovend dat hij er direct mee ophield. Je mocht nooit en nergens de aandacht vestigen op zo'n soort voertuig; je koos dan een alternatief, zoals bij voorbeeld je naar een garage laten slepen voor een eenvoudige reparatie. En toch...? Het wachten begon dus weer opnieuw. Het duurde bijna twintig minuten; ondanks zijn rode haar was de man een prof. Kennelijk ervan overtuigd dat er geen aanval zou volgen stapte hij voorzichtig uit de wagen en liep hij naar de achterkant. Met zijn pistool in de ene hand, een zaklantaarn in de andere, bleef hij naar alle kanten rondkijken terwijl Varak langzaam naar vo-

ren kwam kruipen door de bosjes. De roodharige speurder ging plotseling op zijn hurken zitten en scheen met de lichtstraal onder de wagen. Milos wist dat hij maar een paar tellen tijd had om aan de kant van de weg te komen, voordat de man ontdekte dat er springstof die door hitte uitzette, in de uitlaat was gestopt of de krasjes zag op de knalpot die daar waren gemaakt door de kleine met snijdiamanten afgezette meszaag. Het moment brak aan toen Varak even de struiken opzijduwde, op twee meter van de hurkende, turende man.

'Verdómme!' barstte de slanke, goedgeklede roodharige man uit; hij sprong achteruit, draaide eerst naar rechts, toen naar links, met vooruitgestoken pistool en zijn rug naar Milos gekeerd. De Tsjech hief een derde voorwerp op dat hij uit zijn aktentas had gehaald; het was een door CO_2 aangedreven pijltjesgeweer. Opnieuw duwde hij het gebladerte voor zich opzij en vuurde snel. Het verdovingsspuitje raakte zijn doel en kwam achterin de nek van de man terecht. De roodharige speurder draaide zich met een felle ruk om, liet de lantaarn vallen en probeerde vertwijfeld achter zich te grijpen naar de naald in zijn huid. Hoe wilder zijn bewegingen werden, hoe sneller het bloed naar zijn hoofd steeg en zo ook het serum deed werken. Het duurde acht seconden; de man viel op de grond, verzette zich tegen de onvermijdelijke uitwerking en bleef ten slotte roerloos op de landweg liggen. Varak kwam uit het bos te voorschijn en sjorde de roodharige man haastig tussen de bomen. Hij liep terug om het pistool en de lantaarn van de man te pakken. Vervolgens onderzocht hij hem op ongetwijfeld valse identiteitsbewijzen.

Ze waren niet vals. De bewusteloze gedaante aan zijn voeten was een speciale agent voor de FBI. Tussen zijn identiteitspapieren zat ook de naam van de eenheid waarbij hij twee maanden en tien dagen geleden was ingedeeld – één dag na de vergadering van Inver Brass in Cynwid Hollow, Maryland.

Milos trok het pijltje uit de huid, droeg de man naar de weg en zette hem achter het stuur van de blauwe wagen. Hij verstopte de lantaarn en het pistool onder de zitplaats, sloot het portier en liep terug naar zijn huurauto om de bocht. Hij moest een telefoon zoeken en een man benaderen bij de FBI in Washington.

'Er is geen informatie over die eenheid,' zei Varaks contact bij

de FBI. 'Ze is administratief doorgegeven en komt ergens uit Californië, ik geloof uit San Diego.'
'Er is nu geen Witte Huis meer in Californië,' wierp Milos tegen.
'Maar er is wel een ander "Huis", als je dat soms vergeten was.'
'Wát?'
'Voordat ik verder ga, Speurneus, moeten we wat inlichtingen van jou hebben. Het gaat om een operatie vanuit Praag die hier vruchten begint af te werpen. Niet belangrijk maar wel vervelend. Wil je ons helpen?'
'Natuurlijk. Ik zal zoveel mogelijk natrekken. Wat is dat nu voor *Huis* is San Diego, Californië, dat het Bureau zo ver kan krijgen dat ze een speciale eenheid in het leven roepen?'
'Eenvoudig, Speurneus. Het is het huis van de vice-president van de Verenigde Staten.'
Dat is dus afgesproken. Afgevaardigde Evan Kendrick zal de volgende vice-president van de Verenigde Staten worden. Elf maanden na de verkiezing van de zittende man zal hij president worden.
Zonder één woord te zeggen legde Varak de hoorn op.

26

Vijf weken waren verstreken sinds de rampzalige plechtigheid in de Blauwe Zaal van het Witte Huis, een ramp die nog verergerd was door circusdirecteur Dennisons onophoudelijke pogingen ieders aandacht te richten op de uitreiker van de *Medal of Freedom* in plaats van op de ontvanger. De dirigent van de Marinierskapel had zijn instructies niet goed gelezen. In plaats van in een roerend pianissimo *'America the Beautiful'* te spelen tijdens de toespraak van de president was de kapel uitgebarsten in een denderende versie van de *'Stars and Stripes'* die het staatshoofd zo goed als onverstaanbaar maakte. Pas toen afgevaardigde Kendrick naar voren stapte om het eerbewijs in ontvangst te nemen en zijn dankwoord te spreken, zette de band de akkoorden van het lied in, in een langzaam aanzwellend pianissimo dat de bescheiden woorden van de ontvanger emotioneel onderstreepte. Tot woede van de circusdirecteur had Kendrick geweigerd de korte speech voor te le-

zen die Dennison hem tien minuten voor de plechtigheid had gegeven; in plaats van dus 'de discrete maar uitzonderlijke hulp' van de president te roemen, dankte hij allen die hij niet met name kon noemen voor het redden van zijn leven en het beëindigen van de crisis in Masqat. Tijdens dat bepaalde moment klonk gênant een luid gefluisterd *'Shit!'* vanuit de rangen van Langford Jennings' assistenten op het podium.
De calamiteit die bij de circusdirecteur de deur dichtdeed was uitsluitend aan hemzelf te danken geweest. Tijdens het nemen van enkele foto's, waarbij geen vragen waren toegestaan vanwege de antiterroristische voorzorgsmaatregelen, haalde Herbert Dennison verstrooid een flesje Maalox uit zijn zak en dronk ervan. Ineens werden de camera's op hem gericht, flitslichten vlamden op en de president draaide zich woedend om. Dat was te veel voor de zuurgevoelige bureauchef. Hij knoeide de kalkwitte vloeistof over zijn keurige donkere pak.
Toen het afgelopen was had Langford Jennings zijn arm om Evans schouders gelegd en was hij met hem de zaal uitgelopen tot in de met tapijten bedekte hal. 'Da's geweldig verlopen, afgevaardigde!' riep de president uit. 'Afgezien van een zekere klootzak die verondersteld wordt hier de zaken te organiseren.'
'Hij staat onder zware druk, meneer. U moet hem maar niet te hard aanpakken.'
'Wie? Herb?' zei Jennings zacht en vertrouwelijk. 'En dan moeten doen wat híj doet? Vergeet het maar. Ik kreeg de indruk dat hij je iets gaf om voor te lezen en dat je het niet wilde doen.'
'Ik ben bang van wel en ik wilde het niet.'
'Prima. Het zou er verdomde goedkoop hebben uitgezien. Bedankt, Evan, dat apprecieer ik.'
'Graag gedaan,' zei Kendrick tegen die lange, inspirerende man die hem bleef verbazen.
De vijf weken die daarop volgden waren zo verlopen als Evan al had verwacht. De pers schrééuwde om zijn commentaar. Maar hij hield zijn woord tegenover Herbert Dennison en hij zou dat blijven houden. Hij weigerde alle interviews en verklaarde eenvoudig dat hij zich, als hij er eentje toestond, verplicht voelde ze allemaal toe te staan, en dat zou betekenen dat hij zijn kiesdistrict niet meer van dienst kon zijn, een kiesdistrict overigens dat hij nog steeds vertegenwoordigde. De novemberverkiezingen in Colorado's Negende waren niet meer

geweest dan een formaliteit; onder de omstandigheden kon de oppositie niet eens een tegenkandidaat vinden. Maar wat de media betrof waren er sommige bondiger dan de andere.

'Mafkees die je bent,' had de cynische Ernest Foxley van het gelijknamig programma geplaagd. 'Ik heb jou je eerste grote kans gegeven, je eerste behoorlijke optreden voor het publiek.'

'Volgens mij begrijp jij het niet,' zei Kendrick. 'Ik heb nooit om een kans of een optreden gevraagd.'

Even was het stil, toen had de verslaggever geantwoord: 'Zal ik je eens wat zeggen? Ik geloof jou. Waarom is dat?'

'Omdat ik jou de waarheid zeg en omdat jij je werk goed doet.'

'Bedankt, jongeman. Ik zal het doorgeven en proberen de bloedhonden terug te fluiten. Maar je bezorgt ons in de toekomst geen verrassingen meer, oké?'

Er waren voor niemand meer verrassingen, dacht Kendrick kwaad terwijl hij vroeg op een decembermiddag door het landschap van Virginia reed. Zijn huis in Fairfax was praktisch een operatiebasis geworden voor Khalehla en het landgoed was er technisch gesproken een heel stuk op vooruitgegaan door tussenkomst van Mitchell Payton van de CIA. De directeur van Speciale Operaties had eerst opdracht gegeven dat er een hoge stenen muur gebouwd moest worden rond de voortuin met een brede, witte smeedijzeren poort die elektronisch kon worden geopend. Om het landgoed heen was een al even hoog draadhek aangelegd dat diep in de grond verankerd was; het groene metaal ervan was zo stevig dat er explosieven, een snijbrander of een met kracht gehanteerde ijzerzaag voor nodig zouden zijn om erdoor te komen. Het geluid zou zo opvallend zijn dat de bewakingsploeg het gemakkelijk zou kunnen horen. Vervolgens had Payton een voortdurend 'schoongeveegde' telefoon laten aanleggen in Evans werkkamer, met lichtjes in verschillende andere vertrekken, zodat iedereen die er een zag opgloeien zo snel mogelijk naar het toestel kon lopen. Een communicatiecomputer was naast de telefoon geplaatst en via een modem verbonden met het privé-kantoor van de directeur. Wanneer hij informatie had die hij door Khalehla of door het congreslid wilde laten beoordelen, werd die onmiddellijk doorgegeven en alle uitdraaien moesten direct daarna verscheurd en verbrand worden.

In overeenstemming met de in het openbaar door de president gegeven instructies was Speciale Projecten direct snel aan het

werk gegaan en had het alle verantwoordelijkheid op zich genomen voor de veiligheidsmaatregelen ter bescherming van de held van Oman tegen represailles van terroristen. Kendrick was geïmponeerd, voornamelijk door de veiligheidsmaatregelen. Binnen een uur nadat een limousine van het Witte Huis hem had opgehaald van het landgoed in Maryland, had Mitchell Payton de volledige controle over alles wat hij deed, in zekere zin over zijn hele leven. De communicatieapparatuur was later gekomen, een flink stuk later zelfs en het oponthoud was veroorzaakt door Khalehla's koppigheid. Ze had zich verzet tegen het idee bij Kendrick in huis te trekken, maar na achttien dagen in een hotelkamer te hebben gewoond en na talloze afspraken met Evan en haar 'oom Mitch' op afgelegen plaatsen, had Payton haar de wacht aangezegd.
'Verdomme, meid, ik kan op geen enkele manier waarmaken dat ik een duur beveiligd huis moet hebben voor één van mijn mensen, en als ik het al kon zou ik niet zeggen waarom het nodig is, en ik kan zeker de apparatuur die we moeten hebben niet in een hotel laten installeren. Ik heb ook officieel vanuit Caïro aan Washington laten doorgeven dat jij ontslag hebt genomen bij het Bureau. We kunnen ons jou niet langer permitteren in de sector. Volgens mij heb je echt geen andere keus.'
'Ik heb geprobeerd haar over te halen,' had Kendrick gezegd in de privé-kamer van een restaurant net over de grens van Maryland. 'Als ze zich zorgen maakt over wat de mensen zullen zeggen zal ik in de Handelingen van het Congres laten zetten dat mijn tante bij me logeert. Wat dacht je van een oudere tante met een facelift?'
'Och, stomme idioot die je bent. Goed dan, ik zal het doen.'
'Wat voor apparatuur?' vroeg Evan aan Payton. 'Wat heb je nodig?'
'Niks wat jij kunt kopen,' antwoordde de CIA-directeur. 'En spullen die wij alleen maar kunnen installeren.'
De volgende morgen was er voor het huis een reparatiewagen van het telefoonbedrijf gestopt. De veiligheidsagenten van het Bureau hadden de wagen binnengelaten en mannen in uniformen van de telefoonmaatschappij gingen aan het werk terwijl twintig metselaars de muur afmaakten en tien anderen de laatste hand legden aan het ondoordringbare hekwerk. Lijnwerkers klommen in alle palen die verbonden waren met een kabelkast, trokken draden van elkaar en maakten een aftakking

naar Kendricks dak. Weer anderen reden met een tweede vrachtwagen via de oprit naar de achterkant van het huis, de aangebouwde garage binnen waar ze een computertoetsenbord uitpakten en naar de werkkamer beneden droegen. Drie uur en twintig minuten later was de apparatuur van Mitchell Payton geïnstalleerd en in werking. Die middag had Evan Khalehla opgehaald voor haar hotel aan Nebraska Avenue.

'Alles goed met u, tante?'

'Ik wil een grendel op de deur van de logeerkamer,' had ze lachend geantwoord terwijl ze haar slappe nylontas op de achterbank gooide en instapte.

'Maak je geen zorgen, ik val nooit oudere familieleden lastig.'

'Dat heb je al gedaan, maar deze keer gebeurt het niet.' Ze had zich naar hem omgedraaid en er vriendelijk maar vastbesloten aan toegevoegd: 'Dat meen ik Evan. We zijn hier niet in Bahrein; we hebben samen een karwei op te knappen en dat doen we niet in bed. Oké?'

'Wilde je daarom niet eerder bij me komen?'

'Natuurlijk.'

'Dan ken je me nog niet goed,' had Kendrick gezegd nadat hij zwijgend even verder was gereden.

'Dat is een deel ervan.'

'En dat brengt me op een vraag die ik je eerder had willen stellen maar waarvan ik dacht dat je die verkeerd zou opvatten.'

'Ga je gang.'

'Toen je verleden maand dat huis in Maryland binnenliep was Bahrein een van de eerste dingen die je noemde. Toch zei je me later dat alles in huis kon worden afgeluisterd, dat alles wat we zeiden zou worden opgenomen. Waarom zei je het dan?'

'Omdat ik het onderwerp zo snel en zo volledig mogelijk achter de rug wilde hebben.'

'Waarmee je bedoelt dat anderen – mensen die toestemming hebben om de rapporten te lezen – zouden aannemen of vermoeden wat er gebeurd was.'

'Precies, en ik wilde mijn positie duidelijk maken, en die positie is niet liggend op mijn rug. De opmerkingen die volgden waren daarmee in overeenstemming.'

'Zaak afgedaan,' zei Evan en hij reed de Beltway naar Virginia op.

'Bedankt.'

'Tussen haakjes, ik heb de Hassans alles over jou verteld – sor-

ry, niet alles natuurlijk. Ze popelen om je te ontmoeten.'
'Zij zijn jouw mensen uit Dubai, nietwaar?'
'Veel meer dan "mijn mensen". Oude vrienden van lang geleden.'
'Ik bedoelde het niet denigrerend. Is hij geen professor?'
'Met een beetje geluk krijgt hij volgende lente een aanstelling aan ofwel Georgetown of Princeton; er zat wat fout met de papieren, maar dat hebben we nu opgelost. Overigens, daar heb je die "kleine wereld" weer, hij aanbidt je vader. Hij heeft hem één keer ontmoet in Caïro, dus zet je maar schrap voor een heleboel heldenverering.'
'Dat zal snel overgaan,' lachte Kahlehla. 'Hij komt er gauw genoeg achter dat ik noch tegen hem, noch tegen mijn vader op kan.'
'Maar je kunt toch zeker wel met een computer omgaan?'
'Nou ja, dat wel. Dat moet ik vaak.'
'Ik kan het niet, Sabri's vrouw, Kasji, kan het niet en hij kan het waarschijnlijk ook niet, dus ergens kunnen wij ook niet tegen jou op.'
'Vleierij is niks voor jou, Evan. Vergeet de grendel op de deur niet.'
Ze waren thuis aangekomen waar Khalehla hartelijk werd begroet door Kasji; er ontstond meteen vriendschap tussen die twee, zoals dat gewoonlijk ging onder Arabische vrouwen.
'Waar is Sabri?' had Kendrick gevraagd. 'Ik wil hem aan Khalehla voorstellen.'
'Hij is in jouw werkkamer, beste Evan. Hij leert een meneer van de CIA hoe hij de computer moet bedienen in noodgevallen.'
De verbinding Khalehla-Langley was nu al meer dan drie weken volop in actie geweest en ze hadden nog even weinig aanvullende informatie als in het beschermde huis in Maryland. Hele groepen mensen die ook maar enigszins toegang konden hebben gehad tot het Oman-dossier werden door Payton gescreend. Elke fase in de strikt geheime procedure werd bekeken op onvolkomenheden in het personeel; er werd er niet één gevonden. Het dossier zelf was geschreven door Frank Swann van Buitenlandse Zaken, samen met Lester Crawford van het Bureau; er was één enkele tekstverwerker bij betrokken geweest en het uittikken was gebeurd door ploegen typistes die ieder 1000 woorden typten waarbij alle eigennamen werden weggelaten en later uitsluitend door Swann en Crawford ingevuld.

Het besluit om over te gaan tot allerhoogste geheimhouding werd genomen door *overzicht,* een samenvatting zonder bijzonderheden maar met de hoogste aanbevelingen van de ministers van Buitenlandse Zaken en Defensie en de Gezamenlijke Chefs van Staven, en tevens door de CIA. Dat alles was gebeurd zonder Kendricks naam of de identiteiten of nationaliteiten van andere personen of militaire eenheden; de fundamentele informatie was ter goedkeuring voorgelegd aan de Geselecteerde Commissies van de Senaat en het Huis toen de crisis vijftien maanden geleden was opgeheven. Beide toestemmingen uit het congres kwamen zonder vertraging; men nam ook aan dat het lek in *The Washington Post* was veroorzaakt door een indiscreet lid van die commissies.

Wie? Hoe? Waarom? Ze waren teruggekeerd op het punt van uitgang: volgens alle regels van logica en eliminatie had niemand toegang tot het Oman-dossier gehad en toch was het gestolen.

'Toch is er iets niet logisch,' had Payton geopperd. 'Er zit een gat in het systeem en we zien het over het hoofd.'

'Dat kun je wel zeggen,' stemde Kendrick in.

Paytons uitspraak betreffende Evans onverwachte benoemingen zowel bij de Partridge-commissie als bij de Geselecteerde Subcommissie voor Inlichtingen had Kendrick verbaasd doen staan. Noch de intrigerende Partridge, noch de al even sluwe voorzitter van het Huis mochten rechtstreeks worden benaderd. Waarom niet? had Evan tegengeworpen. Als hij de man was die *geprogrammeerd* werd, had hij alle recht de gewillige medeplichtigen ter verantwoording te roepen.

'Nee, afgevaardigde,' had Payton gezegd. 'Als ze jou onder druk hebben benoemd kun je er zeker van zijn dat ze geen woord loslaten en alarm slaan. Onze blonde Europeaan en wie dan ook de mensen zijn voor wie hij werkt, zullen nog verder onderduiken. We houden hen niet tegen; we kunnen ze eenvoudig niet vinden. Ik zeg het je nogmaals, we zijn geïnteresseerd in het "waarom". Waarom word jij, een betrekkelijk apolitieke, nieuwe afgevaardigde uit een vrij onbekend district in Colorado, naar het politieke centrum geschoven?'

'Het is nu al een stuk minder...'

'Dan kijk je niet veel naar de televisie,' zei Khalehla. 'Verleden week hebben twee kabelstations terugblikken op jou uitgezonden.'

'Wát?'
'Ik heb het je niet verteld. Het had geen zin. Het zou je alleen maar kwaad hebben gemaakt.'
Kendrick draaide het raampje van de Mercedes omlaag en stak zijn arm naar buiten. De mobiele regeringseenheid achter hem was nieuw en de bocht in de landweg vóór hem was voor de helft begroeid met bomen zodat er haast geen uitzicht was. Hij waarschuwde zijn bewakers en hij dacht dat dat wel een beetje ironisch was. Zijn gedachten hielden zich opnieuw bezig met het 'rottige raadsel' zoals hij en Khalehla die hele onoplosbare brei waren gaan noemen die zijn leven had verpest. Mitch Payton – ze waren nu 'Mitch' en 'Evan' voor elkaar – was de vorige avond uit Langley komen rijden.
'We zijn met iets nieuws bezig,' had de directeur van Speciale Operaties in de werkkamer gezegd. 'Aannemend dat Swanns Europeaan een heleboel mensen heeft moeten benaderen om de informatie te verzamelen die hij over jou had, zijn we zelf ook de nodige gegevens aan het verzamelen. Je vindt het misschien niet leuk, maar wij zijn jouw leven ook aan het napluizen.'
'Hoeveel jaar?'
'We zijn bezig vanaf je achttiende – de kans dat er voor die tijd iets hierop betrekking heeft is klein.'
'*Achttien?* Verrek, is er dan niets meer heilig?'
'Wil je dat soms? Als dat zo is laat ik ze stoppen.'
'Nee, natuurlijk niet. Ik schrik er alleen een beetje van. Kunnen jullie dat soort inlichtingen krijgen?'
'Het is helemaal niet zo moeilijk als de mensen denken. Kredietbureaus, personeelsdossiers en lui die normaal op achtergrondinformatie uit zijn doen het altijd zo.'
'Wat heeft het voor zin?'
'Een aantal mogelijkheden – realistisch gezien twee, neem ik aan. Zoals ik al zei is de eerste onze hardnekkig nieuwsgierige Europeaan. Als we een lijst zouden kunnen samenstellen van mensen die hij moest benaderen om wat over jou te weten te komen, zouden we hém ook wat gemakkelijker kunnen vinden, en ik geloof dat we het daarover allemaal eens zijn: alles draait om hem. De tweede mogelijkheid is iets wat we nog niet hebben geprobeerd. Bij onze pogingen om de ongrijpbare blonde man op te graven en wie er dan ook achter hem steken, hebben we ons geconcentreerd op de gebeurtenissen in Oman

en op het dossier zelf. We hebben alleen maar gebieden waar de regering actief is onder de loep genomen.'
'Waar kunnen we anders zoeken?' had Kendrick gevraagd.
'In jouw persoonlijk dossier, vrees ik. Er zou iets of iemand in jouw verleden kunnen zijn, een voorval of mensen die je hebt gekend, een gebeurtenis misschien die vrienden of mogelijk vijanden er toe kan hebben gebracht jouw positie te verbeteren – of in het tegengestelde geval – van jou een doelwit te maken. En vergeet het niet, afgevaardigde, jij bént een potentieel doelwit, daar is iedereen het over eens.'
'Maar MJ,' viel Khalehla hem in de rede. 'Zelfs al zouden we mensen vinden die hem ofwel hebben gemogen of hebben gehaat, dan zouden ze connecties met Washington moeten hebben. Meneer Jones uit Ann Arbor, Michigan – vriend óf vijand – zou toch niet zomaar naar de strikt geheime databanken kunnen lopen en zeggen "Tussen haakjes, er is een bepaald dossier dat ik graag zou willen hebben om te kopiëren, zodat ik een nep-memo kan sturen naar de kranten". Ik begrijp het niet.'
'Dat doe ik ook niet, Adrienne – of moet ik je misschien "Khalehla" noemen. Dat zal wel even wennen worden.'
'Ik zou niet weten waarom je me Khalehla zou moeten noemen...'
'Niet in de rede vallen,' zei Evan glimlachend. 'Khalehla is prima,' voegde hij eraan toe.
'Ja, nou ja, ik begrijp het écht niet,' vervolgde Payton. 'Maar zoals ik al zei zit er een gat in het systeem, een gat dat we over het hoofd hebben gezien en we moeten alles proberen.'
'Waarom gaan we dan niet achter Partridge aan en achter de voorzitter van het Huis?' bleef Kendrick volhouden. 'Als ik kon doen wat ik gedaan heb in Masqat krijg ik ze heus wel aan het praten.'
'Nog niet, jongeman. De tijd is er nog niet rijp voor en de voorzitter gaat aftreden.'
'Nou begrijp ík het niet meer.'
'MJ bedoelt dat hij aan beiden werkt,' had Khalehla uitgelegd.
Evan verminderde vaart toen hij de Mercedes door de lange bocht in de bossen van Virginia stuurde en wachtte tot hij de mobiele eenheid weer in zijn spiegel zag; vervolgens sloeg hij rechtsaf op de landweg die naar de achterkant van zijn huis voerde. De bewakers zouden hem binnenlaten. Hij had ineens

haast; daarom had hij die kortere weg genomen. Khalehla had hem gebeld op kantoor en gezegd dat de lijst van Mitchell Payton was aangekomen via de computer. Spoedig zou hij zijn verleden voor zich zien.

Milos Varak liep het planken pad af naar het enorme strand dat zich uitstrekte voor het Hotel del Coronado, vijf kilometer voorbij de brug vanaf San Diego. Hij had wekenlang hard gewerkt om een spleet te vinden waardoor hij kon binnendringen in de gelederen van de vice-president van de Verenigde Staten. De meeste tijd had hij doorgebracht in Washington; je drong maar moeilijk door in de geheime dienst van de regering. Tot hij een man had gevonden, een toegewijd man, krachtig gebouwd en met een goed verstand maar met een onaanvaardbare nevenwerkzaamheid; als die werd onthuld zou ze niet alleen zijn hele bezit ruïneren maar ook zijn loopbaan en hij zou ongetwijfeld zijn leven verliezen. Hij was een goedbetaalde souteneur voor een aantal mensen op hoge regeringsposten. Hij was voor dat werk geschoold door zijn familie-oudsten die zijn talent hadden opgemerkt en hem naar de beste parochiescholen hadden gestuurd en hem hadden laten studeren op een bekende universiteit – bekend, maar niet voor studenten van rijke ouders want dat imago zou niet juist zijn. De familie-oudsten wilden een knappe, eerlijke, goed opgevoede jongeman op een plaats hebben waar hij diensten kon bewijzen in ruil voor bepaalde overeenkomsten. En op welk gebied konden die diensten beter worden bewezen dan onder de broekriem van een zwakke man, en hoe konden er beter overeenkomsten worden afgesloten dan door daarvan op de hoogte te zijn. De oudsten waren tevreden, waren al een aantal jaren tevreden geweest. Deze man kwam uit de mafia; hij was mafia; hij diende de mafia.
Varak liep op de eenzame gedaante in een regenjas af die bij de rotsblokken van een golfbreker stond, een paar honderd meter van het hoge, imposante hekwerk van de marinevliegbasis.
'Ik dank u hartelijk voor deze afspraak,' zei Milos vriendelijk.
'Ik dacht al dat ik een accent hoorde over de telefoon,' zei de beschaafd sprekende, goed opgevoede man met de donkere gelaatstrekken. 'Komt u van de roodborstjes? Als dat zo is hebt u wel de verkeerde zwaluw getroffen.'
'Een communist? Dat is wel heel ver van m'n bed. Ik ben zo

Amerikaans dat uw *consiglieri* mij zou kunnen voorstellen aan het Vaticaan.'
'Dat is beledigend, om niet te zeggen volkomen ernaast. U hebt een aantal stomme opmerkingen gemaakt, zo stom dat ik nieuwsgierig ben geworden en daarom ben ik hier.'
'Wat de reden dan ook is, ik ben er u dankbaar voor.'
'Waar het op neerkwam was erg duidelijk,' viel de man van de geheime dienst hem in de rede. 'U hebt me bedreigd, meneer.'
'Het spijt me dat u zich beledigd voelt, ik heb nooit de bedoeling gehad u te bedreigen. Ik heb alleen maar gezegd dat ik op de hoogte was van bepaalde extra diensten die u verleende...'
'Hou op zo beleefd te doen...'
'Er is geen reden om onbeleefd te zijn,' zei Varak voorkomend. 'Ik wil alleen maar dat u mijn positie begrijpt.'
'U hebt helemaal geen positie,' verbeterde de regeringsman hem nadrukkelijk. 'Onze staat van dienst is totaal onbesmet, als u begrijpt wat ik bedoel.'
De Tsjech schuifelde met zijn voeten in het zand en wachtte tot het gebulder van een straalvliegtuig van de luchtbasis wegtrok in de lucht. 'Wat u zegt is dat er niets vastligt over uw staat van dienst en u wilt zeggen dat u niets concreets wilt bespreken omdat u denkt dat ik ergens een opname-apparaat draag.' Varak knoopte zijn jasje los en spreidde de panden uit. 'U bent welkom, u kunt me fouilleren. Persoonlijk zou ik mijn stem liever niet met die van u op één band hebben staan. ...Ga gerust uw gang. Ik zal natuurlijk mijn pistool weghalen en het in de hand houden maar ik zal u niet tegenhouden.'
De bewaker van het Witte Huis stond er nors en weifelend bij. 'U bent me te inschikkelijk,' zei hij en hij bleef roerloos staan. 'Van de andere kant,' voegde Milos er haastig aan toe, 'kunnen we deze onaangename situatie vermijden als u even iets wilt lezen wat ik voor u heb klaargemaakt.' De Tsjech liet zijn jasje los, stak zijn hand in zijn zak en haalde er enkele opgevouwen vellen papier uit. Hij klapte ze open en gaf ze aan de agent van de geheime dienst.
Terwijl de man las vernauwden zijn ogen zich tot spleetjes en zijn lippen gingen vaneen en plooiden zich in een soort grauw; binnen enkele tellen was een redelijk krachtig en knap gezicht lelijk geworden. 'U bent zo goed als dood,' zei hij zacht.
'Dat zou zeker kortzichtig zijn, denkt u niet? Want als ik dat

ben dan bent u het helemaal. De *capo's* zouden als een troep wilde honden op u afkomen terwijl de *dons*, onder het drinken van hun dure rode wijn alsof het uw bloed was, zouden zitten te wachten tot ze bericht kregen over uw hele onplezierige dood. Staat van dienst? Wat zijn dít dan? Namen, data, tijden, plaatsen – en daarnaast, bij elke aantekening, de resultaten van uw seksuele koopwaar, of liever resultaten die door afpersing zijn verkregen. Amendementen op wetsvoorstellen, toegewezen contracten, regeringsprojecten, vóór of tegen gestemd afhankelijk van hun toewijzingen. Volgens mij is het een staat van dienst om u tegen te zeggen. En waar komt dat allemaal vandaan? Laat ik eens raden. De meest onwaarschijnlijke bron die je je maar kunt voorstellen. Een geheim telefoonnummer dat onder een valse naam en een vals adres staat aangegeven maar waarvan het toestel in de flat staat van een lid van de geheime dienst van de regering.'
'Die meiden zijn zo goed als dood. Die jongens ook.'
'U moet hun de schuld niet geven. Zij hadden even weinig keuze als u nu hebt. Geloof me, het is beter me te helpen dan me tegen te werken. Ik ben niet geïnteresseerd in uw activiteiten buiten uw werk; u verleent een dienst die iemand anders zou verlenen als u het niet deed voor ongeveer dezelfde resultaten. Ik wil alleen maar wat informatie van u en in ruil daarvoor zal ik elke kopie van deze pagina's verbranden. Daar hebt u natuurlijk alleen mijn woord voor, maar omdat ik misschien wel eens een beroep zal doen op uw kennis, zou ik stom zijn ze uit handen te geven, en ik verzeker u dat ik niet stom ben.'
'Kennelijk niet,' stemde de mafia-man in met nauwelijks hoorbare stem. 'Waarom zou je een pistool weggooien als je het nog kunt gebruiken.'
'Ik ben blij dat u mijn positie begrijpt.'
'Wat voor inlichtingen moet u hebben?'
'Het is onschuldig, u zult er geen moeilijkheden door krijgen. Laten we eens beginnen met de FBI-ploeg die is toegewezen aan de vice-president. Doen jullie mensen hun werk niet goed meer? Hebben jullie een speciale eenheid van het Bureau nodig?'
'Dat heeft niks met ons te maken. Wij zijn er om te beschermen. Zij onderzoeken dingen.'
'Je kunt niet beschermen terwijl je onderzoekt.'
'Het zijn verschillende niveaus. Wij ontdekken iets, en dan geven we het over aan het Bureau.'

'Wat hebben jullie ontdekt dat deze eenheid nodig was?'
'Wij hebben niks ontdekt,' antwoordde de man. 'Een paar maanden geleden werd de Vieze een paar keer bedreigd en...'
'Vieze?'
'De vice-president.'
'Dat is niet bepaald een vleiende codenaam.'
'Ze wordt ook niet algemeen gebruikt. Alleen onder het personeel.'
'Ik snap het. Ga door... die bedreigingen. Van wie kwamen die?'
'Daar hebben we juist die eenheid voor. Ze proberen het uit te vinden omdat de dreigementen nog niet zijn opgehouden.'
'Hoe?'
'Telefoontjes, telegrammen, samengeplakte brieven – ze komen uit verschillende plaatsen zodat de FBI-jongens het hele land moeten doorvliegen om de afzenders te vinden.'
'Zonder succes?'
'Tot nu toe wel.'
'Dan vormen ze dus een zwervende eenheid, de ene dag hier, de volgende ergens anders. Worden hun reizen vanuit Washington gecoördineerd?'
'Wanneer de Vieze daar is zeker. Wanneer hij hier is van hieruit en wanneer hij op reis is vanwaar hij elk gegeven moment zit. De eenheid staat onder leiding van zijn persoonlijke staf; anders gaat er te veel tijd verloren met de controle heen en weer met Washington.'
'U was hier vijf weken geleden, nietwaar?'
'Zowat om die tijd, ja. We zijn net tien dagen geleden teruggekomen; hij zit hier vaak. Zoals hij nogal eens zegt, de president bestrijkt het oosten en hij bestrijkt het westen en hij trekt aan het langste eind omdat hij niet in het gekkenhuis hoeft te blijven.'
'Dat is een onverstandige opmerking uit de mond van een vice-president.'
'Zo is de Vieze nu eenmaal, maar dat wil nog niet zeggen dat hij gek is. Dat is hij zeker niet.'
'Waarom noemen jullie hem de Vieze?'
'Als u dan toch de waarheid wilt horen dan geloof ik niet dat we erg gek op hem zijn, en evenmin op dat vriendenclubje van hem – zeker niet hier. Die rotzakken behandelen ons als Portoricaanse huisbedienden. Laatst op een middag zei er eentje

tegen mij: "Knaapje, haal me nog eens een *G and T*". Ik zei tegen hem dat ik beter eerst even mijn meerderen kon vragen of ik wel aan hem was toegewezen.'
'Was u niet bang dat de vice… Vieze… kwaad zou worden?'
'Verrek, hij valt ons niet lastig. Net als die FBI-eenheid vallen wij onder zijn bureauchef.'
'Wie is hij?'
'Geen hij, een zij. Voor haar hebben we ook een naam; niet zo goed als Vieze maar hij past wel. We noemen haar de turbotrut – in de rapporten Trouwe Trudi en dat vindt ze wel leuk.'
'Vertel me eens over haar,' zei Varak en zijn oren die een leven lang getraind waren begonnen zich te spitsen.
'Ze heet Ardis Vanvlanderen, en ze kwam zowat een jaar geleden bij ons, in de plaats van een verrekte goeie vent die verrekt goed werk deed. Zo goed dat hij een geweldige aanbieding kreeg van een van de vriendjes van de Vieze. Ze is in de veertig en een van die keiharde zakenvrouwen die eruit ziet alsof ze je ballen wil afsnijden wanneer je haar kantoor binnenkomt, gewoon omdat je een vent bent.'
'Een onaantrekkelijke vrouw dus?'
'Dat zou ik niet direct zeggen. Ze heeft een heel fatsoenlijk gezicht en helemaal geen slecht lijf maar het is moeilijk voor haar een stijve te krijgen, tenzij je van dat type houdt. Als je 't mij vraagt naait ze volgens het boekje.'
'Is ze getrouwd?'
'Er is een klojo die daar rondstapt en zegt dat hij haar man is maar niemand let erg op hem.'
'Wat doet hij voor de kost? Wat voor zaak heeft hij?'
'Hij hoort bij dat sjieke zootje uit Palm Springs. Aandelen en obligaties, wanneer dat zijn golf spelen niet in de war schopt, als je het mij vraagt.'
'Daar zit behoorlijk veel geld.'
'Hij draagt zwaar bij aan de partij en hij mist nooit een groot feest op het Witte Huis. U kent dat type wel, golvend wit haar en een dikke pens met hele rijen blinkende tanden in een smoking; ze laten zich altijd fotograferen als ze aan het dansen zijn. Als hij een heel boek kon uitlezen in het Engels zouden ze hem waarschijnlijk ambassadeur maken aan het *Hof van St. James.* Dat neem ik terug. Met zijn geld een half boek.'
Varak nam de bewaker van de geheime dienst op. De man was

kennelijk opgelucht dat hem zulke onschuldige vragen werden gesteld. Zijn antwoorden waren uitgebreider dan ze hoefden te zijn, het leek bijna op de valse vertrouwelijkheid van geroddel.
'Ik vraag me af waarom zo iemand zijn vrouw laat werken, en dan nog wel voor de vice-president.'
'Volgens mij heeft hij daar niets over te zeggen. Je stuurt zo'n kiene tante als haar niet ergens heen waar ze niet heen wil. Bovendien vertelde een van de meisjes me dat ze vrouw nummer drie of vier is, dus misschien heeft Vanvlanderen geleerd hen maar hun gang te laten gaan.'
'En u zegt dat ze dat goed doet?'
'Zoals ik al zei, heel kien, heel professioneel. De Vieze verzet geen poot zonder haar.'
'Wat is híj voor man?'
'De Vieze?' Plotseling startte er weer een straaljager van de marinebasis, met donderend motorenlawaai. 'De Vieze is de Vieze,' zei de stille van de mafia toen het oorverdovend lawaai was weggetrokken. 'Orson Bollinger is een handjesschudder op feestjes en als insider is hij van alles op de hoogte wat zich afspeelt en er speelt zich niks af of die opportunistische jongens uit Californië worden er beter van.'
'U bent heel scherpzinnig.'
'Ik gebruik mijn ogen.'
'U doet veel meer dan dat. Ik zou u alleen willen aanraden in de toekomst wat voorzichtiger te zijn. Als ik u kan vinden zouden anderen dat ook kunnen.'
'Hóe? Verdomme, hoe?'
'Hard werken. En in de loop van een paar weken wachtten op een fout die iemand moest maken. Het had een van de anderen in uw ploeg kunnen zijn voor iets anders – we zijn allemaal mensen; niemand van ons woont op een eiland – maar u was het toevallig. U was moe, of misschien had u er eentje te veel op, of dacht u gewoon dat u helemaal veilig zat. Hoe dan ook, u telefoneerde met Brooklyn, New York, kennelijk niet op de manier waarop u moest bellen, niet vanuit een publieke telefooncel die niet was na te trekken.'
'Frangie!' fluisterde de *capo supremo.*
'Uw neef, Joseph "Vingers" Frangiani, tweede onderbaas van de Ricci Familie in Brooklyn, erfgenaam van de belangen van Genovese. Meer had ik niet nodig, *amico.*'
'Jij smerige buitenlandse rotzak!'

'Verspil geen scheldwoorden aan mij. Nog één laatste vraag, en waarom zouden we niet beleefd blijven?'
'Wát?' riep de woedende man van de mafia uit, zijn donkere wenkbrauwen opgetrokken, terwijl zijn rechterhand instinctmatig achter zijn jasje dwaalde.
'Stóp!' brulde de Tsjech. 'Nog één centimeter en je bent er geweest.'
'Waar is je pistóól?' hijgde de agent ademloos.
'Dat heb ik niet nodig,' antwoordde Varak en hij keek de man die hem wilde doden strak aan. 'En ik weet zeker dat u dat weet.'
Langzaam haalde de man van de geheime dienst zijn hand weer te voorschijn. 'Eén vraag, meer niet!' zei hij en op zijn gezicht was te lezen dat hij zichzelf haatte. 'U kunt nog één vraag stellen.'
'Die Ardis Vanvlanderen. Hoe werd haar benoeming tot bureauchef van de vice-president aan jullie uitgelegd? Er moet iets gezegd zijn, een reden gegeven. Jullie zijn tenslotte Bollingers persoonlijke lijfwachten en jullie hebben goed gewerkt met haar voorganger.'
'We zijn zijn lijfwachten, geen onderdirecteuren. Er was geen uitleg nodig.'
'Werd er niets gezegd? Voor een vrouw is het een ongewone positie.'
'Er werd genoeg gezegd zodat we het goed zouden doorhebben, maar geen uitleg. Bollinger riep ons allemaal bij elkaar en zei ons hoe blij hij was de benoeming te kunnen aankondigen van een van de meest getalenteerde functionarissen in het hele land, iemand die de baan had aangenomen en daarbij zoveel persoonlijke offers bracht dat we allemaal de hemel mochten danken voor haar vaderlandsliefde. Dat "haar" was het eerste waardoor we hoorden dat het een vrouw was.'
'Interessante uitdrukking "de hemel".'
'Zo praat hij nu eenmaal.'
'En hij doet niets zonder haar?'
'Volgens mij durft hij dat niet eens. Ze heeft haar op haar tanden en ze houdt het huis op orde.'
'Wiens orde?'
'Wat?'
'Laat maar zitten. Dat is voorlopig alles, *amico.* Wilt u zo goed zijn hier het eerst weg te gaan? Ik bel u wel als ik u nodig heb.'

Het hete bloed van zijn zuidelijke afkomst steeg naar het hoofd van de mafioso, hij priemde met zijn vinger naar de Tsjech en zei met schorre stem: 'Jij blijft verder met je poten van mij af, als je weet wat goed voor je is.'
'Ik hoop zover mogelijk uit uw buurt te blijven, signore Mezzano...'
'Waag het niet mij pooier te noemen!'
Milos Varak keek zijn weerspannige informant na toen hij ziedend van woede over het strand liep totdat de *mezzano* verdween in de doolhof van toegangswegen naar het hotel. De Tsjech liet zijn gedachten de vrije loop. *...Ze kwam zowat een jaar geleden bij ons; hij draagt zwaar bij aan de partij; de Vieze verzet geen poot zonder haar.* Het was dertien maanden geleden dat Inver Brass begonnen was te zoeken naar een nieuwe vice-president van de Verenigde Staten, omdat de zittende man werd beschouwd als een marionet van de onzichtbare geldschieters van de president – mannen die van plan waren de leiding van het land over te nemen.

Het was over vieren in de morgen en Khalehla wist van geen ophouden. Ze bleef Evan onder druk zetten, wisselde cassettes op het apparaat en herhaalde de ene naam na de andere; ze drong erop aan dat hij álles wat hij zich kon herinneren gedetailleerd moest beschrijven wanneer hij ergens iets herkende. De computeruitdraai van Mitchell Paytons kantoor bij de CIA bevatte honderdzevenentwintig geselecteerde namen, aangevuld met beroepen, huwelijken, scheidingen en sterfgevallen. In elk voorkomend geval had de persoon op de lijst langere tijd samen met Kendrick doorgebracht, of had hij tot zijn omgeving behoord tijdens belangrijke perioden in zijn leven en kon hij mogelijk de hand hebben gehad in zijn besluiten waar het studie of een loopbaan betrof.
'Verdomme, waar heeft hij al die lui vandáán gehaald?' vroeg Evan, door de werkkamer ijsberend. 'Ik zweer je dat ik me de helft niet eens herinner, en de meeste anderen staan me maar vaag voor de geest, op de oude vrienden na die ik nooit zal vergeten, en van hen kan er niet één ook maar in de verte betrokken zijn bij wat er aan de hand is. Verrek, op de universiteit had ik drie kamergenoten, later nog eens twee en met een zesde had ik samen een kamer in Detroit toen ik daar een pokkebaantje had. Later was er minstens een half dozijn anderen

bij wie ik probeerde geld los te krijgen voor het Midden-Oosten en een paar daarvan staan op die lijst – waarom weet ik niet, maar ik weet wel dat ze allemaal in buitenwijken wonen met gazons en een buitensociëteit en dure scholen die ze zich voor hun kinderen nauwelijks kunnen veroorloven. Ze hebben niets te maken met wat er nú gebeurt.'
'Laten we dan de Kendrick-groep nog eens doornemen...'
'Er ís geen Kendrick-groep,' onderbrak Evan haar kwaad. 'Ze zijn vermoord, opgeblazen, verdronken in beton! Manny en ik zijn de enigen die zijn overgebleven, dat weet je.'
'Het spijt me,' zei Khalehla zacht. Ze zat op de sofa thee te drinken. De uitdraai lag op het salontafeltje voor haar. 'Ik bedoel de zaken die je hier in Amerika hebt gedaan toen er nog een Kendrick-groep bestond.'
'Die hebben we al gehad. Zoveel waren het er niet – voornamelijk in technisch geavanceerde apparatuur.'
'Laten we ze nog eens doorlopen.'
'Het is tijdverspilling maar ga je gang.'
' "Sonar Electronics, Palo Alto, Californië",' las Khalehla op met haar hand op de uitdraai. 'De agent was een man die Carew heette...'
' "Secrew Carew",' zei Kendrick grinnikend. 'Dat was Manny's commentaar. We kochten van hen een paar sondeerinstrumenten die niet werkten, en nadat we ze hadden geretourneerd wilden ze nog steeds geld zien.'
'Drucker Graphics, Boston, de vertegenwoordiger ene G.R. Shulman. Is dat iets?'
'Gerry Shulman, goeie vent, prima service; we hebben jaren met hen gewerkt. Nooit problemen gehad.'
'Morseland Oil, Tulsa. De vertegenwoordiger was iemand die Arnold Stanhope heette.'
'Over hem, over hen, heb ik het al gehad.'
'Vertel het me nog maar eens.'
'We hebben wat voorlopig landmeetonderzoek voor hen gedaan in de Emiraten. Ze wilden steeds maar meer voor wat ze bereid waren te betalen en aangezien wij groeiden konden we ons veroorloven hen te laten schieten.'
'Heeft dat kwaad bloed gezet?'
'Natuurlijk, het zet altijd kwaad bloed wanneer zwendelaars ontdekken dat ze geen zaken meer kunnen doen. Maar dat ging mettertijd wel over. Bovendien vonden ze een paar andere grap-

jassen, een Grieks bedrijf dat hen doorhad en een onderzoek leverde dat ze op de bodem van de Golf van Oman gedaan moeten hebben.'

'Jullie zijn allemaal vrijbuiters,' zei Khalehla glimlachend terwijl haar hand op de uitdraai verder zakte. 'Off Shore Investments, Limited, hoofdkantoor Nassau, Bahama's, contactpersoon Ardis Montreaux, New York City. Zij hebben jullie een boel kapitaal toegespeeld...'

'Dat we nooit hebben gebruikt,' onderbrak Evan haar heftig. 'Het was bedrog en dat kan er maar beter bij staan.'

'Er staat hier "Vergeet 't".'

'Wat?'

'Dat heb ik geschreven. Dat zei je eerder, "vergeet 't". Wat is Off Shore Investments, Limited?'

'Wás,' verbeterde Kendrick. 'Het was een deftige kant-en-klaaroperatie op internationale schaal – deftig en internationaal maar toch kant-en-klaar. Je bouwt een bedrijf op met grote Zwitserse klanten en hete lucht, dan verkoop je het en verander je de activa, zodat de kopers een ballon vol helium overhouden.'

'Ben jij bij zoiets betrokken geweest?'

'Ik wist niet dat het zoiets was. Ik was een stuk jonger en behoorlijk onder de indruk omdat ze met ons in zee wilden gaan... zelfs nog meer geïmponeerd door het geld dat ze voor ons op een bank in Zürich hadden gezet. Ik was onder de indruk totdat Manny zei, laten we eens proberen er wat af te halen, gewoon voor de lol. Hij wist precies wat hij deed; we konden er nog geen twee francs afhalen. De handtekeningen van Off Shore waren vereist voor alle opnames, alle opdrachten.'

'Een stromannenorganisatie en jullie waren de stromannen.'

'Daar komt het op neer.'

'Hoe ben je daarbij betrokken geraakt?'

'We zaten in Riyadh en Montreaux kwam ons opzoeken en belazerde me. Ik had toen nog niet door dat er geen weggetjes binnendoor bestaan – niet van dat soort.'

'Ardis Montreaux. Ardis. ...Dat is een ongewone naam voor een man.'

'Omdat het geen man is – zij is geen man. Ze is heel wat harder.'

'Een vrouw?'

'Neem dat maar van mij aan.'

'Met jouw ingeboren scepsis moet zij wel heel overtuigend hebben geklonken.'
'Ze wist de juiste woorden te vinden. Ze wilde ook ons bloed zien toen we ons terugtrokken; ze beweerde dat we hun miljoenen kostten. Weingrass vroeg haar van wie die miljoenen dit keer wàren.'
'Misschien moeten we toch...'
'Vergeet 't,' viel Evan haar nadrukkelijk in de rede. 'Ze is met een Engelse bankier getrouwd en woont in Londen. Ze speelt niet meer mee.'
'Hoe weet je dat?'
Kendrick leek er een beetje verlegen mee toen hij haastig en zacht antwoordde. 'Ze belde me een paar keer... eigenlijk om haar excuses aan te bieden. Vergeet 't.'
'Natuurlijk.' Khalehla nam de volgende firma op de uitdraai. Terwijl ze sprak schreef ze achter Off Shore Investments, Limited één woord. *Natrekken.*
Ardis Montreaux Frazier-Pyke Vanvlanderen, geboren Ardisola Wojak in Pittsburg, Pennsylvania, liep de marmeren hal in van de suite in het Westlake Hotel in San Diego. Ze gooide haar stola van sabelbont over de rugleuning van een met fluweel beklede stoel en verhief haar stem; haar toonval was een beschaafd Mid-Atlantisch, iets meer bekakt Engels dan Amerikaans-met-geërfd-geld, maar in de boventonen toch nog een beetje doorregen met de harde klanken van Monongahela Slavisch.
'Andy-lieverd, ik ben thuis! We hebben minder dan een uur om in La Jolla te komen, dus ik zou maar opschieten, schat!'
Andrew Vanvlanderen, gezet, met spierwit, golvend haar en gekleed in smoking kwam de slaapkamer uitlopen met een glas in de hand. 'Ik lig voor op jou, honnepon.'
'Ik ben in tien minuten klaar,' zei Ardis, terwijl ze in de halspiegel keek en met haar vingers over de krullen streek van haar perfect gekapte, grijsgetinte bruine haren. Ze was zowat vijftig en van middelbare lengte maar ze maakte de indruk jonger en langer te zijn door haar rechte houding, een slank figuurtje met volle borsten en een gezicht met gelijkmatige trekken dat opviel door grote, doordringend groene ogen. 'Waarom laat je de wagen niet vast komen, schat?'
'Die wagen kan wachten. La Jolla ook. We moeten praten.'
'O?' De bureauchef van de vice-president keek haar man aan.

'Je klinkt zo serieus.'
'Dat ben ik ook. Ik heb een telefoontje gehad van je vroegere vriendje.'
'Welke, lieverd?'
'De enige die meetelt.'
'Lieve god, heeft hij hier gebeld?'
'Ik heb hem gezegd dat...'
'Dat was stom, Andy-lieverd, gewoon verrekte stom!' Ardis Vanvlanderen liep snel en met driftige passen vanuit de hal de lager gelegen woonkamer in. Ze ging in een roodzijden stoel met breed uitstaande rugleuning zitten en sloeg met een abrupt gebaar haar benen over elkaar, haar grote ogen gericht op haar echtgenoot. 'Je kunt risico's nemen met geld – bij de produktenhandel of met termijnzaken of je stomme paarden of wat je verder ook maar wilt, maar níet als het mij aangaat! Heb je dat begrepen, schat?'
'Luister, trut – túrbotrut – met al dat geld dat ik heb betaald ga ik zelf achter informatie aan als ik die wil hebben. Heb jíj dat begrepen?'
'Goed dan, goed. Rustig aan maar, Andy.'
'Jij begint heibel te schoppen en dan zeg je mij dat ik kalm aan moet doen?'
'Het spijt me.' Ardis duwde haar hoofd achterover tegen de stoel aan, ademde hoorbaar door haar open mond en sloot even haar ogen. Na een paar tellen gingen ze weer open, ze hief haar hoofd weer op en vervolgde: 'Het spijt me echt. Het is een bijzonder rotte Orson-dag geweest.'
'Wat heeft de Vieze nu weer uitgespookt?' vroeg Vanvlanderen en hij dronk uit zijn glas.
'Wees voorzichtig met die namen,' zei zijn vrouw zacht grinnikend. 'We willen toch zeker onze gorilla's niet laten weten dat ze worden afgeluisterd?'
'Wat heeft Bollinger weer voor problemen?'
'Hij voelt zich weer onzeker. Hij wil een geschreven, waterdichte garantie dat hij komende juli kandidaat voor het vice-presidentschap zal zijn en anders storten we voor hem tien miljoen op een rekening in Zwitserland.'
Vanvlanderen verslikte zich in zijn whisky. 'Tien miljoen?' hijgde hij. 'Wie denkt die clown wel wie hij is?'
'De vice-president van de Verenigde Staten met een paar geheimen in zijn kop,' antwoordde Ardis. 'Ik zei hem dat we nie-

mand anders zouden accepteren maar dat was niet goed genoeg. Volgens mij voelt hij aan dat Jennings hem nou niet direct ziet als een wereldkampioen en hem wil laten schieten.'
'Onze geliefde fotogenieke tovenaar, Langford Jennings, heeft daar geen moer over te vertellen! ...Heeft Orson gelijk? Heeft Jennings de pest aan hem?'
'De pest is te sterk. Hij laat hem gewoon links liggen, dat krijg ik van Dennison te horen.'
'Dat is er ook zo eentje die moet opdonderen. Herb zal een dezer dagen nieuwsgieriger worden dan wij wel willen...'
'Vergeet hem maar,' viel mevrouw Vanvlanderen hem in de rede. 'Vergeet Dennison en Bollinger en zelfs die stomme paarden van jou. Wat had mijn zwerfkat van een vroeger vriendje voor belangrijks te vertellen dat je hem hier hebt laten opbellen?'
'Je hoeft niet ongerust te zijn. Hij belde vanuit het kantoor van mijn advocaat in Washington; wij zitten daar bij dezelfde lui, weet je nog wel? Maar laten we het eerst eens over Orson hebben. Geef hem die garantie maar. Een paar eenvoudige zinnen en die zal ik wel ondertekenen. Het zal hem koest houden en het is beter dat hij zich koest houdt.'
'Ben jij gék geworden?' riep Ardis uit en ze schoot naar voren in haar stoel.
'Helemaal niet. Om te beginnen wórdt hij de nieuwe kandidaat en anders verdwijnt hij gewoon... zoals vaker gebeurt met vroegere vice-presidenten.'
'Och, lieve, lieve hemel,' zei Ardis en ze herhaalde het *lieve* bewonderend. 'Jij bent echt een vent voor mij, Andy-lieverd. Jij denkt zo helder, zo beknopt.'
'Ik heb het jarenlang kunnen leren, honnepon.'
'Zo, wat had die verwarde oude engel van mij te vertellen? Wie zit er nu weer achter zijn gevoelige huid aan?'
'Niet de zijne, die van óns...'
'En dat is de zijne en vergeet dat nooit. Daarom zit ik hier, liefje, en daarom stelde hij ons aan elkaar voor en bracht hij ons samen.'
'Hij wil ons laten weten dat het groepje misleide supermensen in de hoogste versnelling is geschakeld. In de komende drie maanden zal hun congreslid hoofdartikelen krijgen in steeds belangrijker kranten. Het thema zal luiden "het onderzoek van zijn standpunten" en hij zal voor alle examens slagen. De op-

zet is natuurlijk de publieke opinie mee te krijgen. Onze Cupido maakt zich zorgen, grote zorgen. En om je de waarheid te zeggen zit het mij ook niet zo lekker. Die welwillende gekken weten wat ze doen; die hele zaak zou uit de hand kunnen lopen. Ardis, we hebben miljoenen geïnvesteerd in de komende vijf jaar. Ik maak me verrekte veel zorgen!'
'Om niks,' zei zijn perfect gekapte vrouw en ze stond op uit haar stoel. Even bleef ze staan en keek Vanvlanderen aan, haar grote groene ogen maar half geamuseerd. 'Aangezien je hoe dan ook tien miljoen op Bollinger wilt uitsparen – en míjn manier is beter, zeker veiliger, dan welk alternatief ook – vind ik het alleen maar redelijk als je eenzelfde bedrag voor mij op de bank zou zetten, vind je ook niet, schat?'
'Op een of andere manier zie ik daartoe geen enkele reden.'
'Misschien zou het jouw overweldigende liefde voor mij kunnen zijn... of misschien een van die buitengewone toevalligheden van mijn loopbaan waarin ik rondzwerf tussen de rijken, de knappen, de machtigen en de politiek ambitieuzen, vooral op het terrein van een vrijgevige regering.'
'Wat wil je daarmee zeggen?'
'Ik ga de litanie niet meer opdreunen waarom we allemaal bezig zijn met wat we aan het doen zijn en zelfs niet waarom ik mijn niet onbelangrijke talenten heb verbonden met jouw lot, maar ik zal je wel een geheimpje vertellen dat ik al, o, heel veel weken voor me heb gehouden.'
'Ik ben ondersteboven,' zei Vanvlanderen; hij zette zijn glas op een marmeren tafeltje en keek zijn vierde vrouw doordringend aan. 'Wat is dat dan?'
'Ik ken Evan Kendrick.'
'Jij wát?'
'Onze korte relatie dateert al van een aantal jaren terug, meer dan ik me wil herinneren, eerlijk gezegd, maar we hadden samen iets voor een paar weken.'
'Afgezien van het voor de hand liggende, wat?'
'Och, het seksuele was heel plezierig maar onbelangrijk... voor ons beiden. We waren jonge mensen die haast hadden en geen tijd voor vaste banden. Herinner je je Off Shore Investments nog?'
'Als hij daarbij heeft gehoord kunnen we hem pakken op fraude! In elk geval voldoende om hem uit te schakelen als hij mee gaat doen. Heeft hij meegedaan?'

'Dat heeft hij, maar je kunt hem niet grijpen. Hij trok zich luidkeels en moreel verontwaardigd terug en dat was het begin van het instorten van dat kaartenhuis. En ik zou maar niet al te happig zijn op het grijpen van Off Shores opdrachtgevers, tenzij je genoeg hebt van mij, honnepon.'
'Jíj?'
'Ik was de belangrijkste zendelinge. Ik heb de deelnemers gerecruteerd.'
'Verrek nogantoe!' Vanvlanderen lachte, pakte zijn glas en hief het op naar zijn vrouw. 'Die dieven wisten verdomde goed wie ze moesten aannemen voor het juiste karwei. ...Wácht 'ns even? Jij hebt Kendrick goed genoeg gekend om met de rotzak naar bed te gaan en je hebt er nooit iets over gezegd?'
'Daar had ik mijn redenen voor...'
'Dat kunnen dan maar beter verdomde goede redenen zijn,' viel de grote geldschieter van de president uit. 'Want als ze dat niet zijn, zou ik jou wel eens zwaar te grazen kunnen nemen, trut die je bent! Stel dat hij je zag, je herkende, terugdacht aan Off Shore en alles eens op een rijtje zette! Dat soort risico's ga ik niet lopen!'
'Het is nu mijn beurt om te zeggen "Kalm aan", Andy,' wierp zijn vrouw tegen. 'De mensen rond een vice-president vormen geen nieuws, ze hebben niet eens voldoende nieuwswaarde. Wanneer kun jij je voor het laatst de naam herinneren van iemand van de staf van een vice-president? Ze vormen een grijze, amorfe groep – presidenten willen het zo nu eenmaal. Bovendien geloof ik niet dat mijn naam zelfs maar in de kranten is verschenen, behalve als "Meneer en Mevrouw Vanvlanderen, gasten op het Witte Huis". Kendrick denkt nog steeds dat ik Frazier-Pyke ben, de vrouw van een bankier die in Londen woont en je zult je nog wel herinneren dat we allebei waren uitgenodigd voor die plechtigheid rond de *Medal of Freedom* maar dat jij alleen bent gegaan. Ik heb me verontschuldigd.'
'Dat zijn geen redenen! Waarom heb je het mij niet verteld?'
'Omdat ik wist wat jouw reactie zou zijn – laat haar verder erbuiten – terwijl ik heel goed wist dat ik voor jullie veel nuttiger kon zijn als ik erbínnen zat.'
'Hoe dan, in hemelsnaam?'
'Juist omdát ik hem kende. Ik wist ook dat ik te weten moest komen waarmee hij nu bezig is, maar niet via een of ander privé-detectivebureau waaraan we later onze vingers zouden

kunnen branden, daarom heb ik de officiële weg bewandeld. De FBI.'
'De bedreigingen tegen Bollinger?'
'Die zullen morgen ophouden. Op één man na die hier zal blijven voor speciaal werk zal de eenheid naar Washington worden teruggeroepen. Die nep-dreigementen waren de paranoïde fantasieën van een onschuldige gek die ik heb verzonnen en die zogenaamd naar het buitenland is gevlucht. Want weet je, honnepon, ik heb ontdekt wat ik wilde weten.'
'En dat is?'
'Er is een oude jood uit Israël, Weingrass, die Kendrick aanbidt. Hij is de vader die Evan nooit heeft gehad en toen er nog een Kendrick-groep bestond werd hij het "geheime wapen" van het bedrijf genoemd.'
'Munitie?'
'Nauwelijks, schat,' lachte Ardis Vanvlanderen. 'Hij was architect, een verdomd goeie en hij heeft nogal wat spectaculaire dingen gebouwd voor de Arabieren.'
'Wat is er met hem?'
'Hij zit zogenaamd in Parijs, maar daar zit hij niet. Hij woont in Kendricks huis in Colorado, zonder dat hij officieel het land is binnengekomen.'
'Wat dan nog?'
'De afgevaardigde die spoedig kroonprins zal worden heeft de oude man hierheen gehaald voor een operatie die zijn leven heeft gered.'
'Wat dan nóg?'
'Emmanuel Weingrass krijgt een medische instorting waaraan hij zal sterven. Kendrick zal niet van zijn zijde wijken en wanneer het voorbij is zal het te laat zijn. Ik wil écht die tien miljoen, Andy-lieverd.'

27

Varak bekeek de leden van Inver Brass van wie de gezichten verlicht werden door het schijnsel van de koperen lampen die voor hen stonden. De aandacht van de Tsjech was tot het uiterste gespannen want hij moest zich concentreren op twee niveaus.
Het eerste was de informatie die hij ging geven; het tweede was

de onmiddellijke reactie die ieder zou tonen op bepaalde feiten in die informatie. Hij moest één paar ogen vinden dat verdacht was en dat kon hij niet. Dat wilde zeggen dat zich geen korte vlagen van verbazing of vrees afspiegelden op de gezichten van de leden naarmate hij geleidelijk en logisch het onderwerp aansneed van de huidige vice-president van de Verenigde Staten en zijn staf, waarbij hij maar heel even stilstond bij de 'onschuldige' details die hij had vernomen van een mafia onderkruiper in de geheime dienst. Er was niets, alleen nietszeggende, starende blikken. Terwijl hij met overtuiging sprak en ongeveer tachtig procent van de waarheid overbracht, bleef hij dus op hun ogen letten, waarbij het tweede niveau van zijn gedachten zich bezig hield met de belangrijkste feiten van het leven, achter elk gezicht beschenen door de lichtglans.

Terwijl hij op elk gezicht lette, waarvan de trekken extra uitkwamen door het *clair obscur* van de lampen, voelde hij, zoals steeds, dat hij in het gezelschap verkeerde van zeer uitzonderlijke mensen. Toch deugde er één niet; één had het bestaan van Emmanuel Weingrass in Mesa Verde bekend gemaakt, een geheim dat bij de meeste clandestiene afdelingen in Washington onbekend was. Een van die gezichten vóór hem behoorde aan een verrader van Inver Brass. Wie?

Samuel Winters? Iemand uit een steenrijke Amerikaanse dynastie, waarvan de rijkdom was terug te voeren naar de spoorwegen en de oliebaronnen aan het einde van de negentiende eeuw in Amerika. Een gerespecteerd geleerde die tevreden was met zijn bevoorrechte leven; een raadsman van presidenten, onafhankelijk van hun politieke gezindheid. Een groot man die in vrede met zichzelf leefde. Of niet soms?

Jacob Mandel? Een gerespecteerd financieel genie dat hervormingen had ontworpen en ingevoerd die de Beurscommissie nieuw leven hadden ingeblazen, zodat ze een sterker en veel respectabeler steun was voor Wall Street. Hij was uit joodse armoede in Lower East Side opgeklommen tot de directiekamers van de rijke kooplieden en men zei van hem dat geen fatsoenlijk mens die hem echt kende hem een vijand kon noemen. Net als Winters deed hij zijn reputatie eer aan; de naam die hij had verworven was zeer groot. Of deed hij in het geheim dingen die níet bij die reputatie pasten?'

Margaret Lowell? Ook daar aristocratische, oude rijkdom uit het circuit New York-Palm Beach, maar met een variant die

in die kringen haast niet voorkwam. Ze was een briljante rechtsgeleerde die de beloningen van het onroerend-goedrecht en het handelsrecht afwees en in plaats daarvan zich op de advocatuur had gestort. Ze werkte koortsachtig in de juridische wijngaarden ten behoeve van de onderdrukten, de berooiden en de rechtelozen. Ze paste haar theorieën in de praktijk toe en men zei van haar dat ze de volgende vrouw zou zijn voor het Hoogste Gerechtshof. Of was de advocatuur een ondoordringbare dekmantel voor oppositiezaken die in het geheim werkten?
Eric Sundstrom? Het geleerde wonderkind van aarde- en ruimtetechnologie, bezitter van meer dan twintig enorm winstgevende patenten waarvan hij het grootste deel van de opbrengst weggaf aan technische en medische instituten voor de bevordering van die wetenschappen. Hij was een vooraanstaand intellectueel, verborgen achter een engelachtig gelaat met verwarde rode haren, een kwajongensachtige glimlach en een groot gevoel voor humor – alsof hij zich geneerde voor zijn talenten wendde hij zelfs gauw voor zich beledigd te voelen wanneer hij op de voorgrond werd geplaatst. Of was het allemaal valse schijn, de argeloosheid van een huichelaar die niemand kende?
Gideon Logan? Misschien de meest complexe van het vijftal en omdat hij een neger was, was dat ook wellicht te begrijpen. Hij had meermalen fortuin gemaakt in onroerend goed, was nooit zijn afkomst vergeten en huurde en ondersteunde altijd negerbedrijven voor zijn projecten. Men zei dat hij achter de schermen meer deed voor burgerrechten dan welke andere onderneming in dat land ook. De huidige regering, en de voorgaande, hadden hem een aantal kabinetsposten aangeboden die hij allemaal had geweigerd, omdat hij geloofde dat hij meer kon bereiken als een gerespecteerde onafhankelijke kracht in de privésector dan wanneer hij op één lijn werd gezien met een politieke partij en haar praktijken. Hij hield nooit op met werken en leek zich maar één verstrooiing toe te staan: een luxueus landgoed aan de kust van de Bahama's waar hij nu en dan een weekend ging vissen op zijn luxe jacht met zijn vrouw van twaalf jaar. Of was die legende die Gideon Logan heette onvolmaakt? Het antwoord luidde ja. Over een aantal jaren van zijn drukbezette leven waarin hij als een meteoor omhoog was geschoten was gewoon niets bekend; het was alsof hij nooit had bestaan.
'Milos?' vroeg Margaret Lowell met haar elleboog op tafel en

haar kin op de uitgestoken vingers van haar hand. 'Hoe heeft de regering in hemelsnaam kans gezien de dreigementen tegen Bollinger geheim te houden? Vooral wanneer er een speciale eenheid van het Bureau speciaal aan hem is toegewezen.'
Margaret Lowell doorstrepen? Ze trok de voor de hand liggende bus met wormen open waarin de staf van de vice-president te vinden was.
'Ik moet aannemen dat het gebeurt op aanwijzingen van mevrouw Vanvlanderen en haar politieke know-how.' *Let op de ogen. Hun gezichtsspieren – de kaken. Niets. Ze laten niets zien! Toch is één van hen op de hoogte. Wie?*
'Ik ben me ervan bewust dat ze met Andrew Vanvlanderen is getrouwd,' zei Gideon Logan, 'en "Andy-lieverd" zoals hij genoemd wordt heeft enorm veel geld bijeengebracht voor de president, maar waarom is ze eigenlijk benoemd?'
Gideon Logan doorstrepen? Hij zat te roeren in het potje met pieren.
'Misschien weet ik daar het antwoord op,' zei Jacob Mandel. 'Voordat ze met Vanvlanderen trouwde was ze de droom van iedere headhunter. Ze wist twee bedrijven die ik ken van bankroet omhoog te trekken tot winstgevende fusies. Ik hoor dat ze afschuwelijk agressief is, maar niemand kan zeggen dat ze geen goede manager is. Ze moet goed zijn in haar werk; ze houdt de politieke hielenlikkers op afstand.'
Jacob Mandel doorstrepen? Hij voelde geen bezwaar om haar te prijzen.
'Ik ben haar eens tegen het lijf gelopen,' zei Eric Sundstrom met nadruk, 'en om het maar grof te zeggen, ze was een kréng. Ik wees een patent toe aan Johns Hopkins Medical en zij wilde daarbij als tussenpersoon optreden.'
'Was er dan een tussenpersoon nodig?' vroeg de advocate Lowell.
'Helemaal niet,' antwoordde Sundstrom. 'Ze probeerde mij ervan te overtuigen dat zulke grote subsidies een toezichthouder nodig hadden om ervoor te zorgen dat het geld daar terecht kwam waar het thuishoorde en dat het niet werd besteed aan nieuwe bretels.'
'Daar zit wel wat in,' zei de juriste en ze knikte alsof ze daar ervaring mee had.
'Voor mij niet, gezien de manier waarop zij praatte. De rector van de medische faculteit is een goede vriend van me. Ze zou

hem zó gek hebben gemaakt dat hij het patent zou hebben teruggegeven. Ze is een kreng, een echt kreng.'
Eric Sundstrom doorstrepen? Hij had er helemaal geen moeite mee haar te veroordelen.
'Ik heb haar nooit ontmoet,' kwam Samuel Winters tussenbeide, 'maar ze is getrouwd geweest met Emory Frazier-Pyke, een uitgekiende bankier in Londen. Jij herinnert je Emory toch nog wel, Jacob?'
'Jazeker. Hij speelde polo en jij stelde me aan hem voor als een van de geheime takken van de Rothschilds – en jammer genoeg geloofde hij dat ook nog volgens mij.'
'Iemand heeft me eens verteld,' vervolgde Winters, 'dat die arme Frazier-Pyke een heleboel geld verloor bij een activiteit waarbij zij betrokken was maar dat hij er een vrouw aan overhield. Dat was Off Shore Investments.'
'Zo uitgekiend was hij dus ook weer niet,' voegde Mandel eraan toe. '*Gannefs* zijn het, allemaal. Hij had moeten informeren bij zijn pony's of desnoods bij de geheime tak van de Rothschilds.'
'Misschien heeft hij dat wel gedaan. Ze heeft het niet lang uitgehouden en die ouwe Emory is altijd keurig op het rechte pad gebleven. Zij had ook een dief kunnen zijn.'
Samuel Winters doorstrepen? De verrader in Inver Brass zou die twijfel niet opwekken.
'Op de een of andere manier,' luidde Varaks nadrukkelijke commentaar, 'bent u allen zich ervan bewust dat ze bestaat.'
'Ik niet,' zei Margaret Lowell, bijna verontschuldigend, 'maar nu ik de anderen heb gehoord kan ik zeggen wie haar verder nog kende – "zich bewust was" klinkt een beetje te saai. Mijn ex, die straatkat; door de naam Frazier-Pyke dacht ik eraan.'
'Wálter?' Sundstroms stem klonk vragend en er blonken pretlichtjes in zijn ogen.
'Die knaap van mij reisde zo vaak naar Londen dat ik dacht dat hij de Kroon adviseerde en hij had het er vaak over dat Frazier-Pyke daar zijn bankier was. Toen belde het meisje me op een ochtend op kantoor en ze zei dat er voor Casanova een dringend gesprek was uit Londen van ene "FP", maar ze wist niet wie hij was. Ze gaf mij het nummer en ik belde en zei tegen iemand – ik nam aan dat het een secretaresse was – dat meneer Lowell aan de lijn was voor "FP". Direct daarna werd ik begroet door een uitgelaten stem die me praktisch in mijn

oor toeterde: "Líeveling, morgen ben ik in New York en dan hebben we vijf vólle dagen samen!". Ik zei "Da's leuk" en legde op.'

'Voor haar doel beweegt ze zich in de juiste kringen,' grinnikte Gideon Logan. 'Andy-lieverd Vanvlanderen zal haar geld en sabelbont blijven geven tot hij genoeg van haar krijgt.'

Varak moest snel van onderwerp veranderen! Als hij gelijk had dat er een verrader aan tafel zat, en dat hád hij, zou alles wat er over Ardis Vanvlanderen werd gezegd aan haar worden doorgebriefd en hij kon niet toestaan dat ze nog verder gingen. 'Uit ieders reactie,' zei hij vriendelijk en zonder bepaald doel, 'mogen we aannemen dat er een paar opportunisten enorm capabel zijn. Maar dat is niet belangrijk.' *Let op hen. Let op elk gezicht.* 'Ze doet goed werk voor de vice-president maar dat gaat ons in feite niet aan. Terug naar onze kandidaat. Alles verloopt volgens plan. De kranten in het Midwesten, beginnend met Chicago, zullen als eersten gaan speculeren over zijn capaciteiten, zowel in rubrieken als in hoofdartikelen. Ze hebben allemaal uitgebreid achtergrondmateriaal over Kendrick gekregen, en ook de tapes van de Partridge-commissie, het programma van Foxley en zijn eigen opvallende persconferentie. Vanuit die kern zal het nieuws zich verder naar het oosten en het westen verbreiden.'

'Hoe zijn ze benaderd, Milos?' vroeg de woordvoerder Samuel Winters. 'De kranten en de rubriekschrijvers bedoel ik.'

'Een echt ad hoc gevormde commissie die we hebben opgericht in Denver. Toen het zaad eenmaal in de grond zat is het snel gegroeid. De Colorado-tak van de partij was enthousiast, vooral omdat het geld werd verschaft door schenkers die erop stonden anoniem te blijven. De functionarissen van de staat zien een mogelijk waardevolle kandidaat en de fondsen om hem te lanceren, en bovendien zien ze dat de aandacht wordt gevestigd op Colorado. Winnen of verliezen, zij kunnen niet meer kapot.'

'Die "fondsen" zouden nog een juridisch probleem kunnen vormen,' zei Margaret Lowell.

'Niets opvallends, mevrouw. Het wordt in gedeeltes verschaft en elk bedrag blijft binnen de wettelijke grens zoals die vastligt in de verkiezingswetgeving – die volgens mij heel vaag is, zo niet verwarrend.'

'Als ik een advocaat nodig heb haal ik jou erbij,' zei Lowell

glimlachend en ze leunde achterover in haar stoel.
'Ik heb ieder van u een lijst gegeven met de namen van de kranten, hun politieke redacteuren en de rubriekschrijvers die bij deze fase zijn betrokken...'
'En die moeten in onze kolenkachel worden verbrand,' onderbrak Winters hem zacht.
'Natuurlijk.' 'Vanzelfsprekend.' 'Zeer zeker,' klonk het koor van rustige antwoorden.
Wie was de leugenaar?
'Vertel me eens, Varak,' zei de briljante, onschuldige Sundstrom. 'Voor zover wij weten, afgaande op alles wat jij ons hebt geleverd, heeft onze kandidaat geen greintje laten zien van dat "heilige vuur" waarover we zo vaak horen. Is dat niet verschrikkelijk belangrijk? Moet hij uiteindelijk die baan niet echt wíllen hebben?'
'Dat zal hij ook wel, meneer. Naar wat we hebben geleerd is hij wat je een verborgen activist zou kunnen noemen die uit zijn schulp kruipt wanneer de toestand vraagt om zijn vaardigheden.'
'Goeie genade, Samuel, is hij ook al een rabbi?'
'Nauwelijks, meneer Mandel,' antwoordde de Tsjech glimlachend. 'Wat ik bedoel te zeggen, ongetwijfeld onduidelijk...'
'Ik ben dol op je woorden, Milos.'
'Dank u, meneer, heel erg vriendelijk van u. Maar wat ik wil zeggen is dat hij bij twee dramatische gelegenheden in zijn leven – waarvan er één uiterst gevaarlijk voor hem persoonlijk – de moeilijkste weg heeft gekozen omdat hij geloofde dat hij iets kon verbeteren. De eerste gelegenheid was zijn besluit een corrupt congreslid te vervangen; de tweede was natuurlijk Oman. Kort gezegd, hij moet er opnieuw van overtuigd worden dat zijn persoon en zijn talenten vereist zijn – vereist omdat het land ermee gebaat zal zijn.'
'Dat is me nogal wat,' zei Gideon Logan. 'Hij is kennelijk een man met een heel realistische inslag die zijn eigen kwaliteiten vrij goed kan beoordelen. Hij kan uiteindelijk wel zeggen: "Ik ben er niet geschikt voor". Hoe pakken we dat aan?'
Varak keek de tafel langs met de uitdrukking van een man die zich duidelijk probeert uit te drukken. 'Ik stel voor symbolisch, meneer.'
'Wat wil je daarmee zeggen?' vroeg Mandel en hij zette zijn bril af.

'Neemt u bij voorbeeld de huidige minister van Buitenlandse Zaken. Ofschoon hij door zijn collega's en door de staf van het Witte Huis vaak wordt belasterd als een koppige theoreticus, is hij de verstandigste stem in de hele regering. Ik weet persoonlijk dat hij kans heeft gezien een aantal overhaaste acties tegen te houden die door de raadslieden van de president waren voorgesteld, omdat de president hem respecteert...'
'En dat is maar goed ook,' riep Margaret Lowell uit.
'Volgens mij zou de Europese alliantie zonder hem uiteenvallen,' opperde Winters.
'Zonder hem zou er niet eens een alliantie zijn,' stemde Mandel in en op zijn normaal rustige gezicht was kwaadheid te lezen. 'Hij is een baken van redelijkheid in een zee van boerende Neanderthalers.'
'Mag ik even, meneer? Zou uw gebruik van het woord "baken" kunnen worden uitgelegd als een symbool?'
'Dat is logisch,' antwoordde Gideon Logan. 'Onze minister van Buitenlandse Zaken is zeer zeker een symbool van intelligente matiging. Het land respecteert hem ook.'
'Hij is van plan ontslag te nemen,' zei Varak eenvoudig.
'Wát?' Sundstrom schoot naar voren op zijn stoel. 'Zijn trouw aan Jennings zou dat niet toestaan.'
'Zijn gevoel van integriteit moet hem ervan weerhouden aan te blijven,' zei Winters nadrukkelijk.
'Maar omdat hij zo loyaal is,' verklaarde Varak, 'heeft hij erin toegestemd over drie weken de NAVO-conferentie over het Midden-Oosten in het VN-gebouw op Cyprus bij te wonen. Het is zowel een vertoon van eensgezindheid met de regering als een manier om de mensen van de president een plaatsvervanger te laten zoeken die acceptabel zal zijn voor het Congres. Daarna neemt hij ontslag "om dringende persoonlijke redenen" waarvan de voornaamste is zijn ergernis over de Nationale Veiligheidsraad die hem dwars blijft zitten.'
'Heeft hij het de president uitgelegd?' vroeg Lowell.
'Volgens mijn zegsman heeft hij dat nog niet,' antwoordde Varak. 'Zoals meneer Mandel al heeft gezegd is hij een redelijke man. Hij begrijpt dat het voor het land veel gemakkelijker en veel beter is één persoon te vervangen dan een complete raad van presidentiële raadslieden.'
'Tragisch,' zei Winters, 'maar onvermijdelijk, naar ik aanneem. Maar wat heeft de minister van Buitenlandse Zaken te maken

met Evan Kendrick? Ik zie het verband niet.'
'Dat ligt in het symbool zelf,' zei Eric Sundstrom. 'Hij moet het belang ervan begrijpen. Klopt dat, Milos?'
'Ja, meneer. Als Kendrick ervan overtuigd is dat het voor het land van het grootste belang is een sterke vice-president te hebben die door zowel vriend als vijand wordt gezien als een stem van de rede binnen een overheersend presidentschap – waar de minzame keizer vaak geen kleren aan heeft – en dat de wereld door hem weer opgelucht kan ademhalen, dan zal hij naar mijn mening opnieuw de moeilijke keuze maken en zich beschikbaar stellen.'
'Na alles wat we gehoord hebben neem ik aan dat hij dat zou doen,' stemde Gideon Logan in. 'Maar wie gaat hem daarvan overtuigen?'
'De enige man naar wie hij zal luisteren,' zei Milos Varak, en hij vroeg zich af of hij op het punt stond een doodvonnis te tekenen. 'Emmanuel Weingrass.'

Ann Mulcahy O'Reilly was als ervaren secretaresse niet gemakkelijk van haar stuk te brengen. Door de jaren heen, sinds ze met Paddy uit Boston was verhuisd, had ze gewerkt voor de slimmen en de minder slimmen, de ogenschijnlijk goeden en de dieven in de dop; niets verwonderde haar meer. Maar ze had dan ook nog nooit gewerkt voor iemand als congreslid Evan Kendrick. Hij was de kampioen onwillige staatsdienaar in Washington, haar meest volhoudend afkerige politicus en een eigenzinnig protesterende held. Hij kende meer manieren om te ontkomen aan het onontkoombare dan een kat met negen levens in het kwadraat en hij kon verdwijnen met de vaardigheid van de Onzichtbare Man. Maar ondanks die neiging van hem om onder te duiken liet de afgevaardigde altijd zijn verbindingslijnen open; hij belde ofwel vrij regelmatig of hij liet een nummer achter waar men hem kon bereiken. De laatste twee dagen had ze echter niets meer gehoord van Kendrick en ze wist niet waar ze hem moest bellen. Die twee feiten op zichzelf zouden mevrouw O'Reilly niet ongerust hebben gemaakt, maar twee andere deden dat wel: de hele dag door – vanaf twintig over negen die morgen – was noch het huis in Virginia, noch het huis in Colorado telefonisch te bereiken geweest. In beide gevallen meldden de telefonisten in Virginia en Colorado dat er een mankement was in de lijn en dat was om ze-

ven uur 's avonds nog steeds hetzelfde. Dat maakte Annie O'Reilly wél ongerust. Het was dus logisch dat ze de hoorn pakte en haar man belde op het hoofdbureau van politie.
'O'Reilly,' zei de rauwe stem. 'Recherche.'
'Paddy, met mij.'
'Hé, tijger. Krijg ik vanavond haché?'
'Ik ben nog op kantoor.'
'Goed. Ik moet met Evan spreken. Manny belde me een paar dagen geleden over een paar gekke autonummers...'
'Daar gaat het nou juist om,' onderbrak mevrouw O'Reilly hem. 'Ik wil ook met hem praten maar dat blijk ik niet te kunnen.' Annie vertelde haar man over het vreemde toeval dat beide telefoons van het congreslid, zowel in Virginia als in Colorado tegelijkertijd kapot waren en dat hij de afgelopen twee dagen geen contact met haar had gezocht en ook geen ander nummer had achtergelaten waar zij hem kon bereiken. 'En zo is hij niet, Paddy.'
'Bel de bewakingsdienst van het Congres,' zei de rechercheur vastberaden.
'Om de dooie dood niet. Als je de naam van die jongen maar tegen de Bewaking fluistert gaan er overal toeters en bellen af en jij weet hoe hij denkt over die bellen. Hij maakt me af als er geen héél behoorlijke verklaring voor is.'
'Wat wil je dan dat ik doe?'
'Kun je niet stiekem even gaan kijken in Fairfax, schat?'
'Natuurlijk. Ik zal Kearns in Arlington bellen en hem een radiowagen erheen laten sturen. Wat was het adres ook weer?'
'Nee, Paddy,' zei mevrouw O'Reilly haastig. 'Ik kan de bellen al horen. Dat is de politie.'
'Wat denk je verdomme wel dat ik voor de kost doe? Ballet?'
'Ik wil de politie er niet bij betrekken met al die rapporten en zo. De CIA heeft daar bewakers en ik zou behoorlijk in de knoei komen. Ik bedoelde jou, lieverd. Jij bent een vriend die toevallig in de buurt is die toevallig een politieman is die zijn vrouw een plezier doet die toevallig Kendricks secretaresse is.'
'Dat zijn een boel toevalligheden, tijger. Och, waarom ook niet? Ik hou nou eenmaal van haché.'
'Met extra aardappelen, Paddy.'
'En uien. Nog veel meer uien.'
'De grootste die ik kan vinden...'
'Ik ben al weg.'

'En, Paddy, als dat verlegen viooltje beide hoorns van de haak heeft liggen zeg hem dan maar dat ik op de hoogte ben van zijn vriendinnetje uit Egypte en dat ik het wel eens zou kunnen laten uitlekken als hij me niet belt.'
'Wat voor vriendinnetje uit...'
'Kop houden,' beval mevrouw O'Reilly. 'Manny liet dat gisteren vallen toen hij een tikkeltje aangeschoten was en die lievelingsjongen van hem ook al niet kon vinden. Schiet op nou. Ik wacht hier op je telefoontje.'
'Hoe zit het met mijn haché?'
'Ik heb er eentje in de diepvries,' loog de deerne die geboren was als Ann Mary Mulcahy.

Achtendertig minuten later, nadat hij twee keer een verkeerde weg was ingeslagen in het donkere landschap van Virginia, vond rechercheur eerste klasse O'Reilly de weg die naar Kendricks huis voerde. Het was een weg die hij precies vier keer had afgelegd maar nooit in het donker. Elke trip was gemaakt om de oude Weingrass op te zoeken nadat hij uit het ziekenhuis was ontslagen en om hem een vers ingeschonken fles met Listerine te brengen omdat zijn verpleegsters de Schotse whisky buiten zijn bereik hielden. Paddy had terecht bedacht dat als Manny, die zowat tachtig was en die op de operatietafel eigenlijk de geest had moeten geven, zich lichtelijk wilde bezatten, niemand dat een zonde zou kunnen noemen. Christus had in al zijn glorie water in wijn veranderd waarom zou dan een ellendige zondaar die O'Reilly heette niet een flesje mondwater veranderen in whisky? Ze waren beide bestemd voor goede christelijke doeleinden en hij volgde alleen maar een heilig voorbeeld.
Er stonden geen straatlantaarns langs de landweg en als Paddy zijn koplampen niet had gehad zou hij de stenen muur en de witte, gietijzeren poort niet eens hebben gezien. Toen begreep hij hoe dat kwam; er brandde in het huis erachter geen enkel licht. Als je niet beter wist zou je zeggen dat de zaak was afgesloten, verlaten en onbewoond terwijl de eigenaars weg waren. Maar de eigenaar was niet weg en zelfs wanneer dat wel het geval zou zijn, was er altijd nog dat Arabische echtpaar uit een plaats die Dubai heette die het huis openhielden, klaar voor de terugkeer van de eigenaar. Elke verandering in die normale gang van zaken zou zeker zijn doorgegeven aan Annie

O'Reilly, de secretaresse van de afgevaardigde. Paddy parkeerde de auto langs de berm van de weg; hij klapte het dashboardkastje open, haalde er een zaklantaarn uit en stapte uit. Instinctmatig voelde hij onder zijn colbertje naar de greep van zijn revolver in zijn schouderholster. Hij liep op de poort af en verwachtte elk moment dat de schijnwerpers aan zouden floepen of dat het gillende geluid van meer sirenes de stilte van de avond zou verscheuren. Zo werkte de CIA nu eenmaal, zo werkte hun totale bescherming.
Niets.
O'Reilly zwaaide langzaam met zijn arm door de spijlen van de witte poort. Niets. Toen legde hij zijn hand op de middenplaat tussen de twee poorthelften en duwde. Beide helften gingen open en nog steeds niets.
Hij liep naar binnen, duwde de duim van zijn linkerhand tegen het knopje van de lantaarn en stak zijn rechterhand onder zijn colbertje. Wat hij enkele tellen later zag in de rondzwaaiende straal deed hem zich omdraaien en zich bukken met zijn rug tegen de muur en zijn revolver uit de holster gerukt.
'Heilige Maria, moeder van God, vergeef me mijn zonden!' fluisterde hij.
Twee meter verderop lag het lijk van een jonge bewaker in een burgerpak van de CIA, alles boven zijn keel op een walgelijke manier onder het bloed, zijn hoofd bijna gescheiden van zijn romp. Hij was vertrouwd met de gewelddadige dood en daarom wist hij dat hij nog meer lijken zou vinden. Langzaam kwam hij overeind en begon verder te zoeken naar de dood, wetend dat de moordenaars verdwenen waren.
Hij vond nog drie lijken, alle drie verminkt, elk overvallen en van het leven beroofd, elk liggend in een hoek van negentig graden. Mijn god! Hij bukte zich en bekeek het lichaam van de vierde man; hij vond iets bijzonder vreemds. In de nek van de bewaker zat een afgebroken naald; het was het overblijfsel van een pijltje. De patrouille was door een verdovingsmiddel buiten gevecht gesteld en toen, zonder zich te kunnen verdedigen, op een afgrijselijke manier vermoord. Ze hadden er geen idee van wat er gebeurde. Niemand van hen had iets geweten.
Patrick O'Reilly liep langzaam en behoedzaam naar de voordeur van het huis, opnieuw in de wetenschap dat voorzichtigheid geen zin meer had. De afschuwelijke, verschrikkelijke mis-

daden waren verricht; wat overbleef was alleen het tellen van de slachtoffers.
Er waren er zes. Elke keel was afgesneden, elk lijk was bedekt met geronnen bloed, elk gezicht was vertrokken. Maar het afgrijselijkst waren de naakte lijken van Kendricks echtpaar uit Dubai. De man lag boven op zijn vrouw in de coïtuspositie, beide rooddoordrenkte gezichten op elkaar gedrukt. En op de muur stonden met mensenbloed de woorden geschreven:
Dood aan Gods verraders! Dood aan de hoereerders van de grote satan!
Waar was *Kendrick? Lieve Moeder Maria!* Waar wás hij? O'Reilly rende het huis weer door, liep van de kelder naar de zolder en van kamer naar kamer, draaide elke lichtknop om die hij kon vinden totdat het hele landgoed baadde in het licht. De afgevaardigde was nergens te vinden! Paddy rende het huis uit via de aangebouwde garage, zag dat Evans Mercedes verdwenen was en de Cadillac was leeg. Hij begon opnieuw de tuin te doorzoeken en speurde elke meter bos en struikgewas af binnen het hek. Niets. Er waren nergens tekenen dat er gevochten was, geen gebroken takken, geen gaten in het hekwerk of krassen op de pas gebouwde stenen muur. Het laboratorium! De mensen van het laboratorium van het bureau zouden bewijsmateriaal vinden... néé! Hij dacht volgens politieprocedures en dit was geen zaak voor de politie – nog in geen honderd jaar! O'Reilly rende terug naar de witte gietijzeren poort die nu in een hel lichtschijnsel lag en spurtte naar zijn auto. Hij sprong erin, negeerde de radio en rukte de politiemobilofoon vanonder het dashboard uit. Hij draaide een nummer en besefte pas op dat moment dat zijn gezicht en zijn hemd doordrenkt waren van het zweet, ondanks de koude avond.
'Kantoor van afgevaardigde Kendrick.'
'Annie, laat mij eerst praten,' zei de rechercheur haastig en zacht. 'En stel geen vragen...'
'Ik ken die toon van jou, Paddy, daarom moet ik één vraag stellen. Is alles goed met hem?'
'Hij is nergens te vinden. Zijn auto is weg; hij is er niet.'
'Maar anderen wel...'
'Geen vragen meer, tijger, maar ik heb er eentje voor jou, en ik hoop in godsnaam dat je er antwoord op kunt geven.'
'Wat wil je weten?'
'Wie is Evans contactman bij de CIA?'

'Hij heeft rechtstreeks met de eenheid te maken.'
'Néé. Iemand ánders. Hogerop. Er moet toch *iemand* zijn!'
'Wacht even!' riep Annie uit en haar stem klonk luider. 'Natuurlijk is er die. Hij praat alleen nooit over hem... een man die Payton heet. Ongeveer een maand geleden zei hij me dat ik hem direct moest doorverbinden als die Payton ooit belde, en als Evan er niet was moest ik hem gaan zoeken.'
'Je weet zeker dat hij bij de CIA is?'
'Ja, ja, dat weet ik zeker,' zei mevrouw O'Reilly nadenkend. 'Op een ochtend belde hij me vanuit Colorado en zei hij dat hij het nummer van die Payton moest hebben en hij vertelde waar ik het kon vinden in zijn bureau – in de onderste la onder een chequeboek. Het was een nummer op Langley.'
'Zou het daar nog liggen?'
'Ik zal even kijken. Wacht maar.' Het wachten, niet langer dan twintig seconden, was bijna onverdraaglijk voor de rechercheur en het werd nog erger gemaakt door het zicht op het grote, helder verlichte huis achter de poort. Het was zowel een uitnodiging als een doelwit. 'Paddy?'
'Já!'
'Ik heb het.'
'Geef het me gauw door!' Dat deed ze en O'Reilly gaf een bevel dat niet genegeerd mocht worden. 'Blijf op je kantoor tot ik je kom ophalen. Begrépen?'
'Is daar een reden voor?'
'Laten we zeggen dat ik niet weet wat voor vertakkingen deze zaak heeft, omlaag, omhoog of opzij en ik hou nou eenmaal van haché.'
'O, mijn god,' fluisterde Annie.
O'Reilly hoorde zijn vrouw niet meer; hij had de verbinding verbroken en zat enkele tellen later het nummer te draaien dat hij van Annie had gekregen. Na acht keer eindeloos overgaan kreeg hij een vrouwenstem aan de lijn. 'Centraal Inlichtingenbureau, kantoor van meneer Payton.'
'Bent u zijn secretaresse?'
'Nee, meneer, dit is de receptie. Meneer Payton is al naar huis.'
'Luister alstublieft naar me,' zei de rechercheur uit Washington volmaakt beheerst. 'Ik moet de heer Payton heel dringend onmiddellijk bereiken. Wat voor regels er ook zijn, ze kunnen worden verbroken, begrijpt u me? Het is een noodgeval.'
'Wilt u zich even identificeren, meneer?'

'Verrek, ik wil het niet maar ik zal het doen. Ik ben inspecteur Patrick O'Reilly, rechercheur eerste-klas, politiebureau District Columbia. U moet hem voor me opzoeken!'
Plotseling en verrassend kwam er een mannenstem aan de lijn.
'O'Reilly?' vroeg de man. 'Zoals O'Reilly, de secretaresse van een zeker congreslid?'
'Die is het, meneer. U beantwoordt die verdomde telefoon van u niet... neemt u mij die uitdrukking niet kwalijk.'
'Dit is een doorverbinding naar mijn flat, meneer O'Reilly. U kunt nu overschakelen, telefoniste.'
'Dank u, meneer.' Er klonk een klik door de telefoon.
'Ja, meneer O'Reilly? We zijn nu alleen.'
'Ik niet. Ik heb gezelschap van zes lijken, op dertig meter van mijn auto.'
'Wát?'
'U moet hierheen komen, meneer Payton. Kendricks huis. En als u geen koppen in de krant wilt hebben, haal dan alle aflossingsploegen terug die hierheen op weg zijn.'
'Dat is veilig,' zei de verbijsterde directeur van Speciale Projecten. 'De aflossing gebeurt om middernacht; door mensen die al in huis zijn.'
'Die zijn ook dood. Ze zijn allemaal dood.'

Mitchell Payton zat gehurkt bij het lijk van de bewaker het dichtst bij de poort en vertrok zijn gezicht in de straal van O'Reilly's lantaarn. 'Goeie god, hij was zo jong. Ze zijn allemaal zo jong.'
'*Waren,* meneer,' zei de rechercheur droog. 'Er leeft niemand meer, buiten niet en binnen niet. Ik heb de meeste lichten uitgedraaid maar ik zal wel met u meegaan natuurlijk.'
'Ik moet het zien... natuurlijk.'
'Maar ik doe het niet tenzij u mij vertelt waar afgevaardigde Kendrick is – als hij er al is, of dat hij verondersteld werd hier te zijn, wat zou betekenen dat hij er waarschijnlijk niet is. Ik kan en moet eigenlijk de politie in Fairfax bellen. Is dat duidelijk, meneer?'
'Overduidelijk, inspecteur. Voorlopig moet dit een probleem voor de CIA blijven – een catastrofe, als u wilt. Is ú dat duidelijk?'
'Geef antwoord op mijn vraag, anders moet ik mijn heilige plicht doen en het hoofdbureau in Fairfax bellen. Wáár is af-

gevaardigde Kendrick? Zijn auto is niet hier en ik wil weten of ik opgelucht mag zijn door dat feit of niet.'
'Als u nog enige opluchting kunt voelen onder deze omstandigheden, dan bent u een heel ongewone man...'
'Ik treur om deze mensen, deze vreemdelingen voor mij, zoals ik in mijn tijd om honderden van hen heb getreurd, maar ik kén Evan Kendrick! Als u dus die informatie hebt wil ik die nu meteen, anders ga ik naar mijn wagen en geef ik mijn rapport door aan de politie in Fairfax.'
'Schei in godsnaam uit met mij te bedreigen, inspecteur. Als u wilt weten waar Kendrick is vraag het dan aan uw vrouw!'
'Mijn vrouw?'
'De secretaresse van de afgevaardigde, als u het soms vergeten mocht zijn.'
'Stomme hansworst die je bent!' viel Paddy uit. 'Waarom denk je, verdomme, dat ik hier ben? Om een gelegenheidsbezoekje af te leggen bij mijn ouwe vriendje, de miljonair uit Colorado? Ik ben hier, hufter, omdat Annie in twee dagen al niets meer heeft gehoord van Evan, en omdat sinds vanmorgen negen uur noch zijn telefoon hier, noch die in Colorado overgaat. Zou je dat niet toevallig noemen?'
'Beide telefoons...' Payton keek met een ruk van zijn hoofd omhoog.
'Doe maar geen moeite,' zei O'Reilly toen hij zag waarnaar de directeur keek. 'De ene lijn is doorgesneden en heel vakkundig met de andere verbonden; de dikke kabel naar het dak is nog intact.'
'Goeie gód!'
'Naar mijn mening hebt u Zijn hulp nu direct nodig. *Kendrick,* waar zit hij verdomme?'
'Op de Bahama's. Nassau, op de Bahama's.'
'Waarom dacht u dat mijn vrouw, zijn secretaresse, dat wist. En u kunt maar beter een verrekt goede reden hebben om dat te denken, mooie meneer, want als dit een of ander spionnespelletje is om Annie Mulcahy te betrekken in een van jullie catastrofes, dan heb ik hier voordat je het weet meer blauwjassen rondlopen dan je ooit bij elkaar hebt gezien!'
'Ik dacht dat omdat hij het me gezegd heeft, inspecteur O'Reilly,' zei Payton met kille stem en starende ogen, terwijl zijn gedachten kennelijk razend dooreenmaalden.
'Hij heeft het haar nooit gezegd!'

'Kennelijk niet,' stemde de CIA-directeur in en hij staarde naar het huis. 'Maar hij was heel duidelijk. Eergisteren zei hij dat hij op weg naar het vliegveld even langs zou gaan op zijn kantoor om het tegen zijn secretaresse, Ann O'Reilly te zeggen. Hij is er langs gegaan; de volgwagen heeft het bevestigd.'
'Hoe laat was dat?'
'Rond half vijf, als ik me het logboek van de volgwagen goed herinner.'
'Woensdag?'
'Ja.'
'Toen was Annie er niet. Elke woensdag gaat ze om vier uur weg en dat weet Kendrick. Het is die stomme aerobics-les van haar!'
'Dat is hij kennelijk vergeten.'
'Niet waarschijnlijk. Kom even mee, meneer.'
'Pardon?'
'Naar mijn auto.'
'We hebben hier werk te doen, inspecteur en ik moet verschillende mensen bellen – vanuit míjn auto. Alleen.'
'U doet geen sodemieter tot ik gesproken heb met de secretaresse van afgevaardigde Kendrick.' Vijfenzestig seconden later, terwijl Payton naast het geopende portier stond, klonk de stem van Patrick O'Reilly's vrouw over de mobilofoon.
'Kantoor van...'
'Annie,' onderbrak haar man haar. 'Wie was er op jouw kantoor, toen je daar woensdagmiddag bent weggegaan?'
'Alleen Phil Tobias. Er is tegenwoordig weinig te doen; de meisjes waren al eerder weggegaan.'
'Phil wie?'
'Tobias. Hij is de eerste assistent van Evan en zijn vaatwasser.'
'Hij heeft niks tegen je gezegd, gisteren niet en vandaag niet? Ik bedoel dat hij Kendrick had gezien.'
'Hij is niet op komen dagen, Paddy. Hij is gisteren, noch vandaag op kantoor geweest. Ik heb een half dozijn boodschappen achtergelaten op zijn antwoordapparaat, maar ik heb niks van hem gehoord, die verwaande PR-kwast.'
'Ik spreek je later nog wel, tijger. Blijf waar je bent. Begrépen?'
O'Reilly legde de hoorn weer op, draaide zich om op de bank en keek op naar de man van de CIA. 'U hebt het gehoord, meneer. Ik geloof dat u recht hebt op een verontschuldiging. Die krijgt u bij deze, meneer Payton.'

'Ik vraag geen verontschuldiging, inspecteur en ik hoef er geen te hebben. We hebben er vaak zo'n godvergeven rotzooi van gemaakt in Langley dat ik niemand kwalijk kan nemen dat hij me afblaft, wanneer hij denkt dat zijn vrouw bij een van onze blunders betrokken is.'
'Ik ben bang dat dat het was. ...Wie gaat er achter Tobias aan? U of ik?'
'Ik kan u geen volmacht geven, O'Reilly. De wet voorziet daarin niet en eerlijk gezegd zijn er voorzieningen die dat verbieden, maar ik kan om uw hulp vragen, en die heb ik verschrikkelijk hard nodig. Ik kan wat er vanavond is gebeurd in de doofpot stoppen op basis van de nationale veiligheid; u hoeft het niet te rapporteren. Maar waar het die Tobias betreft kan ik u alleen maar dringend iets vragen.'
'Waarnaar?' vroeg de rechercheur terwijl hij uitstapte en zacht het portier sloot.
'Om me op de hoogte te houden.'
'Dat hoeft u niet eens dringend te vragen...'
'Vóórdat er een officieel rapport de deur uitgaat,' voegde Payton eraan toe.
'Daarom moet u wel dringend vragen,' zei Paddy en hij keek de directeur aan. 'Om te beginnen kan ik niks garanderen. Als hij in Zwitserland wordt gezien of komt bovendrijven in de Potomac, kan ik dat niet altijd weten.'
'We denken duidelijk aan hetzelfde. Maar u hebt, wat ze noemen, de nodige armslag, inspecteur. U moet me maar niet kwalijk nemen maar ik moest alles weten over iedereen in Evan Kendricks omgeving. Het politiekorps van Washington heeft u praktisch omgekocht om twaalf jaar geleden vanuit Boston daarheen te komen...'
'Salaris volgens rang, niks onderhands.'
'Salaris volgens een rang die zowat gelijk staat met die van hoofdinspecteur, een post die u vier jaar geleden weigerde omdat u geen zin had in het werk.'
'Goeie genade...'
'We moesten heel gedegen te werk gaan. ...En aangezien uw vrouw voor de afgevaardigde werkt geloof ik dat een man in uw positie erop kan staan ingelicht te worden als en wanneer er iets met betrekking tot Phillip Tobias bekend wordt, omdat die man ook werkt, of werkte, in het kantoor van Kendrick.'
'Ik geloof wel dat dat zou kunnen, vooruit dan maar. Maar

dat brengt me op een paar vragen.'
'Ga gerust uw gang. Elke vraag die u hebt kan mij helpen.'
'Waarom is Evan op de Bahama's?'
'Ik heb hen daarheen gestuurd.'
'Hén? De Egyptische vrouw? ...De oude Weingrass vertelde het tegen mijn vrouw.'
'Zij werkt voor ons; ze was ook in Oman. Er is een man in Nassau die stroman was voor een maatschappij waarmee Kendrick jaren geleden kort was geassocieerd. Hij is niet bijzonder respectabel en dat was de maatschappij ook niet, maar we vonden het de moeite waard om na te trekken.'
'Met welk doel?'
De directeur van Speciale Projecten keek over het dak van de auto naar Evan Kendricks huis, naar de nu zwak verlichte vensters en naar wat daarachter lag. 'Dat komt allemaal later wel, O'Reilly. Ik zal niets achterhouden, dat beloof ik. Maar als ik u zo hoor praten ligt er werk op me te wachten. Ik moet de doodshemdenploeg bereiken en dat kan ik alleen vanuit mijn wagen.'
'De *doodshemdenploeg?* Wat is dat nou weer?'
'Een groep mannen tot wie we geen van beiden zouden willen behoren. Zij ruimen lijken op en hoeven daar nooit getuigenis over af te leggen, ze onderzoeken in het laboratorium bewijsmateriaal waarvan ze gezworen hebben het nooit bekend te zullen maken. Ze zijn onmisbaar en ik heb respect voor ieder van hen, maar ik zou niet tot die ploeg willen horen.'
Plotseling weerklonk het ratelende, doordringende geluid van de mobilofoon van de rechercheur. Ze stond ingesteld op *Noodsituatie* en het geluid weergalmde door het koude, stille donker, weerkaatste van de stenen muur en de echo weerklonk steeds verder in de bossen erachter. O'Reilly rukte het portier open en graaide de hoorn naar zijn oor. 'Já?'
'O, jézus, Paddy!' gilde Ann Mulcahy O'Reilly en het geluid klonk nog harder door de versterker. 'Ze hebben hem gevónden! Ze hebben Phil gevonden! Hij lag onder de ketels in de kelder. Goeie gód, Paddy! Ze zeggen dat zijn keel is doorgesneden! Jezus, Maria, Josef, hij is dóód, Paddy!'
'Wanneer je zegt "ze", wie bedoel je dan precies, tijger?'
'Harry en Sam van de nachtploeg – ze hebben me net gebeld, ze zijn doodsbenauwd en zeiden me dat ik de politie moest bellen!'

'Dat heb je net gedaan, Annie. Zeg dat ze blijven waar ze zijn. Ze mogen niks aanraken en niks zeggen tot ik daar ben! Begrepen?'
'Niks zéggen...?'
'Het is een geheime zaak, ik zal het later wel uitleggen. Nu moet je C-Bewaking bellen en vijf man met geweren laten komen die zich buiten het kantoor moeten opstellen. Zeg maar dat je man een politiefunctionaris is en dat hij dat verzoek heeft gedaan wegens persoonlijke dreigementen tegen hem. Begrépen?'
'Ja, Paddy,' antwoordde mevrouw O'Reilly in tranen. 'O, lieve god, hij is dóód!'
De rechercheur draaide zich met een ruk om op de bank. De CIA-directeur rende naar zijn auto.

28

Het was zeventien minuten over vier in de middag, lokale tijd Colorado, en het geduld van Emmanuel Weingrass was ten einde. Het was bijna elf uur in de ochtend geweest toen hij persoonlijk had ontdekt dat de telefoon het niet meer deed, waarna hij er bovendien achterkwam dat twee van de verpleegsters het al een paar uur eerder wisten toen ze geprobeerd hadden te telefoneren. Een van de meisjes was naar Mesa Verde gereden om vanuit de kruidenierszaak te bellen en de storing door te geven; ze kwam terug met de verzekering dat het probleem zo snel mogelijk verholpen zou worden. Dat 'mogelijk' duurde nu al meer dan vijf uur en voor Manny was zoiets onaanvaardbaar. Een beroemd congreslid – bovendien nog een nationale held ook – verdiende een veel betere behandeling; het was een belediging die Weingrass niet van plan was te slikken. En ofschoon hij er niets van had gezegd tegen zijn heksenkring voelde hij zich er niet gerust onder – heel erg ongerust eigenlijk.
'Luister goed, jullie waarzegsters van de vrijheer van Cawdor!' schreeuwde hij uit volle borst op de door glas ingesloten veranda tegen de twee verpleegsters die aan het kaarten waren.
'Waar heb je het nu in hemelsnaam weer over, Manny?' vroeg de derde vanuit een stoel bij de boogvormige doorgang naar de kamer en ze liet haar krant zakken.

'Macbeth, analfabeet. Ik ga op mijn strepen staan!'
'Je strepen is zowat het enige waarop jij nog kunt staan, Methusalem. ... *Uit!*'
'Wat weet jij toch weinig over de bijbel, juffrouw Wijsneus. Ik verdom het nog langer buiten bereik van de buitenwereld te blijven. Eén van jullie rijdt me ofwel naar het dorp waar ik de president van die *meschogge* telefoonmaatschappij ga bellen, of ik pies de hele keuken onder.'
'Dan kom je eerst wel in een dwangbuis terecht,' zei een van de kaartspelende meisjes.
'Wacht 's even,' opperde haar partner. 'Hij kan de afgevaardigde bellen en die kan dan de zaak onder druk zetten. Ik moet écht Frank zien te bereiken. Die komt morgen hierheen vliegen – dat heb ik verteld – en ik heb nog geen kamer kunnen reserveren in het motel in Cortez.'
'Ik ben ervoor,' zei de verpleegster in de woonkamer. 'Hij kan bellen vanuit de winkel van Abe Hawkins.'
'Ik wist wel dat seks toch nog een rol speelde bij jullie, schatten,' zei Manny. 'Maar we gaan bellen via de telefoon in GéGé's kantoor. Ik vertrouw niemand die Abraham heet. Hij heeft waarschijnlijk wapens verkocht aan de Ayatollah en vergeten winst te maken. ...Ik ga even een trui en mijn jasje halen.'
'Ik zal wel rijden,' bood de verpleegster in de woonkamer aan; ze liet de krant naast haar stoel vallen en stond op. 'Trek een overjas aan, Manny. Het is koud en er staat een felle wind van de bergen.'
Weingrass mompelde een beleefd scheldwoord toen hij de vrouw voorbijliep op weg naar zijn slaapkamer in de zuidelijke vleugel van de benedenverdieping. Toen niemand hem meer kon zien in de stenen gang versnelde hij zijn pas; hij moest meer ophalen dan zijn trui. In zijn grote kamer die hij zelf had verbouwd zodat er nu glazen schuifdeuren toegang gaven tot een terras van flagstones, liep hij snel naar de hoge ladenkast, pakte een stoel vanachter zijn bureau en sleepte die naar het hoge meubelstuk. Hij hield zich voorzichtig vast aan de knoppen, klom op de stoel, stak zijn hand over de met krullen versierde bovenrand van het imposante meubel en haalde een schoenendoos te voorschijn. Hij liet zich weer op de vloer zakken, droeg de doos naar het bed en deed hem open, zodat er een .38 automatisch pistool zichtbaar werd en drie magazijnen met patronen.

Het verbergen was noodzakelijk. Evan had opdracht gegeven dat zijn kast met jachtgeweren op slot moest blijven en dat alle munitie eruit verwijderd moest worden en er waren in huis geen handwapens toegestaan. De reden was voor beide mannen te pijnlijk geweest om hardop uit te spreken: Kendrick dacht vrij logisch dat zijn oude vriend zich van het leven zou beroven wanneer hij dacht dat de kanker was teruggekeerd. Maar voor Emmanuel Weingrass was het leven een gruwel als hij geen wapen had, na het leven dat hij had geleid. Gé-Gé Gonzalez had iets aan die situatie gedaan en Manny had maar één keer de gewerenkast opengebroken en dat was toen de pers hen had overvallen en overal de tuin had volgepiest.
Hij klapte een magazijn in de handgreep, stak de andere twee in zijn zak en droeg de stoel terug naar het bureau. Hij liep naar zijn kleerkast, pakte een lange, dik gebreide trui van de plank en trok die aan; de bulten in zijn zakken werden er afdoende onder verborgen. Toen deed hij iets wat hij nog nooit had gedaan sinds de kamer was omgebouwd, zelfs niet toen de verslaggevers en de televisieploegen op hem waren neergestreken. Hij inspecteerde het slot van de schuifdeuren, liep naar een rode schakelaar achter de gordijnen en zette het alarm aan. Hij liep de slaapkamer uit, deed de deur dicht en voegde zich bij de verpleegster in de voorhal; zij had zijn overjas bij zich.
'Da's een leuke trui, Manny.'
'In de uitverkoop gekocht bij een *après-ski* winkel in Monte Carlo.'
'Moet je nu altijd mensen voor de gek houden?'
'Ik maak geen grapjes, het is echt waar.'
'Hier, trek je jas aan.'
'Ik zie eruit als een Hasidim in dat ding.'
'Een wat?'
'Heidi tussen de edelweiss.'
'O nee, volgens mij is het een heel mannelijke jas...'
'Oy, laten we opstappen.' Weingrass liep naar de deur en bleef toen staan. *'Meiden!'* riep hij uit zodat zijn stem tot de veranda reikte.
'Ja, Manny?'
'Wát?'
'Luister alsjeblieft naar me, dames, ik meen het. Ik zou me veel meer op mijn gemak voelen nu de telefoon het niet doet, als jullie alsjeblieft de alarminstallatie zouden aanzetten. Geef me

mijn zin maar, lievelingen. Ik besef dat ik voor jullie een dwaze ouwe vent ben, maar ik zou me echt lekkerder voelen als jullie dat voor me wilden doen.'
'Wat aardig van hem...'
'Natuurlijk doen we dat, Manny.'
Dat onderdanige gezeik doet het altijd, dacht Weingrass en hij liep weer naar de deur. 'Kom op, opschieten,' zei hij tegen de verpleegster, die zich met moeite in haar parka hees. 'Ik wil bij Gé-Gé zijn voordat die telefoonmaatschappij voor de rest van de maand dichtgaat.'
De wind vanaf de bergen was inderdaad fel; het hele stuk vanaf de zware voordeur tot aan Kendricks Saab Turbo halverwege de cirkelvormige oprit moesten ze afleggen tegen de vlagen ingeleund. Manny hield zijn linkerhand voor zijn gezicht en wendde zijn hoofd naar rechts, toen ineens de wind en zijn ongemak niet meer meetelden. Eerst dacht hij dat de ronddwarrelende bladeren en de nu en dan opwaaiende stofvlagen zijn zicht dat toch al niet meer zo goed was vertroebelden – en toen wist hij zeker dat dat niet het geval was. Er bewoog zich iets, er bewoog zich een méns achter de hoge heggen die langs de weg groeiden. Een gedaante was naar rechts gerend en had zich achter een bijzonder dicht gedeelte van het struikgewas op de grond geworpen. ...Toen nog een! Deze kwam achter de eerste aan en liep verder door.
'Alles goed met je, Manny?' schreeuwde de verpleegster toen ze de auto naderden.
'Dit is kleuterschoolwerk vergeleken met de passen in de Maritieme Alpen!' schreeuwde Weingrass terug. 'Instappen! Opschieten!'
'O, wat zou ik toch graag de Alpen eens zien!'
'Ik ook,' mompelde Weingrass terwijl hij in de Saab stapte en zijn rechterhand onopvallend onder de overjas en de trui stak om zijn pistool te pakken. Hij trok het uit zijn zak en liet het zakken tussen de voorbank en het portier terwijl de verpleegster het sleuteltje in het slot stak en de motor startte. 'Wanneer je op de weg komt moet je naar links draaien,' zei hij.
'Nee, Manny, dat heb je verkeerd. De snelste weg naar Mesa Verde is naar rechts.'
'Dat weet ik, honnepon, maar toch wil ik dat je linksaf slaat.'
'Manny, als jij op jouw leeftijd soms iets wilt gaan proberen, dan word ik woedend!'

'Sla nou maar linksaf, rijd tot voorbij de bocht en stop dan.'
'Menéér Weingrass, als u misschien ook maar éven denkt...'
'Ik ga uitstappen,' viel de oude architect haar zacht in de rede. 'Ik wil je niet ongerust maken en ik zal straks alles wel uitleggen, maar nú ga je precies doen wat ik je zeg ...*Alsjeblieft.* Rij nou maar.' De stomverbaasde verpleegster verstond Manny's zacht uitgesproken woorden niet maar ze begreep de blik in zijn ogen. Dit was geen toneelspel, geen bombast; hij gaf haar gewoon een bevel. 'Dank je,' vervolgde hij toen ze tussen de beide hoge heggen linksaf sloeg. 'Ik wil dat je de weg via Mancos naar Verde neemt...'
'Dat is minstens tien minuten om...'
'Dat weet ik, maar ik wil dat je dat doet. Ga direct naar Gé-Gé, zo snel je kunt en zeg hem dat hij de politie moet bellen...'
'Manny!' riep de verpleegster uit terwijl ze het stuurwiel omklemde.
'Ik weet zeker dat het niks te betekenen heeft,' zei Weingrass snel en geruststellend. 'Waarschijnlijk alleen maar iemand die autopech heeft of een wandelaar die verdwaald is. Toch vind ik het maar beter die zaken even te onderzoeken, vind je zelf ook niet?'
'Ik weet niet wát ik moet denken, maar ik laat jou in geen geval uitstappen!'
'Jawel, ik denk van wel,' wierp Manny tegen en hij hief nonchalant het pistool op alsof hij de trekker bekeek, helemaal niets dreigends bedoelde.
'Lieve gód!' gilde de verpleegster.
'Mij kan niks overkomen, schat, want ik ben een voorzichtig man, op het laffe af. Stop hier, alsjeblieft.' De vrouw die bijna in paniek raakte deed wat haar werd gezegd en haar verschrikte ogen gingen snel op en neer tussen het wapen en het gezicht van de oude man. 'Dank je,' zei Weingrass; hij opende het portier en het gebulder van de wind klonk ineens veel harder. 'Waarschijnlijk vind ik een onschadelijke bezoeker die binnen koffie zit te drinken met de meiden,' voegde hij eraan toe. Hij stapte uit en sloot het portier door het dicht te drukken. Met slippende wielen schoot de Saab weg. Geeft niet, dacht Manny, door de windvlagen kunnen ze toch niks horen.
Door diezelfde wind waren ook alle geluiden onhoorbaar die hij maakte toen hij terugliep naar het huis, onvermijdelijke geluiden omdat hij op de berm van de weg uit het zicht bleef en

krakend over afgevallen takken liep aan de rand van het bos. Hij was even dankbaar voor de voortjagende donkere wolken boven zijn hoofd als hij was voor de donkere overjas; door beide had hij uiterst weinig kans te worden gezien. Vijf minuten later en een paar meter dieper in het bos bleef hij staan bij een dikke boom, ergens midden tegenover de afscheiding van de heggen. Opnieuw beschermde hij zijn gezicht tegen de wind en hij keek met half dichtgeknepen ogen over de weg.

Ze waren er! En ze waren niet verdwaald. Hij had zich niet voor niets zo ongerust gevoeld. En in plaats van verdwaald te zijn leek het alsof de indringers wachtten – op iets of iemand. Beide mannen droegen leren jacks en zaten voor de heg gehurkt snel met elkaar praten. Moeizaam, alleen in gedachten nog jong maar niet in werkelijkheid, liet Manny zich op de grond zakken en begon op handen en voeten rond te kruipen, er niet zeker van wat hij zocht, maar wetend dat hij het moest vinden, wat het dan ook was.

Het was een dikke, zware tak die pas door de wind was afgerukt; de hars droop nog van de splinters waar de tak aan de boom had vastgezeten. Het stuk hout was zowat een meter lang; je kon ermee zwaaien. Langzaam, moeizamer en pijnlijker kwam de oude man overeind en hij zocht zich weer een weg naar de boom waar hij eerder had gestaan, schuin tegenover de twee indringers die op minder dan vijftig meter van hem vandaan zaten.

Het was een gokje, maar dat was de rest van zijn leven ook, en de kansen lagen een heel stuk beter dan bij roulette of *chemin de fer.* Het resultaat zou ook eerder bekend raken en de gokker in Emmanuel Weingrass was bereid een behoorlijke weddenschap af te sluiten dat een van de indringers zijn gezonde verstand zou gebruiken en zou blijven waar hij was. De oude architect liep dieper het bos in en koos zijn positie even zorgvuldig alsof hij een definitieve blauwdruk gereedmaakte voor de belangrijkste klant van zijn leven. Dat was hij ook; de klant was hijzelf. *Maak volledig gebruik van je natuurlijke omgeving,* dat was een axioma waaraan hij zich zijn hele beroepsleven had gehouden; hij volgde ook nu die regel op.

Er stonden twee populieren, beide dik en zowat twee meter van elkaar zodat ze vaag een bospoort vormden. Hij verborg zich achter de rechterstam, greep de zware tak vast en hief die op tot het uiteinde steunde tegen de bast boven zijn hoofd. De

wind huilde door de bomen en door de vele geluiden van het bos heen opende hij zijn mond en stootte een kort, monotoon gezang uit, éénderde menselijk, tweederde dierlijk. Hij hield zijn hoofd gespannen omhoog en wachtte af.
Tussen de stammen en het lagere struikgewas kon hij de geschrokken gedaanten aan de overkant van de weg zien. Beide mannen hadden zich in hun gehurkte positie omgedraaid, de rechter met zijn hand op de schouder van zijn metgezel, kennelijk – hópelijk, bad Manny – bevelen gevend. Dat was zo. De linker stond op, trok een pistool te voorschijn van onder zijn jack en liep naar het bos aan de overkant van de weg naar Mesa Verde.
Nu kwam alles aan op het kiezen van het juiste tijdstip. Het juiste tijdstip en de juiste richting voor de korte, verleidelijke geluiden die de prooi in de fatale zee van groen moesten lokken even zeker als de Sirenen Ulysses hadden gelokt. Nog twee keer stootte Weingrass de spookachtige geluiden uit, en toen voor een derde keer, nu zo duidelijk dat de indringer naar voren rende, takken voor zich uit opzij sloeg, zijn wapen opgeheven, zijn voeten afzettend in de aarde – in de richting van en ten slotte tussen de twee populieren.
Manny trok uit alle macht de dikke zware tak over zijn hoofd en ramde die omlaag en tegen het hoofd van de aanstormende man. Het gezicht werd verbrijzeld, overal welde bloed op, de schedel was één massa gebroken bot en kraakbeen. De man was dood. Buiten adem kwam Weingrass te voorschijn vanachter de boomstam en hij knielde.
De man was een Arabier.
De wind van de bergen bleef voortjagen. Manny trok het pistool uit de nog warme hand van het lijk en liep langzaam, nog moeizamer en met nog meer pijn, terug naar de weg. De metgezel van de dode indringer was bezig op een wilde manier zijn energie te verspillen; hij bleef zijn hoofd maar keren naar de weg van Mesa Verde en daarna naar zijn horloge. Het enige wat hij nog niet had gedaan was een wapen laten zien en dat zei Weingrass iets anders. De terrorist – en hij was zeker een terrorist; beiden waren terroristen – was ofwel een groentje of een gedegen beroepsman, niets daar tussenin.
Manny voelde het galmende gehamer in zijn zwakke borst en hij stond zichzelf enkele tellen toe om op adem te komen, maar heel even. Die gelegenheid kreeg hij misschien niet meer. Hij

trok verder naar het noorden, van boom naar boom, tot hij zo'n twintig meter van de bezorgde man af was die de andere kant op bleef kijken. Opnieuw een zaak van het juiste moment; Weingrass stak zo snel hij kon de weg over en bleef roerloos staan kijken. De moordenaar was nu bijna buiten zichzelf; twee keer begon hij de weg over te steken naar het bos, beide keren keerde hij terug naar de heg en bleef daar gehurkt naar zijn horloge zitten kijken. Manny liep langzaam naar voren, zijn pistool in zijn geaderde hand geklemd. Toen hij op drie meter van de terrorist af was begon hij te roepen.
'Jezzar!' brulde hij en hij noemde de man een slager in het Arabisch. 'Als je je beweegt ben je er geweest! *Fahem?*'
De donker gekleurde man draaide zich met een ruk om; zijn hand klauwde in de grond terwijl hij zich in de heg liet rollen en losse aarde vloog in het gezicht van de oude architect. Door het vliegend zand heen kon Weingrass zien waarom de terrorist geen wapen had laten zien; het lag op de grond naast hem, op centimeters van zijn hand. Manny liet zich naar links op de weg vallen en de man graaide de revolver, wierp zich achteruit, raakte verstrikt in doornige takken groen en vuurde twee keer; de knallen waren nauwelijks te horen! Het waren spookachtig gedempte kuchjes in de wind; op de revolver van de terrorist zat een geluiddemper. Maar de kogels waren allerminst gedempt; de ene vloog met het geluid van een zweepslag vlak boven het hoofd van Weingrass voorbij, de tweede ricocheerde op het beton bij zijn hoofd. Manny hief zijn pistool op en haalde de trekker over en ondanks zijn jaren was zijn hand vast door de rust van de ervaring. De terrorist schreeuwde boven het bulderen van de wind uit en viel voorover in de heg, met wijd open ogen en een stroompje bloed dat van onder uit zijn keel vloeide.
Opschieten, krakkemikkige ouwe rotzak! spoorde Weingrass zichzelf aan terwijl hij overeind krabbelde. *Ze zaten op iemand te wachten! Wil je soms een seniele lelijke eend zijn in een schiettent? Net goed als ze je voor je meschogge raap zouden schieten. Oh may! Elk bot doet me pijn!* Manny wankelde naar het lichaam dat vastzat in de heg. Hij bukte zich, trok het lijk naar voren, greep vervolgens de voeten van de man vast en sjorde, met vertrokken gezicht en elk greintje kracht gebruikend dat hij nog in zijn lijf had, het lichaam over de weg het bos in.
Hij wilde alleen maar gaan liggen en uitrusten, tot het hame-

ren in zijn borst ophield en hij weer lucht kon krijgen, maar hij wist dat hij dat niet kon doen. Hij moest in beweging blijven; hij moest klaar zijn; en boven alles moest hij zien iemand levend in handen te krijgen. Die mensen zaten achter zijn zóón aan! Hij moest inlichtingen krijgen... doden kon hij hen daarna altijd nog.

Hij hoorde het geluid van een motor in de verte... en toen verdween het. Verbaasd zette hij voorzichtig een aantal passen zijwaarts tussen de bomen door naar de rand van het bos en hij tuurde de weg af. Er kwam een auto aan uit de richting van Mesa Verde, maar hij stond ofwel stil met stationair draaiende motor of de motor was afgezet onder het rijden, of de wind maakte te veel lawaai. De wagen rééd, want nu was alleen het gezoef van de banden hoorbaar toen hij de hoge heg naderde, nauwelijks voortrolde en ten slotte stopte voor de eerste ingang naar de cirkelvormige oprit. Er zaten twee mannen in; de bestuurder, een gedrongen man, niet jong maar ook niet ver over de veertig, stapte als eerste uit en keek om zich heen, kennelijk verwachtend dat er iemand hem zou opwachten of dat hij een teken zou krijgen. Hij keek met bijna dichtgeknepen ogen het halfdonker van de namiddag in en toen hij niemand zag stak hij de weg over naar de boskant en begon vooruit te lopen. Weingrass stak het pistool in zijn broekriem en bukte zich om de revolver van de tweede moordenaar te pakken met de geperforeerde geluiddemper aan de loop. Het was te groot om in een zak te steken dus legde hij het voor zich neer net als de Arabier had gedaan. Hij kwam overeind en liep verder achteruit de bosjes in; hij had de cilinder van het wapen gecontroleerd. Er zaten nog vier patronen in. De man kwam dichterbij; hij stond nu vlak voor Manny.

'Yosef!' De naam kwam ineens op de wind aanwaaien, half uitgeroepen door de metgezel van de chauffeur, die uit de auto was gestapt en over de weg kwam aanrennen; zijn snelle passen werden iets vertraagd doordat hij duidelijk met zijn been trok. Manny stond perplex: Yosef was een Hebreeuwse naam, maar deze moordenaars waren geen Israëli's.

'Hou je kálm, jongen!' beval de oudere man nors in het Arabisch toen zijn partner buiten adem voor hem bleef staan. 'Als je nog eens zo hard roept – waar dan ook – stuur ik je terug naar de Baaka in een doodskist!'

Weingrass keek en luisterde naar de twee mannen die op min-

der dan zeven meter van hem vandaan aan de rand van de weg stonden. Hij was een beetje verbaasd maar begreep nu het gebruik van het Arabische woord *walad,* of 'jongen'. De metgezel van de bestuurder was inderdaad een jongen, van nauwelijks zestien of zeventien.
'Jij stuurt mij nergens heen!' antwoordde de jongeman kwaad; hij had duidelijk een spraakgebrek, waarschijnlijk een hazelip. 'Ik zal nooit meer behoorlijk kunnen lopen door dat zwijn! Als hij er niet was geweest was ik een grote martelaar geworden voor onze heilige zaak!'
'Stil maar, stil maar,' zei de oude Arabier met een Hebreeuwse naam, en zijn stem klonk wat vriendelijker. 'Gooi maar wat koud water over je nek anders ontploft je kop nog. Wat is er?'
'De Amerikaanse radio! Ik heb het net gehoord en ik versta voldoende om... het te begrijpen!'
'Onze mensen in het ándere huis?'
'Nee, iets heel anders. De jóden! Ze hebben de oude Khouri terechtgesteld. Ze hebben hem opgehangen!'
'Wat verwachtte je dan, Aman? Veertig jaar geleden werkte hij nog met de Duitse nazi's die nog over waren in Noord-Afrika. Hij vermoordde joden; hij heeft kibboetsen opgeblazen, zelfs een hotel in Haifa.'
'Dan moeten wij de moordenaar Begin doden en al die oude mensen van de Irgun en de Stern! Khouri was een symbool van heldenmoed voor ons...'
'Och, stil toch, jongen. Die oude mannen hebben meer tegen de Engelsen gevochten dan tegen ons. Zij, noch Khouri hebben iets te maken met wat wij vandaag moeten doen. We moeten een smerige politicus, die voorgaf een der onzen te zijn een lesje leren. Hij vermomde zich in onze kleren en gebruikte onze taal en verraadde de vriendschap die wij hem boden. Nú, jongen! Concentreer je op nú.'
'Waar zijn de anderen? Die zouden de weg opkomen.'
'Ik weet het niet. Misschien zijn ze iets te weten gekomen of hebben ze iets gezien en zijn ze het huis binnengegaan. Er worden nu lichten ontstoken; je kunt het zien door die hoge bosjes. Elk van ons moet langs een kant van die halfronde oprit naar voren kruipen. Kruip door het gras naar de ramen. We zullen waarschijnlijk merken dat onze makkers koffie zitten te drinken met wie daar ook is voordat ze hun de keel doorsnijden.'

Emmanuel Weingrass hief de revolver met de geluiddemper op, steunde die tegen de stam van een boom en bewoog hem heen en weer tussen de beide terroristen. Hij wilde hen beiden levend in handen hebben! De woorden in het Arabisch die doelden op het 'andere huis' hadden hem zo van streek gemaakt dat hij hen in zijn woede wel alletwee kon doden. Ze wilden zijn zóón doden! Als ze dat hadden gedaan zouden ze er zwaar voor boeten – in heftige pijn – of het nu een misleide jongen was of een oudere man. Afschuwelijke pijn was alles wat hen wachtte. Hij richtte het wapen op de bekkenstreek van beide moordenaars, heen en weer, heen en weer...
Hij schoot juist toen een plotselinge windvlaag over de weg dwarrelde, twee kogels in de oudere man, een in de jongen. Het leek of ze het geen van beiden goed begrepen. Het kind zakte gillend in elkaar, lag te kronkelen op de grond; zijn oudere megezel was sterker, veel sterker gebouwd. Hij kwam wankelend overeind, keerde zich naar de richting waaruit geschoten was en waggelde naar voren, de gedrongen romp een woedend beest in pijn.
'Kom niet dichterbij, Yosef!' schreeuwde Manny, dodelijk vermoeid en hij hield zich overeind aan de boom. 'Ik wil je niet doden, maar ik zal het wel doen! Jij met je Hebreeuwse naam die joden vermoordt!'
'Mijn moeder!' krijste de naderende reus. 'Zij heeft jullie allemaal afgezworen! Jullie zijn moordenaars van mijn volk! Jullie nemen alles af wat van ons is en jullie spúgen op ons! Ik ben een halfjood, maar wie zijn de jóden die mijn vader vermoordden en het hoofd van mijn moeder kaalschoren omdat ze van een Arabier hield? Ik neem je mee naar de hel!'
Weingrass hield zich vast aan de boomstam, zijn vingernagels bloedden toen hij ze in de bast klauwde, zijn lange overjas stond bol in de wind. De brede, donkere gedaante kwam wankelend te voorschijn uit het donkere bos en zijn enorme handen grepen de oude man bij de keel.
'Niet doen!' krijste Manny die onmiddellijk wist dat hij geen keuze meer had. Hij schoot de laatste patroon af en de kogel doorboorde het gefronste voorhoofd boven hem. Yosef viel achterover, zijn laatste gebaar was nog uitdagend geweest. Weingrass leunde trillend en naar adem snakkend tegen de boom en keek neer op het lichaam van een man die verscheurd was geweest door een onbetekenende territoriale afspraak die

mensen dwong elkaar af te maken. Op dat moment kwam Emmanuel Weingrass tot een conclusie die hem was ontgaan vanaf het moment dat hij kon denken; hij kende nu het antwoord. De arrogantie van een blind geloof was de oorzaak van alle leugenachtigheden van de menselijke rede. Het zette de ene mens wreed op tegen de andere, op zoek naar wat uiteindelijk beiden zou ontgaan. Wie had er het récht toe?

'Yosef... Yosef,' huilde de jongen die voortrolde door het struikgewas aan de kant van de weg. 'Waar ben je? Ik ben geraakt, ik ben geráákt!'

Het kind wist het niet, dacht Weingrass. Van waar de gewonde jongen lag te kronkelen kon hij niets zien en de wind van de bergen had verder het gedempte schot nog overstemd. De fanatieke jonge terrorist besefte niet dat zijn kameraad Yosef dood was, dat hij de enige overlevende was. En Manny kon aan niets anders denken dan hém in leven te houden; er mocht geen nieuwe martelaar meer zijn voor een heilige zaak, veroorzaakt door een zelfgekozen dood. Niet hier en niet nu; hij moest inlichtingen hebben, inlichtingen die het leven konden redden van Evan Kendrick. Vooríl nu!

Weingrass stak zijn hand met de bloedende vingers in de zak van zijn overjas en liet het wapen met de geluiddemper op de grond vallen. Hij verzamelde wat hij nog aan krachten had, duwde zich van de boomstam af en zocht zich zo snel hij kon een weg naar het zuiden door het bos, telkens opnieuw struikelend en met zijn tengere armen de takken wegduwend van zijn gezicht en zijn lijf. Hij liep de kant van de weg op; hij kwam op de weg en zag de auto van de moordenaars in de schemerige verte. Hij was ver genoeg doorgelopen. Hij draaide zich om en begon terug te lopen over het gelukkig egale oppervlak... sneller... sneller! *Beweeg die verdomde luciferhoutjes van benen nou! Die jongen mag zich niet bewegen, hij mag niet kruipen, hij mag niets zien!* Manny voelde het bloed naar zijn hoofd stijgen, het hameren in zijn ribbenkast was oorverdovend. Dáár had je de jonge Arabier! Hij hád zich bewogen – was zich aan het bewegen, bezig het bos in te kruipen. In enkele tellen zou hij zijn dode kameraad zien! Dat mocht niet gebeuren!

'Aman!' schreeuwde Weingrass buiten adem, toen hij zich de naam herinnerde die de halfjood, Yosef, had gebruikt, alsof het zijn eigen naam was. *'Ayn ent? Kaif el-ahwal?'* vervolgde

hij in het Arabisch, dringend vragend waar de jongen was en hoe het met hem was. *'Itkallem!'* brulde hij tegen de wind in en beval de jongen antwoord te geven.
'Hier, hier ben ik!' schreeuwde de Arabische tiener in zijn eigen taal. 'Ik ben geraakt! In de heup. Ik kan Yosef niet vinden!' De jongeman rolde zich op zijn rug in de verwachting een kameraad te zien. 'Wie ben jíj?' schreeuwde hij en hij deed moeite vanonder zijn jack zijn pistool te pakken toen Manny naderbij kwam. 'Ik kén jou niet!'
Weingrass trapte heftig tegen de elleboog van de jongen en toen de lege hand onder de stof te voorschijn schoot zette hij zijn voet erop en klemde hem zo tegen de borst van de jonge Arabier. 'Nou is het uit, stom kind dat je bent!' zei Manny en zijn Arabisch klonk als dat van een Saudisch officier die een groene recruut de les leest. 'We zijn niet van plan jullie in de rug te dekken zodat je ons nog méér last kunt veroorzaken. Natuurlijk ben je neergeschoten, en ik hoop dat je beseft dat je alleen maar gewond bent en niet gedood, wat heel gemakkelijk had kunnen gebeuren!'
'Wat zégt u toch allemaal?'
'Wat dóe jij toch allemaal?' schreeuwde Manny ten antwoord. 'Je rent de weg over, je loopt te roepen, je kruipt om ons doel heen als een dief in de nacht! Yosef had gelijk, ze hadden je terug moeten sturen naar de Baaka.'
'Yósef? Waar is Yosef?'
'Die is met de anderen in het huis. Kom ik zal je helpen. Dan gaan we naar hen toe.' Weingrass was bang dat hij om zou vallen, daarom hield hij zich vast aan de dunne tak van een boompje, terwijl de terrorist overeind kwam en Manny's hand vastgreep. 'Geef me eerst je wapen!'
'Wát?'
'Ze vinden dat je al stom genoeg bent geweest. Ze willen niet dat je gewapend bent.'
'Ik begríjp het niet...'
'Dat hoef je ook niet.' Weingrass sloeg de verbijsterde jonge fanatiekeling in het gezicht en schoof tegelijkertijd zijn rechterhand tussen de knopen van het jack van de jongen om het pistool van de jonge moordenaar te pakken. Het paste precies bij hem; het was een .22 kaliber wapen. 'Daarmee kun je op muggen schieten,' zei Manny en hij pakte de tiener bij zijn arm. 'Kom mee. Hink maar op één voet als dat gemakkelijker gaat.

We zullen je wel oplappen.'
Wat er nog over was van de late namiddagzon werd opgeslokt door de jagende donkere wolken van een opkomende storm vanuit de bergen. De volkomen lege, uitgeputte oude man en de gewonde jongen waren de weg half overgestoken toen ineens het brullen van een motor weerklonk en ze gevangen werden in de koplampen van een voortjagende auto. De wagen reed recht op hen af en kwam met vliegende vaart aanrijden uit het zuiden, van Mesa Verde. Met gillende banden slipte het krachtige voertuig opzij en kwam abrupt tot stilstand op slechts enkele meters van Weingrass en zijn gevangene die naar de heg wankelden terwijl Manny's hand het jack van de Arabier steviger vastgreep. Uit de grote donkere wagen kwam een man gesprongen terwijl Weingrass – wankelend en zwaaiend – in zijn overjaszak naar zijn eigen .38 pistool tastte. De oude architect zag de gedaante die op hem kwam afrennen maar vaag; hij hief zijn pistool op om te schieten.
'Manny!' schreeuwde Gé-Gé Gonzalez.
Weingrass viel op de grond en zijn hand greep nog steeds de gewonde terrorist vast. 'Pák hem!' beval hij Gé-Gé met wat leek het laatste restje adem in zijn longen. 'Laat hem niet los – hou zijn armen vast. Ze hebben soms cyaankali bij zich!'

De jonge Arabier kreeg een injectie van een van de twee verpleegsters; hij zou tot de volgende ochtend bewusteloos blijven. Zijn kogelwond bloedde erg maar was niet ernstig omdat de kogel geen botten had geraakt; ze werd schoongemaakt, de randen met een zwaluwstaartverband opeengehouden en het bloeden hield op. Vervolgens werd hij door Gonzalez naar een logeerkamer gedragen, zijn armen en benen werden vastgebonden aan de vier hoeken van het bed, waarna de verpleegsters zijn naakte lijf bedekten met twee dekens om een mogelijke shock te voorkomen.
'Hij is zo vreselijk jong,' zei de verpleegster die een kussen onder het hoofd van de Arabische tiener schoof.
'Hij is een moordenaar,' antwoordde Weingrass kil en hij staarde naar het gezicht van de terrorist. 'Hij zou moorden zonder maar even te denken aan het leven dat hij uitbluste – de manier waarop hij joden wil doden. De manier waarop hij ons zal doden als we hem laten leven.'
'Dat is walgelijk, meneer Weingrass,' zei de andere verpleeg-

ster. 'Hij is nog maar een kind.'
'Zeg dat maar eens tegen de ouders van godweet hoeveel joodse kinderen die nooit zo oud hebben mogen worden als hij.'
Manny verliet de kamer en voegde zich weer bij Gonzalez die haastig naar buiten was gegaan om zijn al te herkenbare auto in een garage te rijden; hij was terug en stond zich een glas whisky in te schenken aan de bar op de veranda.
'Ga je gang maar,' zei de architect toen hij de ingesloten veranda kwam binnenlopen, op weg naar zijn leren leunstoel. 'Ik zal het wel op je rekening zetten zoals je met mij doet.'
'Stomme ouwe vent!' snauwde Gé-Gé. '*Loco!* Jij bent helemaal *loco,* weet je dat? Je had wel dood kunnen zijn! *Muerto!* Jij *comprende? Muerto, muerto* – dood, dood, dóód, ouwe gek die je bent! Daar zou ik misschien nog mee kunnen leven, maar niet wanneer je me een hartaanval bezorgt! Ik leef niet zo best met een hartaanval wanneer die fataal is, jij *comprende,* je weet wat ik bedoel.'
'Oké, oké. Die borrel krijg je dan van mij...'
'Loco!' schreeuwde Gonzalez opnieuw en hij dronk zijn glas zo te zien in één teug leeg.
'Je hebt het nu goed duidelijk gemaakt,' stemde Manny in. 'Pak er nog eentje. Ik begin de derde pas te rekenen.'
'Ik weet niet of ik weg moet gaan of moet blijven!' zei Gé-Gé en hij schonk zich nog een glas in.
'De politie?'
'Zoals ik je al zei, wie had er nu tijd voor de politie? En als ik hen had gebeld waren ze pas over een maand gekomen! Jouw meisjes, die *ama de cría* – de verpleegster is hen aan het bellen. Ik hoop alleen maar dat ze een van die *payasos* thuis treft. Soms moet je Durango bellen om iemand deze kant uit te krijgen.'
De telefoon op de bar ging over – ze *ging over,* maar het was niet het geluid van een normale telefoonbel; het was een gestaag zoemen. Weingrass schrok zo dat hij bijna op de grond viel toen hij opstond uit zijn stoel.
'Zal ik 'm nemen?' vroeg Gonzalez.
'Néé!' brulde Manny en hij liep snel maar onzeker naar de bar. 'Ik heb nog wel oren aan mijn *cabeza.*'
'Hallo?' zei de oude man in de hoorn en hij dwong zich rustig te blijven.
'Meneer Weingrass?'

'Misschien wel, misschien niet. Wie bent u?'
'We zitten via laser op uw telefoonlijn. Mijn naam is Mitchell Payton...'
'Ik weet alles over u,' viel Manny hem in de rede. 'Is alles goed met mijn jongen?'
'Jawel. Ik heb net met hem gesproken op de Bahama's. Er is een militair vliegtuig van de luchtmachtbasis Holmstead onderweg om hem op te halen. Over een paar uur is hij in Washington.'
'Houd hem dáár! Laat hem bewaakt worden! Laat niemand in zijn buurt!'
'Het is dus bij u ook gebeurd? ...Ik voel me zo nutteloos, zo incompetent. Ik had bewakers moeten toewijzen. ...Hoeveel zijn er gedood?'
'Drie,' zei Manny.
'O, mijn god. Wat weet de politie ervan?'
'Niets. Ze zijn hier nog niet.'
'Ze zijn... Luister naar me, meneer Weingrass. Wat ik u ga zeggen zal u misschien vreemd, zo niet waanzinnig voorkomen, maar ik weet waarover ik praat. Voorlopig moet dit tragische incident geheim worden gehouden. We hebben een veel grotere kans de rotzakken te vangen door paniek te vermijden en onze eigen deskundigen aan het werk te zetten. Kúnt u dat begrijpen, meneer Weingrass?'
'Begrepen en geregeld,' antwoordde de oude man die met de Mossad had gewerkt en een zekere ongeduldige neerbuigendheid klonk door in zijn stem. 'De politie zal buiten worden opgevangen; we zeggen dat het een vals alarm was – een buurman die autopech had en die ons niet kon bereiken over de telefoon, meer niet.'
'Dat was ik vergeten,' zei de directeur van Speciale Projecten zacht. 'U hebt dit allemaal al eerder meegemaakt.'
'Ik heb het meegemaakt,' zei Manny instemmend en zonder commentaar.
'Wacht eens even!' riep Payton uit. 'U zei dat er drie dood waren maar u staat met mij te praten, alles is dus goed met u!'
'Die drie waren zij, niet wij, meneer CIA-Incompetent.'
'Wát? ...Goeie gód!'
'Die heeft niet veel geholpen. Probeert u Abraham maar eens.'
'Wilt u wat duidelijker spreken, meneer Weingrass?'
'Ik moest hen doden. Maar de vierde leeft nog en is bewuste-

loos. Zorg dat uw deskundigen hierheen komen voordat ik hem ook afmaak.'

29

De bureauchef van de CIA op de Bahama's, een kleine, gebruinde man met grove gelaatstrekken, vertrok haastig uit zijn kantoor in de ambassade in Queen Street. Een gewapend escorte was door de politie van Nassau naar het Cable Beach Hotel gestuurd, aan het strand van Bay Road, waar vier politiemannen in uniform snel een lange man met lichtbruin haar en een opvallende, olijfkleurige vrouw vanuit hun suite op de zesde verdieping begeleidden naar een wachtende auto op de efficiënt ontruimde oprit buiten de imposante marmeren lobby. De hoteldirecteur, een kwieke Schot die McLeod heette, had een route uitgezet door het dienstgedeelte van het hotel, waar zijn meest vertrouwde bewakingsmensen op wacht stonden, naar de helder verlichte ingang waarvoor twee enorme fonteinen hun stralen de donkere lucht inspoten. McLeods twee assistenten, een enorm opgewekte man met een bulderende lach en de onwaarschijnlijke naam Vernal, en een knappe jonge hostess, legden beleefd aan de aankomende en vertrekkende gasten uit dat ze niet lang hoefden te wachten. Hun verklaring klonk overtuigend terwijl de motoreenheid van vijf man de donkere tuin doorzocht. De bureauchef had overal persoonlijk de hand in; hij kon dingen voor elkaar krijgen. Hij kende iedereen die iets betekende op de Bahama's bij naam. En zij kenden hem. Zonder er over te praten.

Evan en Khalehla werden beschermd door een muur van politiemensen terwijl ze in de officiële auto stapten waar de CIA-man op de voorbank zat. Kendrick kon geen woord uitbrengen; Khalehla kon alleen zijn hand maar vastgrijpen en ze wist maar al te goed wat hij doormaakte. Helder denken kon hij niet meer; brandend verdriet en een ziedende woede hadden de plaats van zijn gedachten ingenomen. Er waren tranen in zijn ogen gesprongen toen men hem vertelde dat Kasji en Sabri Hassan dood waren; over de verminkingen hoefde men hem niets te vertellen, hij kon zich gemakkelijk de afgrijselijke bijzonderheden voorstellen wat die ook geweest waren. Maar die tranen waren snel en impulsief weggeveegd door een gebalde vuist. Er zou worden afgerekend, dat was ook te zien in zijn ogen, in het diepst van zijn pupillen. *Woede.*

'Zoals u zult begrijpen, afgevaardigde,' zei de bureauchef terwijl hij zich half omdraaide op de bank naast de bestuurder, 'weet ik niet wat er aan de hand is, maar ik kan u zeggen dat er een toestel van de luchtbasis Holmstead in Florida hierheen onderweg is om u naar Washington te brengen. Het moet hier aankomen zowat vijf of tien minuten nadat wij het vliegveld hebben bereikt.'

'Dat weten we,' zei Khalehla vriendelijk.

'Het had er al eerder moeten zijn maar ze zeiden dat het rotweer was voorbij Miami en er zit een aantal civiele vluchten op dezelfde route. Dat betekent waarschijnlijk dat die voor u zullen moeten wachten, meneer – ik bedoel voor u beiden, natuurlijk.'

'Dat is erg vriendelijk van hen,' zei de agente uit Caïro en ze kneep Evan in de hand om duidelijk te maken dat hij niet hoefde spreken.

'Als er misschien nog iets is wat u denkt in het hotel te hebben achtergelaten zullen we dat graag voor u verzorgen...'

'Er is niets,' riep Kendrick schor fluisterend uit.

'Hij bedoelt dat we alles hebben meegenomen, dank u,' zei Khalehla terwijl ze Evans hand tegen haar been trok en hem nog steviger vastpakte. 'Dit is duidelijk een noodsituatie en het congreslid heeft heel veel waaraan hij moet denken. Mag ik aannemen dat we niet meer langs de douane hoeven?'

'Deze optocht rijdt straks recht door de vrachtpoort,' antwoordde de ambtenaar; hij keek Kendrick heel even doordringend aan en keerde zich toen af alsof hij zonder het te willen de privé-sfeer van een ander had verstoord. De rest van de tocht werd zwijgend afgelegd tot de hoge poort van het vrachtgedeelte openzwaaide en de processie over de taxibaan voor de vliegtuigen naar het einde reed van de eerste landingsbaan. 'De F-106 van Holmstead kan elk moment landen,' zei de bureauchef.

'Ik ga uitstappen.' Evan pakte de houder vast en trok eraan. Het portier was op slot.

'Ik heb liever dat u dat niet doet, afgevaardigde Kendrick.'

'Laat me uit die wagen.'

'Evan, dit is zijn werk.' Khalehla hield zacht maar dringend Kendricks arm vast. 'Hij moet alles volgens het boekje doen.'

'Betekent dat dat hij me moet laten stikken?'
'Ik kan best ademhalen...'
'Jij bent mij niet!'
'Dat weet ik, lieverd. Dat kan op dit moment niemand zijn.'
Rasjad draaide haar hoofd opzij en keek door het achterraampje naar de stationsgebouwen en het terrein eromheen. 'We zijn van alles op de hoogte,' zei ze terwijl ze zich opnieuw naar de inlichtingenman keerde. 'Laat hem maar even lopen. Ik blijf wel bij hem en de mannen kunnen ook in de buurt blijven.'
' "Van alles op de hoogte"? Bent u een van ons?'
'Ja, maar dat bent u nu al weer vergeten, alstublieft. De vlucht naar Washington zal toch al niet zo gemakkelijk zijn.'
'Ga uw gang. Wij rooien het wel. De vent die de regels geschreven heeft is er toch niet. Hij zei alleen maar "Laat hem niet uit die wagen", op niet mis te verstane toon.'
'MJ kan nog wel eens lastig zijn.'
'MJ...? Kom op, we gaan wat frisse lucht happen. Open de portieren, alstublieft, chauffeur.'
'Dank je,' zei Evan zacht tegen Khalehla. 'En het spijt me écht...'
'Jij hoeft over niks spijt te hebben. Zet me alleen niet voor aap door je overhoop te laten schieten. Dat zou mijn hele dag verpesten. ...Nou heb ík spijt. Het is geen moment voor stomme geintjes.'
'Wacht eens even.' Kendrick begon het portier te openen en hield zich toen in met zijn gezicht op enkele centimeters van het hare in de schaduw. 'Even geleden zei je dat niemand op dit moment mij kon zijn en daar ben ik het mee eens. Maar dat betekende ook, ik ben verschrikkelijk blij dat jij jij bent. Op dit moment.'
Ze wandelden door een kortdurend miezerregentje en spraken zacht met elkaar, de CIA-functionaris op een discrete afstand achter hen, de bewakers aan weerszijden van hen met dreigend getrokken pistolen in de hand. Ineens kwam er vanaf het vrachtgedeelte een kleine donkere auto in vliegende vaart aanrijden, met gierende motor. De bewakers liepen op Khalehla en Evan af, duwden hen op de grond en de CIA-man wierp zich over Kendrick heen en trok Rasjad naast zich omlaag. De paniek was even snel voorbij als ze begonnen was. Er weerklonken snel achter elkaar de twee tonen van een speciale claxon; het

was een voertuig van het vliegveld. De leider van de motoreenheid stak zijn wapen in de holster en liep op de geüniformeerde man af die uit de kleine wagen stapte. Ze spraken zacht met elkaar en de politieman keerde terug naar de verbijsterde Amerikanen die bezig waren overeind te krabbelen.
'Er is een dringend telefoongesprek voor uw vriend, meneer,' zei hij tegen de bureauchef.
'Verbind het maar door met de auto.'
'Dat soort apparatuur hebben wij niet.'
'Daar laat ik het niet bij zitten.'
'Men zei me dat ik de letters MJ moest herhalen.'
'Laat dan maar zitten,' zei Khalehla. 'Ik ga wel met hem mee.'
'Hè, toe nou,' wierp de CIA-man tegen. 'Er zijn ook nog andere regels en die kent u net zo goed als ik. Het is een stuk gemakkelijker een man alleen te bewaken dan twee mensen. Ik ga wel mee en neem vier kerels mee. U blijft hier met de anderen en neemt de boel voor me waar, goed? Hier is het afgesproken punt en u zou best eens met een nerveuze piloot te maken kunnen krijgen die op zoek is naar een speciaal vrachtje, voornamelijk u.'
De telefoon zat vast aan de muur van een verlaten pakhuis. Het gesprek werd doorverbonden en de eerste woorden die Kendrick hoorde van Mitchell Payton deden bij hem elke spier in zijn lijf verkrampen en zijn hoofd gloeien.
'Je moet het ergste horen. Er is een aanval geweest op Mesa Verde...'
'O mijn god, néé!'
'Emmanuel Weingrass leeft nog! Hij lééft nog, Evan!'
'Is hij gewond?'
'Nee. Hij heeft zélf in feite de verwondingen toegebracht – mensen gedood. Een van de terroristen leeft nog...'
'Die is voor mij!' schreeuwde Kendrick.
'Ook voor ons. Onze mensen zijn op weg daarheen.'
'Mesa Verde was het reservedoel voor Fairfax, nietwaar?'
'Ongetwijfeld. Maar op dit moment is het ook onze enige hoop de anderen te kunnen vinden. Wat die overlevende ook weet zal hij ons vertellen.'
'Houd hem in leven.'
'Je vriend Weingrass heeft daar al voor gezorgd.'
'Fouilleer hem op cyaankali.'
'Is al gebeurd.'

'Hij mag geen moment alleen gelaten worden!'
'Dat weten we.'
'Natuurlijk weet je dat,' zei Evan; hij kneep zijn ogen dicht en zijn gelaat droop van het zweet en de regen. 'Ik denk niet na, ik kan niet meer denken. Hoe neemt Manny het op?'
'Om je de waarheid te zeggen behoorlijk arrogant.'
'Dat is het eerste fatsoenlijke nieuws dat ik heb gehoord.'
'Daar heb je recht op. Hij was werkelijk frappant voor een man van zijn leeftijd.'
'Hij is altijd frappant geweest... op elke leeftijd. Ik moet daar naar toe. Vergeet Washington maar. Laat me rechtstreeks naar Colorado vliegen.'
'Ik nam al aan dat je dat verzoek zou doen...'
'Het is geen verzoek, Mitch, het is een eis!'
'Natuurlijk. Het is ook de reden waarom je vliegtuig te laat is. De luchtmacht heeft voor brandstof gezorgd voor Denver en verder westelijk en ze hebben een vluchtplan ingediend boven de civiele routes. Het toestel heeft een maximumsnelheid van Mach twee punt drie. Je zult in minder dan drie uur thuis zijn, en denk erom, vertel niemand iets over Fairfax. Weingrass heeft de geheimhouding rond Mesa Verde al verzekerd.'
'Hoe dan?'
'Laat hij je dat maar vertellen.'
'Denk je echt dat je alles geheim kunt houden?'
'Dat zál ik, al moest ik naar de president zelf gaan en op dit punt geloof ik dat er niets anders opzit.'
'Hoe denk je voorbij de paleiswacht te komen?'
'Daar ben ik mee bezig. Er is een man bij met wie ik heb gestudeerd, jaren geleden toen ik nog geschiedkundige wilde worden. We hebben nu en dan nog wel eens contact gehad en hij heeft veel invloed. Ik denk dat de naam jou wel iets zegt. Ze luidt Winters, Samuel Winters...'
'*Winters?* Hij is die vent die tegen Jennings zei dat hij me de *Medal of Freedom* moest uitreiken tijdens die krankzinnige plechtigheid.'
'Dat herinnerde ik me. Daarom dacht ik ook aan hem. Goede reis en doe de groeten aan die nicht van me.'
Kendrick liep naar de deur van het pakhuis waar zijn politie-escorte stond, twee man binnen, twee buiten, hun wapens voor zich uit. Zelfs de bureauchef van de CIA, die er in het schemerige licht uitzag als een halve inboorling van de Bahama's, had

een kleine revolver in zijn hand. 'Hebben jullie die dingen altijd op zak?' vroeg Evan zonder veel belangstelling.
'Vraag het maar aan uw vriendin die van alles op de hoogte is,' antwoordde de inlichtingenman die gebaarde dat Kendrick naar buiten kon komen.
'Je méént het! Heeft zíj er zo eentje?'
'Vraag het haar maar.'
'Hoe heeft ze dan in Amerika in het vliegtuig kunnen komen? De metaaldetectoren daar en de douane aan deze kant?'
'Een van onze geheimpjes dat niet zo geheim is. Een bagage- of douane-inspecteur komt toevallig langs wanneer wij erdoor gaan en de verklikker wordt een paar tellen afgesloten, en bij de douane wordt een immigratie-inspecteur gewaarschuwd waar hij even niet moet zoeken.'
'Dat lijkt me vrij link,' zei Kendrick terwijl hij in de auto van het vliegveld stapte.
'Niet in plaatsen zo dicht bij Amerika. De inspecteurs werken niet alleen voor ons maar ze worden ook in de gaten gehouden. Verder van huis wacht onze apparatuur binnen de douanegrenzen op ons.' De bureauchef ging naast Evan op de achterbank van de kleine wagen zitten en de chauffeur reed snel naar de landingsbaan.
Het enorme, slanke militaire straalvliegtuig, dat bekend staat als de F-106 Delta Dart was aangekomen. De motoren draaiden stationair met een diep gebulder en Khalehla stond naast de metalen toegangstrap te praten met een luchtmachtofficier. Pas toen Kendrick de twee naderde herkende hij het vliegtuig dat hem aan boord zou nemen; het was niet direct een kalmerend gevoel. Het toestel was hetzelfde type als wat hem meer dan een jaar geleden naar Sardinië had gevlogen, de eerste etappe op zijn reis naar Masqat. Hij keerde zich naar de inlichtingenman die naast hem liep en stak zijn hand uit.
'Bedankt voor alles,' zei hij. 'Het spijt me dat ik geen aangenamer gezelschap ben geweest.'
'Al had u me in mijn gezicht gespuugd, afgevaardigde, dan was ik er nog trots op geweest u ontmoet te hebben.'
'Ik wilde dat ik kon zeggen dat ik zoiets apprecieer... hoe heet u eigenlijk?'
'Noem me maar Joe, meneer.'
'Noem me maar Joe.' Een jongeman in hetzelfde type vliegtuig had een jaar geleden gezegd 'Noem me maar Joe.' Lag er weer

een Oman, een Bahrein in zijn verschiet?

'Bedankt, Joe.'

'We zijn nog niet helemaal klaar, meneer Kendrick. Een van die luchtmachtjongens met de rang van kolonel of hoger moet een papier tekenen.'

De betreffende man die moest tekenen was geen kolonel, hij was een brigadegeneraal en hij was een neger. 'Hallo voor de tweede keer, dokter Axelrod,' zei de piloot van de F-106. 'Het ziet er naar uit dat ik uw privé-chauffeur ben.' De grote man stak zijn hand uit. 'Zo willen de jongens daarboven dat nu eenmaal.'

'Hallo, generaal.'

'Laten we één ding even rechtzetten, afgevaardigde. Ik zat er de laatste keer behoorlijk naast en u hebt me mijn vet gegeven en u had gelijk. Maar ik zal u nu vertellen, als ze me overplaatsen naar Colorado ben ik bereid zwart voor u te gaan werken – als u dat niet al te letterlijk opvat.'

'Bedankt, generaal,' zei Evan met een poging tot een glimlach. 'Maar ik heb daar geen medewerkers meer nodig, geen zwarte en geen blanke.'

'Dat zou dan verrekte jammer zijn. Ik heb naar u gekeken, naar u geluisterd. De manier waarop u vliegt bevalt me en dat is iets waarvan ik verstand heb.'

'Volgens mij moet u ergens een papier tekenen.'

'In Sardinië heb ik er nooit een gekregen,' zei de hoofdofficier terwijl hij een ontvangstbewijs aannam van de CIA-bureauchef. 'Weet je zeker dat je dit vodje papier zult accepteren van een verwaande nikker die bijna vijftig is in het pakje van een generaal, meneer Oude Stempel?'

'Hou je mond, *boy,* ik ben een halve Paiute Indiaan. Denk je soms dat jij het alleen moeilijk hebt?'

'Spijt me, jongen.' De luchtmachtofficier tekende en zijn vrachtje kon aan boord gaan.

'Wat is er gebeurd?' vroeg Khalehla toen ze gingen zitten. 'Waarom belde MJ?'

Met bevende handen en een stem die trilde toen alles goed tot hem doordrong, al het geweld en het feit dat Emmanuel Weingrass maar net aan de dood was ontsnapt, vertelde hij het haar. Er lag een gepijnigde hulpeloosheid zowel in zijn ogen als in zijn aarzelende, geschrokken korte verklarende zinnen. 'Verrék, het moet eens ophouden! Als het dat niet doet veroorzaak

ik de dood van iedereen die iets voor me betekent!' Ze kon slechts zijn hand vastpakken en laten weten dat ze naast hem zat. Ze kon niets doen tegen het onweer dat woedde in zijn hoofd. Het was te persoonlijk, te zielsverwoestend.
Toen ze een half uur onderweg waren kromp Evan in elkaar, sprong op uit zijn stoel en rende het tussenpad door naar het toilet. Hij kokhalsde en braakte alles uit wat hij de laatste twaalf uur had gegeten. Khalehla rende achter hem aan, hield hem vast, zei hem dat hij zich moest ontspannen.
'Alsjeblieft,' hoestte Kendrick. 'Ga hier alsjeblieft weg!'
'Waarom? Ben jij soms zo verschillend van de rest van ons? Je hebt verdriet maar je wilt niet huilen? Je kropt het allemaal op totdat er iets kapotspringt?'
'Ik ben niet zo gek op medelijden...'
'Dat krijg je ook niet. Je bent een volwassen man die een afschuwelijk verlies heeft geleden en bijna nog een groter had moeten dragen – voor jou het grootste. Ik hoop dat ik je vriend ben, Evan, en als vriend heb ik geen medelijden met je – daarvoor respecteer ik je te zeer – maar ik voel wel met je mee.'
Kendrick ging rechtop staan en trok wat papieren handdoeken uit de houder, bleek en duidelijk overstuur. 'Jij weet hoe je een vent een geweldig gevoel moet geven,' zei hij schuldig.
'Was je gezicht en kam je haren. Je ziet eruit als een vogelverschrikker.' Rasjad verliet het kleine hokje langs twee geüniformeerde en verschrikte bemanningsleden. 'Die stommeling heeft vis gegeten die niet goed meer was,' legde ze uit zonder een van beiden aan te kijken. 'Wil iemand van u alstublieft de deur sluiten?'
Een uur ging voorbij; er werden drankjes geserveerd door de messbedienden van de luchtmacht, gevolgd door een diner uit een magnetronoven. De inlichtingenagente uit Caïro smulde ervan maar het congreslid raakte het nauwelijks aan. 'Jij hebt eten nodig, beste man,' zei Khalehla. 'Dit is stukken beter dan wat je in een hotel te eten krijgt.'
'Smul er maar van.'
'Hoe zit het met jou? Je zit er wat in te roeren maar je eet niet.'
'Ik neem nog een borrel.'
Hun hoofden gingen met een ruk omhoog toen het doordringende geluid van een zoemer gemakkelijk uitklonk boven het bulderen van de motoren buiten de cabine. *Voor Evan was het*

een déjà vu; een jaar geleden had er een zoemer geklonken en moest hij in de cockpit komen. Maar nu liep de korporaal die de intercom aan de wand had opgenomen naar achteren en zei tegen Khalehla: 'Er is een radioboodschap voor u, juffrouw.'
'Dank u,' zei Rasjad; toen ze zich omdraaide zag ze Kendricks geschrokken ogen. 'Als het iets belangrijks was hadden ze jou wel gevraagd. Ontspan je nu maar.' Ze liep naar voren door het gangpad, zich vasthoudend aan de ver uiteenstaande stoelen om haar evenwicht te bewaren in de lichte turbulentie en ging in de stoel zitten voor de wand. Het bemanningslid overhandigde haar de telefoonhoorn; het spiraalsnoer reikte ver genoeg. Ze legde haar benen over elkaar en zei: 'Dit is Potlood Twee, Bahama's. Wie bent u?'
'We moeten onderhand eens van die onzin zien af te komen,' zei Mitchell Payton.
'Het werkt, MJ. Hoe zou jij hebben gereageerd als ik had gezegd: "Banaan Twee"?'
'Ik zou je vader hebben gebeld en gezegd dat je een stout meisje was.'
'Wij tellen niet mee. Wij kennen elkaar. Wat is er?'
'Ik wil niet met Evan praten, hij is te zeer in de war om helder te kunnen denken. Dat moet jij doen.'
'Ik zal het proberen. Wat heb je te vragen?'
'Ik wil jouw beoordeling. De informatie die jullie gekregen hebben van die vent die jullie gingen opzoeken van de vroegere Off Shore Investment mensen in Nassau – je bent ervan overtuigd dat hij betrouwbaar is, nietwaar?'
'Zijn inlichtingen wel, hij niet, maar hij zou het nog niet kunnen verbergen al loog hij om geld. Die man zit gewoon onder de alcohol en hij leeft zo'n beetje op wat er nog over is van zijn verstand en dat was waarschijnlijk een stuk scherper voordat hij zijn hersenen onder de gin heeft gezet. Evan liet hem tweeduizend contant zien en je kunt het geloven of niet, maar hij zou er de geheimen van de drugshandel voor hebben verraden.'
'Weet je nog precies wat hij zei over die vrouw, Ardis Montreaux?'
'Jazeker. Hij zei dat hij die geldhoer – zo noemde hij haar – in de gaten had gehouden, omdat hij nog geld van haar tegoed had en hij zou het vandaag of morgen wel eens gaan innen.'
'Ik bedoel haar echtelijke staat.'

'Natuurlijk herinner ik me dat nog, maar Evan heeft het je over de telefoon verteld, ik heb hem gehoord.'
'Vertel het me zelf maar. Er mogen geen fouten worden gemaakt.'
'Goed dan. Ze is gescheiden van een bankier die Frazier-Pyke heet en hertrouwd met een rijke man uit Californië, uit San Francisco, Von Lindemann.'
'Wist hij zeker dat het San Francisco was?'
'Eigenlijk niet. Hij zei "San Francisco of Los Angeles", geloof ik. Maar hij was heel beslist over Californië, daar ging het om. Haar nieuwe man was een Californiër en verschrikkelijk rijk.'
'En de naam – probeer het je precies te herinneren. Weet je zeker dat het *Von Lindemann* was?'
'Nou ja... ja. We hebben met hem gepraat in een zithoek in de Junkanoo en er was een steelband, maar já, zo luidde de naam. Of als het niet precies zo is, dan zeker heel erg erop lijkend.'
'Bingo!' riep Payton. 'Heel erg erop lijkend, meid. Ze is getrouwd met een man die *Vanvlanderen* heet, Andrew *Vanvlanderen,* uit Palm Springs.'
'Geef daarvan de schuld maar aan een mondvol gin.'
'We zijn al verder dan gin, agente Rasjad, Andrew Vanvlanderen is een van Langford Jennings' meest vooraanstaande geldschieters – en daaronder mag je verstaan de oorspronkelijke bron voor de schatkist van de president.'
'Dat is interessant.'
'O, we zijn al verder dan het interessante. Ardisoda Wojak Montreaux Frazier-Pyke Vanvlanderen, een algemeen bekende en duidelijk getalenteerde manager, is op het ogenblik de bureauchef van vice-president Orson Bollinger.'
'Dat is *fascinerend!*'
'Wat we nu, volgens mij, nodig hebben is een informeel maar toch ook heel officieel bezoek van een van onze specialisten uit het Midden-Oosten – jullie zitten in zuidwest-Colorado, nauwelijks een uur er vandaan. Ik heb jou uitgekozen.'
'Goeie god, MJ, op grond waarvan?'
'Er werden zogenaamd dreigementen geuit tegen Bollinger en er werd hem een eenheid van de FBI toegewezen. Ze hebben het stil gehouden – volgens mij te stil – en nu is de eenheid ineens teruggeroepen, de noodtoestand is voorbij zeggen ze.'
'Samenvallend met de aanvallen op Fairfax en Mesa Verde?' opperde Khalehla.

'Ik weet dat het krankzinnig klinkt, maar het is wel zo. Je mag het een kriebel noemen in de neus van een oude beroepsman, maar ik bespeur een geurtje van amateuristisch afval dat komt aanwaaien uit San Diego.'
'En het *Bureau* zou er bij betrokken zijn?' vroeg Rasjad verbaasd.
'Nee. Het wordt gebruikt. Ik ben bezig een aantal mensen van het bureau te ondervragen. Ik wil met elke man van die eenheid spreken.'
'Je hebt nog geen antwoord gegeven op mijn vraag. Waarom moet ik naar San Diego? Wij werken niet binnen Amerika.'
'Om dezelfde reden als waarom ik de eenheid aan het ondervragen ben. Wat betreft die dreigementen tegen Bollinger onderzoeken we de mogelijkheid dat er terroristen bij zijn betrokken. De hemel weet dat we elke rechtvaardiging hebben als we worden gedwongen de gebeurtenissen van vanavond bekend te maken. ...Ik weet niet waar het zit, lieverd, maar ergens in die waanzin ligt een verband – en een blonde man met een Europees accent.'
Khalehla keek de cabine door terwijl ze sprak. De twee bedienden zaten zacht te praten in hun stoelen en Evan staarde nietsziend uit het raampje. 'Ik zal het natuurlijk doen maar je maakt er mijn leven niet gemakkelijker door. Het is duidelijk dat die jongen van mij een affaire heeft gehad met die Vanvlanderen – niet dat het mij wat uitmaakt, maar het zit hem dwars.'
'Waarom? Ik vind dat een raar soort ethiek. Het was een hele tijd geleden.'
'Je ziet niet wat ik bedoel, MJ. Seks is de ethiek niet. Hij werd belazerd, verleid om op een haar na een internationale misdadiger te worden, en hij kan het niet vergeten of het zichzelf vergeven misschien.'
'Dan zal ik voorlopig je zorgen wat verlichten. Kendrick mag op dit moment niets weten over San Diego. God weet waartoe hij in zijn gemoedstoestand in staat is als hij ook maar iets vermoedde van zo'n verband, en we zitten er niet op te wachten dat hij amok gaat maken. Verzin maar iets over een dringende, zakelijke reis en doe dat overtuigend. Ik wil dat je die hele vreemde dame eens aan de tand gaat voelen. Ik zal morgen een draaiboek voor je laten maken.'
'Ik doe het.'

'Ik mag aannemen dat je je valse papieren uit Caïro hebt meegenomen?'
'Natuurlijk.'
'Misschien wil je die wel gebruiken. We bevinden ons op uiterst glad ijs. Overigens, niemand van onze mensen kent jou en jij kent hen ook niet. Als ik iets ontdek zal ik het op een of andere manier wel doorgeven via Weingrass in Colorado. ...Heel erg glad ijs.'
'Dat beseft zelfs Evan.'
'Mag ik eens vragen hoe de zaken tussen jullie staan? Ik waarschuw je dat ik hem verschrikkelijk graag mag.'
'Laat ik het zo zeggen. We hadden een prachtige suite met twee slaapkamers in het Cable Beach en afgelopen nacht kon ik hem in de zitkamer voor mijn deur tot vroeg in de morgen horen ijsberen. Ik was zowat naar buiten gelopen en had hem naar binnen getrokken.'
'Waarom heb je dat niet gedaan?'
'Omdat alles zo verwarrend voor ons is, het neemt hem zo helemaal in beslag – en nu vanavond is het zo afschuwelijk. Ik geloof dat noch ik, noch hij er nog persoonlijke verwikkelingen bij kunnen gebruiken.'
'De hemel zij dank dat we via een cryptofoon spreken. Volg je instincten maar, agente Rasjad. Je hebt ons goed gediend in Speciale Projecten. Morgen bel ik je wel met instructies. Goede jacht, lieve nicht.'
Khalehla liep terug naar haar zitplaats waar Evan bezorgd zat te kijken. 'De andere wereld draait door en ze is al even dodelijk, vrees ik,' zei ze terwijl ze haar stoelriem vastgespte. 'Dat was de bureauchef in Caïro. Twee van onze contacten in het district Sidi Barrani zijn verdwenen – het is een connectie met Libië. Ik heb hem gezegd waarop hij moet letten en achter wie hij moet aangaan. ...Hoe voel je je?'
'Gaat wel,' zei hij en hij keek haar aan.
'Onze geëerde passagiers en onze niet al te sjofele bemanning,' klonk de diepe luide stem van de generaal over de intercom vanuit de cockpit. *'We schijnen voorbestemd te zijn voor herhaling, dokter Axelrod. Weet u nog, dat "eiland in het zuiden"?'*
De piloot legde verder uit dat ze, om de opwinding – en de publiciteit – van het landen van een straaljager op de vliegvelden van Durango of Cortez te vermijden, instructies hadden gekregen rechtstreeks door te vliegen naar het landings-

terrein in Mesa Verde. De landingsbaan leek officieel toereikend *'maar onze landing zou wat ruw kunnen zijn, dus als ik waarschuw moet u uw riemen flink strak aantrekken. We verlaten nu de satellieten om te gaan dalen; aankomst geschat over drie kwartier – als ik dat verdomde gat kan vinden. ...Weet u nog, dokter?'*
Zoals de generaal veel te optimistisch had voorspeld trilde het vliegtuig bij het neerkomen bijna uit zijn voegen terwijl de cabine daverde van het oorverdovende gebulder van de afremmende motoren. Buiten op de grond werden dankwoorden gesproken, er werd afscheid genomen en de generaal leverde zijn speciale vrachtje af aan een agent van de CIA. Khalehla en Evan werden snel begeleid naar een gepantserde personenwagen die per vliegtuig vanuit Denver was overgebracht; hun motorescorte bestond uit een gewapende ploeg van zes man van de staatspolitie, die niet wisten waarom het kantoor van de gouverneur hun bevolen had naar dat afgelegen 'miljonairsvliegveldje' in de buurt van het Mesa Verde National Park te gaan.
'Laat ik u op de hoogte brengen, afgevaardigde,' zei de CIA-man, die net als zijn collega op de Bahama's op de voorbank naast de chauffeur zat. 'We zijn hier met z'n vijven, maar twee zullen er terugvliegen naar Virginia met de gevangene en de drie lijken. ...Ik vertel dat in details omdat men mij zei dat ik het kon doen waar de dame bij was, dat u officieel was, juffrouw.'
'Dank u voor uw vertrouwen,' zei de niet herkende agente voor Speciale Projecten.'
'Jawel, juffrouw. ...We hebben een half dozijn boswachters van het park in dienst genomen voor vannacht, ieders achtergrond is onderzocht, ieder van hen is een oud-strijder; zij zullen uw huis en de omgeving bewaken. Morgen komt er een eenheid van Langley om hun werk over te nemen.'
'Verrek, en als er nu eens hetzelfde gebeurt als in *Fairfax?*' fluisterde Evan.
Khalehla duwde haar elleboog in Kendricks zij en kuchte daarbij.
'Pardon?'
'Niets. Het spijt me. Gaat u door.'
'Nog een paar dingen – en ik wil u wel zeggen dat die ouwe joodse vent een lauwerkrans verdient, als iemand anders hem niet in een dwangbuis stopt tenminste – maar u moet beiden

de feiten weten, de dekmantel. Weingrass heeft het verzonnen voordat we hierheen gingen – Mózes, hij is me er eentje!'

'Dat is duidelijk en we zijn het ermee eens,' zei Kendrick. 'Wat zijn de feiten?'

'De verpleegsters weten heel weinig; die denken dat er maar één terrorist was, een fanatiekeling die onder de drugs zat bovendien. De drie lijken zijn in het bos verstopt tot de politie weg was en toen door uw Mexicaanse vriend Gonzalez naar de garage gedragen zonder dat de verpleegsters hem zagen. Ze zaten aan de andere kant van het huis op de veranda met Manny – verrek, hoe heeft hij me zover gekregen dat ik hem "Manny" noemde? Hoe dan ook, Gonzalez heeft de deuren van de garage afgesloten en is teruggereden naar zijn restaurant. Meneer Weingrass garandeert dat hij zijn mond zal houden.'

'Meneer Weingrass heeft gelijk,' bevestigde Evan.

'Ik ben niet dol op die regeling, maar ik mag aannemen dat u drieën al lang samenwerken.'

'Al heel lang,' zei Kendrick.

'De afgevaardigde mag dus niets zeggen over de omvang van de aanval,' onderbrak Khalehla hem. 'Dat bedoelt u toch?'

'Dat bedoel ik precies. Alles moet geheim gehouden worden, meneer Kendrick, zo luidt de opdracht van de hoge pieten in Langley. Voor wat iedereen hier betreft, wij zijn gewoon ambtenaren, geen CIA, geen FBI, geen legitimaties aangeboden en geen gevraagd. Ze zijn allemaal te bang om naar complicaties te gaan zoeken, dat is meestal het geval in zulke situaties. Vannacht om ongeveer drie uur komt er een vliegtuig. De gevangene en zijn dode vrienden zullen worden meegenomen naar Virginia. Hij zal naar de ondervragingskliniek worden gestuurd, de anderen gaan naar het laboratorium. Manny zei – neem me niet kwalijk, meneer Weingrass zei dat ik u dat allemaal moest uitleggen.'

'Het is duidelijk.'

'Dank u, meneer. Die Manny is me een mooie! Weet u dat hij me in mijn maag stompte toen ik hem zei dat ik de leiding overnam? Ik bedoel maar, ik kreeg gewoon een stomp in mijn maag!'

'Dagelijks werk,' zei Kendrick terwijl hij door het getinte glas van het raampje naar de weg tuurde. Ze waren nog maar tien minuten van het huis. Van Manny.

Ze omarmden elkaar in de deuropening waarbij Evan de oude man veel krachtiger omklemde dan de ander hem vasthield. Toen sloeg Weingrass Kendrick zacht om de oren en zei: 'Heb jij nooit manieren geleerd van je ouders? Achter jou staat een dame met wie ik erg graag wil kennismaken.'
'O, sorry,' zei Evan en hij stapte achteruit. 'Manny, dit is Khalehla... Khalehla Rasjad.'
De oude Weingrass zette een stap vooruit en nam Khalehla's hand in de zijne. 'Wij komen uit een land vol problemen, jij en ik. Jij bent een Arabier en ik een jood, maar in dit huis maken we daar geen onderscheid tussen, hebben we geen vooroordelen, en ik moet je zeggen dat ik heel veel van je houd omdat je mijn zoon zo gelukkig hebt gemaakt.'
'Mijn god, jij bent echt een wonder.'
'Ja,' zei Manny en hij knikte tweemaal.
'Ik houd ook van jou omdat je zoveel betekent voor Evan.' Khalehla legde haar armen om de tengere tachtigjarige architect heen en drukte haar wang tegen de zijne. 'Ik heb het gevoel dat ik je mijn hele leven heb gekend.'
'Soms wek ik die indruk bij mensen. En soms het tegenovergestelde alsof hun leven er ineens een stuk slechter op is geworden.'
'Dat is het mijne niet,' zei Khalehla; ze liet Manny los maar liet haar handen op zijn schouders rusten. 'Ik heb de levende legende ontmoet en hij blijkt een geweldig iemand te zijn,' voegde ze er met een hartelijke glimlach aan toe.
'Jij moet niet van die valse inlichtingen verspreiden, juffrouw Geheim Agente. Je verpest mijn reputatie nog. Laten we even zakelijk worden voordat ik jullie bij de anderen breng.' Weingrass keerde zich om in de gang en keek even om de gebogen doorgang heen. 'Goed. De meiden zijn op de veranda zodat we een paar minuten voor onszelf hebben.'
'Die kerel van de CIA heeft ons al alles verteld,' zei Kendrick. 'Die man die ons van het vliegveld heeft afgehaald.'
'O, je bedoelt Joe.'
'Joe?'
'Ze heten allemaal "Joe", "John", "Jim" – merk je wel, geen "Irvings" of "Miltons" – vergeet het maar. ...Van Payton hoorde ik dat je op de hoogte bent over de Hassans.'
'Hij is op de hoogte,' viel Khalehla hem in de rede en ze tastte verstrooid naar Evans hand en greep die vast; Manny zag

het gebaar wel en het ontroerde hem kennelijk. 'Het was afgrijselijk...'
'Het is allemaal afgrijselijk, lieve kind. Béésten, die hun eigen soortgenoten vermoorden! Kasji en Sabri hebben met zoveel liefde over jou gesproken, Adrienne Khalehla Rasjad, en ik hoef je niet te zeggen hoe ze over mijn zoon dachten. ...Daarom zullen we ieder persoonlijk rouwen en eraan denken wat ze voor ons hebben betekend. Maar dat moet wel later gebeuren, niet nu.'
'Manny,' viel Kendrick hem in de rede. 'Ik moet regelingen treffen...'
'Die heb ik al getroffen. Er zal een besloten islamitische dienst worden gehouden en hun stoffelijk overschot zal worden teruggevlogen naar Dubai om in Asj Sjarigah te worden begraven. De kisten zullen natuurlijk verzegeld zijn.'
'Meneer Weingrass...'
'Dát had ik eerder moeten zeggen. Als je me "meneer" noemt hou ik niet zoveel meer van je.'
'Goed dan... Manny. MJ was daar niet duidelijk over. MJ – dat is Payton.'
'Weet ik, weet ik,' onderbrak Weingrass haar. 'Ik zei hem dat we wat vriendelijker voor elkaar konden zijn als hij mijn telefoon liet maken, dus ik denk dat hij iemand heeft laten koudmaken en nu werkt die. We zijn nu Emmanuel en Mitchell voor elkaar en hij belt te vaak. Het spijt me, je wilde iets vragen?'
'Onder wat voor dekmantel ben ik hier? Ik voel me als een idioot, maar ik weet het gewoon niet. De agent in de auto zei dat ik officieel was, maar wát ben ik officieel? Wie ben ik voor die mensen hier?'
'Mitchell stelde voor te zeggen dat je een vertegenwoordigster bent van Buitenlandse Zaken die de afgevaardigde vergezelt.'
'BZ?'
'Misschien wil hij iemand de schuld geven als de zaken mislopen. Ik heb begrepen dat zoiets in Washington een populair tijdverdrijf is.'
'Nee, zo is hij niet. ...O, nu begrijp ik het pas. Als ik instructies moet geven heb ik de autoriteit om dat te doen.'
'Zou je geen legitimatie van BZ moeten tonen als iemand erom vroeg?' vroeg Evan.
'Nou ja... ja.'

'Ik bedoel maar, heb je er een?'
'Nou ja, zoiets.'
'Dat is tegen de wet...'
'We dragen soms verschillende petten, Evan.'
'Je hebt ook een pistool. Die Paiute Indiaan van een bureauchef in de Bahama's vertelde me dat.'
'Dat had hij niet mogen doen.'
'Je werkt toevallig soms ook niet voor de Mossad?' vroeg Weingrass met een grijns.
'Nee, maar jij wel – je hebt voor hen gewerkt. En een paar van mijn beste vrienden werken ervoor.'
'Je bent in goede handen, *bubbelah*. ...Maar ter zake nu. Mitchell zou graag zien dat Evan even naar de koopwaar hier kijkt – die op de slaapkamer en de lijken; ze liggen onder lakens in de garage en ze worden vannacht per luchtvracht vervoerd.'
'En de verpleegsters hebben helemaal geen idéé dat ze daar liggen?' vroeg Kendrick op ongelovige toon.
'Je vriend Payton was onvermurwbaar, op het fanatieke af. "Geheimhouding, geheimhouding", bleef hij maar herhalen.'
'Hoe krijg je ze dan voorbij die groep boswachters buiten?'
'Ze hebben een bestelwagen gehuurd in Durango. Die wordt achtergelaten op het vliegveld waar iemand hem zal overnemen en hierheen rijden. Die wordt achteruit de garage ingereden zodat niemand iets ziet en de hele operatie staat onder supervisie van Paytons mensen. Zij lijken te weten wat ze doen.'
'Dat weten ze,' zei Khalehla zacht. 'Heeft er iemand met de meisjes gesproken over wat ze moeten zeggen, of liever wat ze niet moeten zeggen?'
'Dat heb ik gedaan en ze namen me eindelijk eens serieus, al weet ik niet hoe lang dat zal duren. Ze zijn nog behoorlijk ondersteboven en ze weten nog geen kwart van wat er is gebeurd.'
'Ik zal wel even naar hen toe gaan terwijl jij en Evan jullie akelige ronde maken en ik zal jullie verhaal bevestigen – heel officieel – MJ heeft gelijk. Ik zal Buitenlandse Zaken spelen.'
'Waarom?' vroeg Evan. 'Ik ben alleen maar nieuwsgierig.'
'Om het Bureau erbuiten te houden. We hebben in ons land geen jurisdictie en iemand zou daaraan wel eens kunnen denken en er van alles achter kunnen zoeken. Eenvoudiger is beter.'
'Heel professioneel,' zei Weingrass goedkeurend. 'Hoe moet ik

je dus bij hen voorstellen? Evans secretaresse?'
'Dat kun je niet,' wierp Kendrick tegen. 'Ze hebben allemaal met Annie gesproken via de telefoon.'
'Nee,' zei Khalehla. 'Ik ben gewoon juffrouw Adrienne van het ministerie van Buitenlandse Zaken. Vind je het erg om te liegen?'
'Eens even kijken,' zei Manny met gefronste wenkbrauwen. 'Ik heb eens ooit een leugen verteld – ik geloof dat het in juli 1937 was. ...Kom op, we gaan.' Weingrass greep Evans arm en Khalehla's hand vast en bracht hen onder de gebogen doorgang naar de woonkamer, van waaruit hij naar de gesloten veranda daarachter riep: 'Hier bij me, mijn schatten van lelijke kollen, staat de ware heksenmeester! Bewijs eer aan de man die betaalt voor jullie seksuele uitspattingen en jullie ontelbare kisten met muscatelwijn!'
'Manny!'
'Ze zijn gek op mij,' zei Weingrass zacht terwijl hij door de kamer schreed. 'Ze dobbelen erom wie er bij me mag slapen.'
'In hémelsnaam...'
'Stil nou, schat. Hij is echt een wonder.'

'Hij brak zijn been toen hij met ons uit de vrachtwagen sprong boven de Jabal Sjam,' zei Kendrick terwijl hij neerkeek op de bewusteloze jongeman die lag vastgebonden op het bed. 'Hij is nog maar een jongen.'
'Maar u bent zeker van uw identificatie?' vroeg de CIA-man die naast Emmanuel Weingrass stond. 'Hij was bij u in Oman, daarover is geen twijfel mogelijk?'
'Absoluut niet. Ik zal hem nooit vergeten. Hij had een élan dat je niet gauw zult aantreffen bij onze tieners hier... alleen misschien bij het uitschot in de sloppen.'
'Laten we via de achterdeur naar de garage gaan.'

'Dat is Yosef,' zei Evan en hij sloot zijn ogen. 'Zijn moeder was joodse – en een paar uur lang was hij mijn vriend. Hij beschermde me... O, mijn gód.'
'Hou daar mee op!' riep Manny. 'Hij is hierheen gekomen om je te vermóórden!'
'Natuurlijk deed hij dat. Waarom niet? Ik deed net of ik bij hen hoorde, bij die verdomde heilige zaak van hen. ...Ze schoren zijn moeders hoofd kaal, kun je je dat voorstellen?'

'Dat riep hij tegen me toen hij probeerde me te doden,' zei Weingrass simpelweg. 'Misschien voel je je daardoor beter, maar ik wilde hem niet doden. Ik wilde iedereen die ik kon levend in handen krijgen.'
'Voor zover ik Yosef ken had je geen enkele keuze.'
'Die had ik inderdaad niet.'
'Die andere twee,' kwam de ongeduldige CIA-functionaris tussenbeide en hij tilde de lakens op. 'Herkent u die?'
'Ja. Ze waren alle twee in het gevangenencomplex, maar ik heb nooit gehoord hoe ze heetten. Die ene rechts had het in zijn broek gedaan; de andere had lang, verward haar en hij had een blik alsof hij zich een soort messias voelde – ik dacht dat hij psychotisch was. Meer kan ik u niet vertellen.'
'U hebt ons al verteld wat we willen weten. Al die mannen die u geïdentificeerd hebt waren bij u in Oman.'
'Ja, ik heb ze alle vier gekend. Ze wilden wraak nemen, en als ik in hun schoenen had gestaan had ik waarschijnlijk precies hetzelfde gewild.'
'U bent geen terrorist, afgevaardigde.'
'Wat is een "terrorist" en wat is een "vrijheidsstrijder"?'
'Om te beginnen, menéér, vermoorden terroristen met opzet onschuldige mensen. Gewone mensen die toevallig daar zijn, kinderen met rugzakken, employés – jonge zowel als oude – die gewoon hun werk doen. Wat wilt u eigenlijk bewijzen, menéér?'
Kendrick keek de agent aan en werd ineens met een schok teruggebracht tot de werkelijkheid toen hij dacht aan Fairfax en de Hassans. 'Ik bied mijn excuses aan voor een stomme en een zinloze opmerking. Het spijt me heel erg.'
'Och, verrek,' zei de CIA-man schouderophalend. 'We zijn allemaal gespannen en er wordt trouwens toch met veel te veel namen gesmeten.'

Ze keerden terug naar het huis waar Khalehla met de verpleegsters op de veranda zat te praten. Wat ze dan ook zei, de drie vrouwen waren één en al aandacht; ze zaten roerloos in hun stoelen met hun intelligente ogen strak gevestigd op de 'vertegenwoordigster van Buitenlandse Zaken'. Evan en Manny kwamen binnen en liepen zwijgend naar de bar terwijl de CIA-functionaris naar de logeerkamer ging om met een collega te praten en naar de gevangene te kijken.

'Ik heb alles uitgelegd, afgevaardigde Kendrick,' zei Khalehla en haar stem klonk officieel, 'voor zover ik daartoe toestemming had, natuurlijk, en deze dames hebben beloofd te zullen meewerken. Een van hen kreeg morgen een bezoeker maar ze zal bellen en zeggen dat de medische toestand het niet toelaat en dat hij niet kan komen.'
'Hartelijk bedankt,' mompelde Weingrass terwijl hij zich onder Kendricks waakzame blik een glas inschonk. 'Nou ben ik zeker een lijk.'
'Jij bedankt, Manny,' merkte de betreffende verpleegster droogjes op.
'Ik wil u allemaal bedanken,' zei Evan haastig. 'Washington is ervan overtuigd dat het een op zichzelf staand incident is, een jonge gek die door de mazen heeft kunnen glippen...'
'Dat was Sirhan-Sirhan ook,' zei de verpleegster die naar Mesa Verde was gereden om Gonzalez te halen, 'en de beschrijving deed niets af aan het gevolg.'
'Ik heb hun verteld dat de gevangene vannacht in het geheim naar het oosten wordt gevlogen en dat ze zich geen zorgen hoeven te maken als ze lawaai horen in de tuin of in de garage.'
'Héél professioneel,' mompelde Weingrass.
'Ik heb maar één vraag,' zei de derde verpleegster en ze keek Khalelha aan. 'U had het erover dat de quarantaine maar tijdelijk zou zijn. Nou ja, niet dat ik op het punt sta een uitnodiging te krijgen voor de Grand Prix in Monte Carlo, maar hoe lang is tijdelijk?'
'Veel te druk tijdens de Grand Prix,' kwam Manny ertussen terwijl hij een slok van zijn glas nam. 'Je kunt de straat niet oversteken en de *Bains de Mer* is net een gekkenhuis.'
'Niet meer dan een paar dagen,' antwoordde Kendrick en opnieuw sprak hij snel. 'Ze willen alleen het normale onderzoek verrichten. ...En als u die uitnodiging krijgt zal Manny u persoonlijk begeleiden.'
'Afgevaardigde, vraag Donald Duck liever.'
'Meschogger.'
Buiten weerklonk onverwacht een heftige opschudding. Er werd geschreeuwd en een claxon loeide. 'Wég van de ramen!' schreeuwde de CIA-man en hij rende de woonkamer door. 'Op de grond. Iedereen op de grond!'
Evan wierp zich in Khalehla's richting, stomverbaasd toen hij zag dat ze zich op het vloerkleed had laten vallen en om en

om rolde naar de onderkant van de schuifdeuren, een pistool in haar hand.
'Het is oké, het is oké!' schreeuwde de man van de CIA op zijn knieën, ook al met een pistool in de hand. 'Verrék...' Hij kwam overeind en haastte zich de woonkamer in met Kendrick achter hem aan. De zware voordeur ging open en een geschrokken, goedgeklede gestalte kwam aarzelend naar binnen, begeleid door een van de boswachters. Hij droeg een zwarte dokterstas; die was open; ze was doorzocht.
'Zo'n ontvangst had ik nooit verwacht,' zei de dokter. 'Ik weet dat ik niet altijd welkom ben maar dit is wat te veel van het goede. Afgevaardigde, het is me een geweldige eer.' Ze gaven elkaar de hand en de CIA-man stond er verbaasd naar te kijken.
'Ik geloof niet dat we elkaar eerder hebben ontmoet, is 't wel?' was Evans al even verbaasde reactie.
'Nee, dat hebben we niet, maar we zijn buren, als je bij zo'n dertien kilometer verderop in de heuvels van buren kunt spreken. Mijn naam is Lyons.'
'Het spijt me van deze ontvangst. Die zult u moeten toeschrijven aan een al te bezorgde president. Wat is er, dokter Lyons? Waarom bent u hier?'
'Omdat hij daar er niet was,' antwoordde de man die pas binnengekomen was met een dappere glimlach. 'Ik ben de nieuwe dokter van meneer Weingrass. U kunt zijn agenda nakijken, hij zou om vier uur vanmiddag naar mijn praktijk komen in Cortez. Hij kwam niet opdagen en we konden hem telefonisch niet bereiken en omdat dit huis op weg naar het mijne ligt dacht ik, ik loop even binnen en kijk of er problemen zijn.' De arts zweeg, stak zijn hand in zijn zak en haalde er een envelop uit. 'Overigens, in overeenstemming met die overdreven voorzorgsmaatregelen, ik heb hier mijn legitimatie van het Walter Reed-ziekenhuis, mede ondertekend door de betreffende ambtenaren. Die moest ik laten zien aan meneer Weingrass en zijn verpleegsters of in elk geval aan degene die hem begeleid zou hebben naar mijn praktijk. Alles is toch wel goed met hem?'
'Mánny!' schreeuwde Kendrick geërgerd.
Weingrass verscheen in de doorgang naar de veranda met een glas in de hand. 'Waarom sta je zo tegen mij te gillen?'
'Had jij vanmiddag niet een afspraak met de dokter?'
'O ja, vorige week heeft iemand gebeld...'

'Dat was mijn receptioniste, meneer Weingrass,' legde dokter Lyons uit. 'Ze zei dat u het in uw agenda had geschreven en dat u er zou zijn.'
'Ja, nou ja, zo nu en dan doe ik zoiets, maar ik voel me prima dus waarom zou ik u lastig vallen. Bovendien bent u mijn dokter niet.'
'Meneer Weingrass, uw dokter is enkele weken geleden overleden aan een hartaanval. Het heeft in de kranten gestaan en ik weet dat u een aankondiging hebt gekregen van de begrafenis.'
'Ja, nou ja, daar ga ik ook al niet naar toe. Ik had de mijne al lang moeten meemaken.'
'Maar nu ik toch hier ben, waarom kijken we niet even?'
'Waar zoekt u naar?'
'Alleen maar wat stompen op de borst en een kleine bloedproef voor het lab.'
'Ik voel me prima.'
'Ik weet zeker dat alles prima met u is,' stemde Lyons met een hoofdknik in. 'Het is niet meer dan routine en het zal maar een paar minuten duren. Het is echt een eer u te ontmoeten, afgevaardigde.'
'Dank u vriendelijk. ...Toe nou, Manny. Wilt u dat een van de verpleegsters u even helpt, dokter?'
'Zo belangrijk is het niet...'
'Zodat ze zwijmelend naar mijn blote borst kan staan kijken?' protesteerde Weingrass. 'Kom op, dok. Klop maar wat tegen mijn ribben, dan kun je daarna weer een Cadillac erbij kopen.'
'Minstens een Ferrari,' grapte Lyons en hij keek Kendrick glimlachend aan.
Emmanuel Weingrass liep met zijn nieuwe dokter door de gang naar zijn slaapkamer.

30

Het was tien over één 's nachts en een onzichtbaar waas van uitputting lag loom en zwaar over iedereen in het huis in Mesa Verde. De CIA-agent kwam met dikke wallen van vermoeidheid onder de ogen de veranda inlopen waar Evan en Khalehla op de leren sofa schuin tegenover Manny zaten in zijn ligstoel. De drie verpleegsters waren ieder naar hun eigen kamer gegaan, niemand hoefde die nacht dienst te doen; de aanwezigheid van gewapende bewakers die buiten door de uitgestrekte tuin patrouilleerden had hun zenuwen gespannen. De patiënt zou zijn slaap overleven zonder elk half uur gecontroleerd te worden. Dat had dokter Lyons gegarandeerd.

'Washington maakt zich zorgen,' kondigde de vermoeide inlichtingenman aan. 'Het tijdschema is vervroegd, daarom ga ik nu de wagen van het vliegveld halen. Het vliegtuig moet over zowat een uur hier aankomen en dat wil zeggen dat we niet veel tijd meer hebben. Ze willen die vogel maar heel even aan de grond zien.'

'De toren daar werkt niet de hele nacht, tenzij ze tevoren zijn gewaarschuwd,' zei Kendrick. 'Hebben jullie daaraan gedacht?'

'Uren geleden, op tijd voor uw vlucht vanuit de Bahama's. De luchtmacht heeft een team verkeersleiders uit Colorado Springs hierheen gevlogen. De dekmantel is een oefening van de luchtmacht waarvoor uw kantoor toestemming heeft gegeven. Niemand brengt er iets tegenin en niemand vraagt iets.'

'Hoe komt dat?'

'Omdat u bent wie u bent, meneer.'

'Is er iets wat we hier nog kunnen doen?' vroeg Khalehla haastig voordat Evan commentaar kon geven.

'Inderdaad,' antwoordde de agent. 'Als u het niet erg vindt zou ik het liefste zien dat iedereen op zijn of haar kamer is wanneer ik terugkom. Ik heb deze zaak heel precies uitgedokterd, tot op fracties van seconden bij wijze van spreken, dus hoe minder afleiding, hoe beter.'

'Wat ga je doen aan die cowboys in het park daarbuiten?' vroeg Weingrass en zijn gezicht vertrok zich, maar kennelijk niet vanwege de vraag die hij stelde. 'Ik heb een paar keer mijn kop buiten de deur gestoken voordat die twee hier waren en ze renden op me af alsof ik een weggelopen beer was.'

'Men heeft hun gezegd dat er een belangrijke buitenlandse diplomaat bij de afgevaardigde op bezoek komt – dat is in feite ook de reden waarom ze hier zijn. En aangezien de bijeenkomst zeer vertrouwelijk is... en uit achting voor de bezoeker die het zo wil, zullen alle patrouilles uit het zicht blijven. Ze zullen zich aan de zijkanten van het huis bevinden en beneden bij het tuinhuisje.'

'Hebben ze die onzin geslikt?' vroeg Weingrass.

'Ze hebben geen enkele reden om eraan te twijfelen.'

'Omdat hij is wie hij is,' stemde Manny met een hoofdknik in. 'En omdat ze per man driehonderd dollar krijgen voor een nacht zonder slaap.'
'Heel professioneel, meneer Geheimhouding. Jij bent beter dan ik dacht.'
'Dat moet ik wel zijn. ...Zo, als ik u niet meer zie, het was me een genoegen kennis met u te hebben gemaakt, afgevaardigde. Er komt nog wel eens een dag dat ik het tegen mijn kinderen kan vertellen. Nee, alstublieft, blijft u zitten, meneer, ik heb veel haast. U ook, juffrouw Officieel, zoals meneer Weingrass zou zeggen. ...En wat jou betreft, Manny, kan ik je zeggen dat het een hele belevenis is geweest. Ik gelóóf dat ik blij ben dat jij aan onze kant staat.'
'Dat is maar goed ook, je hebt alle hulp nodig die je kunt krijgen. ...*Ciao,* jongeman. Hou je neus op het spoor en als de kansen maar vijf tegen één tegen jou zijn, zul je winnen.'
'Bedankt, Manny, dat ben ik van plan.' De inlichtingenfunctionaris wendde zich kort tot Evan en Khalehla op de sofa. 'Dat meen ik,' zei hij zacht. 'Ik hoorde u in de auto even Fairfax noemen en ik heb het laten gaan, maar het was niet gemakkelijk. U moet weten dat ik de enige hier ben die weet wat er gebeurd is; daarom stond ik erop dit team aan te voeren. De zoon van mijn oudste zus, mijn neef – ik heb hem bij de CIA binnengehaald – maakte deel uit van die ploeg. Ik ben van plan mijn neus verdomd goed op het spoor te houden.' De CIA-man vertrok haastig.
Om te beginnen, meneer, vermoorden terroristen met opzet onschuldige mensen. Gewone mensen die toevallig daar zijn, kinderen met rugzakken, employés – jonge zowel als oude – die gewoon hun werk doen. Wat wilt u eigenlijk bewijzen, meneer?
'Wat afschuwelijk voor hem,' zei Khalehla. 'Hij moet zich zo rot voelen, zo schuldig.'
'Wie van ons doet dat niet?' vroeg Kendrick op afwezige toon en hij zweeg abrupt en haalde plotseling scherp adem.
'Je mag jezelf de schuld niet geven van wat er is gebeurd,' drong Khalehla aan.
'Wat er gebeurt,' riep Kendrick uit. 'Het is nu aan het gebeuren! Hoe kwamen die kerels in godsnaam het land binnen? Wie heeft hen erin gelaten? Waar blijven onze zogenaamde briljante veiligheidsmaatregelen waardoor we vijfderangs Russische agenten zouden kunnen vangen die we uitwisselen tegen ver-

slaggevers in Moskou die ze erin hebben laten tuinen, omdat het goede public relations is? We kunnen niet eens een dozijn moordenaars tegenhouden die hierheen komen om te dóden! Wie maakt zoiets mogelijk?'

'Dat proberen we uit te vinden.'

'Maar wel een beetje laat, vind je niet?'

'Hou daar mee op!' beval Weingrass; hij boog zich voorover en priemde met een fel gebaar zijn wijsvinger naar voren. 'Dit meisje heeft niks te maken met wat jij daar zegt en ik wil het niet langer horen!'

'Dat wéét ik!' zei Kendrick en hij pakte Khalehla's hand vast, 'en zij weet dat ik dat weet. Alles is alleen maar zo waanzinnig – ik voel me zo hulpeloos, zo bang. Godverdómme, hoeveel anderen moeten er nog worden vermoord? We kunnen die mensen niet tegenhouden! Het zijn maniakken en ze lopen hier vrij rond en we zullen hen nooit vinden!' Evan begon zachter te praten en uit zijn ogen sprak pijn toen hij de agente uit Caïro aankeek. 'Al evenmin als wij de rotzakken hebben gevonden die dat "tegen elke soort diefstal beveiligde" dossier over Oman hebben gejat en mij voor de hele wereld te kijk hebben gezet. We weten nu waarom ze dat hebben gedaan. Niet om een held van me te maken, of mijn zogenaamde carrière een duwtje te geven als politiek mededinger voor god weet wat... ik moest als doelwit dienen voor moordenaars! Een "dood uit wraak" is, geloof ik, de letterlijke vertaling uit het Arabisch. Het komt erop neer dat we helemaal niks opschieten!'

'Luister naar me,' zei Khalehla zacht. 'Ik ga iets zeggen wat ik misschien beter voor me kan houden, maar soms gaan we tegen de regels in omdat hoop ook belangrijk is. Er zijn andere dingen gebeurd waarover jij niets weet – ze zíjn aan het gebeuren zoals je zei – en elk nieuw brokje inlichtingen brengt ons een stap dichterbij de waarheid over heel deze afgrijselijke rotzooi.'

'Dat klinkt nogal geheimzinnig, jongedame.'

'Probeer het te begrijpen, Manny. Evan begrijpt het omdat we een afspraak hebben gemaakt. Hij weet dat er tijden zijn waarop ik geen uitleg kan geven.'

'Mag een oude man die zich al eerder op jouw terrein heeft begeven misschien vragen waarom?'

'Als je bedoelt dat je voor de Mossad hebt gewerkt dan zou je dat niet hoeven vragen – neem me niet kwalijk dat ik het

zo botweg zeg. Het komt allemaal neer op een dwingende noodzaak, want wat je niet weet kun je niet vertellen.'
'De amythals en de pentothals?' vroeg Weingrass. 'Vroeger de scopolamine? Toe nou, liefje, we zijn hier niet in de sloppen van Marakesj of de partizanenbergen van Asjot Yaaqov. Wie kan er hier nu op ons chemische middelen gebruiken?'
'Ik weet zeker dat die jonge gevangene die Evan heeft herkend, die nu op weg is naar een kliniek in Virginia, er waarschijnlijk net zo over heeft gedacht. Binnen vierentwintig uur zal zijn hele leven vastliggen op geluidsband.'
'Dat heeft er niets mee te maken,' bleef Weingrass aanhouden.
'Misschien niet, maar iets anders wel. Zes uur geleden hebben we een spoor gevonden – een mógelijk spoor – dat ons zo hoog in deze regering voert dat het ons gewoon benauwt. Als we het mis hebben mag afgevaardigde Kendrick uit Colorado daar niets mee te maken hebben; heel eenvoudig gezegd, hij mag er niets over wéten. Hij kan alles ontkennen. Als gevolg daarvan kun jij ook niets zeggen, Manny.'
'Die radioboodschap in het vliegtuig,' zei Evan, en hij keek Khalehla doordringend aan. 'Dat was helemaal geen bureauchef in Caïro, is 't wel?' Khalehla haalde haar schouders op, liet zijn hand los en pakte haar glas op de salontafel voor de sofa. 'Goed dan, geen bijzonderheden,' vervolgde Kendrick, 'maar laten we het eens over de waarheid hebben – vergeet dat alles ontkennen, wat me trouwens geen donder kan schelen. Achter wat voor waarheid zitten we aan? Geef me een *samenvatting* – dat woord heb ik tot kotsens toe gehoord in Washington. Wat voor soort mensen zijn bezig wie wát aan te doen? Wie ze dan ook zijn, ze hebben mijn vrienden vermoord – onze vrienden. Ik heb er recht op het te weten.'
'Ja, inderdaad,' zei Khalehla langzaam. Ze zat roerloos op de sofa en keek om beurten naar Evan en naar Emmanuel Weingrass. Uiteindelijk bleef haar blik op Kendrick gericht. 'Je hebt het zelf gezegd, het jezelf afgevraagd – een deel van de waarheid in elk geval. Iemand heeft inderdaad die moordenaars binnengelaten en het hun mogelijk gemaakt hun moorden te plegen. Er werden paspoorten verstrekt zonder enig voorbehoud, en omdat ik me gemakkelijk kan voorstellen hoe ze er zo ongeveer uitzagen, omdat ik van hetzelfde ras ben, moesten die valse papieren verschrikkelijk goed zijn om hen voorbij de antiterroristische deskundigen te krijgen die wij en onze bondge-

noten op elk punt van immigratie hebben, hier en in het buitenland, met inbegrip van de Sovjets mag ik wel zeggen. Afgezien van die papieren zijn er nog de logistiek, de aanvoerlijnen die absoluut noodzakelijk zijn voor elke terrorist, wapens, munitie, geld, rijbewijzen en tevoren gehuurde voertuigen; plaatsen waar ze zich verborgen kunnen houden en zich gereed kunnen maken, tot zelfs de heersende mode van een land, voor het geval ze gearresteerd en ondervraagd worden. Verder zijn er zaken als reserveringen op treinen en vliegtuigen, die allemaal tevoren gemaakt moeten zijn, de tickets die moeten worden overhandigd voordat ze een vertrekhal binnenlopen, behalve wanneer ze op het punt staan aan boord te gaan, dan moet het op het laatste moment gebeuren. Zoals je ziet is er voor deze mensen niets onbelangrijk; alles is essentieel tot het laatste detail toe, willen ze succes boeken bij een opdracht.' Khalehla zweeg en keek beide mannen om beurten aan. 'Iemand heeft het mogelijk gemaakt dat ze dat allemaal kregen en wie het dan ook is, of wie ze ook zijn, ze horen niet te zitten op de posten die ze bekleden in de regering en ze mogen al die dingen niet voor elkaar kunnen krijgen. Ik kan gewoon niet uitleggen hoe belangrijk het is dat ze worden opgespoord.'
'Dat heb je ook gezegd over degenen die het Oman-dossier gestolen hebben.'
'En jij gelooft dat het dezelfde mensen zijn?'
'Niet soms? Voor mij ligt het nogal voor de hand.'
'Voor mij niet.'
'Ze hebben het zó gemanoeuvreerd dat er uit wraak iemand vermoord moest worden. Ik namelijk.'
'Stel dat het toch verschillende mensen zijn,' drong Khalehla aan. 'De ene groep is voortgekomen uit de andere. Vergeet niet dat het al tien weken geleden is. De aandrang om jou te vermoorden terwijl de wraakgevoelens nog volop leven, wat een essentieel onderdeel is van *jaremat tháar,* is er niet meer.'
'Je hebt net gewezen op alle bijzonderheden waarvoor moest worden gezorgd. Daar is tijd voor nodig.'
'Als ze de mogelijkheden hebben om te doen wat ze in tien weken hebben gedaan zouden ze het ook in tien dagen kunnen doen, Evan.'
Emmanuel Weingrass stak zijn hand op met de palm naar voren; het was een bevel om te zwijgen en hij verwachtte gehoorzaamd te worden. 'Nou vertel je ons dat mijn zoon twee

vijanden heeft in plaats van één? De Arabieren uit de Baaka Vallei en iemand aan deze kant die met hen werkt of tégen hen? Is dat niet onlogisch, liefje?'
'Twee groepen, beide ongrijpbaar, de ene een dodelijke vijand, dat is zeker... van de andere weet ik het gewoon niet. Ik weet alleen wat ik voel en ik probeer er niet omheen te draaien. Wanneer MJ iets niet weet blijft hij de schuld geven aan wat hij "gaten" noemt. Ik geloof dat ik me daaraan ook maar houd. Er zijn te veel leemten.'
Weingrass trok opnieuw een gezicht en een geluidloze boer vulde zijn ingevallen wangen. 'Die gevoelens van jou aanvaard ik,' zei hij. 'Als Mitchell jou ooit eruit schopt zal ik zorgen dat je fatsoenlijk werk krijgt bij de Mossad en dat je uit handen blijft van een zekere boekhouder die je zou laten verhongeren.' De oude architect haalde ineens diep adem en leunde achterover in zijn stoel.
'Wat is er, Manny?' vroeg Khalehla en haar vraag deed Kendrick verschrikt zijn hoofd omdraaien.
'Alles goed met je?' vroeg Evan.
'Ik ben klaar voor de Olympische Spelen,' antwoordde Weingrass. 'Alleen voel ik me het ene moment koud en het volgende moment warm. Het komt van al dat rondrennen door het bos, net als een kleine jongen. Lyons zei me dat mijn systole wat aan de hoge kant was, of misschien was het die andere, en dat ik een paar blauwe plekken heb op plaatsen waar ze niet thuishoren. Ik heb hem verteld dat ik aan een rodeo heb meegedaan. Ik moet die ouwe botten wat rust gunnen, jongens.' De oude man stond op uit zijn stoel. 'Wil je wel geloven, Khalehla, dat ik geen jonkie meer ben?'
'Volgens mij ben jij niet alleen heel jong, je bent ook heel bijzonder.'
'Buitengewoon is toepasselijker eigenlijk,' opperde Manny. 'Maar op dit moment voel ik de gevolgen van mijn meesterschap. Ik ga naar bed.'
'Ik zal een van de verpleegsters halen,' zei Kendrick en hij kwam langzaam omhoog.
'Waarvóór? Zodat ze me kan misbruiken, me kan verkrachten? Ik wil rusten, jongen! En laat hen ook maar met rust, Evan. Ze hebben een boel doorgemaakt en ze weten niet eens wat ze eigenlijk hebben meegemaakt. Met mij is het prima, alleen wat moe. Probeer jij maar eens mee te lopen op de Olym-

pische Spelen wanneer jij zestig bent.'
'Zestig?'
'Hou je kop, jongen. Ik kan het nog steeds tegen je opnemen als het om die schat van een meid gaat.'
'Kan het iets zijn wat je van de dokter hebt gekregen?' vroeg Khalehla, met een warme glimlach om het compliment.
'En wat zou hij gegeven hebben? Niks. Hij nam alleen maar wat bloed af voor dat *meschogge* laboratorium van hem en bood me wat pillen aan die hij wat mij betrof beter in het toilet kon gooien. Het waren waarschijnlijk monsters die hij voor niks had gekregen en waarvoor hij vervolgens zoveel berekent dat hij een hele nieuwe vleugel aan dat blitse huis van hem kan bouwen. *Ciao,* jongelui.'
Alletwee keken ze de oude man na toen hij de woonkamer inliep en de ene stap zorgvuldig voor de andere zette alsof hij een kracht opriep die hij niet bezat. 'Denk je dat hij oké is?' vroeg Evan toen Weingrass hen niet meer kon horen.
'Volgens mij is hij uitgeput,' zei Khalehla. 'Probeer jij maar eens te doen wat hij vanavond heeft gedaan – of hij nu zestig of tachtig is – probeer dat morgen maar eens.'
'Ik zal nu en dan eens naar hem gaan kijken.'
'We zullen het om beurten doen. Op die manier zullen we ons beiden gerust voelen zonder de verpleegsters te hoeven wekken.'
'Anders gezegd zullen ze in bed blijven en niet voor de ramen gaan kijken.'
'Misschien wel,' gaf Rasjad toe. 'Maar we zullen ons toch geruster voelen, en we slaan er twee vliegen in één klap mee.'
'Wil je nog wat drinken?'
'Nee, dank je...'
'Ik wel.' Kendrick stond op van de sofa.
'Ik ben nog niet klaar.'
'Wat?' Evan draaide zich om toen Khalehla opstond en naar hem toe kwam.
'Ik wil geen borrel meer... ik wil jou.'
Zwijgend keek Kendrick op haar neer. Zijn ogen dwaalden over haar gezicht en keken ten slotte recht in de hare. 'Is dit medelijden? Barmhartig zijn voor de man die verbijsterd is en pijn lijdt?'
'Van mij krijg je geen medelijden, dat heb ik je al gezegd. Daarvoor respecteer ik je te veel, dat heb ik je ook verteld. Wat die

arme, verbijsterde man betreft, wie heeft er eigenlijk medelijden met wie?'
'Zo bedoelde ik het niet...'
'Dat weet ik. Ik weet alleen niet goed hoe je het wel bedoelde.'
'Dat heb ik je al gezegd. Ik ben niet op zoek naar één nachtje plezier in bed, niet met jou. Als ik niet meer kan krijgen zal ik het nemen, maar het is niet wat ik zoek.'
'Verrek, jij praat te veel, Evan.'
'Jij gaat te veel uit de weg. Je zei tegen Manny dat je niet om de zaken heendraaide, maar dat doe je wel. Minstens zes weken heb ik geprobeerd bij jou in de buurt te komen, geprobeerd je ertoe te bewegen over óns te praten, geprobeerd die glazen muur te doorbreken die je hebt opgetrokken, maar "Handjes áf!" zegt de kleine dame.'
'Omdat ik bang ben, verdómme!'
'Waarvoor?'
'Voor ons beiden!'
'Nou praat jij te veel.'
'O ja? Gisternácht heb jij anders helemaal niet gepraat. Dacht je dat ik je niet heb gehoord? Terwijl je daar als een aap in een kooi op en neer liep voor mijn deur?'
'Waarom heb je dan niet opengedaan?'
'Waarom heb je die deur niet ingetrapt?' Beiden lachten ze zacht, met hun armen om elkaar heengeslagen. 'Wil je een borrel?'
'Nee. Ik wil jou.'

Het was niet zo vurig als in Bahrein. Er was hartstocht natuurlijk, maar het was de hartstocht van mensen die elkaar beminden, niet van twee vertwijfelde vreemdelingen die snakten naar bevrijding in een krankzinnig geworden wereld. Hun wereld was verre van gezond, dat wisten ze maar al te goed, maar bij elkaar hadden ze iets gevonden wat in orde leek, de een voor de ander, en dat te ontdekken was geweldig en warm en ineens vol beloften, terwijl er voorheen alleen maar een leemte was geweest vol onzekerheid... de een voor de ander.
Het leek alsof ze beiden onverzadigbaar waren. Op een climax volgde rustig praten en de een of de ander ging even naar Emmanuel Weingrass kijken, dan weer praten, de lichamen in elkaar verstrengeld, dan weer hartstochtelijk op zoek naar de bevrediging waarnaar beiden snakten. Geen van beiden kon de

ander loslaten, ze klemden zich aan elkaar vast, gleden en rolden over elkaar heen, tot hun passie volledig was uitgewerkt. Nog konden ze elkaar niet loslaten tot ze in slaap vielen.
De prille ochtendzon zette de hemel boven Colorado in gloed. Helemaal leeg maar ongewoon in harmonie met het warme, tijdelijke holletje dat ze voor zichzelf hadden gevonden, stak Evan zijn hand uit naar Khalehla. Ze was er niet; hij opende zijn ogen. Ze was er echt niet. Met zijn elleboog steunend op zijn kussen kwam hij half overeind; haar kleren hingen over een stoel en hij kon weer ademhalen. Hij zag dat de deuren van zijn badkamer en die van de kleerkast openstonden en toen wist hij het weer en lachte zacht spottend bij zichzelf. De held van Oman en de ervaren inlichtingenagente uit Caïro waren naar de Bahama's vertrokken met ieder een draagtas bij zich en toen alles zo plotseling achter elkaar gebeurde hadden ze die achtergelaten of in een politiewagen in Nassau of in een F-106 van de luchtmacht. Geen van beiden hadden ze dat in de gaten tot na hun eerste vertwijfelde stormloop naar het bed, waarna Khalehla dromerig had gezegd. 'Ik had voor deze reis een schaamteloze nachtpon gekocht – meer hopend dan reëel verwachtend – maar ik geloof dat ik die ga aantrekken.' Toen hadden ze elkaar aangekeken met open mond en grote ogen.
'O, mijn gód!' riep ze uit. 'Waar hebben we die, verdomme, gelaten? Ik bedoel alle twee.'
'Had jij iets belastends in de jouwe?'
'Alleen die nachtpon – die was niet geschikt voor Rebecca van Sunnybrook Farm. ...O, lieve hemel! We zijn een paar echte beroepslui!'
'Ik heb nooit beweerd dat ik dat was...'
'Had jij soms...'
'Vuile sokken en een sekshandboek – meer hopend dan reëel verwachtend.' Ze waren elkaar in de armen gevallen en omdat ze beiden de humor inzagen van de situatie leerden ze daardoor ook weer wat van elkaar. 'Je zou die nachtpon voor hooguit vijf seconden hebben gedragen voordat ik hem van je lijf had gescheurd en dan had je bij de regering een rekening moeten indienen voor het verlies van persoonlijk eigendom. Ik heb de belastingbetaler alleen maar minstens zes dollar bespaard. Kom hier.'
Een van hen was naar Manny gaan kijken; geen van beiden wisten ze nog wie.

Kendrick stapte uit bed en liep naar zijn kast. Hij had twee badjassen; eentje was er weg daarom ging hij zijn badkamer in om zichzelf redelijk presentabel te maken. Na gedoucht en zich geschoren te hebben gebruikte hij te veel eau de cologne, maar dat had hem, bedacht hij, geen windeieren gelegd bijna twintig jaar geleden op de universiteit met een opgewekte *cheerleader*. Was het zó lang geleden geweest dat indrukken belangrijk voor hem waren? Hij trok zijn tweede badjas aan, liep de kamer uit en door de stenen gang de woonkamer in. Khalehla zat aan de zware pijnhouten tafel met de zwart lederen bovenbekleding zacht in de telefoon te praten. Ze zag hem en glimlachte even en concentreerde zich toen weer op de persoon aan de andere kant van de lijn.
'Het is allemaal duidelijk,' zei ze toen Evan aan kwam lopen. 'Je hoort nog wel van me. Tot ziens.' Khalehla stond op van de tafel en de ruime plooien van de te grote badjas lieten juist genoeg zien van haar lichaam. Ze trok de stof bijeen en liep naar hem toe. Ineens stak ze haar armen uit en legde haar handen op zijn schouders. 'Kus me, Kendrick,' beval ze zacht.
'Hoor ik dat niet te zeggen?'
Ze kusten tot Khalehla zich realiseerde dat ze op het punt stonden de slaapkamer weer in te duiken. 'Oké, oké, King Kong, ik moet je wat vertellen.'
'King Kong?'
'Ik wilde dat je de deur zou intrappen, weet je nog wel? Goeie genade, jij bent ook vergeetachtig.'
'Ik mag dan onbekwaam zijn, als ik maar niet incapabel ben.'
'Wat het eerste betreft heb je waarschijnlijk gelijk, maar je bent zeker niet incapabel, mijn lieveling.'
'Weet je hoe heerlijk ik het vind jou dat te horen zeggen?'
'Wat?'
' "Mijn lieveling" '
'Het is een uitdrukking, Evan.'
'Op dit moment geloof ik dat ik tot een moord in staat zou zijn als ik dacht dat je dat ook tegen een ander zou zeggen.'
'Toe nou.'
'Doe je dat?'
'Je vraagt me of ik zo nu en dan graag bij een ander in bed kruip, nietwaar?' vroeg Khalehla rustig en ze trok haar armen van hem terug.
'Dat is nogal bot. Nee, natuurlijk niet.'

'Aangezien we toch aan het praten zijn en ik er veel over heb nagedacht, laten we het maar eens bij de kop pakken. Ik heb liaisons gehad, net als jij, en ik heb een aantal mannen "lieveling" genoemd, zelfs "liefste", geloof ik, maar als je de waarheid wilt horen, jij onuitstaanbare praalhans, dan heb ik nog niemand "mijn lieveling" genoemd. Is dat een antwoord op je vraag, rotzak?'
'Kan er mee door,' zei Evan grijnzend en hij stak zijn handen naar haar uit.
'Nee, alsjeblieft, Evan. Praten is veiliger.'
'Ik dacht dat je me net bevel gaf je te kussen. Wat is er veranderd?'
'Jij moest zo nodig praten en ik moest weer gaan nadenken. En ik geloof niet dat ik klaar voor je ben.'
'Waarom niet?'
'Omdat ik een beroeps ben en ik moet werken en als ik helemaal met jou ben verstrengeld – letterlijk en figuurlijk – kan ik niet werken.'
'Nogmaals, waarom?'
'Omdat het geen haar scheelt of ik ben verliefd op je, idioot.'
'Om meer vraag ik niet. Want ik hou echt van jou.'
'Och, dat zijn zulke gemakkelijke, afgezaagde woorden. Maar niet in mijn werk, niet in de wereld waarin ik leef. Er komt bevel: laat die-en-die doden, of laat hem gedood worden – wat dan ook, het lost een boel moeilijkheden op. En wat gebeurt er als jij het op een keer bent... mijn lieveling. Zou jíj het kunnen doen als je in mijn plaats was?'
'Zou het echt ooit tot zoiets kunnen komen?'
'O, mijn wereldje zit vol met minzaam genegeerde moraliteit, omdat we alleen maar te maken hebben met kwaadaardige immoraliteit.'
'Waarom blijf je er dan in? Waarom stap je er niet uit?'
Khalehla zweeg en keek hem strak aan. 'Omdat we levens redden,' antwoordde ze ten slotte. 'En nu en dan gebeurt er iets waardoor de kwaadaardigheid minder wordt, waardoor ze in al haar afschuw zichtbaar wordt en de vrede een klein beetje dichterbij komt. In heel veel gevallen hebben wij deelgenomen aan dat proces.'
'Maar je hebt nog een leven daarbuiten, een eigen leven.'
'O, daartoe zal ik op een dag zeker overgaan, omdat er een dag zal komen waarop ik niet langer meer nuttig ben, in elk

geval niet op het gebied waar ik dat wil zijn. Ik zal alom bekend zijn – eerst word je verdacht, dan word je verraden en dan ben je nutteloos en kun je maar beter ophoepelen. Mijn meerderen zullen proberen me ervan te overtuigen dat ik waardevol kan zijn op andere posten; ze zullen het lokaas van een pensioen voor mijn neus laten bungelen en een keuze van de leukste sectoren, maar ik denk niet dat ik zal happen.'

'Wat ga je dan doen, volgens dat draaiboek?'

'Mijn hemel, ik spreek zes talen vloeiend en in vier kan ik lezen en schrijven. Als ik dat koppel aan mijn achtergrond zou ik zeggen dat ik meer dan geschikt ben voor een groot aantal baantjes.'

'Dat klinkt redelijk, op één ding na. Er mankeert nog iets.'

'Waar heb je het over?'

'Over mij. Daarover heb ik het.'

'Och, toe nou, Evan.'

'Nee,' zei Kendrick hoofdschuddend. 'Geen "Och toe nou" meer en geen "Alsjeblieft, Evan". Daarmee neem ik geen genoegen. Ik weet wat ik voel en ik geloof dat ik weet wat jij voelt en het negeren van die gevoelens is zowel stom als een verspilling.'

'Ik zei het je al, ik ben er niet klaar voor...'

'Ik had nooit gedacht dat ík ooit klaar zou zijn,' viel Kendrick haar in de rede, met zachte, vlakke stem. 'Weet je, ik heb ook eens nagedacht en ik heb me zelf behoorlijk hard beoordeeld. Ik ben zowat mijn hele leven egoïstisch geweest. Ik ben altijd dol geweest op de vrijheid die ik heb, te kunnen gaan en staan waar ik wilde en doen wat ik wilde – slecht of goed, dat maakte niet veel verschil uit, zolang ik het maar kon doen. Onafhankelijk is de uitdrukking, geloof ik – alleen maar aan jezelf denken. Dan ontmoet ik jou en jij zet alles op zijn kop. Jij laat me zien wat ik níet heb en door me dat te tonen laat je me voelen wat een idioot ik ben. Ik heb niemand met wie ik iets kan delen, zo eenvoudig ligt dat. Niemand om wie ik geef en naar wie ik toe kan lopen en zeggen: "Kijk eens, dat heb ik gedaan," of zelfs: "Het spijt me dat ik het niet heb gedaan." ...Natuurlijk, Manny is er nog, wannéér hij er is, maar hij mag er zelf over denken zoals hij wil, onsterfelijk is hij nu eenmaal niet. Je zei gisteravond dat je bang was... nou, nu ben ik degene die bang is, ik had nooit van mijn leven gedacht dat ik zó bang zou kunnen zijn. Ik ben bang dat ik jou zal verliezen.

Ik ben niet zo goed in het smeken en voor iemand kruipen, maar ik zal smeken en voor je kruipen of alles doen wat je maar wilt, maar alsjeblieft, *alsjeblieft,* laat me niet in de steek.'
'O, mijn god,' zei Khalehla en ze sloot haar ogen terwijl dikke tranen een voor een over haar wangen biggelden. 'Jij rotzak.'
'Het is een begin.'
'Ik hou écht van jou!' Ze wierp zich in zijn armen. 'Maar dat mag ik niet, ik mág dat niet!'
'Over twintig of dertig jaar kun je altijd nog van gedachten veranderen.'
'Je hebt mijn hele leven verpest...'
'Jij hebt het mijne ook niet bepaald gemakkelijker gemaakt.'
'Héél aardig!' klonk de sonore stem onder de stenen doorgang.
'Mánny!' riep Khalehla uit. Ze liet Evan los, duwde hem weg en keek over zijn schouder.
'Hoe lang heb jij daar al gestaan?' vroeg Kendrick grof en hij draaide zijn hoofd met een ruk om.
'Ik ben binnengekomen bij dat smeken en kruipen,' antwoordde Weingrass in een vuurrode badjas. 'Dat werkt altijd, jongen. Die truc van de sterke-man-op-de-knieën. Altijd prijs.'
'Je bent onmógelijk!' schreeuwde Evan.
'Hij is een snoes.'
'Ik ben beiden, maar praat niet zo hard, je maakt de heksen daar nog wakker. Wat doen jullie trouwens zo vroeg op?'
'Zo vroeg is acht uur in Washington,' zei Khalehla. 'Hoe voel je je?'
'Aaach,' antwoordde de oude man. Hij wiegelde wat met zijn rechterhandpalm. 'Ik heb geslapen maar toch ook niet geslapen, weet je wat ik bedoel? En jullie clowns hebben er ook geen goed aangedaan door elke vijf minuten de deur open te doen, als je weet wat ik dáármee bedoel?'
'Het was nauwelijks elke vijf minuten,' zei Khalehla.
'Jij hebt jouw polshorloge, ik heb het mijne. Wat had vriend Mitchell dus te vertellen? Dat is die acht uur in Washington als ik me niet vergis.'
'Dat doe je niet,' stemde de inlichtingenagente uit Caïro in. 'Ik wilde net gaan uitleggen...'
'Mooie uitleg. De violen speelden voluit *vibrato.*'
'Manny!'
'Hou je kop. Laat haar praten.'

'Ik moet weg... voor een dag, misschien twee.'
'Waar ga je heen?' vroeg Kendrick.
'Dat kan ik je niet zeggen... mijn lieveling.'

31

Welkom op Stapleton Airport Denver, dames en heren. Wanneer u nadere informatie wilt inwinnen over aansluitende vluchten zal ons personeel u graag van dienst zijn in de aankomsthal. De tijd hier in Colorado is vijf minuten over drie in de namiddag.
Tussen de uitstappende passagiers die zich begonnen te verspreiden door de hellende gang die naar de buitendeuren voerde, waren vijf geestelijken met Kaukasische trekken maar met een huid die donkerder was dan die van de meeste blanke westerlingen. Ze liepen in een groepje en praatten zacht met elkaar, hun Engels wat gekunsteld maar wel te verstaan. Ze zouden afkomstig kunnen zijn uit een diocees in het zuiden van Griekenland of van de Egeïsche eilanden of misschien Sicilië of Egypte. Dat had gekund, maar ze kwamen er niet vandaan. Het waren Palestijnen en geen geestelijken. Ze waren integendeel moordenaars van de radicaalste tak van de islamitische *jihad.* Ieder van hen droeg een kleine handtas van zachte, zwarte stof; samen liepen ze naar het voorste deel van de hal naar een kiosk.
'La!' riep een van de jongere Arabieren zacht uit terwijl hij een krant pakte en de koppen snel doorlas. *'Laisj!'*
'Iskut!' fluisterde een oudere metgezel die de jongeman wegtrok en hem zei dat hij rustig moest zijn. 'Als je praat, praat dan in het Engels.'
'Er is niets! Er wordt nog niets over geschreven! Er is iets fout gegaan.'
'We weten dat er iets fout is gegaan, idioot,' zei de leider die in de wereld van de terroristen bekend stond als Ahbyahd, een naam die betekende 'de witharige' ondanks het feit dat het kortgeknipte, voortijdig grijze haar meer peper-en-zoutkleurig was dan wit. 'Daarom zijn wij juist hier. Draag mijn tas en neem de anderen mee naar Uitgang Twaalf. Ik kom snel bij jullie. Denk erom, als iemand jullie tegenhoudt doe jij het woord. Leg maar uit dat de anderen geen Engels praten, maar houd het kort.'

'Ik zal hun een christelijke zegen geven met het bloed van Allah over hun keel.'
'Hou je tong en je mes in bedwang. Geen Washingtons meer!'
Ahbyahd bleef door de hal lopen en keek om zich heen. Hij zag wat hij zocht en liep op een balie af met het opschrift 'Hulp aan reizigers!' Een vrouw van middelbare leeftijd keek naar hem op en glimlachte vriendelijk omdat hij er zo duidelijk verward uitzag.
'Kan ik u misschien helpen, pater?'
'Ik geloof dat men mij heeft gezegd hierheen te gaan,' antwoordde de terrorist nederig. 'Zulke prachtige voorzieningen hebben wij niet op het eiland Lindos.'
'We proberen van dienst te zijn.'
'Misschien hebt u een... een briefje voor me – nadere instructies geloof ik. De naam is Demopolis.'
'O ja,' zei de vrouw en ze trok de la rechtsboven in haar bureau open. 'Pater Demopolis. U bent inderdaad ver weg van huis.'
'Het Franciscaanse retraitehuis, een unieke gelegenheid om uw prachtige land te bezoeken.'
'Kijk eens.' De vrouw haalde een witte envelop voor de dag en gaf die aan de Arabier. 'Die werd hier rond twaalf uur vanmiddag bij ons afgegeven door een aardige man die een hele royale bijdrage gaf voor ons noodfonds.'
'Misschien mag ik daar mijn dankbaarheid aan toevoegen,' zei Ahbyahd terwijl hij het kleine harde en platte voorwerp betastte midden in de envelop. Hij wilde zijn portefeuille pakken.
'O nee, ik wil er niets van weten. We zijn al ruim gecompenseerd voor zoiets onbelangrijks als het bewaren van een brief voor een geestelijke.'
'U bent zeer vriendelijk, mevrouw. Moge de Heer u zegenen.'
'Dank u, pater. Dat stel ik op prijs.'
Ahbyahd liep weg. Hij versnelde zijn pas en week uit naar een drukke hoek van de vertrekhal. Hij scheurde de envelop open. Op de blanco kaart die erin zat was een sleutel geplakt van een bagagekluis in Cortez, Colorado. Hun wapens en explosieven waren op tijd afgeleverd, net als hun geld, kledingstukken, een niet na te trekken gehuurde auto, andere paspoorten uit Israël voor negen maronitische priesters en vliegtickets naar Riohacha in Colombia, waar voorzieningen waren getroffen om hen naar Baracoa in Cuba te laten vliegen en verder naar

het oosten. Hun rendez-vous voor de thuisreis – naar huis maar toch nog niet thuis, niet in de Baaka; dat was *niet* hun thuis! – was een motel langs de snelweg bij het vliegveld in Cortez; de volgende morgen zouden ze doorvliegen naar Los Angeles waar negen geestelijken een voorkeursreservering hadden op Avianca naar Riohacha. Alles was volgens plan verlopen – alle plannen waren tevoren gemaakt toen het verbazingwekkende aanbod eenmaal de Baaka Vallei in Libanon had bereikt: *Zoek hem. Dood hem. Doe uw zaak eer aan. Wij zullen u alles geven wat u nodig hebt, we willen alleen absoluut onbekend blijven.* Maar hadden die nauwgezette plannen, die zo kostbare geschenken, vrucht gedragen? Ahbyahd wist het niet; hij kon het niet weten en daarom had hij een telefoonnummer gebeld in Vancouver, Canada, om door te geven dat aan de leverantie voor Cortez nieuwe en dodelijke voorraden moesten worden toegevoegd. Al bijna vierentwintig uur geleden had de aanval op Fairfax in Virginia plaatsgevonden en het huis van de gehate vijand in Colorado was al bijna achttien uur geleden bestormd. Hun opdracht was beraamd als een gecombineerde aanval die de westerse wereld met stomheid zou slaan door bloed en dood, en de wraak op broeders die gedood waren; het bewijs dat de uiterste beveiliging zoals die was bevolen door de president van de Verenigde Staten niet op kon tegen de vaardigheden en de toewijding van een ontheemd volk. *Operatie Azra* eiste het leven op van een gevestigde Amerikaanse held, een bedrieger die zich als een van hen had voorgedaan, die brood en verdriet met hen had gedeeld en die hen uiteindelijk had verraden. Die man moest sterven met allen die hem omringden en beschermden. Er moest een les worden geleverd! Die meest weerzinwekkende vijand was niet aangetroffen in Fairfax; men nam aan dat Yosefs eenheid hem zou vinden en doden in zijn huis in de westelijke bergen. Toch was er niets bekend, absoluut niets! Met vijf man van Commando Eén hadden ze gewacht in hun naast elkaar gelegen hotelkamers – gewacht en gewacht op het overgaan van de telefoon om de woorden te horen: *Operatie Azra is nu volbracht. Het gehate zwijn is dood!* Niets. En het vreemdste van alles, er waren geen vette koppen in de kranten, geen geschokte, bedroefde mannen en vrouwen op de televisie die weer een nieuwe triomf voor de heilige zaak bekend maakten. Wat was er gebeurd?
Ahbyahd had elke stap van de opdracht nagelopen en kon geen

fouten vinden. Elk te verwachten probleem op één na was voorzien en er waren tevoren oplossingen voor gevonden, ofwel via de geheime wegen van officiële corruptie in Washington of door geavanceerde technologie en omgekochte of afgeperste telefoonmonteurs in Virginia en Colorado. Het ene onvoorziene en onvoorspelbare probleem was een plotseling wantrouwige assistent van de verachtelijke politicus die gewoon snel uit de weg moest worden geruimd. Ahbyahd had een van de 'geestelijken' van hun kleine groep die niet in Oman was geweest laat op woensdagmiddag naar Kendricks kantoor gestuurd, vóór de aanval op Fairfax. Het doel was alleen de laatste inlichtingen te bevestigen dat de Amerikaan in de hoofdstad zou zijn. De dekmantel van de 'geestelijke' was onberispelijk; zijn papieren – religieuze en officiële – waren in orde en hij bracht 'groeten' mee van talloze 'oude vrienden', ieder van hen iemand die in Kendricks verleden een rol had gespeeld.

De 'geestelijke' was gesnapt toen hij de bureau-agenda van de secretaresse doorkeek terwijl hij wachtte tot de assistent naar het verlaten kantoor zou komen. De assistent was onmiddellijk teruggekeerd naar zijn eigen kantoor; hun 'geestelijke' had zacht de deur geopend en de jongeman horen telefoneren naar de Bewakingsdienst van het Congres. Hij moest sterven. Hij was snel en doeltreffend onder bedreiging van een pistool meegenomen naar de ingewanden van het massale Capitool-gebouw en daar direct afgemaakt. Maar zelfs die dood was niet bekendgemaakt.

Wat was er gebeurd? Wat gebeurde er op dit moment? De martelaren van de heilige missie zouden niet terugkeren naar de Baaka Vallei zonder de trofee van wraak die ze zo vertwijfeld nastreefden en zo terecht verdienden, dat kónden ze niet. Het was ondenkbaar! Als ze elkaar niet ontmoetten in Cortez zou er bloed vloeien over het bloed dat al was vergoten op een plaats die Mesa Verde heette. De terrorist stak de sleutel in zijn zak, gooide de blanco kaart en de envelop op de vloer van de vertrekhal en ging op weg naar Uitgang Twaalf.

'Honnepon!' riep Ardis Vanvlanderen terwijl ze de woonkamer inliep vanuit de werkkamer die ze voor zichzelf had ingericht in een gastenkamer van San Diego's Westlake Hotel.

'Wat is er, schat?' vroeg haar man vanuit een fluwelen leunstoel voor de televisie.

'Onze problemen zijn voorbij. Die ontelbare miljoenen zijn veilig voor de komende vijf jaar! Je kunt je raketten en je supersonische speelgoedjes blijven bouwen tot Pinksteren en Pasen op één dag vallen. Ik meen het, m'n lekkere bink, je zorgen zijn voorbij!'
'Dat weet ik, lieverd,' zei Andrew Vanvlanderen zonder zich te bewegen, zijn ogen strak gericht op het scherm. 'Ik kan het nu elk moment zien en horen.'
'Waar heb je het over?' Ze bleef roerloos staan kijken naar haar echtgenoot.
'Ze moeten het nu gauw bekend maken. Ze kunnen het niet veel langer geheim houden. Verrék, het is nu, verdomme, bijna vierentwintig uur geleden!'
'Ik heb er geen idee van wat die gekronkelde hersenen van jou nu weer aan het uitbroeden zijn, maar ik kan je wel vertellen dat Emmanuel Weingrass de pijp uitgaat. Er was een bepaalde dokter te koop. Die heeft hem geïnjecteerd...'
'Hij is nu al de pijp uit. Kendrick ook.'
'Wát?'
'Ik kon niet op je wachten, snoezepoes – dat konden we geen van allen. Er waren betere manieren, meer logische manieren – manieren die te verwachten waren.'
'Wat heb je in godsnaam nou weer uitgevoerd?'
'Ik heb een beledigd volk de gelegenheid geboden zich te wreken op iemand die hen op een afgrijselijke manier heeft genaaid. Ik heb de overlevenden gevonden. Ik wist waar ik ze moest zoeken.'
'Andy-lieverd,' zei Ardis terwijl ze tegenover haar man ging zitten en haar grote groene ogen richtte op zijn verstrooide gezicht. 'Ik herhaal,' voegde ze er zacht aan toe, 'wat heb je uitgevoerd?'
'Ik heb een obstakel uit de weg geruimd dat de militaire kracht van dit land zou hebben verzwakt tot een onaanvaardbaar niveau – die de krachtigste reus van de vrije wereld veranderd zou hebben in een meelijwekkende dwerg. En die door dat te doen mij persoonlijk zo'n achthonderd miljoen dollar door de neus zou hebben geboord – en onze groep miljárden.'
'O, mijn god... Je kon weer niet wachten – je kon gewoon niet wáchten. Je hebt de Arabieren erbijgehaald!'

'Meneer de president, ik heb die paar dagen echt nodig,' smeek-

te Mitchell Payton en hij ging naar voren zitten op een stoel met rechte leuning in het woongedeelte van het Witte Huis op de eerste verdieping. Het was tien voor half twee 's nachts. Langford Jennings zat in de hoek van de divan, gekleed in pyjama en een badjas, zijn benen over elkaar, een pantoffel bungelend aan één voet en zijn vaste, vragende blik strak gericht op het gezicht van de CIA-directeur. 'Ik weet heel goed dat ik door rechtstreeks naar u te komen tegen een paar honderd gegronde regels heb gezondigd, maar ik ben nog nooit in mijn beroepsleven zo bang geweest. Jaren geleden zei een jongeman eens tegen zijn opperbevelhebber dat er een kanker aan het groeien was in het presidentschap. Dit is een veel oudere man die praktisch hetzelfde zegt, alleen bent u in dit geval volkomen in het duister gelaten betreffende de aard van de ziekte – als die bestaat, en volgens mij bestaat ze.'
'Doctor Payton,' zei Jennings en zijn sonore stem klonk vlak met een duidelijke ondertoon van vrees, 'u komt hier via een achterdeur een verzoek doen dat ongehoord is. U vraagt me mijn goedkeuring te hechten aan geheime binnenlandse activiteiten van een bureau dat door de wet ervan wordt weerhouden binnen Amerika te opereren. Bovendien wilt u daarbij ook nog dat ik toestemming geef speciale informatie te verzwijgen over een nationale tragedie, een bloedbad dat is aangericht door terroristen met de bedoeling een man te vermoorden aan wie het land heel veel is verschuldigd. Het komt er op neer dat u me vraagt een aantal regels te overtreden die essentieel zijn en inherent aan mijn ambtseed. Klopt dat tot dusver?'
'Ik heb u mijn redenen opgenoemd, meneer de president. Er strekt zich een heel net van omstandigheden uit van Oman tot Californië en het is zo voor de hand liggend dat het meer moet zijn dan een toevalligheid. Die fanatiekelingen, die terroristen moorden met één enkel doel dat voorrang heeft boven alle andere motivaties. Ze willen de aandacht op zichzelf vestigen, ze willen er zelfs een zelfmoord voor doen om in de krant te komen. Onze enige hoop hen te vangen, en de mensen die erachter zitten, is hen die koppen in de kranten te onthouden. Door verwarring en ergernis te verspreiden maakt één van hen, verblind door zijn woede, misschien een fout en neemt hij contact op met iemand met wie hij niet mag spreken, breekt hij een keten van geheimhouding, en er móet zo'n keten bestaan, meneer. Die moordenaars zijn hier binnengekomen en daar-

voor zijn om te beginnen machtige connecties nodig. Ze bewegen zich door het hele land met wapens; dat is niet eenvoudig, gezien onze veiligheidsmaatregelen. Ik heb een agente uit Caïro naar San Diego gestuurd en de beste man die we in Beirut hebben is op weg naar de Baaka Vallei. Beiden weten ze waarnaar ze moeten zoeken.'

'Jézus!' riep Jennings uit en hij sprong op van de divan waardoor de pantoffel van zijn voet viel. 'Ik kán gewoon niet geloven dat Orson hierbij betrokken is! Hij is niet mijn favoriete slaapje maar hij is niet gek – en hij is al evenmin op zelfmoord uit.'

'Misschien is hij er niet bij betrokken, meneer. Macht, zelfs de macht van een vice-president, trekt mensen aan die macht zoeken – of die méér macht zoeken.'

'Godverdómme!' schreeuwde de president en hij liep naar een Queen-Anne-bureau dat vol lag met allerlei papieren. 'Nee, wacht eens even,' zei Jennings en hij keerde zich om. 'In uw eigen woorden hebt u een heel net van omstandigheden dat zich uitstrekt vanaf de crisis in Oman over de hele wereld heen tot in San Diego. U zegt dat het meer moet zijn dan toeval, maar meer hebt u niet. U hebt niemand op heterdaad betrapt, alleen maar een paar mensen die elkaar jaren geleden gekend hebben in het Midden-Oosten en eentje die ineens opduikt waar u haar helemaal niet verwacht.'

'De betreffende vrouw heeft een reputatie van financiële manipulaties die nauwelijks door de beugel kunnen en met zeer hoge bedragen. Ze zou nauwelijks worden aangetrokken door een obscure politieke positie die met geen mogelijkheid kan opleveren wat ze normaal verdient. Tenzij er andere overwegingen zijn.'

'Andy-lieverd,' zei de president als tegen zichzelf. 'Handjesschuddende Andy. Dat over Ardis wist ik natuurlijk helemaal niet. Ik dacht dat zij een hoge post had bij een bank of iemand die hij in Engeland had ontmoet. Waarom zou Vanvlanderen eigenlijk willen dat ze voor Orson ging werken?'

'Naar mijn oordeel maakt het allemaal deel uit van het net, de keten.' Payton stond op. 'Ik moet uw antwoord hebben, meneer de president.'

' "Meneer de president",' herhaalde Jennings, hoofdschuddend alsof hij die titel niet helemaal kon aanvaarden. 'Ik vraag me af waarom u dat woord nog durft gebruiken.'

'Pardon?'
'U weet wat ik bedoel, doctor. U komt hier om half twee 's nachts bij mij binnenvallen met dat krankzinnige draaiboek en u vraagt me een paar overtredingen te begaan waarvoor ik kan worden afgezet.'
'U zei me direct toen ik binnenkwam dat ik openhartig moest zijn, meneer. Als ik dacht...'
'Och, schei toch uit,' zei Jennings en hij keerde zich weer naar het antieke bureau vol paperassen.
'Als ik u heb beledigd bied ik mijn verontschuldigingen aan.'
'Alstublieft niet. U bent de enige die ik zou toestaan me te vragen wat u me hebt gevraagd te doen. Ik zou verder niemand vertrouwen, zo eenvoudig is dat. Het licht is groen, doctor. Zoek het hele zootje maar uit, als u me maar op de hoogte houdt. Ik zal u een absoluut geheim nummer geven dat alleen mijn familie heeft.'
'Ik heb een presidentiële verklaring nodig dat er niets bekend zal worden gemaakt. Ik heb er een klaar.'
'Om u in te dekken?'
'Zeer zeker niet, meneer. Ik zal het ook ondertekenen en de volle verantwoordelijkheid aanvaarden voor het verzoek.'
'Waarom dan?'
'Om degenen onder mij te beschermen die erbij zijn betrokken maar die geen idee hebben waarom.' Payton stak zijn hand in de zak van zijn colbertje en haalde er een opgevouwen vel papier uit. 'Dit maakt het duidelijk dat uw staf niet is geraadpleegd.'
'Hartelijk bedankt. Dan hangen we dus alle twee.'
'Nee, meneer de president. Alleen ik. Het geheimhouden van essentiële zaken is vastgelegd in de verordeningen van de wet van het Congres van 1947 waarmee de CIA officiële status kreeg. Het bureau krijgt er toestemming tot het nemen van uitzonderlijke maatregelen in tijden van een nationale crisis.'
'Zo'n verklaring moet aan tijd gebonden zijn.'
'Dat is ze, meneer. Ze is vijf dagen geldig.'
'Ik zal tekenen,' zei Jennings. Hij pakte het papier aan en nam een ander van zijn Queen-Anne-bureau. 'En terwijl ik dat doe wil ik dat u dit leest – eigenlijk hoeft u dat niet te doen. Net als alle computeruitdraaien die van het persbureau komen duurt het veel te lang om het te lezen. Ik heb het vanmiddag gekregen.'

'Wat is het?'
'Het is een analyse van een campagne om afgevaardigde Evan Kendrick komende juni kandidaat te stellen voor de partij.' De president zweeg even. 'Kandidaat voor het vice-presidentschap,' voegde hij er zacht aan toe.
'Mag ik het even zien, alstublieft?' vroeg Payton en hij kwam met uitgestrekte hand een stap dichterbij.
'Ik dacht al dat u het zou willen lezen,' zei Jennings en hij overhandigde de directeur van Speciale Projecten het lange vel papier. 'Ik vroeg me af of u het even serieus zou opvatten als Sam Winters u beoordeelde.'
'Dat doe ik zeker, meneer,' antwoordde Payton terwijl zijn ogen het irritant onduidelijke computerschrift opnamen.
'Als er enige waarheid steekt in die paranoïde ideeën van u, dan vindt u daarin misschien een basis,' zei de president terwijl hij de onverwachte bezoeker scherp opnam. 'Volgens mijn persmensen maakt hij veel kans... alle kans van de wereld. Vanaf volgende week gaan zeven belangrijke kranten in het Midwesten meer doen dan Kendricks naam naar voren brengen, ze gaan hem in hun hoofdartikelen praktisch omhoog duwen. Drie van die kranten bezitten radio- en televisiestations in dichtbevolkte gebieden in het noorden en het zuiden, en nu we het toch over toevalligheden hebben, ze hebben ook beeld- en geluidsbanden van het televisieoptreden van het congreslid gekregen.'
'Van wie? Dat staat hier niet.'
'U zult het ook niet vinden. Er is alleen maar een halfgeschift comité van aanbeveling in Denver waarvan niemand ooit eerder heeft gehoord en die weten niks. Alles komt uit Chicago.'
'Dat is ongelooflijk!'
'Toch niet,' verschilde de president van mening. 'Het congreslid zou wel eens een aantrekkelijke kandidaat kunnen zijn. Er gaat iets sprankelends van hem uit. Hij straalt vertrouwen en kracht uit. Hij zou een heel goede kans kunnen maken, alle kans van de wereld, zoals mijn mensen het noemen. De club van Orson Bollinger, die naar ik aanneem ook mijn club is, zou best eens een collectieve diarree kunnen oplopen.'
'Dat is niet de ongelooflijkheid die ik bedoel, meneer de president. Wanneer ik word geconfronteerd met zo'n voor de hand liggend verband, dan ga zelfs ik twijfelen. Het is te simpel, te zeer voor de hand liggend. Ik kan gewoon niet geloven dat

Bollingers club zo stom kon zijn. Het is veel te bezwarend, veel en veel te gevaarlijk.'
'Ik kan u niet meer volgen, doctor. Ik dacht dat u zoiets zou zeggen als "Aha, mijn beste Watson, hier heb je het bewijs!". Maar dat doet u niet, is 't wel?'
'Nee, meneer.'
'Als ik dit verdomde stuk papier dat me mijn baan kan kosten ga ondertekenen heb ik er volgens mij recht op te weten waarom.'
'Omdat het écht te zeer voor de hand ligt. Bollingers mensen horen dat Evan Kendrick op het punt staat via een nationale campagne gebombardeerd te worden tot vervanger van hun vice-president en daarom huren ze Palestijnse terroristen om hem te vermóórden? Alleen een maniak zou zo'n draaiboek ontwerpen. Tussen die meer dan honderd maatregelen die ze moeten nemen hoeft er maar eentje fout te lopen, er hoeft maar één moordenaar levend in onze handen te vallen – en dat is al gebeurd – en ze zouden ontdekt kunnen worden... zullen ontdekt worden als u dat papier ondertekent.'
'Wie zult u dan vinden? Wat zult u vinden?'
'Dat weet ik niet, meneer. Misschien moeten we wel beginnen met dat comité van aanbeveling in Denver. Al maanden achtereen wordt Kendrick voor het politieke voetlicht gemanoeuvreerd waar hij nooit heeft willen staan – waarvan hij zelfs is weggelopen. Nu, op de vooravond van de werkelijke campagne is er dat afgrijselijke gebeurd in Fairfax en de mislukte aanval op Mesa Verde, mislukt door het ingrijpen van een oude man die zich bij zijn daden kennelijk niets aantrekt van zijn leeftijd. Hij heeft drie terroristen gedóód.'
'Ik wil hem trouwens ontmoeten, tussen haakjes,' viel Jennings hem in de rede.
'Ik zal ervoor zorgen maar u kunt er spijt van krijgen.'
'Wat wilt u daarmee zeggen?'
'Er zijn twee facties, twee kampen, en beide weten ze uitstekend van wanten. Toch ziet het eruit alsof één van de twee een onvergeeflijke blunder heeft begaan waaraan geen touw is vast te knopen.'
'Ik kan u opnieuw niet meer volgen...'
'Ik weet het zelf ook niet meer, meneer de president. Wilt u dat papier ondertekenen? Wilt u mij vijf dagen geven?'
'Dat wil ik, doctor Payton, maar waarom heb ik dat gevoel

dat ik op het punt sta de guillotine te beklimmen?'
'Verkeerd idee, meneer. Het publiek zou nooit toestaan dat uw hoofd wordt afgehakt.'
'Het publiek kan het op een verschrikkelijke manier bij het verkeerde eind hebben,' zei de president van de Verenigde Staten terwijl hij, gebogen over het Queen-Anne-bureau het document ondertekende. 'Dat leert de geschiedenis ons ook, professor.'

Het licht van de straatlantaarns langs Chicago's Lake Shore Drive flakkerde door de vallende sneeuwvlokken die kleine lichtvlekjes veroorzaakten op het plafond van de kamer in het Drake Hotel. Het was kort na tweeën in de nacht en de gespierde blonde man lag te slapen in zijn bed, vast en diep ademhalend, alsof zijn zelfbeheersing hem nooit in de steek liet. Ineens werd het geluid van zijn ademen onderbroken door het doordringende, schelle bellen van de telefoon. Hij schoot recht overeind, zwaaide zijn benen vanonder de losse dekens op de vloer en rukte de hoorn van de haak. 'Ja?' zei Milos Varak, zonder een spoor van slaap in zijn stem.
'We hebben een probleem,' zei Samuel Winters vanuit zijn werkkamer in Cynwid Hollow, Maryland.
'Kunt u erover praten, meneer?'
'Ik zie niet in waarom niet, in elk geval even en met afkortingen. Dit toestel is veilig en ik kan me niet voorstellen dat iemand dat van jou afluistert.'
'Afkortingen graag.'
'Ongeveer zeven uur geleden is er iets afschuwelijks gebeurd in een buitenhuis in Virginia...'
'Een stórm?' onderbrak de Tsjech hem.
'Als ik je goed begrijp, ja, een verschrikkelijke storm die enorm veel schade heeft aangericht.'
'Icarus?' schreeuwde Varak bijna.
'Die was er niet. En hij was ook niet in de bergen waar eenzelfde poging werd ondernomen die mislukte.'
'Emmanuel,' fluisterde de Tsjech zacht. 'Hij was het doelwit. Ik wist dat het zou gebeuren.'
'Dat lijkt niet waarschijnlijk, maar waarom zeg je dat?'
'Later, meneer. Ik ben om ongeveer half één uit Evanston komen rijden.'
'Ik wist dat je weg was, ik ben je al uren aan het bellen, maar

je had natuurlijk geen boodschap achtergelaten. Verloopt alles volgens plan?'
'We liggen vóór op de plannen, maar dat bedoelde ik niet. Over geen van beide incidenten werd ook maar iets op de radio gezegd, en dat is zeer vreemd, vind u niet?'
'Als de zaken verlopen zoals ik verwacht,' antwoordde Winters, 'zal er de komende paar dagen helemaal niets worden gezegd en misschien wel langer niet.'
'Dat is nog verbazingwekkender. Hoe weet u dat, meneer?'
'Omdat ik geloof dat ik het voor elkaar heb gekregen. Een man die ik vertrouw is door mijn tussenkomst privé naar Zestienhonderd gegaan. Hij is daar nu. Als er enige hoop bestaat dat we de mensen die verantwoordelijk zijn in handen krijgen dan heeft hij die geheimhouding nodig.'
Met enorme opluchting begreep Milos Varak onmiddellijk dat Samuel Winters niet de verrader was binnen Inver Brass. Wie de verklikker ook was, hij zou nooit de jacht op de moordenaars verlengen, als ze waren uitgezonden door San Diego. Nu dat vaststond, nu die opluchting er was, had de Tsjechische coördinator eindelijk iemand die hij kon vertrouwen.
'Meneer, wilt u alstublieft heel goed naar mij luisteren. Het is absoluut noodzakelijk – ik herhaal, absoluut noodzakelijk – dat u morgen zo vroeg mogelijk een bijeenkomst belegt. Het moet overdag gebeuren, meneer, niet 's avonds. Elk uur in elke tijdzone is van belang.'
'Dat is een verrassend verzoek.'
'U kunt het een noodsituatie noemen. Het ís een noodsituatie, meneer. ...En op een of andere manier moet ik nog een noodsituatie creëren. Ik moet iemand dwingen zich bloot te geven.'
'Zonder in bijzonderheden te treden, kun je me een reden geven?'
'Ja. Het enige waarvan we dachten dat nooit zou kunnen gebeuren binnen de groep is gebeurd. Er zit iemand in die er niet in thuishoort.'
'Goeie gód! ...Weet je het zeker?'
'Ik weet het zeker. Pas een paar tellen geleden heb ik u als een mogelijkheid kunnen afschrijven.'

Het was vier uur vijfentwintig in de morgen, Californische tijd; zeven uur vijfentwintig in het oosten van Amerika. Andrew Vanvlanderen zat in zijn zwaar gestoffeerde fluwelen stoel, met

glazige ogen, zijn zware lijf heen en weer zwaaiend, zijn witte, golvende haren verward. In een uitbarsting van woede gooide hij ineens een zwaar whiskyglas door de ruimte naar het televisietoestel; het ketste van de mahoniehouten kast en viel zonder schade aan te richten op het witte vloerkleed. Nog woedender pakte hij een marmeren asbak en smeet die tegen het scherm waarop een nieuwsprogramma dat dag en nacht doorging werd vertoond. De gebogen voorkant van de buis spatte in scherven uiteen en het toestel implodeerde met een luide, scherpe klap terwijl zwarte rook opkronkelde uit de elektronische ingewanden. Vanvlanderen brulde onsamenhangend zomaar in het wilde weg en zijn bevende lippen probeerden woorden te formuleren die niet wilden komen. Binnen een paar tellen kwam zijn vrouw de slaapkamer uitrennen.
'Wat ben je toch aan het doen?' gilde ze.
'Er is – aahhh! – niks, niet één kloteberichtǃ' krijste hij. Zijn spraak klonk verward, zijn gezicht en nek zagen dieprood, de aderen in zijn hals en op zijn voorhoofd waren opgezet. 'Niet één kloteberichtǃ Wat is er gebeurd? Wat gebeurt er toch? Dat kunnen ze niet mákenǃ Ik heb hun zomaar twéé miljoen betaald!' En toen, zonder voorafgaande waarschuwing of ook maar de minste aanduiding van iets anders dan een wilde razernij die hem had bevangen, kwam Vanvlanderen wankelend overeind uit zijn stoel, met trillende armen en heftig bevende handen duwend tegen een muur van lucht die onzichtbaar was voor zijn uitpuilende ogen, en viel voorover op de grond. Toen zijn gezicht met een klap op het vloerkleed terechtkwam steeg een woedende, schorre kreet als laatste geluid op uit zijn keel.
Zijn vierde vrouw, Ardis Wojak Montreaux Frazier-Pyke Vanvlanderen, zette een paar stappen vooruit met een bleek gezicht waarvan de gespannen huid strak stond als een perkamenten masker en haar grote ogen staarden naar haar dode echtgenoot. 'Jij verdomde klootzak!' fluisterde ze. 'Hoe kun je mij achterlaten met deze rotzooi, wat het dan ook is? Wat heb je, godverdomme, toch uitgespookt?'

32

Ahbyahd riep zijn vier 'geestelijken' bijeen in de motelkamer die hij deelde met het jonge lid van de ploeg dat vloeiend En-

gels sprak en nooit in Oman was geweest. Het was dertien minuten over half zes in de ochtend, Colorado-tijd, en het lange wachten was voorbij. Er zou geen rendez-vous zijn. Commando twee had niets van zich laten horen en dat betekende dat Yosef en zijn mannen dood waren; een andere verklaring was er niet. De geharde veteraan die halfjood was maar die alles wat westers of Israëlisch was haatte uit het diepst van zijn ziel zou nooit toestaan dat er iemand van zijn team levend gevangen genomen zou worden. Daarom had hij geëist dat de kreupele jongen met de hazelip steeds in zijn buurt zou zijn.
Als het er ook maar even naar uitziet dat we gevangen genomen zullen worden, schiet ik je een kogel door je hoofd, jongen. Begrijp je dat?
Ik zal het eerder zelf doen, ouwe. Ik verlang veel vuriger naar mijn glorieuze dood dan naar mijn ellendige leven.
Ik geloof je, jonge dwaas. Maar denk alsjeblieft aan Azra's woorden. Levend kun je nog vechten, als je dood bent niet meer.
De martelaar Azra had gelijk, dacht Ahbyahd. Maar Azra had niet het allerhoogste offer gedefinieerd dat allen zochten die waarlijk geloofden. Dat was te sterven *terwijl* men vocht. Daarom was de *jihad* ongevoelig voor valstrikken, zelfs voor de dood. En het dreigende stilzwijgen dat gevolgd was op de aanval op het huis in Virginia en de afwezigheid van Yosef en zijn mannen konden alleen maar een valstrik zijn. Het was de westerse manier van denken: ontken het succes, erken niets; dwing de jagers verder te zoeken en laat hen in een valstrik lopen. Het had allemaal zo weinig zín. Als de valstrik betekende dat de vijand gedood werd, in dit geval de mogelijkheid een aartsvijand te doden, wat deed de dood er dan toe? In hun martelaarschap zouden ze een ongekende gelukzaligheid beleven die hen nooit ten deel zou vallen tijdens hun leven hier op aarde. Er bestond voor de ware gelovige geen grotere roem dan de zachte wolken van Allahs hemelen binnen te wandelen met het bloed van zijn vijanden in een gerechtvaardigde oorlog aan zijn handen.
'Broeders,' begon de witharige, tegenover de vier mannen van zijn Commando in de kleine, groezelige motelkamer. 'Onze tijd is aangebroken en we zien er met diep verlangen naar uit, wetend dat er een veel betere wereld op ons wacht, een hemel waarin we vrij zullen zijn, geen slaven of pionnen meer voor anderen hier op aarde. Indien Allah ons genadig is en we blij-

ven in leven om opnieuw te kunnen vechten, dan zullen we naar onze broeders en zusters thuis meenemen de heilige triomf der wrake die ons zo terecht toebehoort. En de wereld zal weten dat we het hebben gedaan, zal weten dat vijf moedige mannen zijn binnengedrongen in twee versterkingen, gebouwd door de aartsvijand om ons tegen te houden, en allen daarbinnen hebben vernietigd. Nu moeten we ons voorbereiden. Eerst met gebeden en daarna met de meer praktische kanten van onze zaak. Afhankelijk van wat we te weten komen zullen we toeslaan wanneer ze onze aanval het minst verwachten – niet onder de dekmantel van de duisternis maar midden op de dag. Bij zonsondergang zullen we ofwel het heilige uur van *Salat el Maghreb* beleven, of we rusten in de armen van Allah.'

Het was even na twaalven toen Khalehla het vliegtuig verliet en de wachtruimte binnenliep op San Diego's International Airport. Ze was er zich direct van bewust dat ze in de gaten werd gehouden omdat degene die dat deed dat niet onder stoelen of banken stak. De onopvallende, te dikke man in een gekreukeld, slecht passend gabardine pak stond popcorn te eten uit een wit kartonnen doosje. Hij knikte één keer, draaide zich om en begon de brede, drukke gang door te lopen naar de aankomsthal. Het was een teken. Rasjad haalde hem snel in en ging naast hem lopen.
'Ik neem aan dat u niet stond te wachten om me op te pikken,' zei ze zonder naar hem te kijken.
'Als dat zo was zou u nu op uw knieën liggen smeken of ik u mee naar huis zou willen nemen, wat ik waarschijnlijk zal moeten doen.'
'Uw bescheidenheid is even onweerstaanbaar als u zelf bent.'
'Dat zegt mijn vrouw ook altijd, alleen voegt zij er nog "schoonheid" aan toe.'
'Wat is er?'
'Langley bellen. Ik heb het gevoel dat de hel is losgebroken, maar bel van een van de toestellen van hier, niet bij mij thuis, als we bij mij thuis komen. Ik loop voor u uit en wacht; als we een team zijn hoeft u alleen maar te knikken en achter me aan te lopen... op een eerbiedige afstand natuurlijk.'
'Ik geloof dat ik er graag een naam bij heb. Iets in elk geval.'
'Probeer het eens met Shapoff.'
'Gemberkoek?' vroeg Khalehla en haar ogen gingen even opzij

om naar de agent te kijken die in het Bureau zo hoog werd geschat dat hij praktisch een legende was. 'Oost-Berlijn? Praag? Wenen...'
'Eigenlijk,' viel de man in het slordige gabardine pak haar in de rede, 'ben ik een linkshandige parodontoloog uit Cleveland.'
'Volgens mij hadden wij een ander beeld van u.'
'Daarom ben ik "Gemberkoek"... verrekt stomme naam. Bel nu maar.'
Rasjad koos de eerste telefoon die ze tegenkwamen. Nerveus en niet vertrouwd met de bedieningswijze van het apparaat, drukte ze de telefonistknop in en pratend met een verward Frans accent plaatste ze een gesprek voor rekening van de opgeroepene met een nummer dat ze al lang geleden uit het hoofd had geleerd.
'Ja?' zei Mitchell Payton aan het andere einde van de lijn.
'MJ, ik ben het. Wat is er?'
'Andrew Vanvlanderen is vanmorgen gestorven.'
'Vermóórd?'
'Nee, het was een hartaanval; dat hebben we vastgesteld. Er zat heel wat alcohol in zijn bloed en hij zag eruit als een schooier – ongeschoren, met bloeddoorlopen ogen, stinkend naar zweet en erger – maar het was een hartaanval.'
'Verdomme... verdómme!'
'Er was ook een interessante samenloop van omstandigheden – wel omstandigheden, niets zekers. Hij had uren achtereen voor een televisietoestel gezeten en hij heeft het kennelijk kapot gegooid met een marmeren asbak.'
'Prikkelbaar mannetje,' zei de agente uit Caïro. 'Wat zegt zijn vrouw?'
'Tussen stromen van tranen en verzoeken alleen te worden gelaten door, beweert de weduwe glashard dat hij depressief was door zware verliezen in de markt en andere investeringen. Natuurlijk houdt ze vol dat ze daarvan niet op de hoogte is en natuurlijk is ze dat wel. Dat huwelijk moet zijn voltrokken boven een financiële overeenkomst die onder het matras lag.'
'Heb je nagetrokken wat ze beweerde?'
'Natuurlijk. Zijn portefeuille zou verscheidene kleinere landen kunnen onderhouden. Twee van zijn paarden wonnen vorige week de dagelijkse dubbel in Santa Anita en galopperen, met nog een paar andere, naar het miljoen toe in dekgelden.'
'Ze loog dus.'

'Ze loog,' stemde Payton in.
'Maar dat hoeft nog niet te gelden voor zijn depressiviteit.'
'Laten we eens proberen er een ander woord voor te vinden. Razernij misschien. Maniakale razernij gekoppeld aan hysterische angst.'
'Misschien iets wat niet gebeurd was?' opperde Khalehla.
'Iets wat gebeurd was maar niet in de openbaarheid gebracht. Misschien was het wel gebeurd, misschien niet... misschien hadden ze er een rotzooitje van gemaakt. Misschien, en dat zou de aanleiding kunnen zijn, misschien waren er een paar moordenaars levend gevangen genomen, zoals er inderdaad een in onze handen viel in Mesa Verde.'
'En mensen die gevangen zitten kunnen hele boekdelen bekend maken zonder dat ze het weten.'
'Precies. Er is niet meer voor nodig dan één bron die één plaats kan beschrijven, een manier van reizen, een geheime bergplaats. We hebben zo'n bron, zo iemand. Er zijn te veel verwikkelingen om alles geheim te kunnen houden. Wie er ook achter die moordpartijen zit moet dat beseffen, in elk geval vermoeden. Daaraan kan Andrew Vanvlanderen hebben zitten denken.'
'Hoe staat het met de gevangene?'
'Hij zit nu onder de drugs, of zoals de artsen zeggen, hij begint te praten. Hij is een fanatiekeling. Hij heeft van alles geprobeerd, van zelfverstikking tot het inslikken van zijn tong. Als gevolg moesten ze hem eerst tranquillizers toedienen voordat ze hem het serum konden geven en dat heeft de zaken wat vertraagd. Van de doktoren hoor ik dat we de eerste rapporten binnen een uur kunnen verwachten.'
'Wat moet ík nu doen, MJ? Ik kan niet zomaar binnenstormen bij een treurende weduwe...'
'Integendeel, meid,' viel Payton haar in de rede. 'Dat is nu precies wat je gaat doen. We gaan van dat verdomd toevallige nadeel een voordeel maken. Wanneer iemand als mevrouw Vanvlanderen een post accepteert die nauwe banden inhoudt met de mogelijke opvolger van de president van de Verenigde Staten, dan komen persoonlijke overwegingen op de tweede plaats. ...Je moet je natuurlijk uitvoerig verontschuldigen maar je houdt je aan het draaiboek zoals we het hebben samengesteld.'
'Wanneer je erover doordenkt,' zei Khalehla, 'dan kon het tijdstip, gezien de omstandigheden, niet beter gekozen zijn. Ik ben

de laatste die ze zal verwachten. Dat zal haar wakker schudden.'
'Ik ben blij dat je het ook zo ziet. Denk erom, je mag medelijden tonen, maar de kille zakelijkheid van de nationale veiligheid heeft voorrang.'
'Hoe zit het met Shapoff? Werken we samen?'
'Alleen als je hem nodig hebt. We hebben hem uitgeleend aan de Inlichtingendienst van de marine als consulent, en ik ben blij dat hij daar zit, maar ik zag liever dat je het alleen deed. Spreek maar af hoe jullie in contact blijven.'
'Ik krijg de indruk dat hij niet op de hoogte is.'
'Nee, alleen dat hij je moet helpen wanneer je om hulp vraagt.'
'Ik begrijp het.'
'Adrienne,' zei de directeur van Speciale Projecten en hij sprak de naam met nadruk uit. 'Er is nog iets wat je moet weten. Misschien zijn we een stapje dichter bij onze blonde Europeaan en, even belangrijk, wat hij aan het doen is.'
'Wie is hij? Wat heb je ontdekt?'
'We weten niet wie hij is, maar volgens mij werkt hij voor mensen die Evan in het Witte Huis wil hebben... of in elk geval dichter erbij.'
'Mijn god! Zoiets zou hij nooit overwegen, nog in geen duizend jaar! Wat zijn dat voor mensen?'
'Heel vermogend en erg vindingrijk zou ik zeggen.' Payton vertelde haar over de komende nationale campagne om Kendrick vice-president te maken. 'Jennings zei dat zijn mensen ervan overtuigd waren dat hij een hele grote kans maakt. En volgens mij zou hij daar niets op tegen hebben.'
'Tot zelfs de reactie van de president,' zei Khalehla en haar zachte stem klonk onzeker over de telefoon, 'werd elke stap die werd gezet, elke actie die werd ondernomen tevoren uitgedacht en geanalyseerd. Allemaal op één na.'
'Wat bedoel je daarmee?'
'Evans reactie, MJ. Hij zou het nooit accepteren.'
'Als het zover is verandert hij misschien wel van gedachten.'
'Ja, en als de hemel valt hebben we allemaal een blauwe muts op. Er zijn dus inderdaad twee groepen, de ene die onze heldhaftige afgevaardigde kandidaat wil stellen, de andere die alles doet om dat te verhinderen.'
'Ik ben tot dezelfde conclusie gekomen en heb de president dat ook gezegd. Ga aan je werk, agente Rasjad. Bel wanneer je in

je hotel zit. Misschien heb ik dan nieuws van de artsen.'
'Ik mag zeker niet even bellen met mijn grootouders? Die wonen hier vlakbij, wist je dat?'
'Praat ik nu met een meisje van twáálf? Onder geen enkele voorwaarde!'
'Begrepen.'

Het was drie uur op een winterse middag, *Eastern Standard Time,* en de limousines stonden geparkeerd op de oprit naar het landhuis in Cynwid Hollow. De chauffeurs rookten sigaretten en praatten zacht met elkaar. Binnen was de vergadering begonnen.
'Dit zal maar een korte bijeenkomst worden,' zei Milos Varak tegen de leden van Inver Brass die in hun stoelen zaten terwijl het schijnsel van de lampen hun gezichten verlichtte in de grote, schemerige werkkamer. 'Maar de informatie was zó belangrijk dat ik een beroep heb gedaan op doctor Winters. Ik vond het noodzakelijk dat u op de hoogte moest worden gebracht.'
'Dat is duidelijk,' zei Eric Sundstrom korzelig. 'Ik heb een heel laboratorium moeten achterlaten dat niet weet wat het verder moet.'
'Mij heb je uit de rechtszaal gesleept, Milos,' voegde Margaret Lowell eraan toe. 'Ik neem aan dat je gelijk hebt, wat je meestal hebt.'
'Ik ben komen terugvliegen vanuit Nassau,' zei Gideon Logan zacht lachend, 'maar ik was toch niets anders aan het doen dan vissen tot die verdomde scheepstelefoon overging. Bovendien had ik nog niets gevangen.'
'Ik wou dat ik kon zeggen dat zelfs ik zo produktief was, maar dat kan ik niet,' opperde Jacob Mandel. 'Ik was bij een wedstrijd van de Knicks toen het piepertje overging. Ik had het bijna niet eens gehoord.'
'Ik geloof dat we moeten gaan beginnen,' zei Samuel Winters en zijn stem klonk wat scherp, gedeeltelijk ongeduld, gedeeltelijk ook iets anders, kwaadheid misschien. 'De informatie is vernietigend.'
Margarett Lowell keek naar de geschiedkundige met de witte haren. 'Natuurlijk gaan we beginnen, Sam. We moesten alleen even op adem komen.'
'Ik heb het misschien over vissen gehad,' zei Gideon Logan,

'maar mijn gedachten waren met iets anders bezig, Samuel.'
'De woordvoerder van Inver Brass knikte en probeerde zonder veel succes te glimlachen. 'Neem me niet kwalijk als ik wat geïrriteerd lijk. De waarheid is dat ik bang ben, en dat zullen jullie ook worden.'
'Er is niets in mijn laboratoria wat zo belangrijk is voor mij als dit moment,' zei Sundstrom vriendelijk alsof hij terecht berispt was. 'Ga alsjeblieft beginnen, Milos.'
Let op elk gezicht, elk paar ogen. Kijk naar hun kaakspieren en rond hun oogleden en hun haarlijn. Kijk uit naar onwillekeurige slikbewegingen en gezwollen aderen in hun hals. Eén van die vier die het dichtst bij me zitten kent de waarheid. Eén is de verrader.
'Palestijnse terroristen hebben de huizen van afgevaardigde Kendrick aangevallen, zowel in Virginia als in Colorado. Er zijn vele levens verloren gegaan.'
Een soort beheerste chaos brak uit in dat uiterst ongewone vertrek in het landhuis aan Chesapeake Bay. De mensen die er zaten lieten zich achterover vallen in hun stoelen of leunden geschrokken voorover aan tafel; schorre kreten klonken op uit strakke lippen, ogen waren opengesperd in afschuw of dichtgeknepen in ongeloof en de vragen werden snel op Varak afgevuurd als de knallen van automatisch geweervuur.
'Is Kendrick gedóód?'
'Wanneer is het gebeurd?'
'Ik heb er niets over gehoord!'
'Is er iemand levend gevangen genomen?' Die laatste vraag, en de vraagsteller werd door Milos Varak direct scherp opgenomen, was van Gideon Logan, wiens donkere gezicht vertrokken was van woede – of was het een vlaag van razernij... of angst?
'Ik zal op alles antwoord geven voor zover ik dat kan,' zei de Tsjechische coördinator van Inver Brass, 'maar ik moet u zeggen dat ik nog lang niet alles weet. Men zegt dat Kendrick het heeft overleefd en dat hij zwaar wordt bewaakt. De aanvallen hebben plaatsgevonden gistermiddag laat of mogelijk vroeg in de avond...'
'Mogelijk?' riep Margaret Lowell uit. 'Gisteren? Waarom wéten wij dat niet – waarom weten we het niet allemaal, waarom weet het hele land het niet?'
'Er is een volledig embargo op al het nieuws en daarom is ken-

nelijk verzocht door de inlichtingendiensten met toestemming van de president.'
'Duidelijk bestemd om de Arabieren te vangen,' zei Mandel. 'Ze moorden om de publiciteit en als hun die wordt onthouden worden ze nog waanzinniger dan ze al zijn. Waanzinnige mensen vallen op...'
'En als ze nog leven moeten ze zien het land uit te komen,' voegde Sundstrom eraan toe. 'Kunnen ze eruitkomen, Varak?'
'Dat zal ervan afhangen hoe goed hun voorbereidingen zijn geweest, meneer. Van degene die het mogelijk heeft gemaakt dat ze hier binnenkwamen.'
'Zijn er nog Palestijnen levend in handen gevallen?' bleef Gideon Logan aanhouden.
'Daarover kan ik alleen maar speculeren,' antwoordde de Tsjech, met nietszeggende ogen, maar daarachter een blik waaraan niets ontging. 'Ik had geluk dat ik te weten kwam wat ik nu weet voordat het nieuwsembargo sluitend was; op dat moment was nog niet bekend hoeveel doden er waren.'
'Wat vermoedt u?' vroeg Sundstrom.
'Er is hooguit een kans van tien tot vijftien procent dat een van de aanvallers levend gevangen is genomen. Dat cijfer is gebaseerd op de statistieken uit het Midden-Oosten. Terroristenploegen hebben meestal in hun kleding genaaide cyaankalicapsules bij zich, verborgen scheermesjes en spuiten die op verschillende plaatsen op hun lichaam zitten geplakt, van alles wat het hun gemakkelijk maakt zich het leven te benemen in plaats van informatie te verschaffen door foltering of drugs. Vergeet u niet, de dood is voor deze mensen geen offer, behalve dan dat ze hun vijanden niet meer kunnen doden. De dood is, integendeel, een soort overgangsrite naar een leven vol vreugde in het hiernamaals, een leven dat ze hier helemaal niet kennen.'
'Dan is het dus mogelijk dat één of twee of meer levend in handen zijn gevallen,' bleef Logan met nadruk aandringen.
'Het is mogelijk, afhankelijk van het aantal dat erbij was betrokken. Het is het eerste wat ze moeten doen, als ze maar even kunnen.'
'Waarom is dat zo belangrijk, Gideon?' vroeg Samuel Winters.
'Omdat we allemaal op de hoogte zijn van de buitengewoon uitgebreide maatregelen om Kendrick te beschermen,' antwoordde de zwarte zakenman terwijl hij Varak aankeek, 'en

volgens mij is het uiterst belangrijk te weten hoe die ongeschoolde fanatiekelingen een dergelijke beveiliging hebben kunnen doorbreken. Is daarover iets bekend, Milos?'
'Jawel, meneer. Ik weet er iets over, al is het helemaal niet officieel, maar het zal maar een paar dagen duren en dan heeft de FBI het verband gelegd dat ik al heb gelegd.'
'Wát dan, verdómme?' riep Margaret Lowell uit met luide, scherpe stem.
'Ik mag aannemen dat u allemaal op de hoogte bent over Andrew Vanvlanderen...'
'Nee,' onderbrak Lowell hem.
'Wat is er dan met hem?' vroeg Gideon Logan.
'Horen we dat dan te weten?' viel Mandel uit.
'Hij is gestorven,' zei Eric Sundstrom en hij leunde achterover in zijn stoel.
'Wát?' Het woord viel driemaal vlak na elkaar.
'Het is vanmorgen vroeg gebeurd in Californië, te laat voor de kranten aan de oostkust,' legde Winters uit. 'De opgegeven doodsoorzaak was een hartaanval. Ik heb het via de radio gehoord.'
'Ik ook,' voegde Sundstrom eraan toe.
'Ik heb niet naar de radio geluisterd.' Margaret Lowell.
'Ik zat op een boot en daarna in een vliegtuig.' Gideon Logan.
'Ik was bij een basketballwedstrijd.' Jacob Mandel, schuldbewust.
'Het is niet zo'n geweldig belangrijk nieuwsbericht,' vervolgde Sundstrom en hij ging weer naar voren zitten. 'De late edities van de *Post* brachten het op pagina vier en vijf geloof ik, en Vanvlanderen was in elk geval bekend in deze stad. Buiten hier en Palm Springs zijn er niet al te veel mensen die zijn naam kennen.'
'Wat is het verband met de Palestijnen?' vroeg Logan, met zijn donkere ogen strak gericht op Varak.
'Die zogenaamde hartaanval is verdacht, meneer.'
Elk gezicht rond de tafel was als graniet... hard, onbeweeglijk, als uit steen gehouwen. Langzaam keken ze elkaar aan en de monsterachtigheid van de implicatie overspoelde hen als een reusachtige, krachtige golf.
'Dat is een uitzonderlijke bewering, meneer Varak,' zei Winters zacht. 'Zou u die nader willen verklaren, zoals u dat voor

mij hebt gedaan, alstublieft?'
'De mannen rond vice-president Bollinger, over het geheel genomen de zwaarste geldschieters van de partij ter bescherming van hun eigen belangen, hebben ruzie onder elkaar. Ik heb gehoord dat er verschillende facties zijn. De ene groep wil de vice-president vervangen door een specifieke kandidaat, de andere wil hem in het zadel houden en er is er nog een die erop staat te wachten tot het politieke landschap wat is opgeklaard.'
'En dus?' vroeg Jacob Mandel terwijl hij zijn bril afzette.
'De enige persoon die duidelijk onaanvaardbaar is voor allemaal is Evan Kendrick.'
'En, Milos?' vroeg Margaret Lowell.
'Aan alles wat we doen kleeft een zekere mate van risico, mevrouw,' antwoordde Varak. 'Ik heb nooit geprobeerd dat te minimaliseren, ondanks het feit dat ik uw anonimiteit heb gegarandeerd. Toch hebben we, om de campagne voor afgevaardigde Kendrick op gang te brengen, een politiek comité moeten oprichten via welk we materiaal en aanzienlijke sommen geld konden doorgeven, zonder dat iemand van u bekend werd. Het heeft een aantal weken geduurd en het is mogelijk dat het nieuws daarover in San Diego bekend is geworden. Het is niet moeilijk u de reacties van de mensen van Bollinger voor te stellen, vooral de factie die hem het meest genegen is. Kendrick is een echte Amerikaanse held, een kandidaat met levensvatbaarheid die verkiesbaar kon worden gesteld met gebruikmaking van die golf van populariteit, precies zoals wij dat hebben voorzien. Die mensen zouden in paniek geraakt kunnen zijn en hebben gezocht naar snelle en afdoende oplossingen. Tot hen zouden de Vanvlanderen behoord kunnen hebben; en mevrouw Vanvlanderen, de bureauchef van de vice-president, heeft sterke banden met Europa en het Midden-Oosten.'
'Goeie gód!' riep Sundstrom uit. 'Wil je beweren dat vice-president Bollinger verantwoordelijk is voor die terroristische aanvallen, die móórden?'
'Niet rechtstreeks, nee, meneer. Het zou meer iets kunnen zijn als de opmerking van King Henry tegen zijn hofhouding, betreffende Thomas Becket. "Wil niemand me dan ontdoen van die lastpost van een priester?" De koning gaf geen bevel, geen opdracht, hij stelde alleen een scherpe vraag, lachte daar waarschijnlijk bij, maar zijn ridders begrepen heel goed waarom het

ging. En waar het hier om gaat is dat mensen met macht geholpen hebben die moordenaars hier in het land te krijgen en hen van wapens te voorzien toen ze eenmaal hier waren.'
'Het is niet te gelóven!' zei Mandel fluisterend, met zijn bril in de hand.
'Wacht eens even,' viel Gideon Logan in de rede. Hij hield zijn grote hoofd schuin en zijn ogen nog steeds op de Tsjech gericht. 'Je hebt ook geopperd dat Vanvlanderens hartaanval iets anders geweest zou kunnen zijn. Waardoor vermoed je dat en als je gelijk hebt, wat voor verband heeft het dan met de Palestijnen?'
'Mijn eerste vermoedens over zijn hartaanval kwamen op toen ik hoorde dat mevrouw Vanvlanderen binnen een uur nadat het lijk in het mortuarium was gekomen opdracht gaf voor onmiddellijke crematie. Ze beweerde dat zij en haar man dat samen waren overeengekomen.'
'En dat sloot dan mooi elke kans op een autopsie uit.' Juriste Lowell maakte het voor de hand liggende duidelijk met een hoofdknik. 'Wat is het verband met de Palestijnen, Milos?'
'Om te beginnen, het tijdstip. Een gezonde man die geregeld aan sport doet en die nog nooit iets heeft gehad aan zijn hart, is ineens dood binnen minder dan vierentwintig uur na de aanvallen op Kendricks huizen. Verder hebben we natuurlijk gehoord over mevrouw Vanvlanderens uitgebreide contacten in het Midden-Oosten – dat kwam naar boven tijdens ons korte gesprek over haar tijdens de laatste bijeenkomst. Dat zijn zaken die de federale rechercheurs binnen enkele dagen naast elkaar zullen zetten en, als ze steekhoudend zijn, zullen ze waarschijnlijk het verband leggen met de moordpartijen.'
'Maar als Vanvlanderen inderdaad banden had met de terroristen, waarom werd hij dan vermoord?' vroeg een stomverbaasde Sundstrom. 'Hij was degene die de touwtjes in handen had.'
'Daarop weet ik het antwoord wel, Eric,' zei Margaret Lowell. 'De beste manier om bewijsmateriaal ontoegankelijk te maken is het te vernietigen. De koerier wordt vermoord, niet de man die de boodschap stuurt. Op die manier kan de werkelijke man achter de schermen niet worden opgespoord.'
'Het is te veel, véél te veel!' riep Jacob Mandel uit. 'Kunnen er op hoge posten in de regering zulke verdórven mensen zitten?'
'We weten dat dat mogelijk is, beste vriend,' antwoordde Sa-

muel Winters. 'Anders zouden wij niet aan het doen zijn wat we nu doen.'
'Wat een tragedie,' zei de financier verdrietig het hoofd schuddend. 'Een land zó vol beloften en dan zo rot van binnen. Ze zullen alle regels, alle wetten gaan veranderen. Waarvóór?'
'Voor zichzelf,' antwoordde Gideon Logan zacht.
'Wat denk je dat er gaat gebeuren, Milos?' vroeg Margaret Lowell.
'Als er enige grond is voor mijn vermoedens en als het nieuwsembargo lang genoeg heeft geduurd, zullen ze volgens mij een verhaal verzinnen waarin met geen woord wordt gesproken over regeringsfunctionarissen die in contact staan met terroristen. Ze zullen wel zondebokken vinden, dode zondebokken. Washington kan zich niets anders veroorloven; onze buitenlandse politiek zou één grote janboel zijn.'
'En Bollinger?' Opnieuw leunde Sundstrom achterover in zijn stoel.
'Officieel, als de zondebokken voldoende overtuigend zijn, zou hij overal buiten staan. Dat wil zeggen officieel, niet wat ons betreft.'
'Dat is een interessante opmerking, al is ze niet bijster verhelderend, meneer Varak,' zei Winters. 'Zou je die nader willen verklaren?'
'Graag, meneer. Ik moet nu weliswaar terugkeren naar Chicago, maar ik heb maatregelen getroffen met bepaalde mensen van de telefoonmaatschappij in San Diego; zij verschaffen mij geluidsbanden van alle telefoongesprekken met het huis van Bollinger, zijn kantoor en met ieder van zijn stafleden. Daarop zullen voorkomen alle nummers waarvandaan wordt gebeld en de tijden van het gesprek, met inbegrip van openbare telefoons en hun plaatsen. Tenzij ik me vergis zullen we genoeg munitie krijgen, ook al is het geen onomstotelijk bewijsmateriaal, om de vice-president ervan te overtuigen zich geen kandidaat meer te stellen voor de volgende verkiezingen.'

De laatste limousine reed de oprijlaan uit toen Samuel Winters de telefoon oplegde in de rijk ingerichte, met wandtapijten behangen woonkamer en naast Varak ging staan aan het grote raam aan de voorzijde.
'Wie van hen ís het?' vroeg de Tsjech terwijl hij het wegrijdende voertuig nastaarde.

'Ik denk dat je het zult weten voordat het ochtend is in Californië. De helikopter zal hier over een paar minuten zijn. Het vliegtuig staat klaar om om half vijf uit Easton te vertrekken.'
'Dank u, meneer. Ik hoop dat we niet al die maatregelen voor niets hebben getroffen.'
'Je hebt de zaak prima voor elkaar, Milos. Wie het dan ook is zal niet durven opbellen. Hij óf zij zal zich persoonlijk moeten vertonen. Is alles klaar in het hotel?'
'Ja. Mijn chauffeur op het vliegveld in San Diego zal de sleutels hebben van de dienstingang en de suite. Ik zal de vrachtlift gebruiken.'
'Zeg me eens,' zei de aristocratische geschiedkundige met de witte haren, 'zit er een mogelijkheid in dat het draaiboek zoals je ons dat vanmiddag hebt voorgehouden juist kan zijn? Zou Andrew Vanvlanderen inderdaad contact opgenomen kunnen hebben met de Palestijnen?'
'Nee, meneer, dat is niet mogelijk. Zijn vrouw zou dat nooit toestaan. Ze zou hem zelf hebben vermoord als hij dat probeerde. Dat soort ingewikkelde maatregelen zouden ontdekt kunnen worden, moeilijk natuurlijk, maar ze zou nooit die kans willen lopen. Daarvoor is ze te professioneel.'
In de verte werd boven het water van Chesapeake Bay het hakkelende geluid hoorbaar van een helikopter. Het kwam steeds dichterbij.

Khalehla liet haar handtas op de vloer vallen, gooide de twee dozen en de drie plastic tassen met inkopen op het bed, schoof alles opzij en liet zich languit op de sprei vallen, met haar hoofd op het kussen. Ze had 'Gemberkoek' Shapoff gevraagd haar af te zetten bij een warenhuis zodat ze wat kleren kon kopen, want haar eigen kleren waren ofwel in Caïro, of in Fairfax of in een politiewagen op de Bahama's of in een straaljager van de luchtmacht.
'Fiedeldiedie,' zei ze in een vermoeide imitatie van Scarlet O'Hara terwijl ze naar het plafond staarde. 'Ik zou graag het nadenken over van alles uitstellen tot morgen,' vervolgde ze hardop tegen zichzelf, 'maar, verdomme, dat kan ik niet.' Ze ging rechtop zitten, pakte de hoteltelefoon, bestudeerde de instructies en draaide de juiste cijfers om haar met Payton in Langley, Virginia, te verbinden.
'Ja?'

'MJ, ga jij dan nooit naar huis?'
'Ben jij soms thuis, meid?'
'Ik weet onderhand niet eens meer waar dat is, maar ik zal je een geheimpje verklappen, oom Mitch.'
'Oom...? Goeie genade, je wilt zeker weer eens pony gaan rijden. Wat is het?'
'Thuis is uiteindelijk misschien bij een bepaalde wederzijdse vriend van ons.'
'Zó, dan ben je inderdaad opgeschoten.'
'Nee, dat was zijn werk. Hij sprak zelfs over twintig of dertig jaar.'
'Van wat?'
'Ik weet het niet. Een echt huis en baby's en dat soort dingen, denk ik.'
'Laten we dan vooral zorgen dat hij in leven blijft, Adrienne.'
Khalehla schudde haar hoofd, niet om iets te ontkennen, maar om zichzelf weer terug te halen in de werkelijkheid. 'Dat komt omdat je "Adrienne" zei, MJ. Het spijt me.'
'Hoeft helemaal niet. We mogen nu en dan best even gelukkig zijn en je weet dat ik jou niets anders toewens.'
'Maar jíj hebt het nooit gevonden, nietwaar?'
'Dat heb ik zo gewild, agente Rasjad.'
'Gesnopen, gabber, of moet ik misschien "meneer" zeggen?'
'Je mag zeggen wat je wilt als je maar naar me luistert. Ik heb het eerste rapport binnen uit de kliniek – de gevangene. Ze reizen kennelijk als geestelijken, maronitische priesters met Israëlische paspoorten. Die jongen weet niet zoveel; hij is vrij onbelangrijk en werd als lid aan het team toegevoegd vanwege Kendrick. Hij is kreupel geraakt toen hij samen met ons congreslid in Oman was.'
'Dat weet ik, Evan heeft het me verteld. Ze zaten in een boevenwagen op weg naar de Jabal Sjam. Naar hun executie, dachten ze.'
'Verder wordt het een beetje vaag... die jongen heeft maar heel weinig te horen gekregen en terecht, hij is zo onstabiel als wat. Maar voor zover onze artsen te weten zijn gekomen moesten de twee ploegen samenkomen in de buurt van een vliegveld – "Commando Eén" zou zich voegen bij "Commando Twee", en dat wil waarschijnlijk zeggen dat de ploeg van Fairfax contact moest leggen met de Colorado-eenheid daarginds.'
'Dat houdt nogal wat voorbereidingen in, MJ, over een groot

aantal kilometers. Ze hebben uitstekende reisagenten voor hun reisschema.'
'Uitstekend en goed verborgen. Je zou haast zeggen achter een ambtelijk rookgordijn.'
'Nu we het daar toch over hebben, ik zit twee etages boven de treurende weduwe.'
'Haar kantoor is gewaarschuwd. Men heeft haar gezegd dat ze van jou bezoek kan verwachten.'
'Dan zal ik me wat opknappen en aan het werk gaan. Ik heb overigens wat dingen moeten kopen om me passend te kunnen kleden voor de rol, maar ik verdom het om ervoor te betalen. Laten we zeggen dat het niets voor me is; ze zijn een beetje tuttig.'
'Ik dacht, gezien mevrouw Vanvlanderens vroegere relaties, dat je misschien wat sjieker zou moeten zijn.'
'Nou ja, zó tuttig zijn we nu ook weer niet.'
'Dat dacht ik al. Bel me maar wanneer het voorbij is.'
Khalehla legde de hoorn op, keek even naar het toestel en pakte toen haar handtas op van de vloer. Die deed ze open en ze haalde er een stukje papier uit waarop ze Evans telefoonnummer in Mesa Verde had geschreven. Een paar tellen later draaide ze het nummer.
'De residentie van Kendrick,' zei een vrouwenstem die Khalehla herkende als van een van de verpleegsters.
'Mag ik even met de afgevaardigde spreken, alsjeblieft? Je spreekt met juffrouw Adrienne van Buitenlandse Zaken.'
'Jazeker, schat, maar je zult even moeten wachten tot ik hem heb gehaald. Hij staat buiten afscheid te nemen van die aardige jonge Griek.'
'Wie?'
'Ik geloof dat het een Griek is. Hij kent een heleboel mensen die de afgevaardigde vroeger in Arabië of waar het dan ook was, ook heeft gekend.'
'Waarover heb je het toch?'
'De geestelijke. Hij is een jonge geestelijke uit…'
'Zorg dat Evan daar wegkomt!' gilde Khalehla en ze sprong overeind. 'Roep de bewakers! De ánderen zijn daarbuiten! Ze willen hem vermóórden!'

33

Het was zo eenvoudig geweest, dacht Ahbyahd, terwijl hij toekeek vanuit het bos tegenover het enorme huis van de verdachte vijand. Een openhartige en vriendelijke jonge priester wiens papieren in orde waren en die, natuurlijk, geen wapens bij zich had, bracht de groeten over van vrienden van de beroemde man. Wie kon hem een kort gesprek weigeren, deze onschuldige geestelijke uit een ver land die niet op de hoogte was van de formaliteiten die eraan vastzaten wanneer je een beroemd man wilde opzoeken? Aanvankelijk was hij weggestuurd, maar de vijand zelf had dat bevel herroepen; de rest was het werk van een zeer vindingrijk gelovige. Wat er daarna nog te doen viel was werk voor hen allen. Ze zouden niet falen.
Hun jonge kameraad liep het huis uit! Hij gaf die walgelijke 'Amal Bahrudi' een hand terwijl de bewakers in hun burgerpakken en met hun automatische wapens waakzaam toekeken. De gelovigen konden de sterkte van de bewaking alleen maar schatten; het waren er minimaal twaalf, waarschijnlijk nog meer binnen. Als Allah hen bijstond zou er bij de eerste aanval een groot deel buiten gevecht worden gesteld, de meesten zouden gedood worden en de rest zwaar gewond.
Hun kameraad werd onder escorte via de cirkelvormige oprijlaan naar de auto gebracht die hij beleefd op de weg achter de hoge heg had geparkeerd. Nog maar even nu. En Allah was inderdaad mét hen! Er verschenen nog drie bewakers, zodat er nu in totaal zeven voor het huis stonden. Doe je plicht, broeder! Rijd correct!
De kameraad kwam bij de auto; hij boog beleefd zijn hoofd, maakte een zegenend gebaar en gaf opnieuw iemand een hand, dit keer de enige bewaker die nog bij hem stond en die door de heg aan het oog van de anderen was onttrokken. Toen opende hij het portier, hij hoestte even en steunde op de rugleuning van de voorbank terwijl zijn rechterarm over de leuning uit het zicht verdween. Ineens, met de snelheid en het zelfvertrouwen van een waar gelovige, draaide hij zich om met een tweesnijdend mes in de hand dat hij in de keel van de bewaker stootte voordat de man kon zien wat er gebeurde. Het bloed spoot eruit en de bewaker viel terwijl de terrorist tegelijkertijd het wapen en het lichaam vastgreep en het lijk de weg over sleep-

te tussen het struikgewas aan de rand van het bos. Hij keek even naar Ahbyahd, knikte en rende terug naar de auto. Op zijn beurt knipte Ahbyahd met zijn vingers als teken voor de broeders die achter hem tussen de bomen verscholen zaten. De drie mannen kropen naar voren, evenals de witharige man gekleed in camouflagepakken en met lichte machinepistolen in de hand; aan hun veldjassen zaten handgranaten vast.

De Engels sprekende moordenaar achter het stuurwiel startte de motor, schakelde en reed langzaam en alsof er niets aan de hand was naar de linkeringang van de oprijlaan. Toen ineens gaf hij vol gas, draaide het voertuig scherp naar rechts en tussen de heggen door, stak zijn hand onder het dashboard en gooide een schakelaar om. Hij opende het portier, richtte de wagen dwars over het gazon naar de dooreenlopende bewakers die met de afgevaardigde stonden te praten en sprong uit de snel rijdende auto op het grind. Toen hij de grond raakte hoorde hij een vrouw gillen door het chaotische lawaai heen van de brullende motor en het roepen van de bewakers. Een van de verpleegsters was het huis uit komen rennen en gilde iets onverstaanbaars; toen ze de aanstormende auto zonder bestuurder zag aankomen draaide ze zich om en gilde opnieuw, dit keer naar Kendrick die het dichtst bij de stenen ingang stond.

'Maak dat u wegkomt!' krijste ze en ze herhaalde de woorden die ze nog maar net had gehoord. 'Ze willen u vermóórden!'

De afgevaardigde rende naar de zware deur, greep de vrouw bij haar arm en duwde haar voor zich uit terwijl de bewakers het vuur openden op het lege metalen monster dat zonder bestuurder waanzinnig voortraasde en nu afzwaaide naar de zijkant van het huis naar de glazen schuifdeuren van de veranda. Binnen ramde Evan zijn schouder tegen de deur en smakte die dicht. Dat, en de dikke, met metaal versterkte deur, redde hun leven.

De explosies weerklonken als donderende ontbrandingen van een of andere enorme oven; muren en ramen sprongen aan stukken, gordijnen en meubilair vlogen in brand. Vóór het huis vielen de zeven bewakers van de CIA neer, doorboord door stukken glas en metaal die alle kanten opvlogen door de kracht van negentig pond dynamiet dat had vastgezeten onder de motor van de auto. Vier waren er dood met doorzeefde hoofden en lichamen; twee leefden nauwelijks nog terwijl het bloed uit hun ogen en borst stroomde. Eentje, wiens hand niet meer was dan een bloedend stompje, brulde van woede; hij had zijn wapen op automatisch vuren staan en wankelde over het gras naar de terrorist met zijn priesterboord nog aan die als een waanzinnige stond te lachen terwijl zijn machinepistool vuur spuwde. Beide mannen doodden elkaar in de kilte van een frisse Colorado-dag onder het verblindende licht van de Colorado-zon.

Kendrick wierp zich met zijn rug tegen de stenen muur van de hal en drukte zich tegen de uitstekende rondingen van de bazaltstenen. Hij keek neer op de verpleegster. 'Blijf waar je bent!' beval hij en hij begon voorzichtig naar de hoek van de woonkamer te schuiven. Overal stegen dikke rookwolken op, voortgeblazen door de wind die door de kapotte ramen woei. Buiten hoorde hij schreeuwen; de bewakers die zich opzij van het huis hadden opgesteld kwamen aanrennen, dekten elkaar professioneel terwijl ze nieuwe posities innamen. Toen weerklonken er vier ontploffingen vlak achter elkaar – granaten! Die werden gevolgd door andere stemmen die in het Arabisch schreeuwden: *'Dood aan onze vijanden! Dood aan een aartsvijand! Bloed zal worden vergolden met bloed!'* Herhaaldelijk weerklonken vuurstoten uit automatische wapens van alle kanten. Er ontploften nog twee granaten, waarvan de ene door de kapotte ramen recht in de woonkamer werd gegooid en de muur aan de andere kant verbrijzelde. Evan draaide zich bliksemsnel om en zocht dekking achter een stenen muurtje en toen het stof wat was opgetrokken schreeuwde hij het uit.
'Manny! Mánny? Waar zít je? Geef antwoord!'
Er kwam geen antwoord, alleen maar het perverse, gedurige rinkelen van de telefoon. Het vuren buiten werd oorverdovend, de ene vuurstoot na de andere, met kogels die van steen ricocheerden, zich dof in hout boorden en fluitend door de lucht vlogen. Manny had op de veranda gezeten, de veranda met de glazen deuren! Kendrick moest daarheen. Dat moest hij! Hij rende door de rook en het vuur in de woonkamer, met zijn hand voor zijn ogen en zijn mond, toen zich plotseling een gedaante door het kapotte raam wierp met een gekletter van glasscherven. De man rolde over de vloer en sprong overeind.
'Ahbyahd!' schreeuwde Evan verstijfd.
'Jij!' brulde de Palestijn en hij richtte zijn wapen. 'Mij valt gro-

te faam ten deel! Eer en roem! De geliefde Allah zij geprezen! Gij brengt mij een onuitsprekelijk geluk!'
'Ben ik jou dat wáárd? Zovelen vermoord? Zovelen afgeslacht? Ben ik jou dat écht waard? Eist jouw Allah zoveel bloed?'
'Durf jíj nog eens over bloed te spreken?' schreeuwde de terrorist. 'Azra is dood! Yaakov dood! Zaya vermoord door joden vanuit de lucht boven de Baaka Vallei! Al die anderen... honderden... duizenden – dóód! Nou, Amal Bahrudi, jij sluwe verrader, nou neem ik jou mee naar de hel!'
'Nog niet!' klonk de stem, half fluisterend, half schreeuwend vanaf de gebogen doorgang die naar de veranda voerde. De woorden gingen vergezeld door twee luide, galmende revolverschoten die even het snelvuur dat van buiten klonk overstemde. Ahbyahd, de witharige, kromde achterover door de inslag van het krachtige wapen dat een deel van zijn schedel deed wegspringen. Emmanuel Weingrass, zijn gezicht en zijn hemd overstroomd met bloed en zijn linkerschouder tegen de muur van de boog gedrukt, gleed op de vloer.
'Mánny!' schreeuwde Kendrick en hij rende op de oude architect af, knielde neer en tilde zijn bovenlichaam van de grond. 'Waar ben je gewond?'
'Waar ben ik niet gewond?' antwoordde Weingrass schor en moeilijk. 'Kijk naar de twee meisjes! Toen... alles begon liepen ze naar het raam. ...Ik heb geprobeerd hen tegen te houden. Ga naar hen kijken, godverdómme!'
Evan keek naar de twee lijken op de veranda. Achter hen was er van de schuifdeuren niets meer over dan een raamwerk waaruit puntige glasscherven staken. De autobom had zijn werk gedaan; van de twee menselijke wezens was niet veel meer over behalve wat huidflarden en bloed. 'Er valt niets meer te kijken, Manny. Het spijt me.'
'O, jij durft je nog Gód te noemen in die klotehemel van jou!' krijste Weingrass terwijl de tranen in zijn ogen sprongen. 'Wat wil je nog meer, *bedrieger!*' De oude man zakte bewusteloos in elkaar.
Buiten was het vuren opgehouden. Kendrick bereidde zich voor op het ergste. Hij wrong de .357 Magnum uit Manny's hand, vroeg zich even af van wie hij die had gekregen en wist meteen dat het Gé-Gé Gonzalez moest zijn. Voorzichtig liet hij Weingrass zakken en hij ging staan. Behoedzaam liep hij de smeulende woonkamer in en in zijn neusgaten drong plotseling

de stank door van natte rook; hij merkte dat de plafondsproeiers waren gaan werken.
Een schot! Hij liet zich op de vloer vallen en zijn ogen schoten alle kanten op, gevolgd door de loop van zijn wapen.
'Vier!' schreeuwde een stem vanachter de kapotte ramen. 'Ik tel er vier!'
'Er is er eentje naar binnen gegaan!' schreeuwde een andere stem. 'Ga erheen en schiet op alles wat zich beweegt! Verrék, ik ben niet geïnteresseerd in het tellen van lijken! En ik wil ook niet dat een van die klootzakken hier levend vandaan komt. Heb je me begrépen?'
'Begrepen.'
'Hij is dood!' schreeuwde Evan met het laatste restje van zijn stem. 'Maar er is hierbinnen nog iemand, een man die gewond is. Hij leeft en hij is zwaar gewond en hij is een van de onzen.'
'Afgevaardigde? Bent u dat, meneer Kendrick?'
'Ik ben het en ik wil die titel nooit meer horen.' Opnieuw begon de telefoon te rinkelen. Evan kwam overeind en liep vermoeid naar het geschroeide pijnhouten bureau, doordrenkt door de stralen van de verschillende sproeiers. Ineens zag hij de verpleegster die zijn leven had gered aarzelend om de stenen doorgang uit de hal komen. 'Blijf hier weg,' zei hij. 'Ik wil niet dat je verderkomt.'
'Ik hoorde u zeggen dat er iemand gewond was, meneer. Daarvoor ben ik opgeleid.'
De telefoon bleef maar rinkelen.
'Alleen hij. Niet de anderen. Ik wil niet dat je de anderen ziet!'
'Ik ben geen groentje, afgevaardigde. Ik heb drie dienstperioden Vietnam erop zitten.'
'Maar dit waren uw vriendinnen!'
'Dat waren ontelbare anderen ook,' zei de verpleegster met vlakke stem. 'Is het Manny?'
'Ja.'
De telefoon bleef rinkelen.
'Wilt u na dit gesprek dokter Lyons bellen, meneer?'
Kendrick pakte de hoorn op. 'Ja?'
'Evan, godzijdank! Met MJ. Ik heb net van Adrienne gehoord...'
'Val kapot,' zei Kendrick, hij drukte de haak in en belde informatie.
Eerst draaide de kamer om hem heen, toen klonk een gedon-

der in de verte, steeds dichterbij en hij zag bliksemschichten voor zijn ogen. 'Zou u dat, alstublieft, willen herhalen, centrale, zodat ik geen enkele twijfel heb over wat u zojuist hebt gezegd?'
'Zeker, meneer. Er staat geen dokter Lyons in Cortez of in Mesa Verde in het telefoonboek. Er is zelfs in het hele district niemand die Lyons heet – L-Y-O-N-S.'
'Zo heette hij! Ik heb het gezien op zijn identificatie van Buitenlandse Zaken!'
'Pardon?'
'Niets. ...Níéts!' Evan klapte de hoorn op de haak en het toestel begon direct weer te rinkelen. 'Ja?'
'Mijn lieveling! Is alles goed met je?'
'Die klote-MJ van jou heeft de zaak verknald! Ik weet niet hoeveel er dood zijn en Manny ziet eruit als een geslacht varken! Hij is niet alleen halfdood maar hij heeft niet eens een dokter!'
'Bel Lyons dan.'
'Die bestáát niet eens! ...Hoe wist je wat er hier is gebeurd?'
'Ik belde met de verpleegster. Ze zei dat er daar een geestelijke was en, schat, luister naar me! We hebben nog pas kort geleden ontdekt dat ze zich verplaatsten als geestelijken! Ik heb MJ gebeld en die is helemaal van de kook. Hij heeft half Colorado erop afgestuurd, allemaal federale politiemensen en allemaal hebben ze geheimhouding moeten zweren!'
'Ik heb hem net verteld dat hij kapot kan vallen.'
'Hij is je vijand niet, Evan.'
'Wie is dat, verdómme, dan wel?'
'In hemelsnaam, we proberen erachter te komen!'
'Je bent wel wat langzaam.'
'En zij zijn bliksemsnel. Wat kan ik je zeggen?'
Kendricks haren waren doorweekt en zijn hele lijf was kletsnat door het water uit de sproeiers. Hij keek naar de verpleegster die bezig was met Weingrass. Haar ogen stonden vol tranen en ze vocht tegen de hysterie die dreigde op te wellen uit haar keel, nadat ze haar vriendinnen op de veranda had gezien. Evan sprak zacht. 'Zeg me dat je weer bij me komt. Zeg me dat aan alles een einde komt. Zeg me dat ik niet bezig ben gek te worden.'
'Dat kan ik je allemaal zeggen, maar je moet het ook geloven. Jij leeft nog en meer is er op dit moment niet belangrijk voor mij.'

'Hoe zit het met die anderen die dood zijn? Hoe zit het met Manny? Tellen die niet mee?'
'Manny zei me gisteravond iets wat diepe indruk op me maakte. We zaten te praten over de Hassans, Sabri en Kasji. Hij zei dat we ieder onze eigen herinneringen aan hen hadden en ieder op onze eigen manier over hen zouden rouwen... maar dat moest later komen. Voor sommigen zou dat kil geklonken hebben, maar voor mij niet. Hij heeft meegemaakt wat ik heb meegemaakt, schat en ik weet waar hij vandaan komt. Niemand wordt er vergeten, maar voor dit moment moeten we hen opzij zetten en doen wat we moeten doen. Zegt jou dat iets... mijn lieveling?'
'Ik probeer het te begrijpen. Wanneer kom je terug?'
'Dat weet ik over een paar uur. Ik zal je bellen.'
Evan legde de hoorn op toen buiten de chaotische geluiden van sirenes en naderende helikopters luider begonnen te klinken. Alles was op weg naar een oneindig klein vlekje op aarde dat de onjuiste naam droeg van Mesa Verde in Colorado.

'Wat een magnifiek appartement,' zei Khalehla zacht terwijl ze door de marmeren hal naar de lager gelegen woonkamer liep van de suite van de Vanvlanderens.
'Het is erg gemakkelijk,' zei de nieuwe weduwe met een zakdoek in de hand terwijl ze de voordeur sloot en naast de agente uit Caïro ging lopen. 'De vice-president kan erg veeleisend zijn en het was ofwel dit of een heel nieuw huis opzetten in Californië wanneer hij hier is. Twee huizen is een beetje veel – één voor hem en één voor mij. Gaat u zitten.'
'Zijn alle kamers ingericht zoals hier?' vroeg Khalehla terwijl ze in een leunstoel ging zitten die Ardis Vanvlanderen haar aanwees. Ze stond tegenover de grote, imposante sofa met brokaatbekleding; de vrouw des huizes liet er geen gras over groeien te laten zien wie recht had op de belangrijkste zitplaats.
'Nee, mijn man heeft het eigenlijk opnieuw laten inrichten naar onze smaak.' De weduwe tipte even met de zakdoek aan haar gezicht. 'Ik geloof dat ik er aan zal moeten wennen te zeggen "mijn overleden man",' voegde ze eraan toe terwijl ze triest op de sofa ging zitten.
'Het spijt me werkelijk heel erg en om te herhalen wat ik al heb gezegd, ik bied u mijn excuses aan u op zo'n moment lastig te vallen. Het is ten hemel schreiend en ik heb dat mijn

meerderen duidelijk gemaakt, maar ze bleven aanhouden.'
'Ze hadden gelijk. Staatszaken moeten doorgaan, juffrouw Rasjad. Ik begrijp het.'
'Ik weet niet zeker of ik het begrijp. Dit gesprek hadden we op z'n minst morgenvroeg kunnen voeren, volgens mij. Maar nogmaals, anderen denken daar anders over.'
'Dat fascineert me eigenlijk,' zei Ardis en ze streek de zwarte zijde van haar Balenciaga jurk glad. 'Wat kan er van zo'n vitaal belang zijn?'
'Om te beginnen,' antwoordde Khalehla terwijl ze haar benen over elkaar sloeg en een plooitje wegstreek van haar donkergrijze mantelpakje dat ze in een warenhuis in San Diego had gekocht, 'moet dat waarover we spreken geheim blijven. We willen niet dat vice-president Bollinger onnodig gealarmeerd wordt.' De agente uit Caïro haalde een aantekenboekje uit haar zwarte handtas en streek haar donkere haren glad die strak achteruit waren getrokken in een streng uitziend knotje. 'Ik weet dat men u ervan op de hoogte heeft gesteld dat ik in het buitenland werk en hierheen ben gevlogen voor deze opdracht.'
'Ik heb gehoord dat u deskundig bent in zaken in het Midden-Oosten.'
'Dat is een eufemisme voor terroristische activiteiten. Ik ben half Arabisch.'
'Dat kan ik zien. U bent erg knap.'
'En u bent heel erg knap, mevrouw Vanvlanderen.'
'Dat kan ermee door, zolang ik maar niet aan mijn jaren denk.'
'Ik weet zeker dat we zowat even oud zijn.'
'Laten we daar ook niet bij stilstaan. Wat is er voor probleem? Waarom moest u mij zo dringend spreken?'
'Onze mensen die in de Baaka Vallei werken hebben alarmerende en verontrustende informatie doorgekregen. Weet u wat een "moordcommando" is, mevrouw Vanvlanderen?'
'Wie weet dat niet?' antwoordde de weduwe en ze nam een pakje sigaretten van de lage tafel. Ze trok er eentje uit en pakte een witmarmeren aansteker. 'Het is een groep mensen – meestal mannen – die erop uit wordt gestuurd om iemand te vermoorden.' Ze stak haar sigaret aan; haar rechterhand beefde bijna onmerkbaar. 'Dat wat de definitie betreft. Waarom gaat het de vice-president aan?'
'Vanwege de bedreigingen die tegen hem zijn geuit. De reden voor de eenheid die u hebt aangevraagd bij de FBI.'

'Dat is allemaal voorbij,' zei Ardis en ze inhaleerde diep. 'Het bleek een of andere psychotische excentriekeling die waarschijnlijk niet eens een wapen had. Maar toen die smerige brieven en obscene telefoontjes begonnen binnen te komen had ik het idee dat ik het risico niet kon nemen. Het staat allemaal in het rapport; we hebben hem door een tiental steden achterna gezeten tot hij in Toronto op een vliegtuig stapte. Naar Cuba, heb ik begrepen, en dat heeft-ie dan mooi verdiend.'
'Misschien was hij wel geen excentriekeling, mevrouw Vanvlanderen.'
'Wat bedoelt u?'
'Nou ja, u hebt hem nooit gevonden, nietwaar?'
'De FBI heeft een zeer volledig profiel van hem uitgewerkt, juffrouw Rasjad. Men stelde vast dat hij geestelijk gestoord was, een soort klassiek geval van schizofrenie met boventonen van een Zorbo-de-Wrekercomplex of zoiets belachelijks. Hij was in wezen ongevaarlijk. De zaak is afgedaan.'
'We zouden ze graag weer oppakken.'
'Waarom?'
'De informatie uit de Baaka Vallei wijst erop dat twee of meer moordcommando's zijn uitgezonden naar hier, waarschijnlijk om vice-president Bollinger te vermoorden. Uw excentriekeling kan de verkenner zijn geweest, willens of wetens, maar toch de verkenner.'
'De "verkenner"? Waar hebt u het toch over? Ik kan niet eens volgen waar u het over heeft, ik hoor alleen maar dat het idioot klinkt.'
'Helemaal niet,' zei Khalehla rustig. 'Terroristen opereren volgens het principe van maximale publiciteit. Ze kondigen vaak een doelwit, een slachtoffer, lang van tevoren aan, voordat ze tot executie overgaan. Dat doen ze op verschillende manieren, in vele variaties.'
'Waarom zouden terroristen Orson – vice-president Bollinger willen doden?'
'Waarom dacht u dat de dreigementen tegen hem serieus genomen moesten worden?'
'Omdat ze er eenvoudigweg wáren. Minder kon ik niet doen.'
'En u had gelijk,' stemde de inlichtingenagente in en ze keek toe hoe de weduwe haar sigaret uitdrukte en meteen een andere nam die ze ook direct weer opstak. 'Maar om antwoord te geven op uw vraag, indien de vice-president vermoord zou

worden is er niet alleen een politieke kandidaat minder die zeker herkozen zou worden, maar er zou ook een behoorlijke chaos heersen.'
'Met welk doel?'
'Maximale publiciteit. Het zou een spectaculaire moord zijn, denkt u niet? Nog verergerd door het feit dat in rapporten zou vastliggen dat de FBI was gewaarschuwd en zich toen weer had teruggetrokken, in de lurven gelegd door superieure plannen.'
'Plánnen?' riep Ardis Vanvlanderen uit. 'Wat voor plannen?'
'Een psychotische excentriekeling die helemaal geen excentriekeling was maar een strategische afleidingsmanoeuvre. Vestig alle aandacht op een ongevaarlijke excentriekeling en sluit dan de zaak terwijl de echte moordenaars hun plaatsen innemen.'
'Dat is idióót!'
'Het is al ik weet niet hoe vaak gebeurd. In de Arabische geest geschiedt alles volgens een wiskundig patroon. De ene stap voert naar de andere, de eerste hoeft geen verband te houden met de derde, maar dat verband is er wel als je ernaar zoekt. Als je het over klassieke gevallen hebt, dan is dit er eentje.'
'Het wás geen "afleidingsmanoeuvre"! Er waren telefoongesprekken en de nummers bleken bij controle in verschillende steden thuis te horen, en verder had je de samengeplakte brieven met smerige taal!'
'Klassiek,' herhaalde Khalehla zacht erwijl ze schreef.
'Wat doet u daar?'
'Ik open de zaak opnieuw... en ik schrijf uw mening op. Mag ik u een vraag stellen?'
'Jazeker,' antwoordde de weduwe, met een stem die ze probeerde te beheersen, maar die gespannen klonk.
'Onder de vele aanhagers van vice-president Bollinger – vele vrienden moet ik eigenlijk zeggen – hier in Californië, waren daar volgens u mensen bij die noch vriend, noch aanhanger waren?'
'Wát?'
'Het is geen geheim dat de vice-president zich beweegt in welgestelde kringen. Is er iemand met wie hij verschil van mening heeft gehad, of meer dan een, een speciale groep misschien? Onenigheid over politiek, of te volgen procedures of regeringstoewijzingen?'
'Goeie god, wat zégt u daar allemaal?'
'We moeten helemaal open kaart spelen, mevrouw Vanvlan-

deren, daarom ben ik ook hier. Zijn er mensen in Californië die liever een andere kandidaat zouden zien? Liever gezegd, een andere vice-president?'

'Ik kan gewoon niet geloven dat ik dit allemaal hóór! Hoe dúrft u?'

'Ik ben niet degene die durft, mevrouw Vanvlanderen. Dat is iemand anders. Internationale communicaties, hoe verborgen ook, kan uiteindelijk worden blootgelegd. Misschien aanvankelijk niet direct verwijzend naar een specifiek persoon of personen, maar naar een sector, een plaats. Er is een derde, of er zijn derden, betrokken in deze afschuwelijke zaak en ze zitten hier in Zuid-Californië. Onze mensen in de Baaka Vallei hebben telegrammen onderschept die via Beirut vanuit Zürich, Zwitserland, waren verstuurd en die oorspronkelijk in San Diego waren gedateerd.'

'San Diego...? Zürich?'

'Geld. Een samenloop van belangen de ene partij wil een spectaculaire moord met maximale publiciteit, terwijl de andere het spectaculaire slachtoffer uit de weg geruimd wil zien, maar zelf zo weinig mogelijk met de moord te maken wil hebben. Voor beide doeleinden is een heleboel geld nodig. Volg het geld is een motto in ons werk. We lopen nu het geld na.'

'Lopen het na?'

'Het is gewoon een kwestie van dagen. De Zwitserse banken verlenen hun medewerking als het om drugs of om terrorisme gaat. En onze agenten in de Baaka hebben beschrijvingen opgestuurd van de ploegen. We hebben ze al eerder tegengehouden en dat zullen we nu ook doen. We zullen de connectie met San Diego vinden. We dachten alleen dat u enig idee zou kunnen hebben.'

'Idee?' riep de verbijsterde weduwe uit terwijl ze haar sigaret uitdrukte. 'Ik kan niet eens nadenken, zo ongelooflijk is dit alles! Weet u zeker dat er niet een enorme, afschuwelijke fout is gemaakt?'

'In dit soort zaken maken wij geen fouten.'

'Nou, dan geloof ik dat jullie stronteigenwijs zijn,' zei Ardis en de spraak van Monongahela werd door haar gecultiveerde Engels heen hoorbaar. 'Ik bedoel maar, juffrouw Rasjad, u bent niet onfeilbaar.'

'In sommige gevallen moeten we dat zijn; we kunnen ons niet veroorloven het niet te zijn.'

'Nou, dát is nou echt idioot! Ik bedoel – ik bedoel áls er van die moordcommando's bestaan en áls er communicatie heeft plaatsgevonden naar Zürich en Beirut uit... uit de buurt van San Diego, dan had iedereen die kunnen sturen, en elke naam die hij wilde kunnen opgeven! Ik bedoel maar, ze zouden zelfs mijn naam gebruikt kunnen hebben, verdómme!'
'Zoiets negeren wij onmiddellijk.' Khalehla beantwoordde de niet gestelde en-als-er-dan-vraag door haar notitieboekje dicht te doen en in haar tas te stoppen. 'Dat zou een verdachtmaking zijn en veel te voor de hand liggend om serieus te worden genomen.'
'Precies, dat bedoel ik ook, een verdachtmaking! Iemand zou erop uit kunnen zijn iemand van Orsons vrienden verdacht te maken, is dat niet mogelijk?'
'Met het doel de vice-president te vermoorden?'
'Misschien is het – het slachtoffer wel iemand anders, kan dat dan niet?'
'Iemand anders?' vroeg de agente, en ze huiverde bijna toen de gespannen weduwe opnieuw een sigaret pakte.
'Já. En door telegrammen te sturen uit de buurt van San Diego zou hij een onschuldige aanhanger van Bollinger verdacht maken! Dat ís mogelijk, juffrouw Rasjad.'
'Het is heel interessant, mevrouw Vanvlanderen. Ik zal uw ideeën overbrengen aan mijn meerderen. We zullen de mogelijkheid onder ogen moeten zien. Een dubbele omissie met een valse inlas.'
'Wát?' De scherpe stem van de weduwe kwam recht uit een lang vergeten kroeg in Pittsburgh.
'Jargon,' zei Khalehla terwijl ze opstond. 'Het betekent gewoon het slachtoffer versluieren, de bron weglaten en een valse identiteit verschaffen.'
'Ze praten bij jullie verdomde gek.'
'Daar is een reden voor. We zullen voortdurend contact met u houden en we kennen de plannen van de vice-president. Onze eigen mensen, allemaal deskundigen op het gebied van contra-terrorisme zullen ongemerkt de beveiligingsdiensten van meneer Bollinger op elke plaats versterken.'
'Ja – goed dan.' Mevrouw Vanvlanderen hield de sigaret in haar hand en haar zakdoek bleef vergeten op de sofa liggen, toen ze met Rasjad de woonkamer uitliep, naar de voordeur.
'O, wat de theorie van die dubbele omissie betreft,' zei de in-

lichtingenagente in de marmeren hal. 'Dat is erg interessant en we zullen haar gebruiken om bij de Zwitserse banken aan te dringen op haast, maar ik geloof niet dat er echt iets inzit.'
'Wát?'
'Alle genummerde Zwitserse rekeningen hebben verzegelde – en daardoor niet te verzegelen – codes naar het punt van uitgang. Het is vaak een doolhof, maar ze kunnen worden nagegaan. Zelfs de meest vrekkige mafiabaas of Saudische wapenhandelaar weet dat hij sterfelijk is. Hij gaat geen miljoenen nalaten aan de grote Zwitserse bankiers. Welterusten, en nogmaals mijn diepst gevoelde medeleven.'
Khalehla liep terug naar de gesloten deur van de suite. Achter die deur kon ze een gedempte panische gil horen, verpakt in allerlei vloeken en scheldwoorden; de eenzame bewoonster van het naar eigen smaak ingerichte appartement ging door het lint. Het draaiboek had gewerkt. MJ had gelijk! De negatieve omstandigheid van Andrew Vanvlanderens dood lag omgekeerd. Wat eerst een nadeel was geweest was nu een voordeel. De weduwe van de geldschieter stond op het punt in te storten.

Milos Varak stond in een donker winkelportiek dertig meter links van de ingang van het Westlake-hotel, tien meter van de hoek waar de dienstingang lag, in de zijstraat. Het was vijf minuten over half acht 's avonds in Californië; hij was sneller geweest dan elke civiele vlucht over het hele continent vanuit Washington D.C., Maryland en Virginia. Hij was klaar voor het moment van de onthulling en, even belangrijk, boven in het hotel was alles voorbereid. De schoonmaakploeg die gestuurd was door de directie, een directie die echt te doen had met het verdriet van de treurende weduwe, had een nieuw lid, iemand die ervaren was en zijn instructies van de Tsjech had gekregen. In elke kamer waren speciale verborgen microfoons geplaatst; elk gesprek dat er zou plaatsvinden zou worden opgenomen op Varaks banden in de aangrenzende suite. Ze werden in werking gesteld door het geluid van de menselijke stem. Gemiddeld elke drie minuten kwam er een taxi voorrijden bij het hotel en Milos lette gespannen op elke uitstappende passagier. Hij had er twintig of dertig gezien, hij was de tel kwijt, maar niet zijn concentratie. Ineens merkte hij iets ongewoons op: een taxi stopte links van hem, aan de overkant van de

zijstraat op minstens dertig meter van hem vandaan. Er stapte een man uit en Varak trok zich verder terug in het onverlichte winkelportiek.
'Ik heb het via de radio gehoord.'
'Ik ook.'
'Ze is een kreng!'
'En als ze nog leven moeten ze het land nog uitkomen. Kunnen ze dat...?'
'Hoe denk jij erover?'
'Het is niet direct het belangrijkste nieuwsbericht van de dag.'
'En Bollinger?'
De man in de overjas, met hoog opgezette kraag waarachter zijn gezicht schuilging stak snel de straat over naar de ingang van het hotel. Hij liep op drie meter voorbij de coördinator van Inver Brass. De verrader was Eric Sundstrom en hij verkeerde in paniek.

34

Ardis Vanvlanderens adem stokte. 'Goeie gód, wat doe jíj nou hier?' riep ze uit en ze rukte letterlijk de gezette Sundstrom door de deur en klapte die dicht. 'Ben jij helemaal gék geworden?'
'Ik heb ze nog allemaal op een rijtje, maar bij jou zijn er een paar op de loop. ...Stom, stom, stóm! Wat dachten jij en die zakkenwasser van een man van jou wel dat jullie aan het doen waren?'
'De Arabieren? De moordcommando's?'
'Ja! Verdomde idioten...'
'Het is volkomen belachelijk!' gilde de weduwe. 'Het is een afgrijselijke vergissing. Waarom zouden wij – waarom zou Andy Bollinger willen laten vermoorden?'
'Bollinger...? Het gaat om Kendrick, trut die je bent! Palestijnse terroristen hebben aanvallen gedaan op zijn huizen in Virginia en Colorado. Er is een nieuwsembargo maar er zijn een heleboel mensen dood, alleen de mooie jongen zelf niet.'
'Kendrick?' fluisterde Ardis, met paniek in haar grote groene ogen. 'O, mijn god... en zij denken dat de moordenaars hierheen komen om Bollinger om te brengen. Ze hebben de verkeerde voor!'

'Ze?' Sundstrom verstijfde en zijn gezicht werd grauw. 'Waar heb je het over?'
'Laten we alle twee gaan zitten.' Mevrouw Vanvlanderen liep de hal uit en de woonkamer in, naar de sofa en haar sigaretten. De bleke geleerde volgde en sloeg in de kamer af naar een bar waarop flessen, karaffen, glazen en een koeler stonden. Zonder naar de etiketten te kijken pakte hij zomaar een fles en schonk zich een glas in.
'Wie zijn zij?' vroeg hij zacht en gespannen terwijl hij zich omdraaide en toekeek hoe Ardis op de sofa een sigaret opstak.
'Ze is ongeveer anderhalf uur geleden vertrokken...'
'Zij? Wie?'
'Een vrouw die Rasjad heette, een contraterroristische deskundige. Ze hebben mensen uitgewisseld en een ploeg samengesteld van de CIA met BZ. Ze had het niet eens over Kendrick!'
'Verrek, dan hebben ze het verband gevonden. Varak zei al dat ze dat zouden doen en nu is het gebeurd!'
'Wie is Varak?'
'We noemen hem onze coördinator. Hij zei dat ze jouw belangen in het Midden-Oosten zouden ontdekken.'
'Mijn wát?' schreeuwde de weduwe met vertrokken gezicht en wijd open mond.
'Die Off Shore-maatschappij...'
'Off Shore Investments,' maakte Ardis de naam af, opnieuw stomverbaasd. 'Dat waren acht maanden van mijn leven maar verder helemaal niets!'
'En hoe je in het hele gebied contacten hebt...'
'Ik heb géén contacten!' schreeuwde mevrouw Vanvlanderen. 'Ik ben tien jaar geleden weggegaan en nooit meer teruggekeerd! De enige Arabieren die ik ken zijn een stelletje patsers die ik in Londen en Divonne heb ontmoet.'
'In bed of aan de goktafels?'
'Beide, als je het per se wilt weten, mooie jongen! Waarom zouden ze zoiets denken?'
'Omdat jij hun een verdomd goede reden hebt gegeven door die rotzak vanmorgen meteen te laten cremeren!'
'Andy?'
'Was er soms nog iemand hier in de buurt die toevallig doodviel? Of die misschien vergiftigd werd? Om iets in de doofpot te stoppen!'

'Verdómme, waar heb je het toch over?'
'Ik heb het over het lijk van je vierde of vijfde man. Het is nog maar net in dat verdomde mortuarium of jij hangt al aan de telefoon om te zeggen dat ze hem onmiddellijk moeten cremeren. Denk jij niet dat mensen zich dingen zullen gaan afvragen... mensen die ervoor worden betaald zich zulke dingen af te vragen? Geen autopsie, de as ergens boven de Stille Oceaan uitgestrooid.'
'Ik heb absoluut niet getelefoneerd!' brulde Ardis en ze sprong op van de sofa. 'Die opdracht heb ik nóóit gegeven!'
'Dat heb je wél!' schreeuwde Sundstrom. 'Je zei dat Andrew en jij dat samen hadden afgesproken.'
'Dat heb ik niet gezegd en die afspraak hadden we niet!'
'Varak brengt ons geen verkeerde inlichtingen,' beweerde de geleerde met klem.
'Dan heeft er iemand tegen hem gelogen.' De weduwe ging ineens zachter praten. 'Of hij stond te liegen.'
'Waarom zou hij dat doen? Hij heeft nog nooit eerder gelogen.'
'Ik weet het niet,' zei Ardis en ze ging weer zitten en drukte haar sigaret uit. 'Eric,' vervolgde ze en ze keek de verrader van Inver Brass aan. 'Waarom ben je helemaal hierheen gekomen om me dit te vertellen? Waarom heb je niet gewoon gebeld? Je hebt onze geheime nummers.'
'Weer die Varak. Niemand weet precies hoe hij het klaarspeelt, maar hij krijgt van alles voor elkaar. Hij is in Chicago, maar hij heeft maatregelen getroffen om de telefoonnummers te krijgen van elk binnenkomend gesprek naar het kantoor en het woonhuis van Bollinger, en ook naar het kantoor en woonhuis van elk van zijn stafleden. Onder die omstandigheden ga ik niet bellen.'
'In jouw geval zou dat wel eens moeilijk kunnen zijn om uit te leggen aan die raad van seniele idioten waar jij in zit. En de enige gesprekken die ik heb gehad waren met kantoor en met vrienden die me condoleerden. Verder die vrouw Rasjad; daar is niets bij wat meneer Varak zou interesseren of jouw weldadigheidsvereniging van rijke stinkerds.'
'De vrouw Rasjad. Jij zegt dat ze het helemaal niet heeft gehad over de aanvallen op Kendricks huizen. Aannemend dat Varak het bij het verkeerde eind heeft en dat de onderzoekteams nog niet alles op een rijtje hebben staan en jou en nog

een paar anderen hier hebben ontdekt, waarom heeft ze er dan niets over gezegd? Ze moest ervan op de hoogte zijn.'
Ardis Vanvlanderen pakte een sigaret en haar ogen straalden nu een ongewone hulpeloosheid uit. 'Daar zouden verschillende redenen voor kunnen zijn,' zei ze zonder veel overtuiging terwijl ze de aansteker aanknipte. 'Om te beginnen wordt de vice-president nog wel eens vergeten wanneer het gaat om een toestemming voor een veiligheidsembargo – Truman had nog nooit gehoord over het Manhattan-project. Verder is er de kwestie dat paniek vermeden moet worden, áls die aanvallen al hebben plaatsgevonden – en ik wil niet zo een, twee, drie toegeven dat ze hebben plaatsgevonden. Die Varak van jullie is op één leugen betrapt; hij kan er ook meer hebben verteld. Hoe dan ook, als het volledig bekend was hoeveel schade er was aangericht in Virginia en Colorado, dan raken we mensen van de staf kwijt. Niemand loopt graag rond met het idee dat hij vermoord zou kunnen worden door zelfcommando's van terroristen. Neem ten slotte de aanvallen zelf eens. Volgens mij zijn die er nooit geweest.'
Sundstrom bleef roerloos staan, met beide handen om zijn glas geklemd, en hij keek neer op zijn vroegere minnares. 'Hij heeft het gedaan, nietwaar, Ardis?' vroeg hij zacht. 'De financier met grootheidswaanzin kon de mogelijkheid niet verdragen dat een kleine groep van "weldadige buitenbeentjes" zijn man zou kunnen vervangen door een ander die zijn pijplijn naar miljoenen zou kunnen afsnijden en het waarschijnlijk ook zou doen.'
De weduwe liet zich achterover vallen op de sofa met haar hoofd achterover gebogen en haar ogen gesloten. 'Achthonderd miljoen,' fluisterde ze. 'Dat zei hij. Achthonderd miljoen voor hem alleen, miljarden voor heel de rest van jullie.'
'Hij heeft je nooit verteld waarmee hij bezig was, wat hij had gedaan?'
'Lieve god, nee! Ik zou hem een kogel door zijn kop hebben geschoten en een van jullie hebben gebeld om hem in Mexico ergens onder de grond te stoppen.'
'Ik geloof je.'
'Zullen de anderen dat ook doen?' Ardis kwam overeind met een smekende blik in haar ogen.
'Och, ik denk van wel. Ze kennen jou.'
'Ik zweer het je, Eric, ik wist er niets van!'
'Ik zei al dat ik je geloofde.'

'Die vrouw Rasjad zei tegen me dat ze bezig waren het spoor van het geld te volgen dat hij via Zürich heeft verstuurd. Kunnen ze zoiets?'

'Als ik Andrew goed ken zou het wel eens maanden kunnen duren. Zijn gecodeerde betalingsbronnen liepen van Zuid-Afrika tot de Oostzee. Maanden, misschien zelfs wel een jaar.'

'Zullen de anderen dat weten?'

'We zullen zien wat ze zeggen.'

'Wat? ...Eric!'

'Ik heb Grinell gebeld vanaf het vliegveld in Baltimore. Hij hoort niet tot Bollingers staf en hij houdt zich natuurlijk op de achtergrond, maar als we een voorzitter van de raad van bestuur hebben dan zijn we het er volgens mij allemaal over eens dat hij de man is.'

'Eric, wat wil je me eigenlijk zeggen?' vroeg mevrouw Vanvlanderen met vlakke stem.

'Hij zal hier over een paar minuten zijn. We waren het erover eens dat we moesten praten. Ik wilde wat tijd alleen met jou hebben maar hij kan hier elk moment komen.' Sundstrom keek op zijn horloge.

'Je kijkt weer zo glazig uit je ogen, mooie jongen,' zei Ardis en ze stond langzaam op van de sofa.

'Jazeker,' stemde de geleerde in. 'Jij moest daar altijd zo om lachen wanneer ik niet kon... zullen we zeggen, functioneren.'

'Je dacht zo vaak aan andere dingen. Jij bent zo'n briljante man.'

'Ja, dat weet ik. Je hebt eens gezegd dat je altijd wist wanneer ik bezig was een probleem op te lossen. Dan kreeg ik hem niet meer omhoog.'

'Ik hield van je verstand. Dat doe ik nog.'

'Hoe kun je dat nou? Je hebt zelf niet eens verstand, dus hoe kun je dat weten?'

'Eric, Grinell maakt me báng.'

'Mij niet. Hij heeft tenminste verstand.'

De deurbel weergalmde door de suite van de Vanvlanderens.

Kendrick zat op een kleine canvasstoel naast het smalle bed in de cabine van het vliegtuig dat hen naar Denver vloog. Het bloedverlies uit de wonden van Emmanuel Weingrass was gestopt door de overlevende verpleegster uit Mesa Verde en de oude man bleef met zijn donkere ogen knipperen, die nog don-

kerder leken door de gerimpelde witte huid eromheen.
'Ik heb eens nagedacht,' zei Manny moeilijk en zijn woorden kwamen er half hoestend uit.
'Niet praten,' viel Evan hem in de rede. 'Spaar je krachten. Toe!'
'Och, schei toch uit,' antwoordde de oude man. 'Wat heb ik nog helemaal? Nog twintig jaar en neuken kan ik niet meer.'
'Wil je daar wel eens mee ophouden?'
'Nee, ik wil er niet mee ophouden. Vijf jaar lang heb ik je niet gezien en dan komen we weer bij elkaar en wat gebeurt er? Jij klampt je veel te erg vast – aan mij. Wat ben jij, een *feygeleh* met een complex voor ouwe kerels? ...Geef daar maar geen antwoord op, dat zal Khalehla wel voor je doen. Jullie tweeën moeten je afgelopen nacht uit de naad hebben gewerkt.'
'Waarom praat jij nou nooit als een normaal mens?'
'Omdat het normale me verveelt, net zoals jij me begint te vervelen. ...Heb je dan nog niet door wat al die rotzooi te betekenen heeft? Heb ik je dan als een slome duikelaar grootgebracht? Snap je het niet?'
'Nee, ik snap het niet, is 't zó goed?'
'Die knappe griet had het goed door. Iemand wil jou heel erg belangrijk maken in dit land en iemand anders schijt in zijn broek bij die gedachte. Zie je dat dan niet?'
'Ik begin het te zien en ik hoop dat die andere vent wint. Ik wil niet belangrijk zijn.'
'Misschien hoor je dat wel te zijn. Misschien hoor je daar thuis.'
'Wie zegt dat, verdomme? Wie denkt er zo over?'
'De mensen die jou niet willen hebben, over hen moet je maar eens nadenken. Khalehla vertelde ons dat die smerige maniakken die hierheen kwamen om jou te vermoorden niet zomaar uit een toestel uit Parijs stapten of van een cruise-schip kwamen wandelen. Ze hebben hulp gehad, invloedrijke hulp. Hoe zei ze het ook weer? ...Paspoorten, wapens, geld – zelfs rijbewijzen en kleren en schuilplaatsen. Die dingen koop je niet zomaar in een winkel, zeker niet de documenten. Daarvoor zijn de contacten nodig op hoge posten en de mensen die zoiets op touw kunnen zetten zijn de rotzakken die jou dood willen zien. Waarom? Vormt de afgevaardigde die niet op zijn mondje is gevallen, misschien een bedreiging voor hen?'
'Hoe kan ik nu een bedreiging zijn? Ik stap eruit.'
'Dat weten ze niet. Ze zien alleen maar een groot politicus en

als die zijn mond opentrekt houdt iedereen in Washington zijn bek en luistert naar hem.'
'Zoveel praat ik niet, dus wordt er ook niet veel geluisterd, praktisch helemaal niet.'
'Waar het op neer komt is dat zij hun mond houden wanneer jij praat. Jij hebt, wat ik zou willen noemen, een luisterdiploma. Net als ik trouwens, eerlijk gezegd.' Weingrass hoestte en legde een bevende hand op zijn keel. Evan boog zich bezorgd over hem heen.
'Doe kalm aan, Manny.'
'Hou je mond,' beval de oude man. 'Jij luistert naar wat ik te zeggen heb. Die rotzakken zien een echte Amerikaanse held die een dikke medaille krijgt van de president en die in belangrijke commissies in het Congres wordt geplaatst...'
'De commissies waren er vóór de medaille...'
'Val me niet in de rede. Na een paar maanden zie je de dingen niet meer zo scherp – hoe dan ook, jij hebt het weer rechtgezet. Die held gaat op de vuist met de hoge pieten van het Pentagon waar de nationale televisie bij is vóórdat hij een held is en hij klaagt zowat het hele verrekte stelletje aan met daarbij nog al die grote industriële ondernemingen die de machine voeden. Wat doet hij vervolgens? Hij *eist* rekenschap. Verschrikkelijk woord, rekenschap – de rotzakken hebben er de pest aan. Ze moeten zijn gaan zweten, jongen. Ze moeten zijn gaan denken dat die grappenmaker van een held misschien meer macht zal krijgen, dat hij wel eens voorzitter van een van die commissies zou kunnen worden, of zelfs in de Senaat gekozen zou kunnen worden waar hij echt schade zou kunnen aanrichten.'
'Je overdrijft.'
'Je vriendin overdreef niet!' wierp Weingrass met luide stem tegen en hij staarde Kendrick strak aan. 'Zij vertelde ons dat haar elitegroepje misschien aansluiting heeft gevonden met een zenuwcentrum dat hoger in de regering zit dan ze wel durven denken. ...Zie je nou onderhand nog niet in dat dit een soort blauwdruk is, al moet ik toegeven dat blauwdrukken nooit jouw sterkste kant zijn geweest?'
'Natuurlijk is het dat,' antwoordde Evan langzaam knikkend. 'Er bestaat geen land in de wereld waarin ze niet tot op zekere hoogte last hebben van corruptie en ik betwijfel of dat er ooit zal komen.'

'O, corrúptie?' galmde Manny met rollende ogen, alsof de woorden deel uitmaakten van een of ander talmoedisch gezang. 'Zoals bij voorbeeld de ene vent die voor een dollar paperclips jat van zijn kantoor en de andere die een miljoen in zijn zak steekt bij een budgetoverschrijding, bedoel je dat?'
'In feite wel. Of tien miljoen als je wilt.'
'Een onbeduidende habbekrats!' riep Weingrass. 'Dat soort mensen maakt geen afspraken met Palestijnse terroristen die duizenden kilometers ver weg zitten, met als enige doel zich helemaal gedeisd te kunnen houden bij een moordzaak. Ze zouden niet eens weten hoe ze dat moeten aanpakken! Jij hebt dat knappe grietje ook niet in haar ogen gekeken, of misschien wist je niet wat je daar moest zoeken. Jij hebt dat nooit meegemaakt.'
'Ze zegt dat ze weet waar jij vandaan komt omdat jij dat wel hebt meegemaakt. Goed dan, ik heb dat niet, dus waar heb je het over?'
'Wanneer je daaraan meedoet ben je bang,' zei de oude man. 'Je loopt op een dik zwart gordijn af dat je gaat wegtrekken. Je bent opgewonden; je barst van de nieuwsgierigheid en ook van de angst. Alles tegelijk. Je probeert alles wat je kunt om die gevoelens te onderdrukken, zelfs jezelf ervoor te verbergen, en dat hoort erbij want je kunt je niet veroorloven een greintje beheersing te verliezen. Maar het is er allemaal. Want wanneer dat gordijn eenmaal is weggerukt weet je dat je iets zult zien wat zó waanzinnig is dat je je afvraagt of iemand het zal geloven.'
'Dat heb jij allemaal in haar ogen gezien?'
'Genoeg, ja.'
'Waarom?'
'Het is bij haar zowat kantje boord, jongen.'
'Waaróm?'
'Omdat we niet te maken hebben – zij heeft niet te maken – met gewone corruptie, zelfs niet met enorme corruptie. Wat er achter dat zwarte gordijn zit is een regering binnen een regering, een stelletje bedienden dat de baas is in het huis van de meester.' De architect kreeg ineens een verschrikkelijke hoestaanval, zijn hele lichaam beefde, zijn ogen waren stijf dichtgeknepen. Kendrick greep hem bij de armen; even later was de hoestkramp voorbij en Manny knipperde weer met de ogen, diep ademend. 'Luister naar me, stomme zoon die je bent,'

fluisterde hij. 'Help haar, je moet haar echt helpen en je moet Payton helpen. Jullie moeten die rotzakken vinden en ze onschadelijk maken!'
'Natuurlijk zal ik dat, en dat weet je.'
'Ik háát hen! Die jongen die onder de drugs zit, die Ahbyahd die jij in Masqat hebt gekend – op een andere tijd hadden we vrienden kunnen zijn. Maar die tijd zal nooit aanbreken zolang er rotzakken zijn die ons tegen elkaar opzetten omdat ze miljarden verdienen aan de haat.'
'Zo eenvoudig ligt dat niet, Manny...'
'Het maakt er een groter deel van uit dan jij denkt! Ik heb het gezien! ..."Zij hebben meer dan jullie, daarom zullen we jullie meer verkopen dan zij hebben" – dat is een van de lokmiddelen. Of "Zij zullen jullie doden tenzij jullie hen eerst doden, dus hier heb je de vuurkracht – als je maar betaalt". Het gaat steeds hoger die verdomde ladder op: "Zij hebben twintig miljoen uitgegeven voor een raket, dan zullen wij véértig miljoen uitgeven!" Willen we werkelijk die hele kloteplaneet in de lucht laten vliegen? Of luistert iedereen naar idioten die luisteren naar mensen die haat verkopen en met angst leuren?'
'Op dat niveau is het inderdaad zo eenvoudig,' zei Evan glimlachend. 'Ik heb het misschien ooit zelf gezegd.'
'Blijf het zeggen, jongen. Loop niet weg van dat podium waarover we het hebben gehad – voornamelijk waar het een zekere Herbert Dennison betreft over wie we het ook hebben gehad en die je het in zijn broek hebt laten doen van angst. Denk eraan, jij hebt een luisterdiploma, net als ik. Gebruik dat.'
'Ik zal erover moeten denken, Manny.'
'Zo, en terwijl je daarover nadenkt,' hoestte Weingrass met zijn rechterhand op zijn borst, 'waarom denk je dan ook niet even na over waarom je tegen me hebt moeten liegen? Jij en de doktoren tenminste.'
'Wat?'
'Het is er weer, Evan. Het zit er weer en het is erger omdat het nooit weg is geweest.'
'Wat is er weer?'
' "De grote speelbank", zo luidt volgens mij de vriendelijke uitdrukking. De kanker is weer losgebroken.'
'Nee, dat is niet wáár. We hebben je wel op tien verschillende manieren laten onderzoeken. Ze weten het zeker – je bent schoon.'

'Zeg dat maar tegen die rotbeesten die me mijn adem afsnijden.'
'Ik ben geen dokter, Manny, maar volgens mij is dat geen symptoom. In de laatste zesendertig uur heb je een paar oorlogen uitgevochten. Het is een wonder dat je eigenlijk nog adem kunt halen.'
'Ja, maar terwijl ze me aan het oplappen zijn moet je eens vragen of ze me daarop nog eens willen nakijken, en probeer niet tegen me te liegen. Er zijn in Parijs een paar mensen voor wie ik moet zorgen, een paar dingen die ik achter slot en grendel heb en die zij moeten hebben. Dus geen leugens tegen me, begrepen?'
'Ik zal tegen jou niet liegen,' zei Kendrick terwijl het vliegtuig zijn afdaling begon naar Denver.

Crayton Grinell was een slanke man van gemiddelde lengte en een eeuwig grauw gezicht dat nog meer opviel door scherpe gelaatstrekken. Wanneer de achtenveertigjarige jurist, die gespecialiseerd was in internationaal recht, iemand begroette, voor het eerst of voor de vijftigste keer, of het nu een kelner was of een president van een onderneming, dan begroette hij zo iemand met een bescheiden glimlach die hartelijkheid uitstraalde. De hartelijkheid en de bescheidenheid kwamen echt over totdat je Grinell in de ogen keek. Ze waren niet zozeer kil, dat waren ze niet, maar ze keken ook niet bepaald vriendelijk; ze waren zonder enige uitdrukking, neutraal, de ogen van een behoedzaam nieuwsgierige kat.
'Ardis, mijn béste Ardis,' zei de jurist toen hij de hal inliep en de weduwe omarmde, terwijl hij zacht op haar schouder klopte zoals je een niet zo aardige tante zou troosten die een veel aardiger man had verloren. 'Wat kan ik zeggen? Wat kan er door iemand worden gezegd? Zo'n verlies voor ons allemaal, maar hoeveel meer voor jou.'
'Het was onverwacht, Cray. Veel te onverwacht.'
'Natuurlijk was het dat, maar we moeten allemaal naar iets positiefs zoeken in ons verdriet, nietwaar? Jullie beiden is een lange en martelende ziekte bespaard gebleven. Aangezien het einde onvermijdelijk is, is het beter dat het maar snel komt, vind je niet?'
'Ik denk dat je gelijk hebt. Bedankt dat je me eraan herinnert.'
'Geen dank.' Grinell maakte zich los en keek naar Sundstrom

die in de grote, lager liggende woonkamer stond. 'Eric, wat fijn jou weer eens te zien,' zei hij ernstig en hij liep de hal door en de marmeren treden af om de geleerde de hand te geven. 'Op een of andere manier is het goed dat wij beiden bij Ardis zijn op een moment als dit. Mijn mannen zijn overigens in de gang.'
'Verrekte trut!' Sundstrom vormde de woorden met zijn mond en zijn adem kwam fluisterend toen de treurende mevrouw Vanvlanderen de voordeur sloot; het geluid van de deur en van haar hakken op de marmeren vloer overstemde het gemompel van haar vroegere minnaar.
'Wat wil je drinken, Cray?'
'O nee, dank je.'
'Ik geloof dat ik er eentje neem,' zei Ardis en ze liep naar de bar.
'Ik geloof dat dat verstandig is,' stemde de jurist in. 'Is er iets wat ik kan doen? Wat de juridische kant hier betreft of met het nemen van maatregelen, wat dan ook?'
'Ik neem aan dat je dat al doet, de juridische zaken bedoel ik. Andy-lieverd had overal advocaten maar ik begreep dat jij zijn belangrijkste man was.'
'Ja, dat was ik, en we hebben vandaag allemaal contact met elkaar gehad. New York, Washington, Londen, Parijs, Marseilles, Oslo, Stockholm, Bern, Zürich, West-Berlijn – ik doe dat allemaal persoonlijk natuurlijk.'
De weduwe bleef roerloos staan met een karaf halverwege haar glas en ze staarde naar Grinell. 'Toen ik het had over overal bedoelde ik niet zó ver weg overal.'
'Hij had zeer uitgebreide belangen.'
'Zürich...?' zei Ardis alsof de naam van de stad haar onbedoeld was ontglipt.
'Het ligt in Zwitserland!' viel Sundstrom haar schor in de rede. 'En laten we ophouden met die onzin.'
'Eric, echt...'
'Kom mij niet met "Eric, echt" aan boord, Cray. Die stomme natnek heeft 't 'm geflikt. Hij sloot een contract af met de Palestijnen en betaalde hen vanuit Zürich. Weet je nog, Zürich, honnepon? Ik heb het je in Baltimore al gezegd, Cray. Hij heeft 't 'm geflikt!'
'Ik heb geen bevestiging kunnen krijgen over de aanvallen in Fairfax of in Colorado,' zei Grinell rustig.
'Omdat ze er nooit zijn geweést!' gilde de weduwe en haar rech-

terhand trilde terwijl ze zichzelf inschonk uit een zwaar kristallen karaf.
'Dat heb ik niet gezegd, Ardis,' wierp de jurist zacht tegen. 'Ik heb alleen gezegd dat ik geen bevestiging kon krijgen. Maar ik ben later wel gebeld, ongetwijfeld door een goedbetaalde dronkelap die de hoorn kreeg aangereikt nadat het nummer was gedraaid, zodat de identiteit van de bron onherkenbaar was. De woorden die hij duidelijk herhaalde zijn maar al te vertrouwd. "Ze volgen het spoor van het geld," zei hij.'
'O, mijn gód!' riep mevrouw Vanvlanderen uit.
'We zitten nu dus met twee crises,' vervolgde Grinell terwijl hij naar een witmarmeren telefoon liep op een roodgenerfd marmeren tafeltje tegen de muur. 'Onze slappe, alomtegenwoordige minister van Buitenlandse Zaken is op weg naar Cyprus om een akkoord te ondertekenen dat de hele defensie-industrie kan lamleggen, en een van onze eigen mensen heeft een connectie met Palestijnse terroristen. Eigenlijk zou ik verdomd graag weten hoe Andrew het heeft klaargespeeld. Wij zijn misschien veel onhandiger.' Hij draaide een nummer terwijl de weduwe en de geleerde toekeken. 'De verandering van Plan Zes naar Plan Twaalf, Middellandse Zee, staat vast,' zei de jurist in de hoorn. 'En wilt u, alstublieft, de medische ploeg in gereedheid laten brengen?'

35

Varak rende de hoek om naar de dienstingang en nam de vrachtlift naar zijn verdieping. Vervolgens liep hij snel naar zijn kamer, hij opende de deur en haastte zich naar de geavanceerde verticale opname-apparatuur tegen de muur; hij schrok er een beetje van toen hij zag hoeveel tape er al was gebruikt. Hij weet het aan de vele telefoontjes die Ardis Vanvlanderen had gekregen. Hij knipte de schakelaar om waardoor hij dubbele transmissie kreeg, tape en rechtstreeks geluid, zette een koptelefoon op en ging zitten luisteren.
Ze is ongeveer anderhalf uur geleden vertrokken.
Zij? Wie?
Een vrouw die Rasjad heette, een contraterroristische deskundige. Ze hebben mensen uitgewisseld...
De Tsjech keek naar de spoel met opgenomen tape. Er stond

minstens vijfentwintig minuten conversatie op! Wat had de vroegere agente uit Egypte in *San Diego* te maken? Milos begreep er niets van. Ze had ontslag genomen bij de CIA; dat had hij bevestigd gekregen. Het geheime maar officiële bericht uit Caïro en Washington had geluid dat ze 'gevaar liep gecompromitteerd te worden'. Hij had aangenomen dat het de operatie in Oman was geweest en had haar verdwijnen onvoorwaardelijk geloofd. Ze moest verdwijnen – maar ze was er nog! Hij luisterde verder naar het gesprek dat plaatsvond in de suite van de Vanvlanderens. Sundstrom was aan het woord.
Hij heeft het gedaan, nietwaar, Ardis? Die financier met grootheidswaanzin kon de mogelijkheid niet verdragen dat een kleine groep van weldadige buitenbeentjes zijn man zou kunnen vervangen door een ander die zijn pijplijn naar miljoenen zou kunnen afsnijden en het waarschijnlijk ook zou doen.
Toen Ardis Vanvlanderen.
Achthonderd miljoen, dat zei hij. Achthonderd miljoen voor hem alleen, miljarden voor heel de rest van jullie. ...Ik wist er niets van!
Varak was verbijsterd. Hij had twee enorme fouten gemaakt! De eerste betrof de geheime activiteiten van Adrienne Khalehla Rasjad, en al was het erg moeilijk zijn fout te erkennen, hij kon dat wel want zij was een ervaren inlichtingenagente. De tweede fout kon hij niet accepteren! Het valse draaiboek dat hij had voorgelegd aan Inver Brass was wáár geweest: Het was nooit bij hem opgekomen dat Andrew Vanvlanderen onafhankelijk van zijn vrouw tot actie kon overgaan. Hoe kón hij zoiets doen? Ze hadden een La-Rochefoucauld huwelijk, een verstandshuwelijk, waarvan ze beiden profiteerden, er kwam zeker geen affectie bij kijken, laat staan liefde. Andy-lieverd had de regels overtreden. Een stier was in zijn financiële tochtigheid door het hek van zijn wei gebroken en was het slachthuis ingerend. Varak luisterde.
Een andere stem, een andere naam. Een man die Crayton Grinell heette. De tape spoelde verder terwijl de Tsjech zich concentreerde op de woorden die werden gesproken. Ten slotte:
We zitten nu dus met twee crises. Onze slappe, alomtegenwoordige minister van Buitenlandse Zaken is op weg naar Cyprus om een akkoord te ondertekenen dat de hele defensie-industrie kan lamleggen. ...De verandering van Plan Zes naar Plan Twaalf, Middellandse Zee, staat vast.

Varak rukte de koptelefoon af. Wat er verder nog in de suite van de Vanvlanderens werd gezegd zou worden opgenomen. Hij moest snel te werk gaan. Hij stond op en haastte zich de kamer door naar de telefoon. Hij pakte de hoorn en drukte de cijfers in voor Cynwid Hollow, Maryland.

'Ja?'

'Meneer, met Varak.'

'Wat is er Milos? Wat ben je te weten gekomen?'

'Het is Sundstrom...'

'Wát?'

'Dat heeft tijd, doctor Winters, iets anders niet. De minister van Buitenlandse Zaken vliegt naar Cyprus. Kunt u uitzoeken wanneer?'

'Dat hoef ik niet, ik weet het. En dat weet verder iedereen die naar de televisie kijkt of naar de radio luistert. Het is een zeer gunstige ontwikkeling...'

'In de *Middellandse Zee!*' viel Varak hem in de rede op beheerste toon. 'Het zal in de Middellandse Zee gebeuren.'

'Wat zal er gebeuren?'

'Ik weet het niet. Een actie die Plan Twaalf heet, meer heb ik niet gehoord. Het zal op de grond of in de lucht gebeuren. Ze willen hem tegenhouden.'

'Wie willen dat?'

'De geldschieters. Een man die Grinell heet, Crayton Grinell. Als ik zou proberen er binnen te dringen om meer te weten te komen zouden ze me kunnen pakken. Er staan mensen buiten de deur en ik kan de groep niet in gevaar brengen. Ik zou zeker nooit uit vrije wil dingen verraden, maar er bestaan drugs...'

'Ja, dat weet ik.'

'U moet proberen Frank Swann van Buitenlandse Zaken te bereiken. Zegt u maar tegen de centrale dat ze u moeten doorverbinden, waar hij ook zit en dat ze de uitdrukking "crisisindamming" moeten gebruiken.'

'Waarom Swann?'

'Hij is een expert, meneer. Hij had voor BZ de leiding over de operatie in Oman.'

'Ja, dat weet ik, maar misschien moet ik hem meer vertellen dan me lief is. ...Misschien is er een betere manier, Milos. Blijf aan de lijn, ik ben er zo weer.' Elke tien seconden die verstreken leken Varak minuten toe, en toen wáren het minuten! Wat was Winters toch aan het doen? Ze konden geen minuut ver-

spillen. Eindelijk kwam de woordvoerder voor Inver Brass weer aan het toestel. 'Ik ga ons overschakelen op een verzamelgesprek, Milos. Er komt iemand anders bij maar er is afgesproken dat jullie geen van beiden je bekend hoeven te maken. Ik vertrouw deze man volledig en hij accepteert de voorwaarde. Hij houdt zich ook bezig met wat jij noemt "crisisindamming" en hij heeft veel uitgebreidere middelen dan Swann.' Er klonken twee klikken over de lijn en Winters vervolgde: 'Ga uw gang, heren. Meneer A, dit is meneer B.'
'Ik begrijp dat u me iets te vertellen hebt, meneer A.'
'Jazeker,' antwoordde Varak. 'De omstandigheden doen er niet toe maar de informatie is betrouwbaar. De minister van Buitenlandse Zaken verkeert in gevaar. Er zijn mensen die niet willen dat hij de conferentie op Cyprus bijwoont en ze zijn van plan hem tegen te houden. Ze maken gebruik van een plan of een tactiek die ze "Plan Twaalf Middellandse Zee" noemen. De man die de opdracht gaf heet Grinell, ene Crayton Grinell uit San Diego. Ik weet niets over hem.'
'Ik begrijp het. Ik zal dit zo tactvol mogelijk uitdrukken, meneer A. Verkeert u in een positie dat u ons kunt zeggen waar die Grinell op dit moment is?'
'Er zit niets anders voor me op, meneer B. Het Westlake Hotel. Suite Twee C. Ik heb geen idee hoelang hij daar zal blijven. U moet opschieten en gewapende mensen sturen. Hij wordt bewaakt.'
'Wilt u zo goed zijn, meneer A, om even aan het toestel te blijven?'
'Zodat u dit traject van het gesprek kunt nagaan?'
'Zoiets zou ik niet doen. Ik heb mijn woord gegeven.'
'Hij zal het houden,' onderbrak Samuel Winters hem.
'Het is moeilijk voor me,' zei de Tsjech.
'Ik zal me haasten.'
Er weerklonk een enkele klik en Winters begon te praten. 'Er zat echt niks anders op Milos. De minister is de verstandigste man in heel de regering.'
'Daarvan ben ik me bewust, meneer.'
'Ik ben nog kapot van Sundstrom! Waarom?'
'Ongetwijfeld een combinatie van redenen, en de belangrijkste daarvan ontegenzeglijk zijn patenten in ruimtetechnologie. Anderen zullen misschien de apparatuur bouwen maar de regering is de belangrijkste afnemer. Ruimte is nu synoniem met defensie.'

'Hij kan niet meer geld willen! Het meeste geeft hij weg.'
'Maar als de markt wat inzakt werkt dat door op de produktie en ook op de experimenten – en dat laatste is een passie voor hem.'
Opnieuw een klik. 'Ik ben er weer, meneer A,' zei de derde man. 'In de Middellandse Zee is nu iedereen gewaarschuwd en er zijn maatregelen getroffen om Grinell in te rekenen in San Diego, natuurlijk zo onopvallend mogelijk.'
'Waarom was het noodzakelijk dat ik aan de telefoon bleef?'
'Omdat ik, heel eerlijk gezegd, als ik die zaken in San Diego niet had kunnen regelen, een beroep zou hebben moeten doen op uw vaderlandslievendheid voor verdere hulp,' zei Mitchell Payton. 'U bent kennelijk een ervaren man.'
'Wat voor hulp?'
'Niets wat onze afspraak in gevaar zou brengen betreffende dit telefoontje. Alleen om Grinell te volgen, mocht hij het hotel verlaten, en die informatie door te geven aan onze contactman.'
'Waarom dacht u dat ik in een positie verkeerde om zoiets te kunnen doen?'
'Dat wist ik niet. Ik kon alleen maar hopen en er waren verschillende dingen heel snel te doen, voornamelijk de Middellandse Zee.'
'Laat ik u zeggen dat ik niet in die positie verkeer,' loog Varak. 'Ik ben een heel eind van het hotel af.'
'Dan heb ik misschien twee fouten gemaakt. Ik had het over 'vaderlandslievendheid", maar als ik u zo hoor praten is dit misschien niet eens uw vaderland.'
'Dat is het nu wel,' zei de Tsjech.
'Dan is het veel aan u verschuldigd.'
'Ik moet nu weg.' Varak legde de hoorn op en liep snel terug naar het opname-apparaat. Hij ging zitten en zette de koptelefoon op en zijn ogen dwaalden naar de spoel met tape. Die stond stil! Hij luisterde. Niets. Stilte! Vertwijfeld knipte hij een serie schakelaars aan en uit, links en rechts van hem. Er kwam geen enkele reactie... geen geluid. Het door stemgeluid in werking te zetten opname-apparaat functioneerde niet omdat de suite van de Vanvlanderens leeg was! Hij moest opschieten! Meer dan wat ook moest hij Sundstrom zien te vinden! De verrader moest gedood worden in het belang van Inver Brass.

Khalehla liep door de brede gang naar de liften. Ze had MJ gebeld en, na de afschuwelijke gebeurtenissen in Mesa Verde te hebben besproken, had ze hem het hele gesprek met Ardis Vanvlanderen laten horen dat ze had opgenomen op het geminiaturiseerde apparaatje dat in haar zwarte notitieboek verstopt had gezeten. Beiden waren tevreden; het verdriet van de treurende weduwe was veranderd in een wilde hysterie. Het was hun beiden duidelijk dat mevrouw Vanvlanderen niets had geweten over het contact van haar dode echtgenoot met de terroristen, maar er pas later over had gehoord. Het onverwachte opduiken van een inlichtingenagente uit Caïro met de omgekeerde informatie die ze bij zich had, was voldoende geweest om Ardis de poppenspeelster dwars door het lint te jagen. Oom Mitch had weer eens zijn beste beentje voorgezet.
'Doe maar wat kalmer aan, agente Rasjad.'
'Ik zou graag even willen douchen en rustig wat eten. Ik geloof dat ik sinds de Bahama's niet meer heb gegeten.'
'Bestel maar wat via de roomservice. We zullen voor deze keer een van jouw schandalige rekeningen maar eens door de vingers zien. Je hebt het verdiend.'
'Ik heb de pest aan eten op mijn kamer. Al die kelners die het eten opdienen voor één enkele vrouw stellen zich aan alsof zij het antwoord zijn op haar seksuele fantasieën. Als ik dan niet bij mijn grootmoeder kan gaan eten...'
'Dat kun je in geen geval!'
'Oké. Dan weet ik een paar goede restaurants...'
'Ga je gang maar. Tegen middernacht zal ik een lijst hebben van alle telefoonnummers die onze radeloze weduwe heeft gebeld. Eet maar lekker, kind. Verzamel maar wat energie. Misschien moet je de hele nacht wel werken.'
'U bent al te grootmoedig. Mag ik Evan bellen die met een beetje geluk mijn aanstaande kan zijn?'
'Dat mag je maar je krijgt hem niet te pakken. Colorado Springs heeft een vliegtuig gestuurd om hem en Emmanuel naar het ziekenhuis in Denver te brengen. Ze zitten nu in de lucht.'
'Nogmaals bedankt.'
'Graag gedaan, Rasjad.'
'U bent ál te vriendelijk, menéér.'
Khalehla drukte op de knop voor de lift en hoorde haar maag rammelen. Ze had inderdaad niet meer gegeten sinds de maaltijd in het luchtmachttoestel en die maaltijd was wat verstoord

geweest door de nerveuze enzymen die werden geproduceerd door Evans conditie – het braken en alles wat ermee samenhing. ...Lieve Evan, briljante Evan, stomme Evan. De nemer van risico's met meer ethiek dan goed was voor zijn benadering van het leven; ze vroeg zich heel even af of hij diezelfde integriteit gehad zou hebben als hij gefaald had. Het was een open vraag; hij was obsessief prestatiegericht en keek een beetje arrogant neer vanaf zijn voetstuk van niet te hebben gefaald. En het was niet moeilijk te begrijpen hoe hij onder de betovering, of de tovermantel, van Ardis Montreaux was geraakt, tien of twaalf jaar geleden in Saudi-Arabië. Die meid moest een stuk zijn geweest, een opvallende dame met mooie praatjes en een gezicht en lijf dat daarbij paste. Toch was hij niet blijven plakken in haar net – dat was háár Evan.
Ze hoorde de *ping* van de bel en de liftdeuren gleden open. Gelukkig was hij leeg; ze stapte erin en drukte op de knop voor de hal. De schuifdeuren gingen dicht en de kooi begon te dalen maar remde meteen weer af. Ze keek naar de verlichte cijfers boven de deuren; de lift stopte op de tweede verdieping. Het was gewoon toeval, dacht ze. MJ was er zeker van dat Ardis Vanvlanderen, eigenaresse van Suite twee C het hotel niet zou durven verlaten.
De deuren gingen open en terwijl haar ogen ongeïnteresseerd voor zich uit bleven staren was Khalehla opgelucht toen ze vanuit haar ooghoeken zag dat de passagier een man alleen was met licht gekleurd haar en wat leek op enorm brede schouders die zijn colbertje helemaal vulden en zelfs de stof leken uit te rekken. Toch was er iets vreemds aan hem, dacht ze. Zoals men dat kan voelen wanneer men alleen is met één enkel mens in een kleine ruimte, zo kreeg ze de indruk van een krachtige energie die uitging van haar onbekende medepassagier. Er hing een waas van woede of ongerustheid die de lift leek te doordringen. Toen kon ze voelen dat hij haar aankeek, niet op de manier waarop mannen haar gewoonlijk opnamen – heimelijk, met telkens terugkerende blikken; daaraan was ze gewend – maar dat hij haar aanstaarde, met een strakke, intense blik in de ogen die ze niet kon zien.
De deuren sloten zich en ze fronste heel even haar voorhoofd; het was de uitdrukking van iemand die misschien iets had vergeten. Al even terloops opende ze haar handtasje als wilde ze gaan zoeken naar datgene wat ze misschien miste. Ze zuchtte

hoorbaar en haar gezicht ontspande zich; wat ze zocht was er. Haar pistool: De lift begon te dalen toen ze even naar de vreemdeling keek.
Ze verstijfde! Zijn ogen waren twee cirkeltjes van beheerst witheet vuur en het korte, keurig gekamde haar was lichtblond. Hij kon niemand anders zijn! De blonde Europeaan... hij was een van hén! Khalehla deed een uitval naar het paneel met de knoppen terwijl ze haar pistool te voorschijn rukte, haar tasje liet vallen en op de alarmknop drukte. Buiten de deuren ging een bel over terwijl de lift met een ruk stopte en de blonde man een pas naar voren zette.
Khalehla schoot en de knal klonk oorverdovend in de enge ruimte; de kogel vloog rakelings over het hoofd van de gespannen vreemdeling, zoals ze ook had bedoeld.
'Blijf staan waar u staat!' beval ze. 'Als u iets over me weet dan weet u ook dat het volgende schot recht tussen uw ogen zal zijn.'
'U bent Rasjad,' zei de blonde man met een accent in zijn spraak en met geforceerde stem.
'Ik weet niet wie u bent, maar ik weet wát u bent. Een rottige ploert, dat bent u! Evan had gelijk. Al die maanden, al die verhalen over hem, de commissies van het Congres, zijn bekendheid over de hele wereld. Het diende om de Palestijnen ertoe te brengen hem te vermoorden! Zo eenvoudig was dat!'
'Nee, u hebt het fout, echt fout!' protesteerde de Europeaan terwijl de alarmbel buiten doordringend bleef rinkelen. 'En u moet me nú niet tegenhouden! Er gaat iets verschrikkelijks gebeuren en ik ben in contact geweest met uw mensen in Washington.'
'Wie? Wie in Washington?'
'We noemen geen namen...'
'Gelúl!'
'Toe nou, juffrouw Rasjad! Een man staat op het punt te ontsnappen!'
'Maar jij niet, Blondje.'
Waar de klappen vandaan kwamen en hoe ze zo bliksemsnel werden toegebracht zou Khalehla nooit te weten komen. Even was er links van haar een vage beweging geweest, toen werd haar rechterarm verlamd door een neerdalende hand, sneller dan welke menselijke hand ook, en dat werd gevolgd door een draaibeweging tegen de klok in van haar rechterpols, zodat het

wapen werd weggerukt. Ze dacht niet anders of haar pols was gebroken, maar die gloeide alleen maar alsof er even een plens heet water overheen was gekomen. De Europeaan stond voor haar met haar pistool in zijn hand. 'Ik wilde u geen pijn doen,' zei hij.
'U bent heel goed, vuile ploert, dat moet ik toegeven.'
'Wij zijn geen vijanden, juffrouw Rasjad.'
'Ik heb er moeite mee dat te geloven.' De telefoon in de lift die in een kastje onder het knoppenpaneel zat begon te rinkelen en het geluid weergalmde tegen de vier wanden van de enge ruimte. 'U komt hier niet uit,' voegde Khalehla eraan toe.
'Wácht even,' zei de blonde man toen het rinkelen bleef voortduren. 'U bent bij mevrouw Vanvlanderen geweest.'
'Dat heeft ze u verteld. Wat dan nog?'
'Dat kon ze me niet vertellen,' viel de Europeaan haar in de rede. 'Ik heb nooit met haar gesproken maar ik heb haar gesprekken wel opgenomen. Na u kreeg ze bezoekers. Ze spraken over u – zij en twee andere mannen, van wie de ene Grinell heet.'
'Ik heb nog nooit van hem gehoord.'
'Beiden zijn het verraders, vijanden van uw regering, van uw land, om het juister te zeggen van wat u als uw land beschouwt.' De telefoon bleef indringend rinkelen.
'Holle woorden, meneer Zondernaam.'
'Geen wóórden meer!' riep de blonde man uit en hij stak zijn hand onder zijn jasje en haalde een groot, smal zwart pistool voor de dag. Hij draaide beide wapens om, hield ze vast bij de loop en stak de grepen uit naar Khalehla. 'Hier. Pak aan. Geef me een káns, juffrouw Rasjad!'
Stomverbaasd pakte Khalehla beide wapens aan en keek de Europeaan in de ogen. Ze had in te veel ogen datzelfde smeken gezien. Het was niet de blik van een man die bang is te sterven voor een zaak, maar van iemand die woedend is bij het vooruitzicht niet meer te kunnen leven om die zaak na te streven. 'Goed dan,' zei ze langzaam. 'Misschien doe ik dat, misschien ook niet. Draai u om, met uw armen tegen de wand! Verder achteruit, zodat u steunt op uw handen!' De telefoon bleef oorverdovend doorrinkelen terwijl de agente uit Caïro haar vingers deskundig over het lichaam van de man bewoog, zich concentrerend op de oksels, de holle ruimte rond zijn middel en zijn enkels. Hij had verder geen wapens meer. 'Blijf daar

staan,' beval ze terwijl ze met haar ene hand de telefoonhoorn uit het kastje trok. 'We konden het paneel voor de telefoon niet open krijgen!' riep ze uit.
'Onze monteur is onderweg, mevrouw. Hij zat te eten maar we hebben hem net gevonden. Onze welgemeende excuses, maar volgens ons controlepaneel is er niets te merken van brand of...'
'Ik geloof dat wij ons moeten verontschuldigen,' zei Khalehla. 'Het was een vergissing – een vergissing van mijn kant. Ik heb op het verkeerde knopje gedrukt. Als u ons alleen maar vertelt hoe we de zaak weer op gang moeten krijgen is alles hier prima in orde.'
'O? Ja, ja, natuurlijk,' zei de mannenstem met onderdrukte ergernis. 'In het telefoonkastje zit een schakelaar...'
De haldeuren gingen open en de Europeaan sprak onmiddellijk de formeel geklede manager aan die hen stond op te wachten. 'Ik zou hier eerder op de dag een zakenkennis ontmoeten. Ik vrees dat ik me heb verslapen – een lange, vermoeiende vlucht uit Parijs. Hij heet Grinell, hebt u hem gezien?'
'Meneer Grinell en mevrouw Vanvlanderen die nogal overstuur was zijn een paar minuten geleden vertrokken met hun gasten, meneer. Ik neem aan dat het een herdenkingsdienst was voor haar echtgenoot, een echt fijne man.'
'Ja, hij was ook een compagnon. Wij moesten ook bij die herdenkingsdienst zijn maar we hebben het adres niet gekregen. Weet u dat?'
'O nee, meneer.'
'Zou iemand anders het weten? Kan de portier misschien gehoord hebben welk adres ze opgaven aan de taxi?'
'Meneer Grinell heeft zijn eigen limousine – limousines, eigenlijk.'
'Kom op, we gaan,' zei Khalehla zacht en ze pakte de blonde man bij de arm. 'U begint een beetje op te vallen,' vervolgde ze terwijl ze naar de ingang liepen.
'Ik heb misschien gefaald en dat is veel erger.'
'Hoe heet u?'
'Milos. Noemt u me maar Milos.'
'Ik wil meer dan dat. Ik heb de artillerie, weet u nog wel?'
'Als we tot een aanvaardbaar akkoord kunnen komen zal ik u meer vertellen.'
'U gaat me een verrekte boel meer vertellen, meneer Milos, en

u krijgt geen kans meer voor een van die snelle kunststukjes van u. Uw pistool zit in mijn handtas en het mijne onder mijn mantel, gericht op uw borst.'
'Wat doen we nu, juffrouw Zogenaamd Gepensioneerde CIA Agente uit Egypte?'
'We gaan eten, nieuwsgierig Aagje. Ik barst van de honger maar ik zal elk brokje eten verwerken met mijn linkerhand. Als u aan de andere kant van de tafel één verkeerde beweging maakt zult u nooit meer kinderen kunnen krijgen en niet alleen omdat u dood bent. Ben ik duidelijk?'
'U moet heel goed zijn.'
'Goed genoeg, meneer Milos, goed genoeg. Vergeet u niet dat ik half Arabisch ben.'

Ze zaten tegenover elkaar in een grote ronde eethoek die Khalehla had uitgezocht in een Italiaans restaurant, twee straten verwijderd van het hotel. Varak had alle bijzonderheden verteld die hij via zijn koptelefoon had gehoord uit de suite van de Vanvlanderens. 'Ik ben me kapotgeschrokken. Ik had nooit ook maar één moment gedacht dat Andrew Vanvlanderen op eigen houtje zou handelen.'
'U bedoelt zonder dat zijn vrouw hem "een kogel door het hoofd zou hebben geschoten" en een van de anderen zou hebben gebeld om hem "in Mexico onder de grond te stoppen"?'
'Precies. U mag van mij aannemen dat ze dat gedaan zou hebben. Hij was oerstom.'
'Daarmee ben ik het niet eens, hij was heel pienter, vanuit zijn gezichtspunt beschouwd. Alles wat Evan Kendrick werd aangedaan voerde tot een logische *jaremat tháar,* Arabisch voor een moord uit wraak. Daarvoor hebt u gezorgd, meneer Milos, vanaf dat eerste moment toen u met Frank Swann sprak op Buitenlandse Zaken.'
'Nooit met die bedoeling, dat verzeker ik u. Ik had in de verste verte niet gedacht dat zoiets zou kunnen gebeuren.'
'U had het fout.'
'Ik had het fout.'
'Laten we eens teruggaan naar dat eerste moment – we moeten eigenlijk de hele verdomde zaak nog eens onder de loep nemen!'
'Er valt niets onder de loep te nemen. Ik heb niets bijzonders gezegd.'

'Maar wij weten veel meer dan u denkt. We hebben gewoon het touwtje uiteen moeten rafelen, zoals mijn meerdere het uitdrukte. Een tegenstribbelende, jonge afgevaardigde wordt in belangrijke commissies van het Congres gemanipuleerd, posities waarvoor anderen hun dochters zouden verkopen. Dan zijn de voorzitters op een mysterieuze manier afwezig en hij komt op de nationale televisie, wat tot nog meer publiciteit leidt, met als klap op de vuurpijl het explosieve, wereldwijde bericht over zijn clandestiene operatie in Oman en ten slotte reikt de president hem dan nog de hoogste onderscheiding uit die een burger maar kan krijgen. Het tijdschema is vrij duidelijk, vind u niet?'

'Volgens mij was het vrij goed georganiseerd.'

'En nu staat er een nationale campagne op het punt gelanceerd te worden om hem kandidaat te stellen, eigenlijk om hem de volgende vice-president van de Verenigde Staten te maken.'

'Dat weet u allemaal?'

'Ja, en je kunt het nauwelijks een spontane actie noemen van de politieke gemeenschap.'

'Ik hoop dat het zo zal lijken.'

'Waar komt u eigenlijk vandaan?' vroeg Khalehla, zich over de tafel heen bukkend, terwijl ze met haar linkerhand van haar rundvlees at en haar rechter verborgen hield onder het blad.

'Ik moet u zeggen dat het me pijn doet u zo te zien eten. Ik vorm geen bedreiging voor u en ik zal niet weglopen.'

'Hoe kan ik daar zeker van zijn? Dat u geen bedreiging vormt en niet zult weglopen?'

'Omdat onze belangen samenvallen op bepaalde gebieden en ik bereid ben op een beperkte basis met u samen te werken.'

'Mijn god, wat een verbeelding! Zou Uwe Excellentie misschien zo goed willen zijn mij te vertellen wat die gebieden zijn en wat de grenzen zijn van uw grootmoedige hulp?'

'Zeker. Om te beginnen de veiligheid van de minister van Buitenlandse Zaken en het ontmaskeren van degenen die hem willen laten vermoorden, daarbij te weten komend waarom ze dat willen, al kunnen we de reden wel raden. Verder het gevangen nemen van de terroristen die de huizen van de afgevaardigde Kendrick hebben aangevallen met aanzienlijke dodelijke verliezen en het bevestigen van de connectie van Vanvlanderen...'

'U bent op de hoogte van Fairfax en Mesa Verde?' Varak knikte. 'Er is een volledig nieuwsembargo afgekondigd.'

'En dat brengt ons tot de grenzen van mijn samenwerking. Ik moet ver op de achtergrond blijven en ik zal niet praten over mijn werk, alleen in de meest algemene zin. Ik wil echter, als het noodzakelijk is, u via een codenaam wel verwijzen naar bepaalde mensen in de regering die mijn betrouwbaarheid betreffende inlichtingenzaken hier en in het buitenland officieel zullen bevestigen.'
'U hebt niet zo'n heel klein beetje verbeelding, is 't wel?'
Milos glimlachte voorzichtig. 'Daarover heb ik echt geen mening. Maar ik kom uit een land waarin de regering werd ontnomen aan het volk en ik nam al jaren geleden de beslissing wat ik verder met mijn leven wilde doen. Ik heb vertrouwen in de methoden die ik heb ontwikkeld. Als dat arrogantie is, dan moet het dat maar zijn en dan bied ik er mijn verontschuldigingen voor aan, maar zo zie ik het niet.'
Khalehla haalde langzaam haar rechterhand onder de tafel vandaan en pakte met haar linker de handtas op die naast haar lag. Ze schoof het pistool erin en leunde achterover terwijl ze haar hand schudde om de bloedsomloop weer op gang te krijgen. 'Ik geloof dat we de artillerie wel kunnen opbergen, en u hebt gelijk, het is verschrikkelijk lastig vlees klein te maken met een vork die je in je linkerhand houdt terwijl je andere pols verlamd is.'
'Ik wilde u al voorstellen iets eenvoudigers te bestellen, misschien een deeggerecht of een schotel die u met uw vingers zou kunnen eten, maar ik voelde me daartoe niet geroepen.'
'Hoor ik daar een gevoel van humor achter dat strenge uiterlijk?'
'Een poging misschien, maar ik voel me op dit moment niet zo erg geestig. Dat zal pas komen wanneer ik weet dat de minister van Buitenlandse Zaken veilig op Cyprus is aangekomen.'
'U hebt de juiste mensen gewaarschuwd; meer kunt u niet doen. Zij zullen wel voor hem zorgen.'
'Daar reken ik op.'
'Dan nu ter zake, meneer Milos,' zei Khalehla en ze begon weer te eten, ook nu langzaam en met haar blik op Varak gericht. 'Waarom Kendrick? Waarom hebt u dat gedaan? En boven alles, hoe hebt u het gedaan? U hebt bronnen afgetapt die niet af te tappen waren! U bent binnengedrongen op plaatsen waar niemand verondersteld werd te kunnen komen en hebt

daar geheimen weggehaald, een dossier gestolen dat niet te stelen was. Wie dat dan ook heeft gedaan zou eens een spionage-opdracht in de praktijk moeten uitvoeren zodat hij weet wat het is als je geen bescherming hebt, als je naakt en ongewapend in de donkere straten staat van een vijandige stad.'
'Elke hulp die ik heb gekregen was afkomstig van iemand die me vertrouwde, die wist waar ik vandaan kwam, zoals u dat uitdrukte.'
'Maar waaróm?'
'Ik zal u een beperkt antwoord geven, juffrouw Rasjad, en alleen in algemene woorden spreken.'
'Wat tóf van u. Kom maar op.'
'Dit land heeft dringend een verandering nodig in een regering die ongetwijfeld zal worden herkozen.'
'Wie zegt dat, behalve de kiezers?'
'Dat is verboden terrein, alleen ook nu in algemene bewoordingen... ofschoon ik die zelfs niet eens zou hoeven gebruiken. U hebt het zelf gezien.'
Khalehla legde haar vork neer en keek de Europeaan aan. 'San Diego? Vanvlanderen? Grinell?'
'San Diego, Vanvlanderen en Grinell,' herhaalde de Tsjech rustig. 'Om het duidelijker te zeggen: geld dat ongetwijfeld via Zürich en Beirut naar de Baaka Vallei is gestuurd met het doel een politiek mededinger, afgevaardigde Kendrick, uit de weg te ruimen. En nu een klaarblijkelijke poging een briljant minister van Buitenlandse Zaken ervan te weerhouden een ontwapeningsconferentie bij te wonen waarvan het doel is de proliferatie – de produktie – van kern- en ruimtewapens te beperken.'
'San Diego,' zei Khalehla en ze raakte het eten op haar bord niet meer aan. 'Orson Bollinger?'
'Een raadsel,' antwoordde Varak. 'Wat weet hij? Wat weet hij niet? Hoe dan ook, hij is het verzamelpunt, de trechter naar een onverslaanbare regering. Hij moet vervangen worden zodat de mensen om hem heen worden uitgeschakeld die hem bevelen naar hun pijpen te dansen.'
'Maar waarom Evan Kendrick?'
'Omdat hij nu een onverslaanbare mededinger is.'
'Hij zal het nooit accepteren; hij zal u zeggen dat u dood kunt vallen. U kent hem niet, ik wel.'
'Een man hoeft niet noodzakelijkerwijs datgene te willen wat

hij moet doen, juffrouw Rasjad. Maar hij zal het doen wanneer de redenen waarom hij het moet doen hem duidelijk worden gemaakt.'
'Denkt u dat dat genoeg is?'
'Ik ken meneer Kendrick natuurlijk niet persoonlijk maar ik geloof niet dat er een ander mens is die ik zo intens heb bestudeerd. Hij is een uitzonderlijke man, maar toch zo realistisch bescheiden over zijn prestaties. Hij heeft erg veel geld verdiend tijdens de economische bloei van het Midden-Oosten en vervolgens heeft hij miljoenen méér laten schieten omdat hij moreel verontwaardigd was en emotioneel buiten zinnen. Toen heeft hij het politieke strijdperk betreden, alleen maar om een – hoe noemde u mij ook al weer? Een rottige ploert – te vervangen die in Colorado bezig was zijn zakken te spekken. Ten slotte ging hij naar Oman in de wetenschap dat hij misschien niet zou terugkeren omdat hij meende dat hij kon helpen in een crisissituatie. Dat is niet een man die je moet onderschatten. Hij doet dat misschien, maar u niet.'
'O, lieve god,' zei Khalehla. 'Ik hoor een variant op mijn eigen woorden.'
'Ter ondersteuning van zijn politieke carrière?'
'Nee, om te verklaren waarom hij geen leugenaar was. Maar ik moet u zeggen dat er nog een reden was waarom hij terugkeerde naar Oman. Dat valt onder het niet zo fraaie opschrift van iemand te willen doden. Hij was ervan overtuigd dat hij wist wie er achter de terroristen in Masqat zat: hetzelfde monster dat verantwoordelijk was geweest voor het vermoorden van vrouwen en kinderen. Hij had gelijk; de man werd terechtgesteld volgens de Arabische wetgeving.'
'Dat is nauwelijks een negatief punt, juffrouw Rasjad.'
'Nee, dat is het ook niet, maar het verandert wel enigszins de omstandigheden.'
'Ik zou liever zeggen dat het een dimensie toevoegt van terecht gezochte gerechtigheid, en dat bevestigt nog meer onze keuze van hem.'
'Onze?'
'Verboden toegang.'
'Ik herhaal, hij zal het weigeren.'
'Dat zal hij als hij ontdekt hoe hij gemanipuleerd werd. Hij zal het misschien niet wanneer hij ervan overtuigd is dat men hem nodig heeft.'

Khalehla leunde opnieuw achterover in de zithoek en keek naar de Tsjech. 'Als ik u goed begrijp oppert u iets wat mij verschrikkelijk tegenstaat.'
'Dat hoeft het niet te doen.' Varak ging naar voren zitten. 'Niemand kan een man dwingen een ambt waarvoor hij is gekozen aan te nemen, juffrouw Rasjad, hij moet het zelf willen. Omgekeerd kan niemand de leidende senatoren en congresleden van een politieke partij dwingen een *nieuwe* kandidaat te accepteren, ze moeten hem zelf willen hebben. Het is waar dat er omstandigheden werden geschapen om de man naar voren te schuiven, maar de man zelf konden we niet scheppen; hij was er vanaf het begin.'
'U vraagt me hem niets te vertellen over dit gesprek, hem niet over u te vertellen... Hebt u er enig idee van hoeveel weken wij naar ú hebben gezocht?'
'Hebt u er enig idee van hoeveel maanden we naar Evan Kendrick hebben gezocht?'
'Dat kan me geen barst verdommen! Hij werd gemanipuleerd en dat weet hij. U kunt zich niet verstoppen, dat zal ik niet toestaan. U hebt hem te veel aangedaan. Dierbare vrienden die zijn gedood, nu misschien ook nog een oude man die vijftien jaar lang een vader voor hem is geweest. Al zijn plannen naar de verdommenis – het is te véél!'
'Ik kan niets veranderen aan wat er gebeurd is, ik kan alleen maar treuren om mijn beoordelingsfouten en niemand zal daar meer om treuren, maar ik vraag u aan uw land te denken, mijn land nu. Wanneer we hebben geholpen een politieke macht te creëren dan kwam dat alleen omdat de macht zelf er al was, met zijn eigen instincten. Zonder hem zal de leiding van de partij kunnen kiezen uit een groot aantal fatsoenlijke mensen omdat ze vertrouwd en niet veeleisend zijn, maar ze zullen geen macht vormen. Heb ik dat duidelijk genoeg gezegd?'
'Volgens de geschiedenis heeft een vice-president ooit eens gezegd dat het ambt niet meer waard was dan een "emmer met warme spuug".'
'Tegenwoordig niet en zeker niet in de handen van iemand als Evan Kendrick. U was kennelijk in Caïro toen hij hier voor de televisie verscheen...'
'Ik was in Caïro,' onderbrak Khalehla hem, 'maar we hebben een Amerikaans kanaal – tapes natuurlijk. Ik heb hem gezien

en daarna heb ik hem hier herhaaldelijk gezien, ongetwijfeld dankzij uw... tijdschema. Hij was heel goed, heel intelligent en aantrekkelijk.'
'Juffrouw Rasjad, hij is uniek. Hij is niet te koop en hij neemt geen blad voor de mond en het land mag hem graag.'
'Dat komt door u.'
'Nee, dat komt door hém. Hij heeft de dingen gedaan die hij heeft gedaan, ze zijn niet verzonnen; hij heeft de dingen gezegd die hij heeft gezegd, de woorden zijn hem niet ingegeven. Wat kan ik u zeggen? Ik heb meer dan vierhonderd mogelijkheden geanalyseerd, met gebruikmaking van de meest geavanceerde computers en er stak één man boven allen uit. Evan Kendrick.'
'U verlangt niets van hem?'
'U zegt dat u hem kent. Als we dat deden, wat denkt u dan dat hij zal doen?'
'U overleveren aan een of andere anti-corruptiecommissie en ervoor zorgen dat u zeker in de gevangenis terecht kwam.'
'Precies.'
Khalehla schudde haar hoofd met gesloten ogen. 'Ik zou graag een glas wijn hebben, meneer Milos. Ik moet over een paar dingen nadenken.'
Varak wenkte een kelner en bestelde twee glazen gekoelde Chablis. De keuze liet hij over aan de kelner. 'Tot mijn vele tekortkomingen,' zei de Tsjech, 'hoort een kennis van wijnen van buiten mijn land.'
'Daar geloof ik niks van. U bent waarschijnlijk een gediplomeerd sommelier.'
'Nauwelijks. Ik hoor vrienden die bepaalde wijngaarden bestellen en wijnjaren en ik bewonder hen.'
'Hebt u werkelijk vrienden? Ik zie u eerder als een soort *éminence grise.*'
'*Je comprends,* maar u hebt het mis. Ik leef een heel normaal leven. Mijn vrienden denken dat ik vertaler ben, free-lance natuurlijk en thuis werkend.'
'Bien,' zei de agente uit Caïro. 'Zo ben ik ook begonnen.'
'Er is geen kantoor waarvan ik afhankelijk ben, alleen maar een antwoordapparaat, dat ik kan bereiken vanuit elke plaats waar ik ben.'
'Ik ook.'
De wijn werd opgediend en na een slokje te hebben genomen zei Khalehla, half bij zichzelf en daarna gedeeltelijk tegen Va-

rak: 'Hij kan niet teruggaan. In elk geval niet de komende paar jaar, en daarna is het ook nog afwachten. Zodra het nieuwsembargo wordt opgeheven zal er in de Baaka Vallei luidkeels om wraak worden geschreeuwd.'
'Ik neem aan dat u het over het congreslid hebt?'
'Ja. De terroristen werden gesnapt, zogezegd. Een paar uur geleden is er een derde en laatste aanval geweest. Die was in Mesa Verde en ze was even vernietigend als in Fairfax.'
'Een paar úúr...? Was Kendrick erbij?'
'Ja.'
'En?'
'Hij leeft, maar naar ik hoorde scheelde het maar een paar seconden. Maar net als in Virginia zijn er heel wat van onze mensen omgekomen.'
'Het spijt me. Weingrass werd zwaar gewond heb ik begrepen. Over hem had u het toen u sprak over een oude man, nietwaar?'
'Ja. Ze vliegen hem naar een ziekenhuis in Denver. Evan is bij hem.'
'De terroristen, alstublieft,' zei Varak en hij keek haar strak aan.
'Alles bij elkaar waren er negen. Acht zijn er dood; eentje heeft het overleefd, de jongste.'
'En wanneer het embargo wordt opgeheven, zegt u, zal er om wraak worden geschreeuwd in de Baaka. Daarom kan Kendrick niet terug naar dat deel van de wereld.'
'Hij zou geen achtenveertig uur in leven blijven. Tegen krankzinnigen is hij onmogelijk te beschermen.'
'Hier wel en er is niets beter dan de geheime dienst van de regering. In dit soort zaken is niets volmaakt, er is alleen het beste.'
'Ik weet het.' Khalehla dronk van haar wijn.
'U begrijpt wat ik zeg, nietwaar, juffrouw Rasjad?'
'Ik geloof van wel.'
'Laat de gebeurtenissen hun natuurlijke loop nemen. Er is een serieus politiek actiecomité dat erop uit is afgevaardigde Kendrick in een hoog ambt te helpen. Laat hen vrij hun gang gaan en laat het land reageren – op wat voor manier dan ook. En als we beiden gelijk hebben over de Vanvlanderens en de Grinells en de mensen die zij vertegenwoordigen, laat Evan Kendrick dan zijn beslissing nemen. Want zelfs wanneer we hem ontmaskeren en tegenhouden, dan zijn er honderden die hun

plaatsen zullen innemen. Er is inderdaad macht voor nodig, er is een stém nodig.'
Khalehla keek op van haar wijnglas. Ze knikte tweemaal.

36

Kendrick wandelde door Denvers Seventeenth Street naar het Brown Palace Hotel, zich nauwelijks bewust van de lichte sneeuw die neerdwarrelde uit de donkere hemel. Hij had de taxichauffeur gevraagd hem een paar straten terug af te zetten; hij wilde lopen; hij moest nadenken.
De artsen in het Denver General hadden Manny opgelapt en Evan gerustgesteld door te verklaren dat de verwondingen, ondanks al het bloed, voornamelijk bestonden uit stukjes glas en metaal in de huid. Het bloedverlies was aanzienlijk voor een man van zijn leeftijd maar niet kritiek; het zou worden vervangen. De verbijstering begon toen Kendrick even alleen met een van de doktoren had gesproken en hem had verteld over de zorgen van Weingrass dat de kanker weer was opgekomen. Binnen twintig minuten waren alle onderzoeken van Manny langs elektronische weg vanuit Washington overgeseind en de hoofdchirurg had gesproken met de chirurg die de oude architect in Washington had geopereerd. Toen was er op ongeveer de helft van zijn verblijf van vier uur in het ziekenhuis een laborant verschenen die zacht had overlegd met een andere arts. Het was wat drukker geworden rond het bed en Evan werd verzocht even de kamer te verlaten terwijl er wat stukjes weefsel werden genomen van Manny's lichaam. Een uur daarna werd Kendrick in de wachtkamer benaderd door de hoofdpatholoog, een magere man met onderzoekende ogen.
'Afgevaardigde, is meneer Weingrass onlangs nog in het buitenland geweest?'
'Het laatste jaar niet.'
'Waar was hij daarvóór?'
'Frankrijk... Zuidwest-Azië.'
De wenkbrauwen van de dokter gingen omhoog. 'Ik ben niet zo sterk in aardrijkskunde. Waar ligt Zuidwest-Azië?'
'Is dit nodig?'
'Jazeker.'
'Oman en Bahrein.'

'Hij was bij ú? Neemt u me niet kwalijk, maar iedereen is op de hoogte van wat u hebt gedaan.'
'Hij was bij me,' bevestigde Evan. 'Hij is een van de mensen die ik niet in het openbaar kon bedanken omdat het niet in zijn belang zou zijn.'
'Ik begrijp het. We hebben hier geen persafdeling.'
'Dank u. Waarom vraagt u dat?'
'Tenzij ik het mis heb, en dat is mogelijk, is hij geïnfecteerd door een – laten we zeggen virus – dat voor zover ik weet voorkomt in Centraal Afrika.'
'Dat is niet mogelijk.'
'Dan heb ik het misschien mis. Onze apparatuur behoort tot de beste in het Westen, maar er is nog betere. Ik laat longweefsel en bloedmonsters sturen naar het CDC in Atlanta.'
'Het wat?'
'Het Centrum voor Tropische Ziekten.'
'Trópische ziekten?'
'Het is alleen maar een voorzorgsmaatregel, meneer Kendrick.'
'Laat die vanavond nog op het vliegtuig zetten, dokter. Binnen een uur staat er een vliegtuig op Stapleton Airport. Zegt u tegen Atlanta dat ze onmiddellijk aan het werk gaan, zodra de monsters er zijn – ik zal alle kosten betalen, ook al moeten ze 's nachts doorwerken.'
'Ik zal doen wat ik kan...'
'Als het zou helpen,' zei Evan, niet zeker of hij blufte of niet, 'zal ik hen laten bellen door het Witte Huis.'
'Ik geloof niet dat dat nodig zal zijn,' zei de patholoog.
Toen hij het ziekenhuis verliet, na Manny, die zwaar onder de drugs zat, goedenacht te hebben gezegd, herinnerde hij zich de verdwenen dokter Lyons uit Mesa Verde, de arts zonder adres of telefoon maar met een uitgebreide identificatie van de regering die moest worden voorgelegd aan een congreslid en/of zijn staf. Wát voor identificatie? Waarom was er een identificatie noodzakelijk? ...Of was het alleen maar een imposant document, een middel om binnen te glippen in de privé-wereld van ene Evan Kendrick? Hij besloot niemand iets te zeggen, Khalehla zou beter weten wat er gedaan moest worden.
Hij naderde het Brown Palace en was er zich eensklaps van bewust dat er door de dwarrelende sneeuwvlokken heen gekleurde lichtjes brandden op de kerstversieringen die zich over de brede avenue heen uitstrekten vanaf het oude in klassieke

stijl gebouwde hotel naar de nieuwe Zuidertoren. Toen hoorde hij de flarden van een kerstliedje door de straat klinken. *Deck the halls with boughs of holly, fa-la-la-la-la ... fa-la-la-la-la.* Vrolijk kerstmis, vanuit de erfenis van Masqat, dacht hij.

'Waar heb jij, verdomme, uitgehangen?' schreeuwde MJ Payton, zo hard dat Khalehla de hoorn een stuk van haar oor moest houden.
'Ik heb gegeten.'
'Hij is dáár! Onze blonde Europeaan is in het hotel!'
'Dat weet ik. Ik heb met hem gegeten.'
'Wát heb je gedaan?'
'Hij is zelfs hier bij me in de kamer. We nemen alles door wat we weten. Hij is niet wat we dachten.'
'Verdómme, Adrienne! Zeg tegen die klootzak dat meneer B met meneer A wil praten!'
'Goeie God, was jij die man?'
'Schei uit, Rasjad. Haal hem aan het toestel.'
'Ik weet niet zeker of hij wel wil.' Opnieuw moest de agente uit Caïro de hoorn van zich af houden. Ze keerde zich tot Varak. 'Hier is een meneer B die graag met meneer A zou willen spreken.'
'Ik had het kunnen weten,' zei de Tsjech en hij stond op. Hij liep naar de telefoon op het nachtkastje en nam de hoorn aan van Khalehla die opzij ging staan. 'Nogmaals gegroet, meneer B. Er is niets veranderd, dat moet u begrijpen. Geen namen, geen identiteiten.'
'Hoe noemt mijn nicht u? Denk erom, ze is mijn nichtje.'
'Ze noemt mij bij de verkeerde naam Milos.'
'*Mielos?* Slavisch?'
'Amerikaans, meneer.'
'Dat was ik vergeten, dat hebt u duidelijk gemaakt.'
'De minister van Buitenlandse Zaken, *alstublieft?*'
'Die is op Cyprus aangekomen.'
'Dat is een hele opluchting.'
'Voor ons allemaal, als er inderdaad een reden voor alarm is geweest.'
'De informatie was betrouwbaar.'
'Jammer genoeg hebben we aan onze kant nog geen bevestiging kunnen krijgen. Grinell was niet in het hotel en hij is ook nog niet terug geweest in zijn huis.'

'Hij is bij mevrouw Vanvlanderen.'
'Ja, dat weten we. Volgens een receptionist waren er bij beiden nog verscheidene anderen. Enig idee?'
'Grinells veiligheidsmensen, volgens de inlichtingen die ik heb gekregen. Ik zei al tegen u dat hij mensen bij zich had, dat u op moest passen.'
'Ja, dat heb ik. Werken we samen?'
'Van afstand.'
'Wat hebt u te bieden?'
'Bewijzen van bepaalde zaken die ik aan juffrouw Rasjad heb verteld,' antwoordde Varak en hij dacht aan de bewerkte banden en schriftelijke verslagen die hij de inlichtingenagente zou overhandigen – zodanig bewerkt dat Eric Sundstrom een anonieme samenzweerder zou blijven; een dode man had geen identiteit nodig. 'Verder misschien niets, maar het is de hoofdzaak van wat u nodig hebt.'
'Het zal in dank worden aanvaard.'
'Er staat wel een prijs op, meneer B.'
'Ik betaal niet...'
'Natuurlijk doet u dat wel,' onderbrak de Tsjech hem. 'Dat doet u voortdurend.'
'Wat voor prijs?'
'Aangezien er voor mijn eisen een gecompliceerde uitleg noodzakelijk is zal ik het juffrouw Rasjad in haar eigen woorden laten zeggen. Ik neem morgen contact met haar op en wij praten dan met elkaar via haar. Als uw antwoord positief is zal ik zorgen dat u het materiaal in handen krijgt.'
'En als het dat niet is?'
'Dan raad ik u aan de gevolgen te overwegen, meneer B.'
'Mag ik weer even met mijn nicht praten?'
'Zoals u wilt.' Varak wendde zich om naar Khalehla en gaf haar de hoorn terwijl hij terugliep naar zijn stoel.
'Hier ben ik,' zei Khalehla.
'Antwoord alleen maar met ja of nee en als je geen antwoord kunt geven moet je een tel of twee niks zeggen. Goed?'
'Ja.'
'Ben je veilig?'
'Ja.'
'Zullen we wat aan zijn materiaal hebben?'
'Ja – absoluut.'
'Alleen "ja" is voldoende, agente Rasjad. Hij logeert kennelijk

in het hotel – denk je dat hij daar zal blijven?'
'Nee.'
'Heeft hij je iets verteld over hoe hij aan het Oman-dossier is gekomen?'
'Nee.'
'Ten slotte, zullen zijn eisen voor ons aanvaardbaar zijn?'
'We gaan... sorry, dat is tegen de regels.'
'Ik snap het,' zei de verbaasde directeur Speciale Projecten. 'Je zult later zeker wel uitleg geven over die uitzonderlijke en uitzonderlijke rebelse uitspraak?'
'We praten later wel.' Khalehla legde de hoorn op en wendde zich tot Varak. 'Mijn meerdere is kwaad.'
'Op u of op mij? Het was niet moeilijk te raden waarover die vragen gingen.'
'Hij is kwaad op ons beiden.'
'Is hij werkelijk uw oom?'
'Ik ken hem al langer dan twintig jaar en meer hoef ik u niet te vertellen. Laten we het eens even over u hebben. Het was ook niet zo moeilijk te raden naar een paar vragen die hij u stelde.'
'Heel even maar, alstublieft,' drong de Tsjech aan. 'Ik moet echt weg.'
'U hebt hem verteld dat Grinell mevrouw Vanvlanderen bij zich had en dat de anderen veiligheidsmensen waren van Grinell.'
'Inderdaad.'
'Maar u hebt mij ook gezegd dat er twéé mannen in de suite van de Vanvlanderens waren en dat de bewakers in de gang stonden.'
'Dat is waar.'
'Wie was die andere man, en waarom beschermt u hem?'
'*Beschermen?* Volgens mij heb ik u ook verteld dat ze beiden verraders zijn. Dat zult u horen op de tapes en lezen in de getikte verslagen die ik u zal geven als uw meerdere instemt met mijn voorwaarden, zoals u het hebt gedaan.'
'Ik zal hem wel overtuigen.'
'Dan zult u het zelf horen.'
'Maar u ként hem! Wie ís hij?'
Varak stond op en stak zijn handen afwerend omhoog. 'We zijn weer op verboden terrein, juffrouw Rasjad. Maar dit zal ik u vertellen. Hij is de reden waarom ik nu weg moet. Hij is

menselijk afval, u mag hem noemen zoals u wilt... en hij is van mij. Ik zal deze stad de hele nacht afzoeken tot ik hem vind en als ik hem niet vind dan weet ik waar ik hem wel kan treffen, morgen of overmorgen. Ik herhaal, hij is van míj.'
'Een *jaremat tháar?* meneer Milos?'
'Ik spreek geen Arabisch, juffrouw Rasjad.'
'Maar u weet wat het betekent, dat heb ik u verteld.'
'Goedenacht,' zei de Tsjech en hij liep naar de deur.
'Mijn oom wil weten hoe u aan het Oman-dossier bent gekomen. Volgens mij zal hij u blijven lastigvallen tot hij dat weet.'
'We hebben allemaal onze prioriteiten,' zei Varak en hij draaide zich om met zijn hand op de deurkruk. 'Op dit moment liggen die van u en van hem in San Diego en de mijne ergens anders. Zeg hem maar dat hij niets heeft te vrezen van mijn bron. Hij zou nog liever sterven dan een van uw mensen in gevaar brengen, een van onze mensen.'
'Godverdómme, maar dat hééft hij al! Evan Kendrick!' De telefoon ging over; beiden draaiden ze met een ruk hun hoofd om en staarden naar het toestel. Khalehla nam de hoorn op. 'Ja?'
'Het is gebeurd!' riep Payton uit in Langley, Virginia. 'O, mijn god, het is hun gelukt!'
'Wat is gelukt?'
'Het Larnaca-hotel op Cyprus! De hele westelijke vleugel is de lucht in gevlogen; er is niets van over, alleen maar puin. De minister van Buitenlandse Zaken is dood, ze zijn allemáál dood!'
'Het hotel op Cyprus,' herhaalde Khalehla met bange, monotone stem en ze keek de Tsjech aan. 'Het is opgeblazen, de minister is dood, ze zijn allemaal dood...'
'Geef me die telefoon!' brulde Varak en hij stormde de kamer door en rukte de hoorn uit haar hand. 'Heeft niemand de kelders gecontroleerd, de luchtkanalen van de airconditioning, de fundamenten?'
'De veiligheidsdienst op Cyprus beweerde dat ze alles hadden gecontroleerd...'
'De veiligheidsdienst op Cyprus?' schreeuwde de woedende Tsjech. 'Die stikt van de vijandelijke infiltranten! Idioten, idioten, idioten!'
'Wilt u mijn baan overnemen, meneer A?'
'Ik denk er nog niet aan,' zei Varak. Hij onderdrukte zijn woe-

de en ging zachter spreken. 'Ik werk niet met amateurs,' voegde hij er smalend aan toe, legde de hoorn op en liep naar de deur. Hij draaide zich om en zei tegen Khalehla: 'Wat we hier vandaag nodig hadden gehad waren de hersens van Kendrick uit Oman. Hij zou de eerste zijn geweest om u allen te vertellen wat u moest doen, waarop u moest letten. En jullie zouden waarschijnlijk niet eens naar hem hebben geluisterd.' De Tsjech deed de deur open, liep naar buiten en smakte de deur weer dicht.
De telefoon ging over. 'Hij is weg,' zei Rasjad bij het opnemen van de hoorn, instinctief wetend wie er aan het toestel was.
'Ik heb hem mijn baantje aangeboden, maar hij maakte het duidelijk dat hij niet wilde werken met amateurs. Vreemd, vind je niet? Een man van wie niemand van ons de achtergrond kent alarmeert ons en wij verpesten het. En een jaar geleden stuurden we Kendrick naar Oman en hij krijgt voor elkaar wat vijfhonderd beroepsmensen uit minstens zes landen niet klaar konden spelen. Dat zet je wel aan het denken, nietwaar? Ik begin oud te worden.'
'Helemáál niet, MJ!' riep de agente uit Caïro uit. 'Toevallig zijn dat briljante kerels en ze hebben geluk gehad, meer niet. Jij hebt meer gedaan dan zij óóit zullen doen!'
'Dat zou ik graag willen geloven, maar voor het beetje zelfbewustzijn dat ik nog heb is dit wel een afschuwelijke rotavond.'
'Dat zelfbewustzijn van jou valt best mee! Maar dit is ook een goede gelegenheid voor mij om die rebelse opmerking uit te leggen die ik even geleden tegen je maakte.'
'Graag. Ik ben een en al oor. Ik weet zelfs niet eens of ik nog wel veel adem overheb.'
'Wie de mensen ook zijn voor wie Milos werkt, ze eisen niets van Evan. Toen ik hem onder druk zette wees hij op het voor de hand liggende. Als ze iets van hem eisten zou hij hen voor de leeuwen gooien en hij heeft gelijk. Dat zou Evan doen.'
'Daarmee ben ik het ook eens. Wat wil hij dus?'
'Hij wil dat we ons er niet meer mee bemoeien en de gebeurtenissen op hun beloop laten. Ze willen dat we de race door laten gaan.'
'Evan zal zich geen kandidaat stellen...'
'Misschien wel wanneer hij hoort over de roofridders die de touwtjes in handen hebben in Californië. Stel dat wij hen te-

genhouden; er staan er nog een paar honderd klaar om hun plaatsen in te nemen. Milos heeft gelijk, er is inderdaad een stem nodig.'
'Maar wat zeg jij ervan, nichtje?'
'Ik wil hem in leven, niet dood. Hij kan niet terugkeren naar de Emiraten – misschien maakt hij zichzelf wijs van wel, maar hij zou vermoord worden op het moment dat hij uit het vliegtuig stapt. En hij kan niet blijven vegeteren in Mesa Verde, niet met de energie en de fantasie die hij bezit – dat is ook een vorm van doodgaan, weet je. Het land zou het slechter kunnen treffen, MJ.'

'Idioten, idióten!' fluisterde Varak bij zichzelf terwijl hij een nummer draaide en tegelijk een plattegrond van de suite van de Vanvlanderens bekeek die hij in de hand had. In elke kamer waren een paar rode kruisjes ingetekend. Een paar tellen later klonk er een stem aan de andere kant van de lijn.
'Ja?'
'Geluidsman?'
'Praag?'
'Ik heb je nodig.'
'Ik kan jouw geld altijd gebruiken. Ik leid een duur leven.'
'Kom me over een half uur ophalen, aan de dienstingang. Ik zal je uitleggen wat je moet doen op weg naar je studio. Er is niets gewijzigd op de plattegrond?'
'Nee. Heb je de sleutel gevonden?'
'Bedankt voor beide.'
'Je hebt betaald. Over een half uur.'
De Tsjech legde de hoorn op en keek naar de opeengepakte opname-apparatuur voor de deur. Hij had naar Rasjads gesprek met Ardis Vanvlanderen geluisterd, en ondanks zijn woede over de tragische dood van de minister van Buitenlandse Zaken had hij geglimlacht – meer gegrimlacht, eigenlijk – om de brutale strategie die de agente uit Caïro en haar meerdere hadden toegepast. Gebaseerd op wat ze hadden gehoord hadden ze gegokt op wat ze aannamen dat de waarheid was betreffende Andrew Vanvlanderens activiteiten en daarvan een onweerlegbare leugen gefabriceerd. Palestijnse moordcommando's, het doelwit Bollinger, Kendrick zelfs niet eens genoemd! Briljant! Het verschijnen van Eric Sundstrom binnen twee uur na Rasjads verbazingwekkende en verdraaide informatie – een

verschijnen dat erop was gericht een verrader van Inver Brass te strikken en niet was gebaseerd op een vermoeden van Vanvlanderens schuld – had de dubbele explosie gevormd die het ingewikkelde bouwsel van bedrog in San Diego had opgeblazen. Je nam de zaken zoals je ze aantrof.
Varak liep naar de deur, opende die behoedzaam en glipte de gang op. Hij haastte zich naar de suite van de Vanvlanderens verderop in de gang en met de sleutel die hij van de geluidsman had gekregen verschafte hij zich toegang, met de plattegrond nog in de hand. Met snelle, katachtige stappen liep hij van de ene kamer naar de andere en hij verwijderde de miniem kleine elektronische microfoons uit hun schuilplaatsen – onder tafels en stoelen, verborgen onder de dikke kussens van de sofa, achter spiegels in vier slaapkamers, onder de medicijnkastjes in de verschillende badkamers en in twee branders in de keuken. Het kantoor van de weduwe bewaarde hij tot het laatst, telde de rode kruisjes en vergewiste zich ervan dat hij tot dusver elke microfoon had weggehaald. Het kantoor lag in het donker; hij vond de bureaulamp en knipte die aan. Tien tellen later had hij vier microfoontjes in zijn zak, drie uit het kantoor zelf, eentje uit het kleine aangebouwde toilet en hij concentreerde zijn aandacht op het bureau. Hij keek op zijn horloge; het weghalen had negen minuten geduurd zodat er nog minstens een kwartier overbleef om mevrouw Vanvlanderens heiligdom in huis te onderzoeken.
Hij begon met de bureauladen één voor één uit te trekken en doorzocht papieren die hem niets zeiden, gewijd aan onbeduidende zaken die betrekking hadden op een vice-president – tijdschema's, brieven van personen en instituten die misschien eens ooit beantwoord zouden worden, standpuntbepalingen van het Witte Huis, BZ, Defensie en een aantal andere regeringsinstanties die bestudeerd moesten worden zodat ze aan Orson Bollinger konden worden uitgelegd. Er was niets van waarde bij, helemaal niets wat betrekking had op de ondergrondse manipulaties die plaatsvonden in Zuid-Californië.
Hij keek om zich heen in het ruime, gelambrizeerde kantoor, naar de boekenplanken, het smaakvolle meubilair en naar de ingelijste foto's op de muren... foto's. Er hingen er meer dan twintig kriskras verspreid over de donkere lambrizering. Hij liep erheen en begon ze te bekijken; om beter te kunnen zien knipte hij een schemerlamp aan. Het was de normale collectie

van zichzelf ophemelende foto's die de heer en mevrouw Vanvlanderen toonden in het gezelschap van politieke zwaargewichten, vanaf de president omlaag via de hogere posten van de regering en het Congres. Verder hingen er aan de volgende muur foto's van de weduwe zelf zonder haar overleden man. Te oordelen naar de situaties kwamen die onmiskenbaar uit het verleden van Ardis Vanvlanderen, een persoonlijk getuigschrift dat duidelijk aantoonde dat haar verleden niet onbelangrijk was geweest. Dure jachten, auto's, skihellingen en luxe bontwerken voerden de boventoon.
Varak stond op het punt die verzameling van ijdelheid de rug toe te keren toen zijn oog werd getroffen door een vergrote spontane opname die kennelijk was genomen in Lausanne, Zwitserland, met de jachthaven Leman in het noorden van het Meer van Génève op de achtergrond. Milos bestudeerde het gezicht van de donkerkleurige man die naast het sprankelende middelpunt van de belangstelling stond. Hij kende dat gezicht maar hij kon het niet thuisbrengen. Vervolgens, alsof hij een spoor volgde, dwaalden de ogen van de Tsjech omlaag naar rechts, naar een volgende vergrote foto die ook in Lausanne was genomen, ditmaal in de tuin van het Beau-Rivage Palace. Daar had je diezelfde man weer – wie wás hij toch? En daarnaast weer eentje, nu in Amsterdam, op de Rozengracht, dezelfde twee mensen. Wie wás die man? Concentreer je! Er verschenen beelden, fragmenten van vage indrukken maar geen naam. Riyadh ...Medina, Saudi-Arabië. Een geshockeerde en woedende Saudische familie... een executie die al was vastgesteld, vervolgens een ontsnapping. Vele miljoenen waren erbij betrokken geweest... acht tot tien jaar geleden. Wie wás hij toch? Varak dacht erover een van de foto's mee te nemen, wist toen instinctmatig dat hij dat niet moest doen. Wie die man ook was, hij vertegenwoordigde nog een treffend aspect van het apparaat dat was opgebouwd rond Orson Bollinger. Iemand zou alarm kunnen slaan als er een foto van dat gezicht werd vermist.
Milos knipte de schemerlamp uit en liep terug naar het bureau. Het was tijd om te vertrekken, zijn apparatuur naar buiten te brengen en de geluidsman te ontmoeten in de straat voor de dienstingang. Hij stak zijn hand uit naar de koepelvormige lamp op het bureau toen hij ineens de deur naar de hal hoorde opengaan. Snel knipte hij het licht uit en hij liep naar de

deur van het kantoor die hij half dicht duwde zodat hij erachter kon glippen en kon kijken door de spleet waar de scharnieren zaten.
Er werd een rijzige gedaante zichtbaar, één enkele man die zelfverzekerd door een vertrouwde omgeving liep. Varak fronste even zijn voorhoofd; hij had in weken niet meer gedacht aan de indringer. Het was de roodharige FBI-agent uit Mesa Verde, lid van de ploeg die op verzoek van Ardis Vanvlanderen aan de vice-president was toegewezen – de man die hem op het spoor naar San Diego had gezet. Even was Milos verbaasd, maar niet lang. De ploeg was naar Washington teruggeroepen, maar er was één speler achtergebleven... juister gezegd, er was er eentje omgekocht voordat Varak hem had gevonden in Mesa Verde.
De Tsjech keek toe hoe de roodharige man door de woonkamer liep, alsof hij op zoek was naar iets. Hij pakte een glas vanonder een lamp met een ivoorkleurige kap op een tafeltje links van de sofa en liep toen via een deur naar de keuken. Even later kwam hij terug met een spuitbus in de ene hand, een vaatdoekje in de andere. Hij liep naar de bar waar hij één voor één alle flessen oppakte, elke fles bespoot en schoonveegde. Vervolgens besproeide hij de koperen rand van de bar en wreef er hard over met de doek. Vanaf de bar liep hij naar elk vast stuk meubilair in de lager gelegen woonkamer en herhaalde het schoonmaakproces alsof hij het hele pand aan het reinigen was. Wat hij deed was Varak duidelijk: de agent haalde alle sporen weg die konden leiden naar Eric Sundstrom, hij verwijderde de vingerafdrukken van de geleerde uit de ruimte. De man zette de spuitbus op de salontafel en legde de doek ernaast; toen begon hij het vertrek door te lopen... naar het kantoor! De Tsjech draaide zonder geluid vanachter de gedeeltelijk gesloten deur vandaan en rende naar de kleine badkamer. De deur deed hij dicht, dit keer meer dan gedeeltelijk, met alleen een smalle spleet tussen de rand en de deurpost. Net als Milos knipte de FBI-agent de bureaulamp aan, ging in de stoel zitten en opende de onderste la rechts. Maar hij deed toen wel iets wat Varak niet had gedaan: hij drukte op een onzichtbare knop. Meteen sprong de voorkant van de la omhoog. 'Verdómme!' zei de roodharige man bij zichzelf en zijn verbaasde kreet klonk fluisterend toen hij in een kennelijk leeg vak keek. Zonder één beweging te veel trok hij het telefoon-

toestel met een heftige ruk naar zich toe en begon een nummer te draaien. Binnen enkele tellen sprak hij. 'Hij is er niet!' riep hij uit. 'Nee, ik weet het zeker!' voegde hij er na een korte pauze aan toe. 'Er is niets! Wat wilt u van me? Ik heb uw instructies opgevolgd en ik zeg u dat er geen barst te vinden is! Wát? In de straat vlak bij uw huis? Goed, ik zal het navragen en u terugbellen.' De agent drukte de haak in met zijn vingers, liet die los en belde elf cijfers: interlokaal. 'Basis Vijf, dit is Merel, speciale opdracht San Diego, code zes-zes-nul. Graag bevestiging. ...Dank je. Hebben wij voertuigen in La Jolla waar ik niets vanaf weet? ...Die hebben we niet. ...Nee, niets dringends, waarschijnlijk de pers. Die zullen erachter zijn gekomen dat de VP naar een kunstsoirée gaat – hoor je dat, soirée – met dat stel mietjes. Hij kent het verschil niet tussen Rembrandt en Al Capone, maar hij moet doen alsof. Ik trek het wel na, vergeet het maar.'
Opnieuw legde de lange roodharige man de hoorn op en koos weer een nummer. 'Van onze kant is er niets,' zei hij zacht, bijna onmiddellijk. 'Nee, volgens de wet hoeven wij niet op de hoogte te worden gesteld. ...CIA? Dan zouden wij dat als laatsten weten. ...Goed ik bel het vliegveld wel. Wilt u dat ik met de piloot spreek? ...U zegt het maar, dan ga ik hier nu weg. CIA en FBI hebben nog nooit met elkaar kunnen opschieten.'
De FBI-man legde de hoorn op en Varak kwam uit de donkere badkamer te voorschijn met zijn smalle, zwarte pistool in de hand.
'Zo gauw ben je hier nog niet weg,' zei de coördinator van Inver Brass.
'Verdómme!' schreeuwde de roodharige agent terwijl hij opsprong uit de stoel en zich op Varak wierp in de deuropening. Hij omklemde de rechterpols van de Tsjech met de kracht van een dier in paniek en duwde Milos achteruit tegen de muur boven het toilet. Varaks hoofd kwam met een harde klap terecht tegen het smaakvolle behang. De Tsjech kwam schrijlings terecht op het lage kastje in de donkere ruimte, sloeg zijn linkerbeen om het bovenlijf van de man en klemde hem zo vast terwijl hij tegelijkertijd zijn rechterhand met het wapen recht omhoog rukte zodat hij de linkerarm van de agent bijna uit de kom trok. Het was voorbij; de man zakte op de vloer ineen en greep zijn geblesseerde arm vast alsof die gebroken was.
'Sta op,' zei Varak, het pistool omlaag langs zijn lichaam, zon-

der de moeite te doen het op zijn gevangene te richten. De roodharige man kwam moeizaam omhoog en trok een pijnlijk gezicht toen hij zich overeind trok aan de rand van de marmeren wasbak. 'Ga terug naar het kantoor en ga daar zitten,' beval Milos en hij duwde de agent door de deur naar het bureau.
'Wie ben jij, verdomme?' vroeg de man buiten adem en hij liet zich in de stoel vallen terwijl hij zijn arm vasthield.
'We hebben elkaar al eens ontmoet, maar dat zou jou wel eens ontgaan kunnen zijn. Een landweg in Mesa Verde, ten westen van het huis van een zekere afgevaardigde.'
'Was jíj dat?' De agent schoot naar voren maar werd direct teruggeduwd door Varak.
'Wanneer heb jij jezelf verkocht, ambtenaartje?'
De agent bestudeerde Milos in het schijnsel van de bureaulamp. 'Als jij soms een soort genaturaliseerde spion bent van een uitwisselingsteam dan kun je maar beter één ding heel goed begrijpen. Ik ben hier in speciale opdracht van de vice-president.'
'Een "uitwisselingsteam"? Ik merk dat je met een paar heel prikkelbare mensen hebt gepraat. Er bestaat geen uitwisselingsteam en die voertuigen rond Grinells huis zijn door Washington gestuurd...'
'Dat zijn ze niet! Ik heb het net gecontroleerd!'
'Misschien was het Bureau niet op de hoogte of misschien hebben ze tegen je gelogen, dat doet er niet toe. Zoals alle bevoorrechte manschappen van elite-organisaties weet ik zeker dat je kunt beweren dat je alleen maar bevelen opvolgde, zoals het weghalen van vingerafdrukken en het zoeken naar geheime documenten waarvan je niets afweet.'
'Dat doe ik ook niet!'
'Maar je hebt jezelf wel verkocht en dat is voor mij alleen maar van belang. Je was bereid geld en privileges aan te nemen in ruil voor diensten die je kon bieden in je officiële hoedanigheid. Ben je ook bereid je leven te verliezen voor die lui?'
'Wát?'
'Nou moet jij eens heel goed naar mij luisteren,' zei Varak zacht en hij hief zijn pistool op en duwde het onverwacht tegen het voorhoofd van de agent. 'Of jij in leven blijft of doodgaat kan mij absoluut niks schelen, maar ik moet een man vinden. Vanavond.'

'Je kent Grinell niet...'
'Grinell kan me niks schelen, laat die maar aan anderen over. De man die ik wil hebben is de man wiens vingerafdrukken jij zo zorgvuldig hebt uitgewist in dit appartement. Je vertelt me nu meteen waar hij is of direct liggen je hersenen hier over het bureau verspreid en ik zal niet de moeite doen ze op te ruimen. Dat voorval zal een verdere overtuigende nuance toevoegen aan alles wat hier gebeurt. Waar ís hij?'
Trillend over zijn hele lijf en met hijgende stem stootte de roodharige man snel achtereen de woorden uit. 'Ik weet het niet en ik lieg niet! Ik kreeg opdracht hen te ontmoeten in een zijstraat bij het strand in Coronado. Ik zweer je dat ik niet wist waarheen ze gingen.'
'Je hebt net gebeld.'
'Dat was een mobilofoon. Hij is onderweg.'
'Wie waren er in Coronado?'
'Alleen maar Grinell en die andere vent die me zei waar hij precies had gelopen en wat hij had aangeraakt hier in het huis van de Vanvlanderens.'
'Waar was zij?'
'Ik weet het niet. Misschien was ze ziek of had ze een ongeluk gehad. Er stond een ambulance tegenover Grinells limousine.'
'Maar je weet wel degelijk waar ze heen gingen. Je wilde het vliegveld bellen. Wat voor instructies had je?'
'Om de onderhoudsploeg te zeggen dat ze het vliegtuig over een uur startklaar moesten hebben.'
'Waar staat dat vliegtuig?'
'San Diego International. Het gedeelte voor privé-toestellen ten zuiden van de grote startbanen.'
'Wat is hun bestemming?'
'Dat weten alleen Grinell en zijn piloot. Dat vertelt hij nooit aan iemand.'
'Jij bood aan zijn piloot te bellen. Wat is zijn nummer?'
'Verrek, dat weet ík niet. Als Grinell wilde dat ik hem moest bellen zou hij me dat wel hebben gezegd. Dat heeft hij niet.'
'Geef me het nummer van de mobilofoon.' Dat deed de agent en de Tsjech prentte het snel in zijn geheugen. 'Weet je zeker dat het juist is?'
'Probeer het maar eens.'
Varak trok het pistool weg en stak het weer in zijn schouderholster. 'Ik hoorde vanavond een uitdrukking die precies bij

jou past, ambtenaartje. Rottige ploert, en dat ben je ook. Maar zoals ik al zei ben je voor mij niet belangrijk daarom laat ik je lopen. Misschien kun je vast gaan verzinnen wat je als verdediging kunt gaan aanvoeren, als de gehoorzame soldaat die verraden wordt door zijn meerderen, of misschien doe je er beter aan op weg te gaan naar Mexico of verder naar het zuiden. Ik weet het niet en het kan me niks schelen. Maar als je die mobilofoon belt, ben je er geweest. Gesnopen?'
'Ik wil hier alleen maar weg,' zei de agent. Hij sprong op uit de stoel en rende de lager gelegen woonkamer door naar de marmeren treden en de haldeur.
'Dat wil ik ook,' fluisterde Milos bij zichzelf. Hij keek op zijn horloge; hij was laat voor de geluidsman beneden. Niet belangrijk, dacht hij, de man was snel van begrip en hij zou snel doorhebben wat hij hebben wilde van de tapes en de getikte verslagen. Dan zou hij de auto van de geluidsman lenen en die parkeren op het terrein van het International Airport van San Diego. Daar op het privé-gedeelte ten zuiden van de grote startbanen zou hij op zoek gaan naar de verrader van Inver Brass. Hij zou hem vinden en hij zou hem doden.

Het doordringende gerinkel van de telefoon wekte Kendrick uit een onrustige slaap. Verward keken zijn ogen naar een hotelraam en naar de zware sneeuw die door de wind werd rondgestuwd achter het glas. De telefoon ging opnieuw over; knipperend met zijn ogen vond hij het toestel, knipte de lamp naast zijn bed aan en nam op. Terwijl hij dat deed keek hij op zijn horloge. Het was tien voor half zes 's morgens. Khalehla?
'Ja, hallo?'
'Atlanta heeft de hele nacht doorgewerkt,' zei de hoofdpatholoog van het ziekenhuis. 'Ze hebben me net gebeld en ik dacht dat u het wel zou willen weten.'
'Dank u, dokter.'
'Misschien hoort u het liever niet. Alle testen zijn positief vrees ik.'
'Kanker?' vroeg Evan moeizaam slikkend.
'Nee. Ik kan u de medische naam geven maar die zou u niets zeggen. U zou het een vorm van salmonella kunnen noemen, een soort virus dat de longen aantast en het bloed doet stollen tot het de zuurstof afsluit. Ik kan begrijpen waarom meneer Weingrass op het eerste gezicht aan kanker dacht. Dat is het

niet, maar daar schiet u nog niets mee op.'
'De genezing?' vroeg Kendrick en hij klemde de hoorn vast.
Na een kort stilzwijgen antwoordde de patholoog zacht: 'Onbekend. Het is onherroepelijk. In de Afrikaanse Kasai-districten slachten ze het vee en verbranden ze het, ze slopen hele dorpen en verbranden die ook.'
'Vee en Afrikaanse dorpelingen kunnen me geen barst verdommen! Het spijt me, ik was niet van plan tegen u te gillen.'
'Dat geeft helemaal niets, dat hoort nu eenmaal bij ons werk. Ik heb het nagekeken op de kaart; hij moet in een Omaans restaurant hebben gegeten dat voedsel uit Centraal Afrika serveerde, misschien voor gastarbeiders. Vuile borden, dat soort zaken. Op die manier wordt het overgebracht.'
'U kent Emmanuel Weingrass niet; in zulke tenten zou hij nooit eten. ...Nee, dokter het is niet overgebracht, het is toegediend.'
'Pardon?'
'Niets. Hoe lang heeft hij nog?'
'Volgens het CDC is daar verschil in. Eén tot drie maanden, misschien vier. Hooguit zes.'
'Mag ik hem zeggen dat het wel een paar jaar zou kunnen duren?'
'U kunt hem alles vertellen wat u wilt, maar hij zal u wel tegenspreken. Zijn ademhaling zal steeds moeilijker worden. Er moet steeds zuurstof beschikbaar zijn.'
'Dat zal er zijn. Dank u, dokter.'
'Het spijt me, meneer Kendrick.'
Evan kwam uit bed en begon met toenemende woede door de kamer te ijsberen. Een spookdokter die onbekend was in Mesa Verde maar niet onbekend bij een aantal functionarissen in de Amerikaanse regering. Een vriendelijke dokter die alleen maar wat bloed wilde afnemen ...en die daarna verdween. Ineens schreeuwde Evan het uit, met een schorre kreet, terwijl de tranen langs zijn wangen stroomden: 'Lyons, waar zít je? Ik vind je wel!'
In dolle woede smakte hij zijn vuist door het raam waarnaast hij stond en versplinterde het glas zodat de wind en de sneeuw door de kamer joegen.

37

Varak naderde de laatste van de onderhoudshangars op het privé-gedeelte van San Diego International Airport. Politie en gewapende douanebeambten in elektrische voertuigen en op motoren reden voortdurend door de helverlichte nauwe straten van het enorme, vlakke complex en stemmen en atmosferische storingsgeluiden klonken nu en dan op uit de radio's van de voertuigen. De rijke privé-personen en de zeer winstgevende ondernemingen die de cliënten waren in dat gedeelte mochten dan de irritaties vermijden van de normale lijnvluchten, maar ze konden niet ontsnappen aan het nauwgezette toezicht van nationale en gemeentelijke instanties die door de sector patrouilleerden. Elk toestel dat startklaar stond moest niet alleen de gewone toestemming krijgen voor de vlucht en voor de te nemen route, maar de toestellen zelf werden ook nauwkeurig onderzocht. Verder stond iedereen die aan boord ging bloot aan de mogelijkheid gefouilleerd te worden, bijna alsof hij of zij behoorde tot de asocialen. Sommigen van die twijfelachtige rijken hadden het waarlijk niet zo goed.
De Tsjech was nonchalant de smaakvol ingerichte salon binnengelopen waar bevoorrechte passagiers in alle comfort op het vertrek van hun vliegtuig wachtten. Hij informeerde naar het toestel van Grinell en het charmante meisje achter de balie was veel voorkomender dan hij had verwacht.
'Vliegt u met hen mee, meneer?' had ze gevraagd, op het punt zijn naam in een computer te typen.
'Nee, ik ben hier alleen om enkele juridische documenten af te geven.'
'O, dan zou ik zeggen, gaat u naar hangar Zeven. Meneer Grinell wacht hier zelden, hij gaat recht naar de vluchtvoorbereiding en van daaruit naar het vliegtuig wanneer dat klaar staat voor inspectie.'
'Zou u me de weg kunnen wijzen...?'
'Ik zal u er wel heen laten rijden door een van onze wagentjes.'
'Ik loop liever, als u het niet erg vindt. Ik wil graag mijn benen even strekken.'
'U moet het zelf weten, maar u moet wel in de straten blijven. De beveiligingsdienst is hier nerveus en er zijn allerlei soorten alarm.'

'Ik zal van de ene straatlantaarn naar de volgende rennen,' had Milos glimlachend gezegd. 'Oké?'
'Geen slecht idee,' antwoordde het meisje. 'Vorige week werd een hoge ome uit Hollywood hier dronken en hij wilde ook wat gaan wandelen. Hij nam de verkeerde afslag en kwam in de gevangenis van San Diego terecht.'
'Alleen maar omdat hij liep te wandelen?'
'Nou ja, hij had een paar rare pillen bij zich...'
'Ik heb niet eens een aspirine bij me.'
'U gaat naar buiten, daar slaat u rechtsaf door de eerste straat, en dan weer rechts. Het is de laatste hangar aan de rand van het vliegveld. Meneer Grinell heeft de beste plaats. Ik zou willen dat hij hier vaker kwam.'
'Hij is erg op zichzelf.'
'Hij is onzichtbaar, dat is hij.'
Varak bleef om zich heen kijken terwijl hij knikte tegen de bestuurders van elektrische wagentjes en lage motorscooters die van beide kanten op hem toereden, sommige afremmend, andere met een vaart passerend. Hij zag wat hij wilde zien. Er waren alarmlampjes aangebracht tussen de rij hangars rechts van hem en ze stonden door lichtstralen in verbinding met korte paaltjes aan de andere kant van de weg, die eruitzagen als een afbakening. Van wat? vroeg de Tsjech zich af. Gazons tussen huizen in de buitenwijken van de toekomst, wanneer de ene buurman bang was voor de andere? Aan de linkerkant van de straat lag alleen maar een leeg stuk grond met hoog gras dat groeide langs een reservestartbaan. Het zou zijn ontsnappingsweg zijn wanneer hij klaar was met zijn werk.
Het meisje in de salon had het goed gezegd, bedacht Milos, toen hij de enorme openstaande deuren van de laatste hangar naderde. Het vliegtuig van Grinell had inderdaad de beste plaats. Zodra het toestemming had om te vertrekken kon het toestel direct het veld optaxiën door de tegenoverliggende deur, en meteen starten op een sein van de controletoren – tijdens de rustige uren ging er geen minuut verloren. Bepaalde rijken hadden het toch beter dan hij dacht.
Twee geüniformeerde bewakers stonden in de hangar, op de plek waar het asfalt grensde aan de betonnen vloer van het interieur. Achter hen stond onbeweeglijk een Rockwell-straalvliegtuig. Overal op de zilveren vleugels kropen nog mannen rond, een metalen vogel die spoedig het nachtelijk luchtruim

zou kiezen. Milos nam de uniformen van de bewakers in zich op; het waren geen officiële uniformen; ze waren van een privébeveiligingsfirma. Toen hij zich dat realiseerde kwam er direct een andere gedachte bij hem op, vooral toen hij zag dat een van de mannen vrij groot was en erg breed in zijn middel en zijn schouders. Hij kon het altijd proberen; hij had de juiste plaats voor de aanslag gevonden, maar het zou zoveel meer voldoening geven als hij de verrader van dichtbij kon executeren en zo zeker kon zijn van zijn dood.
Varak wandelde nonchalant over het asfalt naar de imposante ingang van de hangar. Beide bewakers stapten naar voren en een van hen trapte een sigaret uit onder zijn schoen.
'Wat zoekt u hier?' vroeg de lange man rechts van de Tsjech.
'Ik ben hier voor zaken, geloof ik,' antwoordde Varak vriendelijk. 'Vrij vertrouwelijke zaken volgens mij.'
'Wat wil dat zeggen?' vroeg de kleinere bewaker aan zijn linkerkant.
'Dat zult u meneer Grinell moeten vragen vrees ik. Ik ben alleen maar een boodschapper en men heeft me gezegd maar met één persoon te spreken die de informatie moet doorgeven aan meneer Grinell wanneer die komt.'
'Nog meer van dat gezeik,' zei de kleinere bewaker tegen zijn metgezel. 'Als u papieren of geld hebt moet u die tevoren aangeven. Als ze in dat toestel iets vinden waarvan ze niets weten kan het niet vertrekken en meneer Grinell zal ontploffen, snapt u me?'
'Ik begrijp u volkomen, beste man. Ik heb alleen maar woorden die ik juist moet herhalen. Snapt ú mij nu?'
'Spreek op.'
'Eén persoon,' zei Varak. 'En ik kies hém,' vervolgde Milos en hij wees op de lange man.
'Die is stom. Neem mij maar.'
'Ik moest zelf iemand kiezen.'
'Och, verrék!'
'Wilt u even meekomen,' zei de Tsjech terwijl hij naar rechts gebaarde achter de alarmlampjes. 'Ik moet dit gesprek opnemen maar zonder dat iemand het kan horen.'
'Waarom vertelt u het de baas zelf niet,' wierp de niet-gekozen bewaker tegen. 'Die is hier over een paar minuten.'
'Omdat we elkaar nooit persoonlijk mogen ontmoeten – waar dan ook. Zou u hem dat misschien willen vragen?'

'Nog meer gezeik.'
Toen ze eenmaal om de hoek van de hangar waren kromde Varak zijn linkerhand en stak die omhoog. 'Wilt u, alstublieft, recht hierin spreken?' vroeg hij, opnieuw vriendelijk.
'Natuurlijk, meneer.'
Dat waren de laatste woorden die de bewaker zich zou herinneren. De Tsjech klapte de harde, vlakke zijkant van zijn rechterhand tegen het schouderblad van de man en liet die klap volgen door drie hakkende bewegingen tegen zijn keel en ten slotte twee harde vuistslagen op zijn bovenste oogleden. De bewaker zakte in elkaar en Varak begon hem haastig zijn kleren uit te trekken. Een minuut en twintig seconden later had hij het te grote uniform van de bewaker aangetrokken; hij sloeg de broekspijpen om, haalde zijn mouwen op en trok het uniform tot boven zijn polsen. Hij was klaar.
Veertig seconden later reed een zwarte limousine de straat door en stopte op de asfaltstrip bij de hangar. De Tsjech kwam uit de schaduwen te voorschijn en liep langzaam het schemerachtige licht in. Uit de grote wagen stapte een man en ofschoon Milos hem nooit eerder had gezien wist hij dat deze man Crayton Grinell was.
'Hé, baas!' schreeuwde de bewaker die links van de hangar stond toen de gedaante met het grauwe gezicht, gekleed in een overjas, snel en kwaad over het asfalt kwam aanlopen. 'We hebben uw boodschap, Benny is iets aan het opnemen...'
'Waarom is dat klotetoestel nog niet buiten de hangar?' bulderde Grinell. 'Alles is vrijgegeven voor vertrek, idioten!'
'Benny heeft met hem gesproken, baas, ik niet! Vijf tot tien minuten hebben ze hem gezegd. Het zou anders zijn geweest als ik had gebeld! Al dat gezeik, dat slik ik niet, als u begrijpt wat ik bedoel. U had tegen die vent moeten zeggen dat hij met mij had moeten praten, niet met Benny...'
'Hou je kop! Zeg tegen mijn chauffeur dat hij dat klotetoestel naar buiten rijdt! Als zij het niet kunnen vliegen kan hij het wel!'
'Natuurlijk, baas. U zegt het maar, baas.'
Toen de bewaker tegen de bestuurder van de limousine begon te roepen voegde de Tsjech zich tussen het drukke gedoe en hij begon naar de enorme auto te rennen.
'Bedánkt!' riep de chauffeur die hem passeerde, toen hij Varaks uniform zag. 'Híj stapt pas op het laatste moment in!'

Milos rende om de bagageruimte van de wagen naar de straatkant, rukte het achterportier open en sprong naar binnen op het klapstoeltje. Hij zat kaarsrecht en keek de stomverbaasde Eric Sundstrom aan. 'Hallo, professor,' zei hij zacht.
'Het was een valstrik – je hebt een valstrik voor me gespannen!' schreeuwde de geleerde die in het donker op de bank zat. 'Maar je weet niet wat je doet, Varak! We staan op het punt enorme ontdekkingen te doen waar het de ruimte betreft! We zullen zoveel fantastische zaken ontdekken! We hebben ons vergist! – Inver Brass heeft zich vergist! We moeten dóórgaan!'
'Zelfs wanneer we de halve planeet in de lucht laten vliegen?'
'Doe niet zo stom!' riep Sundstrom smekend. 'Niemand gaat er iets in de lucht laten vliegen! We zijn een beschaafd volk aan beide zijden, beschaafd en bang. Hoe meer we bouwen, hoe meer angst we veroorzaken – dat is uiteindelijk de beveiliging van de wereld, zie je dat dan niet?'
'En dat noemt u beschaafd?'
'Ik noem het vooruitgang. Wetenschappelijke vooruitgang! Jij zou dat niet begrijpen, maar hoe meer we bouwen, hoe meer we léren.'
'Via vernietigingswapens?'
'Wapens...? Wat ben je toch een naïeveling! "Wapens" is alleen maar een etiket. Net als "vis" of "groente". Het is het excuus dat we gebruiken om geld te krijgen voor wetenschappelijke vooruitgang die anders niet te betalen zou zijn! De theorie van de grootst mogelijke bom is al lang achterhaald – we hebben alle bommen die we nodig hebben. Het gaat om de vervoerssystemen – geleidingssystemen in de ruimte en koppelingen in de ruimte, gerichte laserstralen die in de ruimte gebroken kunnen worden en van duizenden kilometers hoogte het deksel van een riool kunnen vinden.'
'En een bom kunnen sturen?'
'Alleen als iemand ons probeert tegen te houden,' antwoordde de geleerde op gespannen toon alsof het vooruitzicht alleen al zijn woede kon opwekken. Toen brak die woede door. Zijn rozige wangen vertrokken zich eensklaps tot de groteske trekken van een of andere monsterachtige waterspuwer. 'Onderzoek, onderzoek, onderzoek!' riep hij uit en zijn schelle stem klonk als het gegil van een varken. 'Laat niemand het wágen ons tegen te houden! We bouwen een hele nieuwe wereld waarin de wetenschap zal heersen over alle beschaafde volkeren! Jij be-

moeit je met een politieke factie die begrijpt wat wij willen! Jullie zijn onverdraaglijk! Kendrick is gevàárlijk! Je hebt hem gezien, hem gehoord... hij houdt hoorzittingen, stelt stomme vragen, verhindert onze vooruitgang!'
'Ik dacht al dat u dat zou zeggen.' Varak stak langzaam zijn hand onder het uniform in een plooi van zijn jasje. 'Weet u wat de zwaarste straf is voor verraad, professor?'
'Waar heb je het over?' Met trillende handen, terwijl zijn dikke lijf beefde en het zweet van zijn gezicht stroomde, schoof Sundstrom naar het portier. 'Ik heb niemand verraden... ik probeer een afschuwelijk onrecht te verhinderen, een afgrijselijke vergissing die begaan is door verblinde dwazen! Jullie moeten worden tegengehouden, jullie allemaal! Jullie mogen je niet bemoeien met het grootste wetenschappelijke apparaat dat de wereld ooit heeft gekend!'
In het halfdonker trok Varak zijn pistool te voorschijn; een lichtstraal weerkaatste van de loop in Sundstroms ogen. 'U hebt maandenlang de gelegenheid gehad dat te zeggen, maar u bleef zwijgen terwijl de anderen u vertrouwden. Door uw verraad zijn er mensen omgekomen, lichamen verminkt... u bent vullis, professor!'
'Néé!' krijste Sundstrom en hij wierp zich tegen het portier. Zijn trillende vingers raakten de kruk en het portier zwaaide open. Het ronde lijf van de geleerde rolde naar buiten in een dolle paniek. Milos schoot; de kogel schroeide onder in Sundstroms ruggegraat terwijl de verrader gillend op het asfalt viel. 'Hélp me, hélp me! Hij probeert me te vermóórden! O, mijn god, hij heeft me geraakt! ...Dood hem, dóód hem!' Varak schoot opnieuw en dit keer richtte hij goed en kwam de kogel op de juiste plek. Het achterhoofd van de geleerde spatte uiteen.
Binnen enkele tellen, onder een verward gegil, werd het vuur beantwoord vanuit de hangar. De Tsjech werd in de borst en in de linkerschouder geraakt. Hij sprong uit het portier aan de straatkant, liet zich over de grond rollen, om en om, vlak achter de limousine tot hij de trottoirrand aan de overkant bereikte. Kreunend van de pijn kroop hij er overheen en hij scharrelde op handen en voeten de duisternis in van het hoge gras dat langs de rand van een reservestartbaan groeide. Bijna haalde hij het niet; van alle kanten weerklonken de geluiden van sirenes en ronkende motoren. De hele bewakingsdienst con-

centreerde zich op hangar Zeven, terwijl aan de overkant van de straat de bewaker en de chauffeur van Grinell op de limousine afliepen en herhaaldelijk in het voertuig vuurden. Varak werd opnieuw getroffen. Een ongerichte, afketsende kogel brandde zijn weg in zijn maag. Hij moest hier wegkomen! Zijn opdracht was nog niet volbracht!
Hij draaide zich om en begon door het hoge gras te rennen; hij rukte eerst het uniformjasje uit en bleef toen even staan om de broek uit te trekken. Het bloed doordrenkte zijn hemd en hij wankelde op zijn benen. Hij moest zijn krachten sparen! Hij moest het veld oversteken en op een weg zien te komen om daar een telefoon te zoeken. Dat móest hij!
Zoeklichten. Vanaf een toren achter hem! Hij was weer in Tsjechoslowakije, in de gevangenis en hij stak rennend een binnenplaats over naar een hek en naar de vrijheid. Een lichtstraal zwaaide vlak langs hem heen en zoals hij dat had gedaan in die gevangenis buiten Praag liet hij zich vallen en bleef hij roerloos liggen tot de straal hem voorbij was. Hij werkte zich moeizaam overeind, wetend dat hij zwakker begon te worden, maar hij kon niet stilhouden. In de verte schenen andere lichten – straatlantaarns! En weer een hek...! Vrijheid, vrijheid!
Met inspanning van al zijn krachten klom hij hand over hand tegen het hek op maar stuitte op prikkeldraad op de bovenkant. Het deed er niet toe. Met wat hem voorkwam als zijn laatste krachtsexplosie wierp hij zich er overheen, terwijl de punten zijn kleren en zijn huid verscheurden en liet hij zich op de grond vallen. Daar bleef hij zwaar hijgend liggen, met zijn hand nu eens op zijn borst, dan op zijn maag. Ga dóór! Nú!
Hij kwam aan de weg; het was een van die nauwelijks bestrate, smalle weggetjes die vaak om vliegvelden lopen omdat er vanwege het lawaai niet wordt gebouwd. Toch reden er wagens over, het was een weggetje binnendoor dat bekend was bij de lokale mensen. Moeizaam wankelend liep hij de weg op en stak zijn armen op toen er een auto naderde. Maar de bestuurder moest niets van hem hebben. Hij week uit naar links en reed snel verder. Enkele tellen later kwam er van rechts een tweede auto aan; hij ging zo recht staan als hij kon en stak een hand op, een beschaafd noodsignaal. De auto ging langzamer rijden; hij stopte toen de Tsjech zijn hand in zijn holster stak om zijn pistool te pakken.
'Wat zijn de moeilijkheden?' vroeg de man in een marine-uni-

form achter het stuur. De gouden vleugels gaven aan dat hij piloot was.
'Ik vrees dat ik een ongeluk heb gehad,' antwoordde Varak. 'Een paar kilometer terug ben ik van de weg geraakt en niemand is gestopt om me te helpen.'
'Jij zit behoorlijk in de vernieling, makker. Stap in, dan rij ik je naar een ziekenhuis. Verrék, wat zie jíj eruit! Kom op, dan help ik je even.'
'Doet u geen moeite, ik rooi het wel,' zei Varak en hij liep om de motorkap heen. Hij opende het portier en stapte in. 'Als ik uw auto vuil maak wil ik graag betalen...'
'Laten we ons daar maar zorgen over maken wanneer Pasen en Pinksteren op één dag vallen.' De marineofficier schakelde en trok snel op terwijl de Tsjech zijn pistool weer terugschoof in de holster.
'Erg vriendelijk van u,' zei Milos. Hij haalde een stukje papier uit zijn zak, pakte zijn pen en schreef in het donker een paar korte woorden en cijfers op.
'Je bent behoorlijk gewond, makker. Hou je taai.'
'Alstublieft, ik moet een telefoon zoeken. *Alstublieft!*'
'Die pokkeverzekering kan wel wachten, man.'
'Nee, geen verzekering,' stamelde Varak. 'Mijn vrouw. Die verwachtte me uren geleden al thuis. ...Ze heeft psychische problemen.'
'Welke vrouw heeft dat niet?' zei de piloot. 'Zal ik even voor je bellen?'
'Nee, heel erg bedankt. Dan maakt ze daar een toestand van die het helemaal niet is.' De Tsjech leunde met vertrokken gezicht achterover op de bank.
'Zowat anderhalve kilometer verder is een fruitstalletje langs de weg. Ik ken de eigenaar en hij heeft telefoon.'
'Ik kan u niet genoeg bedanken.'
'Neem me maar een keer mee uit eten wanneer je uit het ziekenhuis komt.'
De stomverbaasde eigenaar van het fruitstalletje schoof de telefoon naar Varak toe en de marineofficier bleef toekijken, bezorgd voor zijn gewonde passagier. Milos belde het Westlakehotel. 'Kamer eenenvijftig, graag.'
'Hallo, hállo?' riep Khalehla, gewekt uit een diepe slaap.
'Hebt u een antwoord voor me?'
'Milos?'

'Ja.'
'Wat is er mis?'
'Ik voel me niet al te best, juffrouw Rasjad. Hebt u een antwoord?'
'U bent gewond!'
'Uw antwoord!'
'Het groene licht. Payton zal zich rustig houden. Als Evan de nominatie kan krijgen zal hij zeker gekozen worden. De race is van start.'
'We hebben hem harder nodig dan u ooit zult weten.'
'Ik weet niet of hij ermee zal instemmen.'
'Dat moet hij! Houd uw lijn vrij. Ik bel u direct terug.'
'U bent écht gewond!'
De Tsjech duwde de haak in en belde meteen opnieuw.
'Ja?'
'Geluidsman?'
'Praag?'
'Hoe schiet je op?'
'We zijn over een paar uur klaar. De typiste heeft de koptelefoon op en zit erop los te hameren. ...Ze sputtert nogal tegen om de hele nacht te moeten overwerken.'
'Wat het ook kost, het zal worden... betaald.'
'Wat mankeert jou? Ik kan je nauwelijks verstaan.'
'Een beetje verkouden. ...Je zult tienduizend in de brievenbus van je studio vinden.'
'Ja, hé zeg, ik ben geen dief.'
'Je hebt een duur leven, weet je nog wel?'
'Zo te horen is er écht iets met je, Praag.'
'Breng alles morgen naar het Westlake, kamer eenenvijftig. De vrouw heet Rasjad. Je mag het alleen aan haar geven.'
'Rasjad. Kamer eenenvijftig. Ik heb het.'
'Bedankt.'
'Luister, als je in de puree zit laat het me dan weten, oké? Ik bedoel maar als er iets is wat ik kan doen...'
'Je wagen staat op het vliegveld, ergens in Sectie C,' zei de Tsjech en hij verbrak de verbinding. Voor het laatst pakte hij de hoorn opnieuw en draaide een nummer. 'Kamer eenenvijftig,' herhaalde hij.
'Hállo?'
'U krijgt... alles morgenvroeg.'
'Waar bén je ergens? Laat me hulp sturen!'

'Morgen... vroeg. Zorg dat meneer B het krijgt!'
'Verdómme, Milos, waar zit je?'
'Dat doet er niet toe. ...Vraag Kendrick. Misschien weet hij het.'
'Wat weet hij misschien?'
'Foto's... Mevrouw Vanvlanderen. ...Lausanne, de Leman-jachthaven. Het Beau-Rivage – de tuin. Dan Amsterdam, de Rozengracht. In het hotel... haar werkkamer. Zég het hem! De man is een Saudi en er is iets met hem gebeurd... miljoenen, *miljoenen!*' Milos kon nauwelijks meer praten; hij had bijna geen adem meer. Doorgaan... dóórgaan! 'Ontsnapt... miljoenen!'
'Waar heb je het, verdomme, nou weer over?'
'Hij kan de sleutel zijn! Laat niemand de foto's weghalen. ...Vraag het Kendrick. Misschien weet hij het nog!' De Tsjech had zijn bewegingen niet meer onder controle; hij zwaaide de hoorn in de richting van de toonbank maar miste de haak, toen viel hij op de grond voor het fruitstalletje langs een achterafweggetje achter het vliegveld van San Diego. Milos Varak was dood.

38

De koppen en commentaren in de ochtendbladen verdrongen al het andere nieuws. De minister van Buitenlandse Zaken en zijn volledige delegatie waren op weerzinwekkende wijze omgebracht in een hotel op Cyprus. De Zesde Vloot stoomde op naar het eiland met alle wapensystemen en vliegtuigen in paraatheid. Het land was verlamd, woedend en ook de angst speelde mee. De gruwel van een tomeloze boosaardige macht leek zich dreigend boven de horizon te verheffen, schoof het land naar de rand van een totale oorlog, provoceerde het land tot een even afschuwelijke en wrede reactie. Maar in een vlaag van zeldzame, intuïtieve geopolitieke genialiteit had president Langford Jennings de storm bezworen. Hij nam contact op met Moskou en het resultaat van die gesprekken was geweest dat de beide supermachten de daad veroordeelden. De gruweldaad op Cyprus werd gezien als een alleenstaande terroristische actie die de hele wereld met afschuw vervulde. Prijzende woorden en treurende woorden voor een groot man werden uitge-

sproken in alle wereldsteden, zowel door vriend als door vijand.
En op respectievelijk pagina's 2, 7 en 45 van de *San Diego Union,* en pagina's 4, 50 en 51 van de *Los Angeles Times,* kwamen de volgende, veel minder belangrijke berichten voor van persagentschappen.

San Diego, 22 dec. – Mevrouw Ardis Vanvlanderen, bureauchef van vice-president Orson Bollinger, wier echtgenoot, Andrew Vanvlanderen gisteren is overleden aan een hartaanval, heeft zich vanmorgen van het leven beroofd, naar mag worden aangenomen van verdriet. Haar lichaam spoelde aan op het strand van Coronado en de dood werd toegeschreven aan verdrinking. Op weg naar het vliegveld had haar advocaat, de heer Crayton Grinell uit La Jolla, haar afgezet bij de rouwkamer om voor het laatst nog even naar haar man te kijken. Volgens zegslieden in de rouwkamer was de weduwe zeer terneergeslagen en sloeg ze wartaal uit. Ofschoon er een limousine op haar wachtte moet ze door een zijdeur naar buiten zijn geglipt en heeft ze een taxi genomen naar het strand van Coronado…

Mexico City, 22 dec. – Eric Sundstrom, een van Amerika's meest vooraanstaande geleerden die hebben meegewerkt aan het tot stand komen van een zeer gecompliceerde ruimtetechnologie, stierf aan een hersenbloeding terwijl hij op vakantie was in Puerto Vallarte. Er zijn op dit moment weinig bijzonderheden beschikbaar. Een volledig verslag over zijn leven en werken zal in de editie van morgen verschijnen.

San Diego, 22 dec. – Een onbekende man zonder papieren, maar gewapend met een pistool, stierf aan schotwonden op een secundaire weg ten zuiden van het International Airport. Luitenant-ter-zee John Demartin, een gevechtspiloot van de Amerikaanse marine vertelde de politie dat de man, volgens zijn eigen woorden, betrokken was geweest bij een auto-ongeval. Gezien de nabijheid van het deel van het vliegveld dat gebruikt wordt door privé-toestellen, vermoeden de autoriteiten dat de dood te maken kan hebben met het smokkelen van verdovende middelen…

Evan nam de eerste ochtendvlucht naar San Diego uit Denver. Hij had erop gestaan Manny te bezoeken om zes uur 's morgens en liet zich niet afschepen. *'Je komt er weer helemaal bovenop,'* had hij gelogen. *'En jij bent een flapdrol,'* had Weingrass er bot bovenop geantwoord. *'Waar ga je heen?' '...Khalehla. San Diego. Ze heeft me nodig.' '...Sodemieter hier dan maar gauw op! Ik wil dat lelijke smoel van jou geen seconde langer zien. Ga naar haar toe, help haar. Zie dat je die rotzakken te pakken krijgt!'*
Aan de taxirit van het vliegveld naar het hotel in de ochtendspits leek geen einde te komen en de situatie was er nauwelijks beter op geworden toen de chauffeur hem herkende en een stroom van zinloos gebabbel op hem had losgelaten, doorspekt met scheldwoorden aan het adres van alle Arabieren en alles wat Arabisch was.
'Al die klootzakken zouden kapotgeschoten moeten worden, vindt u niet?'
'Vrouwen en kinderen ook natuurlijk.'
'Precies! Die donderstenen worden groot en die wijven maken nog meer donderstenen!'
'Dat is me nogal een oplossing. Je zou het zelfs de eindoplossing kunnen noemen.'
'Het is de enige manier, waar of niet?'
'Niet waar. Wanneer je naar de aantallen kijkt en de prijs van de munitie zouden de kosten te hoog zijn. De belasting zou worden verhoogd.'
'Denkt u dat? Verrek, ik betaal al genoeg. Er moet een andere manier zijn.'
'Ik weet zeker dat u er een zult bedenken. Neemt u me niet kwalijk, ik wil nog wat lezen.' Kendrick nam zijn exemplaar van *The Denver Post* weer op met het verschrikkelijke nieuws uit Cyprus. En omdat de chauffeur zich ofwel beledigd voelde of vond dat hij op zijn nummer was gezet, zette hij de radio aan. Ook daar betrof het nieuws, net als in de kranten, bijna uitsluitend de afgrijselijke terroristische actie in het gebied van de Middellandse Zee; er werden interviews uitgezonden met ooggetuigen en interviews herhaald met topfiguren in de internationale politiek in verschillende vertalingen, die allen de barbaarse daad veroordeelden. En alsof de dood nog niet genoeg slachtoffers had geëist hoorde een verbijsterde Evan de woorden van de nieuwslezer.

'Hier in San Diego heeft een andere tragedie plaatsgevonden. Mevrouw Ardis Vanvlanderen, bureauchef van vice-president Bollinger, werd vanmorgen dood aangetroffen toen haar lichaam aanspoelde op het strand in Coronado, een duidelijke zelfmoord...'

Kendrick schoot vooruit op de achterbank. *Ardis?* Ardis *Vanvlanderen?* Ardis *Montreaux?* De Bahama's... een liederlijke bijrolspeler van Off Shore Investments van jaren geleden had gezegd dat Ardis Montreaux getrouwd was met een steenrijke man uit Californië! Goeie gód! Daarom was Khalehla naar San Diego gevlogen. Mitchell Payton had de 'geldhoer' gevonden – Bollingers burauchef! De nieuwslezer speculeerde nog wat over het verdriet van de weduwe, een speculatie waarvan Kendrick geen woord geloofde.

Hij doorkruiste de lobby van het hotel en nam de lift naar de vierde verdieping. Hij zocht naar de pijlen met nummers en liep de gang door naar Khalehla's kamer, verlangend en terneergeslagen – verlangend om haar te zien en haar in zijn armen te houden, terneergeslagen over Manny, over het bloedbad op Cyprus, over zovéél, maar voornamelijk over Emmanuel Weingrass, toekomstig slachtoffer van een moord. Hij kwam aan de deur en klopte vier keer. Direct na zijn vierde tik hoorde hij binnen de rennende voetstappen. De deur zwaaide open en ze lag in zijn armen.

'Mijn god, wat hou ik toch van je,' fluisterde hij in haar donkere haren en zijn woorden klonken gehaast. 'En het is allemaal zo'n rotzooi, zo'n verdómde rotzooi!'

'Vlug. Kom naar binnen.' Khalehla sloot de deur en kwam weer naar hem toe. Ze vlijde haar handen tegen zijn wangen. 'Manny?'

'Hij heeft nog zoiets tussen drie en zes maanden te leven,' antwoordde Evan met toonloze stem. 'Hij gaat dood aan een virus dat hij onmogelijk anders dan door injectie heeft kunnen oplopen.'

'De niet-bestaande dokter Lyons,' zei Rasjad overtuigd.

'Ik zal hem vinden, al doe ik er twintig jaar over.'

'Washington zal je helpen tot de laatste man.'

'Het nieuws is overal slecht. Cyprus, de beste man in de hele regering in stukken gereten...'

'Het komt allemaal hiervandaan, Evan. Hier uit San Diego.'

'Wat?'

Khalehla zette een stap achteruit, pakte zijn hand en leidde hem de kamer door naar twee stoelen met een klein rond tafeltje tussen hen in. 'Ga zitten, schat. Ik moet je een boel vertellen wat ik nog niet eerder heb kunnen doen. Vervolgens is er iets wat je moet doen... daarom vroeg ik je hierheen te komen vliegen.'
'Ik geloof dat ik een van de dingen die je me wilt zeggen al weet,' zei Kendrick en hij ging zitten. 'Ardis Montreaux, de weduwe Vanvlanderen. Ik heb het op de radio gehoord; ze zeggen dat ze zelfmoord heeft gepleegd.'
'Dat deed ze al toen ze met haar overleden man trouwde.'
'Je bent hierheen gegaan om haar op te zoeken, nietwaar?'
'Ja.' Rasjad knikte toen ze aan het tafeltje ging zitten. 'Je zult alles horen en lezen. Er zijn tapes en getikte verslagen van de hele zaak; die heb ik een uur geleden gekregen.'
'Hoe zit het met Cyprus?'
'De opdracht kwam hier vandaan. Een man die Grinell heet.'
'Nooit van gehoord.'
'Dat hebben maar weinig mensen. ...Evan, het is erger dan wat we ons ook hadden kunnen voorstellen.'
'Heb je dat van Ardis gehoord? Ja, zij was Ardis en ik was Evan.'
'Dat weet ik. Nee, niet van haar; bij haar kregen we maar een vaag idee van het geheel en dat was beangstigend genoeg. Onze belangrijkste bron is de man die gisteravond op het vliegveld werd vermoord.'
'Wie in godsnaam?'
'De blonde Europeaan, schat.'
'Wát?' Kendrick liet zich met een opgewonden kleur achterover vallen in zijn stoel.
'Hij nam niet alleen mijn interview op maar ook een gesprek dat daarna kwam en dat de hele beerput openzette. Behalve Grinell hebben we geen namen, maar we kunnen ons een beeld vormen, net als in een puzzel met vage figuren en het is angstaanjagend.'
'Een regering binnen een regering,' zei Evan zacht. 'Zo zei Manny het. "De bedienden die de baas spelen in het huis van de meester".'
'Manny had, zoals gewoonlijk, weer eens gelijk.'
'Kendrick stond op uit de stoel en liep naar een raam. Hij leunde tegen het kozijn en staarde naar buiten. 'De blonde man, wie was hij?'

'Dat hebben we nooit ontdekt, maar wie hij ook was, hij stierf toen hij ons de inlichtingen in handen speelde.'
'Het Oman-dossier. Hoe is hij daaraan gekomen?'
'Dat wou hij me niet zeggen, hij zei alleen dat zijn bron een goed iemand was die jou steunde om een hogere politieke post te krijgen.'
'Daar schiet ik geen zak mee op!' schreeuwde Evan en hij draaide zich met een ruk om. 'Er moet méér zijn!'
'Dat is er niet.'
'Had hij enig idee wat ze hebben aangericht? De levens die verloren zijn gegaan, het bloedbad!'
'Hij zei dat hij meer dan wie ook zou treuren over die beoordelingsfouten. Hij wist niet dat zijn droefheid maar een paar uur zou duren.'
'Godverdómme!' brulde Kendrick tegen de kamermuren. 'Hoe zit het met Grinell? Hebben ze hem kunnen pakken?'
'Hij is verdwenen. Zijn vliegtuig is uit San Diego vertrokken naar Tucson. Dat werd vanmorgen pas bekend. Het heeft ongeveer een uur op de grond gestaan en startte toen zonder een bestemming op te geven, zo zijn we erachter gekomen.'
'Vliegtuigen kunnen zo onderweg in botsing komen.'
'Niet als ze zich tussen het Mexicaanse luchtverkeer schuiven over de grens. MJ heeft een idee dat Grinells beveiligingsmensen misschien de officiële auto's gezien hebben die op hem wachtten bij zijn huis in La Jolla.'
Evan liep terug naar de tafel en ging zitten, een uitgeputte en verslagen man. 'Wat doen we nu?'
'We gaan eerst naar de suite van de Vanvlanderens beneden. Onze Europeaan wilde dat je daar iets zou bekijken – foto's in feite. Ik weet niet waarom, maar hij zei dat de man een Saudi was en dat jij je hem misschien zou herinneren. Iets wat met miljoenen had te maken en met een ontsnapping. We hebben het appartement onder bewaking gesteld. Niemand kan erin of eruit op grond van de nationale veiligheidswet omdat zij Bollingers bureauchef was en er vertrouwelijke documenten zouden kunnen liggen.'
'Goed, laten we maar gaan.'
Ze namen de lift omlaag naar de tweede verdieping en liepen op de deur af van het appartement van de Vanvlanderens. De twee geüniformeerde politiemensen die ervoor stonden knikten en de man links draaide zich om. Hij stak de sleutel in

het slot en opende de deur.
'Het is een eer u te mogen ontmoeten, afgevaardigde,' zei de man rechts en hij stak spontaan zijn hand uit.
'Aangenaam met u kennis te maken,' zei Kendrick. Hij schudde de hand en ging naar binnen.
'Hoe voelt het zo beroemd te zijn?' vroeg Khalehla terwijl ze de deur sloot.
'Niet bijzonder plezierig en ook niet erg bevredigend,' antwoordde Evan terwijl ze door de marmeren hal liepen en de lager gelegen woonkamer betraden. 'Waar zijn de foto's?'
'Dat heeft hij niet precies gezegd, alleen dat ze in haar kantoor waren en dat je moest kijken naar opnamen uit Lausanne, Zwitserland en Amsterdam.'
'Daarginds,' zei Kendrick toen hij een verlichte bureaulamp zag in een vertrek links van hen. 'Kom mee.'
Ze liepen over het tapijt van de kamer de werkkamer in. Evan wachtte even tot zijn ogen gewend waren aan het halfdonkere interieur, liep naar een lamp aan de andere kant van de kamer en knipte die aan. Het diagonale patroon van de opgehangen foto's werd meteen zichtbaar.
'Lieve hemel, hoe pakken we dat aan?' vroeg Khalehla.
'Langzaam en voozichtig,' antwoordde Kendrick. Hij liet de foto's op de linkerlambrizering snel voor wat ze waren en concentreerde zich op de rechtermuur. 'Dit is Europa,' zei hij en zijn ogen dwaalden over de verzameling. 'Dat is Lausanne,' voegde hij eraan toe en richtte zijn blik op twee mensen in een vergroot kiekje met de Leman-jachthaven op de achtergrond. 'Dit is Ardis en... nee, dat kan niet mogelijk zijn.'
'Wat kan niet?'
'Wacht 'ns even.' Evan volgde het patroon naar rechts beneden en concentreerde zich op een andere ingelijste vergroting waarop de gezichten duidelijker waren. 'Ook in Lausanne. Dit is de tuin van het Beau-Rivage. ...Is dat mógelijk?'
'Is wat? ...Hij had het over het Beau-Rivage, de blonde man bedoel ik. Ook over Amsterdam, de roze-of-zoiets.'
'De Rozengracht. Hier is het.' Kendrick wees op een foto waarop de gezichten van de twee mensen zelfs nog scherper waren, duidelijker. 'Mijn god, hij is het!'
'Wie?'
'Abdel Hamendi. Jaren geleden heb ik hem gekend in Riyadh. Hij was minister voor de Saudi's tot de familie hem erop be-

trapte dat hij voor zichzelf werkte en miljoenen verdiende met valse pachtovereenkomsten en nepcontracten. Hij zou in het openbaar terecht worden gesteld maar hij zag kans het land uit te komen. Ze zeggen dat hij voor zichzelf een soort fort heeft gebouwd in de buurt van Divonne in de Alpen en zich met nieuwe zaken ging bemoeien. Wapenleveranties. Ik hoorde dat hij de machtigste wapenleverancier van de wereld is geworden die zich zelden in het openbaar vertoont.'

'Ardis Vanvlanderen had het op de tweede band over Divonne. Maar heel even, maar nu begrijp ik het.'

Evan zette een stap achteruit en keek Khalehla aan. 'De instincten van onze dode Europeaan klopten. Hij herinnerde zich de bijzonderheden niet meer, maar hij zag het bloed dat aan Hamendi kleefde even zeker alsof het uit die foto daar welde. Een regering binnen de regering die zaken doet met een wereldomspannende firma voor alle clandestiene wapens die je maar kunt bedenken.' Ineens fronste Kendrick zijn wenkbrauwen en zijn gezicht stond geschrokken. 'Heeft dat allemaal te maken met *Bollinger?*'

'De Europeaan zei dat het onmogelijk was vast te stellen. Wat weet hij en wat weet hij niet? Er staat maar één ding vast. Hij is het middelpunt van de zwaarste politieke geldschieters in het land.'

'Mijn god, ze hebben zich goed ingegraven...'

'Er is nog iets wat je moet weten. De man van Ardis Vanvlanderen was degene die contact opnam met de terroristen. Hij heeft de aanvallen op jouw huizen geregeld.'

'Verdómme!' brulde Evan. 'Waaróm?'

'Jij,' antwoordde Khalehla zacht. 'Jij was het doelwit; hij wilde jou laten vermoorden. Hij handelde in zijn eentje – daarom is zijn vrouw vermoord toen de anderen erachter kwamen; om elke mogelijke verbinding met hen door te snijden – maar ze zijn allemaal bang voor jou. Met ingang van volgende week start er over het hele land een campagne om jou op de nominatie te krijgen en zo Bollinger te vervangen als de nieuwe vice-president.'

'De mensen van de blonde Europeaan?'

'Ja. En dat kunnen de mensen rond Bollinger niet toestaan. Ze denken dat jij hen eruit zult werken, hun invloed tot niets zult terugbrengen.'

'Ik ga meer doen dan dat,' zei Evan. 'Ik ga hen niet eruit wer-

ken, ik ga hen eruit scheuren. Cyprus, Fairfax, Mesa Verde – rotzakken! Wie zijn het? Bestaat er een lijst?'
'We kunnen er een samenstellen met een heleboel namen, maar we weten niet wie er wel en wie er niet bij betrokken zijn.'
'Laten we dat maar eens uitzoeken.'
'Hoe?'
'Ik ga het kamp van Bollinger in. Ze gaan een andere afgevaardigde Kendrick ontmoeten – eentje die bereid is zijn nominatie te verkopen.'

Mitchell Jarvis Payton staarde uit het raam van zijn werkkamer in Langley, Virginia. Er was zoveel om over te denken dat hij niet aan Kerstmis kon denken, en daarvoor was hij dankbaar. Hij had geen spijt over het leven dat hij had gekozen maar Kerstmis was altijd een beetje moeilijk. Hij had twee getrouwde zusters in het Midwesten en een verzameling neefjes en nichtjes die hij de gebruikelijke cadeautjes stuurde, passend gekocht door zijn secretaresse die hij al jarenlang had, maar hij had geen zin om de feestdagen met hen door te brengen. Er was gewoon weinig om over te praten; hij was te lang aan de andere kant van de wereld geweest om te kunnen praten over een houtzagerij en een verzekeringsmaatschappij en hij kon natuurlijk niets vertellen over zijn eigen werk. De kinderen van wie de meesten al groot waren, vormden bovendien een onopmerkelijk stelletje, er zat niet één knappe kop tussen en ze volgden allemaal gedwee de ouderlijke verordeningen het goede, degelijke leven van financiële zekerheid na te streven. Hij kon het maar beter met rust laten. Daarom was hij waarschijnlijk zo gehecht geraakt aan zijn geadopteerde nicht, Adrienne Rasjad – hij kon er maar beter aan wennen haar Khalehla te gaan noemen, peinsde hij. Zij maakte deel uit van zijn wereld, helemaal niet omdat hij het zo had gewild, maar ze was een deel en ze was opvallend goed. Payton wenste even dat ze allemaal terug waren in Caïro wanneer de Rasjads erop stonden dat hij hun jaarlijkse kerstdiners bijwoonde, compleet met een prachtig versierde boom en grammofoonplaten van kerstliederen gezongen door het Mormon Tabernacle Choir.
'Toe nou, MJ,' riep Rasjads vrouw dan uit. 'Ik kom uit Californië, weet je nog wel? Ik ben degene met de blanke huid!'
Wat was er van die dagen geworden? Zouden ze nog ooit te-

rugkeren? Natuurlijk niet. Hij at alleen met Kerstmis.
Paytons rode telefoon begon te rinkelen. Zijn hand vloog naar de hoorn en pakte die op. 'Ja?'
'Hij is geschíft!' gilde Adrienne-Khalehla. 'Ik bedoel maar, hij is helemaal gek, MJ!'
'Heeft hij je de bons gegeven?'
'Vergeet het maar. Hij wil met Bollinger praten!'
'Op welke gronden?'
'Om onderkruiper te gaan spelen! Kun je je dat voorstellen?'
'Misschien wel als je wat duidelijker zou willen zijn...'
Er werd kennelijk om de hoorn gevochten want hij hoorde nogal wat scheldwoorden over en weer. 'Mitch, met Evan.'
'Dat dacht ik al.'
'Ik ga daar naar binnen.'
'Bij Bollinger?'
'Het is logisch. Ik heb hetzelfde gedaan in Masqat.'
'Je kunt er eentje winnen en de andere verliezen, jongeman. Door schade en schande word je wijs. Die lui spelen voor menens.'
'Dat doe ik ook. Ik wil ze pákken. Ik zal ze pakken.'
'We zullen je begeleiden...'
'Néé, ik moet het alleen doen. Ze hebben wat ze bij jullie noemen apparatuur – ze hebben overal ogen. Ik moet het helemaal alleen spelen, en het gaat erom dat ik kan worden overgehaald uit de politiek te stappen.'
'Dat is veel te veel in tegenspraak met wat ze van je hebben gezien en gehoord. Dat zou niet werken, Kendrick.'
'Dat zal het wel als ik hun een deel van de waarheid vertel – een heel belangrijk deel.'
'Wat dan, Evan?'
'Dat ik al die dingen in Oman uitsluitend uit eigen belang heb gedaan. Ik ging terug om de zaken weer recht te zetten, om al dat geld terug te verdienen dat ik daar had laten liggen. Zoiets zullen zij wel begrijpen, dat zullen ze verdomd goed begrijpen.'
'Niet goed genoeg. Ze zullen te veel vragen stellen en ze zullen je antwoorden willen controleren.'
'Geen vragen waarop ik het antwoord niet weet,' zei Kendrick. 'Alles een deel van de waarheid, gemakkelijk te controleren. Ik was ervan overtuigd dat ik wist wie er achter de Palestijnen stak en waarom; hij had dezelfde tactiek toegepast op mijn bedrijf – de waarheid. Ik had relaties met de machtigste mannen

in het sultanaat en stond onder volledige bescherming van de regering. Laat ze maar navraag doen bij de jonge Ahmed, die zal dat dolgraag recht willen zetten; hij is nog steeds nijdig. Opnieuw de waarheid, ook al zat ik in het gevangenencomplex waar ik elke minuut door de politie in de gaten werd gehouden. ...Mijn enige doel is al die tijd geweest om inlichtingen te verzamelen waarvan ik wist dat die bestonden om een maniak te pakken te krijgen die zich de Mahdi noemde. De wáárheid.'
'Ik weet zeker dat er leemten zijn waarover je kunt struikelen,' zei Payton, terwijl hij aantekeningen maakte die hij later zou vernietigen.
'Ik kan er zo geen bedenken en dat is het enige belangrijke. Ik heb de tape van de Europeaan gehoord; er staan bij hen miljarden op het spel voor de komende vijf jaar en ze kunnen zich niet veroorloven ook maar iets te veranderen aan hun toestand van dit moment. Het doet er niet toe dat ze ongelijk hebben, maar ze zien mij als een bedreiging en dat zou ik onder andere omstandigheden wel degelijk zijn...'
'Wat voor omstandigheden zouden dat zijn, Evan?' onderbrak de oudere man in Langley hem.
'Wat? Nou ja, als ik bij voorbeeld in Washington zou blijven. Dan zou ik elke klootzak op zijn nek zitten die het niet zo nauw nam met de schatkist en die manieren verzint de wet te omzeilen voor een paar miljoen hier en een paar miljoen daar.'
'Een ware Savonarola.'
'Geen fanatisme, MJ, alleen maar een verdomd kwaje belastingbetaler die zijn buik vol heeft van al dat gegil om mensen schrik aan te jagen en veel te hoge winsten te maken die uit de zakken van de belastingbetaler komen. Waar was ik?'
'Een bedreiging voor hen.'
'Precies. Ze willen mij uit de weg hebben en ik zal hen ervan overtuigen dat ik bereid ben op te stappen, dat ik niks te maken wil hebben met die campagne om mij de nominatie te bezorgen... maar ik heb wel een probleempje.'
'En daarom gaat het, neem ik aan.'
'Ik ben op de allereerste plaats een zakenman, een bouwondernemer door opleiding en van beroep, en het ambt van vice-president zou me een wereldomvattende positie verschaffen die ik nooit zou bekleden als ik geen vice-president was. Ik ben betrekkelijk jong; over vijf jaar zou ik nog steeds in de veertig zijn en als een vroeger vice-president zou ik over de hele

wereld kunnen rekenen op financiële ondersteuning en op invloed. Dat is een zeer verleidelijk vooruitzicht voor een internationale bouwondernemer die van plan is ooit terug te keren in de privaatsector. Wat denk je dat de reactie zou zijn van Bollinger en zijn adviseurs, MJ?'
'Wat anders?' zei de directeur van Speciale Projecten. 'Je zingt een liedje dat zij van buiten kennen met precies voldoende slijm. Ze zullen je de kans geven je plannen vijf jaar eerder te beginnen met alle financiële ondersteuning die je nodig hebt.'
'Ik dacht al dat je dat zou zeggen; volgens mij zullen zij dat ook zeggen. Maar nogmaals, zoals elke onderhandelaar die van wanten weet en die in zijn tijd het nodige geld heeft verdiend, heb ik nog een probleempje.'
'Ik brand van nieuwsgierigheid, jongeman.'
'Ik heb een bewijs nodig en ik heb het snel nodig zodat ik dat politieke comité uit Denver met overtuiging kan weigeren. Het kan weigeren voordat het van start gaat en misschien niet meer is tegen te houden.'
'En het bewijs dat je nodig hebt is een of andere verbintenis?'
'Ik ben een zakenman.'
'Dat zijn zij ook. Ze zullen niks op papier zetten.'
'Daarover valt te praten tussen mensen die van goede wil zijn. Ik wil een intentiegesprek met de opdrachtgevers. Ik zal mijn plannen uiteenzetten, zo vaag als ze zijn, en zij kunnen erop reageren. Als zij me ervan kunnen overtuigen dat ze te vertrouwen zijn, dan zal ik dienovereenkomstig handelen. En ik denk dat ze zeer overtuigend zullen klinken, maar tegen die tijd zal het er niet meer toe doen.'
'Omdat je de kern te pakken zult hebben,' stemde Payton in met een glimlach. 'Dan weet je wie ze zijn. Ik moet zeggen, Evan, dat het haalbaar lijkt, heel erg zelfs.'
'Het is gezond zakelijk beleid, MJ.'
'Maar ik heb ook een probleem. Om te beginnen zullen ze nooit geloven dat je daar naar teruggaat. Ze zullen denken dat je liegt. Het hele Midden-Oosten is veel te onstabiel.'
'Ik zei niet dat ik volgende week terug zal gaan, ik zei "ooit", en ik zal het nooit van mijn leven over het Middellandse-Zeegebied hebben. Maar ik zal over de Emiraten en Bahrein praten, over Kuweit en Qatar, zelfs over Oman en Saudi-Arabië, alle plekken in de golfstaten waar de Kendrick-groep heeft geopereerd. Die zijn zo normaal als wat en zogauw de OPEC zijn

zaakjes voor elkaar heeft zullen er zoals altijd weer zaken te doen zijn en winst te maken. Net als iedere Westeuropese bouwonderneming wil ik een stukje van de koek hebben en ik wil daar klaar voor zijn. Ik ben terug in de privaatsector.'
'Lieve hemel, je klinkt wel behoorlijk overtuigend.'
'Zakelijk gezien zit ik er niet eens zover naast. Ik ben er klaar voor, Mitch. Ik ga daar naar binnen.'
'Wanneer?'
'Ik bel Bollinger over een paar minuten. Ik denk niet dat hij zal weigeren me te woord te staan.'
'Niet waarschijnlijk. Langford Jennings zou hem op zijn huid zitten.'
'Ik wil hem een paar uur de tijd geven om zijn kudde te verzamelen, in elk geval die paar waarop hij rekent. Ik zal om een gesprek vragen aan het einde van de middag.'
'Maak er maar avond van,' opperde de CIA-functionaris. 'Buiten kantooruren en daarop moet je staan. Zeg dat je een privéingang wilt hebben zodat je niet wordt gezien door zijn staf en door de pers. Het zal je boodschap nog benadrukken.'
'Dat is heel goed, MJ.'
'Gezond zakelijk beleid, afgevaardigde.'

Luitenant-ter-zee John Demartin, Amerikaanse marine, stond in T-shirt en spijkerbroek ruime porties schoonmaakvloeistof te verspreiden over de bekleding van de voorbank van zijn auto en probeerde met heel weinig succes de bloedvlekken te verwijderen. Daar moesten beroepsmensen aan te pas komen, besloot hij, en zolang dat niet was gebeurd zou hij tegen de kinderen zeggen dat hij wat cerise had geknoeid op weg naar huis van het vliegveld. Maar toch, hoe meer hij zelf kon weghalen van de vlekken, hoe minder het zou gaan kosten – hoopte hij.
Demartin had het bericht gelezen in de ochtendeditie van de *Union* waarin hij met name werd genoemd en waarin stond dat de autoriteiten geloofden dat de gewonde lifter die hij had meegenomen slachtoffer was van een drugsoorlog; maar de piloot was daarvan niet overtuigd. Hij had nou niet bepaald vrienden onder de drugdealers, maar hij kon zich niet voorstellen dat er velen van hen zo beleefd zouden zijn aán te bieden het vuil maken van een autobekleding te vergoeden. Hij nam aan dat zulke kerels als ze gewond waren in paniek zouden raken

en niet zo beheerst en beleefd zouden optreden.
Demartin duwde zijn hand stevig tegen de achterzijde van de bank om daar te schrobben. Zijn blote knokkels raakten iets, iets wat scherp was maar wat direct meegaf. Het was een briefje. Hij trok het te voorschijn en las wat er onder de bloedvlekken geschreven was.
Dring. Mx g'h'mhoud. Meld cont. 3016211133 S-eind.
De laatste letters bogen schuin naar beneden alsof er geen kracht meer was geweest om ze neer te schrijven. De marineofficier werkte zich moeizaam onder zijn stuurwiel uit, bleef op het trottoir staan kijken naar het briefje en liep toen het pad met flagstones op naar zijn huis. Hij ging naar binnen, liep naar de woonkamer en pakte de hoorn van de haak; hij wist wie hij moest bellen. Enkele tellen later verbond een WAVE-secretaresse hem door met het hoofd van de inlichtingendienst van de basis.
'Jim, met John Demartin...'
'Hé, ik heb gelezen over die escapade van jou gisteravond. Wat sommige piloten al niet uitvreten om aan een beetje *grass* te komen. Je wilt zeggen dat je zaterdag met me gaat vissen?'
'Nee, ik bel je over gisteravond.'
'O? Waarom?'
'Jim, ik weet niet wie of wat die kerel was, maar volgens mij had hij niet veel met drugs te maken. Toen vond ik een paar minuten geleden een briefje in een spleet achter de bank waarop hij zat. Het is wat bebloed maar ik zal het je even voorlezen.'
'Ga je gang, ik heb een potlood.'
De marineofficier las de moeizaam geschreven woorden, letters en cijfers. 'Kun je daar iets uit opmaken?' vroeg hij toen hij klaar was.
'Mis... schien,' zei de inlichtingenman langzaam, kennelijk herlezend wat hij had opgeschreven. 'John, beschrijf eens precies wat er gisteravond is gebeurd, alsjeblieft. Het bericht in de krant was vrij onduidelijk.'
Demartin deed dat, beginnend met de opmerking dat de blonde man een buitenlands accent had, al sprak hij uitstekend Engels. Hij eindigde met het ineenzakken van de lifter voor het fruitstalletje. 'Meer niet.'
'Denk je dat hij wist hoe zwaar hij gewond was?'
'Als hij het niet wist, dan wist ik het wel. Ik probeerde niet te

stoppen voor die telefoon maar hij bleef aandringen – ik bedoel eigenlijk, hij sméékte me, Jim. Niet zozeer met woorden als wel met zijn ogen... dat zal een hele tijd duren voordat ik die ben vergeten.'
'Maar je had er geen enkele twijfel over dat hij terug wilde komen naar de auto.'
'Geen enkele. Volgens mij wilde hij nog een laatste gesprek voeren; zelfs toen hij viel stak hij zijn hand nog uit naar het toestel op de toonbank, maar hij wilde wel degelijk terugkomen.'
'Blijf waar je bent. Ik bel je zo terug.'
De piloot legde de hoorn op en liep naar het achterraam dat uitkeek over het kleine zwembad en een buitenpatio. Zijn twee kinderen spartelden rond in het water en schreeuwden tegen elkaar terwijl zijn vrouw op een zonnestoel *The Wall Street Journal* zat te lezen, een gewoonte waarvoor hij dankbaar was. Dankzij haar konden ze iets duurder leven dan zijn salaris toeliet. De telefoon ging over; hij liep weer terug. 'Jim?'
'Ja. ...John, ik zal zo duidelijk zijn als ik kan en dat is niet al te duidelijk. Er is hier bij ons een vent die is uitgeleend door Washington en hij weet meer van die dingen af dan ik en hij wil dat je het volgende doet. ...O, jongens.'
'Wat is er? Zeg eens?'
'Je moet het briefje verbranden en het helemaal vergeten.'

De CIA-functionaris in het verkreukelde pak stak zijn hand uit naar het gele pakje M&M's, met de hoorn tegen zijn linkeroor. 'Hebt u dat allemaal?' vroeg Shapoff, ook bekend onder de naam Gemberkoek.
'Ja,' antwoordde MJ Payton en hij rekte het woord een beetje alsof de informatie zowel verrassend als verbijsterend was. 'Zoals ik het uitleg combineerde die vent, wie hij dan ook was, "dringend" met "maximale geheimhouding", denkend dat de marineofficier eerder de inlichtingendienst van de basis zou bellen dan de politie, als hij het soms niet zou halen.'
'En dat is precies wat er gebeurde.'
'Dan zou de inlichtingendienst het "melden" bij het "contact" en de boodschap doorgeven in de wetenschap dat die bij de juiste mensen terecht zou komen.'
'En de boodschap zou dan luiden dat iemand met codenaam S aan zijn eind was gekomen.'

'Hebben wij een operatie onder codenaam S?'
'Nee.'
'Misschien het ministerie van Financiën?'
'Dat betwijfel ik,' zei Payton.
'Waarom?'
'Omdat in dit geval de melding ook het laatste station was. De boodschap zou niet verder zijn gegaan.'
'Hoe weet u dat?'
'Kengetal drie-nul-één is Maryland en jammer genoeg herken ik het nummer. Het is geheim en zeer privé.'

Payton leunde achterover in zijn stoel en had er kort begrip voor waarom alcoholverslaafden dachten dat ze het volgende uur niet konden overleven zonder een borrel, zodat de realiteit niet zo hard meer zou zijn. Hoe belachelijk onlogisch *logisch!* De stem die werd gehoord door presidenten, een man van wie de leiders van het land wisten dat hij in zijn heldere denkproces altijd het beste voorhad met het land, zonder vrees, zonder vooroordeel, steeds volledig objectief. Hij had voor de toekomst gekozen. Hij had een weinig bekende maar opvallende afgevaardigde uitgekozen die een verhaal te vertellen had dat het land zou biologeren. Hij had zijn uitverkoren kroonprins door het politieke labyrinth geleid tot de voorbestemde nieuweling in het zonlicht kwam van de pers, niet langer een groentje, maar een praktijkman met wie rekening moest worden gehouden. Toen was bekendheid gegeven aan het verhaal, met de roekeloze onverwachtheid van een bliksemflits en het land, zelfs een groot deel van de wereld, stond als aan de grond genageld. Er was een enorme golf op gang gekomen die de prins voortdroeg naar een land dat hij nooit in overweging had genomen, een land van macht, een koninklijk huis met ontzagwekkende verantwoordelijkheid. Het Witte Huis. Samuel Winters had de regels overtreden en, wat veel erger was, met een enorm verlies van levens. Meneer A was niet uit de lucht komen vallen tijdens een crisis. De blonde Europeaan had uitsluitend voor de verheven Samuel Winters gewerkt.
De directeur van Speciale Projecten nam de hoorn van het toestel en raakte even de cijfers op zijn toetsenbord. 'Doctor Winters,' zei hij in antwoord op het ene woord 'Ja.' 'Dit is Payton.'
'Het is een afschuwelijke dag geweest, nietwaar, doctor?'

'Dat is een titel die ik niet meer gebruik. Al jaren niet meer.'
'Jammer. U was een uitmuntende student.'
'Hebt u sinds gisteravond nog iets gehoord van meneer A?'
'Nee. Ofschoon zijn informatie tragisch profetisch was had hij geen reden om me te bellen. Zoals ik je al zei, Mitchell, de man die hem in dienst heeft – een veel oppervlakkiger kennis dan jij – opperde dat hij contact met me moest opnemen... op precies dezelfde manier als jij dat deed. Mijn reputatie overtreft de invloed die men denkt dat ik heb.'
'Via u heb ik met de president gesproken,' zei Payton en hij sloot zijn ogen toen hij de oude man hoorde liegen.
'Nou ja, inderdaad. Het nieuws dat je bracht was vernietigend net als het nieuws van meneer A. In zijn geval dacht ik natuurlijk aan jou. Ik was er niet zeker van of Langford of zijn mensen de ervaring hadden die jij hebt...'
'Die had ik kennelijk niet,' viel MJ hem in de rede.
'Ik weet zeker dat je alles gedaan hebt wat je kon.'
'Terug naar meneer A, doctor Winters.'
'Ja?'
'Hij is dood.'
De stokkende adem was als een elektrische schok over de lijn. Het duurde een paar seconden voordat Winters sprak en toen hij wat zei klonk zijn stem hol. 'Wat zeg je nu?'
'Hij is dood. En iemand die u kent met de codenaam S is ook dood.'
'O, mijn gód,' fluisterde de woordvoerder van Inver Brass en zijn fluisteren klonk als een bevende echo aan zichzelf. 'Hoe komt u aan die... informatie?'
'Ik vrees dat dat vertrouwelijk is, zelfs voor u.'
'Verdómme, ik heb jou Jennings gegeven. De president van de Verenigde Staten!'
'Maar u hebt me niet verteld waaróm, doctor. U hebt me nooit uitgelegd dat uw enige zorg uitging – uw volledige zorg – naar de man die u had uitgekozen. Evan Kendrick.'
'Néé!' protesteerde Winters en het klonk bijna als een gil van ontkenning. 'Je moet je niet bemoeien met zulke zaken, die gaan je niets aan! Er zijn geen wetten overtreden.'
'Ik zou graag denken dat u dat geloofde, maar als u dat doet vrees ik dat u er verschrikkelijk naast zit. Wanneer u iemand in dienst neemt die zo talentvol is als uw Europeaan dan kunt u zich niet losmaken van zijn methoden. Voor zover wij de

stukjes aaneen hebben kunnen passen die in afpersing, knoeierij met het wetgevende proces, de diefstal van zeer geheime documenten en het indirect veroorzaken van de dood en de zware verwondingen van een groot aantal regeringsfunctionarissen – en ten slotte moord. Codenaam S werd vermoord.'
'O, lieve gód...!'
'U bent wel godje aan het spelen geweest...'
'Je begrijpt het niet, Mitchell, zo is dat niet gebeurd.'
'Van zulke zaken weet ik niets, dat móet je geloven.'
'Ik geloof u omdat u een talentvolle beroepsman hebt ingeschakeld om resultaten te krijgen, niet om u te vertellen hoe hij dat deed.'
' "Ingeschakeld" is een te simplistische term! Hij was een toegewijd man die zijn eigen missie volgde in zijn leven.'
'Dat heb ik gehoord,' onderbrak Payton hem. 'Hij kwam uit een land waar het volk was beroofd van haar regering.'
'Wat denk je dan dat er hier gebeurt?' zei de leider van Inver Brass en zijn woorden klonken nu beheerst, de intensiteit van hun bedoeling was duidelijk.
Het duurde even voordat MJ antwoord gaf, opnieuw met gesloten ogen. 'Ik weet het,' zei hij zacht. 'Dat zijn we ook aan het uitzoeken.'
'Ze hebben de minister van Buitenlandse Zaken met zijn hele delegatie vermoord op Cyprus. Ze hebben geen geweten, geen loyaliteit aan iets anders dan hun steeds groter wordende rijkdom en macht. Ik wil niets, wíj willen niets!'
'Dat begrijp ik. U zou het niet eens krijgen als u het wilde.'
'Daarom werd hij uitgekozen, Mitchell. Wij hebben die uitzonderlijke man gevonden. Hij is te slim om zich te laten bedotten en te fatsoenlijk om zich te laten omkopen. Bovendien heeft hij de persoonlijke kwaliteiten om de aandacht op zich te vestigen.'
'Ik heb niets aan te merken op uw keuze, doctor Winters.'
'Waar zitten we dus nu?'
'In een dilemma,' zei Payton. Maar op dit moment is het mijn dilemma, niet het uwe.'

07.25 n.m. San Diego. Ze stonden met hun armen om elkaar geslagen; Khalehla boog zich achterover en streek over zijn haar terwijl ze hem aankeek. 'Schat, speel je dat klaar?'
'Je vergeet, *ya anisa,* dat ik het grootste deel van mijn winst-

gevende leven heb doorgebracht met zaken te doen met Arabieren die meesters zijn in het onderhandelen.'
'Dat was onderhandelen – overdrijven natuurlijk – maar niet liegen, niet het ophouden van een leugen voor mensen die alles wat je zegt zullen wantrouwen.'
'Ze zullen vertwijfeld geloof aan mijn woorden hechten, dat zijn twee punten voor onze kant. Bovendien, wanneer ik hen eenmaal zie en tegenover hen sta, kan het me werkelijk geen barst schelen wat ze geloven.'
'Ik raad je aan zo liever niet te denken, Evan,' zei Rasjad. Ze liet haar hand zakken en liet hem los. 'Totdat we hen in handen hebben, wat inhoudt dat we bewijsmateriaal moeten zien op te sporen, zullen ze te werk gaan zoals ze meestal doen – laaghartig en gemeen. Als ze maar even denken dat het een valstrik is, is het mogelijk dat je ergens aanspoelt op het strand, of misschien helemaal niet wordt gevonden, dat je ergens ronddrijft in de Stille Oceaan.'
'Te vergelijken met de zandbanken van Qatar, vol haaien.' Kendrick knikte en dacht terug aan Bahrein en de Mahdi. 'Ik begrijp wat je bedoelt. Dan zal ik het duidelijk maken dat mijn kantoor weet waar ik vanavond zit.'
'Het zou vanavond niet gebeuren, schat. Laaghartig en gemeen betekent nog niet stom. Het zal daarginds een mengelmoes zijn – een paar echte stafleden en waarschijnlijk een paar lui van Bollingers schaduwkabinet. Oude vrienden die optreden als adviseurs – dat zijn de lui op wie je je moet concentreren. Gebruik die alombekende onverstoorbaarheid van je en wees overtuigend. Laat je door niets van de wijs brengen.'
De telefoon ging over en Evan liep erheen. 'Dat is de limousine,' zei hij. 'Grijs, met getinte raampjes zoals dat past bij de residentie van de vice-president in de heuvels.'

08.07 n.m. San Diego. De slanke man haastte zich door de aankomsthal op San Diego International Airport, met een plastic kledingzak over zijn rechterschouder en een zwarte dokterstas in zijn linkerhand. De automatische glazen deuren naar de standplaats van de taxi's gleden open toen hij erdoor liep naar het betonnen trottoir. Hij bleef even staan en liep toen naar de eerste taxi in de rij die stond te wachten op passagiers. Hij opende het portier terwijl de chauffeur een boulevardkrant liet zakken.

'Ik neem aan dat u vrij bent,' zei de nieuwe passagier kort terwijl hij instapte, de kledingzak op de achterbank gooide en zijn dokterstas op de vloer zette.
'Geen rit van langer dan een uur, meneer. Dan nok ik af voor vanavond.'
'Dat haalt u wel.'
'Waarheen?'
'De heuvels in. Ik weet de weg. Ik zal het u wel wijzen.'
'Ik moet een adres hebben, meneer. Dat zegt de wet.'
'Wat dacht u van het huis in Californië van de vice-president van de Verenigde Staten?' vroeg de passagier knorrig.
'Da's een adres,' antwoordde de chauffeur, niet onder de indruk.
De taxi reed weg met een tevoren beraamde gemene schok en de man die in het zuidwesten van Colorado kort bekend was geweest als dokter Eugene Lyons werd achteruit gesmakt tegen de bankleuning. Maar hij merkte de belediging niet eens omdat zijn woede al zijn normale gedachten overheerste. Hij was een man die geen eigen baas meer was, een man die beduveld was!

39

De kennismaking werd vlot afgedaan en Kendrick had duidelijk de indruk dat niet alle namen of titels helemaal juist waren. Daarom bekeek hij elk gezicht alsof hij het, als hij maar kon, wilde naschilderen. Khalehla had gelijk gehad, de raad van zeven was inderdaad een mengelmoes maar niet zo moeilijk te herkennen als zij wel dacht. Een staflid dat dertig of veertigduizend per jaar verdiende kleedde en gedroeg zich niet als iemand die dat soort bedragen uitgaf tijdens een weekend in Parijs... of Divonne. Hij dacht dat de stafleden in de minderheid waren: drie officiële assistenten tegen vier adviseurs van buiten – het schaduwkabinet uit Californië.
Vice-president Orson Bollinger was een man van doorsnee lengte, doorsnee postuur, doorsnee middelbare leeftijd en begiftigd met een doorsnee stem in het kapittel die sommigen overtuigend, anderen wellicht nietszeggend zouden vinden. Hij was, nou ja, doorsnee, de ideale plaatsvervangend president zolang nummer één uitstekend gezond was en vol energie. Hij werd

vaag beschouwd als een vleier die misschien iedereen nog zou meevallen als er moeilijkheden kwamen, maar dan ook maar heel misschien. Hij vormde geen bedreiging, maar hij was ook niet stom. Hij zou altijd levend uit de politieke strijd komen omdat hij de ongeschreven regels van de nummer twee begreep. Hij begroette afgevaardigde Evan Kendrick hartelijk en bracht hem naar zijn imposante privé-bibliotheek waar zijn 'mensen' waren verzameld, gezeten in diverse leren armstoelen en op donkere leren sofa's.

'We laten het kerstfeest dit jaar voor wat het is,' zei Bollinger. Hij ging in de meest in het oog vallende stoel zitten en beduidde Evan dat hij naast hem moest plaatsnemen. 'We doen dat uit achting voor die beste Ardis en Andrew. Wat een afschuwelijke tragedie, twee zulke uitgesproken vaderlandslievende mensen. Ze kon zonder hem gewoon niet verderleven, weet u. Als u hen samen had gekend had u dat begrepen.'

Iedereen in de kamer knikte en gromde instemmend, maar het klonk een beetje ongeduldig. 'Ik begrijp het, meneer de vice-president,' zei Kendrick triest. 'U weet misschien dat ik mevrouw Vanvlanderen een aantal jaren geleden ontmoet heb in Saudi-Arabië. Ze was een heel bijzondere vrouw en zeer gevoelig.'

'Nee, afgevaardigde, dat wist ik niet.'

'Het doet er weinig toe, alleen voor mij natuurlijk niet. Ik zal haar nooit vergeten. Ze was heel bijzonder.'

'Zoals eigenlijk ook uw verzoek is voor deze bijeenkomst vanavond,' zei een van de twee officiële assistenten die op de sofa zaten. 'We weten allemaal dat er in Chicago een actie op gang is gekomen om de vice-president uit te dagen en we begrijpen dat die actie misschien uw steun niet heeft. Is dat waar, afgevaardigde?'

'Zoals ik vanmiddag aan de vice-president uitlegde hoorde ik dat pas een week geleden. Nee, mijn steun heeft die actie niet. Ik overweeg andere plannen die niets te maken hebben met een verdere politieke loopbaan.'

'Waarom hebt u dan niet gewoon gezegd dat u zich geen kandidaat wilde stellen?' vroeg een tweede assistent van dezelfde sofa.

'Nou ja, volgens mij zijn de zaken nooit zo eenvoudig als we wel graag zouden willen, nietwaar? Ik zou niet helemaal eerlijk zijn als ik me niet gevleid zou voelen door het voorstel en

in de afgelopen vijf dagen heeft mijn staf zich vrij uitvoerig bezig gehouden met een opiniepeiling, zowel regionaal als bij de leiding van de partij. Ze zijn tot de conclusie gekomen dat mijn kandidatuur kans van slagen heeft.'
'Maar u zei zojuist dat u andere plannen had,' viel een zwaargebouwde man hem in de rede. Hij droeg een grijs flanellen broek en een marineblauwe blazer met gouden knopen. Hij was geen assistent.
'Volgens mij heb ik gezegd dat ik andere plannen overwóóg, een andere loopbaan. Er is nog niets definitiefs.'
'Wat wilt u eigenlijk zeggen, afgevaardigde?' vroeg dezelfde assistent die had geopperd dat Evan de kandidatuur had kunnen weigeren.
'Dat is misschien een onderwerp tussen de vice-president en mij, nietwaar?'
'Dit zijn mijn mensen,' zei Bollinger zalvend en met een minzame glimlach.
'Dat begrijp ik, meneer, maar mijn mensen zijn er niet bij... om me te adviseren misschien.'
'Zo te horen en zo te zien bent u niet iemand die veel adviezen nodig heeft,' zei een kleine, gezette adviseur-geldschieter vanuit een leren armstoel die eigenlijk veel te groot was voor zijn korte gestalte. 'Ik heb u op de televisie gezien. U houdt er aardig sterke meningen op na.'
'Die kan ik evenmin veranderen als een zebra zijn strepen kan veranderen, maar er kunnen verzachtende omstandigheden zijn waarom ze privé-overtuigingen moeten blijven in plaats van in het openbaar te worden uitgesproken.'
'Wil dat zeggen dat u het mes op tafel zet?' vroeg een derde geldschieter, dit keer een lange, slanke man in een hemd met open boord en zonverbrande gelaatstrekken.
'Ik ben helemaal niet aan het onderhandelen,' wierp Kendrick met volle overtuiging tegen. 'Ik probeer een situatie uit te leggen die onduidelijk is en die eigenlijk verdomde duidelijk zou moeten zijn.'
'U hoeft echt niet op uw strepen te gaan staan, jongeman,' zei Bollinger serieus en hij fronste tegen zijn lange, zongebruinde adviseur. 'Het is geen minderwaardige woordkeuze moet u weten. "Onderhandelen" hoort nu eenmaal bij onze grote democratische traditie. Wat is dat dus voor situatie die nader verklaard moet worden?'

'De crisis in Oman. Masqat en Bahrein. De belangrijkste reden waarom ik ben uitverkoren voor een hoger politiek ambt.'
Ineens was het duidelijk dat de mensen van de vice-president allen dachten dat ze informatie te horen zou krijgen die de mythe van Oman de wereld zou uithelpen, de grootste aantrekkingskracht van de kandidaat teniet zou doen. Alle ogen waren strak gericht op het congreslid. 'Ik ben naar Oman gegaan,' vervolgde Evan, 'omdat ik wist wie er achter de Palestijnse crisis zat. Hij gebruikte dezelfde tactiek tegen mij, maakte het verder zaken doen voor mijn bedrijf onmogelijk en beroofde me van miljoenen.'
'U was dus op wraak uit?' opperde de zwaargebouwde adviseur in zijn blazer met gouden knopen.
'Niks wraak, ik wilde gewoon mijn bedrijf terughebben – en dat wil ik nog. De tijd zal nu vrij spoedig aanbreken en ik wil teruggaan om de brokken weer aan elkaar te lijmen en compensatie te zoeken voor al die winst die ik daar heb laten liggen.'
De vierde geldschieter, een man met blozende wangen en een duidelijk Bostons accent, boog zich voorover. 'U gaat terug naar het Midden-Oosten?'
'Nee, naar de staten langs de Perzische Golf – daar zit verschil in. De Emiraten, Bahrein, Qatar, Dubai, dat is niet hetzelfde als Libanon of Syrië of het Libië van Gadaffi. Ik hoor uit Europa dat men daar weer volop begint te bouwen en ik wil erbij zijn.'
'U hebt uw bedrijf verkocht,' zei de lange, zongebruinde geldschieter met de open kraag, op laconieke maar precieze toon.
'Het was een gedwongen verkoop. Het was vijf keer zoveel waard als wat ik ervoor kreeg. Maar dat was niet zo'n groot probleem voor mij. Wanneer ik het moet opnemen tegen Westduits, Frans en Japans kapitaal zal ik misschien in het begin een paar problemen hebben, maar ik heb even uitgebreide contacten als ieder ander. Bovendien...' Kendrick ontvouwde zijn scenario met een onderkoelde overtuiging, had het over zijn relaties met de koninklijke huizen en de ministers van Oman, Bahrein, Abu Dhaby en Dubai, sprak over de bescherming en de hulp, met inbegrip van privé-vervoermiddelen, die hij had gekregen van de regeringen van Oman en Bahrein tijdens de crisis in Masqat. Toen zweeg hij, even abrupt als hij was begonnen. Hij had het beeld van wat hij van plan was voldoen-

de duidelijk geschetst voor hun verbeeldingskracht; als hij nog verder ging zou het te veel kunnen zijn.
De mannen in de bibliotheek keken elkaar aan en op een bijna onmerkbaar knikje van de vice-president nam de zwaargebouwde man in de marineblauwe blazer het woord. 'Het komt me voor dat u uw plannen vrij duidelijk getrokken hebt. Wat moet u aanvangen met een baantje dat honderdduizend per jaar oplevert en een teveel aan officiële diners? U bent geen politicus.'
'Gezien mijn leeftijd zou de tijdsfactor wel eens aantrekkelijk kunnen zijn. Over vijf jaar ben ik nog steeds in de veertig en zoals ik het zie zou ik, ook al begin ik daarginds morgen, minstens twee, misschien wel drie jaar nodig hebben om voluit te kunnen opereren, en zelfs daarin zou ik het best nog een jaar mis kunnen hebben – er bestaat geen enkele garantie. Maar als ik het op de andere manier zou doen en daadwerkelijk achter die nominatie aan zou gaan dan zou ik die best eens kunnen krijgen – daarmee zeg ik niets denigrerends over u, meneer de vice-president. Het is eenvoudigweg het gevolg van de manier waarop de media mij voor het voetlicht hebben gebracht.'
Toen er een aantal anderen tegelijk begonnen te spreken stak Bollinger zijn hand op, nauwelijks een decimeter boven de leuning van zijn stoel. Het was genoeg om hen tot zwijgen te brengen. 'En, afgevaardigde?'
'Nou ja, volgens mij ligt dat nogal voor de hand. Niemand twijfelt eraan of Jennings gaat de verkiezing winnen, al heeft hij misschien problemen met de Senaat. Als ik het geluk zou hebben kandidaat te worden gesteld, zou ik van het Huis overgaan naar het vice-presidentschap, daar mijn tijd uitdienen en er uitstappen met meer internationale invloed – en heel eerlijk gezegd, financiële steun – dan ik ooit op een andere manier zou kunnen krijgen.'
'Dát, afgevaardigde,' riep een boze jonge assistent uit vanaf een stoel met rechte leuning, naast zijn collega's op de sofa, 'is een onbeschaamd gebruik maken voor persoonlijk profijt van het vertrouwen in een publiek ambt!'
Overal werden er ogen van geldschieters neergeslagen of dwaalden alle kanten op. 'Als ik er niet van overtuigd was dat u zich onbezonnen hebt versproken omdat u het niet begrijpt,' zei Evan rustig, 'zou ik heel erg beledigd zijn. Ik stel een voor de hand liggend feit vast omdat ik volkomen open wil zijn met

vice-president Bollinger, een man die ik ten zeerste respecteer. Wat ik zei is gewoon de waarheid; het hoort bij het ambt. Maar die waarheid doet helemaal niets af aan de energie of de toewijding die ik tentoon zou spreiden bij het uitoefenen van dat ambt, zowel wat het ambt zelf betreft als het land. Wat dan ook de beloningen mogen zijn die een dergelijke positie met zich meebrengt, of het nu is in de vorm van het schrijven van memoires, raden van bestuur van ondernemingen of golftoernooien, ze zouden niet ten deel vallen aan een man die lichtzinnig zou omspringen met zijn verantwoordelijkheden. Zo zou ik niet kunnen werken, evenmin als vice-president Bollinger dat zou kunnen.'
'Goed gezegd, Evan,' luidde het zachte commentaar van de vice-president en hij keek de impulsieve assistent boos aan. 'U hebt recht op een verontschuldiging.'
'Ik bied mijn verontschuldigingen aan,' zei de jongeman. 'U hebt natuurlijk gelijk. Dat hoort allemaal bij het ambt.'
'U hoeft niet al te verontschuldigend te doen,' zei Kendrick vergoelijkend. 'Over loyaliteit ten opzichte van je baas hoef je nooit spijt te hebben.' Evan wendde zich tot Bollinger. 'Als hij een zwarte band heeft, ben ik hier zó weg,' voegde hij eraan toe en brak zo de spanning die even heerste met een grapje.
'Hij speelt een stevig spelletje ping-pong,' zei de oudere assistent die links op de sofa zat.
'Hij is erg creatief in het bijhouden van de stand,' zei de oudste assistent rechts. 'Hij sjoemelt.'
'Hoe dan ook,' vervolgde Evan nadat hij gewacht had tot de grijnzen – voor het merendeel geforceerd – van de gezichten waren verdwenen. 'Ik meende het toen ik zei dat ik volkomen open wil zijn tegenover u, meneer de vice-president. Ik moet over een aantal dingen nadenken. Ik ben vier, bijna vijf jaar kwijtgeraakt van een carrière – een zaak – waaraan ik erg hard heb gewerkt om die op te bouwen. Ik werd uitgeschakeld door een krankzinnige moordenaar en gedwongen te verkopen omdat de mensen bang waren voor me te werken. Hij is dood en de zaken liggen nu anders; ze beginnen weer normaal te worden, maar de Europese concurrentie is zwaar. Kan ik het op eigen houtje doen, of moet ik me actief op een campagne voor de nominatie storten, en als ik daarin slaag, eruit komen met bepaalde garanties die het gevolg zijn van dat ambt? Van de andere kant, wil ik werkelijk die extra jaren besteden en de

enorme tijd en energie opbrengen die bij die baan horen? ...Dat zijn vragen die ik alleen kan beantwoorden, meneer. Ik hoop dat u dat begrijpt.'

En toen hoorde Kendrick de woorden die hij tegen alle verwachtingen in gehoopt had te zullen horen – een hoop die in dit geval van veel grotere betekenis was dan zijn verklaring tegen Bollinger.

'Ik weet dat het laat is voor je staf, Orson,' zei de lange, slanke man in het hemd met open boord die zijn door de zon verbrande huid goed deed uitkomen, 'maar ik zou graag nog wat langer praten.'

'Jazeker,' stemde de vice-president in en hij wendde zich tot zijn assistenten. 'Deze arme kerels zijn al vanaf zonsopgang in touw, met al dat afschuwelijke nieuws over Ardis en zo. Ga maar naar huis, jongens, en ga kerst vieren met jullie gezinnen – ik heb alle vrouwen en kinderen met Airforce Two hierheen laten halen, Evan, zodat ze samen konden zijn.'

'Erg attent van u, meneer.'

'Attent, ammenooitnie. Misschien hebben ze allemáál wel zwarte banden. ...Jullie kunnen inrukken, mannen. Morgen is het kerstavond en als ik me niet vergis is het de dag daarna Kerstmis. Tenzij de rooien Washington in de lucht laten vliegen zie ik jullie allemaal weer over drie dagen.'

'Dank u, meneer de vice-president.'

'Erg vriendelijk van u, meneer.'

'We kunnen natuurlijk blijven, als u dat wilt,' zei de oudste toen de een na de ander opstond.

'En jou door je twee collega's laten aftuigen?' vroeg Bollinger met een grijns om de gezichten van de anderen. 'Ik wil er niets van horen. Stuur de butler maar naar binnen wanneer jullie weggaan. We kunnen best een cognacje gebruiken terwijl we hier de wereldproblemen aan het oplossen zijn.'

Zie-geen-kwaad, Spreek-geen-kwaad en Hoor-geen-kwaad verlieten de kamer, geprogrammeerde robots die reageerden op vertrouwde marsmuziek. De man in de marineblauwe blazer met gouden knopen boog zich voorover in zijn stoel, daarbij behoorlijk gehinderd door zijn buik. 'U wilt openhartig praten, afgevaardigde? Echt openhartig en echt eerlijk? Nou, dat zullen we dan maar eens gaan doen.'

'Ik begrijp het niet, meneer... Het spijt me, ik heb uw naam niet verstaan.'

'Hou nou maar eens op met dat gezeik!' riep de blozende man uit Boston uit. 'Ik heb de partijhandlangers in Zuid-Boston beter horen lullen.'
'U kunt de kiezers in Washington misschien voor de gek houden,' zei de kleine man in de te grote stoel, 'maar wij zijn ook zakenmensen, Kendrick. U hebt iets aan te bieden en misschien – heel misschien – hebben wij ook wel iets te bieden.'
'Hoe bevalt het u in zuidelijk Californië, afgevaardigde?' De lange man met de open kraag die met lang uitgestrekte benen in zijn stoel zat sprak luid toen de butler het vertrek binnenkwam.
'Niets, niets,' riep Bollinger uit tegen de bediende in smoking. 'Laat maar zitten. Laat ons met rust.'
'Het spijt me, meneer, ik heb een boodschap voor u,' zei de butler en hij overhandigde de vice-president een briefje.
Bollinger las het; zijn gezicht werd eerst rood en verbleekte toen snel. 'Zeg maar dat hij moet wachten,' beval hij. De butler verliet de kamer. 'Waar waren we?'
'Tegen een prijs,' zei de man uit Boston. 'Daar hadden we het over, nietwaar, afgevaardigde?'
'Dat is een beetje plomp,' antwoordde Evan. 'Maar de uitdrukking ligt binnen het bereik van de mogelijkheden.'
'U moet goed begrijpen,' zei de kleine man met het zuinige gezicht, 'dat u langs twee krachtige detectoren bent gelopen. U wordt misschien ziek van de röntgenstralen maar u hebt geen opname-apparaat bij zich.'
'Dat is wel het laatste wat ik zou willen.'
'Goed,' zei de lange man en hij stond op uit zijn stoel alsof hij alleen maar de anderen wilde imponeren met zijn enorme lengte en zijn beeld van de zongebruinde, ruige zeiler of wat hij dan ook was; hij wilde duidelijk maken waar de macht lag. Hij slenterde naar de schoorsteenmantel – *High Noon* in Corruptiestad, dacht Kendrick. 'We hebben uw verlijering begrepen wat het Duitse, Franse en Japanse kapitaal betreft. Hoe hoog zijn de golven in open water?'
'Ik ben bang dat ik geen zeeman ben. U zult het duidelijker moeten zeggen.'
'Waar moet u tegenop boksen?'
'Financieel?' vroeg Evan. Hij zweeg even en schudde toen afwijzend zijn hoofd. 'Niets wat ik niet aankan. Ik kan zeven tot tien miljoen spenderen, als het moet, en mijn kredietfacilitei-

ten zijn groot... maar de rentevoet is natuurlijk ook hoog.'
'Stel dat er kredietfaciliteiten zouden worden geschapen zonder dat soort last?' vroeg de man die bekend was met de partijhandlangers in Zuid-Boston.
'Héren,' onderbrak Bollinger hen scherp. Hij stond op uit zijn stoel en de anderen die nog zaten deden hetzelfde uit achting voor zijn kennelijk op handen zijnde vertrek. 'Ik begrijp dat ik een dringende kwestie moet afhandelen. Als u iets nodig hebt, vraag er dan gerust om.'
'Het zal niet zo lang duren, meneer de vice-president,' zei Kendrick die wist waarom Bollinger afstand moest nemen van wat voor gesprek er ook zou volgen; het was belangrijk dat hij later eventueel alles kon ontkennen. 'Zoals ik al zei is dit een probleem dat alleen ik naar behoren kan oplossen. Ik wilde alleen maar openhartig tegenover u zijn.'
'Dat stel ik zeer op prijs, Evan. Kom nog even naar me toe voordat je weggaat. Ik ben op mijn kantoor.'
De vice-president van de Verenigde Staten verliet het vertrek vol boekenrekken en als jakhalzen die zich op hun prooi stortten keerden de geldschieters zich naar het congreslid uit Colorado. 'Nou gaan we spijkers met koppen slaan, jongen,' zei de bijna twee meter lange jachteigenaar en zijn arm lag op de schoorsteenmantel als een giftige onkruidrank.
'Ik ben uw jongen niet, dank u, en ik heb er iets tegen zo familiair te worden aangesproken.'
'Lange Tom praat altijd zo,' merkte de man uit Boston op. 'Hij bedoelt er niks kwaads mee.'
'Het kwaads zit in zijn aanmatiging tegenover een lid van het Huis van Afgevaardigden.'
'Och, toe nou, afgevaardigde!' kwam de dikke man in de marineblauwe blazer tussenbeide.
'Laten we nou eens allemaal rustig aan doen,' zei de kleine man met het zuinige gezicht en hij ging weer in zijn te grote stoel zitten. 'We zijn hier allemaal met hetzelfde doel en los van alle beleefdheden, laten we nou eens opschieten. We willen dat je eruit stapt, Kendrick. Moeten we nog duidelijker zijn?'
'Aangezien u er zo op staat vind ik dat u dat maar beter kunt zijn.'
'Goed dan,' vervolgde de kleine geldschieter en zijn benen raakten nauwelijks het vloerkleed. 'Zoals iemand zei, laten we eer-

lijk zijn – dat kost geen barst. Wij vertegenwoordigen een politieke stroming die even gewettigd is als u de uwe vindt, maar omdat het onze overtuiging is vinden we die natuurlijk voor deze tijd veel realistischer. In de grond genomen geloven wij in een prioriteitensysteem dat veel sterker op defensie is georiënteerd voor dit land dan waarin u gelooft.'
'Ik geloof ook in een sterke defensie,' viel Evan hem in de rede. 'Maar niet in uitzonderlijk *offensieve* systemen die het budget lamleggen en die tot gevolg hebben dat veertig procent van de uitgaven tot verspilling en ondoelmatigheid leidt.'
'Goed punt,' stemde Kendricks ondermaatse opponent in vanuit de grote stoel. 'En die verwervingsgebieden zullen door de markt worden rechtgezet.'
'Maar pas wanneer er miljarden zijn uitgegeven.'
'Natuurlijk. Als dat anders zou zijn praat u over een ander regeringssysteem dat de malthusiaanse wet van economische mislukking niet toestaat. De krachten van de vrije markt zullen die excessen corrigeren. Concurrentie, afgevaardigde. Concurrentie.'
'Niet als met die krachten wordt gesjoemeld in het Pentagon of in die directiekamers waar te veel vroegere medewerkers van het ministerie van Defensie zitten.'
'Verrék!' riep de jachteigenaar uit vanaf de schoorsteenmantel. 'Als ze het zo verdomde open en bloot doen, laat ze dan maar hangen!'
'Lange Tom heeft gelijk,' zei de blozende man uit Boston. 'Er is genoeg voor allemaal en die kolonels en generaals uit driestuiveroperettes zorgen immers alleen maar dat de zaak gesmeerd loopt. Schop ze maar naar buiten als u wilt, maar zet in hemelsnaam niet de hele machine stil!'
'Hoort u dat?' vroeg de blauwe blazer met de gouden knopen. 'Zet niks stil totdat we zo sterk zijn dat er niet één sovjetleider zelfs maar zou denken aan een onverhoedse aanval.'
'Waarom denkt u dat een van hen daaraan zou denken, zou overwegen een groot deel van de beschaafde wereld in de lucht te laten vliegen?'
'Omdat het marxistische fanatiekelingen zijn!' bulderde de zeiler en hij ging rechtop voor de schoorsteenmantel staan met de handen in de zij.
'Omdat ze stom zijn,' corrigeerde de kleine man vanuit zijn stoel rustig. 'Domheid is in feite de weg naar een mondiale tra-

gedie, en dat betekent dat de sterksten en de slimsten het zullen overleven. Onze critici in de Senaat en het Huis kunnen wij wel aan, afgevaardigde, maar niet die in de regering. Dát kunnen we niet toestaan. Ben ik duidelijk?'
'Denkt u werkelijk dat ik een bedreiging voor u vorm?'
'Natuurlijk doet u dat. U klimt op uw preekstoel en de mensen luisteren, en wat u zegt – heel effectief, moet ik eraan toevoegen – is niet in ons belang.'
'Ik dacht dat u zoveel respect had voor de markt?'
'Dat heb ik op de lange duur, maar op korte termijn kunnen uitzonderlijk toezicht en regulering de defensie van het land lamleggen door tijdverlies. Dit is niet de tijd om de baby weg te gooien met het badwater.'
'Wat wil zeggen winst weggooien?'
'Dat hoort bij de baan, zoals u zojuist verklaarde betreffende het ambt van vice-president. Ga uw gang maar, afgevaardigde. Bouw uw afgebroken carrière in Zuidwest-Azië maar weer op.'
'Waarmee?' vroeg Evan.
'Laten we eens beginnen met kredietfaciliteiten van vijftig miljoen dollar bij de Gemeinschaft Bank in Zürich, Zwitserland.'
'Dat klinkt heel overtuigend maar het zijn alleen maar woorden. Wie stelt er het zakelijk onderpand beschikbaar?'
'Dat weet de Gemeinschaft. U hoeft het niet te weten.'
Meer hoefde Kendrick niet te horen. Het volle gewicht van de Amerikaanse regering die druk zou uitoefenen op een Zwitserse bank waarvan bekend was dat ze relaties had met terroristen van de Baaka Vallei tot Cyprus toe zou genoeg zijn om de Zwitserse codes van geheimhouding en zwijgen te doorbreken. 'Ik zal de kredietfaciliteiten in Zürich over zesendertig uur bevestigen,' zei hij terwijl hij opstond. 'Is dat voldoende tijd voor u?'
'Meer dan voldoende,' antwoordde de kleine man in de grote stoel. 'En wanneer u de bevestiging hebt zult u zo vriendelijk zijn vice-president Bollinger een kopie van uw telegram te sturen aan Chicago waarin u zich onvoorwaardelijk terugtrekt uit de nationale kandidatuur.'
Kendrick knikte en keek de drie andere geldschieters even aan. 'Goedenavond, heren,' zei hij zacht en hij liep naar de deur van de bibliotheek.
In de gang stond een gespierde man met zwarte haren, scherp

gesneden gelaatstrekken en het groene speldje van de geheime dienst in zijn lapel op uit een stoel naast een stel dikke, dubbele deuren. 'Goedenavond, afgevaardigde,' zei hij vriendelijk en hij zette een stap naar voren. 'Het zal me een eer zijn u de hand te kunnen schudden, meneer.'
'Prettig kennis te maken.'
'Ik weet dat we niet mogen zeggen wie hier zoal komen en gaan,' vervolgde het lid van de geheime dienst terwijl hij Evans hand vastgreep, 'maar misschien zondig ik wel tegen die regel voor mijn moeder in New York. Het klinkt misschien dwaas, maar zij vindt dat u paus zou moeten zijn.'
'De Curia heeft daar misschien het nodige op tegen. De vicepresident vroeg me nog even bij hem te komen voordat ik wegging. Hij zei dat hij in zijn kantoor zou zijn.'
'Natuurlijk. We staan ervoor en ik kan u zeggen dat de onderbreking hem welkom zal zijn. Hij heeft daarbinnen een geïrriteerde man die zo kortaangebonden is dat ik de apparaten niet vertrouwde en hem bijna heb gefouilleerd. Ik heb hem niet eens toegestaan zijn tas met spullen mee naar binnen te nemen.'
Voor het eerst zag Kendrick de kledingzak die over de stoel links van de dubbele deuren hing. Daaronder op de vloer stond een lijvige zwarte tas die gewoonlijk een dokterstas werd genoemd. Evan staarde ernaar; die had hij eerder gezien. Zijn gedachten tolden razend dooreen, beeldfragmenten volgden elkaar op als kort na elkaar weerklinkende explosies! Stenen muren in een andere gang, een andere deur; een lange, slanke man met een vlotte glimlach – te vlot, te beminnelijk voor een vreemdeling in een vreemd huis – een dókter die geamuseerd zei dat hij alleen maar even een borst zou bekloppen en een bloedmonster zou nemen voor het laboratorium.
'Als u het niet erg vindt,' zei Kendrick in de nevel die hem omgaf en beseffend dat hij nauwelijks hoorbaar sprak, 'zou u dan alstublieft die deur willen openen?'
'Ik moet eerst kloppen, afgevaardigde.'
'Nee, alstublieft! Doet u alstublieft wat ik zeg.'
'De Vieze – de vice-president – zal dat niet op prijs stellen, meneer. We moeten altijd eerst kloppen.'
'Open die deur,' beval Evan en zijn schorre stem klonk fluisterend. Zijn wijd opengesperde ogen waren kort op de man van de geheime dienst gericht. 'Ik neem de volle verantwoording op me.'

'Natuurlijk, natuurlijk. Als iemand er recht op heeft dan bent u het wel denk ik.'
De zware rechterdeurhelft zwaaide geluidloos open en de woorden die door Bollinger met toegeknepen keel werden gesist waren duidelijk hoorbaar. 'Wat u zegt is belachelijk, onmógelijk! ...Ja, wat nú weer?'
Kendrick liep de afschuwelijk beladen ruimte in en staarde naar het verschrikte, door paniek bevangen gezicht van 'dr. Eugene Lyons'.
'Jíj!' schreeuwde Evan en binnen zijn eenzijdig gerichte gedachtenwereld sloegen alle stoppen door terwijl hij zich door het vertrek stortte met zijn twee handen gekromd uitgestrekt als een dolgeworden dier dat alleen maar wilde doden – dóden! 'Hij gaat dood door jou – door jullie allemaal!'
In een warreling van geweld werd hij vastgegrepen; handen hakten op zijn hoofd en knieën, ramden in zijn lies en zijn maag en ogen werden gekneusd door ervaren vingers. Ondanks de martelende pijn hoorde hij de gedempte kreten – de ene na de andere.
'Ik heb hem! Hij kan zich niet meer bewegen.'
'Doe die deur dicht!'
'Pak mijn tas!'
'Laat iedereen buiten blijven!'
'O, mijn god, hij weet álles!'
'Wat gaan we nu doen?'
'...Ik ken mensen die dit wel kunnen opknappen.'
'Wie bent u, verdómme?'
'Iemand die zich zou moeten voorstellen ...Vieze.'
'Die naam heb ik gehóórd! Het is een belediging! Wie bént u?'
'Voorlopig heb ik de leiding, zo iemand ben ik.'
'O, mijn gód...!'
Duisternis – de vergetelheid die volgt op een zeer zware schok. Alles was donker; niets.

40

Hij voelde eerst de wind en het rondvliegende schuim, toen de deining van de zee en ten slotte de brede linnen banden die hem vastgesnoerd hielden aan de metalen stoel die op het dek van de stampende boot was verankerd. Hij opende zijn ogen in het bewegende donker; hij bevond zich op het achterschip, het schuimende kielzog bewoog zich van hem af en hij was zich ineens bewust van de cabinelichten achter zich. Hij draaide zich om, rekte zijn hals om te kunnen zien, te kunnen begrijpen. Ineens zag hij tegenover zich de zwartharige, donkergekleurde bewaker van de geheime dienst wiens moeder in New York dacht dat hij paus zou moeten zijn... en wiens stem hij had horen beweren dat hij de leiding had. De man zat in een verankerde visstoel naast hem met een enkele veiligheidsgordel om zijn middel.

'Begint u te ontwaken, afgevaardigde?' vroeg hij beleefd.

'Wat hebben jullie, godverdomme, uitgespookt?' brulde Kendrick, zich verzettend tegen de banden waarmee hij vastzat.

'Het spijt me van die banden, maar we wilden niet dat u overboord zou vallen. Het water is wat ruw; we beschermden u alleen maar terwijl u wat frisse lucht kon happen.'

' "Beschermden"...? Godverdomme, jullie klootzakken hebben mij platgespoten en me tegen mijn wil meegenomen! Jullie hebben me ontvoerd! Mijn kantoor weet waar ik vanavond heenging... jullie krijgen minstens twintig jaar hiervoor, jullie allemaal! En die klootzak van een Bollinger zal de laan uit worden gestuurd en...'

'Rustig aan, rústig aan,' viel de man hem in de rede en hij stak kalm protesterend zijn handen op. 'U hebt het helemaal verkeerd, afgevaardigde. Niemand heeft u platgespoten, u hebt een kalmerend middeltje gekregen. U bent daarginds helemaal door het rooie lint gegaan. U hebt een gast van de vice-president aangevallen; u had hem kunnen dóden...'

'Dat zou ik ook gedaan hebben, ik zál hem vermoorden! Waar is die dokter, waar ís hij?'

'Welke dokter?'

'Je liegt, hufter!' schreeuwde Kendrick tegen de wind in en hij verzette zich tegen de linnen banden. Toen schoot hem iets te binnen. 'Mijn limousine, de chauffeur! Hij weet dat ik niet ben weggegaan.'

'Maar dat bent u wel. U voelde zich niet zo goed daarom zei u niet veel en u droeg een donkere bril, maar u was wel erg gul met uw fooi.'

Terwijl de boot door het water slingerde keek Evan ineens omlaag naar de kleren die hij droeg; hij had moeite het goed te kunnen zien in het vage licht dat uit de cabine kwam. De broek

was van een dik corduroy en het hemd van ruwe, zwarte katoen... niet zijn eigen kleren. 'Rótzakken!' brulde hij opnieuw en weer schoot hem iets te binnen. 'Dan hebben ze me zien uitstappen bij het hotel!'
'Het spijt me, maar u bent niet naar het hotel gegaan. Zowat het enige wat u tegen uw chauffeur hebt gezegd was dat hij u moest afzetten bij het Balbao Park, u moest daar iemand ontmoeten en u zou een taxi naar huis nemen.'
'Jullie hebben je helemaal ingedekt, tot mijn kleren toe. Jullie zijn allemaal ploerten, jullie húúrmoordenaars!'
'U blijft het maar verkeerd zien, afgevaardigde. Wij dekten ú in, niet iemand anders. We wisten niet wat u had opgesnoven of in uw aderen had gespoten, maar zoals mijn prikkelbare grootvader zou zeggen zagen we u *pazzo* worden, helemaal gek, weet u wel?'
'Ik weet precies wat je bedoelt.'
'Dus konden we natuurlijk niet toestaan dat u in het openbaar werd gezien, dat zult u toch zeker begrijpen?'
'*Va bene*, mafiahufter die je bent. Ik heb je wel gehoord – "Ik heb hier de leiding," zei je. "Ik ken mensen die dit kunnen opknappen," dat zei je ook.'
'Weet u, afgevaardigde, ofschoon ik u erg bewonder voel ik me toch zeer beledigd door anti-Italiaanse generalisaties.'
'Vertel dat maar tegen de openbare aanklager in New York,' antwoordde Kendrick terwijl de boot omlaag schoot en toen weer opklom tegen een hoge golf. 'Giuliano heeft jullie met karrevrachten tegelijk achter de tralies gebracht.'
'Ja, nou ja, nu we het toch over geheimzinnige zaken hebben die 's nachts gebeuren, een aantal mensen in Balboa Park heeft een man die gemakkelijk zou kunnen beantwoorden aan uw signalement – ik bedoel gekleed zoals u gekleed was toen u uw hotel verliet en daarna in de limousine – de Balthazar zien binnengaan.'
'De wat?'
'Het is een koffiebar in Balboa. Weet u, we hebben daar een boel studenten; ze komen uit de hele wereld en er zijn er veel bij uit het Middellandse-Zeegebied. U weet wel, kinderen van gezinnen die in Iran en Saudi-Arabië en Egypte hebben gewoond... zelfs in wat sommigen nog steeds Palestina noemen, geloof ik. Soms loopt de koffie wat uit de klauwen, politiek gezien bedoel ik, en dan moet de politie orde op zaken stellen

en spullen als pistolen en messen confisqueren. Die mensen zijn erg emotioneel.'
'En "ik" werd gezien toen ik daar binnenging en natuurlijk zullen er binnen ook lui zijn die zullen bevestigen dat "ik" daar was.'
'Aan uw moed is nooit getwijfeld, afgevaardigde. U dringt tot de meest gevaarlijke plaatsen door om naar oplossingen te zoeken, nietwaar? Oman, Bahrein... zelfs het huis van de vice-president van de Verenigde Staten.'
'Voeg ook maar omkoperij toe aan je lijst, vuilnisman.'
'Wácht 's even! Ik heb niks te maken met wat het ook was waarvoor u met de Vieze kwam praten, dat moet u goed begrijpen. Ik verleen alleen maar diensten buiten mijn officiële plichten, meer niet.'
'Omdat je "mensen kent die dit soort zaken opknappen", zoals iemand die mijn kleren draagt en mijn wagen gebruikt en door het Balboa Park wandelt. En misschien nog een paar anderen die me uit het huis van Bollinger konden halen zonder dat iemand me herkende.'
'Een privé-ambulance is erg handig en discreet wanneer gasten ziek worden of te veel drinken.'
'En er waren ongetwijfeld nog een paar anderen die eventuele pers of onderhoudsmensen op een dwaalspoor brachten.'
'Mijn collega's die niet voor de regering werken zijn altijd te bereiken in noodgevallen, meneer. We zijn blij assistentie te kunnen verlenen wanneer we maar kunnen.'
'Tegen een prijs, natuurlijk.'
'Natuurlijk. Ze betalen ervoor, afgevaardigde. Ze betalen op een heleboel manieren, nu meer dan ooit.'
'Ook voor een snelle boot en een ervaren kapitein?'
'Och, we mogen ons niet op de borst slaan wanneer dat niet van toepassing is,' protesteerde de man van de mafia die zich kennelijk vermaakte. 'Dit zijn hun spullen, hun schipper. Er zijn nu eenmaal een paar dingen die de mensen beter zelf kunnen doen, vooral als één van hen het stuk zee invaart tussen Amerika en Mexico, waar zwaar wordt gepatrouilleerd. Je hebt invloed maar je hebt ook een ander soort invloed, als u begrijpt wat ik bedoel.'
Kendrick kreeg het gevoel dat er nóg iemand aanwezig was maar toen hij zich omdraaide in zijn stoel zag hij niemand anders op het dek van het plezierjacht. Toen dwaalden zijn ogen

omhoog naar de achterreling van de hoge brug. Een gedaante stapte terug in de schaduw maar niet snel genoeg. Het was de uiterst lange, door de zon gebronsde geldschieter uit Bollingers bibliotheek en voor zover hij zijn gezicht kon zien was dat vertrokken van haat. 'Zijn alle gasten van de vice-president aan boord?' vroeg hij toen hij merkte dat de mafioso zijn blik had gevolgd.
'Wat voor gasten?'
'Jij bent uitgekookt, Luigi.'
'Er is een kapitein en één bemanningslid. Geen van beiden heb ik ooit eerder gezien.'
'Waar gaan we heen?'
'Zo maar wat varen.'

De boot verminderde vaart en vanaf de brug flitste de straal van een krachtig zoeklicht het donker in. De mafia-man gespte zijn gordel los en stond op; hij liep over het dek de lager gelegen hut in. Evan kon hem horen praten over een intercomtoestel maar door de wind en het klotsen van de golven kon hij de woorden niet verstaan. Even later keerde de man terug; in zijn hand had hij een pistool, een dienstmodel, Colt .45 automatisch. Kendrick onderdrukte het gevoel van paniek dat bij hem opkwam, dacht aan de haaien van Qatar en vroeg zich af of een andere Mahdi, een halve wereld van Bahrein vandaan, het doodvonnis zou gaan voltrekken dat daar was uitgesproken. Als dat zo was, besloot Evan, dan zou hij hetzelfde doen als hij in Bahrein van plan was: hij zou vechten. Beter snel een kogel door het hoofd dan het vooruitzicht te verdrinken of uiteen te worden gereten door de vraatzuchtige haaien van de Stille Oceaan.
'We zijn er, afgevaardigde,' zei de mafioso beleefd.
'Waar zijn we?'
'Ik mag barsten als ik het weet. Een of ander eiland.'
Kendrick sloot zijn ogen, offerde een stil dankgebed en kon weer ademhalen zonder te trillen. De held van Oman was gewoon boerenbedrog, bedacht hij. Hij voelde er eenvoudig niets voor te sterven en behalve de angst was er ook nog Khalehla. De liefde die hem zijn leven lang was ontglipt had hem nu te pakken en elke extra minuut die hij mocht leven was een minuut van hoop. 'Zo te zien geloof ik niet dat je dat nodig hebt,' zei hij en hij knikte naar het wapen.

De bewaker van de geheime dienst, die in die positie was geplaatst door de hoogste rangen van de onderwereld, antwoordde: 'Ik ga u losmaken, maar als u onverwachte bewegingen maakt zet u geen voet aan land, *capisce?*'
'Molto bene.'
'Mij hoeft u de schuld niet te geven, ik heb mijn instructies gekregen. Wanneer je een dienst verleent accepteer je redelijke bevelen.'
Evan hoorde het klikken en voelde hoe de brede banden verslapten rond zijn armen en benen. 'Is het bij je opgekomen dat je misschien nooit zou kunnen terugkeren naar San Diego wanneer je die bevelen uitvoert?' vroeg hij.
'Jazeker,' antwoordde de mafioso nonchalant. 'Daarom hebben we de Vieze in het vizier. "Vieze in het vizier". Aardige alliteratie, vindt u ook niet?'
'Dat zou ik niet weten. Ik ben bouwkundige, geen dichter.'
'En ik heb een pistool in mijn hand, wat wil zeggen dat ik ook geen dichter ben. U kunt zich maar beter gedragen, afgevaardigde.'
'Ik neem aan dat "Vieze" de vice-president is.'
'Ja, en hij zei dat hij de naam had gehoord en dat het een belediging was. Kunt u zich dat voorstellen? Die hufters hadden de schunnige moed onze eenheid af te luisteren!'
'Ik vind het ontzettend,' antwoordde Kendrick terwijl hij moeizaam opstond uit de metalen stoel en zijn armen en benen schudde om de bloedsomloop weer op gang te krijgen.
'Kálm aan!' riep de man van de geheime dienst uit. Hij sprong achteruit en richtte zijn .45 op Evans hoofd.
'Probeer jij maar eens zo lang in dat verdomde ding te zitten op de manier waarop ik daarin heb gezeten en probeer daarna maar eens in een rechte lijn te lopen!'
'Oké, oké. Loop dan maar in een kromme lijn van deze sjieke schuit naar de trap. Daar gaat u van boord.'
Het jacht beschreef een bocht in wat een kleine baai leek en voer vervolgens met horten en stoten – met schroeven die beurtelings vooruit en achteruit sputterden – achteruit naar een aanlegpier die misschien dertig meter lang was; aan de andere kant dobberden nog drie boten, elk kleiner, sneller en met krachtiger motor. Door gevlochten ijzerdraad afgeschermde lampen verlichtten de aanlegplaats en twee gedaanten kwamen uit de duisternis van het vasteland aanrennen en namen hun plaats

in naast de dukdalven waar de boot moest worden aangemeerd. Terwijl het vaartuig vakkundig naar zijn met autobanden afgezette ligplaats werd gemanoeuvreerd werden er vanaf boeg en achterschip lijnen aan land geworpen; die van het achterschip werd door de mafioso gegooid, met het wapen in zijn linkerhand, de boeglijn door het enige bemanningslid. 'Eráf!' schreeuwde hij tegen Kendrick toen het jacht zacht tegen de steiger stootte.
'Ik zou graag de kapitein persoonlijk bedanken voor een veilige en prettige reis...'
'Heel lollig,' zei de man van de geheime dienst, 'maar bewaar dat maar voor de film en maak dat u als de sodemieter aan land komt. U zult niemand ontmoeten.'
'Willen we eens wedden, Luigi?'
'Wil je je ballen over het dek zien rollen? En ik heet geen Luigi.'
'Misschien Reginald dan?'
'Eráf!'
Evan liep met de mafioso achter zich over de steiger naar de omhooglopende grond van het eiland en naar een opklimmend stenen voetpad. Hij kwam langs twee borden, beide met een met de hand geschilderde tekst: witte letters op verweerd bruin hout, smaakvol en professioneel uitgevoerd. Het linkerbord was in het Spaans, het rechter in het Engels.

Pasaje a China
Propiedad Privado
Alarmas

Passage to China
Private Property
Alarms

'Niet verder,' beval de man van de geheime dienst. 'Niet omdraaien. Kijk recht voor je uit.' Kendrick hoorde het geluid van rennende voetstappen op de steiger, toen zachte stemmen, de woorden die hij kon verstaan in het Engels gesproken maar met een Spaans accent. Er werden instructies gegeven. 'Oké,' vervolgde de mafioso. 'Loop het pad af en neem de eerste weg rechts. Niet omdraaien!'
Evan gehoorzaamde ofschoon hij moeite had de steile helling te beklimmen; de lange tocht op het jacht, terwijl hij was vastgebonden op een stoel, had zijn benen flink doen verstijven. Hij probeerde zijn omgeving op te nemen in het halfdonker; de afgeschermde lampen op de ligplaats werden maar nauwe-

lijks aangevuld door de kleine gele lampen aan weerszijden van het stenen pad. Het struikgewas was weelderig, dicht en vochtig; overal groeiden bomen tot een hoogte van zeven, misschien tien meter, met dikke lianen die van de ene stam naar de andere leken te slingeren, armen die armen en lijven omstrengelden. Stukken struikgewas en voortwoekerende bosjes waren zorgvuldig rechtgesnoeid zodat ze eenvormige groene wanden vormden die tot zijn middel reikten aan beide kanten van het pad. Er was orde geschapen in de wildernis. Toen kon hij haast niets meer onderscheiden door de steilte van de helling en de toenemende duisternis, nu ze verder van de steiger waren, en hij begon zich op geluiden te concentreren.

Wat er doordrong tot zijn oren leek een beetje op de geluiden van de onophoudelijke, wild bruisende stroomversnellingen waardoor hij had gevaren, maar deze watergeluiden hadden een heel eigen ritme, een stoten dat een heel apart gedonder vormde. *Golven* natuurlijk. Golven die tegen rotsen sloegen, niet erg ver weg, of misschien werd het geluid versterkt door de echo's die weerkaatsten van steen en door het wildgroeiende struikgewas.

De gele lichten vlak bij de grond verdeelden zich in twee stel parallel lopende lijnen, het ene stel liep recht naar voren, het andere boog naar rechts; Kendrick volgde de lijnen naar rechts. Het pad liep schuin en werd vlakker, een richel die was uitgegraven tegen de heuvel, en toen werd alles ineens veel helderder. Donkere zuilen en aangroeiende schaduwen veranderden in zwarte stammen en vlekken van palmbomen en verward, blauwgroen kreupelhout. Recht vooruit werd een bungalow zichtbaar met lichten die door twee ramen schenen aan weerszijden van een deur in het midden. Maar het was geen gewone bungalow en aanvankelijk wist Evan niet waarom hij dat dacht. Toen kwam hij dichterbij en begreep hij het. Het waren de ramen; zulke ramen had hij nog nooit gezien en ze verklaarden waarom het licht zo fel was terwijl de lichtbronnen zelf maar klein leken. Het afgeschuinde glas was minstens een decimeter dik, als twee enorme rechthoekige prisma's die het licht binnen vergrootten tot vele malen de eigenlijke kaarssterkte. En er was nog iets aan dat vindingrijke ontwerp. De ramen waren ondoordringbaar... van beide kanten.

'Dit is uw suite, afgevaardigde,' zei de man van de geheime dienst die diensten verleende buiten zijn normale verplichtin-

gen. ' "Uw eigen villa" is eigenlijk een beter woord, nietwaar?'
'Ik kan werkelijk niet zo'n luxe behuizing accepteren. Waarom zoek je niet iets eenvoudigers voor me?'
'Een echte grapjas bent u. ...Loop er maar naar toe en open de deur, er is geen sleutel.'
'Geen sleutel?'
'Daar staat u van te kijken, niet?' lachte de mafioso. 'Ik ook, maar die bewaker heeft het me uitgelegd. Alles is elektronisch. Ik heb een apparaatje, zoiets als waarmee je een garagedeur opent, en als ik op een knop druk glijden er een paar metalen grendels uit de deurpost tot in de deur. Zo werkt het binnen ook.'
'Op den duur zou ik daar zelf wel achter zijn gekomen.'
'U bent een koele kikker, afgevaardigde.'
'Niet zo koel als ik had moeten zijn,' zei Kendrick. Vervolgens begon hij over het pad te lopen, in de richting van de deur. Toen hij hem opende zag hij het rustieke interieur van een goed uitgeruste berghut in New England, op geen enkele manier herinnerend aan zuidelijk Californië of noordelijk Mexico. De wanden bestonden uit dikke boomstammen die met cement aan elkaar waren bevestigd, twee plompe ramen in elk van de vier muren en in het midden van de achtermuur een opening, kennelijk voor een badkamer. Het geheel was van alle gemakken voorzien: helemaal links stond een bovenmaats bed en daarvoor een zithoek met een groot televisietoestel en een aantal beklede leunstoelen. De bouwdeskundige in Evan concludeerde dat het huisje beter paste in een winters, met sneew bedekt Vermont dan in het zeegebied ergens ten zuiden en ten westen van Tijuana. Toch ging er een pastorale charme van uit en hij twijfelde er niet aan dat al vele gasten op het eiland ervan hadden genoten. Maar het had ook een ander doel. Het was ook een gevangeniscel.
'Heel gezellig,' zei de veiligheidsagent van Bollinger terwijl hij de enige grote kamer inliep met zijn wapen voortdurend maar onopvallend op Kendrick gericht. 'Wat dacht u van een borrel, afgevaardigde?' vroeg hij en hij liep op de bar met de spiegels af. 'Ik weet niet hoe het met u is gesteld, maar ik kan er best een gebruiken.'
'Waarom niet?' antwoordde Evan en hij bekeek de kamer die was ontworpen voor een noordelijk klimaat.
'Wat mag het zijn?'

'Canadese whisky met ijs, meer niet,' zei Kendrick en hij liep langzaam het hele vertrek door; bekeek de binnenconstructie van de bungalow en zocht met zijn ervaren oog naar zwakke punten die een ontsnappingsweg voor hem zouden kunnen openen. Die waren er niet; de woning was luchtdicht, er viel niet uit te ontsnappen. De raamkozijnen waren geborgd, niet met verzonken magnesiumspijkers maar met schroeven die bedekt waren met pleisterwerk; de voordeur had inwendige scharnieren, onmogelijk te bereiken zonder een krachtige boor en toen hij als laatste de badkamer inliep zag hij dat er geen raam inzat, alleen maar twee kleine openingen van een decimeter breed met roosters ervoor.
'Prima schuilplaats, vindt u niet?' zei de mafioso en hij begroette Evan met zijn glas toen hij uit de badkamer kwam.
'Zolang je niet van een mooi uitzicht houdt,' antwoordde Kendrick en zijn ogen dwaalden zo maar wat rond door de open keuken. Er was iets vreemds, bedacht hij, maar hij kon niet precies zeggen wat. Hij was zich bewust van het wapen van de bewaker toen hij langs de bar met de spiegels liep en op een ovalen eiken tafel afging waar kennelijk maaltijden werden geserveerd. Ze was misschien één-tachtig tot twee meter lang en stond voor een lange balie waarin in het midden een fornuis was gebouwd onder een rij kastjes. Het aanrecht en de ijskast stonden achter een andere balie tegen de rechtermuur. Wat zat hem toch dwars? Toen zag hij een kleine magnetron-oven ingebouwd onder het laatste kastje links; hij keek weer naar het fornuis. Dat was het.
Elektrisch. Alles was elektrisch, dat was het vreemde. In veruit de meeste landelijke bungalows werd propaangas gebruikt vanuit buitentanks om niet afhankelijk te zijn van elektriciteit voor apparaten als fornuizen en ovens. De grondregel was het elektriciteitsgebruik zo laag mogelijk te houden, niet zozeer uit zuinigheid als uit gemak voor het geval er elektrische storingen zouden optreden. Toen dacht hij aan de lampen op de aanlegsteiger en de gele lage lampen langs de paden. Elektriciteit. Een overvloed aan elektriciteit op een eiland dat minstens dertig, zo niet vijfenzeventig kilometer van het vasteland was verwijderd. Hij was niet zeker wat het allemaal betekende, maar het was in ieder geval iets om over na te denken.
Hij liep het keukengedeelte uit, naar de zithoek. Hij keek neer op het grote televisietoestel en vroeg zich af wat voor antenne

er wel niet nodig zou zijn om signalen te kunnen ontvangen over zovele kilometers open water. Hij ging zitten, zich nauwelijks bewust van zijn gewapende begeleider; zijn gedachten werden door zovele andere zaken in beslag genomen, ook – met pijn – door Khalehla ginds in het hotel. Ze had hem uren geleden al verwacht. Wat deed ze nu? Wat kón ze doen? Evan hief zijn glas en nam een paar slokken van de whisky, dankbaar voor het warme gevoel dat zich snel door zijn lichaam verspreidde. Hij keek naar Bollingers veiligheidsman die nonchalant naast de gevlekte eiken tafel stond, zijn wapen op het blad maar bij de rand, vlak bij zijn vrije hand.
'Op uw gezondheid,' zei de man van de mafia en hij hief met zijn linkerhand zijn glas op.
'Waarom niet?' Zonder zelf te proosten dronk Kendrick en hij voelde opnieuw de snelle, verwarmende uitwerking van de whisky. Néé! Het ging te snel, te scherp, het verwarmde niet, het brándde! Voorwerpen in de kamer begonnen ineens vaag en dan weer scherp te worden; hij probeerde op te staan uit de stoel maar hij had geen controle meer over zijn armen en zijn benen! Hij staarde naar de obsceen grinnikende mafioso en begon te schreeuwen, maar er kwam geen geluid. Hij hoorde het glas kapotvallen op de harde houten vloer en voelde zich neergedrukt door een enorm gewicht. Voor de tweede keer die avond kwam de duisternis opzetten terwijl hij steeds verder tuimelde in het oneindige van een zwarte leemte.
De man van de geheime dienst liep naar een intercomkastje dat in de muur was gebouwd naast de bar. Hij fronste nadenkend en drukte de drie cijfers in die men hem op de boot had opgegeven.
'Ja, Bungalow?' antwoordde een zachte mannenstem.
'Onze jongen slaapt weer.'
'Goed, we zijn klaar voor hem.'
'Ik moet wel even vragen,' zei de welbespraakte *capo*. 'Waarom hebben we hem eigenlijk hierheen gebracht?'
'Medische procedure, maar dat gaat u niets aan.'
'Ik zou die houding maar niet aannemen als ik u was. Wij zijn de schuldeisers en u staat bij ons in het krijt.'
'Goed dan. Zonder medische achtergrondgegevens zijn er aanvaardbare en onaanvaardbare grenzen aan de doseringen.'
'Twee matige doseringen in plaats van één onmatige grote?'
'Zoiets. Onze dokter is erg ervaren in dit soort zaken.'

'Als hij dezelfde is hou hem dan uit het zicht. Hij staat op Kendricks dodenlijst. En stuur uw Mexicaanse bedienden, ik ben niet aangenomen om met lichamen te sjouwen.'
'Natuurlijk. En maak u geen zorgen over die dokter. Die stond al op een andere lijst.'

'MJ, hij is nog steeds niet terug en het is kwart over drie in de morgen!' riep Khalehla door de telefoon. 'Heb je al iets ontdekt?'
'Niets waaraan we wat hebben,' antwoordde de directeur van Speciale Projecten met een ijle en vermoeide stem. 'Ik heb je niet gebeld omdat ik dacht dat je wat aan het rusten was.'
'Je moet niet tegen me liegen, oom Mitch. Je hebt er nog nooit problemen mee gehad me op te dragen de hele nacht door te werken. Evan is daar verdwenen!'
'Ik weet het, ik weet het. Heeft hij het er met je over gehad dat hij met iemand een afspraak had in het Balboa Park?'
'Nee, volgens mij weet hij niet wat het is en waar het is.'
'Weet jij het?'
'Natuurlijk. Daar wonen mijn grootouders, weet je wel?'
'Ken je een tent die de Balthazar heet?'
'Het is een koffiebar voor heethoofden, Arabische heethoofden om het precies te zeggen, meest studenten. Ik ben daar één keer geweest en ben er nooit meer teruggegaan. Waarom vraag je dat?'
'Ik zal het uitleggen,' zei Payton. 'Na je telefoontje een paar uur geleden, hebben we Bollingers huis gebeld – als Kendricks kantoor natuurlijk – en gezegd dat we een dringende boodschap voor hem hadden. Men zei ons dat hij rond negen uur was vertrokken, wat in tegenspraak was met jouw informatie dat hij tegen elven nog niet terug was; het is hooguit een half uur rijden van het huis van de vice-president naar jullie hotel. Daar heb ik Gemberkoek gebeld – Shapoff – die verschrikkelijk goed is in dit soort situaties. Hij wist alles uit te pluizen en vond ook de chauffeur van Evans limousine. Onze afgevaardigde vroeg bij het Balboa Park te worden afgezet, dus deed Gemberkoek wat hem te doen stond en "ritselde de buurt af" zoals hij dat noemde. Wat hij te weten is gekomen kan leiden tot twee raadselachtige conclusies. Ten eerste: een man die voldeed aan Evans signalement werd gezien toen hij door het Balboa Park wandelde. Ten tweede: een aantal mensen in de

Balthazar hebben beweerd dat diezelfde man met een donkere bril op het etablissement binnen is gekomen en lang heeft gestaan voor de kardamom-koffieautomaten, voordat hij naar een tafel liep.'

'Mitch,' gilde Khalehla. 'Ik heb hier zijn donkere bril recht voor mijn neus. Die ligt op zijn commode. Hij draagt die soms overdag als hij niet herkend wil worden maar nooit 's avonds. Hij zegt dat hij in het donker de aandacht op hem vestigt en hij heeft gelijk. Die man wás Evan niet. Het is verlakkerij. Ze hebben hem ergens vast!'

'Menens,' zei Payton zacht. 'We zullen ons ermee moeten gaan bemoeien.'

Kendrick opende zijn ogen zoals iemand die niet zeker is waar hij zich bevindt of in welke toestand hij verkeert of zelfs of hij waakt of slaapt. Er was alleen verbijstering, verwarde flarden mist die rondwentelden in zijn hoofd en een verlamming die werd veroorzaakt door een beangstigende onzekerheid. Ergens brandde een lamp, het schijnsel wierp een lichtplek op het plafond. Hij bewoog zijn hand, tilde zijn rechterarm op van het onbekende bed in het onbekende vertrek. Hij bekeek zowel zijn hand als zijn arm en tilde toen plotseling snel zijn linkerarm op. Wat was er gebeurd? Hij zwaaide zijn benen van het bed en ging onzeker rechtop staan, in de greep van zowel angst als nieuwsgierigheid. De dikke corduroy broek was verdwenen evenals het grove zwartkatoenen hemd. Hij was weer gekleed in zijn eigen kleren! In zijn marineblauwe pak, zijn Congreskloffie zoals hij het vaak voor de grap noemde, het pak dat hij had gedragen in Bollingers huis! En zijn donkergrijze, lakense hemd en gestreepte regimentsdas, alles pas gereinigd en gestreken. Wat was er gebeurd? Waar wás hij toch? Waar was die goedingerichte pastorale bungalow met niets dan elektrische apparaten en de bar met spiegels? Dit was een grote slaapkamer die hij nog nooit eerder had gezien.

Langzaam werd hij weer wat vaster ter been en hij begon zijn vreemde omgeving te verkennen, terwijl een deel van hem zich afvroeg of hij in een droom leefde of juist een droom had gehad. Hij zag twee hoge, smalle openslaande deuren; hij liep er snel op af en opende ze. Ze voerden hem naar een klein balkon dat net groot genoeg was voor twee personen om koffie te drinken maar meer niet, een rond minitafeltje en twee smeed-

ijzeren stoelen stonden daar voor dat doel. Hij stond voor de balustrade die tot aan zijn middel reikte en keek uit over de donkere tuin, donker op een praktisch onzichtbare maan na en de parallel lopende rijen gele lichten die in verschillende richtingen liepen… en nog iets. In de verte, verlicht door het vage schijnsel van zoeklichten was een omheind gebied dat een beetje leek op een enorme kooi van draadwerk. Daarin leken blokken massale machinerieën te staan, een paar pikzwart en glimmend, andere verchroomd of zilverachtig, ook glanzend in het wazige maanlicht vanachter de wolken. Evan concentreerde zich op wat hij zag en draaide toen zijn hoofd opzij om beter te kunnen luisteren; er weerklonk een onophoudelijk zoemen en hij wist dat hij het antwoord had gevonden op de vraag die hem had beziggehouden. Hij hoefde de borden niet te zien waarop stond: GEVAAR HOOGSPANNING; die waren er. De met draad omheinde machines vormden onderdelen van een enorme generator die ongetwijfeld werd gevoed door geweldige ondergrondse brandstoftanks en panelen met foto-elektrische cellen die de zonne-energie van de tropische zon opvingen.
Onder het balkon lag een verzonken bakstenen patio, de afstand bedroeg acht meter of meer en dat betekende een verstuikte enkel of een gebroken been als iemand zo probeerde te vertrekken. Kendrick bekeek de buitenmuren; de dichtstbijzijnde regenpijp zat op de hoek van het gebouw, ver buiten zijn bereik en er groeide geen klimop waarlangs hij omlaag kon klimmen, alleen maar glad stucwerk. Dekens? Lákens! Als die stevig aan elkaar waren gebonden kon hij een val van iets meer dan drie meter best aan! Als hij ópschoot… Ineens bleef hij stokstijf staan, ineens was elke gedachte verdwenen de kamer in te rennen naar het bed, toen een gedaante het geelverlichte pad kwam aflopen met een geweer aan een riem over de schouder. Hij stak een arm op, een teken. Evan keek naar links; een tweede man beantwoordde zijn signaal, patrouilles die contact hielden met elkaar. Kendrick hield zijn horloge vlak bij zijn ogen in een poging de stand van de secondewijzer te zien in het vage nachtelijke schijnsel. Als hij de perioden kon vaststellen tussen de contacten van de patrouilles, alles klaar kon hebben… Opnieuw werd hij gedwongen elk plan dat in zijn vertwijfeling geboren werd te laten varen. De deur van de slaapkamer ging open en de echte werkelijkheid werd nu bevestigd. ‘Ik dacht al dat ik u rond hoorde scharrelen,’ zei de man van

de geheime dienst uit de rangen van de mafia.
'En ik had moeten beseffen dat er afluisterapparatuur in deze kamer was,' zei Evan terwijl hij vanaf het balkon de kamer instapte.
'U hebt het steeds maar bij het verkeerde eind, afgevaardigde. Dit is een logeerkamer van het grote huis. Denkt u dat die mensen hier de privé-gesprekken van hun gasten gaan afluisteren of de verzetjes die ze heel natuurlijk met elkaar hebben?'
'Volgens mij zijn ze tot alles in staat. Hoe wist je anders dat ik op was?'
'Gemakkelijk,' antwoordde de mafioso. Hij liep naar de commode tegen de rechtermuur en pakte een klein plat voorwerp dat erop lag. 'Een van deze dingen. Ze zijn bestemd voor mensen met kinderen. Mijn zuster in New Jersey heeft altijd een stel bij zich – je hebt er twee van. Je schakelt er eentje in in de ene kamer, dan een in de andere kamer en je kunt de kinderen horen huilen. Ik kan u zeggen dat haar kinderen heel wat afhuilen. Je hoort ze helemaal in Manhattan.'
'Heel leerzaam. Wanneer heb ik mijn kleren teruggekregen?'
'Dat weet ik niet. De Mexicanen hebben voor u gezorgd, ik niet. Misschien bent u wel verkracht en weet u er niks van.'
'Ook dat is heel leerzaam. Hebt u er enig idee van wat u hebt gedaan, waarbij u betrokken bent? U hebt een niet onbekend bekleder van een regeringsambt ontvoerd, een lid van het Huis van Afgevaardigden.'
'Lieve hemel, zo te horen is het net of we de hoofdober van Vinnie's Spaghettipaleis hebben gekidnapt.'
'Ik kan je lolletjes niet waarderen...'
'Ik de uwe anders wel,' viel de bewaker hem in de rede en hij trok zijn pistool uit de schouderholster. 'U wordt verwacht, afgevaardigde. Ze verwachten u beneden.'
'Stel dat ik de uitnodiging afsla?'
'Dan blaas ik een gat in uw maag en schop ik een lijk naar beneden. Het kan me weinig schelen wat het wordt. Ik word betaald voor een dienstverlening, niet voor een gegarandeerde aflevering. Kies maar wat u wilt, held.'

Het vertrek was een nachtmerrie voor een dierenliefhebber. De koppen van gedode dieren hingen aan de witgekalkte muren, met een begerige lichtglans in hun namaakogen die nog iets lieten zien van de paniek van een naderende dood. Luipaard-

huiden, huiden van tijgers en olifanten vormden de bekleding, keurig gespannen en met koperen kopspijkers afgezet op stoelen en sofa's. Het was niets meer en niets minder dan een bevestiging van de macht van een man met een geweer over het weerloze wild en het was niet zozeer imposant als triest, even triest als de nietszeggende triomfen van de overwinnaars.
De bewaker van de geheime dienst had de deur geopend, gebaarde Kendrick dat hij naar binnen moest gaan en sloot toen de deur weer. Hij bleef in de gang wachten. Toen de eerste uitwerking van de kamer wat begon te verzwakken besefte Evan dat er een man aan een groot bureau zat, van wie alleen het achterhoofd zichtbaar was. Een paar tellen nadat de deur was gesloten, alsof hij er zeker van wilde zijn dat ze alleen waren, keerde de man zich om in zijn draaistoel.
'Wij kennen elkaar niet, afgevaardigde,' zei Crayton Grinell met zijn zachte, plezierige advocatenstem, 'en al mag het dan erg onbeleefd lijken, ik blijf liever naamloos. Alstublieft, gaat u zitten. Er is geen enkele reden waarom u zich het niet gemakkelijk zou maken. Daarom hebt u ook uw kleren teruggekregen.'
'Ik heb begrepen dat ze nodig zijn geweest op een plaats die Balboa Park heet.' Kendrick ging zitten in een schippersstoel voor het bureau; de zitting was gemaakt van een luipaardhuid.
'We moesten een paar alternatieven hebben, ja,' stemde Grinell in.
'Ik begrijp het.' Ineens herkende Evan de aparte stem waarvan hij wist dat hij die eerder had gehoord. Dat was geweest op de bandopname van de blonde Europeaan. De man vóór hem was de verdwenen Crayton Grinell, de jurist die verantwoordelijk was voor het bloedbad op Cyprus, de moordenaar van de minister van Buitenlandse Zaken. 'Maar aangezien u niet wilt dat ik weet wie u bent, mag ik dan aannemen dat een van die alternatieven kan zijn dat ik weer terugkom in San Diego?'
'Best mogelijk, al moet ik wel de nadruk leggen op het mogelijke. Ik ben openhartig tegenover u.'
'Dat waren uw vrienden in Bollingers huis ook.'
'Daarvan ben ik overtuigd en u was dat trouwens ook.'
'Moest u het doen?'
'Wat doen?'
'Een oude man vermoorden?'
'Daarmee hebben wij niks te maken gehad! Bovendien is hij niet dood.'

'Dat gebeurt nog.'
'Dat overkomt ons allemaal ooit. Het was iets onnodigs en iets stoms, even stom als de ongelooflijke manipulaties van haar man via Zürich. U kunt ons noemen wat u wilt, afgevaardigde, maar stom zijn we niet. Maar we verspillen onze tijd. De Vanvlanderens zijn er niet meer en wat er ook is gebeurd, dat is met hen begraven. De vroegere "dokter Lyons" zal nooit meer op het toneel verschijnen...'
'Ik wil hem hebben!' onderbrak Kendrick hem.
'Maar wij hebben hem en hij heeft de maximale straf gekregen die een rechtbank kan uitspreken.'
'Hoe kan ik daar zeker van zijn?'
'Hoe kunt u eraan twijfelen? Zou de vice-president, zou iemand van ons zich zo'n relatie kunnen veroorloven? We betreuren ten zeerste wat er met meneer Weingrass is gebeurd, maar we hadden daar absoluut niets mee te maken. Ik herhaal, de dokter en de Vanvlanderens zijn er niet meer. Het is allemaal een gesloten boek, kunt u dat accepteren?'
'Was het noodzakelijk mij te verdoven en me hierheen te brengen om me daarvan te overtuigen?'
'We konden u moeilijk in San Diego achterlaten om de dingen te zeggen die u verkondigde.'
'Waarover hebben we het nu dan?'
'Een ander boek,' antwoordde Grinell en hij boog zich voorover in zijn stoel. 'Dat willen we terughebben en in ruil daarvoor bent u vrij. U zult in uw eigen kleren worden teruggebracht naar uw hotel en er is niets veranderd. Het is ochtend in Zürich; er zijn kredietfaciliteiten voor vijftig miljoen dollar geregeld op uw naam.'
Verbijsterd probeerde Evan zijn opperste verbazing te verbergen. 'Een ander boek? Ik weet niet zeker of ik u kan volgen.'
'Varak heeft het gestolen.'
'Wie?'
'Milos Varak!'
'De Europeaan...?' Zijn plotselinge herkenning van de naam ontglipte hem onbewust. Dat was de Milos.
'De zeer professionele, zeer dode marionet van Inver Brass.'
'Inver wie?'
'Die zogenaamde promotors van u, afgevaardigde. U dacht toch zeker niet dat u dat allemaal alleen had klaargespeeld?'
'Ik wist dat iemand me naar voren schoof...'

'Schuiven? Afschieten met een katapult lijkt er meer op. Bemoeizieke gekken! Ze beseften niet dat een van hen ook een van de onzen was.'

'Waarom denkt u dat de Europeaan... dat die Varak dood is?' vroeg Evan, al was het alleen maar om tijd te winnen en zo de onthullingen te kunnen verwerken die te snel op elkaar volgden.

'Het stond in de krant – hij werd natuurlijk niet met name genoemd, maar hij was het onmiskenbaar. Maar voordat hij stierf was hij ergens anders, bij iemand anders die voor ons werkte. Dat moest hij, anders was hij nooit naar het vliegveld gekomen. Hij heeft het gestolen.'

'Dat andere boek?' vroeg Kendrick weifelend.

'Een register met industriële codes, slechts voor enkele ingewijden begrijpelijk.'

'En u denkt dat ik dat heb.' Een vaststelling.

'Ik denk dat u weet waar het is.'

'Waarom?'

'Omdat Varak in zijn ijver ten onrechte zou menen dat u het in handen zou moeten krijgen. Hij kon Inver Brass niet langer vertrouwen.'

'Omdat hij ontdekt had dat één van hen ook één van u was.'

'In feite wel, ja,' zei Grinell. 'Ik theoretiseer natuurlijk. Dat is een professionele gewoonte maar ik heb er door de jaren heen veel plezier van gehad.'

'Dit keer niet. Ik weet er niets van.'

'Als ik u was zou ik niet liegen, afgevaardigde. Dat zou trouwens toch niets uithalen. Er zijn tegenwoordig te veel manieren om iemands herinnering en iemands lippen los te krijgen.'

Hij mocht geen drugs toestaan! Onder de invloed van drugs zou hij alles verraden, en daardoor Khalehla's doodvonnis tekenen en bovendien de geldschieters alle informatie verschaffen die ze nodig hadden zodat ieder een rookgordijn kon leggen of kon onderduiken. De stervende Manny verdiende beter dan dat! Als hij ooit geloofwaardig moest overkomen dan was het nu. Hij was weer terug in een ander complex, niet in Masqat maar op een eiland voor de Mexicaanse kust. Hij moest even overtuigend overkomen als toen hij tussen de terroristen zat, want deze kerels, deze moordenaars uit directiekamers, waren evenzeer schuim als de terroristen.

'Luister naar me,' zei Evan met vaste stem. Hij leunde achter-

over, kruiste zijn benen en keek Grinell strak aan. 'U kunt denken wat u maar wilt, maar ik wil dat vice-presidentschap niet, ik wil vijftig miljoen dollar kredietfaciliteiten in Zürich. Maak ik me duidelijk?'
'Duidelijk en op band opgenomen natuurlijk.'
'Goed, príma! Richt alle microfoons en camera's maar op mij en zet het op videotape...'
'Maar dat gebeurt immers al,' viel de jurist hem in de rede.
'Gewéldig! Dan zitten we dus alletwee in hetzelfde schuitje, nietwaar?'
'Hetzelfde schuitje, afgevaardigde. Waar is het register dus?'
'Ik heb geen flauw idee, maar als die Varak het me heeft toegestuurd dan weet ik wel hoe ik eraan kan komen. Ik zal mijn kantoor in Washington bellen en mijn secretaresse, Annie O'Reilly, zeggen dat ze het direct naar u toestuurt, waar u het ook maar wilt hebben.'
De twee onderhandelaars staarden elkaar aan en geen van beiden sloeg ook maar even zijn ogen neer. 'Dat is een goede oplossing,' zei Grinell ten slotte.
'Als u een betere kunt bedenken, ga vooral uw gang.'
'Dat is zelfs nog beter.'
'Zit ik in het schuitje?'
'In het schuitje en op weg naar Zürich,' antwoordde Grinell glimlachend. 'Zo gauw u een paar punten van uw agenda hebt afgehandeld, zoals bij voorbeeld Chicago.'
'Het telegram zal morgen worden verzonden. Ik zal het door O'Reilly vanuit mijn kantoor laten versturen.'
'Met een kopie aan onze geëerde vice-president, natuurlijk.'
'Natuurlijk.'
De voorzitter van de raad van bestuur van de geldschieters zuchtte hoorbaar van genoegen. 'Och wat zijn we allemaal toch omkoopbaar,' zei hij. 'U, bij voorbeeld, afgevaardigde, u loopt over van de tegenstellingen. De Kendrick die iedereen kent zou nooit instemmen met onze afspraken.'
'Als dit bestemd is voor uw videotape, dan wil ik graag iets zeggen. Ik heb mijn vingers gebrand en ik heb mijn best gedaan het vuur in Oman te blussen omdat zij mijn vingers hadden verbrand en een groot aantal van mijn vrienden hadden vermoord. Ik zie daarin geen tegengestelde kwesties.'
'Aldus vastgelegd op tape, afgevaardigde Kendrick.'
Ineens werd het rustige gesprek, zonder enige waarschuwing,

onderbroken door een reeks signalen. Een helder rood licht begon te flikkeren op het toetsenbord van de radiotelefoon op het bureau en van ergens aan de witgekalkte muren weerklonk een gedempte sirene, waarschijnlijk uit de bek van een van de dode dieren. De deur vloog open en de lange gestalte van de zonverbrande kapitein van de boot, de laconieke giftige onkruidrank uit Corruptiestad, stormde de kamer in.
'Wat ben jij in hemelsnaam van plan?' brulde Grinell.
'Laat die tyfuslijer hier opsodemieteren,' schreeuwde de jachteigenaar. 'Ik dacht al vanaf het begin dat hij een valstrik was en ik had gelijk! Washington heeft regeringsmensen naar Bollingers huis gestuurd om hem te zoeken en ze ondervragen iedereen alsof het misdadigers zijn.'
'Wát?'
'Dat kunnen we wel aan, maar we hebben een groter probleem. Het register! Bollinger heeft een telefoontje gehad. Het ligt bij de advocaat van dat kreng!'
'Hou je kóp!' beval Grinell.
'Hij heeft het over tien miljoen want hij heeft van haar gehoord dat Andy-lieveling haar die had beloofd. Nu wil hij het geld!'
'Ik zei dat je je kop moest houden! Hoe bedoel je, de federale recherche ondervraagt iedereen?'
'Precies wat ik zei. Ze ondervragen ze niet alleen, ze hebben huiszoekingsbevelen. Ze zullen niks vinden, maar niet omdat ze het niet proberen.'
'In het huis van de vice-president? Dat is ongehóórd!'
'Ze doen het heel handig. Ze zeggen tegen Bollinger dat ze hem willen beschermen tegen zijn ondergeschikten. Maar ik geloof er geen barst van.' De zeiler wendde zich tot Evan. 'Die rotzak is daar naar binnen gestuurd om ons een hak te zetten. Het woord van de held tegen het woord van verder iedereen!'
Grinell staarde Kendrick aan. 'Er kan geen woord van een held zijn als er geen held meer is. ...*Adiós*, afgevaardigde.' Grinell drukte op een knop aan de zijkant van zijn bureau en de deur naar het enorme vertrek met de dode dieren ging opnieuw open. Het pistool van de mafioso zwaaide heen en weer terwijl hij behoedzaam binnenkwam. 'Breng hem naar buiten,' beval de jurist. 'De Mexicanen zullen u wel zeggen waarheen. ...U had me echt te pakken, afgevaardigde. Ik zal de les onthouden. Pas op voor de overtuigend klinkende filosofische overloper.'

Het geluid van de golven die tegen de rotsige kust van het eiland sloegen werd luider naarmate ze verder het geelverlichte pad afliepen. Voor hen kwam er een einde aan de laag geplaatste lichten en een wit hek stond duidelijk zichtbaar tussen de laatste ronde lampen. Het gele schijnsel verlichtte de letters van de twee opschriften op het witte dwarshout. Het linkse was opnieuw in het Spaans, het rechtse in het Engels.
¡Peligro! ...Gevaar!
Achter de versperring lag een uitstekende rots die uitzag op zee, de woeste golven dreunend onder het sporadische maanlicht, het geluid van de neerstortende watermassa's nu oorverdovend. Kendrick werd naar zijn executie geleid.

41

Sluiers rondwentelende damp werden opgestuwd vanaf de basaltblokken van de uitstekende rots boven de Stille Oceaan. Evan onderdrukte zijn paniek en dacht aan de afspraak die hij met zichzelf had gemaakt: hij zou zich niet laten afslachten; hij zou zich niet laten doden zonder te hebben teruggevochten, hoe hopeloos dat ook zou zijn. Maar ook bij zeer vertwijfeld verzet moest je een hele kleine kans van overleven incalculeren en hij had zijn volwassen leven doorgebracht met het bestuderen van details in complexe zaken. Overal om hem heen hingen tropische lianen, dik en sterk van het vocht en de wind die voortdurend hun stammen belaagde. Er groeide dicht struikgewas aan weerszijden van de rij gele lampen en er lag losse, vochtige grond onder dat verwarde kreupelhout, modder die nooit was opgedroogd. De Mexicaan die de mafioso de weg had gewezen naar de plaats van de executie was een onwillig deelgenoot aan een moord. Zijn stem klonk zwakker naarmate ze dichter bij de witte versperring kwamen.
'*¡Al frente, al frente!*' riep hij nerveus. '*¡Adelante!*'
'Klim er overheen of loop er omheen, afgevaardigde,' zei de man van de geheime dienst op kille toon, een beroepsman die een professioneel karwei opknapt, iemand voor wie leven of dood geen enkele betekenis had.
'Dat kan ik niet,' antwoordde Kendrick. 'Het is te hoog om overheen te stappen en hier opzij zit prikkeldraad of zoiets.'
'Waar?'

'Hier.' Kendrick wees omlaag tussen het donkere struikgewas.
'Ik zie niks...'
Nú! schreeuwde de onhoorbare stem in Evans keel terwijl hij zich met een ruk omkeerde, beide handen uitstrekte naar het grote, dreigende wapen, het vastgreep en wegstootte, terwijl hij de pols van de mafioso achteruit duwde en zijn schouder tegen de borst van de bewaker ramde. Hij trok de arm naar voren en rukte vertwijfeld, met alle kracht die in hem was, de man uit zijn evenwicht en in de bosjes en de vochtige grond. De revolver ging af en de knal vermengde zich met het gedonder van de golven beneden. Kendrick duwde het wapen in de zachte aarde, maakte zijn rechterhand los, greep een handvol modder, kwakte die in het gezicht van de mafioso en wreef het in zijn ogen. De bewaker stootte woedend verwarde klanken uit en probeerde gelijktijdig zijn ogen schoon te wrijven en de revolver uit Evans greep en uit de grond te rukken. Kendrick bleef bovenop de kronkelende, om zich heen slaande moordenaar zitten, stootte herhaaldelijk zijn knie in de lies van de man terwijl zijn rechterhand steeds achter elkaar modder schepte en die in de ogen en de mond van de mafioso smeerde. Zijn knokkels stootten op een hard, scherp voorwerp... een rotsblok! Het was bijna te groot voor de in paniek trillende greep van zijn vingers maar niets kon en niets zou hem tegenhouden. Met inspanning van al zijn spieren die hij in maanden, in jaren niet meer had gebruikt, hield hij de krampachtige aanvallen van onder hem af, trok de zware, scherpe rotssteen uit de modder, hief die omhoog en ramde hem neer op het hoofd van de man die bijna zijn moordenaar was geworden. De moordende bewaker verslapte en zijn lichaam zakte in het natte struikgewas en op de zachte grond.
Evan graaide de revolver en keek met een ruk op naar de Mexicaan. De Latijns-Amerikaan die zat af te wachten wie er levend en wie er dood zou overblijven, meters verderop tussen het nevelige, halfdonkere kreupelhout, bukte zich, liep achteruit tegen een gele lamp aan en trapte die in stukken. Toen hij zag wie de overlevende was draaide hij zich om en stond klaar op het pad om weg te rennen.
'Stóp!' schreeuwde Kendrick buiten adem. Hij sprong op en kwam uit het struikgewas aan de rand stormen. 'Blijf staan of ik schiet je kapot! Je verstaat me goed genoeg om dat te begrijpen.'

De Mexicaan bleef staan, draaide zich langzaam om in het schijnsel van het licht en keek Evan aan. 'Ik heb hiermee niks te maken, señor,' zei hij in verrassend goed Engels.
'Je bedoelt dat je net niet de trekker overhaalt, alleen maar wijst waar zíj hem kunnen overhalen!'
'Ik heb er niks mee te maken,' herhaalde de man. 'Ik ben visser maar vissen brengt tegenwoordig niks meer op. Ik verdien mijn pesos en ga naar huis naar mijn gezin in El Descanso.'
'Wil je je gezin terugzien?'
'*Sí*, heel graag,' antwoordde de Mexicaan met trillende lippen en handen. 'Als dergelijke dingen gebeuren, kom ik hier niet meer terug.'
'Wil je zeggen dat dit nooit eerder is gebeurd?'
'Nooit, señor.'
'Hoe wist je dan de weg!' schreeuwde Kendrick tegen het geluid van de wind en de dreunende golven in. Hij begon weer op adem te komen, begon zich er geleidelijk van bewust te worden dat hij helemaal onder de modder zat en dat alles aan hem pijn deed.
'We worden hierheen gebracht en we krijgen kaarten van het eiland die we binnen twee dagen helemaal moeten kennen, anders worden we naar huis gestuurd.'
'Waarom? Voor massa-executies?'
'Ik heb u gezegd van niet, señor. Dit zijn wateren waarin drugs worden vervoerd – *narcoticos* – en heel gevaarlijk. Mexicaanse en Amerikaanse patrouilles kunnen snel worden opgeroepen maar het eiland moet toch worden bewaakt.'
'Snel worden opgeroepen?'
'De eigenaar is een machtig man.'
'Heet hij Grinell?'
'Dat weet ik niet, meneer. Ik ken alleen maar het eiland zelf.'
'Je spreekt vloeiend Engels. Waarom heb je straks geen Engels gesproken?' Evan gebaarde naar de dode mafioso. 'Tegen hém!'
'Ik zeg het nogmaals, ik wil er niks mee te maken hebben. Men zei me waar ik u heen moest brengen en naarmate we dichterbij kwamen begon ik het te begrijpen. Niets mee te maken, señor. Maar ik heb mijn gezin ginds in El Descanso en de mannen die hier komen zijn machtige mannen.'
Evan staarde de man besluiteloos aan. Het zou gemakkelijk zijn, zo heel gemakkelijk, een leven te beëindigen en een risico uit te schakelen, maar toch lag hier misschien een heel klei-

ne kans als de bange Mexicaan geen leugenaar was. Kendrick wist dat hij aan het onderhandelen was over zijn leven, maar er was ook een ander leven bij betrokken en dat maakte het onderhandelen gemakkelijker. 'Je zult begrijpen,' zei hij en hij ging wat dichter bij de man staan en verhief zijn stem om duidelijk verstaan te worden, 'je zult begrijpen dat als je teruggaat naar het huis zonder hém en hij komt niet opdagen of ze vinden hier zijn lijk, dan zul je worden vermoord. Dat snap je toch zeker wel?'
De Mexicaan knikte tweemaal. *'Si.'*
'Maar als ik je niet dood dan heb je nog een kans, nietwaar?' vroeg Evan en hij hief de revolver van de mafioso op. De ex-visser sloot zijn ogen en knikte weer. 'Dan is het dus het allerbeste voor jou en je gezin in El Descanso om met me mee te doen, nietwaar?'
'Si.' De Mexicaan opende zijn ogen. 'Waarmee meedoen?'
'Zien hiervandaan te komen – wég van hier. Er ligt een boot aan die steiger naast een brandstoftank. Die is groot genoeg voor de reis.'
'Ze hebben nog andere boten,' viel de gids van de beul hem in de rede. 'Die varen sneller dan de drugsboten van de regering en er is ook een helikopter met sterke zoeklichten.'
'Wát? Waar?'
'Beneden aan het strand aan de andere kant van het eiland. Er is een betonnen landingsplaats. Kunt u vliegen, señor?'
'Was dat maar waar. Hoe heet je?'
'Emilio.'
'Kom je met me mee?'
'Er zit niks anders voor me op. Ik wil hier weg en naar huis gaan naar mijn gezin en verhuizen naar een stad in de bergen. Anders sterf ik en dan zullen zij honger lijden.'
'Ik waarschuw je, als ik ook maar even vermoed dat je liegt, zul je El Descanso of je gezin nooit meer terugzien.'
'Dat heb ik begrepen.'
'Blijf naast me. Eerst wil ik even naar mijn beul kijken.'
'Uw wat, señor?'
'Mijn vriendelijke beul. Kom óp! We hebben nog veel te doen en niet veel tijd.'
'Naar de boot?'
'Nog niet,' zei Kendrick en langzaam begon zich een plan te vormen. 'We gaan dit verdomde eiland op zijn kop zetten. Niet

alleen voor jou en voor mij maar voor iedereen. *Iedereen.* Is er ergens een gereedschapsschuurtje – een plek waar ze dingen bewaren zoals schoppen, houwelen, heggescharen, dat soort dingen?'
'De *mantenimiento*,' antwoordde Emilio. 'Voor de tuinlieden, al moeten we daar ook vaak meehelpen.'
'Ik ben eerst hier nog even bezig en dan moet je me daarheen brengen,' vervolgde Evan die moeizaam en met veel pijn terugrende naar de dode mafioso. 'Kom op!'
'We moeten voorzichtig zijn, señor.'
'Ik weet het, de bewakers. Hoeveel zijn er daarvan?'
'Twee op elk van de vier begaanbare stroken strand en de steiger. Tien voor elke aflossing. Ze dragen allemaal radio-alarmtoestellen die *sirenas* – hele harde sirenes doen afgaan.'
'Hoe lang zijn de patrouilletijden?' vroeg Kendrick terwijl hij zich over het lijk boog van de man van de geheime dienst.
'Twaalf uur. Twintig *guardas* en vier *jardineros* – tuinlieden. Die geen dienst hebben zitten in wat ze noemen de "barak". Het is een lang gebouw ten noorden van het grote huis.'
'Waar zijn de gereedschappen?'
'In een metalen garage vijftig meter ten zuiden van de *generador*.'
'De generator?'
'Sí.'
'Goed.' Evan haalde de portefeuille en een zwart plastic identiteitsbewijs uit de zak van de mafioso, doorzocht vervolgens de met modder doordrenkte zakken, waarin hij meer dan duizend dollar vond, ongetwijfeld niet uitbetaald door zijn officiële meerderen. Ten slotte haalde hij er de kleine elektronische 'sleutel' uit waarmee de grendels bewogen konden worden en de deur geopend van de bungalowcel in het bos. 'Kom op,' herhaalde hij terwijl hij moeizaam omhoog kwam van de zachte, vochtige grond en uit het struikgewas.
Ze begonnen het pad af te lopen met de gele, laag geplaatste lampen.
'¡Uno momento!' fluisterde Emilio. 'De lampen. Schop die kapot, señor. Hoe donkerder, hoe beter.'
'Goed bedacht,' stemde Kendrick in. Hij liep met de Mexicaan terug naar het witte hek van waaruit ze vervolgens alle lampen aan beide zijden van het pad uittrapten. Ze kwamen aan het hoofdpad over het eiland, dat links omlaag voerde naar de

boten en de aanlegplaats, en naar rechts naar het grote huis boven op de heuvel, met een zijpad naar de landelijke bungalow waaruit niet te ontsnappen viel. Evan en de Mexicaan renden van de ene lamp naar de andere om die kapot te trappen tot ze het pad naar de bungalow bereikten. 'Die kant op!' beval Kendrick en hij begon al naar rechts te rennen. 'Vergeet de lampen maar. Dat doen we wel als we terugkomen.'
'¿La cabaña?'
'Opschieten!' Opnieuw verlichtte het verrassend versterkte schijnsel uit de dikke, schuin afgekante ramen de open ruimte voor het kleine, solide huis. Evan liep op de deur af en drukte een groene knop op de elektronische sleutel in. Hij hoorde de grendels terugklappen in de deurpost; hij draaide de knop om en ging naar binnen. 'Kom mee naar binnen,' riep hij tegen Emilio. De Mexicaan deed wat hem werd gezegd en Kendrick sloot de deur af door op de rode knop te drukken.
Hij rende naar de open keuken, trok de ene la en kast na de andere open en zocht er dingen uit die hem nuttig voorkwamen: een zaklantaarn, een groot vleesmes en een aantal kleinere messen, een hakmes, drie blikjes Sterno, een doosje jagerslucifers – bekleed met was zodat ze op elk ruw oppervlak ontstoken konden worden – en een stapeltje opgevouwen theedoeken. Toen alles op de ovalen tafel lag keek hij even naar Emilio die zijn blik op hem had gericht. Hij pakte een van de messen op met het heft naar voren en stak het uit naar de Mexicaan. 'Ik hoop dat je dit niet hoeft te gebruiken, maar mocht dat wel het geval zijn, zorg dan dat je niet mist.'
'Er zijn mannen die ik niet zou kunnen doden zonder eerst met hen te praten, want ze zijn even vertwijfeld als ik om werk te krijgen. Maar er zijn anderen, de mannen die hier het langste zijn, met wie ik zulke problemen niet zou hebben.'
'Godverdómme, je mag helemaal geen problemen hebben! Als er maar één keer alarm wordt geslagen...'
'Door mijn vrienden zal geen alarm worden geslagen, señor, niet als ze weten dat ik het ben, Emilio. Bovendien zullen de meesten liggen te slapen in de barak. Ze gebruiken de *veteranos* voor de nachtpatrouilles; ze zijn bang voor de boten 's nachts.'
'Ik hoop voor jou dat je gelijk hebt.'
'Ik wil naar huis terugkeren, gelooft u dat maar.'
'Pak een paar theedoeken, een blikje Sterno en een handjevol lucifers. Opschieten!' Kendrick stopte de overblijvende spullen

in zijn zakken en liet het hakmes tot het laatst liggen. Hij pakte het vast, liep naar het intercomkastje tegen de muur, ging met zijn schouder naar de muur staan en zwiepte het zware lemmet in de achterkant van het apparaatje, zodat het losraakte van de muur. 'Pak jij die twee lampen daar,' zei hij tegen de Mexicaan. 'Sla ze kapot. Ik pak de lampen van het fornuis en de lamp aan de andere kant van de kamer.'
Minder dan een minuut later stonden de twee vertwijfelde mannen weer op het pad en lag het voorheen helder verlichte stuk grond van de bungalow in een spookachtig donker.
'De gereedschappen – de tuingereedschappen. Breng me erheen.'
'*¡Con mucho cuidado!* We moeten voorzichtig zijn wanneer we om het grote huis lopen. We zullen de lampen langs het pad uittrappen tot waar ik het zeg. Vanaf de eerste verdieping kunnen de mensen in het huis zien dat ze niet branden, en er zal alarm worden geslagen. Als er patrouilles zijn, laat mij ze dan eerst bekijken.'
'Kom op. Ze hebben problemen daarboven maar het zal niet lang duren of iemand gaat zich afvragen waar mijn beul blijft. Schiet óp!'
Ze sloegen de gele lampen kapot tot op een verhoging van de grond die aansloot op de vlakke tuin van het enorme landhuis – het grote huis, dacht Evan, en in gedachten zag hij het tropengebied en de grote huizen in het gebied van de Caribische Zee. De Mexicaan pakte Kendrick plotseling bij de arm vast, trok hem door het kreupelhout langs het pad en duwde toen zijn schouder omlaag met een stevige greep; de boodschap was duidelijk: omlaag en stilzitten. Een bewaker met zijn geweer aan de schouder liep hen voorbij op het pad in tegengestelde richting. 'Snel nu, señor! Er is niemand meer tot aan de achter-*galería* waar ze wijn drinken en vis roken!'
Een grote patio met een barbecue-kuil, dacht Evan en hij liep achter Emilio aan door het dichte struikgewas. Hij wilde dat hij een kapmes had om zich een weg te banen door de lianen maar hij was dankbaar voor het steeds aanwezige geluid van de wind en de dreunende golven. Ze liepen in een bocht om het huis heen en nu werd er een ander geluid hoorbaar. Het was de enorme generator die een gestaag, diep en dreigend zoemen voortbracht. De technicus in Kendrick probeerde de kracht te berekenen die ze kon opbrengen en de brandstof die ze ge-

bruikte en de reserveverbinding met het noodzakelijke paneel foto-elektrische cellen – het tartte elke berekening. Hij had vanaf Bahrein tot in de westelijke woestijn van Saudi-Arabië generatoren geïnstalleerd, die pas gebruikt konden worden wanneer de elektriciteitsleidingen waren aangelegd; maar die haalden het niet bij deze.
Opnieuw greep de Mexicaan Evan bij de schouder vast, nu nog steviger en met trillende hand en opnieuw zaten ze gebukt in het kreupelhout achter de lange gesnoeide heg. Kendrick keek op en begreep het met een schok van schrik. Voor hen uit, aan de linkerkant, boven de hegachtige afzetting van het pad, had een bewaker iets gehoord of gezien. Zijn bovenlijf was duidelijk zichtbaar in het schijnsel van de gele lampen; hij zette een paar snelle passen naar voren, rukte het geweer van zijn schouder en hield het horizontaal voor zich uit. Hij liep recht op hen af en op nauwelijks een meter van hen vandaan stak hij de loop van het wapen in de bosjes.
'¿Quién es?' riep de wachtpost.
Ineens schoot Emilio omhoog, met gestrekte armen en opspringend als een woedende kat. Hij greep het geweer vast en trok de bewaker door het gebladerte. Er weerklonk een geluid van lucht die abrupt werd uitgestoten en daarmee het begin van een gil afsneed; de man viel tussen de struiken en onder uit zijn hals welden golven bloed. Emilio had het mes in zijn rechterhand.
'Goeie gód!' fluisterde Evan terwijl hij met de Mexicaan het lijk verder het struikgewas introk.
'Met deze *perro* had ik geen problemen,' zei Emilio. 'Die hond heeft een jongen het hoofd ingeslagen, een jonge tuinman die hem niet van dienst wilde zijn, als u het begrijpt, señor.'
'Ik begrijp het en ik begrijp ook dat je net ons leven hebt gered. Wacht 'ns even! Het geweer, zijn pet. We kunnen tijd sparen! Er zijn hier geen uniformen, alleen maar werkkleren – het wápen is het uniform. Zet die pet op en hang het geweer over je schouder. Dan ga je daar lopen en ik zal zo dicht als ik kan bij je blijven tussen de struiken. Als het sneller voor me is over het pad te lopen kun jij kijken of alles veilig is!'
'Bueno,' zei de Mexicaan en hij pakte de pet en het wapen. 'Als ik word aangehouden zal ik zeggen dat deze *perro* me heeft gedwongen voor een uur of zo zijn plaats in te nemen. Ze zullen lachen, maar niemand zal eraan twijfelen. Ik ga nu. Blijf

dicht bij me en wanneer ik het zeg kunt u uit de bosjes komen en naast me gaan lopen. Niet voor me en niet achter me maar naast me. Spreekt u Spaans?'
'Niet goed genoeg om tegen iemand te praten.'
'Dan zegt u niets. Blijf dicht bij me!' Emilio werkte zich door de heg heen met het geweer aan de schouder en begon het pad af te lopen. Kendrick worstelde zich door het donkere, verwarde struikgewas heen en deed zijn best hem bij te houden maar nu en dan moest hij fluisterend de Mexicaan vragen wat langzamer te lopen. Op een plek waar de takken bijzonder dicht groeiden haalde Evan het hakmes uit zijn riem en sloeg in op een dichte massa tropische lianen, maar hij hoorde Emilio zacht roepen: *'¡Silencio!'* Toen hoorde hij een ander bevel: 'Nu, señor! Komt u maar naast me lopen. Snél!'
Dat deed Kendrick door zich met geweld een weg te banen door de bosjes. Hij ging naast de Mexicaan lopen die opeens opvallend zijn pas begon te versnellen op het aflopende pad.
'Is het wel een goed idee zo snel te lopen?' vroeg Evan hijgend. 'Als we gezien worden zou iemand kunnen denken dat we weglopen terwijl we dienst hebben.'
'We zijn nu aan de achterkant van het grote huis,' antwoordde Emilio terwijl hij zich voorthaastte. 'Rond deze tijd is er niemand hier maar twee bewakers op verschillende paden ontmoeten elkaar hier bij de stenen *galería* en lopen dan samen de heuvel over naar de kust. Ze doen er vrij lang over en ze zijn net vertrokken. We kunnen over de *galería* rennen en tegen het pad daarachter op, èn vervolgens door het bos naar de *mantenimiento* – de gereedschappen, señor.'
Ze kwamen aan een lager gelegen bakstenen patio, dezelfde plek die Kendrick had bekeken vanaf het balkonnetje van de logeerkamer daarboven. Hij herinnerde zich de twee bewakers die elkaar een teken gaven vanaf twee tegenoverliggende paden. De Mexicaan die nu overduidelijk de leiding had overgenomen, greep Evans arm vast, knikte naar links en begon hard te lopen. Ze renden de verzonken patio in die veel groter was dan Kendrick had beseft; ze strekte zich uit langs het hele huis en witte smeedijzeren stoelen en tafeltjes stonden om een centraal gedeelte heen voor een grote gemetselde barbecue-kuil. Ze haastten zich voort, dicht tegen het huis aan onder de balkons, spurtten toen van het huis vandaan en tegen het zuidelijke pad met gele lichten op naar een vlak gedeelte dat be-

grensd werd door hoog gras, een heuveltje dat uitzicht gaf op zee en op twee stroken strand, van elkaar gescheiden door een stuk kust vol grote rotsblokken, misschien tweehonderd meter lager. De gele lichten lagen nu achter hen en voor hen strekte zich alleen een smalle, aflopende zandweg uit.
Vanaf deze uitkijkpost was een groot deel van de achterkant van het eiland zichtbaar onder het sporadisch schijnende maanlicht. Direct rechts, op nog geen driehonderd meter van hen af en badend in het licht, lag de enorme generator. Achter de omheining van draad waren de vage omtrekken te zien van een lang, laag gebouw, de 'barak' van Emilio, dacht Evan. Verder lag er ver beneden hen, net boven het rechterdeel van het strand, het platform voor helikopters. Het witte beton viel op als een enorm plat baken en er stond een grote militaire helikopter op – geschilderd in civiele kleuren en met Mexicaanse kentekenen, maar duidelijk een Amerikaans militair model.
'Kom mee!' fluisterde Emilio. 'En niets zeggen want aan deze kant van het eiland klinken stemmen heel ver.' De Mexicaan begon het donkere, onverlichte pad tussen de bomen af te lopen naar beneden, een bosweg die alleen bij daglicht werd gebruikt. En toen besefte Kendrick wat hij miste en hij dacht aan Emilio's waarschuwende woorden. Het geluid van de wind en de dreunende golven was zo goed als verdwenen – stemmen zouden inderdaad ver dragen in deze betrekkelijk rustige omgeving en een helikopter kon zich met heel weinig moeite laten zakken op de aangegeven landingsplaats.
De metalen 'garage' waarover Emilio het had gehad was een goede beschrijving maar ze was veel groter dan welke garage ook die Evan ooit had gezien, op de bovenmaatse steriele overdreven bouwsels na waarin Arabische koninklijke families hun verschillende limousines stalden. In tegenstelling daarmee was dit een smerig allegaartje van golfplaat met een aantal tractoren, een verzameling op benzine lopende grasmaaiers, kettingzagen en snoeiapparaten, die geen van alle gebruikt konden worden omdat ze te veel lawaai maakten. Tegen de zijmuur en beneden op de vloer bevonden zich echter meer praktische voorwerpen. Er stond een rij benzineblikken en daarboven hingen aan haken en tussen spijkers bijlen, kapmessen, zeisen, draadscharen met lange handvaten en uitschuifbare takkensnoeiers met grepen die met rubber bekleed waren – alle gereeedschappen die nodig waren om de tropische plantengroei ervan te

weerhouden de ruimte ongelooflijk snel weer in beslag te nemen.
Het was niet moeilijk een besluit te nemen, het ging instinctmatig en eenvoudig. Het hakmes lieten ze achter in ruil voor een kapmes en een machete – een voor hemzelf en een voor Emilio. Daar pakten ze nog de draadschaar bij, een vol blik benzine en een tot drie meter uitschuifbare takkensnoeier. De rest van wat ze uit de bungalow hadden meegenomen hielden ze in hun zakken.
'De helikopter!' zei Kendrick.
'Er loopt een pad dat uitkomt op de beide wegen onder de *generador*. Opschieten! De bewakers zijn nu op het strand en ze zullen spoedig terugkeren.' Ze renden de opslagplaats voor de tuingereedschappen uit en liepen terug naar de zandweg waarlangs ze waren gekomen; hun gereedschappen vervoerden ze moeizaam tussen de broekriem gestoken, in hun handen en onder hun armen geklemd. Met Emilio voorop liepen ze gebukt de border van hoog gras in en zochten zich een weg omlaag naar de smalle weg die over de heuvel liep. *'¡Cigarillo!'* fluisterde de Mexicaan terwijl hij Evan achteruit duwde tussen de hoge grasstengels. Een op en neer bewegend lichtpuntje van een sigaret gloeide op toen de bewaker tegen de heuvel opklom en hen op minder dan twee meter voorbij liep. 'Kom!' riep Emilio zacht toen de gedaante van de bewaker de top van de heuvel had bereikt. Gebukt renden ze naar de meest noordelijke weg; er was nergens een tweede wachtpost te zien daarom konden ze weer rechtop gaan lopen toen ze begonnen af te dalen naar het betonnen platform voor de helikopter.
Het enorme overgeschilderde militaire toestel stond daar als een groot en zwijgend monster, klaar om zich te storten op een vijand die het in het donker alleen zelf kon zien. Strakgespannen zware kettingen waren om de landingswielen geslagen en verankerd in cement; geen plotseling uit zee opstekende stormwinden zouden de heli van zijn plaats brengen, tenzij ze sterk genoeg waren om de hele machine uiteen te rijten. Kendrick liep op het overweldigende monster af terwijl Emilio in het gras langs de weg achterbleef om uit te kijken naar de terugkerende bewaker en dan zijn Amerikaanse metgezel te waarschuwen.
Evan bestudeerde het toestel met maar één gedachte: hoe kon hij het buiten werking stellen en dat zonder een geluid te maken dat tegen de rustige helling van het eiland op hoorbaar

zou zijn. Zijn zaklantaarn kon hij ook niet gebruiken; in het donker zou het licht zichtbaar zijn. Kábels! Bovenaan, onder de rotorbladen en in het staartstuk. Hij pakte eerst een deurkruk, kreeg toen houvast aan de rand van een raampje en trok zich zo op tot voor de cockpit; uit zijn broekzak staken de lange handvaten van de draadschaar. Binnen een paar tellen was hij over de gebogen voorruit van de piloot gekropen tot boven op de romp; in wankel evenwicht en behoedzaam zocht hij zich op handen en voeten een weg naar de basis van de rotormotor. Hij haalde de draadschaar te voorschijn, ging staan en drie minuten later had hij alle draden doorgeknipt die hij in het halfdonker kon onderscheiden.
Er klonk een kort, schel fluitje! Het signaal van Emilio. De bewaker was over de top van de heuvel gekomen en zou binnen enkele minuten het helikopterplatform boven het strand bereiken. De technicus in Kendrick was nog niet tevreden. Had hij het toestel lamgelegd of alleen maar verwond? Hij moest bij het staartstuk zien te komen; het was zijn reserve in dit mechanische tijdperk waarin elke machine die het luchtruim koos het ene reservemechanisme na het andere had voor geval er tijdens de vlucht iets zou gebeuren. Hij scharrelde zo snel mogelijk van de romp af zonder zijn evenwicht te verliezen en zeven meter omlaag op het witte beton te glijden. Hij kwam aan de afhellende staart maar kon niets zien; alles was met metaal bekleed... nee, niet alles! Hij ging schrijlings op de slanke romp zitten, hield zich vast aan de omhooglopende staart, boog zich voorover en zag twee dikke, gevlochten kabels die naar de rechter aileron liepen. Zwoegend als een razende, terwijl zijn zweet op het glimmende metaal droop kon hij voelen dat de draadschaar zijn werk deed toen de ene kabel na de andere lossprong. Ineens klonk er een harde klap – té hard, een hevig kraken in de stilte van de nacht – toen een heel stuk van de aileron omlaagklapte en verticaal bleef hangen. Het was hem gelukt; hij had zijn reservemaatregelen genomen.
Rennende voetstappen! Geschreeuw onder hem. *'¡Qué cosa? ¡Quédese?'* Onder het staartstuk stond de bewaker op het beton, zijn geweer schuin omhoog gestoken en op Evan gericht terwijl hij zijn linkerhand uitstak naar de radio die aan zijn riem vastzat.

Het mocht niet gebeuren! Kendrick hief zijn arm op, alsof hij plotseling zijn evenwicht verloor, gleed van de romp en sloeg uit alle macht de draadschaar tegen de kolf van het geweer. De bewaker begon een kreet van pijn te slaken toen het wapen uit zijn arm tegen de grond werd geslagen, maar voordat de kreet echt dóórklonk viel Emilio hem op het lijf en beukte de stompe kant van zijn kapmes op de schedel van de man.
'Kunt u zich bewegen?' vroeg de Mexicaan fluisterend aan Evan. 'We moeten hier weg! Snél! De andere bewaker zal deze kant uit komen lopen.'
Evan knikte, krimpend van pijn op het beton, en kwam moeizaam overeind. Onder het opstaan pakte hij de draadschaar en het geweer. 'Zorg dat die hier wegkomt,' zei hij en hij besefte meteen dat hij dat bevel niet hoefde geven; Emilio was bezig de bewusteloze man over het platform in het hoge gras te trekken. Kendrick volgde hem hinkend, met pijnscheuten in zijn linkerenkel en zijn rechterknie.
'Ik heb een fout gemaakt,' zei de Mexicaan hoofdschuddend en nog steeds fluisterend. 'We hebben maar één kans... ik heb u zien lopen. We kunnen nooit aan de steiger en de boten komen zonder gezien te worden voordat de andere bewaker zal begrijpen dat hij geen *compañero* meer heeft.' Emilio wees op zijn uitgetelde landgenoot. 'In het donker moet ik zijn rol overnemen en dicht genoeg bij de andere komen voordat die beseft dat ik het niet ben.'
'Hij zal eerst roepen en je vragen wat er gebeurd is. Wat ga je zeggen?'
'Ik liep het gras in om te wateren en stootte in mijn haast tegen een scherp rotsblok. Ik zal hinken zoals u dat doet en aanbieden hem te laten zien waar het bloedt.'
'Speel je dat klaar?'
'Bid maar tot de Maagd dat het me lukt. Anders gaan we er beiden aan.' De Mexicaan stond op en zwaaide het geweer over zijn schouder. 'Eén verzoek graag,' voegde hij eraan toe. 'Deze *guarda* is geen kwaaie kerel en hij heeft familie in El Suazal, waar helemaal geen werk is. Bind hem aan handen en voeten en stop een prop in zijn mond van zijn eigen kleren. Ik kan hem niet doden.'
'Weet je wie de andere bewaker is?' vroeg Evan scherp.

'Nee.'
'Stel dat je die ook niet kunt doden, wat dan?'
'Waarom is dat zo moeilijk? Ik ben een sterke visser uit El Descanso zolang daar boten zijn die me in dienst willen nemen. Ik kan hem zelf binden – of een andere compañero voor ons meebrengen.'
De tweede mogelijkheid was overbodig. De hinkende Emilio had het zandpad opzij van het landingsplatform nog niet bereikt of de bewaker kwam aanrennen van de andere kant. Toen ze dichter bij elkaar waren werd er kort even iets in het Spaans gezegd en vervolgens klonk er even een korte kreet op van een van de twee mannen en het was niet de visser uit El Descanso. Direct daarna was het stil en even later keerde Emilio terug.'
'Geen compañero,' zei Kendrick, hij constateerde een feit.
'Die gemene *rata* zou nog beweren dat zijn eigen moeder een hoer is als de *policía* hem maar genoeg betaalde!'
' "Zou", in de verleden tijd dus?'
'No comprende.'
'Is hij dood?'
'Dood, señor, en in het gras. Verder hebben we minder dan een half uur voordat het licht wordt in het oosten.'
'Laten we dan maar gaan... je vriend is vastgebonden.'
'Naar de steiger? Naar de boten?'
'Nog niet, *amigo*. We moeten nog iets anders doen voordat we daarheen gaan.'
'Ik zeg u dat het gauw licht zal zijn!'
'Als ik alles goed doe zal het veel eerder een stuk lichter zijn. Pak de benzine en de takkensnoeier. Ik kan niet veel meer dragen dan ik al heb.'
Stap voor kwellende stap beklom Evan de smalle zandweg achter de Mexicaan tot ze bij de immense, met gaas omheinde generator van het eiland kwamen; de trillingen van het diepe brommen deden pijn aan hun oren. Overal stonden bordjes met *¡Peligro! ...Gevaar!* en het enkele poortje dat naar binnen voerde was afgesloten met twee enorme hangsloten die kennelijk alleen maar geopend konden worden door er twee sleutels tegelijk in te steken. Kendrick liep hinkend rond in de donkerste schaduwen die tussen de schijnwerpers nog over waren en gaf de opdracht terwijl hij Emilio de draadschaar overhandigde. 'Begin hier en ik hoop dat je echt zo sterk bent als je zegt.

Dit is extra verstevigd gaas. Knip een opening, een meter is genoeg.'
'En ú, señor?'
'Ik moet eens even rondkijken.'
Hij vond ze! Drie ronde ijzeren platen die in het beton waren geschroefd, op tien meter van elkaar, drie enorme tanks, opslagplaatsen voor brandstof, aangevuld met panelen vol foto-elektrische cellen ergens op een andere plaats die hem nu niets meer kon schelen. Voor het openen van zo'n rond deksel was een zeshoekige moersleutel vereist met een T-vormig handvat, waarvan de dwarsstangen lang genoeg moesten zijn voor twee sterke mannen aan elke stang. Maar er was een andere manier en die kende hij goed uit de tijd waarin hij in Saudi-Arabië met woestijntanks te maken had; een noodprocedure voor het geval dat de karavanen van tankwagens het werktuig vergeten waren, wat in de Jabal-woestijn nogal eens voorkwam. Elk zogenaamd onwrikbaar deksel had veertien richels op de bovenkant, niet zoveel verschillend van riooldeksels in de meeste Amerikaanse steden, al waren ze veel kleiner. Wanneer daar langzaam tegen de richting van de klok in op werd gehamerd liet de schroefdraad van de deksels los tot je met vingers en handen de zijkanten kon pakken en verder losdraaien.
Kendrick liep weer naar Emilio en de oorverdovend dreunende generator. De Mexicaan had twee parallel lopende verticale lijnen in het gaas geknipt en begon net aan de onderkant.
'Kom even mee!' riep Evan in Emilio's oor. 'Heb je je kapmes?'
'Pues si.'
'Ik ook.'
Kendrick nam de Mexicaan mee naar het eerste metalen deksel en liet hem zien hoe hij de theedoeken kon gebruiken uit de elektronische bungalow om de klappen met de botte kant van hun bijlen te dempen. 'Langzaam,' schreeuwde hij. 'Door een vonk kunnen de dampen ontstoken worden, *comprende?*'
'Nee, señor.'
'Het is beter dat je het niet begrijpt. Voorzíchtig nu! Een klap tegelijk. Niet zo hard! ...Het beweegt!'
'Nu harder?'
'Verrek nee, *amigo*, rustig aan. Alsof je een diamant splijt.'
'Ik heb nog nooit het genoegen gehad...'
'Dat komt nog wel als we hier maar eenmaal weg zijn. Ziezó!

Die is los! Schroef het open tot helemaal bovenaan en laat maar liggen. Geef mij de doeken.'
'Waarvóór, señor?'
'Dat zal ik wel uitleggen zogauw je me door dat gat hebt geholpen dat je in het gaas aan het knippen bent.'
'Dat duurt nog wel even...'
'Je hebt zowat twee minuten, *amigo!*'
'Madre de Díos!'
'Waar heb je de benzine gelaten?' Kendrick kwam dichterbij om zich verstaanbaar te maken.
'Dáár!' antwoordde de Mexicaan en hij wees naar links van het gat dat hij aan het knippen was.
Pijnlijk in het donker gehurkt bond Evan de theedoeken aan elkaar en trok elke knoop goed aan om er zeker van te zijn dat die vastzat, tot hij een aaneengesloten koord had van textiel. Met een lichaam dat pijn deed bij elke draaiende beweging schroefde hij het deksel los van het benzineblik en doordrenkte de aaneengebonden doeken met de vloeistof; elke doek wrong hij uit alsof het een dweil was. Binnen enkele minuten had hij een lont van meer dan drie meter. Hij voelde een brandende pijn in zijn knie en zijn enkel was snel aan het opzetten, maar hij kroop terug naar de brandstoftank, de doeken met zich meetrekkend. Met moeite wrikte hij het ijzeren deksel omhoog, stak een meter van de lont in het gat en schoof de zware schijf iets verder opzij zodat er een luchtstroom kon circuleren onder in de tank. Terwijl hij terugkroop drukte hij elke aparte doek, elke 'schakel' van zijn lont, stevig in de grond en strooide er zand overheen, maar heel licht zodat de snelheid van de vlam van het begin tot het contact met de gassen zou worden vertraagd.
Toen de laatste doek in de grond zat ging hij staan, vroeg zich heel even af hoe lang hij nog overeind kon blijven, en hij hinkte terug naar Emilio. De Mexicaan was bezig het losgeknipte zware gaas van het hek naar zich toe te trekken en omhoog te buigen zodat er een toegang kwam naar de massieve, glimmende machines die mechanische energie in elektriciteit veranderden via het dynamo-elektrische proces.
'Zo is het genoeg,' zei Kendrick voorovergebogen om in Emilio's oor te kunnen spreken. 'Nou moet je goed naar me luisteren en als je me niet begrijpt moet je dat zeggen. Van nu af aan is het allemaal een kwestie van *timing*... er gebeurt wat en

wij doen iets samen. *¿Comprende?*'
'*Sí.* Wij gaan ergens anders heen.'
'Daar komt het zo ongeveer op neer.' Evan stak zijn hand in de zak van zijn met modder besmeurde colbertje en haalde er de zaklantaarn uit. 'Pak deze,' vervolgde hij en hij knikte met zijn hoofd naar het gat in het hek. 'Ik ga daar naar binnen en ik hoop dat ik verdomd goed weet wat ik doe – die dingen zijn nogal wat veranderd sinds ik de laatste heb geïnstalleerd – maar ik kan ze in elk geval afzetten. Misschien komt er een boel lawaai en grote vonken...'
'*¿Cómo?*'
'Zoiets als korte bliksemstralen en... en geluiden die erg lijken op atmosferische storingen in de radio, begrijp je?'
'Het is genoeg...'
'Niet genoeg. Kom niet bij het hek – raak het niet aan en bij het eerste knetteren moet je je omdraaien en je ogen dichtdoen. ...Als we een beetje geluk hebben gaan alle lichten uit en als dat gebeurt richt je de zaklantaarn op het gat in het hek, oké?'
'Oké.'
'Zo gauw ik weer buiten het hek ben zwaai je het licht deze kant uit.' Kendrick wees op de laatste van zijn samengeknoopte doeken die uit de grond stak. 'Hang je geweer aan je schouder en hou er eentje voor me klaar... heb je de pet die je van de eerste bewaker hebt meegenomen? Als je die hebt, geef hem dan aan mij.'
'*Sí.* Hier.' Emilio haalde de pet uit zijn zak en gaf hem aan Evan die hem opzette.
'Wanneer ik door het hek ben loop ik daarheen, ontsteek een lucifer en steek de doeken aan. Op het moment dat die vlamvatten gaan we er hier vandoor naar de overkant van het pad, *comprende?*'
'Ik begrijp het señor. Het gras in aan de andere kant van het pad. We verstoppen ons.'
'We verstoppen ons; we werken ons door het gras heen tegen de heuvel op en wanneer iedereen begint te rennen lopen we met hen méé!'
'*¿Cómo?*'
'Zo'n twintig man personeel,' zei Kendrick terwijl hij zijn zakken doorzocht en er twee blikjes Sterno uithaalde die hij daarna weer in zijn broekzakken stopte. Vervolgens rukte hij zijn jasje uit en trok zijn das van zijn hemd. 'In het donker zijn we

alleen maar twee lui net als zij, maar we lopen de heuvel over en gaan omlaag naar de steiger. Met twee geweren en een Colt .45.'

'Ik begrijp het.'

'Vooruit met de geit,' zei Evan en hij bukte zich moeizaam en met pijnlijke botten en pakte de takkensnoeier met de rubber handgrepen en een machete.

Hij kroop door het gat dat Emilio had gemaakt en kwam overeind. Hij bestudeerde de gonzende, levensgevaarlijke machines. Sommige dingen waren niet veranderd en zouden ook nooit veranderen. Bovenaan links zat de hoofdtransformator geschroefd aan een geteerde paal van vijf meter hoog, en van daaruit voerden aftakkingsdraden de hoofdlading van de elektriciteit naar verschillende kanten. De kabels waren met rubber van minstens vijf centimeter doorsnee bekleed om te voorkomen dat er water in zou doordringen – regen en vochtigheid – die kortsluiting konden veroorzaken. Drie meter daarvandaan op de grond en diagonaal tegenover de twee zwarte, logge hoofddynamo's stonden de roosterplaten die in een razend tempo ronddraaiden op vliegwielen bovenop de machines en het ene krachtveld veranderden in het andere, beschermd door een zwaar vlechtwerk van draad en gekoeld door de luchtstroming die vrij toegang had. Die zou hij later bekijken, niet nu.

Eerst het belangrijkste, dacht hij, en hij liep naar links en schoof de takkensnoeier uit tot haar volle lengte. Boven de schijnwerpers beten de zaagtanden van het lange werktuig zich in de bovenste aftakkingskabel. Net zoals hij bij de helikopter had gedaan pompte hij de hendels als een razende op en neer tot zijn beroepsinstinct hem zei dat hij de gevlochten koperdraad bijna raakte. Hij zette de uitgeschoven metalen paal voorzichtig tegen het gaas en draaide zich naar de eerste van de twee dynamo's.

Als het alleen maar zaak was de elektriciteit van het eiland kort te sluiten zou hij gewoon zijn doorgegaan in de draad van de transformator te bijten terwijl hij de niet-geleidende rubberhendels vasthield; de kortsluiting kon hij veroorzaken door de metalen snoeier schuin tegen het metalen hekwerk te plaatsen wanneer hij de kabel raakte. Er zou een korte elektrische explosie plaatsvinden en alle energie zou zijn afgesloten. Maar er stond meer op het spel; hij moest rekening houden met de mogelijkheid dat noch hij, noch Emilio het zou overleven, en een beschadigde transformator zou binnen enkele minuten gerepareerd kunnen worden. Hij moest meer toebrengen dan schade alleen; hij moest het hele systeem lamleggen. Hij kon niet weten wat er in San Diego gebeurde, hij kon alleen maar de manschappen van Payton tijd verschaffen door de machinerie zodanig te verlammen dat het dagen zou duren ze te vervángen, niet te repareren. Dit complex op een eiland, dit hoofdkwartier van een regering binnen een regering moest worden stilgelegd, geïsoleerd, zonder verbindingsmiddelen of ontsnappingsmogelijkheden. De transformator was in feite zijn reserve, zijn veel minder wenselijke mogelijkheid, maar ze moest er zijn, klaar om gebruikt te worden. Alles kwam nu neer op de tijd!

Hij liep op de dynamo af en gluurde voorzichtig naar het enorme, door gaas beschermde vliegwiel. Er was een horizontale ruimte van iets meer dan een centimeter tussen de bovenste en onderste zware draadschermen die moesten voorkomen dat er voorwerpen, hoe klein dan ook, doordrongen in het snorrende interieur. Die ruimte of iets dergelijks had hij gehoopt te vinden, het was de reden voor de machete. Delen van alle generatoren hadden luchtkoeling nodig, hadden openingen van uiterst kleine afmetingen, verticaal en horizontaal; deze kwam hem van pas. Het zou ofwel zijn dood worden of de dood van de machine; één verkeerde beweging betekende onmiddellijke elektrokutie, en zelfs als hij aan de dood door hoogspanning kon ontsnappen, kon hij nog worden verblind door de uitspattende flitsen van witte elektrische vonken als hij zich niet op tijd omdraaide met zijn ogen stevig dichtgeknepen. Maar als het hem lukte zou de generator van het eiland buiten werking zijn en alleen maar vervangen kunnen worden. Tijd... *tijd* zou wel eens de laatste gift kunnen zijn die hij te schenken had. Hij trok de machete uit zijn riem en terwijl het zweet van zijn gezicht droop ondanks de wind die van het vliegwiel kwam, duwde hij het blad naar de horizontale spleet. Trillend rukte hij de machete terug; hij moest zijn handen absoluut stil houden! Hij móćht geen van beide randen van de smalle ruimte aanraken! Hij probeerde het opnieuw, duwde het blad een centimeter naar binnen, toen twee, en drie... en ramde het zware stuk ijzer erdoor, beide handen terugrukkend voordat het blad contact maakte. Hij liet zich op de grond vallen en verborg

zijn gezicht en ogen onder zijn armen. De na elkaar optredende elektrische ontploffingen waren oorverdovend en ondanks zijn stevig dichtgeknepen ogen werd de duisternis doorpriemd met verblindend wit licht. Het vliegwiel wilde niet stilhouden! Het bleef het primitieve metaal van de machete opkauwen en spuugde bliksemschichten van Frankensteinse elektrische ladingen uit die fel knetterend op het hek terechtkwamen.
Kendrick sprong op, schermde zijn ogen af en liep heel behoedzaam, stap voor stap naar de takkensnoeier waarvan de zaagtanden zich hadden vastgebeten in het rubber van de draad. Hij greep de rubber handvaten en bewoog die vertwijfeld op en neer totdat de schok hem deed omvallen. Hij had de draad zelf geraakt en de uitgeschoven metalen snoeier viel tegen het metalen hek. De hele generatorruimte veranderde in een hel, alsof de elektrische bewoners tot razernij waren gebracht omdat de gewone sterveling zich bemoeide met zijn arrogante uitvindingen. Overal gingen de lichten uit maar binnen de dodelijke ruimte van het hekwerk schoten nog verblindende, onregelmatige, puntige elektrische bliksemflitsen in het rond. Hij moest eruit zien te komen!
Zich plat op zijn buik vooruitduwend, met armen en benen die hem voortbewogen als een rennende spin, bereikte hij het gat in het gaas en de straal van de zaklantaarn wees hem daarbij de weg. Toen hij overeind krabbelde duwde Emilio hem het geweer in de hand.
'Lucifers!' schreeuwde Evan die niet bij de zijne kon; de Mexicaan gaf hem een handvol en richtte de zaklantaarn op de laatste doek. Kendrick rende hinkend naar zijn lont, liet zich op de grond vallen en stak een half dozijn lucifers tegelijk aan tegen een rotsblok. Toen ze opvlamden wierp hij ze naar de laatste doek; de vlam pakte en begon langzaam en meedogenloos aan haar laatste reis, niet meer dan een dof gloeien onder het zand.
'Opschieten!' riep Emilio. Hij hielp Evan overeind en leidde hem niet naar het pad dat naar de zandweg voerde maar naar het hoge gras erachter. 'Er zijn er heel veel uit het grote huis gekomen en ze komen aanrennen! *¡Pronto, señor!*'
Ze renden weg en doken letterlijk het gras in terwijl een hele bende mannen in paniek, de meesten met geweren, de verblindende uitbarstingen van de generator naderde. Ze schermden hun ogen af en schreeuwden tegen elkaar. Tijdens die chaos

kropen Kendrick en zijn Mexicaanse bondgenoot door het gras onderlangs de panische groep mannen. Ze bereikten de weg juist toen er een al even verbijsterde stroom kerels uit het lange, lage gebouw kwam rennen dat de barak voor het personeel was. De meesten waren maar half gekleed, velen waren er in onderbroek en aan verschillenden was te zien dat ze te veel hadden gedronken.
'Luister naar me,' fluisterde Evan in Emilio's oor. 'We gaan daarginds naar toe met de geweren in de hand en lopen de weg op. ...Blijf roepen in het Spaans alsof we iemands bevelen opvolgen. Nú!'
'¡Traenes agua!' brulde de Mexicaan terwijl beide mannen uit het gras sprongen en zich voegden bij de verbijsterde, krijsende menigte uit de barak. *'¡Agua! ... ¡Traenes agua!'* Ze braken zich een weg door de dicht opeengepakte, opgewonden bewegende lichamen, maar kwamen toen te staan tegenover het door paniek bevangen deel dat uit het grote huis was komen aanrennen. De helft van hen was voorzichtig over het pad naar de stervende, rokende, sputterende machine gelopen die de krachtbron van het eiland had gevormd. Het donker was angstaanjagend, het werd spookachtig door de krijsende stemmen die overal opklonken onder het onzekere, sporadische maanlicht. Toen werden er lichtstralen van zaklantaarns zichtbaar vanaf het huis boven hen.
'Het pád!' riep Kendrick uit. 'Loop naar het hoofdpad dat omlaag voert naar de waterkant. Schiet in gódsnaam op! Die tank kan elk moment de lucht invliegen en dan wordt het één grote stormloop op de boten!'
'Die ligt recht voor ons uit. We moeten door de *galería.*'
'Verdómme, ze staan natuurlijk aan de ramen en op de balkons!'
'Er is geen andere weg, geen snellere weg.'
'Laten we dan maar gaan!'
De zandweg hield op en ervoor in de plaats kwam het smalle pad dat nog maar enkele minuten geleden was afgezet met parallel lopende rijen ronde gele lichten. Ze renden voort, Kendrick wankelend van pijn en uitputting, kwamen in de laaggelegen patio en stormden over de stenen naar de trap die naar het hoofdpad voerde.
'Stóp!' brulde een diepe stem en de straal van een krachtige lantaarn werd op hen gericht. 'Waar gaan jullie... Gódver-

dómme, jíj bent het!' Evan keek op. Vlak boven hem, op het kleine balkon waarop hij nauwelijks een uur geleden nog had gestaan, stond de bovenmaatse jachteigenaar. Hij had een revolver in de hand; die ging omhoog en werd op Kendrick gericht. Evan schoot zijn geweer af op hetzelfde moment dat het wapen van de zeiler knalde. Hij voelde de gloeiend hete kogel doordringen in zijn linkerschouder en werd er door achteruit gesmeten. Hij vuurde de ene kogel na de andere af en de reus boven hem sloeg zijn handen voor zijn maag en schreeuwde uit alle macht. 'Híj is het! Het is *Kendrick!* Hou die rotzak tegen, hou hem tégen! Hij gaat naar de boten toe!'
Kendrick mikte wat nauwkeuriger en vuurde zijn laatste patroon af. *High Noon* uit Corruptiestad greep naar zijn keel, zijn nek knakte naar achteren en hij viel voorover over de reling van de stenen patio. Het begon Evan voor zijn ogen te dazen, hij zag alles in één grote nevelsluier.
'*Nó,* señor! U moet rennen! Kom overeind!' Kendrick voelde hoe zijn armen haast uit de kom werden gerukt en hij kreeg een paar felle harde klappen op zijn gezicht. 'U gaat met mij mee of u sterft, maar ik verdom het met u te sterven! Ik heb mijn gezin in El Descanso...'
'Wát?' schreeuwde Evan, zonder te weten wat hij riep, wat hij wilde, maar beseffend wat hem te doen stond toen de nevelsluiers optrokken. Met een brandende pijn in zijn schouder en terwijl het bloed zijn hemd doordrenkte, stond hij op en wankelde hij naar de trap. Ergens in zijn onderbewustzijn dacht hij aan de Colt .45 die hij de mafioso had afgepakt. Hij rukte die uit zijn achterzak en scheurde de strak gespannen stof kapot om het wapen eruit te halen dat te groot was voor zijn bergplaats. 'Ik ben er weer!' schreeuwde hij tegen Emilio.
'Ik weet het,' antwoordde de Mexicaan. Hij ging wat langzamer lopen en draaide zich om. 'Wie heeft u de treden opgetrokken, señor? U bent gewond en het pad is donker daarom moet ik de *linterna* gebruiken.'
Plotseling ontplofte de aarde, de grond schudde alsof er een meteoor zo groot als een huizenblok was ingeslagen, alle ramen in het grote huis op de heuvel sprongen kapot en een vuurkolom steeg op in de nachtelijke hemel. De brandstoftank van de generator was ontploft en vloog de lucht in terwijl de twee vluchtelingen het pad afrenden. Kendrick wankelde en probeerde vertwijfeld de zwaaiende lichtbundel van de zaklan-

taarn voor zich uit te richten. Zijn knie en enkel brandden van de pijn.
Schoten. Geweervuur! Kogels knetterden boven hen langs, om hen heen, deden het zand voor hen uit opspatten. Emilio knipte de lantaarn uit en greep Evan bij de hand. 'Het is nu niet zo ver meer. Ik weet de weg en ik laat u niet meer los.'
'Als we hier ooit uitraken dan zul jij de grootste vissersboot van heel El Descanso hebben!'
'Nee, señor, ik vertrek met mijn gezin naar de heuvels. Deze kerels zullen me nakomen, ze zullen achter mijn *niños* aanzitten.'
'Wat dacht je van een boerderij?' De maan kwam abrupt te voorschijn van achter de voortjagende, laaghangende wolken en liet zien dat de steiger van het eiland op nauwelijks zeventig meter afstand lag. Het geweervuur was opgehouden; het begon weer, maar opnieuw leek de aarde uiteen te barsten, een razende vuurbol van galactische afmetingen. 'Het is gebeurd!' schreeuwde Kendrick terwijl ze het begin van de steiger naderden.
'Señor?' riep de Mexicaan uit die doodsbang was geworden door de oorverdovende, onverwachte explosie, in paniek was geraakt door de bal van rook en vuur die oprees achter het huis op de heuvel. 'Dit eiland zal in de zee zinken! Wat is er gebeurd?'
'De tweede tank is de lucht in gegaan! Ik kon het niet zeker weten, ik kon alleen maar hopen.'
Een enkel geweerschot. Vanaf de steiger. Emilio was getroffen! Hij klapte dubbel en greep zijn bovendijbeen vast terwijl het bloed zijn broekspijp doorweekte. Een man met een geweer kwam uit de schaduw van het maanlicht te voorschijn op zeven meter afstand en hij hield een radio voor zijn gezicht. Evan bukte zich, zijn hele lijf nu één woekerende pijnzweer. Met zijn linkerhand ondersteunde hij de rechter met de Colt. Hij schoot twee keer en één of beide schoten troffen doel. De bewaker wankelde, liet zijn geweer en zijn radio vallen; hij kwam neer op de dikke planken en bleef stil liggen.
'Kom op, *amigo!*' riep Kendrick uit en hij greep Emilio bij de schouder.
'Ik kan me niet bewegen! Ik heb geen been meer!'
'Nou, ik ben anders niet van plan samen met jou dood te gaan, klootzak! Ik heb daarginds ook een paar mensen van wie ik

hou. Kom als de sodemieter overeind of je kunt terugzwemmen naar El Descanso en je *niños!*'
'*¿Cómo?*' schreeuwde de Mexicaan woedend terwijl hij met moeite omhoog kwam.
'Da's beter. Word maar kwaad! We hebben allebei een heleboel om ons kwaad over te maken.' Met zijn arm om Emilio's middel geslagen en met zijn schouder en benen die nauwelijks nog functioneerden als steun voor de Mexicaan liepen de beide mannen de steiger op. 'De grote boot daar rechts!' schreeuwde Evan, dankbaar dat de maan weer achter de wolken was verdwenen. 'Weet je wat van boten af, *amigo?*'
'Ik ben visser!'
'Dit soort boten?' vroeg Kendrick terwijl hij Emilio over de reling het dek opduwde en de .45 op het dolboord legde.
'Met deze boten vang je geen vis, daar vang je *turistas* mee.'
'Er is nog een andere definitie...'
'*Es igual.* ...Maar ik heb met vele boten gevaren. Ik kan het proberen. ...De andere boten, señor! Ze zullen hierheen komen en ons inhalen want die zijn veel sneller dan deze mooie.'
'Zou je met een daarvan het vasteland kunnen bereiken?'
'Nooit. Ze zijn niet bestand tegen hoge golven en verbruiken hun brandstof veel te snel. Dertig, veertig kilometer en dan moeten ze omkeren. Dit is de *barca* voor ons.'
'Geef me je Sterno!' schreeuwde Evan toen hij geschreeuw hoorde op het hoofdpad. De Mexicaan rukte het kleine blikje uit zijn rechterzak, terwijl Kendrick de twee van hem te voorschijn haalde en de deksels openwrong met het keukenmes. 'Trek die van jou open als je kunt!'
'Die is al open. Hier, señor. Ik ga naar de brug.'
'Haal je het?'
'Ik moet het. El Descanso.'
'Och, verrek! Een sleutel! Voor de motor!'
'Bij deze privé-steigers laat men gewoonlijk de sleutel aan boord voor geval stormen of rukwinden het nodig maken ze te verleggen...'
'Stel dat ze dat niet hebben gedaan?'
'Alle vissers gaan het water op met vele dronken kapiteins. Er kunnen panelen geopend worden en draden verbonden. Pak de lijnen, señor!'
'Twee boerderijen,' zei Evan terwijl Emilio naar de ladder van de hoge brug hinkte.

Kendrick draaide zich om, pakte de Colt van het dolboord en peuterde met zijn vingers de vaste brandstof van de Sterno uit de blikjes. Hij liep de steiger af en smeet handenvol over het canvas van elke enorme speedboot. In elk van de boten gooide hij een van de lege blikjes. Bij de laatste stak hij zijn hand in zijn zak en trok er een handjevol lucifers uit. Hij verging van de pijn toen hij gehurkt ging zitten en in paniek de ene lucifer na de andere ontstak en tussen de klonten verspreide gelei gooide tot van alle dekzeilen de vlammen opflakkerden. Bij elke speedboot vuurde hij de revolver af onder de waterlijn en schoot zo grote gaten in de lichte kunststof die de speedboten hun enorme snelheid gaf.
Het was Emilio gelukt! Het diepe grommen van de motoren van het jacht klonk over het water. ...*Geschreeuw!* Van het stenen pad dat van het landhuis op de heuvel voerde kwamen kerels aanrennen, tegen de achtergrond van de gloed van de brand bij de generatoren.
'Señor! Snel, de lijnen!'
De lijnen aan de dukdalven! Kendrick rende naar de dikke paal rechts en worstelde met de vastgeknoopte lijn; ze raakte los en gleed in het water. Hij wankelde, nauwelijks in staat op de been te blijven en kwam bij de tweede dukdalf. In paniek rukte hij aan de lijn en kreeg ze los.
'Hou hen tegen! Dóód hen!' Het was de paniekerige stem van Crayton Grinell, voorzitter van de raad van een regering binnen een regering. Mannen stortten zich op het landeinde van de steiger, hun wapens plotseling voluit vurend in een knetterend snelvuur. Evan dook vanaf de pier het achterschip van het jacht op, juist toen Emilio de boot naar links stuurde, met de motoren op volle kracht, en in een boog vanuit de baai in het donker van de nacht verdween.
Een derde en laatste enorme ontploffing vlamde op achter de heuvel waarop het landhuis stond. De nachtelijke hemel in de verte werd een gele wolk, toen schoten daar flakkerende flitsen wit en rood doorheen; de laatste tank was ontploft. Het eiland van de moordzuchtige regering binnen een regering was lamgeslagen, geïsoleerd, *incommunicado*. Het was hun gelukt!
'...Señor!' schreeuwde Emilio vanaf de brug.
'Wat is er?' riep Kendrick terug. Hij rolde over het dek, probeerde op de been te komen maar kon het niet; zijn lichaam voelde aan als één bonk pijn en het bloed van zijn wond deed

zijn hemd klef aan zijn lijf plakken.
'U moet hierheen komen!'
'Dat kan ik niet!'
'U móét! Ik ben geraakt. De *pecho* – de borst!'
'Het was je béén!'
'Néé! Vanaf de steiger. Ik kan niet meer overeind blijven, señor. Ik ben het roer niet meer de baas!'
'Hou vol!' Evan rukte zijn hemd uit zijn broek; het bloed uit zijn wond droop op het dek. Hij kroop naar de zwaar geverniste ladder, deed een beroep op de laatste restjes kracht die hij tot zijn verbazing kennelijk nog steeds had en trok zich sport voor sport tegen de ladder op naar de brug. Hij bereikte het bovendek en keek naar de Mexicaan. Emilio hield zich overeind aan het roer maar zijn lichaam kwam niet boven de ramen van de brug uit. Kendrick hees zich omhoog aan de reling, nauwelijks in staat zich op de been te houden. Hij wankelde naar het roer en schrok van de duisternis en de hoge golven die zich op de boot stortten. Emilio viel op de grond en zijn handen lieten het ronde roer los. 'Wat moet ik doen?' schreeuwde Evan.
'De... radio,' zei de Mexicaan met verstikte stem. 'Ik haal netten binnen en ik ben geen schipper maar ik heb hen gehoord bij slecht weer. Er is een kanaal voor *urgencia, numero dieciséis!*'
'Wat?'
'Zestien!'
'Waar is de radio?'
'Rechts van het roer. De schakelaar zit links. *Pronto!*'
'Hoe moet ik iemand oproepen?'
'Pak de *micrófono* en druk op de knop. Zeg dat u *primero de mayo* bent!'
'May Day?'
'Sí! ...Madre de Dios...' Emilio viel languit op het dek van de brug, bewusteloos of dood.
Kendrick pakte de microfoon met het spiraalvormige koord uit de houder, klikte de radio aan en bestudeerde het digitale cijferpaneeltje onder het apparaat. Nadenken kon hij niet meer op het zwalkende vaartuig dat door onzichtbare golven heen en weer werd geslingerd, maar hij bleef de toetsen indrukken tot het getal 16 verscheen en drukte toen de knop in. 'Dit is afgevaardigde Evan Kendrick!' schreeuwde hij. 'Hóórt iemand mij?' Hij liet de knop los.

'Dit is de Kustwacht in San Diego,' kwam het rustige antwoord.
'Kunt u me verbinden met een telefoonlijn naar het Westlake-hotel? Dit is een noodgeval!'
'Dat kan iedereen wel zeggen, meneer. We zijn geen telefooncentrale.'
'Ik herháál. Ik ben afgevaardigde Evan Kendrick van het Negende Disrict van Colorado en dit is een noodgeval. Ik ben verdwaald op zee, ergens ten westen van Tijuana!'
'Dat zijn Mexicaanse wateren...'
'Bel het Witte Huis! Herhaal wat ik u zojuist heb gezegd... Kendrick van Colorado!'
'Bent u die kerel die naar Oman is geweest...?'
'Laat het Witte Huis u maar een opdracht geven!'
'Houd uw radio open, ik zal uw coördinaten opnemen voor de RP...'
'Daar heb ik geen tijd voor en ik weet niet waarover u het hebt.'
'De radiopeiler...'
'Verbind me in godsnaam door met het Westlake, Kustwacht, en vraag om een opdracht! Ik moet dat hotel bereiken.'
'Zeker meneer, commando Kendrick!'
'Zolang als 't maar werkt,' mompelde Evan bij zichzelf toen er uit de luidspreker van het apparaat allerlei geluiden opklonken en ten slotte het zoemen van een overgaande telefoon. De telefonist nam op. 'Kamer eenenvijftig! Graag snel!'
'Já?' klonk de gespannen stem van Khalehla.
'Ik ben het!' schreeuwde Kendrick terwijl hij de zendknop indrukte en die meteen weer losliet.
'Waar zít je in godsnaam?'
'Ergens midden op zee, maar dat is niet belangrijk. Er is een jurist, een advocaat die Ardis voor zichzelf gebruikte en hij heeft een register waar álles in staat! Zoek hem! Zie dat register te krijgen!'
'Ja, natuurlijk, ik zal MJ meteen bellen. Maar hoe zit het met jou? Ben je...'
Ze werden onderbroken door een andere stem en de diepe, bevelende toon was onmiskenbaar. 'Hier spreekt de president van de Verenigde Staten. Zorg dat je die boot vindt, dat je die man te pakken krijgt of ik laat jullie ophangen aan de hoogste boom!'

De hoge golven speelden met de boot als met een onbeduidend propje papier in een woedende zee. Evan kon zich niet meer vasthouden aan het roer. De nevelsluiers waren er weer en hij zakte ineen boven op het lichaam van de visser uit El Descanso.

43

Hij was zich bewust van een heftig schommelende gewichtloosheid, toen van handen die hem vastgrepen en een felle wind die aan hem rukte, ten slotte van een oorverdovend gebulder boven zijn hoofd. Hij opende zijn ogen en zag vage gedaanten die zich gejaagd om hem heen bewogen, gespen losmaakten... toen een felle prik in de huid van zijn arm. Hij probeerde overeind te komen maar werd tegengehouden toen een paar man hem naar een plat, bekleed oppervlak droegen binnen een enorme, heftig trillende metalen kooi.

'Rustig aan, afgevaardigde!' riep de man in een wit marine-uniform dat langzaam scherpere omtrekken kreeg tussen de vage gedaanten om hem heen. 'Ik ben dokter en ze hebben u aardig te pakken gehad. Maak de zaken niet moeilijker voor me want de president zal persoonlijk de krijgsraad voorzitten als ik mijn werk niet goed doe.'

Nog een prik. Hij kon geen verdere pijn meer verdragen. 'Waar ben ik?'

'Een logische vraag,' antwoordde de officier-arts terwijl hij een spuit leegdrukte in Kendricks schouder. 'U bent in een grote wentelwiek, zo'n honderdvijftig kilometer van de Mexicaanse kust. U was op weg naar *China*, man, en met die golven viel niet te spotten.'

'Dat ís het!' Evan probeerde zijn stem te verheffen maar kon zichzelf nauwelijks horen.

'Wat is "het"?' De dokter boog zich over hem heen terwijl een hospik boven hem een fles plasma omhooghield.

'*Passage to China* – een *eiland* dat *Passage to China* heet! Stuur er de mariniers op af!'

'Ik ben dokter, ik ben niet bij de mariniers...'

'Doe wat ik u zeg! Roep San Diego op, stuur er vliegtuigen en boten heen! Neem iedereen gevangen!'

'Hé, man, ik weet er niet zo heel veel van, maar dit zijn de ter-

ritoriale wateren van Mexico...'
'Godverdomme, bel het Witte Huis dan! Nee! Bel een man die Payton heet bij de CIA. Mitchell Payton, CIA! Vertel hem wat ik u net heb verteld. Noem de naam Grinell maar!'
'Poeoe, dit is werk voor zwaargewichten,' zei de jonge dokter en hij keek naar een derde man aan Kendricks voeteneinde. 'U hebt de afgevaardigde gehoord, vaandrig. Ga naar de piloot. Een eiland dat *Passage to China* heet en een man die Payton heet in Langley en nog een vent die Grinell heet! Opschieten, jongen, dit is een vriendje van de president! ...Hé, is dit net zoiets als wat u met die Arabieren hebt uitgespookt?'
'Emilio?' vroeg Evan, zonder te antwoorden op die vraag. 'Hoe is het met hem?'
'De Mexicaan?'
'Mijn vriend... de man die me mijn leven heeft gered.'
'Hij ligt hier vlak naast u; we hebben hem net naar boven gehaald.'
'Hoe is het met hem?'
'Hij is er erger aan toe dan u – veel erger. In het gunstigste geval zestig-veertig in zijn nadeel, afgevaardigde. We vliegen zo snel mogelijk terug naar het marinehospitaal.'
Kendrick duwde zich op zijn elleboog omhoog en keek naar de uitgestrekte, bewusteloze gestalte van Emilio op nauwelijks een halve meter achter de dokter. De arm van de Mexicaan rustte op de vloer van de helikopter, zijn gezicht zag asgrauw, het leek wel een dodenmasker. 'Laat me zijn hand vasthouden,' beval Evan. 'Geef me zijn hand!'
'Jazeker, meneer,' zei de dokter en hij pakte Emilio's hand op zodat Kendrick die kon vasthouden.
'El Descanso,' bulderde Evan. '*El Descanso* en je gezin... je vrouw en de *niños!* Verrekte klootzak, je gaat er nou niet tussenuit! Verdomde amateurvisser, stop eens wat staal in je donder!'
'¿Cómo?' Het hoofd van de Mexicaan bewoog zich naar links en naar rechts en Kendrick kneep in zijn hand.
'Zo is het beter, *amigo*. Denk erom, we zijn kwaad! We blijven kwaad. Je geeft het niet op, rotzak, anders maak ik je eigenhandig kapot. *¿Comprende?*'
Zijn hoofd draaide zich naar Evan. Emilio opende half zijn ogen en even speelde er een glimlach om zijn lippen. 'Dacht u dat u deze sterke visser kapot kon krijgen?'

'Wacht maar eens af! Nou ja, misschien zal het me niet lukken, maar ik kan je wel een grote boot bezorgen.'
'U bent *loco*, señor,' hijgde de Mexicaan. 'Maar toch, El Descanso is er nog steeds.'
'Drie boerderijen,' zei Kendrick en zijn hand viel slap neer onder de invloed van het kalmerende middel van de marinedokter.

Een voor een reden de elegante limousines door de donkere straten van Cynwid Hollow naar het landhuis aan Chesapeake Bay. Bij vorige gelegenheden waren er vier van die voertuigen geweest, vanavond waren het er maar drie. Eén mankeerde; het behoorde aan het bedrijf dat was gesticht door Eric Sundstrom, de verrader van Inver Brass.
De leden zaten om de grote ronde tafel in de ongewone bibliotheek en voor ieder van hen stond een koperen lamp. Alle lampen op de tafel waren ontstoken op één na en die stond voor een vijfde, lege stoel. Vier lichtkringen beschenen het gepolijste hout; de vijfde lichtbron was gedoofd, ten teken dat het een oneervolle dood was, meer misschien nog een herinnering aan menselijke zwakte in een al te menselijke wereld. Vanavond werden er geen grapjes gemaakt, geen plagerijtjes om hen eraan te herinneren dat ze sterfelijk waren en ook maar gewone mensen, ondanks hun ontzagwekkende rijkdom en invloed. De lege stoel zei genoeg.
'Jullie hebben de feiten,' zei Samuel Winters, zijn scherp gesneden trekken beschenen door het licht. 'Nu vraag ik om jullie commentaar.'
'Ik heb er maar één,' zei Gideon Logan met vaste stem, zijn zwarte hoofd in de schaduw. 'We kunnen er niet mee ophouden, het alternatief is te vernietigend. De ontsnapte wolven zullen de regering overnemen – voor zover ze die zich al niet hebben toegeëigend.'
'Maar er valt niets meer tegen te houden, Gid,' corrigeerde Margaret Lowell hem. 'Die arme Milos heeft in Chicago alles in beweging gebracht.'
'Hij was nog niet klaar, Margaret,' zei Jacob Mandel. Zijn uitgemergelde gestalte met het magere gezicht zat in zijn vertrouwde stoel naast die van Winters. 'Kendrick zelf is er nog. Hij moet de nominatie accepteren, ervan worden overtuigd dat hij die moet aannemen. Zoals jullie je zullen herinneren is dat

onderwerp door Eric aangesneden en ik vraag me nu af waarom hij het deed. Hij had het er beter bij kunnen laten, want het zou onze Achilleshiel wel eens kunnen zijn.'
'Sundstrom was, zoals steeds, bezeten door zijn onverzadigbare nieuwsgierigheid,' zei Winters bedroefd. 'Dezelfde nieuwsgierigheid die hem ertoe bracht ons te verraden toen ze werd toegepast op de ruimtetechnologie. Maar dat is geen antwoord op Jacobs vraag. Onze afgevaardigde zou zich wel eens kunnen terugtrekken.'
'Ik geloof niet direct dat het volgens Milos zo'n groot probleem was, Jacob,' mijmerde Lowell, voorovergeleund met haar elleboog op tafel en haar uitgestrekte vingers tegen haar rechterslaap. 'Of hij het in feite heeft gezegd of niet is onbelangrijk, maar hij suggereerde in elk geval dat Kendrick een diep, zelfs wat onpraktische, ethische man was. Hij walgde van corruptie en daarom ging hij in de politiek om de plaats in te nemen van een corrupt man.'
'En hij ging naar Oman,' voegde Gideon Logan eraan toe, 'omdat hij geloofde dat hij met zijn ervaring hulp kon verlenen zonder aan een beloning voor zichzelf te denken – die bewijzen hebben we gezien.'
'En dát heeft ons allemaal ervan overtuigd dat we hem moesten nemen,' zei Mandel met een hoofdknik. 'Alles paste precies in elkaar. De buitengewone man in een heel gewone verzameling van politieke kandidaten. Maar is het genoeg? Zal hij erin toestemmen zelfs wanneer er een brede publieke aanhang is die Milos zo knap op gang heeft gebracht?'
'We namen aan dat hij gehoor zou geven aan de oproep als men echt een beroep op hem zou doen,' zei Winters botweg. 'Maar is die veronderstelling juist?'
'Volgens mij wel,' antwoordde Margaret Lowell.
'Volgens mij ook.' Logan knikte en ging wat naar voren zitten in het licht dat van de tafel werd weerkaatst. 'Maar Jacob heeft wel gelijk. We kunnen er niet zéker van zijn en als we het mis hebben blijft het Bollinger en blijven zijn vuile zaakjes normaal doordraaien en nemen de wolven het heft in handen komende januari.'
'Stel dat Kendrick geconfronteerd werd met het alternatief van jullie wolven, met bewijzen van hun corruptie, hun diepgewortelde macht achter de schermen die alles in Washington heeft doordrongen?' vroeg Winters. Zijn stem klonk niet mo-

notoon meer maar heel levendig. 'Denken jullie dat hij onder die omstandigheden gehoor zou geven aan de oproep?'
De grote zwarte zakenman leunde achterover in de schaduw en kneep zijn grote ogen halfdicht. 'Te oordelen naar alles wat we weten... ja, ja, ik geloof van wel.'
'Wat vind jij, Margaret?'
'Ik ben het eens met Gid. Hij is inderdaad een bijzondere man – met een politiek geweten, geloof ik.'
'Jacob?'
'Natuurlijk Samuel, maar hoe pakken we dat aan? We hebben geen gedocumenteerde bewijzen, geen officiële stukken – lieve hemel, we verbranden zelfs onze eigen aantekeningen. Afgezien dus van het feit dat hij geen enkele reden zou hebben ons te geloven, kunnen wij ons niet bekendmaken en Varak is er niet meer.'
'Ik heb iemand anders die zijn plaats kan innemen. Een man die, indien nodig, er voor kan zorgen dat Evan Kendrick de waarheid hoort. De hele waarheid, voor zover hij die al niet kent.'
Stomverbaasd werden aller ogen gericht op de woordvoerder voor Inver Brass. 'Verrek, waar heb je het nú weer over, Sam?' riep Margaret Lowell uit.
'Varak heeft instructies achtergelaten voor het geval hij het niet zou overleven en ik heb hem mijn woord gegeven dat ik die pas zou openen wanneer hij dood zou zijn. Ik heb mijn woord gehouden omdat ik er, eerlijk gezegd, weinig zin in had de dingen te weten die hij me zou kunnen vertellen. Ik heb die instructies gisteravond na het telefoontje van Mitchell Payton geopend.'
'Hoe ga je Payton aanpakken?' vroeg Lowell, ineens bezorgd.
'We spreken elkaar morgen. Niemand van jullie hoeft ergens bang voor te zijn; hij weet niets over jullie. We komen ofwel tot een overeenkomst of we slagen daarin niet. In het laatste geval heb ik een lang en produktief leven geleid – het zal geen offer zijn.'
'Neem me niet kwalijk, Samuel,' zei Gideon Logan ongeduldig, 'maar we staan allemaal tegenover die beslissingen – we zouden hier niet aan deze tafel zitten als dat niet het geval was. Wat waren de instructies van Varak?'
'Om contact op te nemen met de man die ons – of eventueel jullie als een groep – volledig en officieel op de hoogte kan

houden. De man die vanaf het begin Varaks informant was; zonder hem zou Milos nooit hebben kunnen doen wat hij gedaan heeft. Toen onze Tsjech de afwijking constateerde in de bezoekerslijsten van Buitenlandse Zaken, zestien maanden geleden, het verzuim waardoor Kendrick stond vermeld bij zijn binnenkomst op BZ maar niet voorkwam op de lijst van vertrekkende bezoekers, toen wist Varak waar hij moest gaan zoeken. Wat hij vond was niet alleen een bereidwillige informant maar ook een toegewijd man. Milos is natuurlijk onvervangbaar, maar in deze tijd van geavanceerde technologie behoort onze nieuwe coördinator tot de jonge regeringsfunctionarissen die het snelst de ladder beklimmen. Er is in Washington geen enkel belangrijk ministerie dat niet is gebrand op zijn diensten en de privé-sector heeft hem aanbiedingen gedaan die normaal alleen uitgaan naar vroegere presidenten en ministers van Buitenlandse Zaken die twee keer zo oud zijn als hij.'
'Hij moet wel een kei van een jurist zijn of de jongste expert in de diplomatieke dienst die er bestaat,' zei Margaret Lowell.
'Hij is geen van beide,' antwoordde de oude woordvoerder van Inver Brass. 'Hij wordt beschouwd als veruit de beste technoloog in de computerwetenschap in het hele land, misschien in het hele Westen. Gelukkig voor ons komt hij uit een hele rijke familie zodat hij niet in verleiding wordt gebracht door de privé-industrie. Op zijn manier is hij even toegewijd als Milos Varak wanneer het gaat om ons land aan de top te houden. In wezen was hij een van ons toen hij begreep waar zijn talenten lagen.' Winters boog zich voorover en drukte op een ivoren knop op de tafel. 'Wilt u alstublieft binnenkomen?'
De zware deur van de ongewone bibliotheek ging open en in de deuropening stond een jongeman van nog geen dertig. Wat hem deed opvallen tussen de meeste anderen van zijn leeftijd was zijn buitengewoon knappe uiterlijk; het leek alsof hij zo uit een pakkende herenmode-advertentie in een duur tijdschrift was gestapt. Toch waren zijn kleren onopvallend, niet van een kleermaker maar ook niet goedkoop... gewoon netjes. Het opvallende aan hem was het fijn besneden, bijna klassiek Griekse gezicht.
'Laat hem de computers maar vergeten,' zei Jacob Mandel zacht. 'Ik ken mensen in het William Morris Agency. Die kunnen hem zo een televisieserie bezorgen.'
'Komt u alstublieft binnen,' viel Winters hem in de rede en hij

legde zijn hand op Mandels arm. 'En misschien wilt u zichzelf even voorstellen.'
De jongeman liep vastberaden maar zonder arrogantie naar de rand van de tafel, onder de zwarte rol die veranderde in een scherm wanneer ze werd neergelaten. Even bleef hij kijken naar de lichtkringen op de tafel. 'Het is voor mij een buitengewone eer hier te mogen zijn,' zei hij vriendelijk. 'Ik heet Gerald Bryce, en ik ben momenteel directeur van GCO, ministerie van Buitenlandse Zaken.'
'GCO?' vroeg Mandel. 'Wat is dat voor alfabet?'
'*Global Computer Operations*, meneer.'

De Californische zon viel door de ramen van de ziekenhuiskamer toen Khalehla, die haar armen om Evan had geslagen, hem langzaam losliet. Ze leunde over hem heen boven z'n bed en glimlachte vermoeid; haar ogen glinsterden nog van de vergoten tranen, haar licht olijfkleurige huid zag heel bleek. 'Welkom in het land der levenden,' zei ze en ze pakte zijn hand vast.
'Blij hier te zijn,' fluisterde Kendrick zwakjes en hij keek haar aan. 'Toen ik mijn ogen opendeed wist ik niet zeker of jij het was of dat ik... of ze weer trucjes met me aan het uithalen waren.'
'Trucjes?'
'Ze pakten me mijn kleren af... ik had een of ander oud zwart hemd aan en een corduroy broek – toen was ik weer gekleed in mijn pak – mijn blauwe...'
'Je "Congreskloffie" geloof ik dat je het noemde,' viel Khalehla hem zacht in de rede. 'Je zult een ander pak moeten kopen, mijn schat. Wat er nog van je broek over was nadat ze die hadden doorgeknipt kon door geen kleermaker meer worden gered.'
'Welja, smijt maar met geld... Verrék, weet je wel hoe geweldig het is jou weer te zien? Ik dacht dat ik je nooit meer zou zien – dat maakte me zo verdomde nijdig.'
'Ik weet hoe fijn het is jou weer te zien. Dat vloerkleed in mijn hotelkamer is versleten van het ijsberen. Ga nu maar rusten; we zullen later wel praten. Je bent net wakker geworden en de artsen zeiden...'
'Néé. De artsen kunnen me gestolen worden, ik wil weten wat er gebeurd is. Hoe gaat het met Emilio?'

‘Die haalt het, maar hij moet een long missen en zijn heup is verbrijzeld. Hij zal nooit meer normaal kunnen lopen, maar hij leeft.’

‘Hij hoeft niet meer te lopen, hij hoeft alleen maar op een kapiteinsstoel te zitten.’

‘Wat?’

‘Laat maar. Het eiland. Het heet *Passage to China...*’

‘Dat weten we,’ viel Khalehla hem beslist in de rede. ‘Aangezien jij zo verdomde eigenwijs bent zal ik het woord maar voeren. Wat jij en Carallo hebben gedaan was ongelooflijk...’

‘Carallo? ...Emilio?’

‘Ja. Ik heb de foto’s gezien – mijn god wat een rotzooi! Het vuur heeft zich naar alle kanten uitgebreid, vooral over de oostkant van het eiland. Het huis, de tuin, zelfs de steiger waar de andere boten explodeerden – alles is verdwenen. Tegen de tijd dat de heli’s van de marine arriveerden met mariniers was iedereen daar doodsbang en ze stonden te wachten op de stranden aan de westkant. Ze begroetten onze mensen alsof we bevrijders waren.’

‘Dan hebben ze dus Grinell.’

Khalehla keek op Evan neer; ze zweeg en schudde toen haar hoofd. ‘Nee. Het spijt me, lieveling.’

‘Hoe...?’ Kendrick kwam langzaam overeind, krimpend van de pijn in zijn gehechte en verbonden schouderwond. Weer hield Rasjad hem zachtjes tegen en duwde hem terug op het kussen.

‘Hij kón gewoon niet wegkomen! Ze hebben niet gezocht!’

‘Dat hoefden ze niet. Ze hoorden het van de Mexicanen.’

‘Wat? Hoe?’

‘Er landde een watervliegtuig en dat nam de *hombre patrón* mee.’

‘Ik begrijp het niet. Er was geen enkele verbinding meer mogelijk!’

‘Toch wel. Wat je niet wist – niet kon weten – was dat Grinell kleine noodaggregaten in de kelder van het grote huis had met genoeg energie om zijn mensen te bereiken op een vliegveld in San Felipe – dat hebben we gehoord van de Mexicaanse radiomensen; niet wie maar waar. Hij kan er vandoor gaan en zelfs verdwijnen, maar hij kan zich niet eeuwig verstoppen; we hebben een spoor, naar ik hoor.’

‘Heel poëtisch uitgedrukt, zoals mijn beul gezegd zou hebben.’

‘Wat?’

'Laat maar...'
'Ik wou dat je eens ophield dat te zeggen.'
'Sorry, ik meende het. Hoe zit het met de advocaat van Ardis en het register waarover ik je vertelde?'
'Ook dat zijn we op het spoor maar we hebben het nog niet. Die heeft ergens zijn snor gedrukt maar niemand weet waar. Al zijn telefoons worden afgeluisterd en vroeg of laat zal hij er toch eentje moeten gebruiken. Wanneer hij dat doet hebben we hem.'
'Zou hij enig idee kunnen hebben dat jullie achter hem aanzitten?'
'Dat is de grote vraag. Grinell heeft het vasteland kunnen bereiken en via San Felipe zou hij contact gehad kunnen hebben met de advocaat van Ardis. We weten het gewoon niet.'
'Manny?' vroeg Evan aarzelend. 'Maar ja, je hebt eigenlijk ook geen tijd gehad...'
'Fout, als ik iets had dan was dat tijd, wanhopig veel tijd mag je wel zeggen. Ik heb gisteravond het ziekenhuis in Denver gebeld maar de afdelingsverpleegster kon me alleen maar zeggen dat zijn toestand stabiel was... en, voor zover ik hoorde, dat hij nogal lastig was.'
'Het understatement van de week.' Kendrick sloot zijn ogen en schudde langzaam zijn hoofd. 'Hij gaat dood, Khalehla. Hij gaat dood en niemand kan daar iets aan veranderen.'
'We gaan allemaal dood, Evan. Elke dag betekent een dag minder te leven. Dat helpt niet erg, maar Manny is over de tachtig en het vonnis is nog niet voltrokken.'
'Ik weet het,' zei Kendrick. Hij keek naar haar ineengestrengelde handen en toen naar haar gezicht. 'Jij bent eigenlijk verdomde knap, waar of niet?'
'Het is niet iets waar ik veel bij stilsta, maar ik neem aan dat ik ermee doorkan. Jij bent zelf nou ook niet bepaald een Quasimodo.'
'Nee, ik loop alleen maar als hij. Erg bescheiden is het niet maar onze kinderen maken een goede kans fatsoenlijk uitziende kleine rotzakken te worden.'
'Ik ben helemaal voor het eerste maar wat het tweede betreft weet ik het nog niet zo.'
'Je begrijpt dat je er net in hebt toegestemd met me te trouwen, nietwaar?'
'Probeer maar eens van me af te komen dan kom je erachter

hoe goed ik echt met een pistool kan omgaan.'
'Dat is leuk. "...O, mevrouw Jansen, hebt u kennis gemaakt met mijn vrouw, Pistolenpaulientje? Als er iemand onuitgenodigd op uw feestje komt schiet ze hem zó voor z'n raap".'
'Ik heb ook een zwarte band, eersteklas, voor het geval een wapen te veel lawaai maakt.'
'Hé, geweldig. Ik hoef me door niemand meer op mijn kop te laten zitten. Als je ruzie met me zoekt laat ik haar los van de riem.'
'Grrrr,' gromde Khalehla en ze ontblootte haar glinsterende tanden. Toen werd haar gezicht weer ernstig en ze keek op hem neer alsof ze hem helemaal in zich wilde opnemen, met donkere ogen, zacht en glanzend. 'Ik hou echt van je. God mag weten wat wij twee buitenbeentjes denken dat we aan het doen zijn, maar ik denk dat we maar eens een poging moesten wagen.'
'Nee, geen poging,' zei Evan en hij stak zijn rechterhand naar haar uit. 'Een heel leven,' voegde hij eraan toe. Ze bukte zich en ze kusten, zich aan elkaar vastklemmend als twee mensen die elkaar bijna hadden verloren. En de telefoon ging over.
'Verdómme!' riep Khalehla en ze sprong van het bed.
'Ben ik zó onweerstaanbaar?'
'Verrek nee, jij niet. Die telefoon mag helemaal niet overgaan hier, dat heb ik nadrukkelijk gezegd!' Ze pakte de hoorn op en zei ruw: 'Já, en wie u ook bent ik zou wel eens willen weten waarom u belt. Hoe bent u doorverbonden met deze kamer?'
'De uitleg, agente Rasjad,' zei Mitchell Payton in Langley, Virginia, 'is betrekkelijk eenvoudig. Ik heb het bevel van een ondergeschikte ongedaan gemaakt.'
'MJ, je hebt deze kerel helemaal niet gezien! Hij ziet eruit als de dood van pierlala!'
'Voor een volwassen vrouw, een vrouw die in mijn aanwezigheid heeft toegegeven dat ze boven de dertig is, heb je de slordige gewoonte vaak als een tiener te praten. Bovendien heb ik ook met de artsen gesproken. Evan heeft wat rust nodig en moet zijn enkel in een strak verband houden en zijn been rust geven voor een paar dagen en zijn schouderwond moet regelmatig worden nagekeken, maar op die kleine ongemakken na zou hij zó weer aan het werk kunnen.'
'Je bent geen koele, maar een diepgevroren kikker, oom Mitch!

Hij kan nauwelijks praten.'
'Waarom heb jij dan met hem gepraat?'
'Hoe wist je...?'
'Dat wist ik niet. Je hebt het me net gezegd. Mogen we nu overgaan tot de orde van de dag, meid?'
'En geldt dat soms niet voor Evan?'
'Geef me die telefoon eens,' zei Kendrick en hij nam onhandig de hoorn van Khalehla over. 'Met mij, Mitch. Wat gebeurt er allemaal?'
'Hoe is het met je, Evan? Ik neem aan dat dat een idiote vraag is?'
'Heel erg. Geef maar antwoord op de mijne.'
'De advocaat van Ardis Vanvlanderen is in zijn zomerhuis in de bergen van San Jacinto. Hij belde zijn kantoor of er boodschappen waren en we hebben hem kunnen localiseren. Er is een eenheid op weg om de zaak te verkennen. Ze kunnen daar elk moment aankomen.'
'Verkennen? Wat valt er, verdomme, nog te verkennen? Hij heeft dat boek! Ga bij hem binnen en pak het! Het is duidelijk dat alle bijzonderheden van hun organisatie over de hele wereld daarin staan, elke verrotte wapenhandelaar in de wereld die ze gebruikt hebben! Grinell kan naar ieder van hen vluchten en zich daar verstoppen. Pák het!'
'Je vergeet dat Grinell zelf ook de zaak wil overleven. Ik neem aan dat Adrienne... Khalehla het je heeft verteld?'
'Ja, hij is opgepikt door een watervliegtuig. Wat dan nog?'
'Hij wil dat register even graag hebben als wij en hij heeft nu onderhand ongetwijfeld contact gehad met die jurist van mevrouw Vanvlanderen. Grinell zal niet het risico lopen zelf te gaan, maar hij zal iemand sturen die hij vertrouwt om het op te halen. Als hij weet dat we hem op de hielen zitten, en alles wat daarvoor nodig is is iemand die het huis van de advocaat in de gaten houdt, wat denk je dan dat hij voor instructies zal geven aan zijn vertrouwde koerier die uiteindelijk dat boek nog naar Mexico moet zien te krijgen?'
'Waar hij tegengehouden kan worden aan de grens of op een vliegveld...'
'In aanwezigheid van onze mensen. Wat denk je dat hij tegen die man zal zeggen?'
'Dat hij dat verdomde ding moet verbranden,' zei Kendrick zacht.

'Precies.'
'Ik hoop dat jouw mensen hun werk goed doen.'
'Twee mannen en een van hen is zowat de beste die we hebben. Hij heet Gemberkoek; vraag je vriendin maar naar hem.'
'Gemberkoek? Wat is dat nou voor stomme naam?'
'Later, Evan,' zei Payton. 'Ik moet je wat vertellen. Ik vlieg vanmiddag naar San Diego en we moeten praten. Ik hoop dat je het aankunt want het is dringend.'
'Ik kan het zeker aan, waar waarom kunnen we nu niet praten?'
'Omdat ik niet zou weten wat ik moest zeggen... Ik weet nog niet zeker of dat later wel het geval is, maar dan weet ik in elk geval meer. Kijk, ik ga over een uur met een man praten, een invloedrijk man die enorm in jou is geïnteresseerd – die dat het hele afgelopen jaar is geweest.'
Kendrick sloot zijn ogen. Hij voelde zich slap toen hij zich liet terugzakken in de kussens. 'Hij hoort tot een groep of een comité dat zich... Inver Brass noemt.'
'Dat wéét jij?'
'Niet meer dan dat. Ik heb er geen idee van wie ze zijn of wat ze zijn, alleen maar dat ze mijn hele leven hebben verpest.'

De bruine sedan, met het officiële nummerbord waarvan de code aangaf dat het een voertuig van de CIA was, reed door de imposante poort van het landgoed aan Chesapeake Bay en via de ronde oprijlaan naar de gladde stenen treden van de ingang. De lange man in een openstaande regenjas waaronder een gekreukt pak liet zien dat het bijna tweeënzeventig uur achtereen was gedragen, stapte uit en liep vermoeid de trap op naar de grote, statige voordeur. Hij huiverde even in de kille morgenlucht van de bewolkte dag die sneeuw beloofde – sneeuw voor Kerstmis, mijmerde Payton. Het was de dag voor Kerstmis, voor de directeur van Speciale Projecten gewoon een dag als alle andere, maar toch een dag die hij vreesde vanwege het gesprek dat hij ging voeren, een gesprek waarvoor hij een paar jaar van zijn leven zou hebben ingeruild als het niet nodig was geweest. In heel zijn lange carrière had hij vele dingen gedaan die hem misselijk hadden gemaakt, maar niets vond hij erger dan goede en eerbare mannen te moeten vernietigen. Vanmorgen zou hij de ondergang zijn van zo'n man en hij walgde van zichzelf, maar er was geen alternatief. Want er was een hoger

goed, een hogere ethiek, en die lag in de redelijke wetten van een natie van fatsoenlijke mensen. Zondigen tegen die wetten was een verraad aan dat fatsoen; verantwoording moest altijd worden afgelegd. Hij drukte op de bel.
Een dienstmeisje ging Payton voor door een enorme woonkamer die uitkeek over de Chesapeake naar een andere statige deur. Die opende ze en de directeur liep de ongewone bibliotheek in. Hij probeerde alles in zich op te nemen wat hem opviel. De enorme apparatuur die de hele linkermuur in beslag nam met haar overvloed aan televisieschermen en knoppen en projectieapparatuur; het omlaaggelaten zilveren scherm rechts en de brandende potkachel in de hoek bij de deur; de gotische ramen recht tegenover hem en de grote ronde tafel voor hem. Samuel Winters stond op van de stoel die voor de wand stond met geavanceerde apparaten en kwam met uitgestrekte hand aanlopen.
'Het heeft lang geduurd, MJ – mag ik je zo noemen?' zei de eens wereldberoemde geschiedkundige. 'Voorzover ik me herinner noemde iedereen je MJ.'
'Natuurlijk, doctor Winters.' Ze gaven elkaar de hand en de oude geleerde gebaarde met zijn arm naar het hele vertrek.
'Ik wilde dat je alles zag. Om te weten dat we onze vinger aan de pols van de wereld hebben – maar niet voor persoonlijk gewin, dat moet je begrijpen.'
'Dat begrijp ik. Waar zijn de anderen?'
'Ga alsjeblieft zitten,' zei Winters en hij wees op de stoel recht tegenover hem aan de ronde tafel. 'Trek in elk geval je jas uit. Wanneer je eenmaal zo oud bent als ik zijn alle kamers veel te warm.'
'Als u het niet erg vindt houd ik hem aan. Dit wordt geen lang gesprek.'
'Dat weet je zeker?'
'Heel zeker,' zei Payton en hij ging zitten.
'Zó,' zei Winters zacht maar nadrukkelijk en hij liep naar zijn stoel. 'Het is het ongewone intellect dat positie kiest met voorbijzien van de grenzen van het gesprek. En intellect heb jij wel degelijk, MJ.'
'Dank u voor uw genereuze, zij het wat neerbuigende compliment.'
'Dat klinkt een beetje vijandig, is het niet?'
'Niet meer dan dat u beslist voor het land wie zich beschik-

baar moet stellen voor een openbaar ambt en gekozen moet worden.'
'Hij is de juiste man op het juiste moment en om alle juiste redenen.'
'Ik ben het volkomen met u eens. Het gaat om de manier waarop u het hebt gedaan. Wanneer iemand een onbeheerste macht loslaat om een doel te bereiken kan hij de gevolgen niet overzien.'
'Anderen overzien die wel. Die doen het nú.'
'Dat geeft u nog niet het recht. Ontmasker hen, als u kunt, en met uw hulpbronnen weet ik zeker dat u dat kunt, maar imiteer hen niet.'
'Dat is spitsvondigheid! We leven in een dierlijke wereld, een politiek georiënteerde wereld die wordt beheerst door roofdieren!'
'We hoeven nog geen roofdieren te worden om hen te bestrijden. Ontmaskering, geen imitatie.'
'Tegen de tijd dat het bekend wordt, tegen de tijd dat zelfs maar een paar mensen doorhebben wat er gebeurd is, zijn de dierlijke kudden op hol geslagen, hebben ze ons vertrapt. Ze veranderen de regels, maken andere wetten. Ze zijn onaantastbaar.'
'Ik ben zo vrij het daarmee niet eens te zijn, doctor Winters.'
'Kijk dan naar het Derde Rijk!'
'Kijk eens wat daarmee is gebeurd. Kijk naar Runnymede en de Magna Charta, kijk naar de tirannen van het Franse hof van Lodewijk, kijk naar de beestachtigheden van de tsaren – kijk, verdómme, eens naar Philadelphia in 1787! De *Constitutie*, doctor! Het volk reageert verdomde snel op onderdrukking en ambtsmisdrijven!'
'Zeg dat maar eens tegen de burgers van de Sovjetunie.'
'Schaakmat. Maar probeer dat niet uit te leggen aan de refoeseniks en de dissidenten die de wereld elke dag meer bewust maken van de donkere hoeken in de politiek van het Kremlin. Zij vormen wel degelijk een verschil, doctor.'
'Excessen!' riep Winters uit. 'Overal op deze arme, verdoemde planeet bestaan excessen. Dat zal onze ondergang zijn.'
'Niet wanneer redelijke mensen die excessen blootleggen en weigeren mee te doen aan de hysterie. Uw zaak was misschien wel rechtvaardig, maar in úw excessen hebt u wetten overtreden – geschreven en ongeschreven – en de dood veroorzaakt van on-

schuldige mannen en vrouwen omdat u uzelf hebt beschouwd als staande boven de wetten van het land. In plaats van het land te vertellen wat u wist, besloot u het land te manipuleren.'
'Zo omschrijft u het.'
'Zo is het ook. Wie zijn de anderen in dit Inver Brass?'
'Je ként die naam?'
'Ik heb hem zojuist genoemd. Wie zijn ze?'
'Dat zul je van mij nooit te weten komen.'
'We vinden hen wel... op den duur. Maar om mijn eigen nieuwsgierigheid te bevredigen, waar is die organisatie begonnen? Als u daarop geen antwoord wilt geven is het niet erg.'
'O, maar ik wil er juist wél op antwoorden,' zei de oude geschiedkundige en zijn handen beefden zo dat hij ze in elkaar geslagen op tafel moest leggen. 'Tientallen jaren geleden werd Inver Brass geboren in chaos, toen het land uiteengereten werd, op de rand van zelfvernietiging stond. Het was het hoogtepunt van de grote crisis; het land was tot stilstand gekomen en overal brak geweld uit. Mensen die honger hebben geven weinig om holle frasen en nog hollere beloften en produktieve mensen die niet door eigen schuld hun trots verloren hebben kunnen alleen maar hun toevlucht nemen tot razernij. Inver Brass werd gevormd door een groepje enorm rijke, invloedrijke mensen die het advies hadden opgevolgd van mensen als Baruch en die niet getroffen waren door de economische ineenstorting. Het waren ook mensen met een maatschappelijk geweten die hun krachten op praktische manieren gebruiken, opstootjes en geweld niet alleen tegengingen door massale kapitaalsbestedingen en het leveren van voorraden in getroffen gebieden, maar door in het Congres ongemerkt wetten te doen aannemen die hielpen ondersteuning op gang te brengen. Die traditie zijn wij gevolgd.'
'Is dat wel zo?' vroeg Payton zacht terwijl hij met kille ogen de oude man opnam.
'Já,' antwoordde Winters met nadruk.
'Inver Brass. Wat betekent dat?'
'Het is de naam van een moeras in de Hooglanden dat op geen kaart voorkomt. De naam werd gekozen door de eerste woordvoerder, een bankier van Schotse afkomst, die begreep dat de groep in het geheim moest optreden.'
'En daarom zonder verantwoording af te leggen?'

'Ik herhaal het. We zoeken niets voor onszelf!'
'Waarom dan die geheimzinnigheid?'
'Die is noodzakelijk, want ofschoon we onze besluiten objectief nemen en daarbij het beste voorhebben met het land, zijn ze niet altijd prettig of zelfs gerechtvaardigd in de ogen van velen. Toch hadden we er steeds het beste mee voor voor het land.'
' "Zelfs gerechtvaardigd"?' herhaalde Payton, verbaasd over wat hij hoorde.
'Ik zal je een voorbeeld geven. Jaren geleden werden onze directe voorgangers geconfronteerd met een regeringstiran die zich had voorgesteld de wetten van het land te hervormen. Een man die John Edgar Hoover heette, een reus van een man die op oudere leeftijd geobsedeerd raakte, die alle redelijke grenzen had overschreden, die presidenten en senatoren afperste – fatsoenlijke mensen – met zijn onbewerkte dossiers, die stikten van de geruchten en roddelpraatjes. Inver Brass heeft hem onschadelijk laten maken voordat hij de uitvoerende en de wetgevende macht, in feite de regering, op de knieën had gedwongen. En toen kwam er een jonge schrijver, Peter Chancellor voor de dag en die kwam te dicht bij de waarheid. Door hem en door zijn onduldbare manuscript werd de ondergang van het Inver Brass uit die tijd bewerkstelligd – maar niet haar wederopstanding.'
'O, mijn gód!' riep de directeur van Speciale Projecten zacht uit. 'Goed en kwaad worden uitsluitend door jullie bepaald, vonnissen worden alleen door jullie geveld. Een legende van arrogantie.'
'Dat is niet eerlijk! Er was geen andere oplossing. Je hebt het mis!'
'Het is de waarheid.' Payton stond op en duwde zijn stoel achteruit. 'Ik heb niets meer te zeggen, doctor Winters. Ik ga nu vertrekken.'
'Wat ga je doen?'
'Wat gedaan moet worden. Ik ga een rapport schrijven voor de president, de openbare aanklager en de toezichtcommissies van het Congres. Dat is de wét. U bent uitgewerkt, doctor. En doet u geen moeite me uit te laten, ik vind mijn weg wel.'
Payton liep naar buiten in de kille, grauwe ochtendlucht. Hij haalde diep adem en probeerde zijn longen vol lucht te zuigen maar het lukte hem niet. Hij was te moe, er was te veel triest-

heid en walging – en dat op de dag voor Kerstmis. Hij stond bovenaan de trap op het bordes en begon naar zijn wagen te lopen toen er plotseling een luide knal weerklonk die weergalmde over het terrein rond het landhuis – een pistoolschot. Paytons chauffeur stortte zich uit de auto, stond gebukt op de oprijlaan met zijn wapen vast gericht in beide handen.
MJ schudde langzaam zijn hoofd en bleef de treden aflopen naar het achterportier van het voertuig. Hij was volkomen leeg. Hij had geen reservekrachten meer waaruit hij kon putten; hij was dodelijk vermoeid. Hij voelde nu ook niet meer die dwang om naar Californië te vliegen. Het was afgelopen met Inver Brass, haar leider had zichzelf het leven ontnomen. Zonder de status en de autoriteit van Samuel Winters lag alles in puin en de manier van zijn dood zou de boodschap van de ineenstorting duidelijk maken voor degenen die overbleven. Evan Kendrick? Hij moest het hele verhaal te horen krijgen, alle facetten, en zelf beslissen. Maar dat kon wachten – in elk geval een dag. Toen de chauffeur het portier voor hem opende kon MJ er alleen maar aan denken naar huis te gaan, wat meer te drinken dan goed voor hem was en te gaan slapen.
'Meneer Payton,' zei de chauffeur, 'er was een radiobericht Code Vijf voor u, meneer.'
'Hoe luidde de boodschap?'
' "Neem contact op met San Jacinto. Dringend!" '
'Wil je naar Langley rijden, alsjeblieft.'
'Zeker, meneer.'
'O, en mocht ik het vergeten. Een vrolijk kerstfeest.'
'Dank u, meneer.'

44

'We zullen zeker elk uur even naar hem gaan kijken, juffrouw Rasjad,' zei de marineverpleegster van middelbare leeftijd achter de balie. 'Daar kunt u van op aan. Wist u dat de president zelf vanmiddag het congreslid heeft gebeld?'
'Ja, ik was erbij. En nu we het over de telefoon hebben, er mogen geen gesprekken worden doorverbonden met zijn kamer.'
'Dat is begrijpelijk. Hier is het briefje; elke telefoniste heeft er een kopie van. Alle gesprekken moeten worden verwezen naar het Westlake-hotel.'

'Dat klopt. Dank u hartelijk.'
'Wat jammer eigenlijk, nietwaar? Nu is het kerstavond en in plaats van gezellig met vrienden Kerstmis te vieren of wat dan ook, ligt hij verbonden en wel in een ziekenhuiskamer en u zit alleen in een hotelkamer.'
'Ik zal u iets zeggen, zuster. Voor mij is dit de fijnste kerst die ik me kan voorstellen, alleen al omdat hij hier is en nog leeft.'
'Dat weet ik, lieverd. Ik heb jullie tweeën samen gezien.'
'Zorg goed voor hem. Als ik nu niet wat ga slapen kan ik het wel vergeten morgen echt een kerstcadeau voor hem te zijn.'
'Hij is onze belangrijkste patiënt. En u mag ook best eens wat gaan rusten, jongedame. U ziet er wat pipsjes uit en dat is de mening van een specialiste.'
'Ik zie eruit om op te schieten.'
'Ik wilde dat ik er in mijn beste dagen nog zo had uitgezien.'
'Heel lief van u,' zei Khalehla. Ze legde haar hand op de arm van de verpleegster en kneep er even in. 'Welterusten. Tot morgen.'
'Vrolijk kerstfeest, lieverd.'
'Dat is het al. En u ook een vrolijk kerstfeest.' Rasjad liep door de witte gang naar de liften en drukte op de onderste knop. Ze had geen grapje gemaakt toen ze zei dat ze slaap nodig had; op eventjes een minuut of twintig na waarin zowel Evan als zij was ingedut had ze in bijna achtenveertig uur geen oog dichtgedaan. Een warme douche, een warme maaltijd op de kamer en dan het bed in, zo zou ze haar avond besteden. Morgen zou ze wat gaan winkelen in een van die zaken die openbleven bij wijze van service voor de mensen die iemand vergeten waren en een paar dwaze cadeautjes kopen voor haar... aanstaande? Mijn hemel, dacht ze. Voor mijn verlóófde. Té gek.
Toch was het inderdaad gek, bedacht ze, dat met Kerstmis de mensen zich altijd van hun aardigste en vriendelijkse kant lieten zien... tot welk ras ze ook behoorden en of ze nu geloofden of niet. Neem nou die verpleegster. Ze was echt lief en waarschijnlijk een vrij eenzame vrouw met een te groot lichaam en een te mollig gezicht om te worden uitgekozen voor een recruteringsposter voor de WAVE's. Toch had ze geprobeerd hartelijk en vriendelijk te zijn. Ze had gezegd dat ze wist hoe de verloofde van de afgevaardigde zich voelde omdat ze hen samen had gezien. Dat had ze niet. Khalehla herinnerde zich iedereen die in Evans kamer was geweest en de verpleegster was

daar niet bij. Hartelijkheid... aardig zijn voor een ander, hoe je het ook wilde noemen, het was Kerstmis. En haar man was veilig. De liftdeuren gleden open en ze stapte de liftkooi in en liet zich met een veilig en warm gevoel naar beneden voeren.

Kendrick opende zijn ogen in het donker. Iets had hem wakker doen worden... maar wat? De deur naar zijn kamer? Ja, natuurlijk, het was de kamer. Khalehla had hem gezegd dat ze de hele nacht regelmatig naar hem zouden komen kijken. Dacht ze soms dat hij weg zou lopen? Ergens zou gaan dansen of zoiets? Hij viel weer terug in zijn kussen, diep ademhalend; hij had helemaal geen kracht meer, hij kon geen greintje energie meer oproepen. Néé. Het was de deur niet. Er was hier iemand, er was iemand in de kamer!
Langzaam bewoog hij zijn hoofd op het kussen, centimeter voor centimeter. Er was een vage witte vlek in het donker die leek te zweven, alleen maar een flauwe lichtplek die net zichtbaar was in de duisternis.
'Wie is daar?' vroeg hij en hij merkte dat hij nauwelijks verstaanbaar sprak. 'Wie is daar?'
Stilte.
'Verrek, wie bént u? Wat doet u hier?'
Toen kwam de witte massa met een vaart op hem af vanuit het donker en plofte op zijn gezicht. Een kussen. Hij kon geen adem meer krijgen! Hij zwaaide zijn rechterarm omhoog, duwde tegen een gespierde arm, gleed langs de huid en voelde een gezicht, een zacht gezicht en greep vervolgens in de haren van een... *vrouw!* Hij rukte aan het haar met alle kracht die hij nog kon opbrengen, liet zich naar rechts rollen op het smalle ziekenhuisbed en trok zijn aanvalster op de grond beneden hem. Hij liet het haar los en beukte op het gezicht onder hem; zijn schouder deed hem hels pijn, de hechtingen raakten los, het bloed sijpelde door het verband heen. Hij probeerde te gillen maar uit zijn keel klonk alleen een schorre kreet. De zware vrouw klauwde naar zijn hals met scherpe nagels die schrammen trokken in zijn huid... toen naar zijn ogen waar ze schrijnende wonden rukten in de oogleden en in zijn voorhoofd. Hij duwde zich omhoog, draaide zich los uit haar greep en kwam, buiten haar bereik, met een klap tegen de muur terecht. De pijn was onverdraaglijk. Hij wankelde naar de deur maar ze wierp zich op hem en smakte hem tegen de zijkant van het

bed. Zijn hand raakte de waterkaraf op het nachtkastje; die greep hij vast, hij draaide zich opnieuw om en zwiepte die op haar hoofd, in het fanatieke gezicht dat boven hem zweefde. De vrouw was even verdoofd; hij wierp zich naar voren en beukte zijn rechterschouder in haar zware lijf. Hij deed een uitval naar de deur en rukte die open. De witte, steriele gang baadde in een vaag, grijs licht op een heldere lamp na achter de verpleegstersbalie halverwege de gang. Hij probeerde opnieuw te gillen.
'Laat iemand me toch helpen!' De woorden klonken nauwelijks hoorbaar; er kwamen alleen maar schorre klanken uit zijn mond. Hij hinkte vooruit, kon nauwelijks lopen op zijn gezwollen enkel en zijn gewonde been. Waar wás iedereen toch? Er was niemand... er zat niemand achter de balie! Toen kwamen er toevallig twee verpleegsters door een deur aan het uiteinde van de gang en hij stak zijn rechterarm op en zwaaide er als een razende mee terwijl er eindelijk woorden opklonken uit zijn keel. 'Hélp me...!'
'O, mijn gód!' schreeuwde een van de vrouwen en ze kwamen beiden aanrennen. Tegelijkertijd hoorde Kendrick nog een paar rennende voetstappen. Hij keek achterom maar kon niets doen toen de zwaargebouwde, gespierde verpleegster zijn kamer kwam uitstormen en de gang afliep naar een deur onder een rood bordje UITGANG. Die smakte ze open en verdween.
'Roep de dokter die dienst heeft!' riep de marineverpleegster die het eerst bij hem was. 'Vlúg! Hij bloedt als een rund!'
'Dan kan ik beter het meisje Rasjad waarschuwen,' zei de tweede verpleegster en ze liep op de balie af. 'Ze moet gebeld worden zodra er ook maar iets aan zijn toestand verandert en dat mag je dit, verdomme, toch wel noemen!'
'Néé!' schreeuwde Evan en eindelijk klonk zijn stem verstaanbaar, zij het wat buiten adem. 'Laat haar met rust!'
'Maar afgevaardigde...'
'Doet u alstublieft wat ik zeg. Bel haar niet! Ze heeft twee of drie dagen niet geslapen. Haal de dokter maar en help me terug naar mijn kamer. Dan moet ik even bellen.'
Drie kwartier later, toen zijn schouder opnieuw was gehecht en zijn gezicht en hals waren schoongemaakt, zat Kendrick in bed met de telefoon op zijn schoot en hij draaide een nummer in Washington dat hij uit het hoofd had geleerd. De dokter en de verpleegsters hadden heftig tegengesputterd, maar hij had

hun bevolen geen militaire politie en niet eens de veiligheidsdienst van het ziekenhuis erbij te halen. Er was vastgesteld dat niemand op de verdieping meer wist over de zwaargebouwde vrouw dan een naam, die kennelijk vals was; ze had overplaatsingspapieren bij zich gehad van het basisziekenhuis in Pensacola, Florida. Elke staf was blij als ze er verpleegsters van officiersrang bijkregen; niemand had haar komst vreemd gevonden en niemand zou haar tegenhouden toen ze zo snel vertrok. En tot ze wat meer inzicht in het geheel hadden gekregen mocht er geen officieel onderzoek plaatsvinden waardoor de pers er lucht van zou krijgen. Het nieuwsembargo gold nog steeds.
'Sorry dat ik je wakker moet maken, Mitch...'
'Evan?'
'Je kunt maar beter weten wat er gebeurd is.' Kendrick beschreef de maar al te reële nachtmerrie die hij had beleefd en eindigde met zijn besluit de politie, zowel civiele als militaire erbuiten te laten. 'Misschien had ik het mis, maar ik dacht zo dat er geen enkele kans zou zijn haar te pakken te krijgen zodra ze door die deur verdwenen was, en dat de kans zeer groot zou zijn dat we in de krant waren gekomen als ze het geprobeerd hadden.'
'Je had gelijk,' stemde Payton in en hij sprak snel. 'Ze was een huurmoordenares...'
'En erg handig met een kussen,' voegde Evan eraan toe.
'Dat zou even dodelijk zijn geweest als een pistool als je niet wakker was geworden. Waar het om gaat is dat huurmoordenaars tevoren hun plannen beramen, gewoonlijk met een aantal verschillende ontsnappingsmogelijkheden en evenveel verkleedpartijen. Je hebt juist gehandeld.'
'Wie heeft haar gehuurd, Mitch?'
'Volgens mij ligt dat nogal voor de hand. Grinell. Hij is een kwaadaardig druk baasje geweest sinds hij van dat eiland is ontsnapt.'
'Heb je nog nieuws over Grinell?'
'Ardis Vanvlanderens advocaat is dood en het register is nergens te vinden. Grinells mensen waren eerder in San Jacinto.'
'Godverdómme!' schreeuwde Kendrick schor. 'Dan zijn we het dus kwijt!'
'Zo lijkt het, maar er is iets wat niet helemaal klopt. Weet je nog dat ik je zei dat Grinell zou weten dat we hem op de hie-

len zaten als hij alleen maar merkte dat het huis van de advocaat in de gaten werd gehouden?'
'Jazeker.'
'Gemberkoek heeft hem gevonden.'
'En?'
'Als ze dat boek te pakken hebben, waarom moesten ze daarna nog een uitkijk daar neerpoten? Waarom zouden ze dat risico lopen?'
'Dwing de uitkijk jullie alles te vertellen! Spuit hem plat, dat hebben jullie al eerder gedaan!'
'Gemberkoek denkt er anders over.'
'Waarom niet?'
'Twee redenen. De man kan een onbelangrijke bewaker zijn die absoluut niets weet, en ten tweede wil Gemberkoek hem schaduwen.'
'Je bedoelt dat die Gemberkoek de uitkijk heeft gevonden maar dat de uitkijk dat niet weet?'
'Ik zei je al dat hij goed was. Grinells man weet niet eens dat we de dode advocaat hebben gevonden. Hij heeft alleen maar een vrachtwagen van een hoveniersbedrijf gezien en twee kerels in groene overalls die het gazon gingen maaien.'
'Maar als die uitkijk zo onbelangrijk is, wat zal Gemberkoek – verrek, wat een stomme naam – wat zal hij dan te weten komen door hem te schaduwen?'
'Ik zei dat hij misschien onbelangrijk is met alleen een telefoonnummer dat hij ter controle regelmatig moet bellen en dat ons niets zal zeggen. Van de andere kant is hij misschien niet onbelangrijk en kan hij ons naar de anderen voeren.'
'Mitch, in godsnaam, spuit hem plat en hoor hem uit!'
'Je volgt me niet, Evan. Dat telefoonnummer ter controle wordt regelmatig gebeld, op bepaalde tijden. Als het schema wordt afgebroken sturen we Grinell de verkeerde boodschap.'
'Jullie zijn allemaal een stelletje gecompliceerde idioten,' zei een verzwakte, vertwijfelde Kendrick.
'Het is ook eigenlijk een pokkebaan. Ik zal een stel MP's bij je deur laten posten. Probeer maar wat te slapen.'
'Hoe zit het met jou? Ik weet dat je zei dat je niet hierheen kon komen en nu begrijp ik het, maar je zit nog steeds op je kantoor, nietwaar?'
'Ja, ik wacht op bericht van Gemberkoek. Van hieruit kan ik sneller werken.'

'Je wilt niet praten over gistermorgen – over je gesprek met de superman van die Inver Brass?'
'Morgen misschien. Het is niet langer dringend meer. Zonder hem is er geen Inver Brass.'
'Zonder hem?'
'Hij heeft zichzelf doodgeschoten. Vrolijk kerstfeest, afgevaardigde.'

Khalehla Rasjad liet de pakjes uit haar armen vallen en schreeuwde. 'Wat is er gebeurd?' riep ze uit en ze rende naar het bed.
'De volksgezondheidszorg stelt ook al geen moer voor,' antwoordde Evan.
'Dat is niet grappig! De MP's aan je deur en de manier waarop ze mijn identiteitsbewijs bekeken beneden toen ik zei dat ik jou kwam opzoeken – wat is er gebeurd?'
Hij vertelde het haar en sloeg het deel over de nieuwe hechtingen en het bloed in de gang over. 'Mitch is het eens met wat ik heb gedaan.'
'Ik zal hem kríjgen!' riep Khalehla uit. 'Hij had me moeten béllen!'
'Dan zou je er niet zo knap hebben uitgezien als je nu doet. De wallen onder je ogen zijn bijna weg. Je hebt geslapen.'
'Twaalf uur,' gaf ze toe en ging op de rand van het bed zitten. 'Die lieve, mollige verpleegster? Ik kan het haast niet geloven!'
'Ik had best wat van jouw zwarte band, eersteklas, kunnen gebruiken. Ik vecht niet zo vaak en haast nooit met vrouwen – alleen met hoeren die te veel berekenen.'
'Help me herinneren dat ik je nooit laat betalen. O god, Evan, ik wist wel dat ik door had moeten drukken om een grotere kamer te krijgen met twee bedden zodat ik bij je had kunnen blijven!'
'Je hoeft die beschermende maatregelen nou ook weer niet te overdrijven, meid. Ik ben de man, weet je wel?'
'Als jij er dan maar aan denkt dat je mij mijn gang laat gaan wanneer je ooit wordt overvallen, goed?'
'Daar gaat mijn mannelijke trots. Van mij mag je, als je me maar bonbons en champagne voert terwijl jij met de rotzakken de vloer aanveegt.'
'Alleen een man kan daarover grapjes maken,' zei Rasjad en

ze bukte zich en kuste hem. 'Ik hou zoveel van je, dat is mijn probleem.'
'Het mijne niet.' Ze kusten opnieuw en natuurlijk ging de telefoon over.
'Niet gillen!' drong hij aan. 'Het is waarschijnlijk Mitch.' Dat was zo.
'Hébbes!' riep de directeur van Speciale Projecten uit. 'Geef me Evan, dan kan hij het jou wel weer uitleggen...'
'Waarom heb je me vannacht niet gebeld?'
'Geef me Evan nou!'
'Jawel, meneer.'
'Wat is er, Mitch?'
'We hebben de meevaller die we nodig hadden – we boffen!'
'Gemberkoek?'
'Vreemd genoeg niet. Van een hele andere kant. Bij dit soort zaken hoop je dat er gekke dingen gebeuren en soms gebeuren die ook. Omdat we alles wilden proberen stuurden we een mannetje naar het kantoor van mevrouw Vanvlanderens advocaat met een nepdocument dat hem toestemming gaf de dossiers te bekijken van de vroegere bureauchef van de vice-president. Omdat haar werkgever er niet was wilde de secretaresse niet iemand laten snuffelen in die dossiers, daarom belde ze het huis in San Jacinto. Omdat hij wist dat ze geen antwoord zou krijgen bleef onze man daar een paar uur rondhangen en speelde de boze functionaris uit Washington met een opdracht van de Nationale Veiligheidsraad, terwijl zij probeerde de jurist te bereiken. Of het nu frustratie was of zelfverdediging waardoor ze het zei weten we niet en het kan ons ook niks schelen, maar ze flapte het eruit dat onze man waarschijnlijk al die vertrouwelijke pagina's zocht die ze gefotokopieerd had, maar die kon hij toch niet krijgen omdat ze allemaal waren opgesloten in een safe in een bankkluis.'
'Hébbes,' zei Evan zacht en inwendig juichend.
'Ongetwijfeld. Ze beschreef zelfs het register. Onze slimme advocaat was volkomen bereid het boek aan Grinell te verkopen en hem dan later af te persen met een kopie. Grinells uitkijk in San Jacinto was er alleen maar omdat hij nieuwsgierig was, meer niet, en het register hebben we binnen een uur in handen.'
'Zie dat je het krijgt, Mitch, en pluis het helemaal uit. Zoek naar een man die Hamendi heet, Abdel Hamendi.'

'De wapenhandelaar,' zei Payton instemmend. 'De foto's in het appartement van Vanvlanderen – Lausanne, Amsterdam.'
'Die is het. Ze zullen natuurlijk een codenaam voor hem gebruiken, maar ga het geld maar na, de overschrijvingen in Genève en Zürich – de Gemeinschaft Bank in Zürich.'
'Natuurlijk.'
'Er is nog iets, Mitch. Laten we maar grote schoonmaak houden nu we toch eenmaal bezig zijn. Een man als Hamendi levert wapens aan alle oorlogvoerende facties die hij maar kan vinden, en beide kanten maken elkaar af met wat hij hun verkoopt. Dan gaat hij op zoek naar andere moordenaars, de mannen in de dure pakken in deftige kantoren die alleen maar aan geld denken, en hij maakt hen deel van zijn netwerk. ...De produktie stijgt tot tien keer wat het eerst was, dan twintig en er wordt nog meer gemoord, er zijn nog meer klanten aan wie hij kan verkopen, meer fanatiekelingen die kunnen worden opgestookt. Laten we hem opruimen, Mitch. Laten we een deel van deze bloedige wereld een kans geven weer adem te halen... zonder zijn leveranties.'
'Dat zal niet gemakkelijk zijn, Evan.'
'Geef me een paar weken om op te knappen en stuur me dan terug naar Oman.'
'Wát?'
'Ik ga de grootste voorraad wapens kopen waarvan Hamendi ooit heeft gedroomd.'

Er waren zestien dagen voorbijgegaan, Kerstmis was een pijnlijke herinnering en nieuwjaar was behoedzaam en achterdochtig begroet. Op de vierde dag had Evan een bezoek gebracht aan Emilio Carallo en hem een foto gegeven van een prachtige nieuwe vissersboot, samen met het eigendomsbewijs, een vooruit betaalde cursus voor zijn schipperspapieren, een chequeboek en een garantie dat niemand van het eiland *Passage to China* hem nog ooit zou lastigvallen in El Descanso. Het was de waarheid; van de uitverkoren broeders van de geheime regering die hadden samengespannen op dat verderfelijke eiland was er niemand die dat graag wilde toegeven. In plaats daarvan zaten ze in conferentie met hun horden advocaten en een paar waren er het land ontvlucht. Ze trokken zich niets aan van een verminkte visser in El Descanso. Ze waren bezig zichzelf en hun fortuin te redden.

Op de achtste dag kwam de grondzee aanrollen vanuit Chicago en verspreidde hij zich over het Midwesten. Het begon met vier onafhankelijke kranten binnen een straal van honderd kilometer, die in hun hoofdartikelen de kandidatuur voorstelden van afgevaardigde Evan Kendrick voor de nominatie als vicepresident. Binnen tweeënzeventig uur kwamen er nog drie bij, naast de zes televisiestations die eigendom waren van vijf van de kranten. Voorstellen werden aanbevelingen en de journalistieke stemmen begonnen zich steeds luider te roeren in het hele land. Van New York tot Los Angeles, van Bismarck tot Houston, Boston tot Miami, begon de broederschap van de media het idee te bestuderen, en de redacteuren van *Time* en *Newsweek* belegden in alle haast vergaderingen. Kendrick werd overgebracht naar een geïsoleerde vleugel van het ziekenhuis en zijn naam werd van de patiëntenlijst afgevoerd. In Washington vertelden Annie Mulcahy O'Reilly en haar staf tegen de honderden mensen die belden dat de afgevaardigde uit Colorado in het buitenland verbleef en niet beschikbaar was om commentaar te leveren.
Op de elfde dag keerden het congreslid en zijn verloofde terug naar Mesa Verde waar ze tot hun verbazing Emmanuel Weingrass aantroffen, met een kleine zuurstofcylinder aan zijn zij gegespt voor het geval hij ademnood mocht krijgen. Hij hield toezicht op een heel legertje timmerlui dat het huis aan het repareren was. Manny bewoog zich wat langzamer en hij moest vaak gaan zitten maar zijn ziekte had geen enkele invloed op zijn steeds aanwezige lichtgeraaktheid. Zo was hij nu eenmaal; de enige keer dat hij zelfs een hele decibel zachter ging spreken was wanneer hij het had over Khalehla – zijn 'knappe nieuwe dochter, die veel meer waard was dan die hufter die altijd in zijn buurt was'.
Op de vijftiende dag verbrak Mitchell Payton, werkend met een jong computergenie dat hij van Frank Swann op BZ had geleend, de codes van Grinells register, de bijbel van de geheime regering. De hele nacht doorwerkend met Gerald Bryce aan het toetsenbord stelden de twee mannen een rapport samen voor de president. Langford Jennings zei hun precies hoeveel uitdraaien er gemaakt mochten worden. Eén extra rapport rolde uit de printer voordat de disk werd vernietigd, maar dat wist MJ niet.

Een voor een arriveerden de limousines in het donker, niet bij het onverlichte landhuis aan Chesapeake Bay maar bij het zuidelijke zuilenportiek van het Witte Huis. De passagiers werden door de mariniers die wacht hadden naar het Ovale Kantoor van de president van de Verenigde Staten gebracht. Langford Jennings zat achter zijn bureau met zijn voeten op een geliefkoosd voetkussen links van zijn stoel en knikte tegen iedereen die binnenkwam – tegen iedereen op één na. Vice-president Orson Bollinger werd alleen maar aangestaard, er werden geen begroetingen uitgewisseld, er was alleen maar afkeer. De stoelen stonden in een halve kring opgesteld voor het bureau en de machtige man erachter. Tot het gezelschap behoorden, elk met een grote envelop in de handen, de meerderheids- en minderheidsleiders van beide Huizen van het Congres, de plaatsvervangend minister van Buitenlandse Zaken en de minister van Defensie, de directeuren van de CIA en de Nationale Veiligheidsraad, de leden van de Gezamenlijke Chefs van Staven, de openbare aanklager en Mitchell Jarvis Payton, Speciale Projecten, CIA. Allen gingen zwijgend zitten en wachtten af. Dat duurde niet lang.

'We zitten tot over onze oren in de rotzooi,' zei de president van de Verenigde Staten. 'Ik mag doodvallen als ik weet hoe dat komt, maar ik kan vanavond maar beter de nodige antwoorden krijgen anders zorg ik ervoor dat een aantal lui in deze stad de volgende twintig jaar zakjes kunnen plakken. Is dat duidelijk?'

Hier en daar knikten een paar hoofden maar er waren er heel wat die tegenwerpingen maakten, boze gezichten en stemmen die gepikeerd waren over de implicaties van de president.

'Wácht even!' vervolgde Jennings en hij bracht de mopperaars tot stilzwijgen. 'Ik wil dat de spelregels heel duidelijk zijn. Ieder van u heeft een rapport ontvangen dat door de heer Payton is opgesteld en waarschijnlijk ook gelezen. U hebt het allemaal meegebracht en, opnieuw waarschijnlijk, zoals was opgedragen géén kopieën gemaakt. Kloppen die verklaringen? Ik zou graag van ieder apart het antwoord horen, links beginnend bij de openbare aanklager.'

Ieder van de groep die er zat herhaalde de actie en de woorden van de belangrijkste man in het land waar het de rechtspleging betrof. Elk stak zijn envelop op en zei: 'Geen kopieën, meneer de president.'

'Goed.' Jennings trok zijn benen van het voetkussen en boog zich voorover met zijn ellebogen op het bureau. 'De enveloppen zijn genummerd en er zijn er niet meer dan er mensen zijn hier in het vertrek. Verder zullen ze hier blijven wanneer u weggaat. Is dat ook begrepen?' Er werd bevestigend geknikt en gemompeld. 'Goed. Ik hoef u niet te vertellen dat de informatie in die pagina's zowel vernietigend is als ongelooflijk. Een bende van dieven en moordenaars en menselijk afval die moordenaars huurden en betaalden voor de diensten van terroristen! Een bloedbad in Fairfax, in Colorado – en o, mijn god – op Cyprus waar een man die evenveel waard was als vijf van jullie rotzakken bij elkaar, met zijn hele delegatie werd vermoord. Het is een gruwelijke litanie; van directiekamers door het hele land die met elkaar samenspanden, de prijzen vaststelden om ongehoorde winstmarges te behalen, die invloed kochten in alle sectoren van de regering en de defensie-industrie van het land veranderden in een grabbelton van rijkdommen. Het is ook een litanie van bedrog, van illegale transacties met wapenhandelaren door de hele wereld, van leugens tegen toezichtscommissies, van het kopen van exportvergunningen, van het veranderen van de route van leveranties naar plaatsen waar ze niet ontscheept mogen worden. Verrék, het is één grote rotzooi! En ieder van u hier is er op een of andere manier bij betrokken. Heb ik daar misschien mensen horen protesteren?'
'Menéér de president...'
'Meneer de presidént...'
'Ik ben nu al dertig jaar lid van het *Corps* en niemand heeft het ooit gewáágd...'
'Ik waag het!' bulderde Jennings. 'En wie bent u, voor de donder, om mij te zeggen dat ik dat niet kan? Nog iemand misschien?'
'Ja, meneer de president,' antwoordde de minister van Defensie. 'Om in uw taalgebruik te spreken, ik snap er geen sodemieter van waarover u het met name hebt en ik protesteer tegen uw verdachtmakingen.'
'U wilt namen? U hebt het over verdachtmakingen? Val maar dood, Mac, lees de cijfers maar! Drie miljoen dollar voor een tank waarvan de produktieprijs ruwweg werd geschat op één miljoen? Dértig miljoen voor een gevechtstoestel dat zo zit volgestopt met speeltjes van het Pentagon dat het niet eens de lucht inkomt, dan weer teruggaat naar de tekentafel en ver-

volgens nog eens tien miljoen per toestel extra kost? Vergeet de wc-brillen en die verdomde moersleutels maar, jullie hebben veel grotere problemen.'
'Het zijn allemaal kleine uitgaven vergeleken met het geheel, meneer.'
'Zoals een vriend van mij zei voor de televisie moet je dat maar eens tegen de arme rotzak vertellen die uit moet komen met zijn geld. Misschien zit u in de verkeerde baan, meneer de minister. We blijven het land maar voorhouden dat de Sovjet-economie op z'n gat ligt, dat haar technologie lichtjaren achterloopt op de onze, en toch vertelt u ons elk jaar wanneer u met een budget komt dat we in de stront zitten omdat Rusland zowel economisch als technologisch gezien meer presteert dan wij. Daarin zit een kleine tegenstelling, vindt u ook niet?'
'U begrijpt niet hoe complex het allemaal is...'
'Dat hoef ik ook niet. Ik begrijp de tegenstellingen. En hoe zit het met u, de vier glorieuze, trouwe aanhangers uit het Huis en de Senaat – leden van mijn partij en de trouwe oppositie? Hebt u dan nooit iets geróken?'
'U bent een buitengewoon populaire president,' zei de leider van de oppositie. 'Het is politiek erg moeilijk tegen uw stellingname in te gaan.'
'Zelfs wanneer de vis rot is?'
'Zelfs wanneer de vis rot is, meneer.'
'Dan moeten jullie ook opdonderen. En onze scherpzinnige militaire elite, onze, Chefs van Staven die daar maar op hun Olympus zitten. Wie let er godverdomme op de winkel, of zijn jullie zo hoog verheven dat je het adres van het Pentagon vergeten bent? Kolonels, generaals, admiraals, die in rijen van drie Arlington uitmarcheren en de rangen gaan versterken van de defensie-industrie en de belastingbetalers belazeren.'
'Ik protesteer!' schreeuwde de voorzitter van de Gezamenlijke Chefs van Staven en het speeksel vloog van zijn keurige gebit. 'Het is ons werk niet, meneer de president, om een oog te houden op elke werkkring van een officier in de privaatsector.'
'Misschien niet, maar bij het fiatteren van de aanbevelingen let u er verdomde goed op wie de rang krijgt die zoiets mogelijk maakt. En hoe zit het met de superspionnen van het land, de CIA en de Nationale Veiligheidsraad? Met uitzondering van meneer Payton hier – en als iemand van jullie probeert hem op een zijspoor te schuiven, dan krijgen jullie met mij te doen

– waar zaten jullie verdomme? Wapens die overal naar het Middellandse-Zeegebied en de Perzische Golf worden gestuurd – naar havens waarvan zowel ik als het Congres zei dat ze verboden waren! Jullie konden de verschepingsroutes niet controleren? Wie had er dan, verdomme, het heft in handen?'
'In een aantal gevallen, meneer de president,' zei de directeur van de CIA, 'wanneer we reden hadden te twijfelen aan bepaalde activiteiten namen we aan dat ze werden uitgevoerd met uw toestemming, want ze waren een afspiegeling van uw stellingname. Wanneer er wetten bij betrokken waren veronderstelden we dat u werd geadviseerd door de openbare aanklager, zoals normaal het geval is.'
'U hebt dus uw ogen maar gesloten en gezegd: "Laat Jan Soldaat dat potje met pieren maar aanpakken." Heel erg handig om je rug te dekken, maar waarom hebt u het niet met mij opgenomen?'
'Als ik namens de NVR mag spreken,' onderbrak de directeur van de Nationale Veiligheidsraad hem, 'wij hebben een paar keer gesproken zowel met uw bureauchef als met uw adviseur voor Nationale Veiligheid over een aantal ongewone ontwikkelingen die we tegenkwamen. 'Uw NVR-adviseur bleef volhouden dat hij niets wist over wat hij "gemene geruchten" noemde, en meneer Dennison beweerde dat het – en ik haal hem letterlijk aan, meneer de president – "niks anders was dan stront die werd verspreid door een stelletje ultraliberale jankers die u op een goedkope manier voor aap wilden zetten". Zo zei hij het letterlijk, meneer.'
'U zult merken,' zei Jennings kil, 'dat geen van beide mannen hier in het kantoor zijn. Mijn NVR-adviseur is met de VUT en mijn bureauchef heeft vakantie om orde op zijn persoonlijke zaken te stellen. Ter verdediging van Herb Dennison moet ik zeggen dat hij de zaken goed en vrij autocratisch in de hand had maar dat hij toch nog wel eens iets door zijn vingers heeft laten glippen. Nu komen we aan onze belangrijkste functionaris met de uitvoerende macht op rechtsgebied, de bewaarengel van het rechtssysteem in ons land. Gezien de wetten die overtreden zijn, misbruikt en ontdoken, heb ik het idee dat u drie jaar geleden bent gaan lunchen en nooit meer bent teruggekomen. Wat doen jullie eigenlijk op Justitie? Bingo spelen of klaverjassen? Waarom betalen we een paar honderd juristen daar om misdadige activiteiten tegen de regering te onderzoeken en

waarom is niet één van die verdomde misdaden in dit rapport aan het licht gekomen?'
'Ze lagen niet binnen ons gezichtsveld, meneer de president. We hebben ons geconcentreerd op...'
'Wat is een *gezichtsveld* verdomme nou weer? Prijsafspraken tussen grote bedrijven en schandalige kostenoverschrijdingen liggen niet in uw *gezichtsveld?* Ik zal u eens wat vertellen, bal gehakt, dan zorgt u, verdomme, maar dat ze er wel in komen te liggen! Och, val ook maar dood, laten we het eens hebben over mijn geëerde mede-kandidaat – de laatste is verre van de minste als het om essentiële belangrijkheid gaat. Ons kruipende jengelende instrument van zéér speciale belangen is de circusdirecteur! Het zijn allemaal jouw mensen, Orson! Hoe kon je zoiets dóen?'
'Meneer de president, het zijn úw mensen ook! Zij hebben het geld bijeengebracht voor uw eerste campagne. Ze haalden miljoenen meer bijeen dan uw oppositie en stelden daarmee uw verkiezing praktisch veilig. U steunde hun zaken, was het eens met hun roep voor een vrije expansie van de zakenwereld en de industrie...'
'Redelijk vrije expansie, já,' zei Jennings en de aderen op zijn voorhoofd waren gezwollen, 'maar geen gemanipuléérde expansie. Geen expansie die helemaal corrupt was door vuile zaakjes met wapenhandelaars over heel Europa en het Middellandse-Zeegebied, en, godverdómme, niet door samen te spannen, door af te persen en door terroristen in te huren!'
'Ik wist niets van dat soort zaken!' krijste Bollinger en hij sprong overeind.
'Nee, dat wist je waarschijnlijk ook niet, meneer de vice-president, omdat ze maar al te gemakkelijk van jouw invloed gebruik konden maken en ze niet het risico wilden lopen jou te verliezen wanneer je in paniek zou raken. Maar je wist verdomde goed dat er heel wat meer vuur in de keuken was dan er rook hing. Je wilde gewoon niet weten wat er stond aan te branden en wat er zo gemeen stonk. Ga zitten!' Bollinger ging zitten en Jennings vervolgde. 'Maar laat dit goed tot je doordringen, Orson. Je bent geen kandidaat meer en ik wil je niet zien op de conventie. Je bent uitgewerkt, het is afgelopen met je en als ik ooit hoor dat je weer loopt te leuren of in een andere raad van bestuur zit dan van een liefdadigheidsvereniging... nou ja, blijf er maar met je fikken af.'

'Meneer de president!' zei de voorzitter van de Gezamenlijke Chefs van Staven met zijn verweerde gezicht, en hij stond op. 'In het licht van uw opmerkingen en de maar al te voor de hand liggende maatregelen, dien ik mijn ontslag in, met onmiddellijke ingang!'
Die uitspraak werd door zo'n zes anderen gevolgd, allemaal staande en met veel nadruk. Langford Jennings leunde achterover in zijn stoel en sprak rustig en met kille stem. 'O nee, zo gemakkelijk komen jullie er niet van af, géén van jullie. Er komt hier in deze regering geen omgekeerd zaterdagavondbloedbad, er gaan hier geen ratten het zinkende schip verlaten. Jullie blijven zitten waar je nu zit en je zorgt er verdomde goed voor dat we het schip weer op de juiste koers krijgen. Jullie moeten me goed begrijpen, het kan me niet schelen wat de mensen van me denken of jullie, of de regering waarvan ik tijdelijk het hoofd ben, maar wat me wel kan schelen is het land, dat kan me enorm veel schelen. Zo enorm veel in feite dat dit voorlopige rapport – voorlopig omdat het nog lang niet volledig is – het exclusief eigendom blijft van de president onder de statuten van presidentiële geheimhouding tot ik vind dat de tijd er rijp voor is... en die tijd zal komen. Wanneer dit nu bekend werd gemaakt zou het het sterkste presidentschap dat dit land in veertig jaar heeft gekend verlammen en onherstelbare schade aanrichten in het land, maar ik herhaal, het zál worden vrijgegeven. Ik zal u eens iets vertellen. Wanneer een man, en naar ik hoop ook ooit een vrouw, dit ambt verwerft, dan is er maar één ding belangrijk, en dat is de naam die hij achterlaat in de geschiedenis. Welnu, binnen de komende vijf jaar van mijn leven stap ik uit die race voor onsterfelijkheid, want binnen die tijd zal dit voltóóide rapport, met al zijn gruwelen, aan de openbaarheid worden prijsgegeven. Maar pas nadat elke onrechtvaardigheid die tijdens mijn ambtsperiode is verricht is rechtgezet, en elke misdaad is beboet. Als dat betekent dat er dag en nacht moet worden gewerkt, dan doen jullie dat allemaal maar – allemaal op mijn pooier van een hielen likkende vicepresident na die voorgoed gaat verdwijnen en die, als we geluk hebben, een kogel door zijn kop zal schieten. Nog een laatste woord, heren. Mocht één van u in de verleiding komen te drossen van dit schip dat we allemaal door verzuim én doorwerken hebben gebouwd, laat hij er dan aan denken dat ik de president van de Verenigde Staten ben en dat ik een onge-

looflijke macht bezit. In de meest brede zin omvat die leven en dood – dat is alleen maar het vaststellen van een feit, maar als u het als een dreigement wilt opvatten... nou ja, ga dan gerust uw gang. Nou allemaal opgedonderd en zet uw hersens maar aan 't werk. Payton, u blijft hier.'
'Ja, meneer de president.'

'Denk je dat het tot ze is doorgedrongen, Mitch?' vroeg Jennings terwijl hij voor zichzelf en voor Payton een borrel inschonk aan een bar die was ingebouwd in de linkermuur van het Ovalen Kantoor.
'Laat ik het zo zeggen,' antwoordde de directeur van Speciale Projecten. 'Als ik binnen een paar tellen die whisky niet krijg begin ik weer helemaal te bibberen.'
De president grijnsde zijn beroemde grijns terwijl hij Payton bij het raam zijn glas aanreikte. 'Niet slecht voor een vent die naar men zegt het IQ heeft van een telefoonpaal, hè?'
'Het was een indrukwekkend optreden, meneer.'
'En veel meer kan dit ambt niet doen, vrees ik.'
'Zo bedoelde ik het niet, meneer de president.'
'Natuurlijk bedoelde je het zo wel en je hebt gelijk. Daarom heeft de koning, met of zonder kleren aan, een sterke eerste minister nodig die op zijn beurt zijn eigen koninklijke familie creëert – van beide partijen, overigens.'
'Pardon?'
'Kendrick. Ik wil hem als kandidaat.'
'Dan vrees ik dat u hem moet overhalen. Volgens mijn nicht – ik noem haar mijn nicht maar dat is ze in werkelijkheid niet...'
'Ik weet er alles van en ook alles over haar,' viel Jennings hem in de rede. 'Wat zegt zij ervan?'
'Dat Evan zich heel goed bewust is van wat er gebeurd is – wat er nog gebeurt – maar dat hij nog geen beslissing heeft genomen. Zijn beste vriend, Emmanuel Weingrass, is heel erg ziek en zal niet lang meer leven.'
'Dat weet ik ook. Je hebt zijn naam niet gebruikt, maar hij staat wel in het rapport, weet je nog?'
'Och, sorry. Ik heb de laatste tijd niet erg veel geslapen. Ik vergeet dingen. Hoe dan ook, Kendrick staat erop terug te keren naar Oman en ik kan hem daar niet vanaf brengen. Hij is gebiologeerd door die wapenhandelaar Abdel Hamendi. Hij ge-

looft volkomen terecht dat Hamendi minstens tachtig procent van alle wapens in het Midden-Oosten en Zuidwest-Azië verkoopt, en zo zijn geliefde Arabische landen vernietigt. Op zijn manier is hij net een moderne Lawrence die probeert zijn vrienden te redden van internationale minachting en uiteindelijke vergetelheid.'
'Wat denkt hij eigenlijk klaar te kunnen spelen?'
'Van wat hij me heeft verteld is het hoofdzakelijk een oplichterstruc. Ik geloof niet dat het hem al helder voor ogen staat, maar het doel is hem wel duidelijk. Hij wil Hamendi ontmaskeren voor wat hij is: een man die miljoenen en miljoenen verdient door het verkopen van de dood aan iedereen die daarvoor in de markt is.'
'Waarom denkt Evan dat het Hamendi een lor kan schelen hoe zijn kopers over hem denken? Hij doet in wapens, hij verkoopt geen bijbels.'
'Dat zou hem wel kunnen schelen als meer dan de helft van de wapens die hij heeft verkocht niet werken, als de explosieven niet ontploffen en de geweren niet schieten.'
'Goeie gód,' fluisterde de president. Hij draaide zich langzaam om en liep terug naar zijn bureau. Hij ging zitten, zette zijn glas op de onderlegger en keek zwijgend naar de muur tegenover hem. Ten slotte draaide hij zich om in zijn stoel en keek op naar Payton die bij het raam stond. 'Laat hem gaan, Mitch. Hij zou het ons geen van beiden ooit vergeven als we hem tegenhielden. Geef hem alles wat hij nodig heeft, maar zorg er verdomd goed voor dat hij terugkomt. Ik wil hem terughebben. Het land heeft hem nodig.'

Aan de andere kant van de wereld dreven vanuit de Perzische Golf slierten mist landinwaarts, bedekten de Tujjar Road in Bahrein, veroorzaakten omgekeerde halve lichtkringen onder de straatlantaarns en maakten de sterrenhemel daarboven onzichtbaar. Het was precies half vijf in de ochtend toen een zwarte limousine binnenreed in het verlaten havengebied van de slapende stad. Ze stopten voor de glazen deuren van het gebouw dat bekend stond als het Sahalhuddin, nog pas zestien maanden geleden het vorstelijk hoofdkwartier van het menselijke monster dat zich de Mahdi noemde. Twee Arabieren in lange gewaden stapten via de achterportieren uit het imposante voertuig en liepen de lichtkring in van vage tl-lampen die de in-

gang verlichtten; de limousine reed geruisloos weg. De grootste van de twee mannen tikte zacht op het glas; binnen keek de bewaker aan de receptiebalie op zijn polshorloge, stond op en liep snel naar de deur. Hij ontsloot die en boog voor de bezoekers op dit ongewone uur.
'Alles is in gereedheid, hoge heren,' zei hij met een stem die aanvankelijk niet boven een gefluister uitkwam. 'De bewakers buiten zijn vroeg naar huis gestuurd; de ochtendploeg komt om zes uur.'
'We zullen minder dan de helft van die tijd nodig hebben,' zei de jongere, kleinere bezoeker, kennelijk de leider. 'Heeft uw goedbetaalde bereidwilligheid er ook voor gezorgd dat er boven een deur open is?'
'Zeer zeker, hoge heer.'
'En er is maar één lift in gebruik?' vroeg de oudere, langere Arabier.
'Jawel, meneer.'
'Die zullen we boven afsluiten.' De kleinere man liep naar de liften rechts van hem en zijn metgezel haalde hem onmiddellijk in. 'Als ik het juist heb,' vervolgde hij, hardop sprekend, 'moeten we de laatste trap naar boven oplopen, nietwaar?'
'Jawel, hoge heer. Alle alarminstallaties zijn buiten werking gesteld en het vertrek is exact teruggebracht in de oude staat... nog vóór die afschuwelijke morgen. Verder is, zoals u hebt opgedragen, het voorwerp dat u nodig hebt naar boven gebracht; het lag in de kelders. U weet waarschijnlijk, meneer, dat de autoriteiten het hele vertrek zowat hebben afgebroken, en het toen vele maanden lang hebben verzegeld. We begrepen niet waarom, hoge heer.'
'U hoefde het ook niet te begrijpen. Wilt u ons waarschuwen als iemand binnen wil komen of zelfs maar de deuren van het gebouw nadert?'
'Met haviksogen, meneer!'
'Je kunt beter de telefoon gebruiken.' De twee mannen kwamen aan de liften en de lange ondergeschikte drukte op de knop. 'Is die man bekwaam?' vroeg de kleinere Arabier toen de motor begon te zoemen en de lift opsteeg.
'Hij doet wat hem wordt opgedragen en wat hem is opgedragen is niet gecompliceerd. ...Waarom was het kantoor van de Mahdi maandenlang verzegeld?'
'Omdat de autoriteiten op zoek waren naar mensen zoals wij,

wachtten op mannen zoals wij.'
'Ze hebben het vertrek haast afgebroken...?' zei de ondergeschikte op aarzelende vragende toon.
'Net als wij wisten ze niet waar ze moesten zoeken.' De lift remde af, stopte en de deuren gleden open. De twee bezoekers versnelden hun pas en liepen naar de trap die voerde naar de verdieping van de Mahdi en naar zijn vroegere 'tempel'. Ze kwamen aan de deur naar het kantoor en de kleinere man bleef even staan met zijn hand op de kruk. 'Ik heb meer dan een jaar gewacht op dit moment,' zei hij diep ademend. 'Nu het zover is, sta ik te trillen.'
In het enorme, vreemd moskee-achtige vertrek met zijn hoge gekoepelde plafond met felgekleurde mozaïektegels, bleven de twee indringers zwijgend staan, alsof ze de aanwezigheid voelden van een ontzagwekkende geest. Het weinige meubilair van donker gepolijst hout stond op zijn plaats als oude standbeelden van meedogenloze soldaten die de binnenste tombe bewaakten van een grote farao; het enorme bureau deed denken aan de sarcofaag van een dode, geëerbiedigde heerser. En tegen de rechtermuur, in een felle tegenstelling, stond een modern metalen platform dat meer dan twee meter hoog was en dat via een trap met leuning toegang verschafte tot de top. De grote Arabier sprak.
'Dit zou Allah's rustplaats kunnen zijn – moge Zijn wil geschieden.'
'U hebt de Mahdi niet gekend, mijn onschuldige vriend, in dubbele betekenis,' antwoordde de meerdere van de man. 'Denk maar eens aan de Phrygische Midas. Maar snel nu, we verspillen onze tijd. Duw het platform tot ik u zeg waar het moet staan en klim erop. 'De ondergeschikte liep snel naar het verhoogde podium en keek om naar zijn metgezel. 'Meer naar links,' vervolgde de leider. 'Net voorbij die tweede spleet van het raam.'
'Ik begrijp u niet,' zei de lange man, terwijl hij op de trap stapte en naar boven klom.
'Er zijn vele zaken die u niet begrijpt en er is geen enkele reden waarom dat wel zo zou zijn. Nu telt u vanaf de raampost zes tegels naar links, en dan vijf daarboven.'
'Ja, já... ik moet flink reiken en ik ben niet klein.'
'De Mahdi was veel groter, veel imposanter, maar hij was niet zonder fouten.'

'Pardon?'
'Het doet er niet toe. Druk op de vier hoeken van de tegel, helemaal aan de rand, en duw dan uit alle macht met uw handpalm in het midden. Nú!'
De mozaiektegel sprong letterlijk uit zijn voegen; de lange Arabier had de grootste moeite overeind te blijven zonder te vallen. 'Allah sta me bij!' riep hij uit.
'Eenvoudige zuigkracht die in evenwicht wordt gehouden door gewichten,' zei de kleinere man beneden zonder verdere verklaring. 'Steek nu uw hand erin en haal er de papieren uit; ze moeten bij elkaar zitten.' De ondergeschikte deed wat hem werd bevolen en trok de als een harmonica gevouwen vellen papier naar buiten van een dikke computeruitdraai die door elastieken bijeen werd gehouden. 'Gooi ze me maar toe,' vervolgde de leider, 'en zet de tegel weer precies op de plaats zoals u hem hebt aangetroffen. U moet beginnen met in het midden te drukken.'
De grote Arabier voerde onhandig zijn bevelen uit en klom toen weer van het podium omlaag. Hij liep op zijn meerdere af die een paar vellen van de uitdraai had ontvouwen en ze meer geïnteresseerd stond te bestuderen. 'Was dit de schat waarover u sprak?' vroeg hij zacht.
'Van de Perzische Golf tot aan de westelijke oevers van de Middellandse Zee bestaat er geen grotere,' antwoordde de jongere man en zijn ogen vlogen over het papier. 'De Mahdi hebben ze terechtgesteld, maar wat hij geschapen had konden ze niet vernietigen. Terugtocht was noodzakelijk, verschuilen was vereist – maar geen verdeling. De talloze takken van de onderneming werden niet vernield en zelfs niet aan het licht gebracht. Ze vielen gewoon weer terug op de aarde, klaar om op zekere dag hun eigen stammen voort te brengen.'
'Leest u dat allemaal in die vreemd uitziende papieren?' De meerdere knikte en las verder. 'Wat staat er in Allah's naam in?'
De kleine man keek nieuwsgierig naar zijn langere metgezel. 'Waarom ook niet?' zei hij glimlachend. 'Dit zijn de lijsten van elke man, elke vrouw, elk bedrijf, elke maatschappij en onderneming, elk contact en elke verbinding naar de terroristen die de Mahdi ooit heeft onderhouden. Het zal maanden, misschien een paar jaar duren voordat alles weer aaneen is gesmeed, maar het zal gebeuren. Want u moet weten dat men er-

op wacht. Uiteindelijk had de Mahdi gelijk: dit is ónze wereld. Die zullen we aan niemand afstaan.'
'Het nieuws zal bekend raken, beste vriend!' riep de oudere, langere ondergeschikte. 'Dat zal gebeuren, nietwaar?'
'Heel voorzichtig,' antwoordde de jonge leider. 'We leven in een andere wereld,' voegde hij er raadselachtig aan toe. 'De apparatuur van het verleden is alweer achterhaald.'
'Ik kan u helemaal niet volgen.'
'Ook dat is weer niet nodig.'
'Waar komt u vandáán?' vroeg de verbaasde ondergeschikte. 'We hebben opdracht u te gehoorzamen en we hebben gehoord dat u dingen weet die mensen als ik niet mogen weten. Maar hoe, waar vandáán?'
'Van duizenden mijlen hiervandaan, waar ik me heb voorbereid op dit moment. Laat me nu alleen. Snel. Ga naar beneden en zeg tegen de bewaker dat hij het podium weer in de kelder moet laten opbergen. Daarna geef je de auto die hier in de straat rondrijdt een teken. De chauffeur zal je naar huis brengen; morgen zien we elkaar. Dezelfde tijd, dezelfde plaats.'
'Moge Allah en de Mahdi met u zijn,' zei de lange Arabier. Hij boog en verliet snel het vertrek, de deur achter zich sluitend.
De jongeman keek zijn metgezel na, stak toen zijn hand onder zijn gewaad en haalde een kleine radio te voorschijn. Hij drukte een knop in en sprak. 'Hij komt over twee of drie minuten buiten. Pik hem op en rij met hem naar de rotsen van de zuidelijke kust. Dood hem, trek hem zijn kleren uit en gooi het pistool in zee.'
'Zoals opgedragen,' antwoordde de chauffeur van de limousine enkele straten verder.
De jeugdige leider stak de radio weer tussen de plooien van zijn gewaad en liep plechtig naar het enorme ebbenhouten bureau. Hij zette zijn *ghotra* af, liet die op de grond vallen, liep naar de troonachtige leunstoel en ging er in zitten. Hij trok een grote, brede lade linksonder hem open en haalde er de juwelen afgezette hoofdtooi van de Mahdi uit. Die zette hij op zijn hoofd en sprak zacht tegen het met mozaïek beklede plafond.
'Ik dank u, vader,' zei de erfgenaam met een doctoraal in computerwetenschappen van de Universiteit van Chicago. 'Te worden uitverkoren tussen al uw zonen is zowel een eer als een

uitdaging. Mijn zwakke, blanke moeder zal het nooit begrijpen, maar zoals u mij vaak hebt verteld was zij niet meer dan een werktuig. Maar ik moet u wel zeggen, vader, dat de zaken nu anders liggen. Deze tijd vraagt om sluwheid en doeleinden op lange termijn. We zullen uw methoden gebruiken wanneer dat nodig is – doden vormt voor ons geen probleem – maar we streven nu naar een veel groter deel van de aarde dan u ooit hebt gezocht. We zullen cellen hebben in geheel Europa en het Middellandse-Zeegebied en we zullen communiceren op manieren waaraan u nooit hebt gedacht – in het geheim, via satellieten, zodat afluisteren onmogelijk is. Want ziet u, vader, de wereld behoort niet langer aan het ene ras of het andere. Ze behoort aan de jonge mensen, de sterke mensen en de briljante mensen, en dat zijn wij.'

De nieuwe Mahdi hield op met fluisteren en sloeg zijn ogen neer naar het bureaublad. Spoedig zou hij in handen hebben wat hij nodig had. De machtiger zoon van de machtige Mahdi zou de reis voortzetten.

Wij moeten héérsen.

Overal.

Deel drie

45

Het was de tweeëndertigste dag na de wilde vlucht van het eiland *Passage to China,* en Emmanuel Weingrass liep langzaam de afgesloten veranda binnen in Mesa Verde; maar zijn woorden klonken snel achtereen. 'Waar is de hufter?' vroeg hij.
'Die loopt ergens te joggen,' antwoordde Khalehla die op de sofa haar ochtendkoffie zat te drinken en de krant zat te lezen. 'Misschien zit hij nu al wel ergens in de bergen, wie zal het zeggen?'
'Het is twee uur 's middags in Jeruzalem,' zei Manny.
'En vier uur in Masqat,' voegde Rasjad er aan toe. 'Wat zijn ze daarginds toch allemaal slim.'
'Mijn dochter, de pedante kwast.'
'Ga zitten, kind,' zei Khalehla en ze beklopte het kussen naast haar.
'Als kleuter nog pedanter,' mompelde Weingrass. Hij liep naar haar toe, trok de kleine zuurstofcylinder opzij en liet zich zakken op de sofa. 'De hufter ziet er goed uit,' vervolgde Manny terwijl hij achterover leunde en diep ademde.
'Je zou zeggen dat hij voor de Olympische Spelen aan het trainen is.'
'Nu we het daar toch over hebben, heb je een sigaret?'
'Die mag je eigenlijk niet hebben.'
'Geef dus maar op.'
'Jij bent onmogelijk.' Khalehla stak haar hand in de zak van haar badjas, haalde er een pakje sigaretten uit, schudde er eentje uit en pakte een aardewerk aansteker van het salontafeltje. Ze stak de sigaret van Weingrass aan en herhaalde: 'Je bent echt onmogelijk.'
'En jij bent mijn Arabische moederoverste,' zei Manny en hij inhaleerde alsof hij een kind was dat een verboden derde portie pudding naar binnen sloeberde. 'Hoe staan de zaken in Masqat?'

'Mijn oude vriend de sultan is wat in de war, maar mijn jongere vriendin, zijn vrouw, zal hem wel weer op het spoor zetten. Overigens moet ik je de hartelijke groeten doen van Ahmed.'
'Dat mag ook best. Hij heeft aan mij zijn diploma op Harvard te danken en hij heeft me nooit betaald voor de meiden die ik voor hem heb versierd in Los Angeles.'
'Op een of andere manier heb jij altijd direct de kern van de zaak te pakken. Hoe gaat het met iedereen in Jeruzalem?'
'Nu we het toch over groeten hebben, jij hebt ook de groeten van Ben-Ami.'
'Benny?' riep Rasjad uit en ze ging naar voren zitten. 'Goeie hemel, aan hem heb ik in jaren niet meer gedacht! Draagt hij nog steeds die handgemaakte blauwe spijkerbroeken en heeft hij zijn wapen nog achter op zijn rug?'
'Hij zal dat waarschijnlijk wel altijd doen en de Mossad het dubbele ervoor laten betalen.'
'Hij is een goeie vent en een van de beste agentenbegeleiders die Israël ooit heeft gehad. We hebben samengewerkt in Damascus; hij is klein en een beetje cynisch, maar een goeie vent om naast je te hebben. Hij is eigenlijk spijkerhard.'
'Zoals jouw hufter zou zeggen: "Dat hoef je mij niet te vertellen." Toen we dat hotel in Bahrein omsingelden gaf hij me steeds maar lesjes via de radio.'
'Doet hij met ons mee in Masqat?'
'Hij doet met jou mee, jij helemaal niet zo leuke meid die mij erbuiten heeft gehouden.'
'Toe nou, Manny...'
'Ik weet 't, ik weet 't. Ik ben een blok aan het been.'
'Hoe denk je daar zelf over?'
'Goed dan, ik ben een blok aan het been, maar zelfs blokken worden op de hoogte gehouden.'
'Minstens twee keer per dag. Waar zal Ben-Ami ons ontmoeten? En hoe? Ik kan me niet voorstellen dat de Mossad hieraan wil meewerken.'
'Na die rotzooi in Iran kunnen ze zich nergens meer verstoppen, zeker niet nu de CIA erbij is betrokken en met die banken in Zwitserland. Ben zal een boodschap achterlaten bij de centrale van het paleis voor ene juffrouw Adrienne... mijn idee. Er komt ook nog iemand met hem mee.'
'Wie?'
'Een idioot.'

'Dat helpt. Heeft hij een naam?'
'Ik kende hem alleen als codenaam Blauw.'
'Azra!'
'Nee, dat was de andere.'
'Ik weet het, maar de Israëli doodde Azra, de Arabische Blauw. Evan vertelde me dat hij er misselijk van werd, twee jongens die elkaar zo haatten.'
'Die jongens maken je allemaal misselijk. In plaats van honkbalknuppels dragen ze repeteergeweren en granaten. ...Heeft Payton jullie transport geregeld?'
'Hij heeft het gisteren met ons besproken. Met de luchtmacht naar Frankfort en dan door naar Caïro waar we onderduiken in kleine boten tot Kuweit en Dubai, en het laatste stuk per helikopter. We komen in het donker in Oman aan en landen in de Jabal Sjam waar een van Ahmeds auto's zonder kenteken ons komt afhalen en naar het paleis brengt.'
'Dat is nog eens echt onderduiken,' zei Weingrass en hij knikte geïmponeerd.
'Dat moet het zijn. Evan moet verdwijnen terwijl er geruchten verspreid worden dat hij in Hawaï is gezien en zich zogenaamd verborgen houdt op een landgoed op Maui. De studio is een paar foto's aan het bewerken waar hij opstaat op Hawaï en die worden aan de kranten verstrekt.'
'Mitchells fantasie begint beter te werken.'
'Er is geen betere, Manny.'
'Misschien moet hij wel de baas worden van de CIA.'
'Nee, hij heeft de pest aan administratief werk en hij is een afgrijselijk politicus. Als hij iets of iemand niet mag krijgt de hele wereld het te horen. Hij is beter af waar hij nu zit.'
Het geluid van de voordeur die openging en toen weer dicht had een onmiddellijke uitwerking op Weingrass. *'Oy!'* riep hij uit, stak zijn sigaret in de mond van de verschrikte Khalehla, blies de rook boven hem weg en zwaaide met zijn handen om het bewijsmateriaal naar Rasjad te wuiven. 'Stoute *sjikse!*' fluisterde hij. 'Om te roken waar ik bij ben!'
'Onmógelijk,' zei Khalehla zacht. Ze haalde de sigaret uit haar mond en duwde die uit in een asbak toen Kendrick door de woonkamer de verande inliep.
'Ze zou nóóit zo dicht bij jou roken,' zei Evan vermanend, gekleed in een blauw trainingspak. Het zweet droop hem van het gezicht.

'Heb je nu ook al de oren van een Dobermann?'
'En jij hebt de hersens van een snoek aan de haak.'
'Hele slimme vis.'
'Het spijt me,' zei Rasjad rustig. 'Hij kan afschuwelijk veeleisend zijn.'
'Dat moet je mij vertellen.'
'Wat heb ik je net gezegd?' schreeuwde Weingrass. 'Dat zegt hij nou altijd. Het is het teken van een zeer ontwikkeld, misplaatst meerderwaardigheidscomplex en het is heel irritant voor de echt superieure intellecten. Heb je lekker gelopen, hufter?'
Kendrick glimlachte en liep naar de bar waarop een kan met sinaasappelsap stond. 'Ik zit nu op een half uur, stevig tempo,' antwoordde hij en schonk zich een glas sap in.
'Dat is heel mooi als je het paard van een cowboy bent bij het bijeendrijven van koeien.'
'Zoiets zegt hij nou altijd,' protesteerde Kendrick. 'Het is echt irritant.'
'Moet je mij vertellen,' antwoordde Khalehla en ze nam een slok koffie.
'Nog telefoontjes?' vroeg Evan.
'Het is net zeven uur geweest, schat.'
'Niet in Zürich. Daar is het over enen in de middag. Ik heb met hem gesproken voordat ik ging joggen.'
'Met wie gesproken?' vroeg Rasjad.
'Voornamelijk met de directeur van de Gemeinschaft Bank. Mitch heeft hem de stuipen op het lijf gejaagd met de informatie die we hebben en hij probeert mee te werken. Wacht 's even. Heeft iemand naar de telex in de werkkamer gekeken?'
'Nee, maar ik heb dat verdomde ding wel als een razende horen klik-klakken zowat twintig minuten geleden,' zei Weingrass.
Kendrick zette zijn glas neer, draaide zich om en liep snel de veranda uit, door de woonkamer naar een deur verderop in de stenen gang. Khalehla en Manny keken hem na, keken toen elkaar aan en haalden de schouders op. Binnen enkele tellen was de afgevaardigde terug met een vel telexpapier in zijn hand, zijn ogen flonkerend van opwinding. 'Het is hun gelukt!' riep hij uit.
'Wie is er wat gelukt?' vroeg Weingrass.
'De bank. Weet je nog die kredietfaciliteiten voor vijftig miljoen die Grinell en zijn dievenbende in Californië voor me ge-

regeld hebben om me uit te kopen?'
'Mijn hémel,' riep Khalehla uit. 'Die hebben ze toch zeker niet laten staan!'
'Natuurlijk niet. Ze werden geannuleerd op de dag dat Grinell van het eiland kwam.'
'En dus?' vroeg Manny.
'In deze tijd van gecompliceerde communicatie, maakt de computer nu en dan wel eens een foutje en er is net een kanjer van een fout gemaakt. Het ligt nergens vast dat de annulering ontvangen is. Het krediet is nog geldig; het is alleen overgeheveld naar een zusterbank in Bern met een nieuw, gecodeerd rekeningnummer. Het staat er allemaal in.'
'Ze zullen nooit betalen!' zei Weingrass met overtuiging.
'Het zal tegen hun reserves worden geboekt en die zijn tien keer zoveel als vijftig miljoen.'
'Ze zullen zich ertegen verzétten, Evan,' zei Khalehla, even nadrukkelijk als de oude man.
'En zichzelf te kijk zetten in Zwitserse rechtbanken? Dat betwijfel ik eigenlijk.'

De Cobra-helikopter zonder kentekens vloog met een flapperend geluid boven de woestijn op een hoogte van minder dan honderdzeventig meter. Evan en Khalehla, beiden uitgeput na bijna zesentwintig uur vliegen en dan nu haastig hun geheime verdere vervoer op de grond opzoekend, zaten naast elkaar met Rasjads hoofd op Kendricks schouder en zijn hoofd knikkend op zijn borst; beiden sliepen ze. Een man in een kaki overall met riem en zonder onderscheidingstekens kwam van de cockpit uit de cabine inlopen. In het schemerige licht schudde hij Evan bij de arm.
'We zijn er over een kwartier, meneer.'
'O?' Kendrick hief met een ruk zijn hoofd op, knipperde met zijn ogen en trok ze wijd open om de slaap kwijt te raken. 'Bedankt. Ik zal mijn vriendin wakker maken; die hebben altijd van alles te doen voordat ze ergens aankomen, nietwaar?'
'Deze "die" niet,' zei Khalehla hardop zonder zich te bewegen. 'Ik slaap tot het allerlaatste moment.'
'Nou, da's dan jammer, maar ik niet. Dat kan ik niet. Ik moet nodig.'
'Mannen,' zei de agente uit Caïro en ze haalde haar hoofd van zijn schouder en ging verzitten naar de andere kant van de

bank, met haar rug tegen de wand. 'Kunnen zich nooit beheersen.'
'Ik kom over veertien minuten terug,' zei de luchtmachtpiloot zacht lachend.
Er gingen zestien minuten voorbij en toen klonk de stem van de piloot over de intercom. 'Fakkel gezien recht vooruit. Gaarne veiligheidsriemen vast voor de landing.' De helikopter verminderde vaart en bleef zweven boven de grond, waar de zoeklichten van twee auto's tegenover elkaar de plaats van het signaallicht hadden ingenomen. De heli zakte langzaam tot op de grond. 'Wilt u zo vlug mogelijk het toestel verlaten,' vervolgde de piloot. 'We moeten hier snél wegwezen, als u begrijpt wat ik bedoel.'
Ze stonden via het metalen trapje nog niet op de grond of de Cobra rees met een bulderend lawaai van zijn rotors weer omhoog naar de nachtelijke hemel; het toestel draaide, stotterend in het maanlicht, joeg het beetje zand dat er lag op en verdween in noordelijke richting, snel accelererend terwijl het geluid in de verte steeds zwakker werd. In het felle licht van de koplampen kwam de jonge sultan van Oman aanlopen. Hij droeg een lange sportbroek en een openstaand wit hemd in plaats van het T-shirt van de New England Patriots dat hij aanhad die eerste nacht toen hij Evan in de woestijn had ontmoet, zestien maanden geleden.
'Mag ik eerst wat zeggen, goed?' zei hij toen Kendrick en Rasjad dichterbij kwamen.
'Oké,' antwoordde Kendrick.
'Eerste reacties kunnen nooit erg slim zijn, klopt?'
'Klopt,' stemde Evan in.
'Maar ik word wel verondersteld slim te zijn, nietwaar?'
'Ja.'
'Maar stug volhouden is het produkt van een bekrompen geest, nietwaar?'
'Binnen redelijke grenzen.'
'Geen verzachtende omstandigheden, alsjeblieft.'
'Zolang jij niet de advocaat uithangt. De enige balie die je ooit hebt gehaald was met Manny in Los Angeles.'
'Die schijnheilige Israëlische idioot...'
'Je zei tenminste geen jood.'
'Dat zou ik nooit doen. Ik ben daar al evenmin dol op als op de benadering "vuile Arabier". ...Hoe dan ook, ik heb met

Manny in L.A. heel wat balies gehaald, maar meestal hingen we erop met een glas vóór ons.'
'Wat wil je eigenlijk zeggen, Ahmed?'
De jonge heerser haalde diep adem en sprak snel. 'Ik ken nu het hele verhaal en ik voel me als een verdomde idioot.'
'Het héle verhaal?'
'Alles. Die lui van Inver Brass, Bollingers bandieten van wapenfabrikanten, die rotzak van een Hamendi die mijn koninklijke broeders in Saudi-Arabië kapot hadden moeten schieten meteen toen ze hem in handen hadden... de hele santekraam. En ik had moeten weten dat jij nooit zou doen wat ik dacht dat je had gedaan. "Commando Kendrick" tegen die klote Arabieren, dat ben jij niet, dat ben je nooit gewéést. Het spijt me, Evan.' Ahmed stapte naar voren en omhelsde het congreslid uit het Negende District van Colorado.
'Jullie maken me nog aan het huilen,' zei Khalehla die glimlachte om wat ze voor zich zag gebeuren.
'Jij, jij tijgerin uit Caïro!' riep de sultan uit. Hij liet Kendrick los en nam Rasjad in zijn armen. 'Het was een meisje, had je dat gehoord? Half Amerikaans, half Omaans. Klinkt je dat niet bekend?'
'Ik weet het. Ik mocht geen contact met je opnemen...'
'Dat hebben we begrepen.'
'Maar ik was echt ontroerd. Ze heet Khalehla.'
'Als jij er niet was geweest, Khalehla Eén, dan zou er ook geen Khalehla Twee zijn geweest. Kom op, we gaan.' Toen ze naar Ahmeds limousine liepen keerde de sultan zich om naar Evan. 'Je ziet er behoorlijk fit uit voor iemand die zoveel heeft meegemaakt.'
'Ik genees snel voor een oude man,' zei Kendrick. 'Vertel me eens, Ahmed. Van wie heb je het hele verhaal gehoord, de "hele santekraam?".'
'Van een man die Payton heet, Mitchell Payton, CIA. Jullie president Jennings belde me en zei me dat ik een telefoontje kon verwachten van die Payton en of ik het alsjeblieft wilde aannemen; het was dringend. Zeg, die Jennings is een verdomd aardige vent, vind je niet? Al weet ik niet zeker of hij alles wel wist wat Payton me vertelde.'
'Waarom zeg je dat?'
'Ik weet het niet, ik had zo dat gevoel.' De jonge sultan stond naast de auto en keek Evan aan. 'Als je deze stunt voor elkaar

krijgt, beste vriend, dan zul je meer voor het Midden-Oosten doen en voor ons in de Perzische Golf, dan alle diplomaten in tien Verenigde Naties.'
'We gaan het voor elkaar krijgen. Maar alleen met jouw hulp.'
'Die hulp heb je.'

Ben-Ami en codenaam Blauw liepen door de smalle straat de Al Kabir bazaar in en zochten het buitencafé waar ze avondkoffie serveerden. Ze gingen gekleed in keurige, donkere pakken, zoals paste bij hun visa voor Bahrein waarop stond dat ze functionarissen waren van de Bank of England in Manamah. Ze zagen het café op het trottoir, zochten zich een weg door de mensenmassa en de kraampjes en gingen aan het lege tafeltje zitten het dichtst bij de straat, zoals hun was opgedragen. Drie minuten later voegde zich een lange man bij hen in een wit gewaad en met een Arabische hoofdtooi.
'Hebben jullie koffie besteld?' vroeg Kendrick.
'Er is nog niemand geweest,' antwoordde Ben-Ami. 'Het is druk vanavond. Hoe gaat het met u, afgevaardigde?'
'Laten we het maar op Evan houden, of nog beter, op Amal. Ik zit hier en dat is eigenlijk voldoende antwoord op je vraag.'
'En Weingrass?'
'Niet zo best, vrees ik. Hallo, Blauw?'
'Hallo,' zei de jongeman en hij staarde Kendrick aan.
'Je ziet er erg zakelijk uit, heel onmilitair in die kleren. Ik geloof niet dat ik je zou herkennen als ik niet wist dat je hier zou zijn.'
'Ik ben geen soldaat meer. Ik moest weg uit de Brigade.'
'Ze zullen je missen.'
'Ik mis het ook, maar mijn wonden zijn niet goed geheeld – een paar pezen heb ik gehoord. Azra was een goede vechtersbaas, een goede commando.'
'Nog steeds de haat?'
'Er klinkt geen haat uit mijn stem. Woede natuurlijk, over vele zaken, maar geen haat voor de man die ik moest doden.'
'Wat doe je nu?'
'Ik werk voor de regering.'
'Hij werkt voor ons,' viel Ben-Ami hem in de rede. 'Voor de Mossad.'
'Nu we het daar toch over hebben, Ahmed laat zich verontschuldigen dat hij jullie niet op het paleis kan laten komen...'

‘Is hij helemaal bedonderd? Dat heeft hij nou net nodig, een stelletje lui van de Mossad in zijn huis. Het zou ons ook niet veel goed doen als ze daar achter kwamen.’
‘Hoeveel heeft Manny jullie verteld?’
‘Met die grote bek van hem kun je beter vragen wat hij niet heeft verteld. Hij heeft ook nog gebeld nadat jij al uit Amerika weg was met meer informatie die Blauw kon gebruiken.’
‘Hoezo, Blauw? Overigens, heb je misschien een andere naam?’
‘Met alle respect, meneer, niet voor een Amerikaan. Vanwege ons beiden.’
‘Goed, dat accepteer ik. Wat zei Manny wat je kon gebruiken, en hoe?’
De jongeman boog zich over het tafeltje; hun hoofden waren dicht bij elkaar. ‘Hij gaf ons het getal van vijftig miljoen...’
‘En briljant idee!’ riep Ben-Ami. ‘En ik geloof er geen snars van dat het Manny’s plan was.’
‘Wat...? Nou ja, het had van hem kunnen zijn. De bank had eigenlijk geen enkele keus. Washington heeft hen flink onder druk gezet. Hoe zit het met die vijftig miljoen?’
‘Zuid-Jemen,’ antwoordde Blauw.
‘Ik begrijp het niet.’
‘Vijftig miljoen is een heel groot bedrag,’ zei de vroegere leider van de Masada-brigade, ‘maar er zijn grotere bedragen, zeer cumulatief gezien. Iran, Irak, enzovoort. We moeten dus het beschikbare bedrag aanpassen aan de mensen. Daarom Zuid-Jemen. Het is terroristisch en arm, maar het ligt ver weg en is bijna ontoegankelijk, zoals het daar tussen de Golf van Aden en de Rode Zee geklemd ligt. Daardoor is het strategisch belangrijk voor andere terroristische organisaties die worden ondersteund door veel rijkere weldoeners. Ze zijn voortdurend op zoek naar land, naar oefenterreinen om hun mensen te trainen en hun vergif te verspreiden. De Baaka wordt onophoudelijk geïnfiltreerd en niemand heeft graag met Gadafi te maken. Die is gek en kan niet worden vertrouwd en hij kan elke week van zijn troon worden gestoten.’
‘Ik moet je erbij zeggen,’ viel Ben-Ami weer in de rede, ‘dat Blauw zich heeft ontwikkeld als een van onze betere deskundigen op het gebied van contra-terrorisme.’
‘Dat begin ik te begrijpen. Ga door, jongeman.’
‘U bent niet veel ouder dan ik.’
‘Niet meer dan een jaar of twintig. Ga door.’

'Het is uw plan, voor zover ik heb begrepen, wapens van Hamendi's leverancier uit heel Europa en Amerika per luchtvracht via Masqat te laten vervoeren, waar zogenaamde corrupte ambtenaren hun ogen sluiten en ze verder laten vliegen naar Libanon en de Baaka Vallei. Klopt dat?'
'Ja, en wanneer elk vrachttoestel is geland wordt de schade aangericht door bewakers van de sultan die zich voordoen als Palestijnen. Ze controleren de voorraden waarvoor ze Hamendi hebben betaald terwijl de bemanningen in quarantaine zijn. In elk toestel zitten zo'n zestig tot zeventig kisten, die zullen worden opengebroken door ploegen van tien man per toestel en ze zullen worden volgegoten met een bijtend zuur. Het hele proces zal niet meer dan vijftien tot twintig minuten duren per vliegtuig; die tijdperiode is realistisch en we hebben de hele zaak in handen. Het garnizoen van Masqat zal het hele terrein afzetten en alleen onze eigen mensen zullen worden toegelaten.'
'Een goed plan,' zei Blauw, 'maar volgens mij zou de procedure ook wel eens te haastig en te riskant kunnen zijn. Piloten laten hun toestellen niet graag alleen in dit deel van de wereld en de bemanningen bestaan voor een groot deel uit geteisem met spierballen en zonder verstand. Die zullen rotzooi gaan trappen wanneer ze door vreemdelingen op hun nek worden gezeten; ze ruiken ambtenarij, gelooft u mij maar. Waarom zouden we niet liever de meest prominente leiders in de Baaka Vallei overhalen naar Zuid-Jemen te gaan met hun meest geharde manschappen. Noem het een nieuwe tijdelijke beweging die wordt gefinancierd door de vijanden van Israël, waarvan er genoeg te vinden zijn. Zeg hun dat er een eerste vijftig miljoen beschikbaar is in wapens en uitrusting voor extra training en ook om hun stormtroepen naar Gaza en de Golan Hoogten te sturen – en dat er meer zal worden geleverd als dat nodig is. Voor die fanatiekelingen zal zoiets onweerstaanbaar zijn. En in plaats van vele luchtvrachtzendingen, één schip, dat in Bahrein wordt geladen, hier de Golf invaart en langs de kust naar het zuiden stoomt op weg naar de haven van Nisjtun in Zuid-Jemen.'
'Waar er iets zal gebeuren?' opperde Kendrick.
'Ik zou zeggen in het zeegebied ten westen van Ra's al Hadd.'
'Wát gaat er gebeuren?'
'Piraten,' antwoordde Blauw en er speelde een glimlachje om

zijn lippen. 'Zogauw die de baas zijn op het schip zouden ze twee dagen hebben op zee om veel geraffineerder en gedegener datgene te doen wat ze anders zouden moeten doen terwijl ze rondrennen op het vrachtterrein van een vliegveld waar Hamendi ook nog eens zijn eigen mensen zou kunnen neerzetten.'
Er kwam een zwaar geplaagde kelner bij hen die zich jammerend verontschuldigde en de mensenmassa vervloekte. Ben-Ami bestelde kardemomkoffie terwijl Kendrick de jonge Israëlische contra-terrorist aankeek. 'Je zegt "zogauw ze de baas zijn",' zei Evan, 'maar stel dat dat niet gebeurt? Stel dat er iets fout gaat... zoals bij voorbeeld dat onze kapers het schip niet kunnen overmeesteren, of dat er maar één bericht per radio naar Bahrein wordt gezonden – maar één woord: "Piraten." Dan heb je niets in handen. De onbeschadigde wapens komen erdoor en Hamendi loopt als vrij man weg met nog meer miljoenen in zijn zak. We zouden te veel riskeren voor te weinig.'
'U riskeert veel meer op het vliegveld in Masqat,' argumenteerde Blauw en nadrukkelijk fluisterend. 'U móet naar me luisteren. U bent hier anderhalf jaar geleden maar een paar dagen geweest, daarvóór in jaren niet meer. U weet niet hoe het tegenwoordig toegaat op de vliegvelden. Het is daar één moeras van corruptie geworden! Wie brengt er wat binnen? Wie is er daar omgekocht en hoe kan ik hem afpersen? Waarom wordt de procedure veranderd? Zég het me, mijn Arabische *astiga,* of mijn goede Hebreeuwse *Freund!* Een moeras is het! Niets ontgaat de jakhalzen die uit zijn op geld, en er wordt geld betaald voor dat soort inlichtingen. Een schip op zee overmeesteren is het kleinste risico met het grootste voordeel, geloof me nu maar.'
'Je klinkt overtuigend.'
'Hij heeft gelijk,' zei Ben-Ami toen de koffie kwam. *'Sjukren,'* zei de Mossad-agentenbegeleider. Hij bedankte de kelner en betaalde hem en die rende alweer naar een volgende tafel. 'Jij moet natuurlijk uiteindelijk beslissen, Amal Bahrudi.'
'Hoe komen we aan die piraten?' vroeg Evan. 'Als ze al gevonden kunnen worden en áls ze geaccepteerd kunnen worden?'
'Omdat ik overtuigd was van mijn plan,' antwoordde Blauw, met zijn ogen strak gericht op Kendricks gezicht dat in en uit de schaduwen opdook, veroorzaakt door de voorbijlopende mensen, 'heb ik de mogelijkheid van zo'n opdracht besproken

met mijn vroegere vrienden in de Masada. Ik had meer vrijwilligers dan ik kon tellen. Zoals u de Mahdi verachtte, zo kotsen wij van Abdel Hamendi, die de kogels levert waarmee onze mensen worden gedood. Ik heb zes man uitgekozen.'
'Maar zés?'
'Dit moet niet uitsluitend een Israëlische operatie zijn. Ik heb contact gelegd met zes anderen die ik kende op de Westoever. Palestijnen die al even misselijk zijn van de Hamendi's van deze wereld als ik. Samen zullen we een eenheid vormen, maar dat is nog niet genoeg. We hebben er nog zes nodig.'
'Waarvandaan?'
'Van het Arabische gastland dat willens en wetens de rug van Abdel Hamendi gaat breken. Kan uw sultan die leveren uit zijn lijfwacht?'
'De meesten zijn familieleden van hem, neven geloof ik.'
'Dat scheelt.'

'Het illegaal inkopen van wapens op de internationale markt is een betrekkelijk eenvoudige procedure en dat is de reden waarom betrekkelijk eenvoudige mensen van Washington tot Beirut de kunst kunnen leren. Er zijn in de grond genomen drie vereisten. De eerste is directe toegang tot geheime geldbronnen die ook geheim moeten blijven. De tweede is de naam van een tussenpersoon, die gewoonlijk wordt verschaft tijdens een lunch – niet via de telefoon – door een belangrijk functionaris van een bedrijf dat wapens produceert of een lid van een inlichtingenorganisatie dat kan worden omgekocht. Die tussenpersoon moet in staat zijn de belangrijkste bemiddelaar te bereiken, de man die de bestelling samenstelt en het bewerken van de attesten voor de uiteindelijke gebruikers coördineert. Dit aspect houdt in Amerika alleen maar in dat er exportvergunningen worden verleend voor wapens op weg naar bevriende naties; onderweg krijgen ze een andere bestemming. De derde vereiste zou de gemakkelijkste moeten zijn maar het is meestal de lastigste vanwege de buitengewone verscheidenheid en complexiteit van de koopwaar. Het is het samenstellen van de lijst van wapens en hulpuitrusting, bestemd voor de koop. Kennelijk kunnen geen vijf kopers het eens worden over de dodelijke capaciteiten en de doeltreffendheid van een verzameling wapens, en er zijn heel wat levens verloren gegaan tijdens de verhitte debatten over dit soort beslissingen,

waarbij de kopers vaak hysterisch worden.
Daarom kwamen de organisatietalenten van de jonge Blauw zo goed van pas voor wat betreft de tijd en het specifieke karakter van de samenstelling. De Mossad-agenten in de Baaka Vallei stuurden een lijst van koopwaar die op het moment het meest was gevraagd, met inbegrip van de normale kisten met automatische wapens, handgranaten, explosieven met tijdontsteking, zwarte PVC-landingsboten, voorraden die nodig waren voor het van afstand opblazen van onderwatertanks, en diverse uitrustingstukken voor training en aanvalsactiviteiten, zoals enterhaken, zware touwen en touwladders, infraroodkijkers, elektronische mortieren, vlammenwerpers en raketten tegen aanvallen vanuit de lucht. Het was een imposante lijst waarvoor zowat achttien miljoen nodig was van de geschatte zesentwintig miljoen die men voor vijftig miljoen Amerikaanse dollars van een wapenhandelaar kon kopen – waarbij de op- en neergaande wisselkoersen altijd in het voordeel uitvielen van de handelaar. Daarom voegde Blauw er drie kleine Chinese tanks aan toe onder de technische noemer van 'plaatselijke verdediging' en de lijst was compleet – niet alleen compleet, maar volkomen geloofwaardig.
De onbekende, naamloze tussenpersoon die nooit als zodanig herkend mocht worden, namelijk een zekere Ben-Ami, die nu gekleed ging in zijn favoriete, op maat gemaakte blauwe spijkerbroek, opereerde vanuit het beveiligde huis van de Mossad naast het Engelse kerkhof in de Jabal Sa'ali. Tot zijn grote woede was de bemiddelaar voor Abdel Hamendi een Israëli in Bet Sjemesj. Hij verborg zijn walging en onderhandelde over de enorme aankoop, maar in zijn achterhoofd wist hij dat er in Bet Sjemesj een dode zou vallen indien ze het allemaal overleefden.
De twee commandoploegen kwamen de een na de ander aan, in het donker in de woestijn van Jabal Sjam boven fakkels die de twee helikopters naar hun landingsplaats leidden. De sultan van Oman begroette de vrijwilligers en stelde hen voor aan hun kameraden, zes uiterst ervaren gardisten van het garnizoen in Masqat. Achttien mannen – Palestijnen, Israëli's en Omani's – gaven elkaar de hand voor hun gemeenschappelijk doel. Dood aan de handelaar des doods.
De training begon de volgende morgen achter de zandbanken van Al Asjkarah in de Arabische Zee.
Dood aan de handelaar des doods.

Adrienne Khalelhla Rasjad kwam Ahmeds kantoor binnenlopen met de peuter Khalehla in haar armen. Naast haar liep de moeder van het kind, Roberta Yamenni, uit New Bedford, Massachusetts, bekend bij de elite van Oman als Bobbie. 'Wat is ze knap!' riep de agente uit Caïro uit.
'Dat moest ze wel zijn,' zei de vader vanachter het bureau met Evan Kendrick naast zich in een stoel. 'Ze heeft een naam hoog te houden.'
'Och, onzin.'
'Niet voor zover ik kan zien,' zei het Amerikaanse congreslid.
'Jij bent een seksmaniak.'
'Ik ga vanavond ook weg.'
'Net als ik,' voegde de sultan van Oman eraan toe.
'Dat kun je niet...'
'Dat kun je niet máken!' Beide hoge vrouwenstemmen klonken tegelijk. 'Wat denk je, verdómme, wel dat je gaat uitspoken?' gilde de vrouw van de sultan.
'Wat ik wil gaan uitspoken,' antwoordde Ahmed rustig. 'Op dit gebied van Koninklijk Prerogatief hoef ik met niemand te overleggen.'
'Dat is gelúl!' riep de echtgenote en moeder uit.
'Dat weet ik, maar het werkt wel.'

De training was na zeven dagen voltooid en op de achtste dag gingen tweeëntwintig passagiers aan boord van een treiler die voor de kust van Ra's al Hadd lag. Hun uitrustingen werden verstouwd achter de verschansing. Op de negende dag, toen de zon onderging in de Arabische Zee, werd het vrachtschip uit Bahrein gezien op de radar. Toen het donker was zette de treiler koers naar de coördinaten waar het schip onderschept zou worden.
Dood aan de handelaar des doods.

46

Het vrachtschip was een deinend gevaarte op de golven van de donkere zee met een boeg die oprees en daalde als een wreed roofdier, geconcentreerd op zijn maaltijd. De treiler uit Ra's al Hadd bleef liggen in het water van een halve mijl aan stuurboord van het naderende vaartuig. De twee grote PVC-red-

dingsboten werden overboord gezet, de eerste met twaalf mannen, de andere met tien mannen en een vrouw. Khalehla Rasjad zat tussen Evan Kendrick en de jonge sultan van Oman. Allen waren gekleed in duikerpakken, hun donker gemaakte gezichten nauwelijks zichtbaar binnen de plooien van het nauwsluitende rubber. Behalve de canvas rugzakken die ze op hun rug droegen en de in waterdichte hoezen gebonden wapens aan hun riem, droeg ieder grote ronde zuignappen die met riemen aan armen en knieën waren bevestigd. De twee boten stampten en slingerden naast elkaar in de donkere zee terwijl het vrachtschip dichterbij kwam. Toen de grote donkere muur van het vaartuig boven hen uittorende voeren de reddingsboten langszij waarbij het geluid van de zacht ronkende motoren werd overstemd door de klotsende golven. Een voor een hechtten de 'piraten' hun nappen tegen de romp en ieder controleerde zijn metgezel links van hem om zich ervan te verzekeren dat hij goed vastzat. Iedereen was klaar.
Langzaam, als mieren die tegen een smerige vuilnisbak opklommen werkte de ploeg uit Oman zich omhoog naar de bovenkant van de romp, naar de verschansing waar de zuignappen werden losgemaakt en in zee gegooid.
'Alles goed met je?' fluisterde Khalehla naast Evan.
'Góed?' protesteerde Kendrick. 'Mijn armen hangen zowat uit de kom en ik heb het gevoel dat mijn benen nog ergens beneden in het water hangen, en ik ben niet van plan omlaag te kijken.'
'Goed, dan is alles in orde met je.'
'Doe jij dit soort dingen voor je boterham?'
'Niet zo vaak,' zei de agente uit Caïro. 'Van de andere kant heb ik wel erger meegemaakt.'
'Jullie zijn allemaal maniakken.'
'Ik ben geen complex vol terroristen binnengegaan. Ik bedoel maar, dat is nou écht geschift.'
'Sssstt!' beval Ahmed Yamenni, sultan van Oman, rechts van Rasjad. 'De jongens gaan aan boord. Stil zijn.'
De Palestijnen stelden de halfslapende wachtlieden buiten gevecht in de boeg, midscheeps en op het achterschip, terwijl de Israëli's tegen de valrepen op naar een bovendek renden en vijf zeelui gevangen namen die wijn zaten te drinken tegen de scheepswand. Volgens afspraak, omdat ze in de territoriale wateren van de Golf van Oman waren, bestormden de Omani's

de brug en deelden de kapitein formeel mee dat ze het commando over het schip hadden overgenomen volgens koninklijk decreet en dat de huidige koers moest worden aangehouden. De bemanning werd bijeengedreven en gecontroleerd op wapens; al hun messen en pistolen werden hen afgenomen. Ze werden in hun hutten opgesloten en een Omani, een Palestijn en een Israëli bewaakten hen om beurten. De kapitein, een naargeestige fatalist met een stoppelbaard aanvaardde de omstandigheden met een schouderophalen en bood geen weerstand. Hij bleef aan het roer en vroeg alleen of zijn eerste en tweede stuurman hem op de afgesproken tijden konden aflossen. Het verzoek werd ingewilligd en het commentaar dat daarop volgde gaf zijn filosofische reactie goed weer.
'Arabieren en joden die samen piraatje spelen op volle zee. De wereld staat nog meer op z'n kop dan ik dacht.'
De marconist vormde echter de grootste verrassing. De radiohut werd heel behoedzaam benaderd waarbij Khalehla voor twee leden van de Masada-brigade en Evan Kendrick uitliep. Op haar teken werd de deur opengeramd en hun wapens werden gericht op de marconist. Die haalde een Israëlisch vlaggetje uit zijn zak en grijnsde. 'Hoe gaat 't met Manny Weingrass?' vroeg hij.
'Goeie gód!' was de enige reactie van de afgevaardigde uit Colorado.
'Zoiets viel te verwachten,' zei Khalehla.

Gedurende de twee dagen op zee op weg naar de haven van Nisjtun, werkte de eenheid uit Oman in ploegendiensten dag en nacht door in het ruim van het vrachtschip. Ze gingen heel gedegen te werk, want elke man kende de koopwaar die hij onderhanden nam, hij kende ze en wist ze doeltreffend te vernietigen. Kisten werden weer dichtgetimmerd zonder dat er iets van sabotage te zien was; er zaten alleen maar keurig opnieuw ingepakte wapens en uitrustingsstukken in, net alsof ze pas van de lopende band waren gekomen uit fabrieken over de hele wereld en verzameld door Abdel Hamendi, handelaar in de dood. Bij zonsopgang van de derde dag stoomde het schip de haven van Nisjtun binnen in Zuid-Jemen. De 'piraten' van de Westoever, van Oman en de Masada-brigade, evenals de agente uit Caïro en het Amerikaanse congreslid, hadden zich omgekleed in de kleren die ze in hun rugzakken hadden meegenomen. Half

Arabisch, half westers, droegen ze de haveloze kleren van loswerkende zeelui die een onzeker bestaan bijeen moesten schrapen in een wrede wereld. Vijf Palestijnen die zich voordeden als Bahreinse lossers stonden naast de loopplank die elk moment kon worden neergelaten. De rest keek ongeïnteresseerd toe vanaf het lagere dek terwijl de mensenmenigte zich verzamelde aan de enorme kade in het midden van het havencomplex. Het schip was een symbool van verlossing, de trotse noodlijdende strijders van Zuid-Jemen waren *belangrijk* voor rijke en machtige mensen ergens in de wereld. Het was een heksenketel van wraak, wraak op iets waarover ze het misschien niet allemaal eens waren, maar wild schreeuwende monden onder felle ogen stootten gewelddadige kreten uit. Het vaartuig meerde aan en de waanzin op de kade was oorverdovend.
Uitgekozen leden van de scheepsbemanning, onder de waakzame ogen en wapens van de eenheid uit Oman werden aan het werk gezet aan machines waarmee ze vertrouwd waren en het veeleisende proces van lossen begon. Terwijl pallets met kisten uit het ruim werden getild door kranen en over de verschansing op de kade werden neergelaten werd elke lading met een wild gejuich begroet. Twee uur na het begin van het lossen eindigde alles met het opduiken van de drie kleine Chinese tanks, en de menigte die door de kisten al tot waanzin was gebracht raakte bij het zien van de tanks zo mogelijk nog verder in vervoering. Soldaten in haveloze uniformen moesten hun landgenoten tegenhouden om niet dwars over de gepantserde voertuigen te klimmen; ook dat waren symbolen van groot belang, immense erkenning... ergens vandaan.
'Verrék, moet je dáár zien!' zei Kendrick en hij greep Ahmeds arm vast terwijl hij naar het einde van de kade staarde. 'Kíjk eens!'
'Waar?'
'Ik zie hem!' riep Khalehla in lange broek, haar haren verstopt onder een Griekse vissersmuts. 'Mijn god, dat is haast niet te gelóven. Hij is het, nietwaar?'
'Wie?' vroeg de jonge sultan kwaad.
'Hamendi!' schreeuwde Evan en hij wees naar een man in een wit zijden pak die omringd was door andere mannen in uniform en lange gewaden. De processie liep de kade op en soldaten maakten voor hen de weg vrij.
'Hij draagt hetzelfde witte pak als op de foto's in het appar-

tement van de Vanvlanderens,' voegde Rasjad eraan toe.
'Ik weet zeker dat hij er een paar dozijn van heeft,' legde Kendrick uit. 'Ik weet ook zeker dat hij er zo, volgens hem, rein en goddelijk uitziet. Dat moet ik wel zeggen, hij heeft lef om uit zijn versterkte vesting in de Alpen hierheen te komen, op maar een paar uur vliegen van Riyaadh.'
'Waarom?' zei Ahmed. 'Hij wordt beschermd; de Saudi's zouden het niet durven deze waanzinnige lui op te hitsen door actie te ondernemen over de grens.'
'Bovendien,' viel Khalehla hem in de rede, 'ruikt Hamendi miljoenen meer op de plaats van herkomst van dit schip. Hij stelt zijn grondgebied veilig en dat is wel een klein risico waard.'
'Ik wéét wat hij doet,' zei Evan tegen Khalehla maar met zijn ogen gericht op de jonge sultan. '"De Saudi's zouden het niet durven,"' vervolgde Kendrick, Ahmeds woorden herhalend. 'De *Omani's* zouden het niet durven...'
'Er zijn zeer gegronde redenen om geen slapende honden wakker te maken wanneer het om fanatici gaat en om ze in hun eigen moeras te laten verzuipen,' antwoordde de sultan ontwijkend.
'Daar gaat het niet om.'
'Waar dan wel om?'
'We rekenen op het feit dat Hamendi de naam zal krijgen van een dief van vijftig miljoen dollar, wanneer al deze mensen, vooral de leiders uit de Baaka Vallei, ontdekken dat het meeste waarvoor ze hebben betaald een stapel oud roest is. Hij is een paria, een Arabier die Arabieren om geld heeft verraden.'
'Het nieuws zal zich verbreiden als valken op de wind, zoals zijn volk nog maar een paar decennia geleden gezegd zou hebben,' stemde de sultan in. 'Voor zover ik de Baaka ken zullen er met tientallen tegelijk moordcommando's worden uitgestuurd om hem te doden, niet alleen vanwege het geld maar ook omdat hij hen voor gek heeft gezet.'
'Dat zou het mooiste zijn,' zei Kendrick. 'Daarop hopen we allemaal, maar hij heeft miljoenen over de hele wereld en er zijn duizenden schuilplaatsen.'
'Wat wil je dan eigenlijk zeggen, Evan?' vroeg Khalehla.
'Misschien kunnen we het tijdschema wat naar voren schuiven en met een beetje geluk zeker stellen dat het mooiste nu gebeurt.'
'Spreek nou eens Engels en geen Latijn,' drong de agente uit Caïro aan.

'Het is daar beneden een circus. De soldaten kunnen de mensen nauwelijks tegenhouden. We hoeven alleen maar iets op gang te brengen, mensen die samen iets schreeuwen, die gaan brullen tot de hele stad davert van hun stemmen. ...*Farjunna! Farjunna! Farjunna!*'

'Laat ons eens zien!' vertaalde Ahmed.

'Een of twee kisten die worden opengebroken, geweren die triomfantelijk omhoog worden gestoken... dan wordt er munitie gevonden en uitgedeeld.'

'En door waanzinnigen afgeschoten in de lucht,' rondde Khalehla het idee af. 'Alleen kunnen ze er niet mee schieten.'

'Dan worden er andere kisten opengemaakt,' vervolgde de sultan, aangestoken door het enthousiasme. 'Uitrustingsstukken zijn vernield, rubberboten kapotgesneden, vlammenwerpers spuwen geen vuur. En Hamendi staat er met zijn neus bij! Hoe kunnen wij daar beneden komen?'

'Dan kun jij niet en dat kunnen jullie geen van beiden,' zei Kendrick vastberaden. Hij wenkte een lid van de Masada-plo
De man kwam aanrennen en Evan vervolgde snel zonde
med en Rasjad een kans te geven iets te zeggen; ze kon
alleen maar verbijsterd aanstaren. 'Je weet wie ik wel.'
waar?' vroeg hij de Israëli. ...eid, waar
'Ik hoor het niet te weten, maar ik weet het
'Ik word beschouwd als de leider van deze
of niet?' ... leider.'
'Ja, maar ik ben blij dat er anderen z
'Dat heeft er niks mee te maken! ...st wor-
'Goed dan, u bent de leider.' ...dellijk onder
'Ik wil dat deze twee mensen ...in hun hutten ... overstemd
den gesteld en opgesloten ...van Khalehla ...maal gek ge-
De protesten van de sultan ...eli zelf. 'Bent
door de reactie van de ... zelf is en zij Cle-
worden? Die man is... of hij Moh...ar de loopplank en
'Het kan me niet sch... Evan rende ...kade.
opatra. Sluit hen ...menigte onde...estijnse 'lossers' en trok
naar de hysteris... ...krijsende burgers die vol
Kendrick v... de eerste van... stonden. Hij zei snel iets
hem weg ...an een groep so... reageerde door te knikken
ontzag...om een van de C...
in he... oor van de man

en wees op een van zijn metgezellen in de menigte, gebarend dat hij de anderen zou gaan zoeken.

Iedere man rende over de kade van de ene uitzinnige groep naar de andere, gillend zo hard ze konden, telkens maar weer de woorden herhalend tot de opgewonden kreten werden begrepen als een bevel. Als een enorme vloedgolf die voortrolde over een menselijke zee brak het geschreeuw los terwijl duizend aparte stemmen zich langzaam samenvoegden tot één kreet.

'*Farjunna! Farjunna! Farjunna! Farjunna…!*' De massa liep te hoop naar de plek waar de lading stond en waar de kleine elitaire stoet waarvan Abdel Hamendi het middelpunt was letterlijk opzij werd geveegd tot binnen de enorme deuren van het bouwvallige pakhuis aan het einde van de kade. Er werden verontschuldigingen geschreeuwd die de wapenhandelaar accepteerde als een boer met kiespijn. Hij wekte de indruk dat hij in het verkeerde stadsdeel was beland en dat hij zo snel mogelijk weer wilde vertrekken, maar als hij dat deed zou zijn beloning hem ontgaan.

'Déze kant op!' gilde een stem die Evan maar al te goed ken-
Het was Khalehla! En naast haar liep Ahmed; beiden hiel-
[illegible] zich met moeite op de been tussen de woelende, uit-
bij [illegible]ensen.
gende jüllie verdomme hier?' brulde Kendrick en hij ging
'Menéér [illegible] aan alle kanten belaagd door duwende, drin-
den[illegible] toon, [illegible]
valt ze[illegible] nog [illegible]rdigde,' zei de sultan van Oman op gebie-
dit schip[illegible] [illegible]ijn eige[illegible] [illegible]n de leider zijn van de eenheid, en dat
'Weet je wa[illegible] [illegible]en, maar ik heb het commando over
haar hemd en zal geb[illegible] [illegible]n hebben het veroverd!'
je enig idee van[illegible]ekken [illegible] [illegible]anneer ze haar muts verliest of
iemand maar ook [illegible]tvangst [illegible]dat ze een vrouw is? En heb
'Willen jullie nou ee[illegible]e krijgt[illegible] ten deel zal vallen als er
geen vraag maar gaf e[illegible] [illegible]uden!' [illegible] jij…'
nen elk moment de zaak[illegible] 'Schie[illegible] Rasjad uit en ze stelde
ten ervoor zorgen dat alle[illegible] [illegible]and la[illegible]p! De soldaten kun-
'Hoe?' riep Evan. [illegible]
'De kisten!' antwoordde Kha[illegible]maniel[illegible]open en we moe-
de rode opschriften. Loop voor [illegible] [illegible]beurt.'
doorheen. Ik hou me wel vast aa[illegible] [illegible]apels da[illegible] links met
[illegible]n kom [illegible]er nooit

'Dat is een hele concessie. Kom op!' Met z'n drieën vochten ze zich een weg opzij door de dicht opeengepakte, voortdurend bewegende, joelende menigte, naar een dubbele stapel kisten van minstens drie meter hoog die bijeen werd gehouden door brede zwarte metalen banden. Een kordon soldaten, op het randje van paniek, te weinig om de armen in elkaar te haken maar net genoeg om elkaar bij de hand te houden, vormde een kring om de dodelijke koopwaar en hield zo de steeds ongeduldiger, steeds woedender menigte tegen die nu eiste: *'Farjunna! Farjunna!* – Ze moesten de voorraden zien die een teken waren van hun eigen belangrijkheid. 'Dat zijn de geweren, en iedereen weet het!' schreeuwde Kendrick in Rasjads oor. 'Ze worden helemaal gék!'
'Natuurlijk weten ze dat en natuurlijk worden ze gek. Kijk maar naar de merktekens.' Overal op de houten kisten waren dezelfde kentekenen aangebracht: drie rode cirkels, twee steeds kleinere binnen de grootste. 'Een roos, het algemeen bekende symbool van een doelwit,' legde Khalehla uit. 'En een roos betekent wapens. Het was een idee van Blauw; hij dacht, terroristen leven van geweren en daarom zullen ze eropaf komen.'
'Hij is goed thuis op zijn nieuwe gebied...'
'Waar is de munitie?' vroeg Ahmed terwijl hij twee kleine voorwerpen met uitsteeksels uit zijn zakken haalde.
'Die lui van de Westoever zorgen daarvoor,' antwoordde Rasjad, gebukt om de rondzwaaiende armen om haar heen te ontwijken. 'De kisten zijn ongemerkt, maar ze weten welke het zijn en ze zullen ze openbreken. Ze wachten op ons!'
'Laten we dan opschieten,' riep de jonge sultan uit en hij gaf Evan een van de werktuigen die hij uit zijn zakken had gehaald.
'Wat...?'
'Combinatietangen! We moeten zoveel mogelijk van die banden doorknippen om er zeker van te zijn dat de kisten uiteenvallen.'
'O? Dat zouden ze toch wel – maar goed! We moeten dit stelletje maniakken naar voren duwen en het cordon doorbreken. Achteruit, Ahmed, en jij blijft achter ons,' zei Kendrick tegen de agente uit Caïro, terwijl hij de woedende armen en vuisten, knieën en voeten afweerde die van alle kanten op hen in bleven hameren. 'Wanneer ik knik,' vervolgde Evan schreeuwend tegen de sultan van Oman terwijl ze zich een weg beukten door

de dolle mensenlijven die allemaal bij de kisten probeerden te komen. 'Raak die linie alsof je net een contract hebt gekregen van de Patriots!'
'Nee, *ya sjaikhat,*' schreeuwde Ahmed. 'Alsof ik net een contract van Oman heb gekregen – terwijl ik onder vuur word genomen, en zo hoort het ook. Dit zijn de vijanden van mijn vólk!'
'Nú!' brulde Kendrick en samen met de jonge, gespierde heerser wierp hij zich op de gedaanten vóór hen, terwijl hun schouders en uitgestrekte armen de gillende terroristen binnen de kring van soldaten stuwden. De linie werd verbroken! Allen stortten ze zich op de drie meter hoge dubbele stapels zware kisten... en Evan en Ahmed vochten zich een weg door de benen met ballonbroeken en de zwaaiende armen naar het hout en de brede metalen banden, met tangen die koortsachtig werden gehanteerd. De banden knapten en de kisten tuimelden neer alsof ze van binnenuit ontploften. Hun daverende val werd nog versneld door het gewicht en de kracht van wel honderd aanvallers. Overal vlogen planken uit elkaar en waar dat niet gebeurde werden ze door fanatieke handen vaneengerukt. Toen kropen, als uitgehongerde sprinkhanen die zich storten op sappige boombladeren, de terroristen van Zuid-Jemen en de Baaka Vallei over de kisten, rukten de wapens uit hun plastic hoezen en smeten die naar hun broeders, onderwijl gillend en zich schrijlings zettend op de grote kartonnen dozen die de groteske aanblik opleverden van doodskisten.
Tegelijkertijd sleepte het team van de Palestijnen van de Westoever dozen met munitie alle kanten op over de ineengestorte houten berg des doods heen, geleverd door de handelaar des doods, Abdel Hamendi. Het waren verschillende soorten geweren, allerlei types en allerlei maten, die gretig uit hun zachte bergplaatsen werden gerukt. Velen wisten niet wat voor patronen er in welke wapens pasten, maar vele anderen, voornamelijk uit de Baaka, wisten dat wel en ze gaven hun minder ontwikkelde broeders uit Zuid-Jemen aanwijzingen.
Het eerste automatische pistool dat in triomf werd afgevuurd vanaf de top van de pyramide des doods, verbrijzelde het gezicht van de man die de trekker overhaalde. Te midden van onsamenhangende geluiden die overal opklonken werden er nog meer afgevuurd; er weerklonken een paar honderd machteloze klikken, maar ook tientallen explosies waarbij hoofden en ar-

men en handen alle kanten uitvlogen. Alle kanten uitvlogen! De hysterie werd alleen maar groter. Terroristen smeten dodelijk verschrikt hun wapens neer, terwijl anderen hun handen gebruikten en allerlei werktuigen die ze maar konden vinden om overal de niet gemerkte kisten open te breken. Het was zoals de jonge sultan van Oman had voorspeld. Uitrustingsstukken werden de hele steiger overgesleept, uit dozen gerukt en opengeslagen of uiteengereten of uit hun plastic hoezen gehaald... en ze werden omhooggehouden zodat iedereen ze kon zien. Naarmate elk stuk werd bekeken raakte de menigte steeds meer in razernij, geen razernij meer van triomf, maar een dierlijke bezetenheid. Tussen de voorwerpen waren infrarood-kijkers waarvan de lenzen kapotgeslagen waren, touwladders met afgesneden sporten, werpankers zonder punten, onderwaterzuurstoftanks met gaten geboord in de cylinders; vlammenwerpers waarvan de mondstukken waren samengeknepen zodat wie ze ook zouden bedienen gegarandeerd onmiddellijk gebraden zou worden en met hem iedereen binnen een straal van dertig meter; raketwerpers zonder slaghoedjes, en zoals Ahmed ook had voorspeld, landingsboten die omhoog werden gestoken om te laten zien waar de naden opengereten waren; en dat alles was voor de menigte brandstof voor de toenemende woede-aanvallen over het verraad.

In de chaos werkte Evan zich tussen de hysterische lijven door naar het pakhuis, in het midden van de enorme kade; hij drukte zijn rug tegen de muur en zette een paar stappen opzij tot op een meter van de reusachtige openstaande deuren. Hamendi in zijn witte pak stond in het Arabisch te schreeuwen dat alles zou worden vervangen; zijn en hún vijanden in de magazijnen van Bahrein die dit gedaan hadden zouden gedood worden, iedereen zou worden gedood! Zijn bezweringen werden begroet met wantrouwige blikken van degenen die hij aansprak. En toen verscheen er om de hoek van het pakhuis een man in een donker, conservatief streepjespak en Kendrick verstijfde. Het was Crayton Grinell, jurist en voorzitter van de raad van bestuur voor de regering binnen de regering. Na zijn aanvankelijke verbijstering vroeg Evan zich af waarom hij zo verbaasd was, zelfs verrast. Waarheen zou Grinell anders gaan dan naar het hart van het internationale netwerk van wapenhandelaren? Het was zijn laatste en enige veilige toevluchtsoord. De jurist sprak even met Hamendi die Grinells woorden direct vertaal-

de en uitlegde dat zijn compagnon al met Bahrein had gebeld en gehoord had wat er gebeurd was. Het waren de jóden geweest! riep hij uit. Israëlische terroristen hadden een magazijn op een eiland voor de kust aangevallen, alle manschappen die op wacht stonden gedood en deze afschuwelijke dingen gedaan.
'Hoe kon dat nu?' vroeg een gedrongen man in het enige geperste militaire uniform, uitgerust met minstens een dozijn medailles. 'Al die voorraden zaten in hun oorspronkelijke kisten, zelfs kartons en dozen in elkaar, met metalen banden die nog intact waren. Hoe kón zoiets nu?'
'De joden kunnen heel vindingrijk zijn!' schreeuwde Hamendi. 'Dat weet u net zo goed als ik. Ik zal onmiddellijk terugvliegen, de hele bestelling vervangen en uitzoeken wat er precies is gebeurd!'
'Wat moeten wij intussen doen?' vroeg de kennelijke leider van Zuid-Jemens revolutionaire regime. 'Wat moet ik tegen onze broeders uit de Baaka Vallei zeggen? Dit is natuurlijk een grote schande voor ons allemaal!'
'U zult wraak kunnen nemen en u zult uw wapens terugkrijgen, daarvan kunt u zeker zijn.' Grinell zei opnieuw iets tegen de wapenhandelaar en weer vertaalde Hamendi zijn woorden. 'Ik hoor van mijn compagnon dat onze geheime retourvlucht alleen de komende drie uur onopgemerkt zal blijven op de radarschermen – en ik mag eraan toevoegen dat mij dat persoonlijk buitengewoon veel geld heeft gekost – en daarom moeten we onmiddellijk vertrekken.'
'Geef ons onze waardigheid terug, mede-arabier, anders zullen we u vinden en dat kost u uw leven.'
'U hebt mijn toezegging dat het eerste zal gebeuren en dat het tweede niet nodig zal zijn. Ik ga nu weg.'
Ze gingen er vandoor! dacht Kendrick. Godverdómme, ze gingen 'm smeren! Grinell had Hamendi de zalvende woorden ingegeven en beiden zouden ze zo meteen wegvliegen uit deze waanzinnige heksenketel en doorgaan met hun louche, doortrapte zaakjes alsof er niets was gebeurd! Hij moest hen tegenhouden. Hij moest iets doen!
Toen de twee wapenhandelaren snel de deur van het pakhuis uitliepen en om de hoek van het gebouw verdwenen, rende Evan voor de opening langs – gewoon weer zo'n hysterische terrorist – en sloeg en duwde zich een weg door de opgewonden mensen op de kade naar de twee goedgeklede mannen. Hij

was op een meter afstand van Crayton Grinell, toen op een decimeter. Hij trok zijn mes met het lange lemmet uit het foedraal aan zijn riem en deed een uitval; zijn linkerarm sloeg hij om de nek van de Amerikaanse jurist en hij dwong hem zich om te draaien zodat hij hem in het gezicht kon kijken, op maar een paar centimeter afstand.
'Jij!' krijste Grinell.
'Dit is voor de oude man die zal sterven en voor duizenden anderen die jij hebt vermoord!' Het mes verdween in de maag van de jurist en daarna rukte Kendrick het omhoog tot door de borst. Grinell viel op de planken van de steiger tussen een menigte rondrennende, verdwaasde terroristen die niet wisten dat er een goedgekleed soortgenoot dood aan hun voeten lag.
Hamendi! Hij was verder gerend, had zich niets aangetrokken van zijn compagnon en was er alleen maar op uit de auto te bereiken die hem naar zijn vliegtuig zou brengen om zo veilig voor radarontdekking vanuit Zuid-Jemen de vijandige grenzen te kunnen overschrijden. Hij mocht niet in die wagen stappen! De handelaar des doods mocht geen kans krijgen opnieuw zijn dodelijke beroep uit te oefenen! Evan beukte zich letterlijk een doorgang tussen het gedrang van de rennende, gillende gedaanten door naar het einde van de kade. Daar begon een brede, hellende strook van beton die omhoog voerde naar een zandweg waar een Russische ZIL-limousine stond te wachten. Aan het pluimpje van de uitlaatgassen was te zien dat de motor aanstond en dat de chauffeur wachtte op de ontsnappende passagier van de wagen. Hamendi rende verder en zijn witte zijden colbertje wapperde achter hem aan door de vaart. Hij was op een paar meter na in veiligheid! Kendrick deed een beroep op een innerlijke kracht waarvan hij geen enkel idee had dat hij die nog bezat en stormde tegen de betonnen helling op; zijn benen begaven het bijna en toen helemaal, op bijna tien meter van de ZIL, terwijl Hamendi het portier had bereikt. Vanuit zijn knielende positie, zijn wapen nauwelijks stilhoudend in beide bevende handen, vuurde hij het ene schot na het andere af.
Abdel Hamendi, de ongekroonde koning van de internationale wapenhandel greep met zijn handen naar zijn keel en viel op de grond.
Nog was het niet voorbij! schreeuwde een stem in Kendricks binnenste. Er moest nog iets worden gedaan. Hij kroop de be-

tonnen glooiing op en haalde uit zijn zak een kaart die codenaam Blauw iedereen had gegeven voor het geval dat ze van elkaar gescheiden raakten en moesten ontsnappen. Hij scheurde er een stuk af, haalde uit een andere zak een stompje potlood en schreef het volgende in het Arabisch:
Hamendi de leugenaar is dood. Spoedig zullen alle handelaren sterven want het verraad heeft zich overal ingevreten, zoals u zelf hebt kunnen zien vandaag. Overal zijn ze betaald door Israël en de Grote Satan Amerika om ons ondeugdelijke wapens te verkopen. Overal. Vertel het door aan uw broeders, overal, wat ik u heb gezegd en wat u vandaag met eigen ogen hebt gezien. Vanaf heden kan er geen enkel wapen meer worden vertrouwd. Getekend door een geheime vriend die op de hoogte is.
Met pijn en moeite, alsof de wonden van het eiland voor de Mexicaanse kust weer waren opengegaan, kwam Evan overeind en rende zo snel hij kon terug tussen de woedende, nog steeds krijsende mensen naar de deuren van het pakhuis. Hysterische smeekbeden tot Allah voorwendend over de dood van een broeder liet hij zich voorover vallen voor het groepje leiders waarbij zich nu ook die van de Baaka Vallei en Libanon hadden gevoegd. Toen handen omlaag werden gestoken om hem te troosten stak hij het papier naar hen toe, kwam plotseling gillend overeind en rende het pakhuis uit; hij verdween tussen de nu jammerende, treurende massa's die overal neerknielden naast verminkte lijken. In paniek hoorde hij de diepe bas van de scheepssirene – het teken voor vertrek! Hij sloeg zich een weg naar het einde van de kade waar hij Khalehla en Ahmed naast de loopplank zag staan schreeuwen tegen de mannen aan dek, zo mogelijk nog meer in paniek dan hijzelf.
'Waar heb jij verdómme gezeten!' schreeuwde Rasjad met van woede fonkelende ogen.
'Ze waren bezig te ontsnappen door leugens te vertellen!' schreeuwde Kendrick terwijl Ahmed hen beiden de loopplank opduwde die op zijn teken het schip begon binnen te schuiven.
'Hamendi?' vroeg Khalehla.
'En Grinell...'
'Grinell?' schreeuwde de agente uit Caïro toen ze met z'n drieën naar boven wankelden. 'Natuurlijk Grinell,' voegde Rasjad eraan toe. 'Waar anders...'
'Jij bent een verdomde idioot, afgevaardigde!' brulde de jonge sultan van Oman en hij duwde de twee mensen voor wie hij

zich verantwoordelijk voelde nog steeds voor zich uit, nu het dek van het schip op dat al wegdreef van de kade. 'Nog een halve minuut en je had dáár kunnen blijven. Die lui hadden zich elk moment tegen ons kunnen keren en ik kon de levens van die mensen hier niet op het spel zetten!'
'Verrek, jij bent echt volwassen geworden.'
'Wanneer het moet doen we allemaal wat er gedaan moet worden. Hoe zit het met Hamendi en hoe die andere dan ook heet?'
'Die heb ik gedood.'
'Zomaar gewoon,' zei Ahmed buiten adem maar kalm.
'Wanneer het moet doen we allemaal wat er gedaan moet worden, heer Hoogheid.'

Gerald Bryce liep de gecomputeriseerde werkkamer van zijn huis in Georgetown in en liep rechtstreeks naar zijn tekstverwerker. Hij ging ervoor zitten en zette het apparaat aan; toen het scherm oplichtte tikte hij een code in. De groene letters reageerden onmiddellijk.

Uiterst maximale geheimhouding

Geen aftap mogelijk

Ga uw gang

De jonge, opvallend knappe expert glimlachte en ging door met typen.

Ik heb nu alle hoogst geheime uitdraaien gelezen die bij de CIA binnenkomen en die uitsluitend zijn bestemd voor de modem van M.J. Payton. Het complete rapport is in één woord ongelooflijk en de gevolgen van de operatie zijn al merkbaar. Vandaag, nauwelijks twee weken na de gebeurtenissen in Zuid-Jemen, zijn zeven van de meest vooraanstaande wapenhandelaren vermoord en men schat dat de wapensmokkel naar het Midden-Oosten met zestig procent is afgenomen. Onze man is onoverwinnelijk. Wat echter belangrijker is, op grond van eerdere informatie in ons bezit, het Witte Huis moet – ik herhaal moet – naar ons luisteren voor het geval wij er de voorkeur aan geven onze stem te verheffen. We zullen, na-

tuurlijk, van dit voorrecht slechts met uiterste behoedzaamheid gebruik maken, maar het is aan ons om er gebruik van te maken. Want hoe de uitslag ook zal zijn, positief of negatief, er zijn nationale en internationale wetten overtreden, het regeringsapparaat is direct en indirect betrokken geraakt bij moord, terrorisme en corruptie, en het is zelfs die totale veroordeling van misdaden tegen de mensheid heel dicht genaderd. Zoals we zijn overeengekomen moet er steeds een welwillende, onbaatzuchtige macht zijn boven het Witte Huis om het in de juiste richting te stuwen, en de middelen tot die macht liggen in de kennis van de diepste geheimen van elk regeringsapparaat. In dit opzicht zijn wij succesvol op manieren waarvan onze voorgangers nooit hadden kunnen dromen. Als er een God bestaat, moge Hij ons dan vergunnen dat wij en onze opvolgers trouw blijven aan onze overtuigingen. Als laatste treft het mij dat het geluid en de gedeeltelijke toonval van Inver Brass ongeveer gelijk zijn aan die van een medische term: intraveneus. Die is naar ik geloof zeer toepasselijk. Ten slotte ben ik bezig met verschillende andere projecten en ik zal u op de hoogte houden.

In een boot voor de kust van Glorious Cay op de Bahama's zat een grote neger in de luxueuze hut van zijn Bertram-jacht het computerscherm vóór zich te bekijken. De woorden die hij las brachten een glimlach op zijn lippen. Inver Brass was in goede handen, jonge, capabele handen, een enorme intelligentie, gekoppeld aan fatsoen en een wens om uit te blinken. Gideon Logan die een groot deel van zijn welgestelde volwassen leven had besteed aan het welzijn van zijn volk – hij ging daarin zo ver dat hij drie jaar was ondergedoken als de geheime, onzichtbare ombudsman voor Rhodesië tijdens haar overgangsperiode naar Zimbabwe – voelde de opluchting die gepaard ging met een principiële, voortreffelijke opvolging. De tijd verstreek voor hem, zowel als voor Margaret Lowell en de oude Jacob Mandel. De ethiek eist dat ze vervangen zouden worden; en deze jongeman, dit knappe, integere jonge genie zou hun opvolgers kiezen. Het land en de hele wereld zouden er beter van worden.

De tijd begon te verstrijken.

Gerald Bryce nam een slok van zijn glas madeira en keerde zich weer naar zijn apparatuur. Hij was opgetogen en om een groot aantal redenen, niet in het minst om wat hij noemde hun 'broederschap van briljantheid'. Wat hij zo bijzonder vond was dat de onontkoombaarheid zo volkomen normaal was. Hun broederschap was voorbeschikt, onvermijdelijk, en de oorsprong lag in de meest normale gebeurtenissen: een treffen van mensen die gelijke belangen hadden waarbij de geavanceerde gebieden van die belangen superieur intellect vereisten – en, om realistisch te zijn, weinig geduld met een maatschappij die werd geregeerd door middelmatigheid. De ene zaak leidde altijd tot de volgende, altijd indirect, maar toch onvermijdelijk.

Wanneer hij er tijd voor had hield Bryce voordrachten en gaf hij cursussen, een veelgevraagd leider op het gebied van de computerwetenschap die ervoor oppaste niet te zeer in het openbaar te zoeken naar de uiterste grenzen van zijn kennis. Maar nu en dan dook er zo'n buitengewoon iemand op die zijn bedoelingen begreep. In Londen, Stockholm, Parijs, Los Angeles en Chicago – de Universiteit van Chicago. Die paar mensen werden zeer grondig onderzocht, op manieren die ze zich nooit zouden kunnen voorstellen, en met ingang van vandaag was er met vier van hen al enige malen contact geweest. Een nieuw Inver Brass had een vage, maar zichtbare omtrek aan de horizon. Met de vreemdste van die vier moest nu contact worden opgenomen.

Bryce tikte zijn code in, drukte op de knop voor *Addendum* en las de letters op het scherm.

Satelliettransmissie. Mod-Sahalhuddin. Bahrein. Ga uw gang.

47

Emmanuel Weingrass deed de medische specialisten versteld staan, vooral in het Centrum voor Tropische Ziekten in Atlanta. Niet dat hij aan de beterende hand was, want dat was niet het geval, en er was geen verandering in de dodelijke afloop van de virusinfectie. Maar het was duidelijk dat hij niet erg hard achteruitging; dat gebeurde veel langzamer dan men had voorzien. De artsen weigerden pertinent te verklaren dat de ziekte tot stilstand was gebracht; ze wisten het gewoon niet. Zoals de patholoog uit Denver het uitdrukte: 'Laten we zeggen dat er een schaal bestaat van één tot min tien – min tien is dan het einde – dan zweeft die ouwe kerel ergens rond de min zes en hij zakt niet verder af.'

'Maar het virus zit er nog,' zei Kendrick toen hij en Khalehla met de dokter in de tuin wandelden van het huis in Colorado, buiten gehoor van Manny.

'Het woedt nog steeds. Het maakt hem alleen niet zo ziek als het eigenlijk zou moeten doen.'

'Het komt waarschijnlijk van de sigaretten die hij stiekem rookt en de whisky die hij steelt,' zei Rasjad.

'Dat kán hij niet maken,' zei de patholoog verrast en nog meer verbijsterd.

Evan en Khalehla knikten beiden berustend. 'Hij is een taaie vechtjas als het om zijn leven gaat,' legde Kendrick uit, 'met meer wijsheid en diefachtigheid in zijn kop dan ik ooit bij iemand heb meegemaakt. En aangezien de prognose hem nog maar korte tijd te leven gaf, hebben we niet elk moment zo goed opgelet als we misschien hadden moeten doen.'

'U moet me goed begrijpen, afgevaardigde, ik wil bij u geen valse verwachtingen wekken. Hij is een heel erg zieke man van zesentachtig...'

'Zésentachtig?' riep Evan uit.

'Wist u dat niet?'

'Nee. Hij zei dat hij éénentachtig was!'

'Ik weet zeker dat hij het gelooft of dat hij in elk geval zichzelf daarvan heeft overtuigd. Hij hoort tot het soort dat wanneer ze zestig worden zeggen dat ze bij hun volgende verjaardag vijfenvijftig zijn. Van mij mij mag dat overigens best, maar we moesten zijn complete medische voorgeschiedenis hebben en daarom hebben we die uitgeplozen tot in zijn tijd in New York City. Wist u dat hij drie vrouwen had gehad toen hij tweeëndertig was?'

'Ik weet zeker dat ze nog steeds naar hem op zoek zijn.'

'O nee, ze zijn allemaal overleden. Atlanta had hun voorgeschiedenis ook nodig – mogelijke complicaties die met zijn seksuele leven te maken hadden, dat soort zaken.'

'Hebben ze ook gecontroleerd in Los Angeles, Parijs, Rome, Tel Aviv, Riyaadh en in alle Emiraten?' vroeg Khalehla droog.

'Merkwáárdig,' zei de patholoog zacht maar nadrukkelijk. 'Kom, ik moest maar weer eens vertrekken, ik moet rond het middaguur weer in Denver zijn. En ik dank u nog voor het gebruik van uw privé-vliegtuig, afgevaardigde. Het heeft me veel tijd bespaard.'
'Minder kon ik niet doen, dokter. Ik stel alles wat u doet zeer op prijs, alles wat u hebt gedaan.'
De patholoog zweeg even en keek Evan aan. 'Ik zei zojuist "afgevaardigde", meneer Kendrick. Misschien zou ik moeten zeggen "meneer de vice-president", want ik en het overgrote deel van het land vinden dat u dat zou moeten zijn. Ik zal u zeggen, als u niet meedoet aan de verkiezingen ben ik niet van plan te stemmen en ik kan u zeggen dat ik spreek voor de meerderheid van mijn vrienden en collega's.'
'Dat is geen levensvatbare stellingname, dokter. Bovendien is de zaak nog niet beslist. Kom, ik loop met u mee naar de auto. Khalehla, wil jij even kijken naar onze wellustige puber en ervoor zorgen dat hij geen bad neemt in whisky?'
'Als hij daarmee bezig is, denk je dan dat ík daar binnen ga lopen? ...Goed, ik ga wel even kijken.' Rasjad gaf de patholoog uit Denver de hand. 'Bedankt voor alles,' zei ze.
'Ik zal pas weten dat u dat meent wanneer u deze jongeman ervan overtuigd dat hij werkelijk onze volgende vice-president moet worden.'
'Ik herhaal,' zei Kendrick terwijl hij met de arts over het gazon naar de oprijlaan liep. 'Die zaak is nog lang niet beslist.'

'Die zaak moet nu maar eens worden beslist!' schreeuwde Emmanuel Weingrass vanaf zijn ligstoel op de gesloten veranda. De afgevaardigde en Khalehla zaten op hun vertrouwde plaatsen op de sofa zodat de oude architect woedend naar hen kon opkijken. 'Wat denk je? Dat het allemaal voorbij is? Die Bollinger en zijn bende fascistische dieven liggen eruit en niemand zal er hun plaatsen innemen? Ben jij dan zó stom?'
'Schei nou eens uit, Manny,' zei Evan. 'Er zijn te veel gebieden waarop Langford Jennings en ik het oneens zijn en een president kan zich niet op zijn gemak voelen met iemand als ik die hem misschien zou kunnen opvolgen – en als ik daaraan denk doe ik het zowat in mijn broek.'
'Lang weet dat allemaal!' riep Weingrass.
'Lang?'

De architect haalde de schouders op. 'Nou ja, je zult er gauw genoeg achterkomen...'
'Waar zal ik achterkomen?'
'Jennings nodigde zichzelf een paar weken geleden zo'n beetje uit voor de lunch hier toen jij en mijn knappe dochter de zaken in Washington aan het afhandelen waren. Wat kon ik doen? Tegen de president van de Verenigde Staten zeggen dat hij niet een beetje kon meenasjen?'
'Och, verrek!' zei Kendrick.
'Stil nou, schat,' zei Khalehla. 'Ik ben gefascineerd, echt gefascinéérd.'
'Ga door, Manny!' schreeuwde Evan.
'Nou ja, we hebben het over een boel zaken gehad – een intellectueel is hij nu niet bepaald, maar hij is gewiekst en hij heeft kijk op de grote lijnen, daar is hij goed in, wist je dat?'
'Ik weet dat niet en hoe dúrf je je met mijn zaken te bemoeien?'
'Omdat ik je váder ben, ondankbare idioot. De enige vader die je ooit hebt gekend! Zonder mij zou je nog steeds bezig zijn een paar gebouwen voor de Saudi's uit de grond te stampen en je zou je lopen af te vragen of je de kosten er wel uit zou halen. Heb het niet over mijn durven – je mag van geluk spreken dat ik durfde – praat maar liever over je verplichtingen tegenover anderen. Goed, goed, we hadden nooit kunnen doen wat we gedaan hebben zonder jouw lef, zonder jouw kracht, maar ik was erbij, dus kun je maar beter naar me luisteren.'
Vertwijfeld sloot Kendrick zijn ogen en hij leunde achterover op de sofa. Ineens besefte Khalehla dat Weingrass haar onopvallend een teken gaf met overdreven bewegingen van zijn lippen; de onuitgesproken woorden waren gemakkelijk af te lezen. *Ik doe maar alsof. Ik weet waarmee ik bezig ben.* Ze kon alleen maar reageren door de oude man verbijsterd aan te kijken. 'Oké, Manny,' zei Evan. Hij opende zijn ogen en staarde naar het plafond. 'Hou er nou maar mee op. Ik luister.'
'Zo is het beter.' Weingrass knipoogde naar de agente uit Caïro en vervolgde zijn pleidooi. 'Je kunt ervan weglopen en niemand heeft het recht een slecht woord te zeggen of te denken omdat jij aan de leidraad van een ander zou lopen, en je hebt ook tegenover niemand verplichtingen. Maar ik ken jou, goede vriend, en de man die ik ken heeft een soort ingebakken verontwaardiging die hij steeds uit de weg probeert te gaan maar

waar hij nooit onderuit komt, omdat het een wezenlijk deel van hem is. In een paar woorden, jij houdt nu eenmaal niet van corrupte lui – met uitzondering van een zeker ouder iemand hier aanwezig – en het is maar goed voor deze *meschogger* wereld dat er kerels zoals jij rondlopen; er zijn al veel te veel van het andere soort. Toch zie ik nog een probleem en om het in het kort te zeggen komt het erop neer dat niet zoveel lui van jouw soort erg veel kunnen uitrichten, omdat niemand naar hen luistert. Waarom zouden ze? Wat zijn dat voor lui? Herrieschoppers? Verklikkers? Onbelangrijke oproerkraaiers? Die zijn hoe dan ook gemakkelijk opzij te zetten. Ze raken hun baantje kwijt, ze worden niet meer bevorderd en als ze echt gevaarlijk zijn komen ze voor de rechtbank waar de vuile was van hun hele leven wordt opgehangen – ze worden voor vuile vis uitgemaakt en dat heeft niets te maken met de reden waarom ze daar staan, door dure advocaten die meer trucjes kennen dan Houdini – en als ze eraf komen met een lichte straf en in de steek gelaten worden door vrouwen en kinderen, dan mogen ze van geluk spreken. Ze zouden ook gevonden kunnen worden onder een vrachtwagen of op de rails van een ondergrondse op een vreemde tijd. Maar naar jou, daarentegen, luistert iedereen – kijk maar naar je opiniepeilingen; jij bent de hoogste kardinaal in het hele land, toegegeven dat Langford Jennings de paus is – en er bestaat geen advocaat voor kwaaie zaken die het tegen jou zou durven opnemen in een rechtszaal, laat staan in het Congres. Zoals ik het zie heb jij de kans vanuit een hoge positie in naam van een verrekte hoop mensen beneden te spreken die anders niet gehoord kunnen worden. Lang zal je wel van alles op de hoogte brengen...'
'Alweer Lang,' mompelde Kendrick.
'Daar kon ik niks aan doen!' riep Weingrass uit met uitgestrekte handpalmen. 'Ik ben op de juiste manier begonnen met een "meneer de president", vraag het de verpleegsters maar die allemaal naar de wc moesten zodra hij binnen was – hij is een echte *mensch,* dat kan ik je wel zeggen. Hoe dan ook, na een borreltje, dat hij voor me aan de bar inschonk toen de meiden weg waren, zei hij dat ik hartverwarmend was, en waarom noemde ik hem geen Lang en lieten we al dat formele gedoe niet achterwege.'
'Manny,' onderbrak Khalehla hem, 'waarom zei de president dat jij "hartverwarmend" was?'

'Nou ja, toen we zomaar wat kletsten had ik het over dat nieuwe gebouw dat ze aan een of andere avenue aan het neerzetten zijn – het heeft in *The New York Times* gestaan – en ik zei dat het nou niet precies was om over naar huis te schrijven en dat hij die klootzak van een architect niet had moeten feliciteren op de televisie. De hele verdomde stijl doet aan als neoklassieke art deco en geloof mij nou maar, die combinatie doet het niet. Bovendien wat wist híj, een president, nou verdomme over bouwkosten per vierkante meter die op het bestek stonden als zowat een derde van wat ze in werkelijkheid gaan worden. Lang gaat het uitzoeken.'
'Och, verrék,' herhaalde Evan op neergeslagen toon.
'Terug naar datgene wat ik eigenlijk wil zeggen,' zei Weingrass en zijn gezicht stond ineens heel serieus terwijl hij Kendrick aanstaarde en zweeg om even een paar keer diep adem te halen. 'Misschien heb je genoeg gedaan, misschien moet je je terugtrekken en nog lang en gelukkig leven met mijn Arabische dochter hier en een heleboel geld verdienen. Je hebt allang het respect van het land, zelfs van een groot deel van de wereld. Maar misschien moet je toch ook nog even nadenken. Jij kunt voor elkaar krijgen wat niet veel andere lui kunnen. In plaats van de corrupte lui achter hun vodden zitten, en tegen die tijd is er al een heleboel corruptie en zijn er levens verloren gegaan, kun je hen misschien tegenhouden voordat ze gemeen beginnen te spelen – in elk geval een paar, misschien wel meer dan een paar – vanaf je hoge positie. Ik vraag je alleen maar naar Jennings te luisteren. Luister naar wat hij je te zeggen heeft.'
Vader en zoon keken elkaar diep in de ogen en vonden elkaar in hun diepe verwantschap. 'Ik zal hem bellen en om een gesprek vragen, goed?'
'Dat is niet nodig,' zei Manny. 'Het is allemaal al geregeld.'
'Wat?'
'Hij is morgen in Los Angeles in het Century Plaza voor een diner om geld in te zamelen voor een studiefonds dat genoemd zal worden naar zijn overleden minister van Buitenlandse Zaken. Hij heeft vóór die afspraak wat tijd vrijgemaakt en verwacht jullie om zeven uur in het hotel. Jou ook, meid; daar staat hij op.'

De twee mannen van de geheime dienst in de gang buiten de presidentiële suite herkenden de afgevaardigde. Ze knikten te-

gen hem en Khalehla en de rechterman draaide zich om en belde aan. Even later opende Langford Jennings de deur, met een bleek en afgetobt gezicht en dikke wallen van uitputting onder zijn ogen. Even probeerde hij zijn beroemde grijns maar die kon hij niet lang volhouden. Hij glimlachte echter vriendelijk en stak zijn hand uit.
'Dag, juffrouw Rasjad. Het is me een genoegen en een voorrecht u te ontmoeten. Komt u alstublieft binnen.'
'Dank u, meneer de president.'
'Evan, fijn jou weer eens te zien.'
'Het is fijn u weer te ontmoeten, meneer,' zei Kendrick en toen hij naar binnen liep bedacht hij dat hij Jennings nog nooit zo oud had gezien.
'Ga zitten, alsjeblieft.' De president liep voor zijn gasten uit de woonkamer van de suite in naar twee tegenover elkaar staande sofa's aan weerszijden van een glazen salontafel. 'Alsjeblieft,' herhaalde hij en hij gebaarde naar de linkersofa terwijl hij zelf naar de rechter liep. 'Ik kijk graag naar knappe mensen,' zei hij toen ze alle drie zaten. 'Ik neem aan dat mijn tegenstanders zouden zeggen dat dat weer een teken is van mijn oppervlakkigheid, maar Harry Truman heeft ooit eens gezegd: "Ik kijk liever naar de kop van een paard dan naar zijn kont," dus ik mag me daarbij aansluiten. Neem me die taal niet kwalijk, jongedame.'
'Ik heb niets gehoord waaraan ik me moet storen, meneer.'
'Hoe gaat het met Manny?'
'Winnen zal hij niet, maar hij vecht wel,' antwoordde Evan. 'Ik heb begrepen dat u hem een paar weken geleden hebt opgezocht.'
'Was dat verkeerd van me?'
'Helemaal niet, maar het was een beetje verkeerd van hem me dat niet te vertellen.'
'Dat was mijn idee. Ik wilde ons beiden tijd geven om na te denken en in mijn geval moest ik meer over jou te weten komen dan wat er geschreven stond in een paar honderd pagina's officieel gebrabbel. Daarom ben ik naar de enige bron gegaan die me geschikt leek. Ik vroeg hem zijn mond te houden tot gisteren. Mijn excuses.'
'Helemaal niet nodig, meneer.'
'Weingrass is een dappere kerel. Hij weet dat hij doodgaat – zijn diagnose is verkeerd maar hij weet dat hij doodgaat – en

hij doet net of zijn aanstaande overlijden een statistiek is in een bouwbestek. Ik verwacht niet dat ik eenentachtig zal worden, maar als ik het haal hoop ik dat ik net zo moedig ben als hij.'
'Zesentachtig,' zei Kendrick vlakweg. 'Ik dacht ook dat hij eenentachtig was tot ik gisteren ontdekte dat hij zesentachtig is.'
Langford Jennings keek Evan strak aan en toen, alsof de afgevaardigde hem een verschrikkelijk goede mop had verteld, leunde hij achterover op de sofa met zijn nek naar achteren en lachte zacht maar voluit. 'Waarom is dat zo grappig?' vroeg Kendrick. 'Ik ken hem al twintig jaar en hij heeft nooit de waarheid verteld over zijn leeftijd, niet eens op zijn paspoort.'
'Het klopt met iets wat hij tegen me zei,' legde de president uit terwijl zijn lachen langzaam minder werd. 'Ik zal je niet vervelen met de details, maar hij wees me op iets – en hij had helemaal gelijk – daarom bood ik hem een baan aan. Hij zei tegen me: "Het spijt me, Lang, die kan ik niet aannemen. Mijn steekpenningen zouden veel te duur voor je zijn."'
'Zoals hij is er maar één, meneer de president,' zei Khalehla.
'Ze hebben de mal weggegooid...' De stem van Jennings stierf weg en zijn uitdrukking werd ernstig. Hij keek Rasjad aan. 'U hebt de groeten van uw oom Mitch.'
'O?'
'Payton is een uur geleden vertrokken. Ik vind het jammer dat hij terug moest naar Washington, maar ik heb gisteren met hem gesproken en hij stond erop hierheen te komen vliegen om met me te praten voordat ik afgevaardigde Kendrick zou ontvangen.'
'Waarom?' vroeg Evan ongerust.
'Hij heeft me uiteindelijk het hele verhaal verteld over Inver Brass. Nou ja, niet alles natuurlijk, omdat we niet alles weten. Nu Winters en Varak er niet meer zijn zullen we waarschijnlijk nooit te weten komen wie het Oman-dossier bekend maakte, maar dat doet er nu niet meer toe. Het is afgelopen met de heilige Inver Brass.'
'Hij had u dat nog nooit eerder verteld?' Kendrick was stomverbaasd maar hij herinnerde zich Ahmeds opmerking dat hij niet zeker wist of Jennings wel alles wist wat hij van Payton had gehoord.
'Hij was er heel eerlijk over en hij diende zijn ontslag in wat ik prompt weigerde. Hij zei dat ik de poging die onder jouw naam werd ondernomen om jou als vice-president naar voren

te schuiven misschien onderdrukt zou hebben als ik alles had geweten. Misschien was dat wel zo, ik weet het niet, ik zou in elk geval razend zijn geweest. Maar dat doet er nu allemaal niet meer toe. Ik ben te weten gekomen wat ik wilde weten en jij bent niet alleen van start gegaan, afgevaardigde, maar je hebt het hele land achter je.'
'Meneer de president,' protesteerde Evan. 'Het is een kunstmatige...'
'Wat dacht Sam Winters verdomme wel waar hij mee bezig was?' viel Jennings Kendrick onverbloemd in de rede. 'Het kan me geen barst schelen hoe zuiver hun motieven waren, hij vergat een les van de geschiedenis die hij zich zeker had moeten herinneren. Telkens wanneer een uitverkoren groep welwillende elitaire personen zichzelf beschouwt als staande boven de wil van het volk en die wil in het geheim begint te manipuleren zonder rekenschap af te leggen, dan zetten ze een verdomd gevaarlijke machine in beweging. Want er zijn alleen maar één of twee van die superieure lieden voor nodig met heel andere ideeën, die de anderen overhalen of de anderen vervangen of langer leven dan de anderen, en dan is er een republiek naar z'n mallemoer. Die deftige Inver Brass van Sam Winters was niet veel beter dan Bollingers stelletje geteisem uit de directiekamers. Beiden wilden ze de dingen maar op één manier doen. Op hún manier.'
Evan ging naar voren zitten. 'En precies om die redenen...'
De deurbel van de presidentiële suite rinkelde, vier korte stoten die elk niet langer dan een halve seconde duurden. Jennings stak zijn hand op en keek Khalehla aan. 'Dit zult u wel waarderen, juffrouw Rasjad. Wat u zojuist hebt gehoord is een code.'
'Een wát?'
'Nou ja, zo verschrikkelijk geraffineerd is ze niet maar ze werkt. Daardoor weet ik wie er aan de deur staat en de "wie" is in dit geval een van mijn meest waardevolle medewerkers in het Witte Huis. Kom binnen!'
De deur ging open en Gerald Bryce liep naar binnen. Hij sloot de deur stevig achter zich. 'Het spijt me u te moeten lastigvallen, meneer de president, maar ik heb net bericht gekregen uit Beijing en ik wist dat u het zou willen horen.'
'Dat kan wachten, Gerry. Ik zal je even voorstellen...'
'Joe...?' De naam ontglipte aan Kendricks lippen toen hij te-

rugdacht aan een militair vliegtuig naar Sardinië en zich het beeld voor ogen haalde van een knappe jonge specialist van Buitenlandse Zaken.

'Dag, afgevaardigde,' zei Bryce en hij liep op de sofa af, gaf Evan een hand en knikte tegen Khalehla. 'Juffrouw Rasjad.'

'Och, dat is ook zo,' kwam Jennings tussenbeide. 'Gerry zei me dat hij je op de hoogte heeft gebracht in het vliegtuig, op weg naar Oman. Ik wil niet de loftrompet steken waar hij zelf bij is, maar Mitch heeft hem gestolen van Frank Swann bij Buitenlandse Zaken en ik heb hem weer van Mitch gestolen. Hij is een absolute kei in het leggen van verbindingen via de computer en dat helemaal in het geheim. Als iemand nu dus de secretaresses een beetje van zijn lijf kan houden heeft hij misschien wel een toekomst.'

'U maakt me verlegen met uw vriendelijke woorden, meneer,' zei Bryce de efficiënte beroepsman. 'Maar wat Beijing betreft, meneer de president, hun antwoord is bevestigend. Zal ik uw aanbod bevestigen?'

'Dat is weer een andere code,' legde Jennings grijnzend uit. 'Ik zei dat ik in het geheim eens ernstig zou praten met onze meest vooraanstaande bankiers dat ze niet te hebzuchtig moesten worden in Hongkong en het de Chinese banken niet te lastig moesten maken wanneer de overdracht in achtennegentig plaatsvindt. In ruil natuurlijk voor...'

'Meneer de president,' viel Bryce hem in de rede, heel beleefd maar niet zonder een waarschuwende klank.

'O, sorry, Gerry. Ik weet dat het zeer geheim is en hoogst vertrouwelijk en meer van die zaken, maar ik hoop dat de afgevaardigde spoedig van alles op de hoogte zal worden gebracht.'

'Nu u het daar toch over heeft, meneer,' vervolgde de communicatie-expert van het Witte Huis en hij keek even glimlachend naar Kendrick, 'in afwezigheid van uw politieke medewerkers hier in Los Angeles heb ik uw goedkeuring gehecht aan de verklaring van zijn aftreden die vice-president Bollinger heeft opgesteld voor vanavond. Het ligt helemaal in de lijn van uw bedoelingen.'

'Bedoel je dat hij zich vanavond voor de tv voor zijn kop gaat schieten?'

'Dat niet direct, meneer de president. Hij zegt echter wel dat hij van plan is zijn leven te wijden aan het lenigen van de honger in de wereld.'

'Als ik merk dat die rotzak ook maar een reep chocolade jat, dan zit hij voor de rest van zijn leven in Leavenworth.'
'Beijing, meneer. Zal ik het bevestigen?'
'Doe dat maar en zeg maar tegen die dieven dat ik dankbaar ben.' Bryce knikte naar Kendrick en Khalehla en ging weg, waarbij hij opnieuw de deur stevig achter zich dichttrok. 'Waar waren we?'
'Inver Brass,' antwoordde Evan. 'Zij hebben mij op een kunstmatige manier voor het front van het publiek geschoven als iemand die ik niet ben. In zo'n situatie kan mijn nominatie nauwelijks de wil van het volk worden genoemd. Het is een poppenkast.'
'Jíj zou een poppenkast zijn?' vroeg Jennings.
'U weet wat ik bedoel. Ik heb er geen moeite voor gedaan en ik wil het evenmin. Zoals u het zo goed uitdrukte werd ik door manipulaties gedwongen mee te rennen en aan iedereen opgedrongen. Ik heb het niet gewonnen en niet verdiend in de politieke arena.'
Langford Jennings keek Kendrick aandachtig aan; het stilzwijgen wees erop dat hij nadacht maar het was ook gespannen. 'Je hebt het mis, Evan,' zei de president ten slotte. 'Je hebt die nominatie wel gewonnen en ook verdiend. Ik heb het niet over Oman en Bahrein, of zelfs niet over Zuid-Jemen wat nog steeds geheim is – dat zijn gewoon uitingen van persoonlijke moed en opoffering die gebruikt zijn om aanvankelijk de aandacht op je te vestigen. Het is precies hetzelfde als een man die een oorlogsheld is geweest of een astronaut en het is een volkomen aanvaardbare manier om jou voor het voetlicht te brengen. Ik heb dezelfde tegenwerpingen tegen de manier waarop als jij, omdat het in het geheim gebeurde, door mannen die wetten overtraden en zonder het te beseffen de dood van vele mensen veroorzaakten en zich verborgen achter een gordijn van invloed. Maar dat was jij niet, zij waren jou niet. Je hebt het in deze stad verdiend omdat je dingen zei die gezegd moesten worden en het land heeft je gehoord. Niemand heeft er met die televisiebanden geknoeid en niemand heeft die woorden in je mond gelegd. En wat je gedaan hebt achter de schermen in die besloten hoorzittingen over de inlichtingendiensten heeft hele volksstammen het vuur aan de schenen gelegd. Jij stelde vragen waarop geen behoorlijk antwoord kon worden gegeven en een heleboel vastgeroeste bureaucraten die gewend waren hun

goddelijke gang te gaan weten nu nog niet wat er precies is gebeurd; zij weten alleen dat ze in het vervolg maar beter kunnen oppassen. En als laatste, en dat zeg ik, Lang Jennings uit Idaho, jij hebt het land gered van mijn meest fanatieke geldschieters en ik bedoel fanatiek, écht fanatiek. Die zouden ons op een koers hebben gebracht waaraan ik niet eens durf te denken.'
'U zou hen zelf ook wel hebben gevonden. Op een bepaald moment, op een bepaalde plaats zou één van hen te ver zijn gegaan en u zou teruggeslagen hebben en hen allen ontdekt hebben. Ik heb een man gezien die probeerde u onder druk te zetten in het Ovalen Kantoor en hij wist wanneer er een boom boven op hem ging vallen.'
'O, Herb Dennison en die *Medal of Freedom.*' De wereldberoemde grijns van de president was er weer even toen hij lachte. 'Herb was spijkerhard maar hij deed geen kwaad en hij heeft een heleboel dingen opgeknapt die ik zelf liever niet deed. Hij is er nu uitgestapt; het Ovalen Kantoor was de laatste strohalm. Hij werd opgebeld door een van die gerenommeerde firma's aan Wall Street, van het soort waar iedereen lid is van een of andere exclusieve club waar niemand in kan komen en waar jij en ik niet eens in zouden willen komen, dus hij gaat weer terug naar de geldjongens. Herb heeft eindelijk de kolonelsrang die hij altijd hebben wilde.'
'Pardon?' vroeg Kendrick.
'Niets, vergeet het maar. Nationale veiligheid, staatsgeheim en al die onzin meer.'
'Laat ik dan uitspreken wat wij beiden weten, meneer de president. Ik ben er niet geschikt voor.'
'*Geschikt?* Wie is er in hemelsnaam geschikt voor míjn karwei? Niemand!'
'Ik heb het niet over uw baan...'
'Dat zou anders wel kunnen,' viel Jennings hem in de rede.
'Dan ben ik nog in geen duizend jaar geschikt daarvoor. Dat zou ik nooit kunnen zijn.'
'Je bent het nu al.'
'Wát?'
'Luister nou eens naar me, Evan. Ik hou mezelf niet voor de gek. Ik weet heel goed dat ik de fantasie mis en de intellectuele capaciteiten van een Jefferson, en ook van een Adams, een Madison, een Lincoln, een Wilson, een Hoover – ja, ik zei

Hoover, die briljante zeer verguisde man – of een F.D.R., een Truman, een Nixon ja, Nixon die een zwakke plek had in zijn karakter, niet in zijn geopolitieke inzichten – of een Kennedy, of zelfs een briljante Carter, die te veel hersencellen had voor zijn eigen politieke welzijn. Maar we zijn nu in een ander tijdperk aangeland. Vergeet Aquarius maar en zet er *Telerius* voor in de plaats – en dat is het volwassen tijdperk van de televisie; rechtstreekse, onmiddellijke communicatie. Wat ik heb is het vertrouwen van het volk omdat ze de man *zien* en *horen.* Ik zag een natie die verdronk in zelfmedelijden en mislukkingen en ik ben kwaad geworden. Churchill heeft eens gezegd dat de democratie een boel tekortkomingen mag hebben maar dat het toch het beste systeem is dat ooit is uitgevonden. Dat gelóóf ik en ik geloof in al die afgezaagde gezegden dat Amerika het grootste, het sterkste en het vrijgevigste land is op de hele wereld. Je mag me simplistisch noemen maar ik geloof daar wel in. Dat ziet en hoort het volk en we varen er wel bij. We herkennen allemaal weerspiegelingen van onszelf in anderen en ik heb naar je gekeken, naar je geluisterd en alles gelezen wat er over je te zeggen valt en ik heb langdurig gepraat met mijn vriend, Emmanuel Weingrass. Naar mijn zeer sceptische oordeel is dit de baan die jij moet aannemen – bijna of je het wilt of niet.'
'Meneer de president,' opperde Kendrick zacht, 'ik apprecieer alles wat u voor het land hebt gedaan, maar eerlijk gezegd zijn er verschillen tussen ons. U bent voorstander geweest van bepaalde politieke ideeën waar ik niet achter sta.'
'Goeie gód, dat vráág ik niet eens! Nou ja, naar buiten uit zou ik het op prijs stellen als je je mond hield tot je met mij over die kwesties hebt gepraat. Ik vertrouw je, Evan, en ik zal naar je luisteren. Overtuig me maar. Zeg me waar ik fout zit – zonder vrees of blaam – dat heeft dit verrekte ambt nodig! Ik kan me soms laten gaan over bepaalde zaken en ik weet dat iemand me zou moeten tegenhouden. Vraag het maar aan mijn vrouw. Na mijn laatste persconferentie, twee maanden geleden, liep ik onze keuken binnen, boven in het Witte Huis, en ik dacht dat ik wel gefeliciteerd zou worden. In plaats daarvan kreeg ik een paar lellen om mijn oren, zo van "wie denk jij, verdomme, wel dat je bent? Lodewijk de Veertiende met zijn koninklijke decreten? Je was zowat even duidelijk als Donald Duck!". En mijn dochter die bij ons op bezoek was zei zoiets

als dat ze me een grammaticaboek zou geven voor mijn verjaardag. Ik ken mijn beperkingen, Evan, maar ik weet ook waartoe ik in staat ben wanneer ik de béste mensen heb om me te adviseren. Jij hebt de rotzooi opgeruimd! Doe nu maar verder met ons mee.'
'Ik herhaal het, ik ben er niet geschikt voor.'
'De mensen denken dat je dat bent, en ik denk hetzelfde. Daarom heb je die nominatie zo maar voor het oprapen. Maak jezelf niks wijs, je mag dan misschien een gedwongen kandidaat zijn, maar als je die kandidatuur afwijst zou dat een belediging zijn voor miljoenen kiezers, dat hebben de PR-jongens duidelijk gemaakt.'
'PR? Public Relations? Gaat het daar allemaal over?'
'Veel meer dan jij of ik zouden willen, maar ja, het maakt een groot deel uit van alles wat er tegenwoordig aan de hand is. Als je dat zou ontkennen dan ontken je de werkelijkheid. Het is beter dat het mensen zoals jij en ik zijn dan een Djengis Khan of een Adolf Hitler. We kunnen onze meningsverschillen hebben, maar we willen de zaak redden, niet in de soep laten lopen.'
Nu was het de beurt aan Kendrick om de president van de Verenigde Staten aandachtig op te nemen. 'Lieve hemel, u kunt inderdaad toveren met woorden.'
'Dat is mijn geheim van het vak, meneer de vice-president,' zei Jennings met een grijns. 'Dat en een paar dingen waarin ik heilig geloof.'
'Ik weet het niet. Ik weet het gewoon niet.'
'Ik wel,' viel Khalehla hem in de rede en ze pakte Evans hand vast. 'Ik geloof dat actief agente Rasjad echt op non-actief zou moeten gaan.'
'En nóg eens iets,' zei president Langford Jennings met opgetrokken wenkbrauwen. 'Jullie moeten echt gaan trouwen. Het zou voor mijn aanstaande vice-president zeer ongepast zijn als hij in zonde leefde. Ik bedoel maar, kun je je voorstellen wat al die evangelisten die voor zoveel stemmen zorgen zouden doen als jullie huidige staat bekend zou raken? Het past gewoon niet bij mijn imago.'
'Meneer de president?'
'Ja, meneer vice-president?'
'Hou daarover op.'
'Gaarne, meneer. Maar ik zou er graag officieel nog een ver-

klarende voetnoot aan toevoegen – zeg in hemelsnaam niet tegen mijn vrouw dat ik het je heb verteld. Nadat we beiden gescheiden waren hebben we twaalf jaar samengeleefd en we kregen twee kinderen. We zijn in het spreekwoordelijke schuitje gestapt in Mexico, drie weken voor de conventie en we hebben de huwelijksdatum geantedateerd. Nou, dat is nog eens een echt staatsgeheim.'
'We zullen het nooit verder vertellen, meneer de president.'
'Dat weet ik. Ik vertrouw je en ik heb je nodig. En ons land zal beter af zijn met ons beiden – heel waarschijnlijk vanwege jou.'
'Dat betwijfel ik, meneer,' zei Evan Kendrick.
'Ik niet. Meneer de president.'
De deurbel van de presidentiële suite rinkelde opnieuw. Vier korte felle stoten van een halve seconde.